ВОЕННЫЕ МЕМУАРЫ

Э. ФОН МАНШТЕЙН

УТЕРЯННЫЕ ПОБЕДЫ

Москва
«Вече»

УДК 94(100-87)
ББК 63.3(0)62
М23

М23   Манштейн, Э. фон
        Утерянные победы / Э. фон Манштейн. — М. : Вече,
2016. — 688 с., ил. — (Военные мемуары).

        ISBN 978-5-4444-5571-5

        Знак информационной продукции **12+**

Генерал-фельдмаршал Эрих фон Манштейн по праву считается лучшим стратегом Третьего рейха. Он оказался одним из первых представителей вермахта, написавшим подробные мемуары о Второй мировой войне. Даже несмотря на то что в них он постарался максимально приукрасить свои заслуги и свалить часть собственных ошибок на Гитлера и его приближенных, воспоминания Манштейна до сих пор остаются одним из важнейших источников для изучения истории Второй мировой войны.

УДК 94(100-87)
ББК 63.3(0)62

ISBN 978-5-4444-5571-5

ПРЕДИСЛОВИЕ

Генерал-фельдмаршал Манштейн (Эрих фон Левински) был удостоен этого звания в 1942 году, оно как бы подводило итог боевой деятельности (чего он сам не ожидал) уже немолодого 55-летнего гитлеровского полководца.

Справедливости ради следует сказать: Манштейн был одним из талантливых немецких военачальников периода Второй мировой войны. Если отстраниться от политических агрессивных мотивов, ради которых Манштейн осуществлял успешные боевые операции, то можно назвать эти операции весьма искусными. Напомню только разгром французской армии в течение нескольких недель. Манштейн участвовал в разработке оригинального плана войны против Франции и в практическом его осуществлении.

При нападении Германии на Советский Союз Манштейн, будучи еще генералом, командовал танковым корпусом на Ленинградском направлении, затем 11-й армией в Крыму — брал Севастополь. Когда 6-я армия Паулюса попала в окружение под Сталинградом, Гитлер назначил Манштейна командующим вновь созданной группой «Дон» и надеялся, что талантливый фельдмаршал спасет 6-ю армию. Но, видно, период блестящих побед для Манштейна кончился. Армию Паулюса он не выручил, затем были тяжелейшие бои под Курском, потеря «Восточного вала» на Днепре и ряд неудач, уже за Днепром. Но, отмечая военный талант и опыт Манштейна, следует справедливости ради сказать, что в завершающих боях он командовал уже истощенными немецкими армиями и дивизиями, в которых, как он сам говорит, «оставались только номера».

По характеру Манштейн был твердый, очень рассудительный и находчивый военачальник. Он избрал военную службу смолоду, в 1914 году окончил военную академию и Первую мировую войну прошел на командных и штабных должностях.

Манштейн отличался самостоятельностью и оригинальностью мышления. Он знал недостатки Гитлера, долго старался быть к нему лояльным, но, предвидя катастрофу в войне, ради спасения армии и Германии однажды сказал фюреру правду. Это имело для Манштейна печальные последствия.

А произошло следующее. 4 января 1944 года Манштейн прилетел в Ставку фюрера с твердым намерением высказать ему свое мнение о тяжелом положении гитлеровской армии и о том, как избежать катастрофы.

На совещании Гитлер, как обычно, много говорил о политической ситуации.

Манштейн же хотел решать конкретные дела и поэтому, нарушая обычный порядок, при котором все слушали только Гитлера, попросил:

— Мой фюрер, у меня есть несколько неотложных вопросов, и я прошу вас уделить мне лично некоторое время, в присутствии начальника Генштаба.

Гитлер очень насторожился и, не ожидая ничего хорошего от разговора с Манштейном наедине, все же сказал, чтобы остальные вышли из кабинета. Вышли все, включая и стенографиста. Остался только начальник Генштаба генерал Цейтцлер. Манштейн сказал:

— Мой фюрер, я прошу вашего разрешения говорить совершенно открыто.

— Пожалуйста, — холодно сказал Гитлер.

— Надо ясно отдавать себе отчет, мой фюрер, в том, что чрезвычайно критическая обстановка, в которой мы сейчас находимся, объясняется не только неоспоримым превосходством противника. Она является также следствием того, как у нас осуществляется руководство военными действиями.

Гитлер был просто ошарашен таким заявлением и так посмотрел на Манштейна, что тот (как он сам пишет) навсегда запомнил этот взгляд.

Вот что пишет Манштейн: «Я не припомню, чтобы я когданибудь наблюдал взгляд, который так передавал бы силу воли человека... Он уставился на меня такими глазами, как будто хотел своим взглядом заставить меня пасть ниц. Это была, так сказать, борьба без слов, длившаяся в течение нескольких секунд. Я понял, что взглядом своих глаз он запугал или, пользуясь, правда, не подходящим для этого случая выражением, "прижал к ногтю" не одну свою жертву. Однако я продолжал и сказал ему, что из того, как у нас организовано руководство вооруженными силами, ничего не получается».

Дальше Манштейн изложил Гитлеру свою идею, чтобы всеми боевыми действиями руководил один полновластный военачальник. Таким образом, он в открытую не говорил, но намекал Гитлеру, чтобы тот отказался от руководства боевыми действиями фронтов. На это Гитлер ему ответил:

— Только я обладаю всеми средствами государственной власти и могу эффективно руководить военными действиями. Только я в состоянии решать, какие силы могут быть выделены для отдельных театров военных действий и как на них нужно проводить операции. Только мне подчиняются все крупнейшие военачальники, и никому другому такой, например, как Геринг, подчиняться не будет. Никто не обладает таким авторитетом, как я. Даже мне не подчиняются фельдмаршалы! Не думаете ли вы, что вам они будут подчиняться? В случае необходимости я могу смещать их с занимаемых постов, никто другой не может иметь такой власти.

То, чего хотел добиться Манштейн — улучшения вопросов руководства операциями на Восточном фронте путем отхода Гитлера от этой должности, — не состоялось. И Манштейн ни с чем вернулся на «свою» Днепровскую дугу для продолжения напряженнейших боевых действий.

Потерпев фиаско в личном разговоре, Манштейн написал Гитлеру письмо и передал его через начальника Генерального штаба. В основном в этом письме выдвигались те же вопросы, что и при конфиденциальной встрече с фюрером.

27 января в Ставке Гитлера состоялось расширенное совещание, на котором присутствовали все командующие группами армий Восточного фронта, центральное руководство и высокие должностные лица из Ставки фюрера.

В своем докладе фюрер говорил об идеологическом обосновании войны. Говорил довольно долго и утомительно. Главной была мысль о том, что все военные должны безгранично подчиняться национал-социализму. С каким-то даже упреком к высшему командному составу, которому Гитлер, как известно, не доверял, он сказал: «Если судьба в этой борьбе на жизнь и смерть должна лишить нас победы и если эта война по воле Всевышнего должна закончиться для немецкого народа катастрофой, то вы, господа генералы и адмиралы... должны сражаться до последней капли крови за честь Германии. Я говорю, господа, что так должно быть».

Гитлер сделал небольшую паузу и прошелся взором по генералитету. И вот в этой паузе Манштейн вдруг бросил такую фразу:

— Мой фюрер, оно так и будет!

После этой реплики Манштейна пауза не только затянулась, а стала какой-то гнетущей. Дело в том, что эти слова многие присутствующие поняли по-разному. Одни восприняли это как патриотический всплеск в поддержку того, что сказал Гитлер («мы как один умрем за ваши идеи, фюрер»), другие — наоборот — восприняли это как иронию, что, мол, вот до того нас фюрер довел, что мы теперь действительно как один умрем, и ничего нам больше не остается. Гитлер после минуты явной растерянности сказал, чтобы снять напряжение:

— Благодарю вас, фельдмаршал фон Манштейн!

Затем он прервал свою речь, дальше говорить не стал. Был объявлен перерыв.

Во время перерыва Манштейн пил чай в кабинете начальника Генштаба Цейтцлера. Раздался телефонный звонок, и, коротко поговорив по телефону, Цейтцлер сказал Манштейну: «Вас просят зайти в кабинет фюрера».

Когда Манштейн вошел в кабинет Гитлера, тот без всяких предисловий, видимо тоже поразмыслив над репликой фельдмаршала, понял наконец ее подлинный смысл, и поэтому вызвал его к себе и заявил:

— Господин фельдмаршал, я запрещаю перебивать меня во время речи, которую я держу перед генералами. Очевидно, вы сами не позволили бы делать это своим подчиненным.

Манштейн не был готов к такому разговору, да и что скажешь, он действительно не позволил бы никому из своих подчиненных вести себя подобным образом. А Гитлер между тем, заряженный на большую обиду, не ограничился только замечанием по поводу той реплики.

В Ставке было немало недоброжелателей Манштейна, особенно «дули в уши» фюреру Геринг и Гиммлер.

Вскоре Манштейна вызвали в Ставку. Он предчувствовал грозу, но фюрер обошелся с ним вежливо (все же фельдмаршал!) и в буквальном смысле «подсластил пилюлю» — вручил Манштейну высокую награду, так называемые «Мечи» к Рыцарскому кресту.

Затем Гитлер сказал, что на Восточном фронте не предвидится крупных операций, достойных таланта Манштейна, который он, фюрер, ценит очень высоко.

С 3 апреля 1944 года Манштейн — в резерве.

В 1950 году за совершенные военные преступления Манштейн приговорен британским военным трибуналом к 18 годам тюремного заключения. Освобожден по амнистии через три года, в 1953 году.

В годы пребывания под арестом до суда в лагере военнопленных Манштейн написал предлагаемую вниманию читателей книгу «Утерянные победы». Англичане представляли ему и другим немецким генералам, писавшим мемуары, архивные документы германской армии. В названии книги, да и в тексте, главный лейтмотив — ностальгия о несостоявшихся (и так возможных) захватнических планах Германии и оправдание своих ошибок за счет недальновидности фюрера.

Герой Советского Союза,
академик Академии военных наук,
писатель В. Карпов

ПРЕДИСЛОВИЕ АВТОРА

Эта книга представляет собой записки солдата. Я сознательно отказался от рассмотрения в ней политических проблем или событий, не находящихся в непосредственной связи с военными действиями. Следует напомнить слова английского военного писателя Лиддела Гарта:

«Немецкие генералы, участники этой войны, были по сравнению со всеми предыдущими периодами наиболее удачным продуктом своей профессии. Они могли бы только выиграть, если бы у них был более широкий горизонт и если бы они более глубоко понимали ход событий. Но если бы они стали философами, они бы уже не могли быть солдатами».

Я стремился передать то, что я сам пережил, передумал и решил, не после дополнительного рассмотрения, а так, как я это видел в то время. Слово берет не историк-исследователь, а непосредственный участник событий. Хотя я и стремился объективно видеть происходившие события, людей и принимаемые ими решения, суждение участника самих событий всегда остается субъективным. Несмотря на это, я надеюсь, что мои записи не будут лишены интереса и для историка. Ведь и он не в состоянии будет установить истину лишь на основании протоколов и документов. Самое главное — действующие лица, с их поступками, мыслями и суждениями — редко и, конечно, не полностью находит свое отражение в документах или журналах боевых действий.

При описании возникновения плана немецкого наступления на Западе в 1940 году я не последовал указанию генерал-полковника фон Секта: «Офицеры Генерального штаба не имеют имени».

Я считал, что я вправе сделать это, поскольку этот вопрос — без моего участия — уже давно стал предметом обсуждения. Не кто иной, как мой бывший командующий, генерал-фельдмаршал фон Рундштедт, а также наш начальник оперативного отдела, генерал Блюментритт, рассказали историю этого плана Лидделу Гарту (я сам, к сожалению, не был знаком с Лидделом Гартом).

Если я включил в изложение военных проблем и событий и личные переживания, то только потому, что судьба человека занимает свое место и на войне. В последних частях книги личные воспоминания отсутствуют; это объясняется тем, что в тот период забота и тяжесть ответственности заслонили собой все.

В связи с моей деятельностью во время Второй мировой войны события в основном рассматриваются с точки зрения высшего командования. Однако я надеюсь, что описание событий всегда даст возможность сделать вывод, что решающее значение имели самопожертвование, храбрость, верность, чувство долга немецкого солдата и сознание ответственности, а также мастерство командиров всех степеней. Именно им мы обязаны всеми нашими победами. Только они позволили нам противостоять врагам, обладавшим подавляющим численным превосходством.

Одновременно я хотел бы своей книгой выразить благодарность моему командующему в первый период войны, генерал-фельдмаршалу фон Рундштедту, за постоянно проявлявшееся им ко мне доверие, командирам и солдатам всех рангов, которыми я командовал, моим помощникам, в особенности начальникам штабов и офицерам штабов — моей опоре и моим советникам.

В заключение я хочу поблагодарить также и тех, кто помогал мне при записи моих воспоминаний: моего бывшего начальника штаба генерала Буссе и наших офицеров штаба: фон Блюмредера, Эйсмана и Аннуса, далее г-на Гергардта Гюнтера, по совету которого я принялся за записи моих воспоминаний, г-на Фреда Гильдебрандта, оказавшего мне ценную помощь при составлении записей, и г-на инженера Матерне, с большим знанием дела составившего схемы.

МАНШТЕЙН

I
ПОЛЬСКАЯ КАМПАНИЯ

Глава 1
ПЕРЕД НАСТУПЛЕНИЕМ

Далеко от центра. Гитлер отдает приказ о разработке плана развертывания для наступления на Польшу. Штаб группы армий «Юг», генерал-полковник фон Рундштедт. Генеральный штаб и польский вопрос. Польша — буфер между империей и Советским Союзом. Война или блеф? Речь Гитлера перед командующими объединениями в Оберзальцберге. Пакт с Советским Союзом. Несмотря на «бесповоротное» решение Гитлера, мы сомневаемся, действительно ли начнется война. Первый приказ о наступлении отменяется! Сомнения до конца! Кости брошены!

Развитие политических событий после присоединения Австрии к империи я наблюдал, находясь далеко от Генерального штаба.

В феврале 1938 года моя карьера в Генеральном штабе, которая привела меня на пост первого оберквартирмейстера, заместителя начальника Генерального штаба, то есть вторую по значению должность в Генеральном штабе, неожиданно оборвалась. Когда генерал-полковник барон фон Фрич в результате дьявольских интриг партии был отстранен от должности командующего сухопутными силами, одновременно ряд его ближайших сотрудников, в числе которых был и я, был удален из ОКХ (командования сухопутных сил). Будучи назначен на пост командира 18-й дивизии в Лигнице (Легница), я, естественно, не занимался более вопросами, которые входили в компетенцию Генерального штаба.

С начала апреля 1938 года я имел возможность полностью посвятить себя службе на посту командира дивизии. Выполнение этих обязанностей приносило как раз в те годы особое удовлетворение, однако требовало полного напряжения всех сил. Ведь задача увеличения численности армии еще далеко не была выполнена. Более того, непрерывное формирование новых частей постоянно требовало изменения состава уже существовавших соединений. Темпы осуществления перевооружения, связанный с ним быстрый рост в первую очередь офицерского и унтер-офицерского корпуса предъявляли к командирам всех степеней высокие требования, если мы хотели достичь нашей цели: создать хорошо обученные, внутренне спаянные войска, способные обеспечить безопасность империи. Тем большее удовлетворение принесли итоги этой работы, особенно для меня, после долгих лет работы в Берлине получившего счастливую возможность установить непосредственный контакт с войсками. С большой благодарностью я вспоминаю поэтому об этих последних полутора мирных годах и в особенности о силезцах, которые составляли ядро 18-й дивизии. Силезия с давних пор поставляла хороших солдат, и, таким образом, военное воспитание и обучение новых частей было благодарной задачей.

Во время непродолжительной интермедии «цветочной войны»[1], — я имею в виду оккупацию перешедшей в состав империи Судетской области, — я занимал уже место начальника штаба армии, которой командовал генерал-полковник фон Лееб. Находясь на этом посту, я узнал о конфликте, начавшемся между начальником Генерального штаба сухопутных сил, генералом Беком, и Гитлером по чешскому вопросу, приведшем, к моему глубокому сожалению, к отставке начальника Генерального штаба к которому я питаю глубокое уважение. С этой отставкой оборвалась последняя нить, связывавшая меня благодаря доверию Бека с Генеральным штабом.

Поэтому я только летом 1939 года узнал о директиве по развертыванию «Вейс», первом плане наступления на Польшу, разработанном по приказу Гитлера. До весны 1939 года такого плана не существовало. Наоборот, все военные мероприятия на нашей восточной границе были нацелены на оборону, а также обеспечение безопасности в случае конфликта с другими державами.

По директиве «Вейс» я должен был занять пост начальника штаба группы армий «Юг», командующим которой должен был стать ушедший к тому времени уже в отставку генерал-полковник фон Рундштедт. Развертывание этой группы армий должно было, по

---

[1] Игра слов. Имеется в виду «мнимая война». — *Примеч. ред.*

директиве, происходить в Силезии, Восточной Моравии и частично
в Словакии; детали его необходимо было теперь разработать.

Так как штаба этой группы армий в мирное время не существовало, его формирование должно было произойти только при объявлении мобилизации, для разработки плана развертывания был создан небольшой рабочий штаб. Он собрался 12 августа 1939 года на учебном поле Нейгаммер в Силезии. Рабочий штаб возглавлял полковник Генерального штаба Блюментритт. При объявлении мобилизации он должен был занять пост начальника оперативного отдела штаба группы армий. Я считал это большой удачей, ибо меня связывали с этим чрезвычайно энергичным человеком узы взаимного доверия. Они возникли во время нашей совместной работы в штабе армии фон Лееба в период судетского кризиса[1], и мне казалось особенно ценным работать в такие времена вместе с человеком, которому я мог доверять. Подобно тому, как иногда небольшие черточки в характере человека вызывают у нас любовь к нему, так особенно привлекала меня в полковнике Блюментритте его воистину неистощимая энергия при ведении телефонных переговоров. Он работал и без того с невероятной быстротой, но с телефонной трубкой в руке он разрешал лавины мелких вопросов, оставаясь всегда бодрым и любезным.

В середине августа в Нейгаммер прибыл будущий командующий группой армий «Юг» генерал-полковник фон Рундштедт. Все мы знали его. Он был блестяще одаренным военачальником. Он умел сразу схватывать самое важное и занимался только важными вопросами. Все, что являлось второстепенным, его абсолютно не интересовало. Что касается его личности, то это был, как принято выражаться, человек старой школы. Этот стиль, к сожалению, исчезает, хотя он раньше обогащал жизнь нюансом любезности. Генерал-полковник обладал обаянием. Этому обаянию не мог противостоять даже Гитлер. Он питал к генерал-полковнику, по-видимому, подлинную привязанность и, как это ни странно, сохранил ее и после того, как он дважды подвергал его опале. Возможно, Гитлера привлекало в Рундштедте то, что он производил впечатление человека минувших, непонятных ему времен, к внутренней и внешней атмосфере которых он никогда не мог приобщиться.

---

[1] Автор имеет в виду оккупацию Чехословакии немецкими войсками. — *Примеч. ред.*

Кстати, и моя 18-я дивизия в то время, когда штаб собрался в Нейгаммере, находилась на ежегодных полковых и дивизионных учениях на учебном поле.

Мне не нужно говорить, что каждый из нас задумывался над тем, какие огромные события пережила наша родина с 1933 года, и задавал себе вопрос, куда этот путь приведет. Наши мысли и многие интимные беседы были прикованы к вспыхивавшим вдоль всего горизонта зарницам. Нам было ясно, что Гитлер был преисполнен непоколебимой фанатической решимостью разрешить все оставшиеся еще территориальные проблемы, которые возникли перед Германией в результате заключения Версальского договора. Мы знали, что он уже осенью 1938 года начал переговоры с Польшей, чтобы раз навсегда разрешить польско-германский пограничный вопрос. Как проходили эти переговоры и продолжались ли они вообще, нам не было известно. Однако нам было известно о гарантиях, которые Великобритания дала Польше. И я, пожалуй, могу сказать, что никто из нас, солдат, не был настолько самоуверенным, легкомысленным или близоруким, чтобы не видеть в этой гарантии исключительно серьезное предупреждение. Уже по этой причине — наряду с другими — мы в Нейгаммере были убеждены в том, что в конце концов дело все же не придет к войне. Даже если бы план стратегического развертывания «Вейс», над которым мы тогда как раз работали, был бы осуществлен, по нашему мнению, это еще не означало бы начала войны. До сих пор мы внимательно следили за тревожными событиями, исход которых все время висел на волоске. Мы были с каждым разом все больше поражены тем, какое невероятное политическое везение сопровождало до сих пор Гитлера при достижении им его довольно прозрачных и скрытых целей без применения оружия. Казалось, что этот человек действует по почти безошибочному инстинкту. Один успех следовал за другим, и число их было необозримо, если вообще можно именовать успехом тот ряд немеркнущих событий, которые должны были привести нас к гибели. Все эти успехи были достигнуты без войны. Почему, спрашивали мы себя, на этот раз дело должно было обстоять иначе? Мы вспоминали о событиях в Чехословакии. Гитлер в 1938 году развернул свои силы вдоль границ этой страны, угрожая ей, и все же войны не было. Правда, старая немецкая поговорка, гласящая, что кувшин до тех пор носят к колодцу, пока он не разобьется, уже приглушенно звучала в наших ушах. На этот раз, кроме того, дело обстояло рискованнее, и игра, которую Гитлер, по всей видимости, хотел повторить, выглядела опаснее. Гарантия Великобритании теперь лежала на нашем пути. Затем мы также вспоминали об одном заявлении Гитлера, что он никогда не будет таким недалеким, как некоторые государственные деятели 1914 года, развязавшие войну на два фронта. Он это заявил, и, по крайней мере, эти слова говорили о холодном рассудке, хотя его человеческие чувства казались окаменевшими или омертвевшими. Он в резкой форме, но торжественно заявил своим военным советникам, что он не идиот, чтобы из-за города Данцига (Гданьск) или Польского коридора влезть в войну.

ГЕНЕРАЛЬНЫЙ ШТАБ И ПОЛЬСКИЙ ВОПРОС

Польша была для нас источником горьких чувств, так как она по Версальскому договору приобрела немецкие земли, на которые она не могла претендовать ни с точки зрения исторической справедливости, ни на основе права народов на самоопределение. Кроме того, этот факт для нас, солдат, в период слабости Германии был постоянным источником озабоченности. Любой взгляд на географическую карту показывал всю неприглядность создавшегося положения. Какое неразумное начертание границ! Как искалечена наша родина! Этот коридор, разрывающий империю и Восточную Пруссию! Когда мы, солдаты, смотрели на отделенную от страны Восточную Пруссию, у нас были все основания беспокоиться о судьбе этой прекрасной провинции. Несмотря на это, командование вооруженных сил Германии никогда даже не обсуждало вопроса об агрессивной войне против Польши, чтобы положить конец этому положению силой. Отказ от такого намерения исходил из весьма простого соображения военного характера, если отвлечься от всех прочих соображений: агрессивная война против Польши немедленно и неизбежно втянула бы империю в войну на двух или нескольких фронтах, которую она не в состоянии была бы вести. В этот период слабости, явившийся следствием Версальского диктата, мы все время страдали от «cauchemar des coalitions»[1]. И этот кошмар причинял нам еще большие страдания, когда мы думали о том вожделении, с которым широкие круги польского народа все еще взирали, плохо скрывая свои аппетиты, на немецкие земли. Агрессивная война? Нет! Но когда мы без всякой предвзятости, принимая во внимание национальный дух польского народа, рас-

---

[1] Кошмар коалиций (*франц.*).

сматривали возможность путем мирных переговоров за одним столом пересмотреть вопрос о неразумном начертании границ, у нас не оставалось почти никаких надежд. Однако, казалось, совсем не было исключено, что Польша когда-нибудь сама сможет поставить вопрос о границах, угрожая силой оружия. В этом отношении у нас после 1918 года был уже некоторый опыт. Поэтому в тот период слабости Германии не было ошибочным считаться с этой возможностью. Если маршал Пилсудский потерял свое влияние и оно перешло к некоторым националистским польским кругам, то и нападение на Восточную Пруссию, как в свое время удар на Вильно (Вильнюс), было вполне вероятным. Но в таком случае наши рассуждения приводили к определенным политическим выводам. Если бы Польша оказалась агрессором и нам бы удалось отразить наступление, то для Германии создалась бы, очевидно, возможность путем политического контрудара добиться пересмотра неблагоприятного начертания границы. Во всяком случае, руководящие деятели армии не тешили себя несбыточными надеждами. Когда генерал фон Рабенау в книге «Сект. Из моей жизни» цитировал слова генерал-полковника (Секта. — *Примеч. ред.*): «Существование Польши недопустимо; оно несовместимо с жизненными интересами Германии. Она должна исчезнуть в результате собственной внутренней слабости и усилий России... с нашей помощью», то было ясно, что эта точка зрения в результате развития политических и военных событий, по-видимому, устарела. Мы довольно хорошо знали о растущей военной силе и мощи Советского Союза; Франция, страна, обаянию которой так легко поддаться, к сожалению, по причинам, которые трудно установить, по-прежнему относилась к нам враждебно. Она, очевидно, всегда искала бы союзников в нашем тылу. Однако в случае исчезновения польского государства могучий Советский Союз мог стать для империи гораздо более опасным соседом, чем Польша, которая в то время была буферным государством. Устранение буфера, который образовывала Польша (и Литва) между Германией и Советским Союзом, очень легко могло бы привести к конфликту между этими двумя великими державами. Пересмотр польской границы, возможно, находился в интересах обоих государств, однако полная ликвидация польского государства в условиях, которые по сравнению с предыдущим периодом совершенно изменились, вряд ли соответствовала интересам Германии. Итак, лучше было, чтобы Польша, относились ли мы к ней с уважением или нет, находилась между Советским Союзом и нами. Как ни тягостным было для нас, солдат, бессмысленное, содержащее в себе заряд динамита начертание границы, все же Польша как сосед представляла собой меньшую опасность, чем Советский Союз. Естественно, мы вместе со всеми немцами надеялись, что когда-нибудь восточная граница будет пересмотрена с тем, чтобы области с преимущественно немецким населением по естественному праву населяющих их жителей были возвращены империи. Но рост польского населения в них с военной точки зрения был совершенно нежелательным. Требование об установлении связи между Восточной Пруссией и империей вполне можно было бы сочетать с заинтересованностью Польши в собственном морском порту. Так, а не иначе выглядели примерно те суждения о польской проблеме, которые преобладали во времена рейхсвера[1], скажем, с конца двадцатых годов, у солдат, когда речь заходила о военных конфликтах. Затем колесо судьбы снова повернулось. На сцене империи появился Адольф Гитлер. Все изменилось. Коренным образом изменились и наши отношения с Польшей. Империя заключила пакт о ненападении и договор о дружбе с нашим восточным соседом. Мы были освобождены от кошмара возможного нападения со стороны Польши. Одновременно, однако, охладели политические чувства между Германией и Советским Союзом, ибо фюрер, с тех пор как он начал выступать перед массами, достаточно ясно выражал свою ненависть по отношению к большевистскому режиму. В этой новой ситуации Польша должна была чувствовать себя свободнее. Но эта большая свобода не была теперь для нас опасной. Перевооружение Германии и серия внешнеполитических успехов Гитлера делали нереальной возможность использования Польшей своей свободы для наступления против империи. Когда она изъявила свою даже несколько чрезмерную готовность принять участие в разделе Чехословакии, возможность ведения переговоров по пограничному вопросу казалась не исключенной.

Во всяком случае, ОКХ до весны 1939 года никогда не имело в своем портфеле плана стратегического развертывания с целью наступления на Польшу. Все военные приготовления на Востоке носили до этого момента чисто оборонительный характер.

---

[1] Так именовалась германская армия после заключения Версальского договора и до прихода Гитлера к власти. — *Примеч. ред.*

ВОЙНА ИЛИ БЛЕФ?

Неужели осенью 1939 года дело должно было зайти так далеко? Хотел ли Гитлер войны или он, как осенью 1938 года в отношении Чехословакии, собирался применить крайние меры, использовав угрозу военной силы для разрешения данцигского вопроса и вопроса о коридоре, подобно тому, как он в свое время поступил в судетском вопросе?

Война или блеф, вот в чем заключался вопрос, по крайней мере, для того, кто не был знаком с подлинным развитием политических событий, и прежде всего с намерениями Гитлера. А кого вообще Гитлер знакомил со своими действительными намерениями?

Во всяком случае, те военные меры, которые были приняты в августе 1939 года, вполне могли, несмотря на существование плана развертывания «Вейс», иметь своей целью усиление политического давления на Польшу, чтобы заставить ее пойти на уступки. Начиная с лета по приказу Гитлера велись лихорадочные работы по созданию «Восточного вала». Целые дивизии, в том числе и 18-я дивизия, постоянно сменяя друг друга, перебрасывались на несколько недель к польской границе для участия в строительстве этого «Восточного вала». Какой же смысл имело такое расходование сил и средств, если Гитлер хотел напасть на Польшу? Даже в том случае, если он, вопреки всем заверениям, рассматривал возможность ведения войны на два фронта, этот «Восточный вал» воздвигался не там, где это было необходимо. Ибо в таком случае для Германии всегда было бы единственно правильным в первую очередь совершить нападение на Польшу и повергнуть ее, на западе же ограничиваться оборонительными боями. О противоположном решении — наступление на западе, оборона на востоке — при существовавшем тогда соотношении сил не могло быть и речи. Для наступления на западе тогда не существовало также никаких планов, да и не велось никакой подготовки. Итак, если строительство «Восточного вала» в создавшейся в то время обстановке и имело какой-либо смысл, то он, очевидно, заключался только в том, чтобы оказать на Польшу давление путем сосредоточения крупных масс войск на польской границе. Начавшееся в третьей декаде августа развертывание пехотных дивизий на восточном берегу Одера и выдвижение танковых и моторизованных дивизий в районы сосредоточения, вначале западнее Одера, не должны были обязательно рассматриваться как действительная подготовка к наступлению, а могли являться средством политического нажима.

Как бы то ни было, программа обучения войск в мирных условиях продолжала спокойно осуществляться. 13—14 августа 1939 года в Нейгаммере я проводил последние учения моей дивизии, которые завершились прохождением войск перед генерал-полковником фон Рундштедтом. 15 августа 1939 года проводились большие артиллерийские учения во взаимодействии с авиацией. При этом произошел трагический инцидент. Целая эскадрилья пикирующих бомбардировщиков — очевидно, неверно была указана высота слоя облаков — во время пикирования врезалась в лес. 16 августа 1939 года проводилось еще одно полковое учение. Затем подразделения дивизии возвратились к местам своего расквартирования, которые им, правда, через несколько дней пришлось оставить, чтобы двинуться к границам Нижней Силезии.

19 августа генерал-полковник фон Рундштедт и я получили приказ 21 августа прибыть на совещание в Оберзальцберг. 20 августа мы выехали из Лигница (Легница) автомашиной до района Линца, где мы переночевали у моего зятя, имевшего там имение. 21 августа утром мы прибыли в Берхтесгаден. К Гитлеру были вызваны все командующие группами армий, а также командующие армиями со своими начальниками штабов и соответствующие им по должности командующие авиационными и военно-морскими соединениями.

Совещание или, скорее, речь, с которой Гитлер обратился к военачальникам, — он не допускал больше никакого обсуждения после событий, которые имели место в прошлом году перед чешским кризисом во время совещания с начальниками штабов, — была произнесена в большом зале замка Берггоф, из которого открывался вид на Зальцбург. Незадолго перед приходом Гитлера появился Геринг. Мы были поражены его видом. Я считал, что мы приглашены на серьезное совещание. Геринг, по-видимому, явился на маскарад. На нем была белая рубашка с отложным воротником и зеленый кожаный жилет с большими желтыми пуговицами, обтянутыми кожей. Картину дополняли брюки до колен и длинные шелковые носки серого цвета, которые сильно подчеркивали огромные размеры его икр. На фоне этих тонких носков выделялись массивные ботинки. Но все, безусловно, затмевал украшавший его живот кинжал, болтавшийся на поясе из красной кожи, щедро отделанном золотом, в ножнах из кожи такого же цвета, с золотыми украшениями. Я мог только шепнуть моему соседу генералу фон Зальмуту: «Толстяку, видно, поручена "охрана зала"?»

Обвинением на Нюрнбергском процессе по делу германского Генерального штаба были представлены различные так называемые «документы» о речи Гитлера на этом совещании. В одном из них утверждалось, что Гитлер в своей речи употреблял самые сильные выражения и что Геринг от радости в связи с предстоящей войной якобы вскочил на стол и воскликнул «Хайль». В этом нет ни грана истины. Гитлер не произносил тогда и таких слов, как «я боюсь, что в последний момент какой-нибудь стервец придет ко мне с предложением о посредничестве». Речь Гитлера, правда, была выдержана в духе ясной решимости, но он был слишком хорошим психологом для того, чтобы не знать, что ругательствами или тирадами нельзя воздействовать на людей, которые присутствовали на этом совещании.

Содержание его речи в основном правильно изложено в книге Грейнера «Руководство вооруженными силами Германии в 1939— 43 гг.». Грейнер основывается при этом на устной передаче содержания этой речи полковником Варлимонтом для журнала боевых действий и на стенографической записи адмирала Канариса. Заслуживают внимания также некоторые записи из дневника генерал-полковника Гальдера, хотя мне представляется возможным, что в дневнике, как и в передаче содержания полковником Варлимонтом и Канарисом, есть и высказывания, которые они слышали от Гитлера при других обстоятельствах.

На нас, генералов, не входивших в состав верховного руководства, речь Гитлера произвела следующее впечатление: Гитлер принял категорическое решение немедленно разрешить германо-польский вопрос, даже ценой войны. Если Польша перед лицом уже начавшегося, хотя еще и замаскированного развертывания германской армии подчинится немецкому нажиму, достигшему уже своего кульминационного пункта, мирное решение отнюдь не исключено. Гитлер убежден, что западные державы в решительный момент опять не возьмутся за оружие. Он особенно подробно обосновал это мнение. Его аргументы сводились в основном к следующему: отставание Великобритании и Франции в области вооружения, в особенности авиации и противовоздушной обороны; практическая невозможность для западных держав оказать эффективную помощь Польше, помимо наступления через «Западный вал», на которое оба народа, в связи с необходимостью принести большие человеческие жертвы, вряд ли пойдут; внешнеполитическая обстановка, в особенности напряженное положение в районе Средиземного моря, значительно ограничивающее свободу действий, в первую очередь

Великобритании; внутриполитическая обстановка во Франции; наконец, но не в последнюю очередь, личности руководящих государственных деятелей — ни Чемберлен, ни Даладье не взяли бы на себя принятие решения об объявлении войны.

Хотя оценка положения, в котором находились западные державы, и казалась логичной и во многих пунктах правильной, я все же не думаю, что слова Гитлера окончательно убедили собравшихся. Британские гарантии, правда, были почти единственным аргументом, который можно было противопоставить высказываниям Гитлера. Но все же и он был весьма веским!

То, что Гитлер говорил о возможной войне против Польши, по моему мнению, не могло быть понято как политика уничтожения, как это утверждало обвинение в Нюрнберге. Если Гитлер требовал быстрого и решительного уничтожения польской армии, то это, если перевести это требование на военный язык, как раз и являлось целью, которую в конце концов преследует всякая крупная наступательная операция. Никто из нас, во всяком случае, не мог понять его высказываний в том направлении, в котором он позже действовал против поляков.

Наибольшей неожиданностью и одновременно самым глубоким впечатлением, естественно, было сообщение о предстоящем заключении пакта с Советским Союзом. На пути в Берхтесгаден мы уже узнали из газет о заключении в Москве торгового соглашения, которое в тогдашней обстановке само по себе являлось сенсацией. Теперь Гитлер сообщил, что присутствовавший на совещании министр иностранных дел фон Риббентроп, с которым он в нашем присутствии попрощался, вылетает в Москву для заключения со Сталиным пакта о ненападении. Тем самым, говорил он, у западных держав выбиты из рук главные козыри. Блокада Германии также теперь не достигнет результата. Гитлер намекнул, что он для того, чтобы создать возможность для заключения пакта, пошел на серьезные уступки Советскому Союзу в Прибалтике, а также в отношении восточной границы Польши. Из его слов, однако, нельзя было сделать вывод о полном разделе Польши. В действительности Гитлер, как это сегодня известно, еще во время польской кампании рассматривал вопрос о сохранении оставшейся части Польши.

Прослушав речь Гитлера, ни генерал-полковник фон Рундштедт, ни я, ни, очевидно, кто-нибудь из остальных генералов не пришли к выводу о том, что теперь при любых обстоятельствах дело дойдет до войны. Два соображения особенно, казалось, заставляли сделать вывод, что в последнюю минуту все же, как и в Мюнхене, будет достигнут мирным путем компромисс.

Первое соображение заключалось в том, что в результате заключения пакта с Советским Союзом положение Польши стало безнадежным. Если учесть, что следствием этого было лишение Англии орудия блокады и что действительно для оказания помощи Польше она могла пойти только по кровавому пути наступления на западе, то казалось вероятным, что Англия под нажимом Франции посоветует Польше пойти на уступки. С другой стороны, Польше должно было теперь стать ясно, что британские гарантии практически потеряли силу. Более того, она должна была считаться с тем, что в случае войны с Германией в ее тылу выступят Советы, чтобы добиться осуществления своих старых требований в отношении Восточной Польши. Как же в такой обстановке Варшава могла не пойти на уступки?

Другое соображение было связано с фактом проведения совещания, в котором мы только что приняли участие. Какова была его цель? До сих пор в военном отношении намерение напасть на Польшу тщательно скрывалось. Сосредоточение дивизий в пограничной полосе мотивировалось строительством «Восточного вала». Для маскировки подлинной цели переброски войск в Восточную Пруссию подготавливалось грандиозное празднование годовщины сражения под Танненбергом. Подготовка к крупным маневрам механизированных соединений продолжалась до последнего момента. Развёртывание проводилось без официального объявления мобилизации. Было очевидно, что все эти мероприятия не могут остаться неизвестными полякам, что они, следовательно, носят характер политического нажима, однако они были окружены большой тайной, и применялись все средства маскировки. Теперь же, в кульминационной точке кризиса, Гитлер вызвал всех высших офицеров вооруженных сил в Оберзальцберг — факт, который ни при каких обстоятельствах не мог оставаться в тайне. Нам он казался вершиной сознательно проводящейся политики блефа. Итак, Гитлер, несмотря на воинственный дух своей речи, все же стремился к компромиссу? Не должно ли было именно это совещание преследовать цель последнего нажима на Польшу?

Во всяком случае, с такими мыслями генерал-полковник фон Рундштедт и я выехали из Берхтесгадена. В то время как генерал-полковник направился прямо в наш штаб в Нейссе (Ниса), я на один день остановился в Лигнице (Легница), где жила моя семья, — еще один признак того, насколько мало я внутренне верил в то, что скоро начнется война.

24 августа 1939 года в 12 часов дня генерал-полковник фон Рундштедт принял командование группой армий. 25 августа в 15 ч. 25 м. из ОКХ прибыл шифрованный приказ: «Операция "Вейс", первый день "у" — 26.8, 4 ч. 30 м.».

Решение о начале войны, в которую мы до той поры не хотели верить, было, следовательно, принято.

Я сидел с генерал-полковником фон Рундштедтом в нашем штабе в монастыре Гейлигес Кройц в Нейссе (Ниса) за ужином, когда в 20 ч. 30 м. из ОКХ был передан по телефону следующий приказ: «Открывать военные действия запрещено. Немедленно остановить войска. Мобилизация продолжается. Развертывание по плану "Вейс" и "Вест"[1] продолжать, как намечено».

Каждый солдат может понять, что означает это изменение приказа о наступлении в последний момент. Три армии, находившиеся на марше к границе в районе, простирающемся от Нижней Силезии до Восточной Словакии, необходимо было остановить в течение нескольких часов; при этом надо учесть, что все штабы, по крайней мере до штабов дивизий включительно, также находились на марше и что по соображениям маскировки радиосвязь еще не была разрешена. Несмотря на все трудности, все же удалось всюду своевременно передать приказ. Прекрасное достижение органов управления и связи! Один моторизованный полк в Восточной Словакии удалось, правда, задержать только благодаря тому, что посланный на самолете «Физелер-Шторх» офицер ночью совершил посадку у самой головы колонны полка.

О причинах, которые побудили Гитлера, по-видимому, в последний момент изменить свое решение начать войну, мы ничего не узнали. Говорили только, что еще ведутся переговоры.

Можно легко понять, что мы, солдаты, были неприятно поражены подобными методами главного командования. Ведь решение о начале войны в конце концов является самым ответственным решением главы государства.

Как можно было принять такое решение, чтобы затем через несколько часов снова отменить его? Следовало прежде всего учесть, что подобная отмена с военной точки зрения должна была привести к тяжелым последствиям. Как я уже говорил при описании совещания в Оберзальцберге, все было рассчитано на внезапное нападение на противника. Не было официально объявленной мобилизации. Первым днем мобилизации было 26 августа, то есть день только что приоста-

---

[1] На Западном фронте. — *Примеч. ред.*

новленного наступления. Вследствие этого наступление должно было осуществляться не только силами всех танковых и моторизованных соединений, но ограниченным количеством пехотных дивизий, которые частично уже находились в пограничном районе, частично были в спешном порядке приведены в мобилизационную готовность. Теперь о внезапном нападении на противника не могло быть и речи. Ибо если выдвижение в районы сосредоточения в пограничной полосе и проводилось ночью, о нем все же не могло не быть известно противнику, прежде всего потому, что моторизованные части должны были уже днем выступить из районов сосредоточения западнее Одера, чтобы форсировать его. В результате этого теперь — если дело вообще дойдет до войны — должен был вступить в силу второй вариант: наступление всеми силами, приведенными в мобилизационную готовность. Момент внезапности, во всяком случае, был потерян.

Так как нельзя было предположить, что Гитлер принял свое первое решение о начале военных действий непродуманно и легкомысленно, для нас оставался только один вывод, что все это по-прежнему было дипломатической тактикой постоянного усиления нажима на противника. Когда поэтому 31 августа в 17 часов снова прибыл приказ: «"у" — 1.9, 4 ч. 45 м.», генерал-полковник Рундштедт и я были весьма скептически настроены. К тому же не поступило никаких сообщений относительно прекращения переговоров. В соединениях группы армий на всякий случай с учетом опыта 25 августа все было подготовлено для того, чтобы обеспечить прекращение продвижения войск даже в самый последний момент, если события повторятся. Генерал-полковник фон Рундштедт и я до полуночи не ложились спать, ожидая все еще казавшегося нам вполне возможным приказа остановить продвижение.

Только когда миновала полночь и исчезла всякая возможность задержать продвижение, уже не могло быть никакого сомнения, что теперь дело будет решать оружие.

Глава 2
ОПЕРАТИВНАЯ ОБСТАНОВКА

Решающие факторы; превосходство германских вооруженных сил и географическое положение Польши. Риск на западе. Силы германской армии и оперативный план. Силы польской армии и ее оперативный план. Замечания к развертыванию польской армии. Польша хочет «прикрыть все». Мечты Польши о наступлении. Как Польша могла развернуть военные действия? Борьба за выигрыш времени, жесткая оборона только за Наревом, Вислой и Саном. Прикрытие глубоких флангов. Западные державы бросают Польшу на произвол судьбы. Извинения главнокомандующего союзников.

Оперативная обстановка в польской кампании решающим образом определялась следующими факторами:

во-первых, превосходством германских вооруженных сил в том случае, если командование германской армии пойдет на большой риск на западе, бросив большую часть своих сил против Польши;

во-вторых, географическим положением, которое позволяло немцам взять польскую армию в клещи — ударом из Восточной Пруссии, Померании, Силезии и Словакии;

в-третьих, скрытой угрозой Польше с тыла со стороны Советского Союза.

СИЛЫ ГЕРМАНСКОЙ АРМИИ И ОПЕРАТИВНЫЙ ПЛАН

Немецкое командование полностью пошло на упоминавшийся выше риск на западе.

ОКХ выставило против Польши 42 кадровые дивизии, в том числе вновь сформированную танковую дивизию (10 тд), а также вновь сформированную пехотную дивизию (50 пд), в состав которой вошли части, возводившие укрепления в дуге Одер — Варта. Итого — 24 пехотные дивизии, 3 горнострелковые дивизии, 6 танковых дивизий, 4 легкие дивизии, 4 моторизованные пехотные дивизии и 1 кавалерийская бригада. К этому следует добавить еще 16 дивизий, укомплектованных только после мобилизации (2—4 эшелоны)[1], которые, однако, пока еще не могли считаться полноценными. Кроме того, Восточной армии были подчинены лейб-штандарт[2] и еще один или два усиленных полка СС.

---

[1] Вновь сформированные дивизии 2-го и 4-го эшелонов имели в своем составе лишь небольшое число кадровых подразделений, а дивизии 3 эшелона совсем не имели их. Они были слабее кадровых дивизий. Этим дивизиям требовалось больше времени для приведения их в мобилизационную готовность. — *Примеч. автора.*

[2] Полк личной охраны Гитлера, преобразованный впоследствии в моторизованную дивизию СС. — *Примеч. ред.*

На западе же осталось лишь 11 кадровых пехотных дивизий, крепостные части силой до дивизии (будущая 72 пехотная дивизия) и 35 дивизий, которые были заново сформированы (2—4 эшелоны). Танковых или моторизованных соединений на западе не имелось. Итого — 46 дивизий, из которых, однако, $3/4$ могли быть признаны лишь условно годными для участия в боевых действиях.

Обученная и оснащенная как воздушно-десантная 22-я пехотная дивизия оставалась в резерве ОКХ на территории Германии. Большая часть военно-воздушных сил в составе двух воздушных флотов использовалась на польском фронте, в то время как 3-й воздушный флот, более слабого состава, остался на западе.

Риск, на который пошло немецкое командование подобным распределением сил, безусловно, был очень большим. Вследствие неожиданно быстрого окончания польской кампании, причиной которого отчасти были и ошибки побежденной стороны и прежде всего полное бездействие западных союзников, спокойно следивших за поражением Польши, этот риск никогда не был по заслугам оценен. Необходимо, однако, принять во внимание, что немецкое командование должно было считаться с французской армией, насчитывавшей около 90 дивизий. И действительно, Франция осенью 1939 года (по фон Типпельскирху[1]) в течение трех недель отмобилизовала 108 дивизий. В их числе было 57 пехотных, 5 кавалерийских, 1 танковая и 45 резервных и территориальных дивизий и, кроме того, крупные части РГК, в том числе танки и артиллерия[2]. Последние имели преимущество перед аналогичными немецкими формированиями, заключавшееся в том, что они состояли из солдат, прошедших действительную службу, в то время как вновь сформированные немецкие части в значительной степени состояли из солдат, прошедших неполный курс обучения, и резервистов — ветеранов Первой мировой войны.

Таким образом, не подлежит сомнению, что французская армия с первого же дня войны во много раз превосходила немецкие силы, действовавшие на Западном фронте.

Участие британской армии в операциях сухопутных сил было, правда, весьма незначительным. Великобритания выставила для

---

[1] Имеется в виду его книга «История Второй мировой войны». — *Примеч. ред.*

[2] Часть сил французской армии оставалась пока еще в Северной Африке и на альпийской границе. — *Примеч. автора.*

этой цели только 4 дивизии, но и они прибыли на театр военных действий только в первой половине октября.

Немецкий оперативный план в войне против Польши основывался на полном использовании возможностей, вытекавших из начертания границ, для охвата противника с обоих флангов.

Немецкая армия наступала двумя далеко отстоявшими друг от друга фланговыми группами, почти полностью отказавшись от действий в центре (дуга Одер – Варта).

Группа армий «Север» (командующий – генерал-полковник фон Бок, начальник штаба – генерал фон Зальмут) имела в своем составе две армии «насчитывавшие: 5 пехотных корпусов и 1 танковый корпус, объединявшие 9 кадровых дивизий (в том числе 50 пд, сформированную из крепостных частей неполного состава); 8 пехотных дивизий, сформированных во время мобилизации; 2 танковые дивизии (а также вновь сформированное танковое соединение Кемпфа); 2 мотопехотные дивизии и 1 кавалерийскую бригаду. Всего, следовательно, – 21 дивизию. К ним следует прибавить находившиеся в Восточной Пруссии крепостные части Кёнигсберга (Калининград) и Лётцена (Гижицко) и в Померании – бригаду Нетце.

Группа армий произвела развертывание 3-й армии (генерала фон Кюхлера) в Восточной Пруссии и 1-й армии (генерал-полковника фон Клюге) в Восточной Померании.

Задача группы армий состояла в том, чтобы первоначально нанести удар через коридор, затем большей частью сил быстро продвинуться восточнее Вислы на юго-восток и юг и после форсирования Нарева нанести удар в тыл польским частям, которые, очевидно, будут оборонять рубеж Вислы.

Группа армий «Юг» (командующий – генерал-полковник фон Рундштедт, начальник штаба – генерал фон Манштейн) обладала значительно большими силами. В ее состав входили 3 армии (14-я армия генерал-полковника Листа, 10-я армия генерал-полковника фон Рейхенау, 8-я армия генерал-полковника Бласковица). Всего группа армий располагала 8 пехотными корпусами и 4 танковыми корпусами, имевшими в своем составе 15 кадровых пехотных дивизий, 3 горнострелковые дивизии, 8 вновь сформированных дивизий, а также большую часть механизированных соединений: 4 танковые дивизии, 4 подвижные дивизии и 2 мотопехотные дивизии. Итого – 36 дивизий.

Группа армий осуществляла развертывание: силами 14-й армии – в промышленной области Верхняя Силезия, в восточной части Моравии и в Западной Словакии; силами 10-й армии — в районе Кройцбурга (Ключборк) и южнее его (Верхняя Силезия) и 8-й армии — в Центральной Силезии восточнее Эльса (Олешница). Ее задача состояла в том, чтобы разбить противника в большой дуге Вислы и в Галиции, быстро продвинуться механизированными соединениями к Варшаве и как можно быстрее на широком фронте захватить переправы через Вислу с целью разгрома остатков польской армии во взаимодействии с группой армий «Север».

СИЛЫ ПОЛЬСКОЙ АРМИИ И ЕЕ ОПЕРАТИВНЫЙ ПЛАН

Польша располагала в мирное время 30 пехотными дивизиями, 11 кавалерийскими бригадами, 1 горной бригадой и 2 механизированными (танковыми) бригадами. Кроме того, имелись несколько полков пограничной охраны, большое количество батальонов национальной обороны и части морской пехоты, расположенные в районе Гдинген (Гдыня) — Хела (Хелмжа) (данные по книге Германа Шнейдера «Записки об оперативной обстановке в Польше» и из журнала «Милитервиссеншафтлихе рундшау» за 1942 год).

В общей сложности польские вооруженные силы, таким образом, представляли собой сравнительно большую силу. Однако вооружение польской армии относилось в основном к периоду Первой мировой войны. Авиация, насчитывавшая около 1000 самолетов, также не отвечала современным требованиям. Противовоздушная оборона была недостаточной (по книге фон Типпельскирха «История Второй мировой войны»).

Немецкая сторона считала, что Польша в случае войны удвоит количество своих дивизий, хотя казалось сомнительным, имеется ли полностью необходимое для этого вооружение. По фон Типпельскирху, Польша в 1939 году перед началом войны сформировала только полки и другие подразделения для 10 резервных дивизий. Однако, по-видимому, не удалось объединить все эти подразделения и части в дивизии, в состав которых они должны были войти. Тем не менее во время этой кампании в сведениях, которые имела немецкая сторона о противнике, упоминался ряд резервных дивизий. Указанные выше силы командование польской армии (по фон Типпельскирху и Г. Шнейдеру) распределило следующим образом:

— вдоль границы Восточной Пруссии перед рубежом Бобр (Бебжа) — Нарев — Висла должна была действовать оперативная группа в составе 2 дивизий и 2 кавалерийских бригад между Сувалками и Ломжей;

— по обе стороны от Млавы — Модлинская армия в составе 4 дивизий и 2 кавалерийских бригад.

В коридоре была сосредоточена Померанская армия в составе 5 дивизий и 1 кавалерийской бригады.

Перед германской границей от Варты до словацкой границы должны были действовать 3 армии:

— Познанская армия в западной части провинции Познань — в составе 4 дивизий и 2 кавалерийских бригад;

— Лодзинская армия в районе Велюнь — в составе 4 дивизий и 2 кавалерийских бригад;

— Краковская армия между Ченстоховом и Ноймаркт (Новы-Тарг) — в составе 6 дивизий, 1 кавалерийской бригады и 1 мотобригады.

За последними двумя армиями в районе Томашув — Кельце была сосредоточена Прусская армия в составе 6 дивизий и 1 кавалерийской бригады.

Наконец, Карпатская армия, состоявшая главным образом из резервных частей и батальонов национальной обороны, имела задачей глубоко эшелонированным построением прикрывать глубокий фланг вдоль Карпат от Тарнува до Лемберга (Львов).

Резервная группа (Пискорская армия) в составе 3 дивизий и 1 мотобригады оставалась на Висле в районе Модлина, Варшавы, Люблина.

Кроме того, уже в ходе самой кампании восточнее Буга была образована особая Полесская группа, по-видимому, для обеспечения от нападения России.

Но когда началось немецкое наступление, развертывание сил польской армии еще не было окончено, и, очевидно, изложенный выше план удалось осуществить лишь частично.

ЗАМЕЧАНИЯ К РАЗВЕРТЫВАНИЮ СИЛ ПОЛЬСКОЙ АРМИИ

Пожалуй, трудно установить, в чем состоял оперативный замысел, положенный в основу плана развертывания польской армии, если только это не было желанием «прикрыть все», или, может быть, правильнее будет сказать, ничего не отдавать добровольно. Это желание в случае его осуществления приводит слабейшую сторону, как правило, к поражению. Этот вывод — несколько лет позже — должен был бы сделать и Гитлер, хотя он и никогда не отдавал себе в этом отчета.

Сложность оперативной обстановки для Польши, вызванная возможностью немецкого наступления с двух, а позже даже с трех направлений и относительной слабостью польских вооруженных сил, была сама по себе достаточно ясной. Если командование польской армии тем не менее решилось на попытку «прикрыть все», то это свидетельствует только о том, как трудно, по-видимому, учитывать военные факторы, когда на первый план выступают психологические и политические соображения.

В Польше — за исключением маршала Пилсудского и еще немногих трезвомыслящих политических деятелей, — очевидно, никто никогда ясно не представлял себе всю опасность положения, в котором оказалась страна в результате удовлетворения несправедливых территориальных претензий по отношению к своим соседям — России и Германии. Польша насчитывала только 35 миллионов жителей, из которых опять-таки было только 22 миллиона поляков, в то время как остальная часть принадлежала к немецкому, украинскому, белорусскому и еврейскому меньшинству, подвергавшемуся без всякого исключения в той или иной степени угнетению.

Наряду с этим Польша, полагавшаяся на союз с Францией в годы военной слабости Германии (и Советского Союза), видно, слишком долго предавалась мечтам о возможности наступления на Германию. Одни собирались внезапно напасть на изолированную Восточную Пруссию или — как это пропагандировал польский союз инсургентов — на немецкую Верхнюю Силезию, другие — даже предпринять марш на Берлин, будь то по кратчайшему пути через Познань и Франкфурт на Одере или, после захвата Верхней Силезии, путем нанесения удара западнее Одера на столицу империи.

Правда, подобные мечтания стали беспочвенными уже в результате строительства немецких укреплений на дуге Одер — Варта, а позже — в результате вооружения Германии. Однако агрессивные планы такого рода еще не совсем исчезли из голов польских политических и военных деятелей, так как они надеялись на одновременное французское наступление на западе. Во всяком случае, описанный выше план развертывания польской армии, хотя он вначале и был рассчитан в общих чертах на оборону, допускал предположение о том, что он оставляет одновременно открытой возможность на более поздней стадии — как только придет на помощь Франция — начать наступление.

Польский Генеральный штаб еще не имел своей подкрепленной многолетним опытом военной доктрины. Вообще говоря, польскому темпераменту больше соответствовала идея наступления, чем обороны. Романтические представления минувших времен, по крайней мере подсознательно, еще сохраняли свою силу в головах польских солдат. Я вспоминаю картину, на которой был изображен маршал Рыдз-Смиглы на фоне атакующих польских кавалерийских эскадронов. С другой стороны, вновь созданная польская армия училась у французов. От них она вряд ли могла получить импульс для быстрого, гибкого управления операциями; скорее она могла позаимствовать опыт ведения позиционной войны, который приобрел господствующее положение в умах французских военачальников со времен Первой мировой войны.

Таким образом, возможно, что в основе плана развертывания польской армии, кроме желания «ничего не отдавать», вообще не было никакой ясной оперативной идеи; существовал лишь компромисс между необходимостью обороняться от превосходящих сил противника и прежними заносчивыми планами наступления. При этом одновременно впадали в заблуждение, считая, что немцы будут вести наступление по французскому образцу и что оно скоро примет застывшие формы позиционной войны. Интересным в этой связи является секретное сообщение, которое мы получили незадолго до начала войны, о том, что поляки якобы собираются предпринять наступление. Оно поступило из источника, который считался до тех пор весьма надежным, от лица, находившегося в непосредственном окружении президента Польши, маршала Рыдз-Смиглы, главнокомандующего польской армией. В сообщении говорилось, что поляки собираются начать наступление, развернув крупные силы в Познанской провинции. Самым примечательным, однако, было то, что эти планы, как сообщалось, якобы были разработаны по предложению или требованию Великобритании! В сложившейся тогда обстановке это известие показалось нам весьма неправдоподобным. Правда, позднее мы получили подтверждение, что поляки действительно сосредоточили сравнительно крупные силы в Познанской провинции, хотя удар немецкой армии на Познань был бы для них наименее опасным. Познанской армии суждено было закончить свое существование в сражении на берегах Бзуры. С другой стороны, у Польши не было недостатка в трезво мыслящих советниках. Как пишет полковник Герман Шнейдер в журнале «Милитервиссеншафтлихе рундшау» от 1942 года, французский генерал Вейган предложил перенести оборону за линию Неман — Бобр (Бебжа) — Нарев — Висла — Сан. Это предложение с оперативной точки зрения было единственно правильным, так как оно исключало возможность охвата со стороны Германии и одновременно обеспечивало значительно лучшие возможности для обороны на речных рубежах от немецких танковых соединений. К тому же эта линия простиралась только на 600 км в противоположность большой дуге в 1800 км, которую образовывала польская граница от Сувалок до перевалов через Карпаты. Но принятие этого предложения означало бы отказ от всей Западной Польши с наиболее ценными промышленными и сельскохозяйственными районами страны. Вряд ли можно предположить, что какое-либо польское правительство устояло бы после принятия такого решения. Кроме того, отход на такое большое расстояние, очевидно, не мог бы способствовать принятию французами решения о наступлении на западе, и неясно, не вызвала ли бы отдача всей Западной Польши немцам желание у Советов немедленно закрепить за собой свою долю в Восточной Польше.

Вследствие этого, как об этом сообщает полковник Шнейдер, директор польской военной академии генерал Кутшеба в меморандуме, который он направил в начале 1938 года маршалу Рыдз-Смиглы, нашел другое решение. Он настаивал на том, что нельзя отдавать «основной стратегический костяк Польши», к которому он относил как промышленные районы — Лодзь и Верхнюю Силезию; так и важные сельскохозяйственные районы — Познань, Кутно и Кельце. Поэтому он предложил план развертывания, который в основных чертах совпадал с планом, осуществленным в 1939 году, хотя он и предусматривал отказ от защиты коридора и Познанской провинции западнее Варты. Для укрепления обороны Польши предусматривалось построить большое количество укреплений, причем как южнее границы с Восточной Пруссией, так и на большой дуге от Грауденца (Грудзёнз) до Познани, а также на силезской границе от Острово через Ченстохов до района Тешена (Чески — Тешин). Одновременно, однако, имелось в виду оставить «ворота для наступления», через которые в дальнейшем намечалось нанести удар по Восточной и Западной Пруссии, а также Силезии. То, что строительство достаточно мощных укреплений в таком большом масштабе выходило бы за рамки возможностей, которыми располагала Польша, совершенно очевидно. Впрочем, генерал Кутшеба признавал, что Польша уступает Германии в отношении своей

военной мощи. Что касается французской помощи, то он относился
к ней трезво, считая, что Польша в течение первых 6—8 недель,
даже при оказании Францией активной военной помощи в полном
объеме, будет предоставлена сама себе. Поэтому он предусмотрел
«стратегическую оборону» по переднему краю упомянутого выше
«костяка», внутри которого должны быть сосредоточены резервы
для последующих решающих операций.

Как уже было сказано, развертывание, проводившееся Польшей
в 1939 году, во многом совпадало с предложением генерала. Правда,
последний предлагал сосредоточить главные усилия в районе Торн
(Торунь) — Бромберг (Быдгощ) — Гнезен (Гнезно), в то время как
в 1939 году скорее можно было говорить о двух таких районах, одном
вдоль границ Восточной Пруссии и другом — против Силезии.

Развертывание польской армии в 1939 году, которое имело целью прикрыть все, включая район коридора и выдающуюся вперед
Познанскую провинцию, при учете описанных выше возможностей
охвата со стороны Германии и ее превосходства в военной мощи
могло лишь привести к поражению. Как, однако, Польша вообще
должна была действовать, чтобы избежать его?

В первую очередь необходимо было принять решение, отдавать
ли только упомянутый генералом Кутшебой «стратегический костяк» или вследствие охвата со стороны Восточной Пруссии, Силезии
и Словакии вместе с ним и польскую армию? Это был тот же вопрос,
который я в 1943—1944 годах неоднократно задавал Гитлеру, когда он
требовал от меня удержать район Донца, Днепровскую дугу и т.д.

Ответ, который должна была дать Польша, по моему мнению,
был ясным. Польское командование должно было в первую очередь
стремиться к тому, чтобы при всех обстоятельствах польская армия
могла бы выстоять до тех пор, пока наступление западных держав
не вынудило бы Германию оттянуть свои главные силы с польского
театра военных действий. Даже если казалось, что вначале с потерей
промышленных районов исключается возможность ведения длительной войны, следовало учесть, что сохранение польской полевой
армии создавало возможность их возвращения в дальнейшем. Но ни
при каких обстоятельствах нельзя было допускать, чтобы польская
армия была окружена западнее Вислы или по обе стороны от нее.

Для Польши единственный выход заключался в том, чтобы выиграть время. Жесткая оборона могла быть организована, безусловно,
только за линией Бобр (Бебжа) — Нарев — Висла — Сан, причем на
южном фланге возможно было выдвинуть оборонительные позиции

до Дунайца, чтобы сохранить центральный промышленный район Польши между Вислой и Саном.

Прежде всего было необходимо предотвратить охват со стороны Восточной Пруссии и Западной Словакии. Для этого следовало занять на севере линию Бобр (Бебжа) — Нарев — Висла до крепости Модлин или Вышеграда. Она представляла собой сильную естественную преграду. Кроме того, бывшие русские укрепления, хотя они и устарели, представляли собой хорошие опорные пункты. К тому же из Восточной Пруссии, если и можно было ожидать оттуда удара, могли наступать только сравнительно небольшие по своему составу немецкие танковые соединения.

На юге важно было предотвратить глубокий охват путем обороны перевалов через Карпаты. Обе эти задачи тем не менее можно было решить небольшими силами. Развертывание польской армии перед линией Бобр (Бебжа) — Нарев было такой же ошибкой, как и то, что крупные силы были выдвинуты в коридор и выдающуюся вперед Познанскую провинцию.

Если бы согласно описанному выше плану северный и южный фланги были бы полностью обеспечены от глубокого охвата со стороны немцев, то в Западной Польше можно было бы в основном вести маневренную войну. При этом надо было отдавать себе отчет в том, что главный удар германской армии следовало ожидать со стороны Силезии. К этой мысли можно было прийти, во-первых, потому, что железнодорожная и дорожная сеть позволяла здесь быстрее сосредоточить крупные силы, чем в Померании или тем более в Восточной Пруссии; во-вторых, потому, что направление удара на Варшаву было с оперативной точки зрения наименее выгодным, так как здесь необходимо было наносить фронтальный удар, и поэтому оно было наименее реальным.

Главные силы польской армии не должны были, как это произошло в 1939 году, сосредоточиваться вблизи границы; их сосредоточение должно было происходить на таком удалении от нее, чтобы можно было своевременно установить направление главного удара германской армии. При этом было бы важно обойтись в районе коридора и в Познанской провинции по возможности меньшими силами, чтобы главные силы сосредоточить на силезском направлении, откуда ожидался главный удар, и чтобы иметь прежде всего достаточные оперативные резервы. Если бы в Польше слишком долго не лелеяли планов наступления на Германию, то усиленные бывшие немецкие укрепления вдоль Вислы, на рубеже Грауденц

(Грудзёнз) — Торн (Торунь), по крайней мере задержали бы соединение немецких сил, наступающих из Померании и Восточной Пруссии; в результате укрепления Познанского района также была бы ограничена свобода маневра немецких сил в этой провинции.

Необходимо еще отметить, что план нанесения контрударов на севере или юге Западной Польши в зависимости от создавшейся обстановки, с использованием внутренних коммуникаций, практически был неосуществим. Для таких операций имевшееся в распоряжении пространство было слишком небольшим, а польская железнодорожная сеть не обладала достаточной пропускной способностью. К тому же необходимо было считаться с тем, что передвижение больших масс войск очень скоро могло бы быть сорвано германской авиацией и немецкими танковыми соединениями. Таким образом, не оставалось ничего иного, как с самого начала перенести оборонительные позиции за линию Бобр (Бебжа) — Нарев — Висла — Сан, а возможно и Дунаец, и вести впереди нее бои лишь с целью выигрыша времени, причем главные силы должны были сосредоточиваться с самого начала против Силезии, а северный и южный фланги одновременно должны были быть обеспечены от охвата, о котором шла речь выше.

Никто не возьмется утверждать, что таким путем Польша в конце концов могла бы избежать поражения, если — как это имело место — западные державы оставили бы Польшу в полном одиночестве. Но во всяком случае описанный выше план не дал бы опрокинуть польскую армию в пограничной полосе, что привело к тому, что польское командование не смогло обеспечить ни организованного сопротивления на Висленской дуге, ни отхода армии за рубеж упомянутых выше рек для организации стабильной обороны.

Польша могла, как мы уже говорили, с самого начала вести бои только за выигрыш времени. Противостоять немецкому наступлению — лучше всего за указанным рубежом рек — до тех пор, пока наступление на западе не вынудит немцев вывести свои войска из Польши, — вот единственная цель, которую необходимо было преследовать. Отсюда, однако, также вытекает, что польское военное командование должно было совершенно ясно заявить руководителям государства, что без твердого обещания западных держав немедленно после начала войны начать всеми силами наступление на западе нельзя было вступать в войну с Германией.

При том решающем влиянии, которое оказывал тогда польский главнокомандующий маршал Рыдз-Смиглы на деятельность правительства, оно не могло пройти мимо такого предостережения.

Она должно было своевременно вмешаться в ход решения вопроса о Данциге (Гданьске) и коридоре, хотя бы для того, чтобы оттянуть начало войны с Германией.

Наши войска в 1940 году захватили во Франции письмо, с которым генерал Гамелен, главнокомандующий войсками союзников на западе, 10 сентября 1939 года обратился к польскому военному атташе в Париже. Письмо представляет собой, очевидно, ответ на польский запрос, когда же будет оказана эффективная помощь Польше. Генерал Гамелен пишет по этому поводу для передачи маршалу Рыдз-Смиглы:

«Более половины наших кадровых дивизий на северо-востоке принимают участие в боях. С момента перехода границы немцы оказывают нам упорное сопротивление. Тем не менее мы продвинулись вперед. Однако мы ведем позиционную войну с противником, подготовившимся к обороне, а я не имею ещё всей необходимой артиллерии... С начала кампании начались действия авиации во взаимодействии с операциями наземных сил. У нас сложилось впечатление, что против нас действует значительная часть немецкой авиации.

Поэтому я считаю, что выполнил досрочно мое обещание начать главными силами наступление на 15-й день после первого дня объявления мобилизации во Франции. Я не мог сделать большего».

Следовательно, Польша действительно имела в руках обещание французской стороны. Вопрос состоял только в том, могло ли польское военное командование удовлетвориться обещанием «начать наступление» главными силами только на 15-й день. События во всяком случае показали, что это обещание отнюдь не обеспечивало Польше быстрой и эффективной помощи.

Поражение Польши было неизбежным следствием иллюзий, которые питали в Варшаве относительно действий союзников, а также переоценки собственных сил с точки зрения возможности оказания длительного сопротивления.

Глава 3
ОПЕРАЦИИ ГРУППЫ АРМИЙ «ЮГ»

Штаб группы армий в Нейссе (Ниса). Первые часы. Обстановка, предшествовавшая началу боевых действий. Наши оперативные замыслы: заставить противника принять сражение еще перед рубежом Вислы и помешать ему организовать оборону на ее восточном берегу. 14-я армия наносит удар через Галицию и форсирует реку Сан. Прорыв

10-й армии к Висле и первое сражение с попавшим в окружение противником у Радома. Оригинальные гости. Кризис в районе действий 8-й армии. Сражение на Бзуре. Штаб группы армий принимает меры. Противник уничтожен. Воспоминания о Первой мировой войне. Занятие Варшавы. Политические маневры вокруг демаркационной линии с Советами ведут к продолжению боев. Памяти погибших. Тайна немецкой «молниеносной победы». Командующий Восточным округом. Мы ищем нашего начальника гражданской администрации. Парад в Варшаве. Заключение.

В ШТАБЕ ГРУППЫ АРМИЙ

Когда на рассвете 1 сентября 1939 года наши войска перешли польскую границу, мы в штабе группы армий, естественно, находились на своих рабочих местах в монастыре Гейлигес Кройц в Нейссе (Ниса). Монастырь, в котором готовились католические миссионеры, был расположен за пределами города и благодаря своей удаленности от населенных пунктов, просторности, а также весьма простому убранству помещений для занятий и келий представлял собой чрезвычайно удобное в практическом отношении здание для высшего штаба в военное время. Спартанское существование его обычных жителей, которые уступили нам часть построек, соответствующим образом окрашивало и нашу жизнь, к тому же наш комендант штаба, хотя он и служил раньше в мюнхенской пивной «Левенброй», не проявлял стремления избаловать нас. Естественно, что мы, как все солдаты, получали армейское снабжение. По поводу солдатского супа из полевой кухни ничего плохого нельзя было сказать. Но то, что мы изо дня в день на ужин получали только солдатский хлеб и жесткую копченую колбасу, жевать которую старшим из нас было довольно трудно, вероятно, не было абсолютно необходимо. К счастью, монахи иногда добавляли нам из своего огорода немного салата или овощей. Настоятель же время от времени заходил в гости к командующему и его ближайшим помощникам и очень увлекательно рассказывал о самоотверженном труде миссионеров в далеких краях. Этим рассказам мы были вдвойне рады, так как они помогали нам хотя бы на короткое время отвлечься от не дающих нам покоя вопросов, связанных с выполнением наших задач.

Ранним утром 1 сентября наши беседы, естественно, кончились. Война стала распоряжаться нами. Если мы в то утро так рано оказались на наших рабочих местах, то это было вызвано чувством необходимости быть в готовности с того момента, когда наши войска войдут в соприкосновение с противником, а не боевой обстановкой.

Мы, конечно, знали, что пройдут еще часы до того, пока мы получим важные сообщения от подчиненных нам армий. Эти часы помнят все, кто работал в высших штабах, часы, когда все идет своим чередом и можно лишь ждать, как сложатся события.

Фронтовик знает о том огромном напряжении, которое связано с началом наступления, когда на часах командира взвода стрелка секунда за секундой движется вперед, и наконец приходит снимающий все напряжение момент броска в атаку. Но с этого момента фронтовика захватывают впечатления боя и заставляют забыть все остальное. В штабах же, чем выше, тем в большей степени начинается время напряженного ожидания. Запросы у подчиненных штабов: «Как обстоит дело?» — справедливо недолюбливаются ими и могут произвести только впечатление нервозности. Поэтому лучше выжидать. При этом все давно уже пришли к выводу, что поговорка «плохие известия приходят быстро» не имеет отношения к военным событиям. Если наступление приостанавливается, фронт обычно молчит либо ввиду повреждения линий связи, либо потому, что хотят выждать, пока можно будет передать лучшие известия.

Таким образом, напряжение спадает только тогда, когда поступят первые донесения — независимо от того, плохие или хорошие. До этих пор и наш девиз был: «Ждать!» Оправдают ли наши ожидания войска, на подготовку которых мы положили столько сил и труда, но, правда, в слишком короткий промежуток времени? Оправдают ли в первую очередь крупные танковые соединения, организация и использование которых представляли собой нечто совершенно новое, надежды, возлагавшиеся на них их создателем, генералом Гудерианом, и вместе с ним и всеми нами? Удастся ли немецкому командованию и в особенности командованию группы армий осуществить намеченный оперативный план и добиться полной победы — уничтожить противника еще до выхода на рубеж Вислы и тем самым предотвратить грозящую нам опасность одновременного ведения войны на двух фронтах? Вот вопросы, волновавшие нас в те часы ожидания и неизвестности.

ОБСТАНОВКА, ПРЕДШЕСТВОВАВШАЯ НАЧАЛУ БОЕВЫХ ДЕЙСТВИЙ

Группа армий «Север» после установления связи между войсками, наносившими удары из Померании и Восточной Пруссии и вынудившими польские войска отступить из коридора, в рамках

намеченного ОКХ охватывающего маневра с территории Восточной
Пруссии и Силезии, получала возможность осуществить охват фланга противника, переправившись через Вислу, и зайти в тыл главным
его силам, расположенным на большой Висленской дуге.

Группе армий «Юг» выпала задача действиями обеих наступающих из Силезии армий (8-й и 10-й) вынудить противника принять
сражение еще в Висленской дуге и предупредить его отход за линию
Висла — Сан. Для этого мы предприняли попытку нанести удар собранными в кулак танковыми соединениями 10-й армии, за которыми
возможно скорее должны были следовать пехотные дивизии, чтобы
опрокинуть противника, по-видимому, сосредоточивающегося вблизи
границы, и, опередив его, захватить переправы через Вислу от Демблина до Варшавы. Далее, важно было, чтобы наступающая через Галицию
14-я армия как можно быстрее вышла на реку Сан и форсировала ее.
Если бы противник намеревался оказать главное сопротивление только
за рубежами Сана и Вислы, 14-я армия могла бы взломать всю оборону
противника по речным рубежам ударом с юга и соединиться глубоко
в тылу противника с восточным флангом наступающей с севера группы
армий «Север». На долю 14-й армии при этом выпала задача угрожать
своим глубоко эшелонированным флангом, выдвинутым в Восточную
Словакию, глубокому флангу польских войск, сосредоточивающихся
в районе Кракова, и тем самым исключить возможность длительной
обороны Западной Галиции.

Штаб группы армий «Юг» руководил операциями в Польше
в духе этого оперативного замысла. Он все время стремился заставить главные силы польской армии принять сражение еще до
выхода на Вислу и разбить их. Одновременно, однако, он учитывал
возможность упреждения противника в случае, если он попытается
оказать главное сопротивление только за линией Сан — Висла.

Вместо последовательного описания операций, как ни кажется
важным подобное изложение событий этой «молниеносной войны»,
я хотел бы ограничиться передачей в общих чертах ее наиболее
значительных моментов. Некоторые из этих событий происходили в одно и то же время, другие последовательно. Общая картина
такова:

— тяжелые пограничные бои и вслед за тем стремительное преследование разбитого противника силами 14-й армии в Галиции,
которое вывело ее к Лембергу (Львов) и за рубеж реки Сан;

— прорыв 10-й армии к Висле и сражение с попавшим в окружение противником у Радома;

— сражение на Бзуре, во время которого силами 8-й и 10-й армий под непосредственным руководством штаба группы армий была разгромлена крупнейшая группировка противника;

— наступление на Варшаву и, наконец, заключительные бои, явившиеся следствием затяжки переговоров о заключении соглашения между руководящими политическими деятелями Германии и вступившими между тем в Восточную Польшу Советами, которые 17 сентября 1939 года перешли польскую границу.

НАСТУПЛЕНИЕ 14-й АРМИИ ЧЕРЕЗ ГАЛИЦИЮ

Ближайшей задачей 14-й армии было окружение крупных сил противника, находившихся, по нашим сведениям, в Западной Галиции, в районе Кракова. Глубокий охват противника был уже начат силами этой армии из Верхней Силезии через район Моравской Остравы (Острава) в направлении на Карпаты.

В то время как 8 ак (командир — генерал Буш; состав: 8 пд, 28 пд и 5 тд) должен был в качестве ближайшей задачи прорвать сильные укрепления поляков в восточной части Верхней Силезии с тем, чтобы в дальнейшем наносить удар севернее Вислы на Варшаву, 17 ак (командир — генерал Кинитщ, состав: 7пд и 44 пд) наносил удар из Моравии южнее Вислы на Краков.

Задачей двух других корпусов — 22 тк (командир — генерал фон Клейст; состав: 2 тд и 4-я легкая дивизия), наносившего удар из пересекающей Западные Карпаты долины Орава с юга на Краков, и 18-го горнострелкового корпуса (командир — генерал Байер; состав; 2-я и 3-я горнострелковые дивизии), наносившего удар восточнее Высокой Татры через долину Попрад и Ней-Сандец (Новы-Сонч) на Бохню (западнее Тарнува), с целью прорыва и выхода в тыл противнику в районе Кракова, — был выход во фланг и тыл противнику, ожидаемому в районе Кракова.

Далее, на восток, через перевал Дукла, известный еще по Первой мировой войне, должны были наносить удар словацкие войска, которые ОКХ разрешило использовать позже. Богатая своими традициями 1-я Баварская горная дивизия и две резервные дивизии также должны были впоследствии принять участие в боевых действиях на этом фланге.

Первые бои, которые завязала 14-я армия, в частности 8-я Силезский ак, за польские пограничные укрепления сложились для нас весьма тяжело. Но в основном судьба этого пограничного сражения была решена в оперативном отношении охватывающим маневром со стороны Карпат, хотя в подлинном смысле этого слова намеченное окружение группировки противника в районе Кракова не удалось осуществить, так как противник, осознав угрожающую ему опасность, оставил Западную Галицию. Но его главные силы были все же разбиты уже в этих первых боях, а главным образом в ходе осуществлявшегося после этих боев стремительного преследования, во время которого 22 тк удалось пресечь путь отступающему противнику. Таким образом, правый фланг армии — горный корпус и 17 ак — продвинулся до района Лемберга (Львов) и крепости Перемышль, которые были взяты нашими войсками[1]. Остальная часть отступивших в Восточную Галицию сил противника и находившиеся там его резервы были уничтожены в этих боях, за исключением тех войск, которые бежали в Румынию. Левый фланг армии — танковый корпус, 8 ак и приданный ей группой армий 7 ак — форсировал Сан выше места его впадения в Вислу. В боях против храбро оборонявшегося противника, носивших на некоторых участках упорный характер, были разбиты и части противника, подходившие частично из Варшавы, частично из района действий группы армий «Север»; далеко в тылу Висленского фронта восточный фланг группы армий «Север» соединился с войсками нашей группы армий.

15 сентября занятием Лемберга (Львова) и Перемышля преследование было в основном завершено, хотя в этом районе и восточнее Сана еще велись бои на уничтожение оставшихся здесь польских частей.

ПРОРЫВ 10-й АРМИИ К ВИСЛЕ И СРАЖЕНИЕ С ПОПАВШИМ В ОКРУЖЕНИЕ ПРОТИВНИКОМ У РАДОМА

Если в основу задачи 14-й армии наряду с уничтожением сил противника, находящихся в Западной Галиции, был положен замысел параллельного преследования противника, в результате которого должна была быть предотвращена любая его попытка остановиться для организации обороны за Вислой, то задачей обеих армий, наступавших из Силезии, было вынудить противника

---

[1] Здесь Манштейн вступает в явное противоречие с исторической действительностью: город Львов в сентябре 1939 г. немцами взят не был. — *Примеч. ред.*

принять решительное сражение еще до выхода на рубеж Вислы. При этом более сильной 10-й армии, имевшей в своем составе танковые соединения, была поставлена важная задача: прорвав фронт противника, выйти к Висле, в то время как более слабая 8-я армия должна была обеспечить северный фланг войск, участвовавших в этой операции, от ударов противника, расположенного, по нашим данным, в районе Калиш — Лодзь и в Познанской провинции.

10-я армия выступила из Верхней Силезии; левый фланг ее наносил удар из района Кройцбурга (Ключборк). Армия имела в первом эшелоне четыре корпуса. В составе первого эшелона следовали (начиная с правого фланга): 15-й (мех.) корпус (командир — генерал Гот; состав: 2-я и 3-я легкие дивизии), 4 ак (командир — генерал фон Шведлер; состав: 4 пд и 46 пд), 16 тк (командир — генерал Геппнер; состав: 1 тд и 4 тд, 14 пд и 31 пд) и 11 ак (командир — генерал Лееб; состав: 18-я и 19-я дивизии). 14-й (мех.) корпус (командир — генерал фон Витерсгейм; состав: 13-я и 29-я (мот.) дивизии) следовал во втором эшелоне.

Вслед за армией в качестве резерва группы армий следовал 7 ак (командир — генерал фон Шоберт; состав: 27 пд и 68 пд), а также 62 пд.

8-я армия имела своей задачей в глубоко эшелонированном построении нанести удар на Лодзь. В ее состав входили два корпуса: 13 ак (командир — генерал фон Вейхс, состав: 10 пд и 17 пд, а также лейб-штандарт (мот.) и 10 ак (командир — генерал Улекс; состав: 24-я и 30-я дивизии). За этой армией также следовали две дивизии (213-я и 221-я) в качестве резерва группы армий.

Вскоре после того как армии 1 сентября 1939 года на рассвете перешли границу, завязались ожесточенные бои, в ходе которых противник был сбит с занимаемых им позиций.

Однако попытается ли он еще принять решающее сражение по эту сторону Вислы или он имеет перед собой цель выиграть время и стремится отвести свои войска за Вислу, было для нас на ближайшие дни большой загадкой. Пока, во всяком случае, выяснилось, что сильные группировки противника сосредоточены в горной местности Лыса Гора, в районе Кельце, Радома и Лодзи.

Решающее значение для боевых действий в первую неделю войны имели, по-видимому, два фактора, которые впервые выступили в этой кампании.

Первым из них был прорыв фронта противника нанесшими глубокий удар в тыл танковыми соединениями, для одновременного следования с которыми, однако, пехотные дивизии должны были напрячь все свои силы.

Другой фактор состоял в том, что вражеская авиация в результате успешных действий немецкой авиации была почти полностью парализована, что относилось также и к управлению, связи и средствам сообщения. Таким образом, противнику так и не удалось обеспечить централизованное управление операциями.

Штаб нашей группы войск, исходя из имевшихся данных о противнике, поставил перед 10-й армией две задачи. Правофланговая группа, в которую входили 15-й (мех.) корпус и 14 ак, а также 7 ак, переданный ей группой армий (позже он был переподчинен 14-й армии), должна была нанести удар по противнику, сосредоточивающемуся в районе Радома, и разбить его. Левофланговая группа, состоявшая из 16 тк и 14-й (мех.) корпуса, а также 11 ак, должна была стремиться преградить лодзинской группировке противника путь к отходу на Варшаву, в то время как 8-я армия должна была нанести удар по этой группировке с запада.

В ходе выполнения этой задачи 10-й армии вначале удалось навязать сражение группировке противника в районе Радома в лесистой местности Лыса Гора, в то время как 16-й (мех.) корпус продвинулся между этой группировкой и переправами через Вислу у Опатува и Демблина, а действовавший в составе северной группировки 14-й (мех.) корпус, совершив маневр, преградил противнику также и путь на Варшаву. 9 сентября был закрыт первый «котел» этой войны, в котором оказалась армия противника. Правда, в районе Кельце — Радом бои продолжались еще до 12 сентября, так как противник не только оказывал упорное сопротивление, но и непрерывно пытался разорвать сомкнувшееся вокруг него кольцо, однако в судьбе этой группировки ничего нельзя было уже изменить. Когда сражение закончилось, в наших руках оказалось 60 000 пленных и 130 орудий. 7 дивизий противника были разгромлены в ходе этих боев. Даже если бы противнику и удалось спастись, отойдя за Вислу, он не избежал бы этой судьбы, ибо в тот день, когда завершилось сражение под Радомом, 1-я горнострелковая дивизия 14-й армии уже находилась под Лембергом (Львов), а левый фланг этой армии уже давно форсировал Сан в его нижнем течении и тем самым был в состоянии взломать оборону противника, которую последний собирался, очевидно, организовать на берегах Вислы.

Между тем левофланговая группировка 10-й армии (16 тк) в результате боев вышла к переправе через Вислу у Гора Кальвария, южнее Варшавы, а танковая дивизия, действовавшая в ее составе, вела бои на юго-западной окраине Варшавы. Для захвата этого крупного города, приспособленного для обороны, эти силы, однако, были слишком небольшими. Танковую дивизию пришлось вывести из города. Во всяком случае, в результате этого противнику был отрезан путь к Варшаве с запада.

ГОСТИ В ШТАБЕ ГРУППЫ АРМИЙ

В то время как наши армии двигались к Сану и Висле, штаб группы армий был переведен в Люблинец, бывший гарнизонный город немецких улан, не пользовавшийся в старой армии особой славой. На этот раз мы разместились в доме для глухонемых, чем я вовсе не хочу сказать, что мы когда-либо притворялись глухонемыми. Наоборот, мы внимательно прислушивались ко всем сообщениям, поступавшим от войск, и, с другой стороны, не останавливались перед тем, чтобы ясно сообщать нашу точку зрения вышестоящим инстанциям. Последнее совсем не означает, что в польскую кампанию мы по основным вопросам не были согласны с ОКХ. Несмотря на это, иногда имело место расхождение наших точек зрения. Однако генерал-полковник фон Рундштедт не допускал какого-либо вмешательства в командование группой армий.

Здание дома для глухонемых, как это можно себе представить, не было построено так, чтобы его стены поглощали звук. Вследствие этого голос нашего начальника разведывательного отдела, которого никакими уговорами не удавалось заставить говорить тише, был далеко слышен. Об обстановке, таким образом, на всей территории штаба знали досконально. Тем большее впечатление произвело то умение, с которым он обошелся с оригинальными гостями, прибывшими к нам в Люблинец. В один прекрасный день у нас появилась в сопровождении свиты кинооператоров известная киноактриса и режиссер, заявившая, что она «движется по стопам фюрера». Она сообщила, что по заданию Гитлера приехала на фронт снимать фильм. Такая деятельность, да еще под руководством женщины, была нам, солдатам, откровенно говоря, крайне неприятной. Однако речь шла о задании Гитлера.

Впрочем, она выглядела очень милой и мужественной женщиной, примерно как элегантная партизанка, заказавшая себе костюм на рю де Риволи в Париже. Ее прекрасные, подобные огненной гриве волосы, ложившиеся волнами, обрамляли интересное лицо с близко расположенными глазами. На ней было нечто вроде туники, бриджи и высокие мягкие сапоги. На кожаном ремне, перепоясывавшем ее стан выше бедер, висел пистолет. Оружие для ближнего боя дополнялось ножом, заткнутым на баварский манер за голенище. Штаб, как я должен признаться, был несколько ошеломлен появлением подобной необычной фигуры. Поэтому я вначале направил ее к генерал-полковнику фон Рундштедту, чтобы она могла сообщить ему о своем задании. Он, как подобает галантному кавалеру, принял ее очень любезно, но вскоре направил снова ко мне. Мне не оставалось ничего иного, как «передать ее по команде». Таким образом, она очутилась у нашего начальника разведки с грубым голосом, в функции которого входило также и все связанное с пропагандой. Этот офицер, чудесный, брызжущий юмором баварец, не пошел по моим стопам (я пытался отсоветовать даме совершить поездку по фронту). Он отнесся к этому делу, не обращая внимания на пышный костюм актрисы, чисто по-служебному, сухо и трезво. Он принял даму чрезвычайно корректно, выслушал ее дело, проверил документы, принадлежавшие ей и ее спутникам, затем поднял телефонную трубку и вызвал офицера-медика. Положив трубку на рычаг, он деловым тоном сказал: «Вам сначала нужно сделать прививку. Я вызвал врача. Пожалуйста, раздевайтесь!» В пользу нашей гостьи говорит то, что она не вскипела, а только засмеялась и отказалась подвергаться прививке. Лишь ее киноспутники должны были подвергнуться этой процедуре, вернее говоря, один оператор. Он подошел, щеголяя своим коричневым загаром, врач поднес шприц, и несчастный на глазах у злорадствующих зрителей тут же упал в обморок.

Начальнику разведки пришла в голову блестящая идея направить эту экспедицию к генералу фон Рейхенау, который хорошо знал эту даму и казался нам подходящим покровителем. Она направилась с сопровождающими ее лицами в штаб 10-й армии в Конске. Вскоре, однако, она оттуда возвратилась. При занятии Конске еще и раньше несколько раз происходила перестрелка, в которой приняли участие и гражданские лица. Вследствие нервозности офицера-зенитчика на рыночной площади, где собралось много народа и возникла ничем не оправданная паника, была открыта бессмысленная стрельба, повлекшая за собой много жертв. Киногруппа была свидетельницей этой достойной сожаления сцены, и наша гостья, потрясенная случившимся, решила вернуться. Что касается офицера, виновного в этой сцене, то генерал фон Рейхенау немедленно предал его суду военного трибунала, приговорившего его по обвинению в непреднамеренном убийстве к лишению офицерского чина и тюремному заключению на несколько лет. Этот пример свидетельствует о том, что со стороны командных инстанций сухопутных сил в подобных случаях немедленно принимались строгие меры. Эти меры, к сожалению, позже — в начале русской кампании — привели к тому, что Гитлер лишил суды военного трибунала права разбирать дела, связанные с гражданским населением.

СРАЖЕНИЕ НА БЗУРЕ

В то время как в районе Радома еще продолжались бои, хотя здесь уже и наметилось победоносное завершение сражения, северный фланг группы армий в связи с инициативой, проявленной здесь противником, занял в деятельности штаба группы главное место.

В первые девять дней кампании все действия протекали настолько планомерно и в соответствии с нашими желаниями, что, как можно было думать, вряд ли что-либо могло серьезно нарушить или изменить план намеченных операций. Тем не менее в эти дни у меня было неясное предчувствие, что на северном фланге группы армий что-то заварилось. Ведь было ясно, что противник сосредоточил в Познанской провинции крупные силы, которые пока еще не приняли участия в боевых действиях. Ввиду этого 8 и 9 сентября я неоднократно обращал внимание начальника штаба 8-й армии на то, что армия должна особо тщательно вести разведку на своем северном фланге. В результате наших запросов в ОКХ относительно местонахождения познанской группировки 9 сентября мы получили из ОКХ телеграмму о том, что противник быстрыми темпами отводит войска познанской группировки на восток и что поэтому не следует опасаться угрозы глубокому флангу 8-й армии. Однако мы все же предполагали, что южнее Вислы, между Лодзью и Варшавой, в общей сложности находятся еще 10 дивизий противника.

Следует вспомнить, что группа армий намечала силами 10-й армии преградить путь на Варшаву сосредоточенной, по нашим данным, в районе Лодзи крупной группировке противника (5—6 дивизий), в то время как 8-я армия одновременно должна была нанести удар по этой группировке с запада. При этом первоначальная задача этой армии, заключавшаяся в том, чтобы обеспечить весь ход операции на северном фланге глубоко эшелонированным построением, естественно, оставалась в силе.

По-видимому, однако, взгляды штаба 8-й армии были больше обращены на выполнение первой из поставленных задач, чем на север. Во всяком случае, 10 сентября утром из штаба армии поступило донесение о том, что 30-я дивизия из ее состава неожиданно подверглась нападению значительно превосходящих сил противника с севера. Обстановка здесь приняла характер кризиса. Попытки армии восстановить положение контратаками не принесли успеха. Однако командование армии надеялось, что ему удастся остановить противника, — это были, безусловно, крупные силы, переброшенные в основном из Познанской провинции, — и для этого приказало обоим своим корпусам занять оборону фронтом на север. Тем не менее командование армий просило срочно перебросить в его распоряжение танковый корпус, чтобы не допустить прорыва противника в южном направлении на Лодзь, которая 9 сентября была занята без боя.

Штаб группы армий, однако, ни в коей мере не собирался восстанавливать положение 8-й армии путем подброски ей подкреплений. Пусть здесь даже и возник бы — возможно, даже тяжелый — местный кризис, с оперативной точки зрения он не имел никакого значения. Наоборот, он давал нам в руки шанс превратить его в большую победу. Ведь теперь крупные силы противника были втянуты в бой западнее Вислы, а он мог окончиться только их поражением, если, конечно, немецкая сторона действовала бы правильно.

Итак, штаб группы армий отклонил просьбу командования 8-й армии о присылке подкрепления в составе танкового корпуса. Вместо этого он приступил к окружению противника. С запада в это время как раз подходили обе дивизии, находившиеся в резерве группы армий и следовавшие за 8-й армией. Они были брошены против западного фланга противника, атаковавшего 8-ю армию с севера. Для этой же цели была выделена одна легкая дивизия, участвовавшая в подходившем к концу сражении у Радома. Главной же задачей, которую поставил перед собой штаб группы армий, было заставить противника перед фронтом 8-й армии вести бой с постоянно меняющимся фронтом. Для этой цели штаб отдал приказ о том, чтобы 10-я армия немедленно повернула на запад стоящий под Варшавой и южнее ее 16 тк, а также следующий за ним 11 ак, которые получили задачу принять участие в сражении, ведущемся 8-й армией, вступив в него с востока. Сама же 8-я армия получила задачу отражать продолжающиеся атаки противника, а как только они начнут ослабевать, перейти в наступление.

Впечатления, которые остались у генерал-полковника фон Рундштедта и у меня при посещении штаба 8-й армии в эти дни (в одном из них здесь побывал и Гитлер), вынудили штаб группы армий взять руководство этой операцией в свои руки. Действиями обоих наступающих с востока и юго-востока корпусов 10-й армии было поручено руководить самому генералу фон Рейхенау, в то время как за штабом 8-й армии оставалось руководство действиями двух его корпусов, сражавшихся фронтом на север, и охват противника с запада. Наконец, для завершения окружения по просьбе командования группы армий из состава группы армий «Север», которая форсировала Вислу с севера в тылу противника, был выделен также 3 ак. Когда в ходе сражения выявилась попытка крупных сил противника отойти вдоль берега Вислы на крепость Модлин, штаб группы армий поставил перед 15-м (мех.) корпусом, действовавшим до того в районе Радома, задачу отрезать противнику и этот последний путь отступления.

После ожесточенных боев и попыток противника прорваться вначале на юг, а затем на юго-восток и, наконец, на восток 18 сентября его сопротивление окончательно было сломлено. К 20 сентября 10-я армия захватила 80 000 пленных, 320 орудий, 130 самолетов и 40 танков. 8-я армия захватила 90 000 пленных и огромное количество военной техники. В этих боях было разгромлено 9 вражеских пехотных дивизий, 3 кавалерийские бригады и частично еще 10 дивизий, следовательно, гораздо больше соединений, чем мы ожидали.

Сражение на Бзуре явилось самой большой самостоятельной операцией польской кампании, ее кульминационным, если не решающим моментом. С оперативной точки зрения этим решающим моментом был уже глубокий охват всей польской армии группой армий «Север» с севера и 14-й армией с юга. Продиктован ли был этот единственный крупный контрудар командования польской армии надеждой изменить ход сражения в Висленской дуге или он преследовал только одну цель — пробить находившимся южнее Варшавы польским войскам путь на Варшаву, — в судьбе польской армии он уже не мог ничего изменить.

Если сражение на Бзуре и не может сравниться по своим результатам со сражениями на уничтожение окруженного противника, проводившимися позже в России, оно является самым большим сражением подобного рода, имевшим место до того времени. Это сражение не могло планироваться заранее как результат прорыва фронта противника силами крупных танковых соединений, оно возникло в результате нанесения контрударов, проводившихся с немецкой стороны в обстановке, которая вследствие действий противника неожиданно создала для нас большие возможности.

ВОСПОМИНАНИЯ

Штаб группы армий для обеспечения общего руководства операциями 10-й и 8-й армий был переведен в Кельце. Для генерал-полковника фон Рундштедта и меня места, где теперь действовали обе армии, были знакомыми краями. Генерал-полковник в Первой мировой войне был одно время офицером Генерального штаба при Варшавском генерал-губернаторстве и поэтому знал почти всю Польшу. Я сам поздней осенью 1914 года участвовал в качестве старшего адъютанта 2-го гвардейского резервного полка в наступлении из Верхней Силезии на Вислу, в тяжелых боях под крепостью Ивангород (теперь Демблин) и в отступлении к границе Верхней Силезии. Населенные пункты, за которые вела бои 10-я армия, горы в районе Лыса Гора и долины Вислы остались в моей памяти.

Когда мы теперь ехали из Люблинца в Кельце, мы проезжали через поле боя вблизи Котовице, где я в ночь с 16 на 17 ноября 1914 года был тяжело ранен и спасен только благодаря помощи моих храбрых товарищей. Это был довольно-таки необычный случай. 1-я гвардейская резервная дивизия, в которую входил наш полк, действовавшая в составе корпуса фельдмаршала фон Войрша, после отхода от берегов Вислы заняла оборону у границы Верхней Силезии. Мы ожидали наступления наседающих на нас, обладающих подавляющим превосходством сил противника. Перед фронтом только нашего полка были обнаружены части двух кавказских корпусов.

В этой обстановке вечером 16 ноября 1914 года неожиданно поступило известие о победе Макензена под Кутно. Одновременно были перехвачены русские радиограммы, согласно которым противник, по-видимому, вследствие нанесенного удара намеревается начать отход и на нашем фронте. По приказу командира дивизии в каждом полку был создан отряд преследования силой до батальона с задачей еще в течение ночи начать преследование противника, якобы намеревающегося начать отход. Я попросил у моего командира разрешения принять участие в операции в должности адъютанта поспешно сформированного нами батальона. Обладавший несколько ворчливым характером полковник фон Крамер очень неохотно дал свое согласие. К сожалению, обстоятельства сложились иначе, чем мы ожидали. Перехваченные радиограммы оказались ложными. Русские совсем не думали об отходе. Поэтому наш батальон у Котовице натолкнулся на оборонительную позицию, которую мы, полагая, что имеем дело с арьергардом, попытались атаковать. Когда мы уже достигли вражеских окопов — командир батальона, всеми нами глубоко уважаемый майор фон Бассевитц, я и знаменосец с развернутым знаменем шли впереди — навстречу нам вышли русские. Но не с поднятыми руками, а с криками «Ура!» и со штыками наперевес. В рукопашной схватке меня поразил выстрел, и я упал. Мой противник упал на меня. Но прежде чем он успел прикончить меня, один из наших гвардейцев, спешивших на помощь, убил лежавшего на мне врага. Еще одна пуля попала мне в колено. В это время Бассевитц крикнул мне, что он тоже ранен. Два гвардейца подняли его и понесли назад, но всех троих по пути поразили насмерть пули! Знаменосец же со знаменем исчез! Как я узнал позже, он, будучи также тяжело раненным, вместе со знаменем свалился в русский окоп. Унтер-офицер фон Хахт, один из моих бывших рекрутов, спас потом знамя, достав его оттуда.

Я услышал об этом еще до того, как два товарища — я уже не в состоянии был двигаться — унесли меня. Когда я утром прибыл в штаб нашего полка, командир встретил меня ободряющими словами: «Вот что получилось из вашей затеи!» Когда теперь — 25 лет спустя — я увидел знакомое мне поле боя днем, эти воспоминания всплыли в моей памяти. Картина атакующего батальона, развевающееся знамя, яркие вспышки огня при выстрелах, неприятный звук от разрывающихся вблизи вражеских снарядов... Прежде всего, однако, я вспомнил о товарищах, которые, рискуя своей жизнью, помогли мне, о деснице Того, кто защитил меня в тот час!

Еще один случай произошел со мной во время этой или какой-то другой поездки.

При проезде через Ченстохов генерал-полковник фон Рундштедт и я посетили церковь, в которой установлена знаменитая «Черная мадонна», по-видимому, больше всего почитаемая в Польше. Яркий свет бесчисленных свечей, их тонкий медовый аромат, роскошный, отделанный золотом алтарь, а перед ним коленопреклоненная, истово молящаяся толпа. Время от времени из полутьмы раздавался мистический крик молящегося, просящего о помощи! Здесь народ молился за победу, матери за своих сыновей, так же, как это делал и наш народ и мы все!

В Кельце наш штаб разместился в бывшем дворце польского князя. Хотя он и долго служил в качестве резиденции воеводства, освященный временем бюрократизм не смог смести остатки прежней роскоши. Толстые стены с глубокими оконными нишами, из которых открывался вид на город, раскинувшийся вокруг старинного дворца, красивые потолки, своды и камины говорили еще о тех временах, когда здесь господствовали блеск и роскошь.

В маленьком зале, который мы избрали для столовой оперативного отдела нашего штаба, в качестве символа новой Польши висел большой писанный масляными красками портрет, изображавший преемника Пилсудского, маршала Рыдз-Смиглы. В величественной позе, с серебряным маршальским жезлом в руке, который завершался толстым набалдашником и этим напоминал средневековые булавы, маршал стоял на фоне атакующей польской кавалерии. Самоуверенно и высокомерно он взирал сверху на нас. О чем думает этот муж в настоящее время? Судьба возглавляемой им армии уже решена, во всяком случае, она решалась как раз в эти дни сражения на Бзуре. Государство, кормчим которого он был, находилось накануне катастрофы! Он сам, однако, как это вскоре выяснилось, не был героем. Он оставил свою армию на произвол судьбы и бежал в Румынию, не забыв предварительно переправить туда же свою движимость, как мы об этом услышали позже в Варшаве! Sic transit gloria mundi![1]

ЗАНЯТИЕ ВАРШАВЫ

После уничтожения самой сильной из всех противостоявших нам группировок противника в сражении на Бзуре и боев, развернувшихся в лесистой местности южнее Люблина, с войсками противника, пытавшимися пробиться из Модлинской крепости на Варшаву, группа армий приступила к выполнению задачи захвата Варшавы. Однако часть ее соединений уже была переброшена на запад, где французы и британцы, к нашему удивлению, сложа руки взирали на уничтожение своего польского союзника.

Можно было предвидеть, и об этом штаб группы армий доложил ОКХ, что подготовка к наступлению на Варшаву не сможет быть завершена до 25 сентября. Ведь для этого наступления мы хотели подтянуть всю тяжелую артиллерию РГК, в том числе артиллерию 14-й армии, находившуюся в Галиции.

---

[1] Так проходит мирская слава *(лат.)*.

Однако после того как Советы 17 сентября объявили войну Польше и Висла была намечена в качестве демаркационной линии между ними и нами, Гитлер стал очень спешить с занятием Варшавы. Он приказал захватить город к 30 сентября. То, что политическое руководство требует от генералов достижения победы, это понятно. Но то, что оно устанавливает и срок, когда победа должна быть одержана, это, безусловно, нечто необычное.

Штаб группы армий преследовал цель добиться победы по возможности с наименьшим количеством жертв. В его намерения не входило ради определенной даты принести ненужные жертвы. Это наступление стало вообще необходимым потому, что противник занял в городе оборону, сосредоточил в нем армию, состоявшую из остатков многих соединений, и потому, что польский главнокомандующий заявил, что город будет держаться до последнего.

Для штаба группы армий было ясно, что внезапное наступление на город при существовавших условиях не обещало успеха. Ни в коем случае, однако, он не хотел — по каким бы причинам этого от него ни требовали — идти на сражение в самом городе. Такое сражение потребовало бы от наступающих частей, так же неминуемо, как и от населения, огромных человеческих жертв.

Поэтому штаб группы армий приказал 8-й армии, которой был поручен захват Варшавы, обеспечить наступательными действиями образование вокруг крепости тесного сплошного кольца, примерно по линии идущей вокруг города кольцевой трассы. Вслед за тем город должен был быть принужден к сдаче в результате обстрела, бомбардировок с воздуха, а если это не приведет к цели, — в результате нехватки продовольствия и воды. Здесь следует заметить, что наш штаб успешно противодействовал желанию Гитлера подвергнуть город бомбардировке в более раннее время, так как атаки с воздуха тогда не находились бы в непосредственной связи с военными действиями и не принесли бы ощутимых результатов.

25 сентября был открыт огонь на разрушение по внешним фортам, опорным пунктам и важнейшим базам снабжения города. Одновременно начались частые атаки для выхода на намеченную линию окружения. 26 сентября были сброшены листовки, в которых сообщалось о предстоящем обстреле города и содержалось требование сдать город. Так как польские войска продолжали оказывать упорное сопротивление, 26 сентября вечером начался обстрел самого города.

27 сентября днем генерал-полковник фон Рундштедт и я узнали во время посещения 18-й дивизии, которой я раньше командовал,

что только что захвачены два внешних форта и противник согласился на капитуляцию[1]. Огонь был немедленно прекращен.

28 сентября акт капитуляции был подписан польским главнокомандующим и командующим 8-й армией генералом Бласковицем. В нем содержались положения о немедленном оказании помощи населению, а также раненым противника. Вообще условия этой капитуляции полностью отвечали требованиям уважения чести армии, несмотря на поражение показавшей себя храбрым противником. В акте было предусмотрено, что офицерам сохраняется их шпага, что унтер-офицеры и солдаты на короткое время будут взяты в плен с тем, чтобы после выполнения необходимых формальностей вернуться на родину.

По сведениям польского уполномоченного, в Варшаве капитулировало 120 000 человек!

При подписании акта капитуляции польский генерал сказал: «Колесо вертится». Он оказался прав, хотя, если учесть то положение, в котором суждено было позже оказаться его родине, вряд ли в том смысле, который он имел в виду.

В то время как в ходе сражения на Бзуре и в результате занятия Варшавы главные силы противника, действовавшего западнее Вислы, были уничтожены, в районе действий 14-й армии в Восточной Галиции и по ту сторону нижнего течения Сана происходило еще много подчас тяжелых боев с отдельными группами противника, которым до этого момента удалось избежать уничтожения. Один корпус 10-й армии также в это время форсировал Вислу у Демблина и севернее его, нанося удар на Люблин. В ходе этих боев неожиданно поступило указание Верховного главнокомандования передать Советам Лемберг (Львов), который только что капитулировал в результате действий 14-й армии, и отойти по всему фронту, занимаемому группой армий, на линию, согласованную между фон Риббентропом и Советами. Она проходила от перевала Ущок к Перемышлю и затем вдоль Сана и Вислы до пункта севернее Варшавы. Таким образом, все бои по ту сторону Сана и Вислы для группы армий были бесполезными и вели только к выгоде для Советов! Отход за Сан привел к прекращению боя с группировкой противника, насчитывавшей 2—3 дивизии и 1—2 кавалерийские бригады, которая

---

[1] За этот подвиг первыми из немецких офицеров получили Рыцарский крест обер-лейтенант Штейнгардт и лейтенант Штольц из 51 пп. — *Примеч. автора.*

с достойной восхищения храбростью, но без всякого учета общей обстановки в свою очередь перешла в наступление и попыталась отрезать 7 ак и 8 ак пути отхода за Сан. И здесь снова возникли тяжелые бои, которые явились лишь следствием политических маневров между германским и советским правительствами. Это лучше всего подтверждается тем фактом, что 1 октября снова произошло изменение демаркационной линии. Теперь мы снова должны были занять Люблинское генерал-губернаторство. 14-й (мех.) корпус, таким образом, опять форсировал Вислу. Ему сдалась последняя группировка противника, отходившая под натиском Советов на Вислу.

Польская кампания была окончена. Группа армий «Юг» в ходе боев захватила 523 136 пленных и 1401 орудие, 7600 пулеметов, 274 самолета, 96 танков и огромное количество другой военной техники. Человеческие жертвы, понесенные противником, ожесточенно сражавшимся с величайшей храбростью даже в безнадежном положении, были, безусловно, очень большими.

Потери группы армий составляли: офицеры — 505 убитыми, 759 ранеными, 42 пропавшими без вести; унтер-офицеры и солдаты — 6049 убитыми, 19 719 ранеными, 4022 пропавшими без вести.

ПАМЯТИ ПОГИБШИХ

В связи с приведенными мною данными о потерях, которые по сравнению с одержанными нами во время этой кампании успехами кажутся незначительными, хотя это и не уменьшает нашей скорби, я позволю себе почтить память трех человек, гибель которых для меня лично имела особенно большое значение. Ведь эта книга не должна быть посвящена только описанию военных операций, она должна наряду с этим, пусть в скромных масштабах, содержать и описание личных переживаний.

Под Варшавой погиб бывший командующий сухопутными силами генерал-полковник барон фон Фрич, человек, создавший новую немецкую армию в 1934—1938 годах, благородный офицер, который не мог ответить на дьявольскую интригу подлых людей, стремившихся сместить его, лозунгом «a corsaire, corsaire et demi»[1]. Воспитанному на прусских традициях офицеру чувство долга не позволяло напра-

---

[1] Примерно: «С волками жить, по-волчьи выть» *(франц.)*.

вить созданную им армию против государства. Позже я слышал, что генерал-полковник фон Фрич, прощаясь в начале войны со своим бывшим начальником Генерального штаба генерал-полковником Беком, уходя, коротко, вполголоса заявил: «Я не могу выдержать такой жизни». Этому молчаливому отчаянию соответствовали также его последние слова, обращенные к адъютанту, тщетно пытавшемуся перевязать огнестрельную рану на бедре, в результате которой была перебита артерия: «Оставьте, не имеет смысла».

В Польше в сентябре, во время сражения под Радомом, погиб и мой старый друг, полковник Вильгельм Дитрих фон Дитфурт, командир мотострелкового полка. В его лице для меня погиб человек, который прошел вместе со мной весь жизненный путь, начиная с ранней юности. Нам было двенадцать лет, когда мы, кадеты Плёнского училища, подружились друг с другом. Дико, как его звали ближайшие друзья, остался затем вместе с принцем Оскаром Прусским в Плёне, а я был переведен в Главное кадетское училище в Лихтерфельде. Четыре года спустя судьба свела нас снова в чине лейтенантов в 3-м гвардейском полку. Мы были инструкторами по подготовке рекрутов в одном и том же батальоне, следовательно, на службе, и еще чаще в свободное время, были вместе. В эти дни наша дружба, начавшаяся в Плёне, стала еще более прочной. Я сохранил эту дружбу и после его смерти и сохраню ее до конца моих дней.

Дитфурт был одним из любезнейших и обходительнейших людей, которых я когда-либо знал. Он был высокого роста, умен и восприимчив ко всему красивому и хорошему. Уже в своей юности он обладал исключительно уравновешенным характером. На его примере можно было увидеть, какой неоценимый вклад может сделать живущая в атмосфере любви и гармонии семья в дело воспитания детей, вклад, сохраняющий свое значение на всю жизнь. Находиться в гостях у его родителей, братьев или сестер доставляло большую радость. Через несколько лет судьба нас снова разделила. Супруга кайзера избрала его для воспитания своего младшего сына, причинявшего ей много хлопот. Однако мы продолжали поддерживать связь, часто обмениваясь письмами.

В 1913 году Дитфурт, к моей радости, снова возвратился в полк, и мы вместе поступили в военную академию. Но вскоре его снова отозвали на пост старшего адъютанта полка — доказательство того, что начальники высоко ценили его как офицера. Тем не менее мы продолжали оба служить вместе в Берлине. Война снова разделила нас. Дитфурт начал войну на посту старшего адъютанта кадрового, а я запасного полка. Судьбе было угодно, чтобы мы, как это иногда бывает в жизни, опять сошлись вместе во время сражения на Сомме в штабе 1-й армии на должностях офицеров штаба. Летом 1917 года Дико снова отозвали. Чета кайзера вспомнила о его замечательных способностях как воспитателя и пожелала, чтобы он посвятил себя воспитанию сыновей кронпринца. На этот пост нельзя было подобрать человека, который бы лучше справился с этими обязанностями. Для самого Дитфурта это было, однако, тяжелым ударом — во время войны вдруг возвращаться на родину. Придворным он так никогда и не стал. И после революции, с которой его задача потеряла первоначальный смысл, он остался верен этой своей задаче. После окончания воспитания принцев он поступил в услужение к кронпринцу. Когда он решил, что кронпринц больше не нуждается в нем, он сейчас же последовал велениям своего сердца и снова стал солдатом. Еще несколько мирных лет ему суждено было провести на должности инструктора вначале своего батальона, а затем своего полка. Вражеская пуля настигла его, когда он шел во главе своих гвардейцев в первых рядах, стреляя из винтовки.

Смерть не пощадила и моей семьи. Во время польской кампании старший брат моей жены, ротмистр запаса Конрад фон Лёш, был тяжело ранен в позвоночник. Это было 9 сентября во время сражения на Бзуре. Он служил в разведывательном батальоне. Ему принадлежало бывшее имение его отца в Лорцендорфе (Силезия); он был женат на графине Цедлитц и имел трех детей. Даже такой хирургический гений, как фон Зауербрух, не смог спасти его. Все же этот большой специалист своим искусством, а прежде всего своим сердечным отношением смог несколько облегчить тяжелые страдания в последние месяцы жизни моего шурина. Он умер в возрасте 40 лет в марте 1940 года в клинике Шаритэ в Берлине. Эта потеря была тяжелым ударом для нас всех, в особенности для моей жены, которая, будучи младше его всего на один год, росла вместе с ним. Этот человек, преисполненный идеалов, очень любил своих детей, по-дружески относился к людям в своем имении, был страстным любителем верховой езды и своей солдатской профессии. Он останется в памяти не только своих близких.

5 октября Гитлер устроил парад Победы в Варшаве. На большой аллее, ведущей от Бельведера к дворцу, дефилировали мимо него одержавшие победу дивизии, находившиеся теперь в Варшаве и ее окрестностях. Несмотря на проведенные бои и перенесенные тяготы военной жизни, войска производили прекрасное впечатление.

В глазах молодых солдат сияла гордость, вызванная одержанной в этой «молниеносной кампании» победой.

К сожалению, парад окончился неприятным эпизодом, который одновременно пролил яркий свет на отношение Гитлера к офицерам сухопутных сил.

Было предусмотрено, что Гитлер, незадолго до своего вылета, на аэродроме будет беседовать с командирами соединений, участвовавших в параде.

Не без основания мы ожидали от него в нескольких словах благодарности. В одном из ангаров был накрыт стол, за которым Гитлер должен был вместе с командирами отведать суп из полевой кухни. Когда он, однако, вошел в ангар и увидел стол, накрытый белой скатертью и украшенный осенними цветами, он резко повернулся, подошел к полевой кухне, стоявшей рядом с ангаром, попробовал несколько ложек супа, поговорил с окружившими его солдатами и улетел. Очевидно, подобным отношением он хотел подчеркнуть свою «близость народу». Я, однако, сомневаюсь, что наши бравые гвардейцы действительно одобрили его поведение. Они, вероятно, вполне бы поняли, что глава государства, после таких побед отдав дань командирам, отдал бы дань и самим войскам. По отношению к первым же его поведение было явной бесцеремонностью, которая в такой момент заставляла задумываться.

Польская кампания в то время получила название «молниеносной войны». Действительно, эта кампания по быстроте ее проведения и результатам являлась единственной в своем роде, пока впоследствии наступление немцев на западе не явилось подобным же достижением, но в еще больших масштабах.

Чтобы, однако, правильно оценить события, надо учесть сказанное в предыдущей главе о перспективах, открывавшихся в этой войне перед Польшей.

Действительно, эта кампания должна была быть выиграна немцами, если учесть гораздо более благоприятную для них обстановку перед началом военных действий, а также их превосходство при наличии двух предпосылок:

— во-первых, если бы немецкое командование пошло на большой риск на западе, чтобы располагать необходимым превосходством сил на востоке;

— во-вторых, если бы западные державы не воспользовались этими рискованными действиями, чтобы своевременно прийти на помощь полякам.

Не подлежит сомнению, что события могли развиваться совсем иначе, если бы западные державы начали наступление на западе как можно раньше. Правда, польское командование должно было бы учесть этот факт и, проявив немного больше здравого смысла, не растрачивать с самого начала свои силы, стремясь удержать то, что нельзя было удержать. Оно должно было бы, наоборот, с самого начала кампании сосредоточивать свои силы на решающих участках, систематически преследовать цель выиграть время, ввергнуть немцев в настоящую пучину войны на два фронта. Храбрость, с которой польские войска сражались до последнего момента, создала бы польскому командованию возможность продержаться до того момента, пока союзники, выйдя на Рейн, не заставили бы командование германской армии раньше времени прервать польскую кампанию. Таким образом, как уже однажды выразился граф Шлиффен, побежденные и на этот раз внесли свою лепту в дело победы, одержанной противником.

С другой стороны, необходимо, однако, признать, что быструю и решительную победу, одержанную в польской кампании, следует все же приписать не только влиянию благоприятной оперативной обстановки, но и достигнутому благодаря большому риску превосходству на стороне немцев, лучшему управлению войсками и более высоким боевым качествам немецких войск.

Важную роль в достижении высоких темпов проведения кампании сыграли новые принципы использования самостоятельно действующих танковых соединений и поддержка авиации, обладавшей подавляющим превосходством. Но решающим фактором, вероятно, наряду с неоднократно испытанной храбростью немецкого солдата и его готовностью к самопожертвованию, был наступательный порыв, который овладел немецким командованием и войсками. Насколько очевидно, что техническое оснащение армий в значительной степени объясняется энергией Гитлера, настолько же ясно, что одно превосходство в вооружении ни в коей мере не могло обеспечить такой быстрой и решительной победы.

Самым важным, однако, было то, что тот маленький рейхсвер, на который многие в свое время смотрели сверху вниз, сумел спасти после поражения во время Первой мировой войны и оживить великие немецкие традиции в области обучения и вождения войск. Новая немецкая армия — детище этого рейхсвера — была, очевидно, единственной армией, сумевшей преодолеть вырождение войны в позиционную войну или, как выразился генерал Фуллер в отношении боевых действий в последний период Второй мировой войны[1], в «торговлю железом». Германской армии удалось с помощью новых средств борьбы снова овладеть подлинным искусством ведения маневренной войны. Самостоятельность, не предоставлявшаяся в такой степени командирам никакой другой армии — вплоть до младших командиров и отдельных солдат пехоты, — вот в чем состоял секрет успеха. А это наследство опять-таки сохранил и передал дальше рейхсвер. Новая армия с честью выдержала свое первое испытание. Командование сухопутных сил еще могло действовать без чужого вмешательства. Командующие еще имели в своих руках всю полноту власти. Войска еще могли проводить операции чисто военного характера, и поэтому они еще носили благородный характер.

КОМАНДУЮЩИЙ ВОСТОЧНЫМ ОКРУГОМ

С 3 октября генерал-полковник фон Рундштедт был назначен командующим Восточным округом. В качестве начальника гражданской администрации оккупированных областей Польши, из которых затем были переданы в состав империи вновь созданные округа, ему должен был помогать министр Франк. Штаб группы армий, в составе которого был образован теперь также отдел этапно-транспортной службы, остался в подчинении командующего Восточным округом в качестве его военного штаба. Штаб группы армий «Север» был переброшен на Западный фронт.

Такое решение генерал-полковник фон Рундштедт и его штаб, естественно, восприняли с горечью. Ведь группа армий «Юг» принимала самое активное участие в боевых действиях во время польской кампании. Теперь нас оставили без внимания в Польше, в то время как группа армий «Север» получила новые важные задачи. Кроме того, нам казалось малопривлекательным играть роль оккупационных властей, с администрацией, во главе которой стоял один из руководящих деятелей партии.

НАШ НАЧАЛЬНИК ГРАЖДАНСКОЙ АДМИНИСТРАЦИИ

Еще перед началом наступления на Варшаву штаб группы армий был переведен в расположенный несколько западнее города

---

[1] Очевидно, опечатка. Должно быть «Первой мировой войны». — *Примеч. ред.*

небольшой дворец Хеленув. Это было чудесное небольшое здание в стиле рококо, к которому вели длинные аллеи. Дворец стоял посреди красивого парка с большими прудами. Здесь нас навестил через несколько дней после падения Варшавы наш будущий начальник гражданской администрации. Стол был накрыт для обеда! Генерал-полковник и его штаб ждали гостя. По прошествии часа после назначенного времени Рундштедт в бешенстве сказал: «Начнем! Без него». Мы как раз закончили обед, когда перед маленьким дворцом остановилась кавалькада машин. Из первой вышла фигура в голубом костюме, сплошь отделанном золотом; при других обстоятельствах мы бы приняли ее за кубинского адмирала. Это был г-н Франк. К нашему ужасу, из других машин вылезла многочисленная свита, мундир за мундиром, куча народа. Для такого скопления людей наш повар, располагавший отведенным нам рационом, не был подготовлен. Тем не менее стол был накрыт. Мясное блюдо — гуляш — заключало в себе много соуса, но очень мало мяса. Нас развеселило то, что г-н Франк тщательно выуживал кусочки мяса, предоставляя соус своей свите. Это была наглядная демонстрация лозунга: «Общественное благо выше личного». Затем г-н Франк поднялся, пожелал сфотографироваться с генерал-полковником перед дворцом, приняв для этого важную позу, а затем заявил, что его время истекло, он, мол, должен возвратиться в Берлин к фюреру, влез в машину, свита поспешила в другие машины, и они исчезли. Генерал-полковник фон Рундштедт молча посмотрел им вслед. Совещание, посвященное задачам нашего начальника гражданской администрации, не состоялось. Оно так никогда и не было проведено.

Вскоре после этого мы переселились в Лодзь, где должна была постоянно находиться резиденция командующего Восточным округом. Я предложил избрать для нее бывший царский дворец Спала. Он был расположен среди прекрасных лесов вблизи самого города. Но г-н фон Рундштедт предпочитал находиться в Лодзи. Вероятно, он думал, что здесь он сможет интереснее проводить время. Ему пришлось горько разочароваться. Правда, устроились мы сносно в бывшем здании штаба польского корпуса, но город был переполнен людьми; их было здесь столько, сколько мне никогда еще в жизни не приходилось наблюдать. Было совершенно исключено, чтобы командующий появлялся в этой сутолоке. Не оставалось ничего иного, как, отчаявшись, избрать местом для прогулок и приятной беседы кладбище — единственное место, где ему вообще можно было еще появляться.

Так как наш новый начальник гражданской администрации не появлялся и в Лодзи, а администрацию нужно было создать, мы послали нашего начальника этапно-транспортного отдела генерала Крювеля за Франком. Крювель некоторое время разыскивал Франка по всей стране, пока не обнаружил его в принадлежавшем ему имении на одном из озер в Верхней Баварии. Генералу удалось склонить Франка к поездке в Лодзь. Я был свидетелем довольно холодной беседы между командующим и Франком. В ходе этой беседы фон Рундштедт заявил, что он ни в коем случае не потерпит у себя филиал учреждения рейхсфюрера СС (Гиммлера. — *Примеч. ред.*). Он попросил Франка самым серьезным образом учесть это. Последний безоговорочно согласился с командующим и закончил беседу, торжественно заявив: «Г-н генерал-полковник, Вы знаете, что я сторонник справедливости!» После этих красивых слов г-н Франк несколько поспешно сказал, что его время истекло, ему нужно в Берлин к фюреру... и исчез, как в свое время в Хеленуве. Мы его больше не видели. Он приехал в Польшу только тогда, когда наш штаб уже покинул ее, и вместо роли начальника гражданской администрации при штабе группы армий он получил всемогущественный пост генерал-губернатора.

ЗАКЛЮЧЕНИЕ

Между тем три штаба армии покинули нас, убыв на Западный фронт. Вместо командующих армиями были введены должности командующих войсками округов фактически с чисто территориальными задачами. Большая часть войск, за исключением небольшого количества оккупационных дивизий, ничтожного по сравнению с советскими войсками, находившимися в Восточной Польше, была переброшена на запад. О том, что Гитлер планирует там в скором времени начать наступление, было известно и нам. В качестве военной задачи нам оставалось только обеспечение безопасности польской территории, обучение дивизий, большая часть которых была сформирована лишь недавно, а также подготовка к строительству линии укреплений на востоке.

Уже во время парада в Варшаве генерал-полковник фон Рундштедт дал ясно понять командующему сухопутными силами, что он воспринимает оставление его штаба для несения оккупационной службы в Польше как обиду. Я в том же духе беседовал с генералом Гельдером. В конце концов мне удалось убедить начальника

1-го управления Генерального штаба генерала фон Штюльпнагеля в том, что наступление на западе вряд ли можно будет вести под руководством одного штаба группы армий.

15 октября у нас появился полковник Хойзингер из оперативного отдела ОКХ и принес нам радостное известие о том, что и наш штаб в конце октября будет переведен на Западный фронт. Наше место должен был занять штаб армии во главе с генерал-полковником Бласковитцем. Я сам вскоре после этого получил приказ 21 октября прибыть для получения указаний о проведении наступления на западе в Цоссен, где помещалось ОКХ.

18 октября я покинул Лодзь, чтобы еще успеть навестить мою семью и моего тяжело раненного шурина, находившегося на излечении в Бреслау (Вроцлав).

Затем я приступил к выполнению новых задач.

II
КАМПАНИЯ НА ЗАПАДЕ
(1940 год)

> И теперь зима нашего недовольства смени-
> лась сияющим летом...
>
> *Шекспир. Ричард III*

Обрадованные тем, что мы отделалась от неблагодарной задачи играть роль оккупационных властей в Польше, 24 октября 1939 года мы с нашим штабом прибыли на Западный фронт, чтобы принять командование образованной там группой армий «А». Дивизии первого эшелона, входившие в состав подчиненных ей армий (12-й и 16-й), были расположены на границах Южной Бельгии и Люксембурга; они эшелонировались в глубину на восток до правого берега Рейна. Штаб группы армий был расположен в Кобленце.

Мы расположились в отеле «Ризен-Фюрстенгоф», на берегу Рейна. Этот отель казался мне, когда я был еще фенрихом[1] в военном училище, расположенном недалеко от Кобленца в городке Энгерсе, верхом элегантности и кулинарного искусства. Теперь ограничения военного времени не прошли бесследно и мимо этого широко известного отеля. Наши рабочие помещения были расположены в старинном, когда-то роскошном здании вблизи казарм Дойчес Эк, служивших до войны местом расквартирования Кобленцкой дивизии. Красивые комнаты в стиле рококо превратились теперь в пустые мрачные кабинеты.

На маленькой площадке, окруженной старыми деревьями, вблизи дома, стоял довольно интересный обелиск. На нем красовалась высокопарная надпись, свидетельствовавшая о том, что он был сооружен французским комендантом Кобленца в 1812 году в честь

---

[1] Курсант 2-го курса военного училища. — *Примеч. ред.*

переправы через Рейн отправившейся в поход на Россию «Великой армии» Наполеона. Под этой надписью, однако, была выбита другая, гласившая примерно: «Принято к сведению и одобрено». Под ней стояла подпись русского генерала, который в 1915 году стал комендантом города!

Жаль, что Гитлер не видел этого монумента!

Наша оперативная группа штаба по моему совету получила ценное пополнение: помощником начальника оперативного отдела был назначен старый штабист, подполковник фон Тресков, в июле 1944 года бывший одним из руководителей заговора против Гитлера и затем по своей воле лишивший себя жизни. Тресков еще в мирное время работал вместе со мной в 1-м управлении Генерального штаба. Это был высокоодаренный офицер и пламенный патриот. Ум, образованность и умение держать себя в обществе придавали ему особое обаяние. Прекрасную пару этому элегантному, аристократического вида человеку составляла его настолько же умная, как и красивая, жена, дочь бывшего военного министра и начальника Генерального штаба фон Фалькенгейна. В то время в берлинских офицерских кругах не было, пожалуй, более красивой супружеской четы, чем чета Тресковых.

С Тресковым у меня со времени совместной работы в оперативном управлении установились отношения взаимного доверия и, я бы даже сказал, дружбы. И теперь, в Кобленце, он стал одним из самых ценных моих помощников в борьбе за осуществление отстаивавшегося штабом группы армий плана наступления на Западе. Когда я позже был назначен командиром танкового корпуса, а затем командующим армией, я оба раза просил к себе Трескова начальником штаба. Мои просьбы отклонялись с оригинальным обоснованием: мне якобы «не нужен такой умный начальник штаба». Когда затем весной 1943 года мне предложили Трескова на должность начальника штаба группы армий, я не мог предпочесть его моему испытанному во многих совместных боях начальнику оперативного отдела генералу Буссе, к тому же бывшему в одних со мной годах, и попросил этого генерала на должность начальника штаба. Я упомянул об этом только ввиду того, что один господин, близко знакомый с Тресковым, распространял версию, что я тогда отклонил кандидатуру Трескова якобы потому, что он не был надежным национал-социалистом. Каждый, кто меня знает, поймет, что я выбирал себе коллег, конечно, не по этому признаку.

Наряду с исключительными способностями по службе Тресков был остроумным собеседником, и его всегда охотно принимали в узком кругу у командующего, когда мы коротали долгие вечера. Правда, когда он однажды захотел доставить командующему и нам всем особое удовольствие и распорядился поставить на стол во время завтрака большую миску съедобных ракушек, Рундштедт в ответ на его экстравагантность только покачал головой.

Если тем месяцам в Кобленце суждено было стать «зимой нашего недовольства», то это объясняется странным и неясным положением, в котором мы очутились в результате «войны теней» зимой 1939/40 года, «drole de guerre»[1], как называли это положение французы. Было бы легче, если бы мы знали задачу операции, которую нам предстояло осуществить весной, с тем чтобы планомерно подготавливать к ней находящиеся в нашем подчинении войска. Но, как известно, Гитлер собирался вести наступление поздней осенью 1939 года, а когда выяснилось, что это невозможно, — в течение зимы. Каждый раз, когда его «предсказатели погоды», метеорологи ВВС, обещали хорошую погоду, он отдавал приказ о выдвижении в районы сосредоточения для наступления. И каждый раз этим предсказателям приходилось спускаться со своей лестницы, так как либо проливные дожди делали местность непроходимой, либо сильный мороз и снегопад ставили под вопрос возможность успешных действий танков и авиации. И так постоянно то подавался сигнал к наступлению, то трубили отбой, — положение довольно безрадостное как для войск, так и для командиров. При этом довольно ярко проявилось недоверие Гитлера к донесениям войск, которые не соответствовали его желаниям. Когда штаб группы армий послал очередное донесение о том, что длительные дожди в настоящее время делают начало наступления невозможным, Гитлер послал к нам своего адъютанта Шмундта с заданием на месте убедиться в состоянии местности. Тут Тресков оказался как раз на месте. Он безжалостно таскал целый день своего бывшего товарища по полку, Шмундта, по почти непроходимым дорогам, по размякшим распаханным полям, мокрым лугам и скользким склонам гор, пока тот, совершенно обессилевший, вечером снова не появился в нашем штабе. С тех пор Гитлер отказался от подобного неуместного контроля наших донесений о погоде.

Естественно, больше всего страдал от этих постоянно меняющихся решений и связанной с этим непродуктивной работы нашего штаба наш командующий, генерал-полковник фон Рундштедт, во-

---

[1] Странная война (франц.).

обще не отличавшийся особой терпеливостью. Правда, вскоре на наш штаб стал обрушиваться поток бумаг, обычно захлестывающий в спокойной обстановке войска и штабы. Но так как очень хорошим законом в германской армии было избавлять старших командиров от всяких мелочей, этот поток бумаг почти совсем миновал генерал-полковника. Поэтому он каждое утро совершал продолжительную прогулку по набережной Рейна, во время которой я его часто сопровождал. Ведь и мне нужно было немного движения. Даже во время морозной зимы, когда воды Рейна были прочно скованы льдом, Рундштедт надевал только тонкий прорезиненный плащ. На мое замечание, что так можно простудиться и умереть, он ответил, что у него еще никогда не было зимнего пальто и что он и в старости не собирается его покупать! И так это было и на самом деле! У этого пожилого человека все еще чувствовалось спартанское воспитание кадетского корпуса. О моем собственном пребывании в кадетском училище он мне напоминал еще и кое-чем иным. Когда генерал-полковник после прогулки сидел за письменным столом и ожидал, когда к нему явлюсь я или кто-либо из офицеров штаба для доклада, он охотно читал захватывающий детективный роман. Интересно, что детективные романы читаются многими, даже выдающимися людьми, охотно прибегающими к ним как к средству рассеяться. Однако наш уважаемый командующий все же немного стеснялся, когда его заставали за чтением подобных книг. Поэтому он клал романы в открытый ящик письменного стола, который он быстро задвигал, когда кто-либо входил к нему для доклада. Так же делали и мы, кадеты, когда в часы работы в нашу комнату входил воспитатель!

Моя попытка развлечь генерал-полковника в один из длинных вечеров посещением одного из фронтовых кинотеатров потерпела крушение. Геббельсовская кинохроника вызвала у него крайнее недовольство, и я был рад, что его замечания слышал только я один.

Бывали, однако, и веселые происшествия. Однажды на улице мы встретили егеря из австрийской горной дивизии. Хороший малый, он, видно, еще недавно стал солдатом, и солдатский мундир, который был ему слишком широк, а также посылки, которыми он был изрядно нагружен, придавали ему весьма живописный вид, очень отдаленно напоминавший солдата. К тому же ремень он надел не на талию, а использовал его, сдвинув значительно ниже, как опору для своего животика. Весь вид этого егеря был настолько причудливым, что я его остановил и велел поправить ремень. Дружески улыбаясь, бравый парень ответил: «Большое спасибо, г-н полковой врач!», как будто я ему по секрету указал на другой непорядок в его туалете. Мне ничего не оставалось, как от души рассмеяться.

Бумажная война также один раз доставила нам повод повеселиться. Как ни мало готовности проявляло ОКХ — я позже остановлюсь на этом — принять наши планы операции, однажды мы все же по второстепенному вопросу неожиданно добились победы. Следует вспомнить, что офицеры носили тогда к ремню портупею. Генерал Гейе в свое время ввел эту совершенно излишнюю принадлежность, чтобы «украсить» форму рейхсвера. Младшие офицеры вскоре назвали портупею по образцу широко рекламируемого бюстгальтера «Гаутана». «Гаутана» стала пользоваться особенно дурной славой, когда партия и ее организации также ввели такую портупею. Попытки добиться ее отмены были безуспешными вследствие сопротивления Управления вещевого снабжения. После того, однако, как в польской кампании были отмечены сравнительно большие потери среди офицерского состава, ОКХ отдало приказ о том, что во фронтовых условиях всем офицерам до штабов полков включительно не разрешается носить портупею в связи с тем, что она выделяет их на большом расстоянии среди солдат.

Так как в результате этого офицеры высших штабов стали, так сказать, как «тыловые крысы», отличаться от фронтовиков, штаб группы армий ходатайствовал об отмене ношения портупеи для всех офицеров. Наше ходатайство, однако, не было удостоено никакого ответа. Затем мы донесли, что мы дали приказ в районе, занимаемом группой армий, отменить ношение портупеи для всех офицеров. Но чтобы не предвосхищать решения ОКХ, доносили мы, штаб группы армий приказал чиновникам, приравниваемым по чину к офицерам, продолжать носить портупеи. Это произвело желаемый эффект. В течение трех дней «Гаутана» была окончательно отменена. Надо избрать лишь правильный путь, чтобы прийти к цели!

Наше плохое настроение в ту зиму, однако, лишь отчасти объяснялось описанной мной выше частой сменой решений Гитлера и возникшей в связи с этим неблагоприятной обстановкой для подготовки и воспитания войск, которые постепенно могли начать сомневаться в разумности постоянно отменявшихся приказов. Я уже не говорю о том, что эта смена решений значительно затрудняла систематическое обучение, особенно необходимое дивизиям, еще недавно прошедшим стадию формирования и нуждавшимся в слаживании.

Настоящая причина нашего плохого настроения, или, вернее, беспокойства, заключалась в двух важных факторах.

Первый заключался в том явлении, которое я не могу назвать иначе как «лишением командования сухопутных сил власти». Это явление я переживал особенно остро, так как еще зимой 1937/38 года, будучи на посту начальника 1-го управления Генерального штаба и помощником Фрича и Бека, я боролся за то, чтобы ОКХ заняло подобающее ему место в системе управления войсками в случае войны.

Второй фактор заключался в том, что штаб группы армий в течение всей зимы тщетно пытался добиться у ОКХ, чтобы оно приняло его план операций, который — по крайней мере по нашему мнению — представлял собой единственную возможность добиться решительной победы на Западе. Этот план операций в конце концов только после личного вмешательства Гитлера был положен в основу наступления на Западном фронте, правда, уже после того, как я сам — безусловно как следствие наших настояний — был смещен ОКХ с моего поста начальника штаба группы армий.

Оба эти фактора — «лишение командования сухопутных сил власти» и «борьба за план наступательной операции на западе» — в значительной мере представляют собой предысторию кампании на западе, которой посвящена эта часть книги. Дальнейшее развитие кампании сейчас уже настолько хорошо известно, что нет необходимости еще раз на нем останавливаться. Я буду описывать из этого периода только те события, которые я лично пережил, будучи командиром армейского корпуса.

Так или иначе, «зима нашего недовольства» все-таки сменилась «сияющим летом»!

Глава 4
ЛИШЕНИЕ КОМАНДОВАНИЯ СУХОПУТНЫХ СИЛ ВЛАСТИ

Штаб группы армий «Юг» перебрасывается на запад. Впечатления о позиции ОКХ по вопросу о наступлении на западе. Гитлер — фон Браухич — Гальдер. ОКХ намеревается после победы в Польше придерживаться оборонительного характера военных действий. Гитлер приказывает наступать. Конфликт между Гитлером и фон Браухичем. Речь Гитлера 23 ноября 1939 года. Могли ли мы на западе

*продолжать придерживаться оборонительного характера военных
действий? Когда можно было раньше всего начать наступление?
Планы противника. Союзники планируют начать наступление
только после достижения явного превосходства, не ранее 1941 года,
пока же хотят вести войну на истощение. Надежда на переворот
в Германии, который, вероятно, даст возможность союзникам раньше начать наступление. Могло ли ОКХ отстаивать свою позицию,
выступая против Гитлера?*

Считают, что ОКХ и Генеральный штаб сухопутных сил были отстранены от решающего влияния на ведение войны на суше, начиная
с того момента, когда Гитлер, после отставки генерал-фельдмаршала
фон Браухича, сам взял на себя руководство не только вооруженными
силами в целом, но и сухопутными силами. В действительности же
это лишение ОКХ власти, а также отстранение Генерального штаба
практически, хотя еще и не формально, началось уже в те недели,
которые непосредственно следовали за польской кампанией.

Когда я 21 октября 1939 года получил в Цоссене для группы
армий «А», как теперь называлась бывшая группа армий «Юг», Директиву о развертывании «Гельб» для намеченного наступления на
западе, я сделал в своем дневнике запись: «Комментарии Гальдера,
Штюльпнагеля и Грейфенберга производят довольно угнетающее
впечатление». Генерал фон Штюльпнагель был тогда начальником
1-го управления и правой рукой начальника Генерального штаба
Гальдера, полковник фон Грейфенберг — начальником оперативного
управления ОКХ.

Из высказываний этих трех человек можно было ясно понять,
что эта директива о развертывании представляла собой план ведения военных действий, навязанный ОКХ Гитлером. Было очевидно, что эти руководящие деятели ОКХ, как и сам командующий
сухопутными силами, относились к мысли о наступлении немцев
на западе совершенно отрицательно. Они считали, что такой план
не является правильным путем завершения войны. Кроме того, из
их высказываний можно было заключить, что они не верят в то,
что германская армия будет в состоянии одержать решительную
победу на западе. Это впечатление нашло затем подтверждение
при ознакомлении с директивой о развертывании, о чем пойдет
речь дальше, а также усилилось впоследствии при посещениях командующего сухопутными силами и его начальника Генерального
штаба, неоднократно бывавших в штабе группы армий.

Было ясно, что можно было придерживаться различных точек зрения по вопросу о целесообразности и перспективах успеха наступления немцев на западе, особенно в тот период поздней осени или зимы 1939 года. Ужасное впечатление произвел на меня тот факт, что роль ОКХ в руководстве операциями сухопутных сил в значительной мере уменьшилась. И это после только что одержанной победы в одной из самых блистательных кампаний немецкой истории!

Правда, Гитлер еще раньше, во время судетского кризиса, не посчитался с мнением ОКХ. Но тогда речь шла о совершенно иных вещах. Тогда решался вопрос не о руководстве военными действиями, а о политической проблеме. Основой разногласий между Гитлером и ОКХ — в первую очередь начальником Генерального штаба генерал-полковником Беком — являлся не вопрос о руководстве операциями сухопутных сил, а о том, приведет ли наступление на Чехословакию к вмешательству западных держав и тем самым к войне на два фронта, с которой германская армия не могла бы справиться. Решение этого вопроса было в конечном счете делом политического руководства, которое могло принять политические меры, для того чтобы избежать войны на два фронта. Таким образом, если тогда командующий сухопутными силами признал примат политики, то он тем самым взял на себя в военном отношении тяжелую ответственность, но не отказался от данной ему прерогативы в своей узкой области.

Во время польского кризиса подобных разногласий между Гитлером и ОКХ не возникало. Во всяком случае, мы, третьи лица, не замечали ничего подобного. Я думаю, что ОКХ тогда — после того как Гитлер в случае с Чехословакией оказался прав в отношении оценки позиций западных держав — надеялось, что то же случится и во время событий осени 1939 года. Во всяком случае, я предполагаю, что ОКХ, точно так же как и мы в группе армий «Юг», в те решающие дни в конце августа до конца считало, что все окончится политическим урегулированием, как это в свое время было сделано в Мюнхене. Впрочем, в польскую кампанию Гитлер не вмешивался, если не говорить о его предложениях относительно развертывания сил германской армии в Восточной Пруссии, с которыми ОКХ согласилось.

Теперь, однако, дело обстояло совсем по-иному. Правда, нельзя оспаривать то, что вопрос о продолжении войны после поражения Польши и о методах ее ведения был вопросом общего руководства военными действиями, окончательное решение по которому должен был принимать Гитлер как глава государства и Верховный главнокомандующий вооруженными силами. Но когда предстояло решить вопрос о методах проведения наступления сухопутных сил на западе, для этого было необходимо установить, смогут ли они решить эту задачу, а также когда и где должно проводиться наступление. В этих трех вопросах примат командования сухопутных сил был несомненным.

Во всех этих трех вопросах Гитлер, однако, поставил ОКХ перед совершившимися фактами, известив 27 сентября командующих тремя видами вооруженных сил без предварительного согласования этого решения с командующим сухопутными силами, что он решил начать наступление на западе еще осенью 1939 года, нарушив нейтралитет Голландии, Бельгии и Люксембурга. Это решение нашло вскоре свое отражение в директиве Главного штаба вооруженных сил (ОКБ) от 9 октября 1939 года.

Как я понял из высказываний упомянутых выше трех человек, при получении «Директивы о развертывании "Гельб"» 21 октября 1939 года ОКХ примирилось с этим «capitis diminutio»[1]. Оно отдало директиву о наступлении, с которым по-прежнему было несогласно. Во всяком случае, в решительный успех не верили и руководящие деятели ОКХ. Здесь следует заметить, что сомнения в этом отношении, если учесть соотношение сил на Западном фронте, не были лишены основания.

Из всего этого я только мог сделать вывод, что ОКХ в данном случае отказалось от своей руководящей роли как инстанции, ответственной за ведение войны на суше, и примирилось с ролью технического, исполнительного органа. По меньшей же мере случилось то, что в свое время стремились предотвратить генерал-полковник Бек и я нашими предложениями о разумном урегулировании вопроса об организации Верховного командования во время войны. Мы предлагали тогда создать одну инстанцию, которая должна была объединить как руководство всеми действиями вооруженных сил, так и руководство операциями на суше, являясь единственным ответственным консультативным органом главы государства в вопросах ведения войны, во всяком случае, до тех пор, пока не будет одержана победа на континенте, либо командующий сухопутными силами должен был взять на себя одновременно руководство действиями всех вооруженных сил, либо начальник имперского

---

[1] «Приниженным положением» (*лат.*).

Генерального штаба, ответственный за руководство действиями всех вооруженных сил, должен был одновременно руководить операциями сухопутных сил. Ни при каких обстоятельствах, однако, нельзя было допустить, чтобы два Генеральных штаба — вооруженных сил и сухопутных сил — вмешивались в руководство операциями последних. По-видимому, создалось именно такое положение. Гитлер со своим Главным штабом вооруженных сил принимал решение о том, какую операцию следует проводить сухопутным силам, а также когда и где. ОКХ оставалась разработка соответствующих приказов даже в том случае, если то, что оно должно было теперь делать, не отвечало его точке зрения. Командующий сухопутными силами был низведен с поста военного советника главы государства до одного из командующих тремя видами вооруженных сил, обязанных лишь исполнять приказы. В самом ближайшем времени это нашло свое яркое подтверждение в создании «театра военных действий ОКВ в Норвегии».

Если задать себе вопрос, как получилось, что ОКХ было подобным образом отодвинуто на задний план, то ответ следует искать как в области личных взаимоотношений, так и в постановке вопроса о том, как следовало продолжать войну после победы над Польшей.

ГИТЛЕР – ФОН БРАУХИЧ – ГАЛЬДЕР

Основная причина описанных выше событий заключалась в личности Гитлера, в его необузданной жажде власти и в переоценке им своих возможностей, чему способствовали его несомненные политические успехи, лизоблюдство видных партийных деятелей, а также некоторых окружавших его лиц. Это было также в значительной мере следствием того, что он по отношению к не согласным с ним военным деятелям был не только главой государства, но и Верховным главнокомандующим всеми вооруженными силами, т.е. их высшим прямым начальником. К тому же он блестяще умел в споре со своими военными партнерами бросать на чашу весов политические и экономические аргументы, которые последним нелегко было опровергнуть, ибо для их оценки решающее слово также имели не военные, а государственные деятели. Главную роль, однако, в узурпировании роли не только главы государства и политического вождя, но и полководца сыграла, очевидно, жажда власти. В этой связи мне на многое раскрыла глаза беседа с Гитлером, состо-

явшаяся в 1943 году. Это был один из тех случаев, когда я пытался
побудить Гитлера к разумному урегулированию вопроса о руководстве военными операциями, то есть практически добиться от него
отказа от руководства ими в пользу облеченного всей полнотой
власти начальника Генерального штаба. Гитлер во время этой беседы
заявил, что он совсем не заинтересован в том, чтобы «играть роль
полководца» (хотя его, безусловно, привлекала связанная с этим
слава). Он подчеркнул, что решающее значение в этом вопросе игра-
ет власть и что он один обладает достаточным авторитетом для того,
чтобы добиться выполнения своих решений. Он верил только во
власть и считал, что она олицетворена в его воле. Наряду с этим не
следует отвергать мысль о том, что он после польской кампании
боялся, что заслуги генералов могут умалить его авторитет в глазах
народа и что он поэтому с самого начала в вопросе о ведении войны
на Западе занял такую диктаторскую позицию.

Этому человеку с его необузданной жаждой власти, не оста-
навливавшемуся при этом ни перед чем и обладавшему высоким
умом, противостояли генералы фон Браухич и Гальдер. Они имели
перед собой человека, утвержденного в своей должности главы государства волей народа, и одновременно своего высшего прямого
начальника.

Борьба с самого начала велась неравными силами, даже если бы
противниками Гитлера в армии были бы другие люди.

Будущий фельдмаршал фон Браухич был очень способным
генералом. Правда, во время инспекторских и полевых поездок
офицеров Генерального штаба, в которых я участвовал под руководством генералов барона фон Гаммерштейна и Адама, он проявил
себя не в такой степени, как генералы барон фон Фрич, Бек, фон
Рундштедт, фон Бок и фон Лееб, однако его можно было, во всяком
случае после них, назвать в числе первых, и, как показали события,
он вполне справлялся с руководством сухопутными силами.

Что касается его характера, то его благородство не подлежит сомнению. Нельзя отрицать и наличия у него силы воли, хотя, по моим
впечатлениям, ее проявления носили скорее отрицательный характер, ибо она выливалась в некое упрямство, а не носила конструктив-
ный характер. Он охотнее выслушивал чужие решения, вместо того
чтобы принимать их самому и добиваться их осуществления. Иногда
он, очевидно, избегал принимать их, чтобы избежать борьбы, к которой он не считал себя подготовленным. Браухич во многих случаях
смело отстаивал интересы армии: например, когда он добивался

от Гитлера публичной реабилитации генерал-полковника барона фон Фрича, хотя он знал, что этим навлекает на себя недовольство Гитлера. Приказ по армии, который он отдал в связи со смертью фон Фрича, был признаком мужества. Но в собственном смысле этого слова его нельзя было назвать борцом. Приложить все свои силы для осуществления своего решения — это была не его стихия. Во всяком случае, генерал-полковник Бек как-то с горечью сказал мне, что Браухич во время чехословацкого кризиса отстаивал точку зрения ОКХ без особой энергии и предоставил Беку самому вести борьбу. С другой стороны, однако, тем, кто упрекает фон Браухича в нерешительности при постановке вопроса о насильственном свержении Гитлера, как, например, бывший посол в Риме фон Гассель, необходимо ответить следующее: совсем иное дело вынашивать, как это свойственно политическим деятелям, планы государственного переворота за письменным столом, не чувствуя за собой никакой ответственности (как в свое время г-н фон Гассель), чем, находясь во главе армии, осуществить такой переворот, приводящий в мирное время к опасности возникновения братоубийственной войны, а во время войны — к победе внешнего врага.

Фельдмаршал фон Браухич, элегантный мужчина подчеркнуто аристократического типа, вел себя весьма достойно. Он был корректен и вежлив, даже любезен, хотя его любезность не производила на собеседника впечатления теплого отношения. Так же как в его внешности ничто не напоминало борца, внушающего своему противнику уважение или по крайней мере осторожность, так в ней нельзя было обнаружить и энергии, способной увлечь всех, и созидательного начала. Он производил в общем впечатление холодного в обращении и сдержанного человека. Часто казалось, что он как-то скован; он, безусловно, был очень щепетильным. Этими свойствами своего характера он завоевал авторитет у своих ближайших подчиненных, которые уважали его как «джентльмена», но их было недостаточно, чтобы обеспечить ему полное доверие войск, которым располагал такой человек, как генерал-полковник барон фон Фрич; такому человеку, как Гитлеру, ему также трудно было импонировать. Правда, генерал фон Сект был еще более холодным в обращении и даже неприступным, но все чувствовали внутренний огонь, бушевавший в этом человеке, железную волю, делавшую его «повелителем». Этими свойствами характера фельдмаршал фон Браухич не был наделен, у него не было также той непосредственности солдата, которая помогла его предшественнику, генерал-полковнику барону фон Фричу, не говоря уже о его больших военных способностях, завоевать сердца солдат.

Если теперь перейти к взаимоотношениям между фельд-маршалом фон Браухичем и Гитлером, то я убежден, что фельд-маршал истощил свои силы в борьбе с этим готовым на все волевым человеком. Его склонности, происхождение и воспитание не позволяли ему бороться с этим человеком тем же оружием, которое Гитлер, находясь на посту главы государства, не задумываясь применял. Браухич подавлял в самом себе свое недовольство и возмущение, тем более что он уступал Гитлеру в словесной дуэли. Он подрывал свои внутренние силы, пока болезнь сердца не вынудила его наконец подать в отставку, которая Гитлеру пришлась весьма кстати.

Справедливости ради необходимо добавить, что Браухич с самого начала находился в значительно менее благоприятном положении по отношению к Гитлеру, чем его предшественники. Гитлер, после ухода Бломберга[1] став Верховным главнокомандующим, сделался не только главой государства, но и прямым начальником всех военнослужащих. Когда военный министр фон Бломберг предложил Гитлеру взять на себя руководство всеми вооруженными силами, он нанес последний удар армии, хотя, по всей видимости, Гитлер и без предложения Бломберга сделал бы этот шаг.

Но прежде всего важно то, что к моменту вступления Браухича в должность Гитлер стал занимать совсем иную позицию по отношению к армии, и прежде всего к ОКХ, чем в предшествовавшие годы. В первый период после прихода к власти Гитлер, безусловно, еще проявлял к военным руководителям чувство уважения и ценил их авторитет. Это отношение он сохранил к фельдмаршалу фон Рундштедту до конца, хотя во время войны он дважды снимал его с занимаемого поста.

Два фактора в первую очередь привели Гитлера к изменению его позиции по отношению к армии еще в течение последних мирных лет.

Первый состоял в том, что армия при генерал-полковнике бароне фон Фриче (как и при фон Браухиче) настаивала на своих традиционных понятиях простоты и рыцарства в обращении, а также на солдатском понимании чести. Хотя Гитлер и не мог упрекнуть армию в нелояльности по отношению к государству, было все же ясно, что она не собирается выбросить за борт свои традиции в об-

---

[1] Бывший военный министр, см. также далее. — *Примеч. ред.*

мен на «национал-социалистские идеи». Также ясно было и то, что именно эти традиции создают армии популярность среди народа. Если Гитлер вначале отвергал подозрения по отношению к военным руководителям, исходившие от партийных кругов, то травля армии, в которой такие личности, как Геринг, Гиммлер и Геббельс, по-видимому, играли главную роль, в конце концов принесла свои плоды. Военный министр фон Бломберг — хотя, очевидно, и невольно — в свою очередь способствовал пробуждению недоверия у Гитлера, слишком усердно подчеркивая свою задачу «приблизить армию к национал-социализму». Результаты этой травли были видны из беззастенчивой речи, произнесенной Герингом весной 1939 года перед военными руководителями в качестве «старшего офицера вооруженных сил». В этой речи он взял на себя смелость упрекать армию, противопоставляя ее двум другим видам вооруженных сил, в том, что она сохраняет свои традиции, не соответствующие идеям национал-социалистского государства. Такую речь присутствовавший при этом генерал-полковник фон Браухич ни в коем случае не должен был оставить без последствий.

Второй фактор, довлевший над отношениями между ОКХ и Гитлером, заключался, во-первых, в том, что он позже называл «вечными сомнениями генералов», а иногда и более обидными словами. Здесь речь прежде всего идет о позиции ОКХ по вопросу о темпах перевооружения, которые оно стремилось замедлить, поскольку чрезмерное ускорение их отражалось на качестве подготовки войск. Во-вторых, Гитлер утверждал, что ему приходилось одерживать свои политические победы всегда при сопротивлении генералов, которые были слишком боязливыми. По этому поводу следует заметить, что генерал-полковник барон фон Фрич, а следовательно, и ОКХ, как это вытекает из книги генерала Госбаха («Между армией и Гитлером»), ни во время введения всеобщей воинской повинности, ни при занятии демилитаризованной Рейнской зоны не возражали против намерений Гитлера. То же можно сказать и о позиции генерала Бека (генерал-полковника фон Браухича не было тогда в Берлине) по вопросу о решении Гитлера ввести свои войска в Австрию. Военный министр фон Бломберг вначале по внешнеполитическим соображениям возражал против введения всеобщей воинской повинности, но затем вскоре снял свои возражения. Тот же Бломберг в связи с оккупацией Рейнской зоны — без ведома ОКХ — советовал Гитлеру возвратить войска, находившиеся уже на левом берегу Рейна, когда французы объявили частичную мо-

билизацию. Тот факт, что Гитлер уже собирался последовать его
совету и что лишь совет министра иностранных дел фон Нейрата
сохранить спокойствие удержал его от этого шага, возможно, в связи
с воспоминанием о проявленной слабости, имел своим следствием
значительное усиление открытой неприязни Гитлера по отношению
к генералитету. Если ОКХ далее в годы перевооружения часто подчеркивало, что армия еще ни в коей мере не готова к войне, то оно
при этом руководствовалось своим прямым долгом.

Гитлер — по крайней мере официально — всегда соглашался
с этой точкой зрения. Но возможно, что эти предостережения уси-
лили его неприязнь к ОКХ. Первое категорическое возражение
внешнеполитические планы Гитлера встретили на том совещании
с министром иностранных дел и командующими тремя видами
вооруженных сил 5 ноября 1937 года, на котором Гитлер впервые
заявил о своих намерениях по отношению к Чехословакии. Тогда он
впервые натолкнулся на сопротивление со стороны министра иностранных дел фон Нейрата, а также военного министра фон Бломберга и командующего сухопутными силами барона фон Фрича,
и это определенно способствовало тому, что он при первом удобном
случае освободился от тех, кто стоял у него на пути.

Теперь часто можно услышать мнение, что согласие генералитета
на уход в отставку генерал-полковника барона фон Фрича показало
Гитлеру, что он теперь якобы может делать с ОКХ все, что угодно.
Я оставлю в стороне вопрос о том, сделал ли тогда Гитлер подобный
вывод. Если он его сделал, то он, во всяком случае, заблуждался относительно мотивов, которыми руководствовался генералитет. Позиция генералитета объяснялась в то время не слабостью, а была
следствием незнания подоплеки этой интриги, невозможности для
честных солдат предположить, что руководство государством ведет
подобную игру, или своевременно разгадать ее, а также практической
невозможности при существовавших обстоятельствах и в связи с этой
причиной осуществить государственный переворот.

Не подлежит никакому сомнению, что Гитлеру, помимо этого,
упомянутые выше высокопоставленные партийные деятели и другие лица прожужжали все уши о «вечных сомнениях генералов
в отношении наших великих целей».

Таким образом, ясно, что генерал-полковник фон Браухич с самого начала находился в сложном положении в своих отношениях
с Гитлером. Роковую роль, кроме того, сыграло, безусловно, и то,
что он при вступлении в должность согласился с рядом изменений

в вышестоящих кадрах армии, в частности, на совершенно неоправданную отставку имевших большие заслуги генералов и на занятие поста начальника Управления кадров сухопутных сил братом генерала Кейтеля. Это означало первый шаг Браухича к пропасти.

Уничтожающий удар авторитету ОКХ в глазах Гитлера затем был нанесен после того, как выяснилось, что сомнения ОКХ по поводу уступчивости западных держав во время судетского кризиса оказались беспочвенными, и он оказался прав. То, что генерал-полковник Браухич в связи с этим пожертвовал начальником Генерального штаба Беком, конечно, не могло усилить его позиции по отношению к Гитлеру, а наоборот, только еще больше ослабило ее.

Второй личностью, которая после отставки Бека выступила против Гитлера как важная фигура в ОКХ, был будущий генерал-полковник Гальдер, в отношении своих военных способностей являвшийся достойным помощником генерал-фельдмаршала фон Браухича. Во всяком случае, они испытывали друг к другу в своей совместной деятельности полное доверие. Мне кажется, что Браухич всегда соглашался с предложениями Гальдера о проведении операций не по долгу службы, а по убеждению. Как большинство офицеров, вышедших из баварского Генерального штаба, Гальдер прекрасно знал работу различных отделов Генерального штаба. Он был неутомимым работником. Слова Мольтке «гений — это прилежание», очевидно, служили ему девизом. Священный огонь, который должен воодушевлять настоящего полководца, однако, вряд ли пылал в нем. О присущем ему чувстве большой ответственности свидетельствует то, что перед русской кампанией он поручил начальнику 1-го управления, генералу Паулюсу, и начальникам штабов групп армий разработать план операций. Но главная концепция плана кампании должна ведь, по-видимому, рождаться в голове того, кто будет ею руководить. Гальдеру не хватало тонкости фон Браухича. Высказывания Гальдера отличались предельно деловым характером. Я сам был свидетелем того, с какой настойчивостью он отстаивал свою точку зрения перед Гитлером. При этом было весьма показательно, как горячо Гальдер выступал за интересы войск, как остро он переживал вместе с ними навязанные ему неверные решения. Но одна трезвая деловитость не была тем качеством, которое могло бы импонировать Гитлеру. Горячая любовь к армии на него не производила впечатления.

Гальдер, по моему мнению, потерпел в конце концов фиаско из-за двойственности своих стремлений. Когда он стал преемником

Бека, он уже был явным врагом Гитлера. По словам Вальтера Гер-
лица («Германский Генеральный штаб»), Гальдер, вступая в должность, заявил генерал-полковнику фон Браухичу, что он это делает
только для того, чтобы вести борьбу с военной политикой Гитлера.
По имеющимся сведениям, он не раз лелеял планы свержения Гитлера, как бы ни обстояло дело с практической осуществимостью
этих планов.

С другой стороны, Гальдер, однако, был начальником немецкого,
а затем и гитлеровского Генерального штаба, после того как Гитлер
взял в свои руки и командование сухопутными силами. Может быть,
политический деятель и в состоянии играть двойную роль ответственного советника и заговорщика. Солдаты обычно не годятся для
подобной двойной игры. Главная же причина состоит в том, что, по
немецким традициям, начальник Генерального штаба немыслим без
отношений доверия со своим командующим. Даже если (что для
Германии до того времени было совершенно немыслимым) в связи
с деятельностью Гитлера признать, что для начальника Генерального штаба существовала возможность в мирное время готовить
свержение главы государства и Верховного главнокомандующего,
то во время войны двойная роль заговорщика и начальника Генерального штаба была бы неразрешимой дилеммой. Долг Гальдера
как начальника Генерального штаба состоял в том, чтобы всеми
силами обеспечивать победу армии, за руководство которой, а следовательно, и за успех планов своего командующего он, наряду
с другими, нес ответственность. В своей второй роли, однако, он
не мог желать этой победы. Не может подлежать ни малейшему
сомнению, что генерал-полковник Гальдер разрешил эту дилемму,
приняв решение в пользу своего военного долга, и приложил все
свои силы для того, чтобы верно послужить немецкой армии в этой
тяжелой борьбе. С другой стороны, его вторая роль требовала, чтобы
он при любых обстоятельствах оставался на своем посту, с целью,
как он надеялся, сохранить возможность в один прекрасный день
свергнуть Гитлера. Для этого, однако, он вынужден был подчиняться его решениям в области ведения войны и в тех случаях, когда
он с ними не был согласен. Он оставался на этом посту в первую
очередь потому, что полагал, будто его тактика выжидания на посту
начальника Генерального штаба избавит армию от последствий военных ошибок Гитлера. Но за это он был вынужден платить ценой
выполнения приказов Гитлера, с которыми он по своим военным
убеждениям не мог согласиться. Это противоречие должно было по-

дорвать его внутренние силы и, наконец, привести его к крушению. Ясно только, что генерал-полковник Гальдер так долго оставался на посту начальника Генерального штаба в интересах дела, а не в своих личных интересах.

Я попытался охарактеризовать тех двух генералов, при которых осенью 1939 года произошли события, которые вряд ли можно назвать иначе, чем «лишение ОКХ власти». Из сказанного понятно, что оба эти солдата, сами по себе обладавшие высокими качествами, не могли успешно вести борьбу с таким человеком, как Гитлер. Во всяком случае, то, что снижение роли ОКХ до роли чисто исполнительной инстанции произошло как раз после его блестящих побед в Польше, явилось причиной и определенной постановки Гитлером и ОКХ вопроса о дальнейшем ведении войны.

До начала войны и в ее первый период было естественным, что немецкая сторона придерживалась на западе оборонительных действий. Кто мог ожидать, что западные державы так позорно оставят Польшу, которой они дали гарантии, на произвол судьбы. Их наступление небольшими силами, приведшее к вклинению в полосу обеспечения «Западного вала», в Саарской области, за которым последовал отход на территорию Франции, не могло даже привести к предположению о том, что они готовят в будущем наступление крупными силами.

Если бы можно было с полным основанием ожидать подобного наступления, оставалось бы только выжидать, удастся ли остановить это наступление у «Западного вала» или, если бы оно велось, например, через Люксембург и Бельгию в направлении на Рурскую область, нанести после высвобождения сил из Польши контрудар; в настоящее же время пассивность западных держав создавала совершенно иную обстановку. Даже если учесть методы ведения войны французским командованием и неповоротливость британцев, нельзя было ожидать, что они перейдут в наступление после поражения Польши и возникновения возможности использования всей германской армии для ведения войны на западе. Судьба Польши стала, однако, ясной самое позднее 18 сентября, когда решился исход сражения на Бзуре и после того как Советы накануне перешли восточную границу Польши. Именно тогда, и не позже, должен был начаться обмен мнениями между Гитлером и командующим сухопутными силами по вопросу о ведении военных действий на западе. Тем не менее, как можно судить по опубликованным данным (в первую очередь по книгам генерала фон Лоссберга, бывшего начальника 1-го управления ОКБ, и министериальрата Грейнера, ведавшего журналом боевых действий ОКБ), этого не произошло.

Можно предположить, что реакция на блестящую победу в Польше, как и на неожиданную пассивность западных держав, со стороны Гитлера и со стороны руководящих деятелей ОКХ была совершенно различной. Тот факт, что англо-французская армия на западе не перешла в наступление, Гитлер, безусловно, расценивал как признак слабости, который позволяет ему в свою очередь перейти на западе в наступление. Блестящий успех польской кампании, кроме того, привел его к убеждению, что немецкая армия вообще может решать любую задачу. ОКХ совсем не придерживалось последнего мнения, как мы это покажем ниже. Из пассивности западных держав можно было, с другой стороны, заключить, что они, возможно, вступили в войну только для того, чтобы спасти свою честь. Поэтому, вероятно, с ними все же еще можно договориться. Генерал Гальдер, по-видимому, также думал о том, что такое соглашение можно будет заключить и помимо Гитлера. В этом случае немецкое наступление на западе в такой момент было бы совершенно неуместным.

Как бы то ни было, ОКХ могло исходить в своих предположениях из того, что Гитлер до этих пор никогда еще, даже после разгрома Польши, не ставил на обсуждение вопрос о наступлении на западе. В этом отношении я получил неопровержимое доказательство зимой 1939/40 года. Когда Гитлер в очередной раз отдал приказ о выдвижении в районы сосредоточения для наступления на западе, ко мне прибыл командующий воздушным флотом, с которым группа армий «А» должна была взаимодействовать, генерал Шперрле, и заявил, что его соединения не могут стартовать с размытых дождями аэродромов. В ответ на мое замечание о том, что за минувшие месяцы было достаточно времени для создания бетонированных стартовых дорожек, Шперрле заявил, что Гитлер в свое время категорически запретил проводить всякие работы, предназначенные для подготовки к наступлению. То же относится, впрочем, и к производству боеприпасов, которое осуществлялось не в том объеме, который был необходим в случае, если бы планировалось наступление на западе.

Очевидно, ОКХ считало, что это решение Гитлера является непоколебимым, и тем самым ошиблось в оценке его характера. Как сообщает Грейнер, ОКХ в течение второй половины сентября, когда подходили к концу события в Польше, дало задание генералу Генриху фон Штюльпнагелю разработать план дальнейшего ведения военных действий на западе. Штюльпнагель пришел к выводу, что армия до 1942 года не будет располагать необходимой материальной частью для прорыва линии Мажино. Возможность ее обхода через Бельгию и Голландию он не рассматривал, так как германское правительство незадолго до этого обещало этим странам уважать их нейтралитет. На основе этого вывода и упомянутой выше позиции Гитлера ОКХ, по-видимому, пришло к убеждению, что на западе по-прежнему действия будут носить оборонительный характер. В соответствии с этим оно после окончания польской кампании отдало приказ об усилении обороны сухопутных сил на западе, очевидно, не удостоверившись предварительно в мнении Гитлера.

В совершенно новой обстановке, возникшей в результате окончательного разгрома Польши, такой образ действий означал не что иное, как предоставление Гитлеру инициативы в решении вопроса о дальнейших планах кампании. Этот путь, конечно, не был правильным путем для военного руководства, чтобы обеспечить за собой влияние на дальнейший ход войны, какой бы характер она ни приобрела. Кроме того, упомянутая выше работа Штюльпнагеля не могла рассматриваться как решение вопроса о дальнейшем характере войны. Если бы мы выжидали до 1942 года, чтобы прорвать линию Мажино, западные державы, по всей видимости, ликвидировали бы отставание в области вооружения. Помимо этого успешный прорыв линии Мажино никогда не мог бы быть развит в операцию, решающую успех войны. Против по меньшей мере 100 дивизий, которыми располагал противник еще в 1939 году, таким путем нельзя было добиться решающего успеха. Даже если бы противник выделил для обороны линии Мажино крупные силы, он всегда мог бы оставить в качестве оперативного резерва 40—60 дивизий, которых было бы достаточно для того, чтобы вскоре остановить войска, прорвавшиеся через линию укреплений даже на широком фронте. Боевые действия, безусловно, приняли бы застывшие формы позиционной войны с ничейным исходом. Такую цель не могло ставить перед собой немецкое командование.

Естественно, нельзя предположить, что генерал-полковник фон Браухич и его начальник Генерального штаба собирались на продолжительный срок ограничиться оборонительными действиями. По-видимому, они все же надеялись на возможность заключения соглашения с западными державами или на то, что последние сами начнут наступление. Решение по первой линии лежало, однако, за сферой их компетенции. Надежда на наступление западных держав была нереальной, как это будет позже доказано. В действительности обстановка складывалась так, что весна 1940 года была, с военной точки зрения, пожалуй, самым ранним, но одновременно и самым поздним сроком, сохранявшим для германской стороны возможность успешного осуществления наступления на западе.

Гитлер, по словам Грейнера, правда, не получил на просмотр вышеуказанной работы генерала фон Штюльпнагеля, однако он, безусловно, должен был знать, что ОКХ намерено продолжать придерживаться на западе оборонительного характера военных действий. Таким образом, вместо своевременного обмена мнениями по вопросу о дальнейшем ведении войны, который должен был состояться не позже середины сентября, Гитлер поставил командующего сухопутными силами своим решением от 27 сентября и последовавшей за ним директивой ОКБ от 9 октября перед «fait accompli»[1]. Без предварительной консультации с командующим сухопутными силами он дал при этом не только приказ о переходе к наступательным действиям на западе, но и решил одновременно вопрос о том, когда и каким образом будет осуществляться наступление, то есть принял решение по вопросам, которые он никоим образом не должен был разрешать без участия командующего сухопутными силами.

Гитлер требовал начать наступление как можно раньше и, во всяком случае, еще осенью 1939 года. Вначале он, по словам генерала фон Лоссберга, указал срок 15 октября. Этот срок, даже если бы он был достаточным для переброски войск по существующим коммуникациям, должен был исходить из той предпосылки, что танковые соединения и авиация должны были быть переброшены из Польши не позже окончания сражения на Бзуре, что само по себе было возможным. Далее, Гитлер заранее установил, как должна была осуществляться наступательная операция: в обход линии Мажино, через Бельгию и Голландию.

Командующему сухопутными силами оставалось только технически осуществить эту операцию, по поводу которой его мнение не было выслушано и в отношении решительного успеха которой он, во всяком случае осенью 1939 года, придерживался отрицательного мнения.

Если задать вопрос, как могло получиться, что командующий сухопутными силами, примиряясь с планами Гитлера, допустил по-

---

[1] Совершившимся фактом (*франц.*).

добное «capitis diminutio», то правильный ответ можно, по-моему, найти в книге Грейнера «Главное командование вооруженными силами». Он считает, что генерал-полковник фон Браухич придерживался того мнения, что прямым возражением он ничего не добьется. Эту же точку зрения высказывает на основании личного знакомства с Гитлером и его тогдашней позицией генерал фон Лоссберг. Генерал-полковник, очевидно, надеялся, что при проявлении доброй воли в то время ему в дальнейшем удастся отговорить Гитлера от его плана. Он, по-видимому, считал также, что состояние погоды практически сделает невозможным проведение наступления поздней осенью или зимой. Если бы ввиду этого удалось отложить решение до весны, возможно, нашлись бы пути для окончания войны путем политических переговоров.

Если командующий сухопутными силами и его начальник Генерального штаба рассуждали подобным образом, то относительно влияния погоды они оказались правы.

Что же касается мысли о том, что удастся «отговорить» Гитлера от такого принципиально важного решения, даже посредством услуг генерала фон Рейхенау, которого ОКХ вскоре послало с этой миссией к Гитлеру, то эти попытки были, по моему мнению, заранее обречены на провал, если только не допустить, что ОКХ смогло бы найти другое, лучшее, импонирующее Гитлеру решение.

Возможности окончить войну в тот период путем мирных переговоров, с другой стороны, не было видно. Предложение о заключении мира, направленное Гитлером западным державам после окончания польской кампании, встретило резкий отпор. Впрочем, Гитлер вряд ли согласился бы с разумным урегулированием польского вопроса, которое сделало бы возможным соглашение с Западом, не говоря уже о том, что такое урегулирование практически трудно было себе представить после того, как Советский Союз уже поглотил восточную половину Польши. Весьма сомнительным является и то, могла ли действительно Германия без Гитлера добиться почетного мира. Как можно было тогда свергнуть Гитлера? Если бы генерал Гальдер в октябре 1939 года снова стремился осуществить план военного демарша против Берлина, то я по этому поводу могу лишь сказать, что он нашел бы после побед в Польше гораздо меньше последователей, чем осенью 1938 года.

Таким образом, генерал-полковник фон Браухич мирился с планами Гитлера, и ОКХ работало над «Директивой о развертывании "Гельб"» согласно данным Гитлером указаниям. Затем командующий сухопутными силами при поддержке своего начальника Генерального штаба, как сообщает Грейнер, попытался 27 октября, ссылаясь на соображения военного характера, добиться от Гитлера переноса срока начала наступления на более благоприятное время года, весну 1940 года. Такое же предложение было сделано ему, как также сообщает Грейнер, за несколько дней до этого генералом фон Рейхенау — очевидно, по желанию генерал-полковника фон Браухича. Командующий сухопутными силами мог рассчитывать в этом отношении на поддержку всех командующих Западного фронта. Хотя Гитлер решительно не отверг все аргументы, которые ему были высказаны, он оставил в силе установленную им еще 22 октября дату для начала наступления — 12 ноября.

5 ноября командующий сухопутными силами снова сделал попытку переубедить Гитлера. Это был день, когда — при условии, что наступление действительно должно было начаться 12 ноября, — ожидался приказ о выступлении войск в районы сосредоточения.

Во время этой беседы, проходившей с глазу на глаз (Кейтель, по словам Грейнера, был приглашен на нее позже), — результаты ее тем не менее впоследствии стали известны, — произошел непоправимый разрыв между Гитлером и генерал-полковником фон Браухичем. Последний, как пишет Грейнер со слов Кейтеля, прочитал Гитлеру меморандум, в котором были сформулированы все причины, говорившие против начала наступления. Наряду с безусловно неоспоримыми доводами против начала наступления осенью (состояние погоды, незавершенность обучения вновь сформированных соединений и т.д.) генерал-полковник назвал одну причину, которая привела Гитлера в ярость. Это была критика действий немецких войск в польской кампании. Он выразил мнение, что пехота не проявила такого наступательного порыва, как в 1914 году, и что вообще подготовка войск в отношении дисциплины и выносливости в связи со слишком поспешными темпами перевооружения не всегда была достаточной. Если бы генерал-полковник Браухич высказал эту точку зрения в кругу военных руководителей, он бы встретил поддержку. Правда, упрек в том, что пехота не отличалась таким же наступательным порывом, как в 1914 году, во всяком случае в таком обобщенном виде, был несправедливым. Он объясняется недооценкой изменений, которые наступление пехоты претерпело за это время. Принципы наступления 1914 года были теперь просто немыслимы. С другой стороны, нельзя было отрицать, что — как это бывает в начале войны с еще не обстрелянными войсками —

наши войска на отдельных участках, особенно в боях за населенные пункты, проявляли признаки нервозности. Высшие штабы также были иногда вынуждены принимать резкие меры против явлений недисциплинированности. Это неудивительно, если принять во внимание, что рейхсвер в течение нескольких лет вырос с 100 000 человек в миллионную армию и что значительная часть соединений была сформирована вообще только во время мобилизации. Все это, однако, перед лицом побед германской армии в польской кампании еще не давало оснований прийти к выводу о том, что армия по этой причине не в состоянии вести наступление на западе. Если бы генерал-полковник Браухич ограничился ясным заявлением о том, что вновь сформированные дивизии в связи с недостаточной выучкой и спаянностью еще не подготовлены и не могли быть подготовлены к ведению наступления и что нельзя вести наступление только испытанными кадровыми дивизиями, то его аргументы нельзя было бы опровергнуть, так же как и нельзя было опровергнуть довод о неблагоприятности времени года. Вышеупомянутые же аргументы в таком общем виде были как раз тем, что меньше всего следовало бы приводить Гитлеру, так как он чувствовал себя создателем новой армии, которую теперь называли недостаточно подготовленной. При этом Гитлер был прав в том отношении, что без проявленной им смелости в политической области, без той энергии, с которой он осуществил перевооружение, а также без вызванного к жизни национал-социалистским движением пробуждения военного духа также и среди тех слоев населения, которые во времена Веймарской республики отвергали его, эти вооруженные силы не обладали бы такой мощью, какой они обладали в 1939 году. Гитлер, однако, упорно игнорировал при этом тот факт, что наряду с его заслугами такие же заслуги в этой области принадлежали рейхсверу. Ибо без его идеологической и материальной подготовки, без самоотверженного труда пришедших из него офицеров и унтер-офицеров Гитлер не получил бы вооруженных сил, которые он теперь рассматривал как «свое детище», одержавших такие замечательные победы в Польше.

Сомнениями, которые высказал Гитлеру генерал-полковник фон Браухич, он добился от этого диктатора, зашедшего уже довольно далеко в своем самомнении, как раз обратного тому, к чему он стремился. Гитлер отбросил все деловые аргументы командующего в сторону, выразил возмущение по поводу критики, которую генерал-полковник осмелился высказать в адрес его — Гитлера —

творения, и грубо оборвал беседу. Он настаивал на начале наступления 12 ноября.

Тут, к счастью, вмешался бог погоды и вынудил к переносу этого срока, к чему только до конца января 1940 года пришлось прибегать пятнадцать раз.

Итак, если ОКХ подобным образом и оказалось правым в отношении возможного срока начала наступления, в результате описанных выше событий возник кризис в командовании вооруженными силами, результаты которого в дальнейшем ходе войны оказали очень пагубное влияние. Во-первых, он проявился в том, что Гитлер и Браухич больше не виделись. Во всяком случае, начальник Оперативного управления, будущий генерал Хойзингер, 18 января 1940 года сказал мне, что Браухич с 5 ноября не был больше у Гитлера. Это положение было совершенно нетерпимым при создавшейся обстановке. Следующим результатом разрыва 5 ноября была речь, которую произнес Гитлер 23 ноября перед собравшимися в имперской канцелярии командующими группами армий и армиями, командирами корпусов и начальниками их штабов. Я могу обойтись без подробного изложения содержания этой речи, так как оно известно из других источников. Наиболее существенным было то, что Гитлер подчеркнул свое непоколебимое решение в самое ближайшее время начать наступательные действия на западе, причем он уже высказал сомнение в отношении того, как долго еще будет обеспечен тыл Германии на востоке. Высказывания Гитлера относительно принципиальной необходимости начать наступление на западе носили деловой характер, были продуманы и, по моему мнению, убедительны (за исключением вопроса о сроке начала операции). В остальном его речь представляла собой сплошные нападки на ОКХ и, кроме того, вообще на генералитет сухопутных сил, который все время стоял на пути его смелых предприятий. В этом отношении речь Гитлера была лишена всякой деловой основы. Командующий сухопутными силами сделал единственно возможный вывод и подал в отставку. Гитлер, однако, отклонил такое решение вопроса. Само собой разумеется, что кризис в руководстве армии ни в коей мере не был ликвидирован. Во всяком случае, дело обстояло так, что ОКХ вынуждено было подготавливать наступление, с которым оно не было согласно. Командующий сухопутными силами по-прежнему был отстранен от консультаций по вопросу о проведении военных действий и низведен до положения генерала-исполнителя.

Если исследовать причины, которые привели к подобного рода отношениям между главой государства и руководством армии и тем самым к лишению последнего власти, то выявится, что решающую роль в этом сыграло стремление Гитлера к неограниченной власти, его все увеличивавшееся самомнение, подогреваемые травлей генералитета со стороны таких людей, как Геринг и Гиммлер. Но необходимо также сказать, что ОКХ в значительной степени облегчило Гитлеру свое отстранение от руководства армией в связи с той позицией, которую оно заняло по вопросу о дальнейшем ведении военных действий после окончания польской кампании.

ОКХ своим решением продолжать придерживаться на западе оборонительных действий предоставило Гитлеру инициативу! И это несмотря на то что, безусловно, в обязанности ОКХ в первую очередь входило делать главе государства предложения о планах на будущее, тем более после того, как в Польше сухопутными силами при эффективной поддержке авиации была в такой короткий срок одержана решительная победа.

ОКХ, без сомнения, было право, когда оно осенью 1939 года придерживалось той точки зрения, что время года и недостаточная подготовленность вновь сформированных соединений в тот момент делали начало наступления нежелательным. Но такой вывод и распоряжения об усилении обороны на западе еще ни в коей мере не давали ответа на то, как следует с военной точки зрения наиболее успешно завершить войну. На этот вопрос должно было дать ответ ОКХ, если оно хотело сохранить свое влияние на общее руководство военными действиями!

Естественно, полным правом командующего сухопутными силами было рекомендовать путь политических переговоров с западными державами. Но что же необходимо было предпринять, если перспектива таких переговоров не открывалась? Именно такому человеку, как Гитлеру, было необходимо — хотя наступление на западе в то время еще казалось нецелесообразным, — чтобы ОКХ уже тогда показало ему, что нужно сделать в военном отношении для окончания войны.

Для выбора этого пути после окончания польской кампании необходимо было рассмотреть три вопроса:

— во-первых, можно ли было добиться благоприятного окончания войны, если придерживаться оборонительного характера военных действий, или этого можно было достичь только путем победоносного наступления на западе?

— во-вторых, когда в этом случае можно было развернуть такое наступление с перспективой на решительный успех?

— в-третьих, как его следовало проводить, чтобы добиться решительного успеха на континенте?

В отношении первого вопроса были возможны два решения.

Первое заключалось в том, чтобы Германия после победы в Польше достигла соглашения с западными державами. Возможность достижения успеха на этом пути ОКХ должно было рассматривать с самого начала весьма скептически, с одной стороны, учитывая британский национальный характер, который допускал лишь весьма малую долю вероятности компромисса, с другой стороны, поскольку вряд ли можно было рассчитывать, что Гитлер после победы в Польше согласится на разумное урегулирование вопроса о германо-польской границе в духе взаимных уступок. В конце концов, это объясняется тем, что Гитлер — ради достижения соглашения с западными державами — не мог восстановить Польшу в старых границах, после того как он уже предоставил ее восточную часть Советам. Это положение не смогло бы изменить никакое другое немецкое правительство, пришедшее к власти после свержения Гитлера.

Вторая возможность успешно окончить войну, придерживаясь по-прежнему оборонительного характера военных действий на западе, могла возникнуть в том случае, если бы западные державы со своей стороны все же приняли решение о наступлении. Тогда для немецкого командования возникла бы перспектива перейти в контрнаступление и победоносно завершить кампанию на западе. Эта мысль нашла свое отражение в «Беседах с Гальдером», а именно, в его словах об «ответной операции». По сообщению генерала Хойзингера, такая операция играла некоторую роль в планах ОКХ лишь значительно позже, примерно в декабре, а не в решающий для судьбы ОКХ период — в конце сентября и начале октября.

Безусловно, мысль об ответной операции имеет в себе много благоприятных моментов. Предоставить противнику преодолевать все трудности наступления на «Западный вал» или дать ему навлечь на себя клеймо нарушителя нейтралитета Люксембурга, Бельгии, а возможно, и Голландии, было бы весьма заманчивым. Но разве речь в этом случае шла — по крайней мере на ближайшее время — не о пустых мечтаниях, осуществление которых казалось более чем маловероятным? Западные державы не отваживались на наступление в тот момент, когда главные силы германской армии были связаны в Польше. Можно ли было ожидать, что они начнут наступление, когда им противостояла вся германская армия? Я думаю — и придерживался этой точки зрения и в тот период, — что эта предпосылка для «ответной операции» германской армии тогда не существовала.

Это мнение нашло убедительное подтверждение в «военном плане», разработанном в тот период по заданию главнокомандующего войсками союзников генерала Гамелена и попавшем позже в руки немецкой армии. Основные положения этого «военного плана» изложены ниже.

Вооруженные силы союзников до весны 1941 года не достигнут еще такого уровня, который позволил бы им начать наступательные действия против Германии на западе. Для достижения численного превосходства сухопутных сил необходимо привлечь на свою сторону новых союзников.

Англичане не готовы принять участие в крупном наступлении до 1941 года. Исключение составляет лишь внутреннее крушение Германии (это замечание, явно рассчитанное на возможность государственного переворота, показывает, чего нам следовало ожидать в случае его осуществления).

Главная задача западных держав в 1940 году должна состоять в том, чтобы обеспечить неприкосновенность французской территории, и в том, чтобы в случае наступления немцев на Бельгию и Голландию оказать этим странам помощь.

Наряду с этим следует стремиться к тому, чтобы создать новые театры военных действий для истощения Германии. В качестве таковых называются северные государства и в случае нейтралитета Италии — Балканы. Естественно, необходимо продолжать усилия по привлечению на сторону союзников Бельгии и Голландии.

Наконец, необходимо попытаться лишить Германию жизненно необходимого ей ввоза как путем упомянутого выше создания новых театров военных действий, так и путем замыкания кольца блокады в результате оказания нажима на нейтральные государства.

Из этого «военного плана», следовательно, ясно вытекает, что западные державы хотели вести войну на истощение по возможности на других театрах военных действий до тех пор, пока они не достигнут явного превосходства в силах, которое позволило бы им — никак не раньше 1941 года — начать наступление на западе. Хотя ОКХ в то время еще не могло знать об этом военном плане союзников, слишком очевидным все же было то, что западные державы будут вести войну дальнего прицела в описанном выше направлении.

Надежда на то, что народам может надоесть эта «война теней», в связи с огромными человеческими жертвами, с которыми связано наступление на «Западный вал», очевидно, не была тем соображением, которое ОКХ могло положить в основу своих решений.

Каким бы заманчивым ни казалось предоставить противнику инициативу в начале решительного наступления, такой план не имел бы под собой реальной основы. Германия не могла ни в коем случае ждать, пока противник, продолжая вооружаться (причем заранее необходимо было учитывать возможность предоставления помощи американцами в связи с позицией, занятой Рузвельтом), получит превосходство и на земле и в воздухе. Этого тем более нельзя было делать в связи с позицией Советского Союза! После того как он получил от Гитлера все, что мог ожидать, его не связывали с империей никакие жизненные интересы. Чем сильнее становились западные державы, тем опаснее становилось положение Германии, имевшей в тылу такую державу, как Советский Союз.

Для руководства военными действиями, таким образом, после окончания войны в Польше необходимо было сделать следующие выводы.

На первый вопрос о том, можно ли, придерживаясь по-прежнему оборонительного характера военных действий на западе, успешно окончить войну, следовало ответить отрицательно. Исключение составляла возможность заключения политическим руководством компромисса с западными державами. То, что командующий сухопутными силами имел право, учитывая хотя бы риск, связанный с продолжением войны для армии, посоветовать Гитлеру стать на путь компромисса, бесспорно. Естественно, что при этом некоторое ограниченное время пришлось бы придерживаться на Западном фронте выжидательной тактики. Независимо от этого консультировать Гитлера по военным вопросам было задачей, а также правом командования сухопутных сил. Оно должно было сказать ему, что необходимо предпринять в военной области, если нельзя было разрешить конфликт политическими средствами!

План, содержащий военную альтернативу, — что необходимо предпринять, если возможность политического компромисса с западными державами, на которую, очевидно, надеялся и Гитлер, будет исключена, — должен был быть представлен ОКХ главе государства. Нельзя было ни допускать, что Гитлер по-прежнему будет отказываться от наступления на западе, после того как была одержана победа над Польшей, ни ожидать, пока он сам примет решение о дальнейшем характере военных действий.

Предложение о плане дальнейших операций не могло сводиться к тому, чтобы по-прежнему придерживаться на западе оборонительного характера военных действий. Исключение могло бы составить предположение о том, что можно будет разгромить Великобританию путем воздушной и подводной войны. Однако такое предположение было лишено всяких оснований.

Поэтому с военной точки зрения, — если бы политическое соглашение оказалось неосуществимым, — можно было предлагать на западе только наступательный характер военных действий. При этом предложении ОКХ, однако, должно было оставить за собой инициативу в области принятия решения о сроках и планах наступления.

Что касается вопроса о сроках, то ОКХ придерживалось одной точки зрения со всеми командующими на Западном фронте, а именно, что проведение наступления поздней осенью 1939 года (или зимой) не принесет решительного успеха.

Важнейшей причиной было время года. Осенью и зимой германская армия могла лишь в очень ограниченных масштабах применить два своих главных козыря: подвижные (танковые) соединения и авиацию. Кроме того, непродолжительность дня в это время года, как правило, не допускает достижения в течение одного дня даже тактического успеха и тем самым мешает быстрому проведению операций.

Другая причина заключалась в недостаточном уровне подготовки всех вновь сформированных в начале войны соединений. Осенью 1939 года по-настоящему подготовленными к ведению наступления были только кадровые дивизии. Все остальные соединения страдали недостатками в области слаженности действий и огневой подготовки, а также внутренней спаянности. Кроме того, еще не было завершено пополнение танковых соединений новой техникой, начатое после польской кампании. Если имелись планы начать наступление на западе еще осенью 1939 года, то следовало раньше высвободить танковые дивизии, находившиеся в Польше. Но об этом не подумал и Гитлер. В авиации также имелись пробелы, которые необходимо было восполнить.

Итак, было ясно, что нельзя взять на себя ответственность за начало наступления на западе до весны 1940 года. То, что при этом можно было выиграть время для ликвидации конфликта политическими средствами, с военной точки зрения было желательным, хотя эта точка зрения для Гитлера, после того как в начале октября его предложение о мире было отклонено, не могла играть какой-либо роли.

Так как вопрос о планах наступления, то есть о стратегических основах наступления на западе, составит содержание следующей главы, здесь останавливаться на них излишне.

Хочу только сделать одно предварительное замечание. План наступления, навязанный Гитлером 9 октября ОКХ, являлся половинчатым планом. Он не был нацелен на достижение решительного успеха на континенте, а преследовал, по крайней мере вначале, только одну частную цель. Это как раз было тем моментом, исходя из которого ОКХ должно было разъяснить Гитлеру, что его военные советники располагают лучшим планом, чем половинчатое решение вопроса, ради которого не имеет смысла проводить эту операцию. Предпосылкой для этого является, конечно, то, что ОКХ само должно было верить в решительный успех наступления на континенте!

Причины, которые побудили руководящих деятелей ОКХ в те решающие недели после окончания польской кампании занять пассивную позицию в вопросе о дальнейшем ведении войны на западе, передававшую фактически в руки Гитлера право принимать решения по военным вопросам, до сих пор не были известны. Они, возможно, основывались на справедливом желании побудить его искать политического компромисса. Они могли состоять также в том, что ОКХ справедливо не хотело повторного нарушения нейтралитета Бельгии и т.п. Однако, глядя со стороны, тогда можно было прийти к выводу, что руководящие деятели ОКХ вообще считали решительный успех немецкого наступления по крайней мере сомнительным. Как бы то ни было, ОКХ предоставило тогда Гитлеру инициативу в области решения военных вопросов. Подчиняясь, кроме того, воле Гитлера и издавая приказы о проведении операции, с которой его руководящие деятели внутренне не были согласны, оно практически отказалось от своей роли инстанции, решающей вопросы о ведении войны на суше. Возможность, так сказать, путем контрудара восстановить свои потерянные позиции, которую предоставили ему вскоре сделанные штабом группы армий «А» предложения о плане операции, ОКХ не использовало. Когда затем успех наступления на западе, достигнутый на основе этих предложений, превзошел даже первоначальные ожидания Гитлера, ОКХ стало для него инстанцией, через голову которой он считал себя в силах действовать также и в оперативных вопросах.

Гитлер взял на себя функции, которые, по Шлиффену, в наш век может иметь только триумвират: король — государственный деятель — полководец. Теперь он узурпировал и роль полководца. Но пала ли действительно «капля мирры Самуила», которую Шлиффен считал необходимой, по крайней мере для одного из членов триумвирата, на его голову?

Глава 5
БОРЬБА ВОКРУГ ПЛАНА ОПЕРАЦИЙ

Оперативный план ОКХ. Возражения. Намеченное наступление не может привести к решительному успеху. Шла ли речь о новом издании плана Шлиффена? Какие возможности имело командование противника? План штаба группы армий «А». Задача: решительный успех. Главный удар должен наноситься не на северном, а на южном фланге. Наступление бронетанковых войск через Арденны. Оборона в случае возможного контрнаступления противника должна носить активный характер. Тщетная борьба за осуществление «нового плана». Неоднократные обращения штаба группы армий «А» в ОКХ. Частичные изменения, но не коренной пересмотр основной идеи. Инцидент с самолетом. Автора смещают с его поста. После доклада Гитлеру принимается решение в пользу предложений группы армий «А». В какой мере они были выполнены?

Только после окончания войны широким кругам стало кое-что известно о возникновении плана, который вместо существовавшей ранее изданной ОКХ «Директивы о развертывании "Гельб"» от 19—29 октября 1939 года был принят за основу нашего наступления на западе, плана, в результате осуществления которого на западе был достигнут такой быстрый и решительный успех против англо-французской армии, а также вооруженных сил Бельгии и Голландии. Вероятно, первым о возникновении «нового плана» сообщил английский военный писатель Лиддел Гарт, связавший его с моим именем на основании высказываний фельдмаршала фон Рундштедта, моего командующего, и генерала Блюментритта, нашего начальника оперативного отдела в тот период.

Вследствие этого я считаю правильным попытаться теперь в качестве главного участника, на основании данных, которыми я располагаю, воссоздать картину возникновения этого оперативного плана, которому суждено было сыграть некоторую роль. Действительно, мысли, положенные в основу этого плана, принадлежат мне. Я сам составил те памятные записки, которые были направлены штабом группы армий в ОКХ.

Мы хотели добиться принятия плана наступления, который отвечал бы нашим взглядам и один был в состоянии обеспечить решительный успех на западе. Наконец, в феврале 1940 года, уже после моего ухода с должности начальника штаба группы армий «А», у меня была возможность во время беседы с Гитлером доложить ему о тех планах, принятия которых штаб группы армий так долго тщетно добивался. Несколько дней спустя ОКХ издало новую директиву о наступлении, которая базировалась на наших планах и предложениях!

Я хочу, однако, ясно заявить, что мой командующий генерал-полковник фон Рундштедт, как и мои помощники Блюментритт и Тресков, всегда соглашался с моими предложениями и что фон Рундштедт скреплял их своей подписью и отстаивал их при наших обращениях в ОКХ.

Для офицера, изучающего историю войны, и для историка было бы, по-видимому, полезно изучить историю этой борьбы за оперативный план во всех ее деталях. Но я не хотел бы затруднять читателя изложением всех наших обращений в ОКХ и, что при этом было бы неизбежным, повторением уже описанных событий. Эти обращения содержат, кроме того, аргументы и требования, которые сегодня, естественно, уже не представляют интереса, так как они относились к определенному периоду, и указания на то, чего можно было добиться в тот момент. Для тех, кто хочет подробнее изучить предысторию наступления на западе, в книге приложены директивы ОКХ (наиболее важные разделы), а также письма штаба группы армий, с которыми он обращался в ОКХ.

Я, следовательно, ограничусь тем, что вначале остановлюсь на основных положениях, лежащих в основе директив ОКХ. Затем я объясню, по каким причинам я считаю стратегическую концепцию ОКХ (или, вернее сказать, концепцию Гитлера, на основании которой она возникла) неудовлетворительной. После этого я изложу важнейшие положения, на которых основывалась стратегическая концепция, отстаивавшаяся штабом группы армий, сравнивая ее с оперативным планом ОКХ. Наконец, я кратко опишу, как после долгой тщетной борьбы все же удалось добиться того, что — безусловно, по указанию Гитлера — первоначальный оперативный план был изменен в духе тех положений, которые отстаивал штаб группы армий.

ОПЕРАТИВНЫЙ ПЛАН ОКХ (ГИТЛЕРА)

Сначала я хочу попытаться на основе директив ОКХ, которыми я располагаю, охарактеризовать основную стратегическую идею ОКХ (и Гитлера) для намечавшегося наступления. Она состояла в следующем.

В соответствии с указаниями Гитлера от 9 октября ОКХ намечало нанести усиленным правым флангом германской армии удар в направлений на Голландию и Северную Бельгию и разбить находящиеся в Бельгии англо-французские силы вместе с бельгийской и голландской армиями. Следовательно, эта сильная фланговая группировка имела задачу добиться решающего успеха. Она была создана в составе армейской группы «Н» и группы армий «Б» (командующий — генерал-полковник фон Бок) и развертывалась в нижнем течении Рейна и северном Эйфеле. Группа армий «Б» состояла из трех армий. Всего в состав группировки северного фланга входило 30-пехотных дивизий и большая часть подвижных соединений (9 танковых дивизий и 4 моторизованные пехотные дивизии). Таким образом, здесь была сосредоточена почти половина из общего числа 102 дивизий, находившихся на Западном фронте (см. Приложение 1).

В то время как на долю армейской группы «Н» выпадала задача вывести Голландию из войны, три армии группы армий «Б» должны были осуществить наступление севернее и южнее Льежа и далее через Северную Бельгию. При этом танковые соединения имели своей задачей сыграть решающую роль при прорыве позиций противника на широком фронте (задачу группы армий «А» см. ниже).

29 октября эта первая директива, изданная 19 октября, была изменена в том направлении, что Голландия сначала должна была быть оставлена в стороне. Возможно, что это было сделано по ходатайству ОКХ (см. Приложение 2).

Группа армий «Б» должна была теперь наносить удар двумя армиями (4-й и 6-й) в первом и двумя армиями (18-й и 2-й) во втором эшелоне по обе стороны от Льежа. Позже, однако, Голландия снова была включена в зону военных действий, причем задача вывести ее из войны выпала на долю 18-й армии.

Операция группы армий «Б», преследующая цель достигнуть решительного успеха, должна была прикрываться на южном фланге группой армий «А». Эта группа армий из двух армий (12-й и 16-й), насчитывавших в своем составе 22 дивизии (однако без подвижных соединений), должна была наносить удар через Южную Бельгию и Люксембург. Она осуществляла развертывание в южном Эйфеле и в Гунсрюке.

12-я армия, следуя уступом влево, должна была, так сказать, сопровождать наступление группы армий «Б», чтобы при ее дальнейшем продвижении обеспечивать ее фланг от действий противника. 16-я армия после марша через Люксембург должна была повернуть на юг, чтобы обеспечивать глубокий фланг всей операции, заняв оборону, которая проходила в основном непосредственно севернее западного фланга линии Мажино между Сааром и Маасом, восточнее Седана.

Задачей группы армий «Ц» в составе двух армий и 18 пехотных дивизий было охранять «Западный вал» от люксембургской до швейцарской границы.

В резерве ОКХ оставалось еще 17 пехотных и 2 подвижные (моторизованные) дивизии.

Целью этой операции согласно пункту 1 директивы о развертывании от 19 октября (на основе указания Гитлера, содержавшегося в директиве ОКВ от 9 октября), сформулированной в разделе «Общие намерения», являлся «...разгром по возможности крупных сил французской армии и ее союзников и одновременно захват возможно большего пространства на территории Голландии, Бельгии и Северной Франции как плацдарма для успешного ведения воздушной и морской войны с Англией и как широкой полосы обеспечения для Рурской области».

ОКХ в пункте 2 этой директивы определило в качестве ближайшей задачи наступления, которое должно было проходить под руководством командующего сухопутными силами, для обеих групп армий: «...сковав голландскую армию, разгромить возможно большую часть бельгийской армии в районе пограничных укреплений и быстрым сосредоточением крупных — и особенно подвижных — соединений создать предпосылки для безостановочного продолжения наступления крупной группировкой северного фланга и для быстрого овладения морским побережьем Бельгии».

В связи с уже упомянутым изменением директивы, которое было произведено 29 октября, ОКХ расширило задачу для группы армий «Б», изменив формулировку «Общих намерений» следующим образом: «...вынудить по возможности крупные силы французской армии принять сражение на территории Северной Франции и Бельгии и разбить их, создав тем самым более благоприятные предпосылки для продолжения войны на суше и в воздухе против Англии и Франции».

В пункте «Группировка сил и задачи» ОКХ поставило перед группой армий «Б» следующую цель: «уничтожить объединенные силы союзников в районе севернее Соммы и выйти на побережье Ла-Манша».

Группа армий «А» получала прежнюю задачу оборонительного характера — прикрывать действия группы армий «Б», однако она была несколько расширена. 12-я армия, действовавшая на правом фланге, должна была теперь быстро форсировать Маас в районе Фуме и южнее его и наносить удар через укрепленную французскую пограничную зону в общем направлении на Лаон.

Лучше всего можно объяснить оперативный план, лежащий в основе обеих директив, вероятно, следующим путем.

Мощный правый кулак должен был разбить силы англо-французской армии, которые, по нашим данным, находились в Бельгии, в то время как слабая левая рука должна была прикрывать этот удар. Целью операции в отношении территориальных задач был выход на побережье Ла-Манша. Что должно было произойти после этого первого удара, из директивы нельзя было узнать.

ВОЗРАЖЕНИЯ

Первая реакция на изложенный в обеих директивах оперативный план возникла у меня не сознательно, а скорее интуитивно. Оперативные замыслы ОКХ в основных чертах напоминали знаменитый план Шлиффена 1914 года. Мне показалось довольно удручающим то, что наше поколение не могло придумать ничего иного, как повторить старый рецепт, даже если он исходил от такого человека, как Шлиффен. Что могло получиться из того, что из шкафа доставали военный план, который противник уже однажды проштудировал вместе с нами и к повторению которого он должен быть подготовлен! Ведь любой военный специалист должен был представить себе, что немцы теперь не хотят и не могут наносить удар по линии Мажино в еще большей степени, чем в 1914 году по укрепленному району Верден — Туль — Нанси — Эпиналь.

При этой первой, скорее интуитивной реакции я, правда, был несправедлив по отношению к ОКХ. Во-первых, потому, что план исходил от Гитлера, и, во-вторых, потому, что речь совсем не шла о повторении плана Шлиффена. Широко распространенное мнение о том, что эти два плана совпадают, верно лишь в двух отношениях. Во-первых, в 1939 году, как и в 1914 году, главный удар наносился северным флангом. Во-вторых, в обоих случаях он наносился через Бельгию. В остальном же планы 1914 и 1939 годов были совершенно различными.

Прежде всего обстановка была совершенно иной. В 1914 году можно было еще, как это сделал Шлиффен, рассчитывать на оперативную внезапность, если и не в полной мере, что относится вообще к удару через Бельгию, то все же в отношении сосредоточения главных сил германской армии на крайнем северном фланге. В 1939 году эти намерения Гитлера не могли быть не известными противнику.

Далее, в 1914 году можно было — как Шлиффен — надеяться на то, что французы любезно окажут нам «услугу», предварительно начав наступление на Лотарингию. В 1939 году, однако, такой «услуги» противника нечего было ожидать. Он, очевидно, заранее бросит навстречу нашим наступающим войскам, наносящим удар через Бельгию, а по другому плану — и через Голландию, крупные силы, с которыми нам, в отличие от 1914 года, придется вести фронтальные бои. Вместо же преждевременной французской инициативы в центре фронта мог быть нанесен сильный ответный контрудар по южному флангу наших главных сил, наступающих через Бельгию. Поэтому план Шлиффена нельзя было просто повторить.

Кроме того, мне стало ясно, что ни ОКХ, ни Гитлер не думали о том, чтобы взять за образец план Шлиффена во всем величии его замысла. Шлиффен составил свой план в расчете на полный и окончательный разгром всей французской армии. Он хотел, так сказать, протянуть длинную руку и охватить ею противника с севера, очистив, таким образом, всю Северную Францию с тем, чтобы, нанеся удар западнее Парижа, прижать в конце концов всю французскую армию к линии Мец — Вогезы — швейцарская граница и вынудить ее к капитуляции. При этом он учитывал риск встречных ударов в Эльзасе в начале наступления, а также то, что противник своим наступлением в Лотарингии в свою очередь поможет немцам одержать в их большой операции по охвату французской армии решительный успех.

В оперативном же плане 1939 года не содержится замысел полного разгрома противника. Ясно выраженной целью всей операции является частная победа над находящимися в Северной Бельгии силами союзников. Одновременно преследуется цель выиграть пространство, захватить побережье Ла-Манша и получить тем самым плацдарм для дальнейшего развертывания военных действий. Могло статься, что генерал-полковник фон Браухич и его начальник штаба при составлении директив о проведении операции вспомнили слова Мольтке, написанные им во введении к трудам Генерального штаба о войне 1870—1871 годов:

«Никакой оперативный план не может с уверенностью определить ход операции, за исключением первого столкновения с главными силами противника. Только профан может предположить, что течение операции последовательно отражает заранее принятый, продуманный во всех деталях и проводящийся до конца первоначальный замысел».

Если это положение лежало в основе планов ОКХ, то последнее, очевидно, решило, что и после достижения цели операции — частная победа на северном фланге, в Бельгии и выход на побережье Ла-Манша — можно будет определить, будет ли она продолжаться и в каком направлении. Но то, что я слышал при получении директивы о наступлении в Цоссене, дало мне основание полагать, что ОКХ не считало, что существует возможность одержать полную победу на французском театре военных действий, во всяком случае, оно считало ее крайне сомнительной. Впоследствии это впечатление в нашем штабе во время частых посещений его командующим сухопутными силами и начальником Генерального штаба еще более усилилось. Неоднократные замечания штаба группы армий о том, что полную победу одержать возможно, ОКХ никогда по-настоящему не рассматривало. Я также думаю, что и Гитлер не верил тогда в возможность вывести Францию из войны в ходе этой операции. Он скорее вспоминал в первую очередь тот факт, что мы в 1914 году вследствие неудачи нашего наступления не имели даже базы, необходимой для ведения подводной войны против Англии. Получению такой базы, то есть овладению побережьем Ла-Манша, он уделял поэтому такое большое внимание.

Теперь было совершенно ясно, что нельзя в течение одной операции, как это предусматривал план Шлиффена, добиться полного поражения Франции. Предпосылки для этого в связи с описанной выше изменившейся обстановкой больше не существовали. Если, однако, имелось в виду после одержания частной победы, к которой стремилось ОКХ, развивать наступление дальше с перспективой выведения Франции из войны, тогда первая операция ведь должна была быть организована с учетом этой конечной цели! Она должна была преследовать цель разгромить северный фланг противника, для того чтобы в результате этого получить решающее превосходство для нанесения второго удара, который должен был обеспечить разгром остальных сил западных держав во Франции. С другой стороны, эта операция должна была создать для этого второго удара благоприятную оперативную обстановку.

Выполнение этих обоих условий для очевидно намечавшегося второго удара, который должен был принести окончательную победу, по моему мнению, в плане первой операции не было предусмотрено.

Ударная группа немецких войск, группа армий «Б» с ее 43 дивизиями, при вторжении в Бельгию встретилась бы с 20 бельгийскими, а если в войну была бы втянута и Голландия, — то еще и с 10 голландскими дивизиями. Пусть эти силы по своим боевым качествам и уступали бы немецким, но они могли противопоставить им мощные укрепления (по обе стороны от Льежа и вдоль канала Альберта), а также естественные препятствия (в Бельгии — удлиненный до крепости Антверпен оборонительный рубеж канала Альберта и др.; на юге — укрепленный рубеж, реки Маас с опорным пунктом Намюром, в Голландии — многочисленные водные рубежи), которые создавали бы им благоприятные возможности для оказания сопротивления. Но через несколько дней на помощь этим силам противника пришли бы английские и французские войска (причем все танковые и моторизованные дивизии), уже стоявшие наготове на случай германского вторжения в Бельгию у франко-бельгийской границы. Таким образом, немецкие силы, наступающие на фланге, не могли бы получить возможность внезапно совершить оперативный обход крупными силами. С подходом англо-французских сил они должны были бы действовать против равного им по численности противника в лоб. Успех этого первого удара должен был, следовательно, решаться в тактических рамках. Он не был подготовлен оперативным замыслом наступления.

Если бы противник более или менее умело руководил операциями своих войск, ему удалось бы избежать в Бельгии решительного поражения. В случае если бы он не мог закрепиться на укрепленной линии Антверпен — Льеж — Маас (или Семуа), следовало все же считаться с тем, что противник, сохранив в большей или меньшей степени боеспособность своих войск, мог бы переправиться через Сомму в ее нижнем течении и с помощью имеющихся на его стороне крупных резервов создать новую оборонительную позицию. Наступление немецких войск к тому времени уже перешло бы через свой кульминационный пункт. Что же касается группы армий «А», то она в связи со стоящей перед ней задачей и имеющимися в ее распоряжении силами не смогла бы предотвратить создания нового оборонительного рубежа, простирающегося от конечного пункта линии Мажино восточнее Седана до нижнего течения Соммы. Тем самым германская армия попала бы примерно в такое же положение, как в 1914 году, после завершения осенней кампании. Единственное ее преимущество заключалось бы в этом случае в том, что она обладала бы широким плацдармом на берегах Ла-Манша. Итак, не были бы достигнуты ни разгром противника в Бельгии, в результате которого было бы создано превосходство в силах, необходимое для одержания решительной победы, ни обеспечение благоприятной оперативной обстановки для нанесения решительного удара. Намеченная ОКХ операция имела бы только частный успех.

Если в действительности в 1940 году благодаря умелым действиям группы армий «Б» противник был в Бельгии опрокинут на широком фронте и бельгийская и голландская армии были вынуждены к капитуляции, то этот результат (отдавая при этом дань и немецкому командованию и ударной силе наших танковых соединений) все же никак нельзя назвать следствием заранее спланированной операции, исход которой был предрешен. Лучшее руководство войсками в лагере наших противников могло бы не допустить такого исхода.

Полный разгром противника в Северной Бельгии следует объяснить, очевидно, тем, что вследствие последовавшего изменения оперативного плана силы противника, сражавшегося в Бельгии, в результате действий танковых соединений группы армий «А» были отрезаны от своих тыловых баз и оттеснены от Соммы.

Наконец, оперативный план ОКХ упускал из виду еще одно обстоятельство — оперативные возможности, которыми могло обладать командование сил противника при условии смелых и решительных действий с его стороны. Что противник не способен на такие действия, предположить было нельзя, так как генерал Гамелен пользовался у нас хорошей репутацией. Во всяком случае, он произвел на генерала Бека, посетившего его до начала войны, прекрасное впечатление.

При условии смелых действий командование противника имело бы возможность отразить ожидавшийся им удар немецких сил через Бельгию и в свою очередь перейти крупными силами в контрнаступление против южного фланга немецких сил, действовавших на северном фланге. Даже если бы оно перебросило в Бельгию силы, которые были предназначены для усиления бельгийской и голландской армий, оно могло, ослабив гарнизон линии Мажино, что было вполне возможно, сосредоточить для нанесения такого контрудара не менее 50—60 дивизий. Чем дальше за это время группа армий «Б» продвигалась бы на запад к Ла-Маншу и к устью Соммы, тем эффективнее был бы удар, нанесенный противником по глубокому флангу немецких сил, действовавших на северном фланге. Смогла ли бы группа армий «А» с ее 22 дивизиями отразить этот удар, было неясно. Следовательно, подобное развитие операций вряд ли могло создать благоприятную оперативную обстановку для одержания окончательной победы на западном театре военных действий.

ПЛАН ШТАБА ГРУППЫ АРМИЙ «А»

Описанные выше соображения, возникшие у меня при изучении директив ОКХ, были положены в основу предложений, которые мы делали в наших неоднократных обращениях в ОКХ, надеясь убедить его в правильности наших оперативных замыслов. Естественно, много в них повторялось. Поэтому я кратко изложу их здесь, противопоставляя их одновременно оперативным замыслам ОКХ.

1. Целью наступления на западе должно было являться одержание решительной победы на суше. Стремление добиться частной победы, лежащее в основе директив ОКХ, не было оправдано ни с политической (нарушение нейтралитета трех стран), ни с военной точки зрения. Ударная сила германской армии на континенте в конечном счете является для нас решающим фактором. Расходовать ее на достижение частных целей недопустимо, если учесть хотя бы такой фактор, как Советский Союз.

2. Главный удар в нашей наступательной операции должна наносить группа армий «А», а не группа армий «Б». Если бы удар, как намечалось, наносила группа армий «Б», она встретила бы подготовленного к нему противника, на которого ей пришлось бы наступать фронтально. Такие действия привели бы вначале к успеху, однако могли быть остановлены на Сомме.

Подлинные шансы группа армий «А» имела при условии нанесения ею внезапного удара через Арденны (где противник не ожидал применения танков ввиду ограниченной проходимости местности) в направлении на нижнее течение Соммы, чтобы отрезать переброшенные в Бельгию силы противника от Соммы с севера. Только таким путем можно было ликвидировать весь северный фланг противника в Бельгии, что являлось предпосылкой для одержания окончательной победы во Франции.

3. Однако в действиях группы армий «А» заключается не только главный шанс, но и главная опасность для немецкого наступления. Если противник будет действовать правильно, он попытается избежать неблагоприятного для него исхода сражения в Бельгии, отойдя за Сомму. Одновременно он может бросить все имеющиеся в его распоряжении силы для контрнаступления на широком фронте против нашего южного фланга с целью окружения главных сил немецкой армии в Бельгии или южнее Нижнего Рейна. Хотя от французского командования и нельзя было ожидать такого смелого решения и союзники Франции, вероятно, возражали бы против него, все же такой вариант нельзя было не учитывать.

По крайней мере, противнику в случае если бы он смог остановить наше наступление через Северную Бельгию на Сомме, в ее нижнем течении, удалось бы с помощью резервов снова создать сплошной фронт. Он мог бы начинаться у северо-западной границы линии Мажино и проходить восточнее Седана, затем по течению Эн и Соммы до Ла-Манша.

Чтобы помешать этому, необходимо было разбить силы противника, сосредоточивающиеся против нашего южного фланга, примерно в районе южнее и севернее реки Маас или между реками Маас и Уазой. Следовало прежде всего прорвать фронт в этом районе, чтобы иметь возможность осуществить позже обход линии Мажино.

4. Группа армий «А», которой предстояло наносить в этой операции главный удар, должна была получить вместо двух армий три, хотя по соображениям ширины фронта в составе группы армий «Б» могло действовать больше дивизий.

Одна армия должна была, как было намечено, наносить вначале удар через Южную Бельгию и Маас, затем продвигаться в направлении на нижнее течение Соммы, чтобы выйти в тыл противнику, действующему перед группой армий «Б».

Другая армия должна была действовать в юго-западном направлении с задачей нанести удар по силам противника в случае их сосредоточения для контрнаступления на нашем южном фланге в районе западнее реки Маас.

Третья армия, как было намечено, должна была севернее линии Мажино на участке Сирк — Музон (восточнее Седана) обеспечивать глубокий фланг всей операции.

В связи с переносом направления главного удара, который теперь должна была наносить не группа армий «Б», а группа армий «А», было необходимо включить в состав последней еще одну армию, которая в связи с недостаточной шириной фронта наступления должна была войти в прорыв позднее, однако с самого начала должна была находиться в ее распоряжении, и крупные танковые соединения.

Таково было в общих чертах содержание замысла, который неоднократно повторялся в наших многочисленных обращениях в ОКХ.

БОРЬБА ЗА ПЛАН ГРУППЫ АРМИЙ «А»

Естественно, что тогда, в октябре 1939 года, у меня еще не было готового оперативного плана. Для того чтобы смертный добился цели, он всегда должен трудиться и бороться. Его голова не может создать сразу готовое произведение искусства, как голова Зевса произвела на свет Афину Палладу.

Тем не менее уже первое обращение штаба группы армий ОКХ (от 31 октября 1939 года), содержавшее предложения относительно плана операции в случае принятия решения о наступлении, заключало в себе основные положения «нового плана».

Если говорить точнее, были посланы два письма. В первом, направленном командующим группой армий командующему сухопутными силами, ставился принципиальный вопрос о проведении наступления в данной обстановке.

В начале его командующий констатировал, что планируемое согласно директивам от 19 и 29 октября наступление не может иметь решающего успеха для исхода войны. Распределение сил по сравнению с распределением сил противника не дает гарантии окончательного разгрома его войск, решение о проведении фронтальной операции не дает возможности нанести удары во фланг и в тыл противнику. Операция, очевидно, закончится фронтальным сражением на Сомме. Далее командующий указал на трудности, которые стоят на пути эффективного использования танков и авиации — наших главных козырей — поздней осенью и зимой. Несмотря на это, наступление должно проводиться, если его успех создаст предпосылки для действий военно-морских сил и авиации против Британских островов. По опыту Первой мировой войны, захвата части побережья Ла-Манша для этого будет недостаточно.

Для этого необходимо овладеть всем побережьем Северной Франции до Атлантического океана.

Растрачивать силы армии на частный успех (а не для достижения решительной победы) при учете такого фактора в нашем тылу, как Советский Союз, недопустимо. На континенте ударная сила нашей армии является решающим фактором.

Советский Союз только до тех пор будет поддерживать с нами дружественные отношения, пока мы располагаем готовой к наступлению армией. Ударная сила ее пока заключается исключительно в кадровых дивизиях, так как вновь сформированные части еще не достигли необходимой степени подготовки и необходимой внутренней слаженности. С одними же кадровыми дивизиями нельзя провести наступления, ставящего перед собой задачу одержать решительную победу.

Возможно, однако, что в результате усиления воздушной войны с Англией западные державы сами начнут наступление. Достаточным ли будет боевой дух французской армии в случае, если в результате нажима Англии будет предпринято наступление с его большими человеческими жертвами, еще неизвестно. Желательно предоставить противнику всю тяжесть наступления на укрепленную полосу и ответственность, связанную с нарушением нейтралитета Бельгии (и Голландии). Правда, нельзя ждать до бесконечности, пока Англия восполнит пробелы в подготовке своей сухопутной армии и авиации.

С военной точки зрения война с Англией может быть выиграна только на море и в воздухе. На континенте ее можно только проиграть, если мы будем расходовать ударную силу нашей армии, не добиваясь решительной победы. Письмо, следовательно, имело своей целью предостеречь от преждевременного немецкого наступления (поздней осенью или зимой). В этом отношении ОКХ было одного мнения с штабом группы армий. По-другому обстояло дело с планом намечаемого немецкого наступления. В этом отношении командующий группой армий высказался против проведения такого наступления, которое было предусмотрено в директивах, то есть без задачи одержать окончательную победу.

Второе письмо, направленное в ОКХ штабом группы армий 31 октября, дополняло суждения, высказанные командующим группой армий, конструктивным предложением о том, как, по нашему мнению, должно вестись наступление. Это предложение уже содержит основные идеи «нового плана», хотя и в еще не законченной форме. Оно подчеркивает необходимость:

1. Перенесения направления главного удара на наш южный фланг.

2. Использования крупных механизированных сил с таким расчетом, чтобы они вышли, нанеся удар с юга, в тыл находящимся в Северной Бельгии войскам союзников.

3. Включения в состав группы армий «А» еще одной армии, на долю которой должно выпасть нанесение контрудара в случае контрнаступления крупных сил противника против нашего южного фронта.

Результатов рассмотрения этих предложений в связи с предстоящим 3 ноября посещением штаба группы армий командующим сухопутными силами и начальником Генерального штаба вряд ли можно было еще ожидать. Однако это посещение позволяло мне по поручению генерал-полковника фон Рундштедта доложить наши соображения. Нашу просьбу предоставить нам дополнительные силы (еще одну армию и крупные бронетанковые соединения) генерал-полковник фон Браухич, однако, отклонял, сказав: «Да, если бы у меня было для этого достаточно сил!» Это показывало, что он в то время не был настроен категорически против наших планов. Во всяком случае, он обещал нам из резервов ОКХ танковую дивизию и два мотопехотных полка.

К сожалению, это посещение вместе с тем дало нам ясно понять, что руководящие деятели ОКХ относятся к намеченному наступлению и особенно к возможности одержать на западе решительную победу с сильным предубеждением. Они, естественно, получали информацию от командующих армиями и командиров корпусов о состоянии их соединений. Но на самом деле то, как они относились к само собой разумеющимся многочисленным пробелам в подготовке вновь сформированных дивизий, приводило к выводу, что они сами не ожидали многого от намечаемого наступления.

Для того чтобы сгладить это впечатление, несколько дней спустя генерал-полковник фон Рундштедт собрал генералов группы армий и, обрисовав оперативный замысел штаба группы армий, показал, что на западе вполне можно добиться решительного успеха, хотя наступление целесообразно провести только весной.

6 ноября мы использовали ответ на запрос ОКХ относительно наших планов в пределах данных нам директив для того, чтобы еще раз ходатайствовать о принятии изложенных выше предложений, однако безуспешно.

Между тем гитлеровские «предсказатели погоды», метеорологи министерства авиации, бодро карабкались вверх и вниз по своим лестницам. В результате достаточно им было предсказать хотя бы на небольшой период хорошую погоду, как Гитлер давал приказ о выдвижении в исходные районы для наступления. Но каждый раз его «предсказатели погоды» отказывались от своих прогнозов, и приходилось давать отбой.

12 ноября мы получили совершенно неожиданно следующую телеграмму:

«Фюрер отдал приказ: на южном фланге 12-й армии или в полосе наступления 16-й армии ввести третью группу подвижных войск[1] с задачей наносить удар через открытую местность по обе стороны от Арлона, Тинтиньи и Флоренвиля в направлении на Седан и восточнее его. Состав группы; штаб 19 ак, 2 тд и 10 тд, одна мотопехотная дивизия, лейб-штандарт полк "Великая Германия".

Перед этой группой ставятся следующие задачи:

а) разбить переброшенные в Южную Бельгию подвижные силы противника и облегчить тем самым 12-й и 16-й армиям выполнение их задач;

б) в районе Седана или юго-восточнее его внезапно переправиться через Маас и создать тем самым благоприятные предпосылки для продолжения операций, в особенности в случае, если действующие в составе 6-й и 4-й армий бронетанковые соединения не смогут быть использованы».

Затем последовало специальное дополнение к директиве ОКХ.

Из текста телеграммы вытекало, что передача 19 ак в состав группы армий «А» была произведена по приказу Гитлера. Как он пришел к этой мысли? Возможно, что Гитлера навел на эту мысль доклад командующего 16-й армией генерал-полковника Буша, который незадолго до этого был у него. Генерал Буш был посвящен в мои мысли. Вероятно, он во время доклада Гитлеру упомянул о нашем желании получить бронетанковые соединения для быстрого прорыва через Арденны. Может быть, Гитлер и сам пришел к этой мысли. Он обладал способностью разбираться в тактических возможностях и много сидел над картами. Он мог увидеть, что легче всего форсировать Маас у Седана, в то время как дальше бронетанковые соединения 4-й армии натолкнутся на значительно большие трудности. Возможно, он понял, что переправа через Маас

---

[1] Обе другие группы действовали в составе группы армий «Б». — *Примеч. автора.*

у Седана создаст удобный плацдарм (для переправы южного фланга группы армий «Б» через Маас), и хотел, как всегда, преследовать все заманчивые цели сразу. На практике же, как ни рады были мы получению танкового корпуса, это означало дробление сил наших бронетанковых соединений. Командир 19-го танкового корпуса генерал Гудериан поэтому вначале не был согласен с этим новым планом использования своего корпуса. Ведь он всегда отстаивал ту точку зрения, что танки надо «сколачивать» в одном месте. Только после того, как я познакомил его с оперативным замыслом группы армий «А» и нашим стремлением перенести направление главного удара всей операции на южный фланг, в район действий группы армий «А», когда он увидел заманчивую цель выхода к устью Соммы в тыл противника, он стал самым ярым поборником этого плана. Его энергия вдохновляла впоследствии наши бронетанковые силы, совершившие рейд в тыл противника до побережья Ла-Манша. Для меня, конечно, было большим облегчением то, что моя мысль о прорыве крупными силами танков через Арденны, несмотря на трудности, связанные с преодолением малодоступной местности, рассматривалась Гудерианом как вполне реальная.

Что же касается, однако, передачи в состав группы армий 19-го танкового корпуса, то, по замыслу Гитлера, она преследовала, безусловно, только тактическую цель, достижение которой должно было облегчить форсирование Мааса и для группы армий «Б».

И в присланном ОКХ дополнении к директиве нигде не упоминается об изменении общего замысла. Я имею в виду план одержания решительной победы путем охвата противника силами группы армий «А» в направлении на устье Соммы или действий, направленных хотя бы на его подготовку.

21 ноября нас снова посетил командующий сухопутными силами с начальником Генерального штаба. На совещание в Кобленц были вызваны кроме командующих армиями группы армий «А» также и командующий группой армий «Б» генерал-полковник фон Бек и его командующие армиями.

Это совещание имеет важное значение в связи со следующим обстоятельством. Генерал-полковник фон Браухич пожелал выслушать от присутствующих командующих группами армий и командующих армиями их соображения, а также распоряжения по осуществлению директивы ОКХ. Когда, однако, после командующего группой армий «Б» и его командующих армиями очередь дошла до нас, Браухич заявил, что ему достаточно выслушать командующих армиями. Очевидно, он хотел предупредить возможность изложения командующим группой армий своих соображений, идущих вразрез с директивой.

Нам не оставалось ничего иного, как еще раз передать руководителям ОКХ наши соображения о том, как должно быть организовано наступление, в письменном виде, в заранее составленной памятной записке (см. Приложение 4). В ней были изложены, как и в двух предшествующих письмах, от 31 октября и 6 ноября, и в четырех последующих, от 30 ноября, 6 декабря, 18 декабря и 12 января, уже упомянутые раньше основные положения, на которых был основан план штаба группы армий об организации операции в целом. Эти положения в отдельных записках видоизменялись и обосновывались различными аргументами, связанными со складывавшейся к соответствующему моменту обстановкой. Так как, однако, в принципе речь шла об одних и тех же оперативных планах и предложениях, которые уже были изложены, я откажусь от повторений.

В это время Гитлер, очевидно, рассматривал вопрос об использовании 19-го танкового корпуса в составе группы армий «А», а также о том, следует ли вводить в прорыв вслед за ним другие силы и как это следует сделать в случае, если удар крупных сил танков, «действующих в составе группы армий "Б"», не приведет к ожидавшемуся быстрому успеху. Во всяком случае, как пишет Грейнер — ответственный за ведение журнала боевых действий ОКВ, — в середине ноября Гитлер запросил ОКХ, следует ли усилить танковый корпус Гудериана и какие для этого можно выделить силы. По Грейнеру, примерно 20 ноября Гитлер дал указание, чтобы ОКХ приняло меры, в случае если это будет необходимо, для перенесения направления главного удара из района действий группы армий «Б» в район действий группы армий «А», если там обозначится более быстрый и значительный успех, чем у группы армий «Б».

По-видимому, для выполнения этого указания ОКХ в конце ноября перебросило 14-й (мех.) корпус, находившийся на восточном берегу Рейна, за район развертывания группы армий «А». Однако он продолжал оставаться в резерве ОКХ, причем было предусмотрено, что он в зависимости от обстановки будет действовать либо в составе группы армий «Б», либо в составе группы армий «А».

Остается неясным, пришел ли Гитлер сам к мысли о возможности нанесения главного удара группой армий «А», или он к этому времени уже что-либо узнал о планах нашего штаба группы армий.

Через день после упомянутой ранее речи, которую Гитлер произнес 23 ноября в Берлине перед командующими объединениями трех видов вооруженных сил, он принял генерал-полковника фон Рундштедта с генералами Бушем и Гудерианом. Во время этого приема Гитлер, как сказал мне Буш во время обратной поездки в Кобленц, проявил большой интерес к соображениям группы армий. Если это действительно так, то речь, очевидно, шла в первую очередь об усилении бронетанковых сил, входящих в состав группы армий, с целью выполнить задачу, поставленную Гитлером, — прорвать оборону на рубеже реки Маас у Седана для обеспечения действий группы армий «Б». То, что генерал-полковник фон Рундштедт доложил Гитлеру наш план операций, отличающийся от плана, содержащегося в директиве ОКХ, я считаю невозможным, учитывая те шаткие позиции, которые занимал в то время командующий сухопутными силами. Кроме того, он бы информировал меня об этом.

Что касается слов Грейнера о том, что Гитлер уже в конце октября узнал о плане штаба группы армий от своего адъютанта Шмундта, то это кажется мне сомнительным, по крайней мере в отношении даты. Шмундт, правда, был у нас по заданию Гитлера с целью проверки сообщений о том, что условия погоды и местность не позволяют начать наступление. Во время его посещения наш начальник оперативного отдела полковник Блюментритт и подполковник фон Тресков в неофициальном порядке сообщили Шмундту, что штаб группы армий представил, по их мнению, лучший план наступления в ОКХ.

Блюментритт затем несколько дней спустя с моего согласия (генерал-полковник фон Рундштедт очень неохотно дал на это свою санкцию) послал копию последней составленной мной памятной записки полковнику Шмундту. Показал ли тот ее Гитлеру или хотя бы генералу Иодлю, мне неизвестно. Во всяком случае, Гитлер 17 февраля 1940 года во время изложения мной, по его желанию, соображений о том, как должно быть организовано наступление на западе, ни словом не дал понять, что он знаком с одной из памятных записок, посланных нами в ОКХ.

Я допускаю, что Гитлер в конце ноября хотел оставить за собой возможность перенесения направления главного удара из района действий группы армий «Б» в район действий группы армий «А» уже в ходе осуществления операции. Однако это еще ни в коей мере не означало отхода от прежнего оперативного плана или принятия основных положений плана штаба группы армий «А». Несмотря на переброску 14-го (мех.) корпуса в качестве резерва ОКХ за район развертывания нашей группы армий, прежняя директива полностью оставалась в силе. Успех по-прежнему должен был достигаться в первую очередь главными силами группы армий «Б» в Северной Бельгии, в то время как группа армий «А» по-прежнему должна была прикрывать наступающие войска. Только в том случае, если бы оказалось, что действия группы армий «Б» не оправдывают возлагавшихся на них надежд, или если в районе действий группы армий «А» обозначился бы в скором времени успех, Гитлер хотел иметь возможность перенести направление главного удара.

Это ясно вытекало также из ответа, который я получил от генерала Гальдера (первый ответ на все наши предложения) на нашу очередную памятную записку в отношении оперативного плана от 30 ноября (см. Приложение 5). В нем было сказано, что в настоящее время намечается избрать еще одно направление главного удара, а именно — в районе действий группы армий «А», которое в случае успешного прорыва через Арденны неизбежно приведет к предложенному нами расширению цели операции и к проведению всей операции в духе наших предложений.

Ответ генерала Гальдера говорил о том, что большинство наших соображений совпадает с намерениями ОКХ. Между ними существовало и различие, заключавшееся в том, что отданные ОКХ до сих пор распоряжения (относительно 19-го и 14-го корпусов) не привели к образованию нового направления главного удара, а лишь давали возможность создания такого направления. Далее в ответе говорилось: «Образование направления главного удара в результате воздействия сил, находящихся вне сферы нашего влияния, превратилось в действительности из вопроса стратегического развертывания в вопрос руководства операцией во время ее осуществления».

Из этого ответа можно было сделать два вывода. Первый состоял в том, что Гитлер оставил за собой право принимать важнейшие решения и в ходе самого наступления. Второй говорил о том, что он хочет поставить выбор направления главного удара в зависимость от хода самого наступления; важнее всего, однако, было то, что он не знал или не хотел принимать плана операции, предложенного штабом группы армий.

Последнее впечатление укрепилось после телефонного разговора с генералом Гальдером 15 декабря.

6 декабря я еще раз написал личное письмо начальнику Генерального штаба, в котором я снова привел все соображения, гово-

рившие в пользу нашего оперативного плана (см. Приложение 6). В этом письме «новый план» излагался уже в форме законченного предложения о проведении операции. Когда я до 15 декабря не получил на него ответа от генерала Гальдера, я вызвал по телефону начальника 1-го управления генерала фон Штюльпнагеля и спросил его, будет ли ОКХ продолжать сохранять молчание в отношении наших предложений. После этого последовал телефонный звонок от Гальдера, о котором я упоминал выше. Он заверил меня, что они, правда, вполне разделяют нашу точку зрения, но имеют строгий приказ оставить в силе указание о нанесении главного удара силами группы армий «Б», в остальном же оставить этот вопрос открытым до обозначения успеха в ходе операции.

В соответствии с этим можно было бы считать, что ОКХ действительно приняло наши оперативные предложения и в какой-либо форме — от своего имени — сообщило о них Гитлеру. Однако в то же время представитель Иодля генерал Варлимонт и первый заместитель начальника штаба оперативного руководства вооруженными силами будущий генерал фон Лоссберг сообщили мне, что ОКХ никогда не обращалось к Гитлеру в духе наших предложений! Эта ситуация казалась нам весьма странной.

В действительности или только на словах ОКХ разделяло нашу точку зрения, но, во всяком случае, мысль о том, чтобы принять решение о нанесении главного удара силами группы армий «А» только во время наступления, никак нельзя было отождествлять с нашими оперативными замыслами.

Наполеон оставил рецепт: «On s'engage partout et on voit»[1], и это изречение стало для французов почти аксиомой, особенно после того, как они так провалились со своим наступлением в Лотарингии. Эту аксиому в 1940 году можно было, безусловно, отнести и к действиям командования союзников, которое хотело вынудить нас наступать и совершенно правильно делало бы, выжидая это наступление. Оно должно было избегать решительного сражения в Бельгии, чтобы затем крупными силами нанести ответный удар по южному флангу нашей наступающей группировки.

Для нас же оттягивание того момента, когда мы пустим в ход наши козыри, и отсрочка решения о том, где это произойдет, были недопустимы, так как оперативный план штаба группы армий был

---

[1] Если берешь на себя обязательство, приходится ожидать, что из этого получится (*франц.*).

основан на внезапности нанесения удара. Удара крупных сил танков через поросшие лесом Арденны, за которыми должна была последовать армия, противник вряд ли мог ожидать. Этот удар, однако, мог вывести нас к цели операции — нижнему течению Соммы — только в том случае, если бы удалось разбить силы противника, которые могли быть переброшены в Южную Бельгию. Одновременно с остатками этих разбитых сил мы должны были переправиться через Маас, чтобы выйти затем в тыл армиям противника, расположенным в Северной Бельгии против фронта группы армий «Б».

Точно так же попытка нанести удар по крупным резервам противника на нашем южном фланге, в районе между Маасом и Уазой, еще до того, как они успеют сосредоточиться, и создать тем самым благоприятную обстановку для нанесения «второго удара», преследующего цель уничтожения остальных сил противника, могла удасться только в том случае, если бы мы обладали здесь численным превосходством.

Ждать, с тем чтобы позже решить вопрос выбора направления главного удара, смотреть, «куда бежит заяц», — означало бы не что иное, как отказ от шанса нанести противнику решительный удар в Северной Бельгии путем обхода его с юга. Это означало бы одновременно, что противнику предоставлялась возможность развернуть свои крупные резервы для такого контрудара по нашему южному флангу, который мог принести ему победу. Однако командование войск противника не смогло использовать этот шанс.

Идею о том, чтобы подождать с включением необходимых сил в состав группы армий «А» и поставить выбор направления главного удара в зависимость от того, добьемся ли мы внезапного успеха с недостаточными силами, можно охарактеризовать словами Мольтке: «Ошибка в плане развертывания для нанесения первого удара непоправима».

Итак, нельзя было выжидать, как будет развиваться наше наступление, будут ли разгромлены силы противника в Северной Бельгии в результате массированного удара группы армий «Б» или одинокий 19-й танковый корпус достигнет Седана. Необходимо было, в случае если бы был принят план группы армий, включить в ее состав с самого начала достаточно бронетанковых соединений и три армии (даже в том случае, если третью армию можно было бы ввести в прорыв позже, после выхода на оперативный простор). В связи с этим в записке от 6 декабря я требовал для группы армий вместо двух армий с 22 пехотными дивизиями и только одним тан-

ковым корпусом три армии в составе примерно 40 дивизий, а также
два подвижных корпуса. (Такой состав, впрочем, и был утвержден
после принятия нашего оперативного плана, для чего потребовалось
вмешательство Гитлера.)

Борьба штаба группы армий за отстаивавшийся ею оперативный
план, следовательно, должна была продолжаться. Теперь речь шла
главным образом о том, чтобы с самого начала операции в составе
группы действовал бы не только 19-й танковый корпус, но вместе
с ним и 14-й (мех.) корпус, которые бы имели задачу нанести удар
через Арденны, форсировать Маас в районе Седана и ниже его и затем наступать в направлении на нижнее течение Соммы. Далее, мы
боролись за то, чтобы нам с самого начала была передана еще одна
армия для нанесения контрудара в случае наступления противника
на наш южный фланг западнее Мааса. Если бы удалось добиться
и того и другого, тогда — независимо от того, соглашалось ли ОКХ
с нашим главным замыслом или нет — неизбежно речь шла бы о наступлении, целью которого являлся бы полный разгром противника,
на котором мы настаивали.

Конечно, и наш оперативный план, говоря словами Мольтке,
не выходил за рамки первого столкновения с главными силами
противника, но только в том случае, если бы наступление из-за недостатка сил захлебнулось на своей начальной фазе.

Однако Мольтке там же говорит, что полководец должен, планируя первые столкновения с противником, «всегда иметь в виду
свою главную цель». Этой целью, по нашему мнению, могла быть
только решительная победа на континенте. С учетом этой цели
должно было быть организовано наступление германской армии
в том случае, если бы эту победу можно было завоевать только во
второй фазе. Указанный выше рецепт Наполеона, которым в конечном счете объясняется осторожная позиция Гитлера в выборе
направления главного удара, в другой обстановке мог бы явиться
лучшим решением. Для нас он означал отказ от полной победы.

Так как мое письмо начальнику Генерального штаба от 6 декабря
не привело к желаемым результатам, 18 декабря я представил генерал-
полковнику фон Рундштедту основанный на нашем оперативном
замысле «Проект директивы о наступлении на Западном фронте»
(см. Приложение 7). Этот документ должен был послужить для него
основой для доклада командующему сухопутными силами и, в случае
его одобрения, также для доклада Гитлеру. 22 декабря этот проект был
доложен Браухичу, однако он не был доложен Гитлеру. Кроме того, ко-

пия проекта была послана в ОКХ. Я надеялся, что конкретная форма, в которую был облечен наш оперативный замысел в этом документе, возможно, произведет более убедительное впечатление, чем наши теоретические рассуждения, что, может быть, оперативное управление теперь согласится с нашими планами. Как я узнал уже после войны, оперативное управление, однако, не получило от генерала Гальдера наших памятных записок о наступлении на западе.

Во второй половине декабря состояние погоды исключало всякую мысль о наступлении. Кроме того, нам казалось целесообразным сделать перерыв в наших усилиях добиться изменения оперативного плана. Мы уже представили достаточно материалов для размышления. Поэтому мне удалось провести рождественские праздники у себя дома. Во время моего возвращения из Лигница (Легница) в Кобленц я заехал в ОКХ в Цоссен, чтобы услышать, как за это время обстояло дело с отношением к нашему проекту операции. Генерал фон Штюльпнагель снова сказал мне, что они в ОКХ в основном согласны с нашими планами, что ОКХ связано приказом Гитлера о том, чтобы решение о выборе направления главного удара оставалось открытым. По-прежнему было неясно, говорил ли вообще командующий сухопутными силами о наших планах с Гитлером. Это казалось маловероятным, так как тогдашний начальник 1-го отдела оперативного управления подполковник Хойзингер сообщил, что генерал-полковник фон Браухич с 5 ноября перестал бывать у Гитлера.

С началом нового года гитлеровские «предсказатели погоды» снова оживились. Сильный мороз обещал наступление хорошей погоды, которая была бы благоприятной для действий авиации. Но холод, сопровождавшийся сильным снегопадом, в результате чего Эйфель и Арденны покрылись толстым слоем снега, танкам отнюдь не благоприятствовал.

Гитлер тем не менее снова отдал приказ о занятии районов исходного положения.

Несмотря на это, штаб группы армий 12 января снова направил в ОКХ памятную записку, озаглавленную «Наступление на Западе», в которой опять излагались так часто повторявшиеся нами положения об организации наступления на западе, которое должно иметь своей целью достижение решительной победы (см. Приложение 8). Хотя в тот момент нельзя было и думать об изменении директивы, штаб все же надеялся, что его замысел так или иначе выступит на первый план при проведении операции в рамках происходящей подготовки к наступлению. К тому же приказ о наступлении отменялся уже так часто, что можно было ожидать его отмены и на этот раз, а затем снова представилась бы возможность коренного изменения оперативного плана.

Но если мы хотели, чтобы эта возможность осуществилась, мы должны были устранить тормоз, который до сего времени мешал принятию нашего оперативного плана. Где же он находился?

Согласно тому, что мы слышали до сих пор от ОКХ, это была точка зрения Гитлера. ОКХ неоднократно подчеркивало, что оно в значительной степени согласно с нашими предложениями, но что оно связано приказом Гитлера о выборе направления главного удара в зависимости от успеха операций. Но докладывало ли ОКХ наш план Гитлеру, план, который так сильно отличался от разработанной им директивы о наступлении? Может быть, если представить Гитлеру план операций, который преследует не только частные цели, но и с самого начала создает возможность достижения решительного успеха на западе, его можно будет убедить в правильности последнего? (В эту возможность, по нашему мнению, по-настоящему не верили ни Гитлер, ни руководящие деятели ОКХ.)

Для того чтобы выяснить этот вопрос, письмо, подписанное генерал-полковником фон Рундштедтом, приложенное к памятной записке «Наступление на Западе», оканчивалось следующим предложением:

«В связи с тем, что из приказа ОКВ группе армий стало известно, что фюрер и Верховный главнокомандующий оставил за собой решение о выборе направления главного удара при проведении операции и тем самым и руководство этой операцией, а также в связи с тем, что ОКХ не свободно при решении оперативных вопросов, я прошу доложить это предложение (имелась в виду упомянутая выше памятная записка) фюреру.

Рундштедт».

Конечно, эта просьба, с которой я предложил генерал-полковнику обратиться в ОКХ и которую он с готовностью согласился скрепить своей подписью, в некоторой мере противоречила традициям немецкой армии. Согласно этим традициям, только командующему сухопутными силами или по его поручению начальнику Генерального штаба дозволялось обращаться с предложениями к Гитлеру.

Однако, если ОКХ действительно было согласно с нашими соображениями, оно могло всегда от своего имени доложить этот план

Гитлеру. Таким образом, оно, может быть, получило бы возможность поднять свой вес в его глазах и тем самым снова вернуть себе свои функции высшей инстанции для руководства действиями сухопутных сил. Этот результат никто бы не мог больше приветствовать, чем я, так как в свое время, еще будучи на посту заместителя начальника Генерального штаба, вместе с генерал-полковником фон Фричем и генералом Беком я так много боролся за то, чтобы ОКХ занимало подобное положение[1].

Если бы ОКХ уже докладывало Гитлеру свои соображения, которые совпадали с нашими, и не добилось результата, то представление такого оперативного плана, исходящего от генерал-полковника фон Рундштедта, которого Гитлер очень ценил, означало бы существенную поддержку для ОКХ. Может быть, тогда все же удалось бы отговорить Гитлера от того, чтобы ставить выбор направления главного удара в зависимость от успеха операций. А это, насколько мы могли судить на основании заявлений ОКХ, было главным, что стояло на пути принятия нашего оперативного замысла.

Ответ, который мы получили на эту памятную записку, разочаровал нас. В нем было сказано, что наша точка зрения о том, что ОКХ стремится только к частной цели, неверна. Последующая задача будет поставлена своевременно. Рассматривается вопрос о том, чтобы включить в состав группы армий дополнительные силы, а также еще один штаб армии. Срок передачи этих сил будет определен командующим сухопутными силами. Окончательное решение о выборе направления главного удара будет принято Гитлером по представлению командующего сухопутными силами. Направлять Гитлеру нашу памятную записку, поскольку командующий сухопутными силами с ней в основном согласен, не представляется необходимым.

Хотя в этом ответе и было сказано, что командующий сухопутными силами в основном согласен с нашей памятной запиской, это не могло тем не менее скрыть от нас, что он не собирается доложить Гитлеру о коренном изменении оперативного плана в духе наших предложений. Наоборот, прежняя директива оставалась в силе. Ре-

---

[1] Что штаб группы армий совсем не претендовал на афиширование своего авторства по отношению к новому замыслу операции, явствует из того, что оно выявилось только после войны в результате бесед фельдмаршала фон Рундштедта и генерала Блюментритта с английским военным писателем Лидделом Гартом. — *Примеч. автора.*

шающий удар в Бельгии должна была наносить фронтально группа армий «Б». Она, по крайней мере в первой фазе операций, должна была действовать на направлении главного удара.

Группа армий «А» по-прежнему должна была прикрывать войска, участвующие в этой операции. Ее задача не была расширена в плане нанесения удара в направлении на нижнюю Сомму в тыл войскам противника, атакованным в Северной Бельгии с фронта группой армий «Б».

Перенос направления главного удара в район действий группы армий «А», как и раньше, был поставлен в зависимость от течения операций. Группа армий «А» по-прежнему не получила бронетанковых соединений, включение которых в ее состав с самого начала операции являлось в соответствии с планом группы армий предпосылкой для достижения внезапности в Южной Бельгии и нанесения затем удара в тыл противнику в направлении на устье Соммы. Группа армий также не была уверена в усилении ее еще одной армией, которая была бы необходима для отражения удара перешедшего в контрнаступление противника.

Таким образом, «ошибка в плане развертывания для нанесения первого удара», которую Мольтке считал непоправимой, не была устранена. Не хотели решиться на шаг, который, по словам генерала Иодля, сказанным им в феврале 1940 года, «представляет собой контрабандную операцию, при которой рискуешь быть схваченным богом войны».

Очевидно, командование германской армии, как и командование союзников, не сознавая этого, пришли к общему выводу о том, что надежнее действовать друг против друга фронтально в Северной Бельгии, чем брать на себя риск смелой операции: с немецкой стороны — в случае принятия плана штаба группы армий «А»; со стороны союзников — в случае уклонения от решающего сражения в Бельгии и нанесения мощного контрудара по южному флангу наступающих немецких войск.

Между тем произошло событие, которому позже многие стали придавать решающее значение для произведенного вслед за этим коренного изменения плана операции в духе предложений нашей группы армий.

Начальник оперативного отдела штаба 7-й авиадивизии по ошибке совершил посадку на бельгийской территории. При этом в руки бельгийцев попали по меньшей мере выдержки из плана использования 1-го воздушного флота во время операции. В этой связи следовало считаться с тем, что западные державы будут информированы Бельгией о существовавшем оперативном плане.

В действительности же этот инцидент не привел к изменению оперативного плана, хотя и можно думать, что он позже способствовал принятию Гитлером и ОКХ предложения группы армий. Совещание, проведенное командующим сухопутными силами с командующими группами армий «А» и «Б» и командующими подчиненными им армиями, состоявшееся 25 января в Кобленце и в Бад-Годесберге, также показало, что основные положения плана ОКХ остались незыблемыми. Это совещание было проведено намного позже упомянутого выше инцидента. Задачи групп армий «А» и «Б» остались без изменений. Была только несколько расширена задача группы армий «Б», 18-я армия которой теперь должна была захватить всю территорию Голландии (а не часть территории страны, кроме района «Голландской крепости», как было предусмотрено раньше). Для группы армий «А» все оставалось без изменений. Правда, штаб 2-й армии переводился в район действий нашей группы армий, однако и он, как и 14-й (мех.) корпус, оставался в резерве дивизии. Что касается последнего, то это решение осталось в силе, несмотря на мой доклад, который я составил по поручению командующего группой армий, о том, что нанесение удара через Арденны силами одного 19-го танкового корпуса является половинчатой мерой. Он не обещает успеха под Седаном, так как противник за это время сосредоточил на Маасе крупные силы (2-я французская армия). Несмотря на эти замечания, генерал-полковник фон Браухич заявил, что он не может передать нам 14-й (мех.) корпус. Это был признак того, что командование германской армии по-прежнему настаивало на том, чтобы поставить вопрос о переносе направления главного удара в район действий группы армий «А» в зависимость от хода операции. Это доказывает, однако, то, что инцидент с попавшими в руки бельгийцев планами операции не побудил командование изменить существовавший план наступления.

Тем не менее штаб группы армий 30 января направил в ОКХ еще одну памятную записку, дополняющую соображения, высказанные мной 25 января командующему сухопутными силами, на основе поступивших за это время сведений о противнике. Штаб указал, что теперь следует считаться с возможностью переброски в Южную Бельгию крупных сил противника, в частности подвижных соединений. При этих обстоятельствах нельзя рассчитывать на то, что 19-й танковый корпус один будет в состоянии отразить нанесенный ими удар, он также не сможет один форсировать реку.

Это мнение подтвердилось на маневрах, происходивших 7 февраля в Кобленце, во время которых проверялась готовность к наступлению 19 тк и обеих армий, входивших в состав нашей группы армий. Маневры показали, насколько проблематичным является наступление изолированного 19 тк. У меня создалось впечатление, что генерал Гальдер, присутствовавший на маневрах, наконец начал понимать правильность нашего замысла.

В это время, однако, в моей жизни неожиданно произошли изменения. 27 января я получил сообщение, что назначен командиром 38 ак, который должен был в ближайшее время формироваться в тылу. Как сказал мне генерал-полковник фон Рундштедт, командующий сухопутными силами предварительно сообщил ему о смене его начальника штаба 25 января на упомянутом выше совещании. Он объяснил это тем, что меня больше нельзя обходить при назначении новых командиров корпусов, так как генерал Рейнгардт, который имеет меньшую выслугу лет в своем чине, также получает корпус. Хотя мое назначение никак не могло рассматриваться как нарушение обычного порядка назначения на должности, в тот момент, когда предстояло большое наступление, такая смена начальников штабов выглядела очень странно. Вопрос о выслуге лет, который послужил предлогом для этого, можно было разрешить и иначе. Поэтому вряд ли можно сомневаться в том, что моя отставка с поста начальника штаба группы армий объяснялась желанием ОКХ отделаться от надоевшего ему настойчивого человека, который посмел противопоставить его оперативному плану другой план.

После упомянутых выше военных маневров, в руководстве которыми я еще принимал участие, генерал-полковник фон Рундштедт выразил мне в присутствии всех участников учений благодарность за мою деятельность на посту начальника штаба группы армий. В этих словах сказалось все благородное великодушие этого военачальника. Большим удовлетворением было для меня также то, что командующие армиями, входившими в состав нашей группы, генералы Буш и Лист, а также генерал Гудериан не только выразили сожаление в связи с моей отставкой, но и высказали свое искреннее огорчение.

9 февраля я выехал из Кобленца и отправился сначала в Лигниц (Легница).

Между тем мои верные помощники, полковник Блюментритт и подполковник фон Тресков, не собирались складывать оружие и не считали, что с моей отставкой борьба за наш оперативный план должна считаться оконченной. Я думаю, что не кто иной, как Тресков, побудил своего друга Шмундта, главного адъютанта Гитлера, изыскать возможность для того, чтобы мы сами могли доложить Гитлеру наши соображения относительно плана организации наступления. Во всяком случае, 17 февраля я был вызван вместе со всеми остальными вновь назначенными командирами в Берлин для представления Гитлеру. После того как мы представились, был дан завтрак, во время которого, как обычно, главным образом говорил Гитлер. Помню, он показал поразительные знания новинок в области военной техники, а также армий противника. Донесение о нападении английского эсминца на пароход «Альтмарк» в норвежских территориальных водах было использовано Гитлером для длинных рассуждений о том, что малые государства не в состоянии соблюдать нейтралитет.

Когда мы после завтрака стали прощаться с Гитлером, он пригласил меня в свой кабинет. Там он предложил мне изложить свою точку зрения об организации наступления на западе. Знал ли он уже от своего главного адъютанта о нашем плане и в какой мере он в этом случае был информирован, я не могу сказать. Во всяком случае, мне оставалось только удивляться тому, с какой поразительной быстротой он разобрался в той точке зрения, которую группа армий отстаивала в течение вот уже нескольких месяцев. Как бы то ни было, он вполне одобрил мои соображения. После этой беседы я сейчас же по памяти составил записку для штаба группы армий, текст которой хочу привести:

«Бывший начальник штаба группы армий "А" во время своего представления в связи с назначением на должность командира 38 ак 17 февраля 1940 года имел возможность доложить фюреру соображения группы армий "А" относительно организации наступления на западе. Были доложены следующие соображения:

1. Задачей наступления на западе должна явиться окончательная победа на суше. Для достижения частных целей, как они сформулированы в существующей директиве о наступлении, например, разгром крупных сил противника в Бельгии, захват части побережья Ла-Манша, — использование вооруженных сил с политической и военной точки зрения нецелесообразно. Задача состоит в одержании окончательной победы на континенте.

При организации наступления, таким образом, с самого начала надо нацеливать войска на решительную победу во Франции, на то, чтобы сломить силу сопротивления французской армии.

2. Для этого необходимо, чтобы в противовес директиве главный удар наносился с самого начала на южном фланге группой армий "А", а не группой армий "Б", а также, чтобы вопрос о нем не оставался открытым. По существующему плану, можно лишь в лучшем случае нанести фронтальный удар по перебрасываемым туда англо-французским силам и отбросить их к Сомме, где наступление может быть остановлено.

В результате того, что теперь главный удар будет наносить действующая на южном фланге группа армий "А", имеющая задачей наступать через Южную Бельгию и реку Маас в направлении на нижнее течение Соммы, крупные силы противника, находящиеся в Северной Бельгии, после того как они будут отброшены фронтальным ударом группы армий "Б", будут отрезаны и уничтожены. Это станет возможным только в том случае, если группа армий "А" быстро нанесет удар в направлении на нижнее течение Соммы. В этом заключается первая часть кампании. За ней последует Вторая часть: охват французской армии крупными силами, действующими на правом фланге.

3. Такая задача группы армий "А" требует включения в ее состав трех армий. Таким образом, на северном фланге (очевидно, группы армий «А». – *Примеч. ред.*) необходимо развернуть еще одну армию.

2-я армия, расположенная на северном фланге группы армий, имеет задачу, форсировав Маас, нанести удар в направлении на нижнее течение Соммы, отрезав силы противника, отброшенные ударом группы армий "Б".

Южнее ее еще одна армия (12-я) должна форсировать Маас по обе стороны от Седана, затем повернуть на юго-запад и путем нанесения контрудара отразить попытки французской армии крупными силами перейти в контрнаступление западнее Мааса и разбить их.

Третья армия (16-я) должна будет вначале прикрывать участвующие в наступлении силы на их южном фланге, между Маасом и Мозелем.

Большое значение имеет нанесение ударов авиацией по развертывающимся для перехода в контрнаступление армиям противника, так как французы могут рискнуть бросить в это наступление крупные силы на фронте западнее Мааса или по обе стороны от него, возможно, до Мозеля.

4. Удар одного 19 тк в направлении на Маас у Седана является половинчатой мерой. Если противник выступит нам навстречу

в Южной Бельгии крупными силами механизированных войск, то сил корпуса недостаточно, чтобы быстро разбить их и на плечах остатков разбитых войск форсировать Маас. Если противник ограничится удержанием рубежа реки Маас крупными силами, как об этом можно судить по группировке его сил в настоящее время, корпус один не сможет форсировать Маас.

Если принимать решение о том, чтобы бросить вперед механизированные соединения, то для этого в полосе наступления группы армий необходимо сосредоточить не менее двух корпусов, которые должны переправиться через Маас одновременно у Шарлевиля и Седана, независимо от наступления танков в направлении на Маас у Живе силами 4-й армии. Следовательно, 14-й корпус с самого начала должен действовать рядом с корпусом Гудериана, и решение вопроса о его подчинении группе армий "А" или "Б" нельзя оставлять открытым».

Фюрер выразил свое согласие с этими соображениями. Через некоторое время была издана новая директива о наступлении. Этой окончательной директивы о наступлении я, к сожалению, не видел. Я знаю лишь, что она была составлена по указанию Гитлера 20 февраля.

В общих чертах она содержала следующие положения, которые отвечали так долго отстаивавшимся нами требованиям:

1. Нанесение удара двумя танковыми корпусами (19-м под командованием генерала Гудериана и 14-м под командованием генерала» Витерсгейма) в направлении на Маас между Шарлевилем и Седаном и форсирование Мааса на этом участке.

2. Окончательное подчинение штаба 2-й армии (ранее находившейся в составе группы армий «Б») группе армий «А» и передача ему сил, необходимых для формирования еще одной армии. Тем самым было обеспечено немедленное введение ее в прорыв, как только это допустит ширина полосы наступления группы армий в результате поворота 16-й армии на юг.

3. Подчинение 4-й армии (раньше находившейся в составе группы армий «Б») группе армий «А», чтобы создать ей возможность маневра в направлении на нижнее течение Соммы. (Группа армий всегда настаивала на передаче ей по крайней мере корпуса, расположенного на южном фланге этой армии, для расширения полосы наступления. Министериальрат Грейнер утверждает, что эта армия была подчинена нам значительно раньше, в ноябре, однако это не соответствует действительности. Она была подчинена нам только в соответствии с новой директивой о наступлении.)

Эта новая директива ОКХ, таким образом, полностью отвечала соображениям, отстаивавшимся штабом группы армий. Направление главного удара всей операции было перенесено на южный фланг, причем использовалась вся ширина фронта района, расположенного севернее линии Мажино, и существующая в нем сеть дорог. Несмотря на это, группа армий «Б» с ее тремя армиями оставалась достаточно сильной для успешного выполнения своей задачи в Северной Бельгии и Голландии.

Группа армий «А» получила теперь возможность нанести внезапный удар по противнику через Арденны и Маас в направлении на нижнее течение Соммы. Благодаря этому она могла отрезать силам противника, действовавшим в Северной Бельгии, пути отхода через эту реку. Стало также возможно нанести успешный контрудар по войскам противника в случае, если бы они перешли крупными силами в контрнаступление против нашего южного фланга.

Что касается осуществления наступательной операции германской армии в мае 1940 года, я хотел бы заметить следующее.

Наступление группы армий «Б» имело благодаря превосходству немецких войск, в особенности бронетанковых соединений, большие результаты, чем этого можно было ожидать при неизбежном фронтальном характере наступления и необходимости преодолевать мощные укрепления на бельгийской границе. Тем не менее решающее значение для полного разгрома сил союзников в Северной Бельгии имел удар, внезапно нанесенный через Арденны и Маас в направлении на устье Соммы и, наконец, на порты в Ла-Манше. Наряду с энергичным руководством войсками со стороны стремившегося осуществить этот замысел генерал-полковника фон Рундштедта этот успех в первую очередь, пожалуй, следует приписать несокрушимой воле, с которой генерал Гудериан проводил в жизнь оперативный план группы армий.

Победа в Северной Бельгии оказалась не такой полной, какой она могла бы быть. По данным, приведенным Черчиллем, противнику удалось переправить через Дюнкерк 338 226 человек (из них 26 176 французов), хотя он и потерял все свое тяжелое оружие и другую технику. Это объясняется вмешательством Гитлера, дважды задержавшего наступающие танковые соединения: в первый раз во время их продвижения к побережью, во второй раз перед Дюнкерком. В обоснование последнего приказа, построившего английской армии золотой мост через Ла-Манш, приводятся три причины. Во-первых, Гитлер якобы хотел дать танкам отдых перед второй фазой кампании во Франции, ввиду того, что Кейтель сообщил ему, что в районе Дюнкерка танконедоступная местность. Другая причина состоит в том, что Геринг якобы гарантировал фюреру, что авиация сама сумеет помешать англичанам эвакуироваться из Дюнкерка. Учитывая стремление Геринга к поднятию своего престижа и его любовь к хвастовству, я считаю такое высказывание с его стороны вполне возможным. Как бы то ни было, оба эти аргумента с военной точки зрения были несостоятельными. В качестве третьей причины приводят довод о том, что Гитлер — как якобы он заявил в беседе с генерал-полковником фон Рундштедтом — сознательно дал эвакуироваться англичанам, так как он считал, что это приблизит возможность договориться с ними. Во всяком случае, то, что английской армии была предоставлена возможность эвакуироваться из Дюнкерка, является решающей ошибкой Гитлера. Она помешала ему позже решиться на вторжение в Англию и дала затем возможность англичанам продолжать войну в Африке и Италии.

Гитлер, правда, принял замысел группы армий «А», позволивший путем нанесения удара через Арденны к морю отрезать силы противника в Северной Бельгии, и дал осуществить его по крайней мере до ворот Дюнкерка. Однако он не полностью принял вторую его часть, имевшую целью одновременное создание предпосылок для перехода ко второй фазе операций. Немецкое командование ограничилось тем, что обеспечило прикрытие подвижных соединений, наносивших удар на побережье, от ожидавшегося контрнаступления противника по обе стороны от реки Маас путем эшелонирования следующих за ними дивизий вдоль подвергавшегося опасности южного фланга с задачей отражать удары противника. План развернуть наступление западнее Мааса на юг с целью разбить противника в случае, если он предпримет попытку крупными силами развернуть контрнаступление, и тем самым окончательно разорвать фронт противника между Маасом и Уазой, очевидно, показался слишком рискованным.

Как это выявилось и позже, в период похода на Россию, у Гитлера имелся какой-то инстинкт при решении оперативных вопросов. Однако ему не хватало опыта военачальника, который позволяет идти даже на большой риск во время операции, потому что он знает, на что он идет. Так и на этот раз Гитлер предпочел худший, защитный вариант прикрытия южного фланга войск, участвовавших в первой фазе наступления, более смелому решению, предложенному группой армий. Ему посчастливилось, поскольку командование противника не решилось на контрнаступление крупными силами. Оно вполне могло бы своевременно сосредоточить около 50 дивизий для контрнаступления на широком фронте по обе стороны Мааса, а при благоприятных условиях — на восток до Мозеля, в случае необходимости временно пожертвовав территорией Голландии и Бельгии, за исключением крепостей.

Так получилось, что после окончания первой фазы немецкого наступления оба противника снова противостояли друг другу на сплошном фронте вдоль линии Мажино до Кариньяна и далее вдоль Эн и нижней Соммы. Немцы должны были теперь снова прорывать этот фронт. Если вторая фаза наступления германской армии в такой короткий срок привела к полной капитуляции противника, то лишь потому, что он не смог занять достаточными силами оборону на сплошном фронте от швейцарской границы до моря, понеся такие большие потери в Северной Бельгии. Вторая причина заключалась в том, что боевому духу французской армии уже был нанесен решительный удар. Не приходится уже говорить о том, что противник не располагал войсками, равноценными немецким оперативным танковым соединениям. Если бы командующий войсками союзников действовал так, как предполагал штаб группы «А», он развернул бы наступление крупными силами по обе стороны реки Маас. По плану группы армий, однако, силы противника в этом случае были бы разбиты еще на подходе между Маасом и Уазой. Если бы мы при этом одновременно окружили силы противника в Северной Бельгии, а затем группа армий «Б» нанесла бы удар через нижнюю Сомму с целью окружения остатков французских войск в духе плана Шлиффена, мы в конце концов вышли бы в тыл линии Мажино и вели бы сражение с перевернутыми фронтами.

Так как мы — за исключением эвакуации английских войск через Дюнкерк — одержали на французском театре военных действий полную победу, сказанное выше может показаться излишним. Я остановился на этих соображениях, поскольку, может быть, целесообразно показать, что и при более энергичных и правильных действиях противника «новый план» мог привести к победе, даже если бы при этом в первой фазе между Маасом и Мозелем порой создавались критические моменты.

Глава 6
КОМАНДИР 38-го АРМЕЙСКОГО КОРПУСА

Осужден на наблюдение со стороны. Оборонительные бои в нижнем течении Соммы. Прорыв через французскую оборонительную позицию на Сомме. Стремительное преследование. Перемирие.

ОСУЖДЕН НА НАБЛЮДЕНИЕ СО СТОРОНЫ

Участие, которое мне суждено было принять после отставки с поста начальника штаба группы армий фон Рундштедта в наступлении на Западном фронте, настолько незначительно, что в этих воспоминаниях можно было бы на нем и не останавливаться. Если я тем не менее делаю это, то в первую очередь, чтобы отдать долг благодарности подчиненным мне храбрым войскам и их выдающимся подвигам. Далее, потому, что боевые действия 38-го корпуса после успешного прорыва через французские позиции на Сомме могут послужить примером организации преследования, проводившегося от Соммы через Сену до Луары, во время которого наши войска не давали противнику прийти в себя до тех пор, пока он не был окончательно разгромлен.

В те месяцы, когда другие продолжали работать над замыслом, за который я боролся, вначале передо мной была поставлена скромная задача ожидать, пока не будет сформирован штаб моего 38-го корпуса и входящего в его состав батальона связи в Штеттине (Щецин). Время от времени я получал задания проверять на месте ход формирования новых дивизий в Померании и Познани.

10 мая 1940 года в Лигнице (Легница), куда я приехал на пару дней в отпуск, я по радио услышал о начале немецкого наступления. Естественно, все мои мысли и горячие пожелания были в последующие дни с нашими войсками, наносившими удар через Арденны. Удастся ли нам быстро продвинуться через Люксембург и прорваться через бельгийские укрепления по обе стороны от Бастони до того, как сюда подойдут крупные силы французов? Будет ли возможно продолжить безостановочное наступление танков и форсировать Маас у Седана, тем самым обеспечив окружение северного фланга противника? Но одновременно, как это нетрудно понять, голову мою бороздили не совсем приятные мысли об инстанции, в такой момент сославшей меня далеко в тыл, в то время как на западе осуществлялся план, за который я так долго и настойчиво боролся.

10 мая вечером прибыл приказ, согласно которому штаб 38-го корпуса переводился «вперед» в Брауншвейг. 13 мая я оттуда направился в Дюссельдорф, где мы поступили в распоряжение группы армий «Б». В последующие дни у меня не было других занятий, кроме как в качестве праздношатающегося осматривать взятые штурмом сильно укрепленные бельгийские позиции на Маасе у Маастрихта и на канале Альберта, а также захваченный в результате внезапного нападения, оборудованный по последнему слову техники форт Эбен-Эмаель (дальнобойные бельгийские батареи в это время еще продолжали вести огонь). Кроме того, я узнавал в штабе группы армий и в штабе 6-й армии о ходе операций. То, что я там услышал, свидетельствовало об отсутствии ясного представления о замыслах противника. ОКХ, по-видимому, также еще не имело таких сведений и отделывалось молчанием относительно своих дальнейших оперативных планов. Оно ограничивалось только удлинением разграничительной линии между группами армий на северо-запад.

16 мая штаб корпуса был переподчинен группе армий «А». На следующий день я представился в Бастони моему бывшему командующему, генерал-полковнику фон Рундштедту. Он, так же как и мой преемник, генерал фон Зоденштерн, и весь состав моего старого штаба, сердечно приветствовал меня, и только здесь я услышал, как успешно прошло наступление через Арденны и Маас. Наш корпус должен был войти в состав 12-й армии, которая имела задачей продолжать наступление на запад, к нижней Сомме, в то время как новая 2-я армия должна была быть введена в прорыв фронтом на юго-запад между 12-й и 16-й армиями.

Прибыв в штаб 12-й армии, я тотчас стал свидетелем вмешательства Гитлера в руководство операциями сухопутных сил. Поступил приказ, отданный ОКХ по указанию Гитлера, согласно которому танковая группа Клейста должна была продвигаться только до Уазы. 12-й армии было приказано повернуть на юго-запад и перейти к обороне. 2-й армии была поставлена теперь задача действовать между 4-й и 12-й армиями, наступая дальше на запад. Приказ мотивировался тем, что фюрер ни при каких обстоятельствах не хочет допустить, чтобы хотя бы временная неудача немцев дала повод для подъема духа французского народа, который к тому времени уже был сильно подавлен. Он опасался такой неудачи, если 12-я армия, как было ранее предусмотрено, продолжала бы удар дальше на запад, к нижней Сомме, и при этом должна была бы отражать контрнаступление французской армии с южного направления западнее Мааса, направленное ей во фланг.

Здесь уже политический деятель или даже пропагандист стал вмешиваться в дела полководца. С одной стороны, было ясно, что приостановка наступления танковой группы фон Клейста на Уазе таила в себе опасность упустить решительную победу над силами противника в Северной Бельгии, которым эта группа как раз должна была выйти в тыл; с другой стороны, приказ предусматривал, что 12-я армия должна перейти к обороне фронтом на юго-запад, а это означало отказ от инициативы в районе между Маасом и Уазой. В действительности же крупного контрнаступления французов в то время нельзя было ожидать. Противнику, по крайней мере по мнению командования группы армий «А», нужно было еще около недели, чтобы подтянуть необходимые для контрнаступления силы. И это в том случае, если он вообще еще думал о таких планах. А ведь именно прикрытие южного фланга путем наступления с нашей стороны и нанесение удара в направлении на нижнюю Сомму являлись одним из центральных пунктов предложений о проведении операции, с которыми группа армий зимой неоднократно обращалась в ОКХ.

Теперь оказалось, что хотя Гитлер и не обладал смелостью временно взять на себя риск на правом фланге наступающих немецких войск, он уже осмеливался давать от своего имени указания о ходе отдельных операций сухопутных сил.

Если он в то время вообще мог обосновывать призраком хотя и временной неудачи свое вмешательство в руководство операциями, то это объясняется, возможно, тем, что ОКХ, вопреки прежним предложениям группы армий, не ввело своевременно в прорыв 2-ю армию, как только передовые части наступающих немецких войск форсировали Маас, будь то между 4-й и 12-й армиями для продолжения наступления на нижнюю Сомму или между 12-й и 16-й армиями для наступления на юго-запад между Маасом и Уазой. Недостаточная ширина фронта для введения в первый эшелон новых дивизий не могла быть причиной для этого. Ведь в первую очередь было необходимо иметь для обоих только по необходимости противоположных направлений наступления и выполнения соответствующих задач один общий армейский штаб. Введение в бой новых дивизий было бы тогда своевременным и согласовывалось с расширением района операций.

Этот пример еще раз показывает, что оперативный план, по-видимому, никогда не осуществляется в полном объеме, как это мыслит себе его автор, если претворение его в жизнь является уделом других людей, даже тогда, когда для отклонения от плана нет никаких веских причин.

Если это вмешательство Гитлера (в противоположность приостановке наступления танковой группы фон Клейста под Дюнкерком) и не привело к серьезным оперативным последствиям, то все же поставленная им перед 12-й армией задача на оборону позволила противнику создать новую укрепленную линию на реке Эн. Во второй фазе наступления ее пришлось взламывать в тяжелых боях. Возможность окончательно разорвать фронт противника на этом решающем участке путем продолжения удара была без нужды утеряна. А ведь именно в этом, наряду с окружением войск на северном фланге противника, состояла одна из основных идей нашего предложения о проведении операции, предусматривавшего при любых обстоятельствах переход ко второй фазе наступления.

Между тем наш штаб корпуса был переведен в Люксембург, в живописный небольшой городок Клерф. Наша прежняя роль наблюдателей сменилась задачей руководить переброской нескольких дивизий из числа следовавших за 2-й армией. Не очень почетная задача в тот момент, когда обозначалось решительное поражение на северном фланге противника.

В эти дни я получил сообщение, что мой шурин, Эгберт фон Лёш, командир эскадрильи пикирующих бомбардировщиков, пропал без вести под Брюсселем. Эгберт, младший брат моей жены, долго жил вместе с нами в Дрездене и Магдебурге, где он посещал школу. Моя жена его особенно любила, и мы относились к нему, как к сыну. Его молодая жена в то время жила у нас в Лигнице (Легница). Она, мать и моя жена долгие недели мучились безвестностью и беспокоились, так как долго ничего не было известно о том, что случилось с самолетом, который вел Эгберт, а также о судьбе его экипажа. Можно было только с уверенностью сказать, что он был сбит во время атаки эскадрильи, которой командовал Эгберт. Только после кампании во Франции я смог навести более точные справки. После долгих поисков обломки самолета были найдены в окрестностях Брюсселя. Расспросы местных жителей показали, что самолет был подбит, видимо, огнем зенитной артиллерии при переходе в пикирующий полет. Двум членам экипажа удалось выпрыгнуть с парашютом. Один из них был убит бельгийскими солдатами еще в воздухе, другой после приземления. Мой шурин и четвертый член экипажа или погибли от зенитного огня, или разбились вместе с самолетом. Эгберт фон Лёш, одаренный юноша, был особенно любим нами. Высокий, стройный блондин с красивыми выразительными глазами, он имел очень привлекательную внешность. Его душа была открыта всему прекрасному и доброму — все это соединялось в этом человеке, который очаровывал всех знавших его. Обладая высоким развитием, он был отличным офицером, любившим свое дело. На случай своей смерти он оставил следующее письмо в эскадрилье: «Я прошу меня не оплакивать. Я — идеалист и умираю так же счастливо, как и жил. Более прекрасной для меня жизни на земле нет. Жаль только, что я больше не смогу служить отечеству — и потерян для моей жены. Об этом я буду думать в последние минуты моей жизни».

25 мая корпус получил задачу сменить 14 тк, который генерал фон Клейст вместе с 9-й танковой и 2-й мотодивизией оставил для прикрытия своего тыла в нижнем течении Соммы, на участке Абвиль — Амьен. 27 мая смена была произведена.

К этому времени в нижнем течении Соммы не было устойчивых фронтов. 14 тк вместе со 2-й мотодивизией (которую должна была сменить подходящая 57 пд) удерживал плацдарм в районе города Абвиль на левом, южном берегу Соммы. 9 пд имела такую же задачу у города Амьен. Между этими обоими городами на всем протяжении Соммы были только патрули.

Но и противник не был в состоянии выделить достаточно сил для создания нового фронта за нижним течением Соммы. Перед нашим плацдармом у Амьена стояла, по-видимому, одна французская колониальная дивизия и английские части, у Абвиля — одна английская дивизия.

Приказ гласил — удерживать плацдармы. 9 тд и 2-я мотодивизия, которая должна была быть сменена у Абвиля, пока оставались в качестве подвижного резерва севернее Соммы. Но затем они, что было совершенно правильно, были сосредоточены для участия в решающих боях у побережья Ла-Манша.

Генерал фон Витерсгейм, командующий 14 тк, сказал мне, передавая приказ, что он не ожидает каких-либо крупных операций противника. Через час после его отъезда прибыло донесение о сильных атаках противника на обоих плацдармах. На обоих участках появились также крупные танковые силы противника. К вечеру обе атаки были отбиты. У Амьена было подбито несколько тяжелых французских танков, у Абвиля — 30 английских легких и средних танков. Здесь только один солдат Брингфорт из расчета противотанкового орудия подбил 9 вражеских танков. Он был первым рядовым солдатом, награжденным, по моему предложению, Рыцарским крестом.

По моему мнению, вражеские атаки либо имели целью своими действиями на этом участке облегчить положение северного фланга, находившегося под угрозой окружения, либо это были попытки создать новый фронт на нижнем течении Соммы. Для нас возникал тот же вопрос, который я уже раньше ставил в связи с приказом Гитлера о 12-й армии. Надо ли было — как значилось в приказе — и на нижней Сомме вести оборонительные бои или следовало пытаться удержать инициативу в своих руках?

Оборонительная тактика, которая, по-видимому, была предписана 14 тк, дала бы противнику — в этом не было сомнения — возможность создать на нижней Сомме новый сильный фронт обороны. Кроме того, проблематичным было в этом случае и удержание плацдармов в районах Абвиля и Амьена, так как противник подтянул бы сюда силы. Обе мотодивизии, оставленные в качестве резерва севернее Соммы, очень мало подходили для действий на плацдарме. Их можно было не вводить сюда для укрепления обороны плацдармов. Для контратаки их можно было бы использовать только в том случае, если бы противник сжал наши плацдармы, разбил находящиеся там дивизии, а затем перешел Сомму.

Я не раз доказывал командующему 4-й армией, которой мы были подчинены, что мы теперь должны двумя мотодивизиями (или после их смены — двумя пехотными дивизиями) внезапно форсировать Сомму между обоими плацдармами с тем, чтобы охватить с флангов части противника, наступающие на плацдарм, и разбить их. Мне казалось, что лучше вести корпусом маневренный бой южнее, то есть перед рубежом Соммы, до тех пор, пока не будет закончено сражение в Северной Бельгии и можно будет продвинуть наш северный фланг через нижнюю Сомму. Наша цель должна была состоять в том, чтобы удержать этот участок и не дать противнику создать сплошной фронт по Сомме. В этом случае нельзя было отрицать, что при таком ведении операций корпус — поскольку он останется один южнее Соммы — может оказаться в трудном положении. Но надо было идти на этот риск, чтобы избежать в интересах дальнейшего ведения операции трудных боев против укрепившегося на Сомме противника.

К сожалению, командующий 4-й армией не принял эти наши неоднократно делавшиеся ему предложения. Он не дал нам для этой операции дивизий из второго эшелона, которые предназначались для форсирования реки (объяснялась ли его позиция собственным решением или решением ОКХ — мне неизвестно), и мы были вынуждены вести оборонительный бой на плацдармах. Противник, следовательно, имел возможность создать сплошной фронт вдоль Соммы между плацдармами. По обычным понятиям, известна оборона за рекой или удержание ее с помощью прочных плацдармов. Но ни в каком учебнике нет сведений о том, что бой может вестись подвижно и перед рубежом реки.

В последующие дни противник продолжал свои атаки на оба плацдарма. У Амьена иногда создавалось серьезное положение. Однако, посетив войска, я убедился, что здесь все было в порядке. Особенно успешно отражал атаки 116-й пехотный полк (под командованием моего полкового товарища по 3-й гвардейскому полку, впоследствии генерала Герлейна).

Напротив, у Абвиля 29 мая возник серьезный кризис. 2-ю мотодивизию сменила здесь 57 пд, проделавшая напряженные марши и не имевшая еще боевого опыта. Атака, предпринятая вскоре противником, поддержанная английскими танковыми частями, привела в результате на отдельных участках к прорывам и причинила нам большие потери, в том числе, как позже выяснилось, и пленными. Я сам выехал в Абвиль и вынужден был вернуть батальон, который оставил свои позиции на основании ложно понятого приказа и уже следовал через город. В конце концов дивизии удалось восстановить положение.

Так как генерал фон Клюге в создавшейся тяжелой обстановке предоставил на наше решение даже вопрос об оставлении плацдармов, он отклонил наше повторное предложение форсировать Сомму, по обе стороны Абвиля силами вновь прибывших 6-й и 27-й дивизий, с тем чтобы взять в клещи наступавшие там части.

Было ясно, что Главное командование намерено избегать всякого риска, пока не будет закончена битва в Северной Бельгии и не сможет быть проведено «планомерное» развертывание сил против создаваемого сейчас неприятельского фронта.

Было также ясно, что противник использует это время, чтобы подтянуть резервы и создать новый фронт от конечного пункта линии Мажино в районе Кариньян до устья Соммы. Между Уазой и Маасом Гитлер сам упустил инициативу и тем самым облегчил противнику создание фронта по реке Эн. Наше командование отказалось теперь также от попытки обеспечить себе инициативу южнее Соммы.

СТРЕМИТЕЛЬНЫЙ МАРШ К ЛУАРЕ

Если в первый период немецкого наступления на западе, по существу, я был в роли наблюдателя, то по крайней мере во второй период я мог участвовать в наступлении в качестве командира соединения.

Все попытки побудить Главное командование — разрешить нам наступление через Сомму, пока противник не построил и не организовал за рекой сплошную оборону, оказались напрасными. Эти первые дни июня были использованы для подготовки планомерного наступления, которое должна была начать утром 5 июня 4-я армия.

На участке по обе стороны Абвиля действовал 2-й армейский корпус (командир — генерал граф Брокдорф). Между ним и 38-й корпусом был выдвинут у Эльи 15 тк генерала Гота. Плацдарм у Амьена со стоявшей там 9-й дивизией занял 14 тк (командир — генерал фон Витерсгейм), который одновременно перешел в подчинение действующей слева армии. Таким образом, для 38-го корпуса осталась полоса наступления около 20 км по обе стороны от Пикиньи. В этой полосе в первом эшелоне первую атаку должна была предпринять 46-я Судетская пехотная дивизия (командир — генерал-майор фон Гаазе) справа, 27-я Швабская дивизия (командир — генерал-лейтенант Бергман) — слева. 6-я Вестфальская дивизия (командир-генерал-майор фон Бигелебен)[1] оставалась сначала во втором эшелоне, с тем чтобы войти в прорыв после форсирования реки дивизиями первого эшелона.

Местность на нашем северном берегу была слегка холмистой; она медленно понижалась к Сомме, не давала укрытия войскам в связи с отсутствием лесов, а прибрежная местность южнее реки круто поднималась вверх и позволяла противнику хорошо обозревать район наших исходных позиций. Сама долина Соммы, шириной в несколько сот метров, не позволяла просматривать обе передовые позиции благодаря зарослям кустарника на берегу реки. На южном берегу, в долине, расположились деревни Брельи, Эльи, Пикиньи и Дрель, которые, видимо, особенно прочно удерживались противником. Как и большинство французских деревень с их массивными

---

[1] Из этих трех опытных командиров дивизий генерал фон Гаазе был казнен после 20 июля 1944 года, генерал Бергман погиб на востоке, генерал фон Бигелебен умер во время войны. — *Примеч. автора.*

домами и стенами, они были отличными опорными пунктами для обороняющегося. На возвышенности, которая находилась на южном берегу и уходила в глубину оборонительной полосы противника, деревни и большие леса также создавали противнику выгодные условия для закрепления и укрывали его артиллерию.

В полосе корпуса стояли две французские дивизии, одна дивизия колониальных войск и 13-я Эльзасская пехотная дивизия. По данным разведки, необходимо было считаться с тем, что противник располагал не меньшим количеством артиллерии, а может быть, даже и превосходил нас. В связи с таким характером местности и соотношением сил я полагал, что успеха в наступлении можно достичь быстрее всего путем использования момента внезапности. Поэтому штаб корпуса приказал собственной артиллерии не открывать огня вплоть до начала атаки. Мы отказались также от огневой подготовки атаки. Только после начала атаки предусмотрено было открытие сильного огня по высокому южному берегу и по расположенным в долине деревням, чтобы исключить всякое сопротивление оттуда при форсировании реки.

Пехота обеих дивизий, снабженная надувными лодками, понтонами и штурмовыми мостиками, в ночь перед атакой была выдвинута в прибрежный кустарник на нашей стороне реки. На рассвете она должна была внезапно форсировать реку, обходя деревни. Форсирование на рассвете 5 июня полностью удалось на всем фронте благодаря внезапности. Только потом противник оказал сопротивление на высоком берегу реки и в расположенных около реки деревнях. Противник сражался мужественно: африканцы — с присущими им жаждой крови и презрением к жизни, а эльзасцы — так упорно, как только можно ожидать от этого аллеманского племени, которое в Первую мировую войну дало много хороших солдат, сражавшихся на немецкой стороне. Действительно, было трагедией встретиться тогда с этими юношами как с врагами. Когда я беседовал с пленными, многие из них рассказывали не без гордости, что их отец служил в германской армии, гвардии или кайзеровском флоте. Я вспоминал тогда многих эльзасских рекрутов, которых я сам обучал в 3-м гвардейском полку и которые в большинстве своем были отличными солдатами, как, например, мой бывший дальномерщик, ефрейтор Дешан.

Начало атаки я наблюдал на командном пункте корпуса в небольшом лесу сравнительно близко от фронта. Как только стало ясно, что форсирование реки везде прошло удачно, я переместился вперед.

Начался бой за овладение господствующим высоким берегом реки и деревнями около реки, которые надо было взять с тыла. Примечательной была сравнительно слабая активность артиллерии противника, что отнюдь не соответствовало числу засеченных нами батарей. Очевидно, французская артиллерия еще сильно жила опытом позиционной войны. Ее огонь был недостаточно маневренным, и она не могла или была почти не в состоянии в соответствии с требованиями маневренной войны быстро сосредоточить сильный огонь. Она не использовала в такой степени, как мы, действий выдвинутых вперед наблюдателей и не имела подразделений, которые можно было бы сравнить с нашими дивизионами АИР. И в этом случае победитель, очевидно, слишком долго почивал на своих лаврах. Во всяком случае, для нас было приятной неожиданностью то обстоятельство, что деятельность неприятельской артиллерии была не такой, какой она была в условиях позиционной войны в Первую мировую войну.

Все же продвижение через долину Соммы было небезопасным, так как наведенный нами мост был в сфере действия огня противника из деревни Брельи. Однако я благополучно добрался до 63 пп 27-й дивизии, который под командованием отличного командира, полковника Грейнера, только что овладел, хотя и со значительными потерями, высоким берегом. Замечательным было поведение раненых, которые под защитой мертвого пространства, образуемого высоким берегом, ожидали пока еще не прибывшего транспорта. Затем я вновь переправился через Сомму и по другой переправе добрался к 40 пп той же дивизии, действовавшему на левом фланге корпуса. Он залёг в это время у леса около Нейли, который находился в полосе наступления соседнего 14 тк и удерживался еще противником. И здесь, к сожалению, мы понесли немалые потери, так как полк обстреливался с тыла из удерживаемого противником населенного пункта Эльи. Все же мы овладели также и господствующими над долиной реки высотами.

Действовавшая справа 46 пд также удачно форсировала реку и овладела высоким берегом. Итак, можно было быть довольным результатами первого дня наступления, хотя бои за населенные пункты и затянулись до ночи.

От соседнего корпуса нам стало известно, что 15 тк также форсировал реку. Правда, его дальнейшее продвижение еще долго задерживалось противником, стойко оборонявшим крупный населенный пункт Эррейн. В результате этого противнику удалось блокировать столь необходимые для автомашин дороги.

Левый сосед, 14 тк, который наступал с плацдарма в районе Амьена после артиллерийской подготовки, не смог развить наступление танков, очевидно, ввиду наличия здесь больших минных полей противника. В дальнейшем корпус был повернут на юг, так что наше продвижение проходило затем без связи с ним.

Наступление 5 июня кроме овладения высоким берегом реки дало также такой выигрыш пространства южнее Соммы, что ночью были переброшены через реку первые батареи. Но оставалось еще неясным, разбит ли противник или же он будет пытаться организовать упорную оборону в глубине своей позиции. В такой ситуации донесения, могущие прояснить этот важнейший вопрос, обыкновенно отсутствуют. Туман неизвестности — единственно, что на войне всегда есть, — скрывал от нас обстановку и намерения врага. Неосторожное продвижение вперед может принести тяжелое поражение. С другой стороны, потеря нескольких часов может дать противнику возможность организовать новую оборону, которую затем снова придется прорывать с тяжелыми потерями.

Военачальнику, который в такой обстановке будет ждать, пока надежные донесения не прояснят ему положение, вряд ли улыбнется военное счастье. Он упустит выгодный момент. По этой причине ранним утром 6 июня я уже был на выдвинутом на южный берег Соммы командном пункте 46-й дивизии. Конечно, после напряжения вчерашнего дня войска еще не совсем пришли в себя. Я указал на необходимость незамедлительно начать преследование, так как дивизия, по-видимому, не имела непосредственного соприкосновения с противником. Затем я поехал вперед, приказав двинуться подразделениям полка 42-й дивизии, которые не имели приказа, хотя перед ними слышался шум боя, и прибыл в правофланговый полк корпуса. Полк, собственно, был готов к наступлению, но хотел выждать результатов артиллерийского обстрела впереди лежащей деревни Куази, прилегающих высот и опушек леса. Разведывательных сведений о противнике не было. Так как я предполагал, что ни деревня, ни высоты, ни опушки леса не заняты противником, я приказал командиру немедленно выступить широким фронтом, но в расчлененных боевых порядках. Если противник действительно находится перед фронтом, он обнаружит себя и будет подавлен артиллерией. При наступлении в указанном мною порядке не надо было опасаться больших потерь. Так как командир, очевидно, сомневался в правильности моего мнения, я сам поехал вперед на своей легковой машине. Мы достигли въезда в деревню Куази и натолкнулись на баррикаду, которую никто, однако, не защищал. Из деревни доносились одиночные выстрелы, очевидно, отставших солдат. После короткой разведки мы въехали в деревню, которую противник оставил, так же как и прилегающие высоты и опушку леса. С этими сведениями я вернулся в полк, который к этому времени уже выступил, и рекомендовал ему в будущем самому производить разведку. Естественно, командир корпуса существует не для того, чтобы изображать из себя разведывательный дозор. В данной обстановке, однако, был необходим яркий личный пример, тем более что войска еще не знали меня, и я был уверен, что предварительным условием действительного преследования является инициатива начальников. Особую радость доставил мне восторг моего адъютанта обер-лейтенанта фон Швертнера и моего молодого водителя фельд-фебеля Нагеля, вызванный нашим случайным разведывательным рейдом.

Вечером я побывал в двух полках 27-й дивизии, которые наступали на деревню Сейсмон. Несколько неожиданно я остановился на переднем крае у одного командира роты. После того как он информировал меня об обстановке, он счел уместным в свою очередь воспользоваться присутствием высокого начальника. Я должен был, лежа на животе, разложить мою большую карту и подробно информировать его об общей обстановке, насколько я ее сам знал. Только после того, как я утолил его жажду знаний, я смог поехать обратно, взяв одного раненого, который также горячо интересовался моей информацией об обстановке. К счастью, обратный путь был недолог, так как командный пункт корпуса был перенесен за это время ближе к фронту в лес.

7 июня была введена в бой на правом фланге корпуса 6 пд, которая еще за день до этого выдвинулась на южный берег Соммы. Бравые вестфальцы, которые всегда были хорошими солдатами, показали замечательное стремление к продвижению вперед. Когда я утром прибыл в эту дивизию, я узнал, что сильно пересеченный участок Пуа, который мог быть хорошим прикрытием для противника, был преодолен, городок Пуа уже был взят, а полк стремительно наступал на деревню, расположенную по ту сторону этого участка. Правда, Пуа и дороги, ведущие в этот городок, находились под довольно неприятным воздействием огня дальнобойной артиллерии противника. Несколько развеселил нас один водитель машины с боеприпасами, который во время обстрела дороги искал укрытия под своей машиной, нагруженной снарядами.

Вечером я вновь был в одном полку 46-й дивизии, который располагался еще перед рубежом реки Пуа. Но и здесь удалось к вечеру оставить этот рубеж позади, после того как было обеспечено необходимое взаимодействие с тяжелым оружием и артиллерией, взаимодействие, которое здесь сначала было плохо организовано.

27-я дивизия, которой пришлось вести самые тяжелые бои, была отведена во второй эшелон, так как преследование развивалось в хорошем темпе. Ее должна была сменить на левом фланге корпуса только что приданная ему 1 кавалерийская дивизия.

8 июня продолжалось преследование, причем темп снова задавали вестфальцы. 46-я дивизия донесла о 100 вражеских танках, против которых вылетели штурмовики. Однако захватить эти танки, используя налет штурмовиков, не удалось. Они скрылись, хотя при более решительных действиях их можно было захватить.

Ход боев 7 и 8 июня дал возможность командованию корпуса судить о том, что разбитый противник не в состоянии оказывать сопротивление, кроме как на непродолжительное время и на отдельных участках. Можно было предполагать, что противник стремится спасти оставшиеся силы, отведя их за Сену. За нижним течением этой реки он будет, вероятно, пытаться снова организовать сопротивление, используя еще оставшиеся резервы. Корпус должен был, следовательно, сделать все, чтобы быстрыми действиями форсировать Сену, прежде чем враг найдет время и возможность организовать оборону реки. Хотя корпус к вечеру 8 июня был еще в 70 км от Сены, командование корпуса отдало приказ дивизиям первого эшелона не только достичь 9 июня Сены своими моторизованными передовыми отрядами, но и форсировать ее. Основная часть пехоты и артиллерии на конной тяге должна была быстрым маршем следовать за моторизованными передовыми отрядами, с тем чтобы на следующий день также достичь Сены. 6-я дивизия должна была форсировать Сену у Анделя, 46-я дивизия — у Вернона.

От войск требовалась чрезвычайная выдержка: четыре дня подряд вести бои и преследование. На войне бывают моменты, когда высший командир должен ставить самые жесткие требования войскам, если он не хочет упустить благоприятного случая, в результате чего войскам пришлось бы дорого заплатить за то, что было упущено.

В данном случае в пользу быстрых действий говорили также оперативные соображения. Французы, видно, были еще полны решимости защищать Париж. Большие силы противника занимали позиции вокруг Парижа, проходившие севернее города от Уазы до Марны. Если бы удалось быстро форсировать Сену ниже Парижа, судьба этих позиций была бы предрешена, так как войскам, занимавшим эти позиции, ничего не оставалось, как только быстро эвакуироваться из Парижа, если они не хотели подвергнуть себя опасности быть отрезанными. Обстановка, следовательно, диктовала командованию корпуса предъявить войскам высокие требования. Она требовала от командиров всех степеней смелой инициативы и быстрого принятия решений. Необходимо было использовать такую благоприятную ситуацию.

9 июня с раннего утра до позднего вечера я все время разъезжал, чтобы обеспечить выполнение поставленной задачи обеими дивизиями первого эшелона. С радостью я мог установить, что наши пехотинцы, несмотря на предшествовавшее напряжение, бодро прилагали все силы, чтобы достичь цели — Сены.

Несмотря на это, не все, конечно, шло гладко. В 6-й дивизии, правда, все шло хорошо. Рано утром я встретился с обоими командирами дивизий, а затем посетил 46-ю дивизию. Когда я затем в полдень прибыл на место переправы 6-й дивизии у Анделя, я установил, что передовые отряды уже достигли Сены. Находившийся там штаб дивизии принял меры для предполагаемого вечером форсирования реки. К сожалению, мост был взорван противником еще до того, как передовой отряд достиг места переправы. Живописно расположенный на высокой скале городок Андель пылал от налета штурмовиков, чего мы в данной обстановке никак не могли желать в качестве извещения о нашем прибытии.

В 46-й дивизии создались, однако, некоторые трудности. Прежде всего, дивизия начала наступление на 3 часа позже назначенного срока. Когда я после посещения 6-й дивизии вновь прибыл в 46-ю дивизию, она потеряла всякую связь со своим передовым отрядом, который, во всяком случае, не достиг еще Сены, как этого сумел добиться передовой отряд 6-й дивизии. Когда я ехал опять в 6-ю дивизию, мне ничего не оставалось, как дать понять командиру 46-й дивизии, что я хочу с ним встретиться вечером на его переправе у Вернона. Я сказал ему, что он должен прибыть туда, по крайней мере, со своим потерянным передовым отрядом.

Возвращаясь снова в Андель, я увидел, что переправа через Сену в трех местах идет полным ходом, при слабом сопротивлении противника. Пехота и артиллерия на конной тяге сделали все, чтобы своевременно в этот день достичь Сены.

Когда я около 7 часов вечера прибыл в Вернон, то действительно застал там командира 46-й дивизии со своим передовым отрядом. К сожалению, и здесь противник успел разрушить мост. Так как с южного берега Вернон обстреливался сильным минометным огнем, я приказал передовому отряду переправиться ночью под прикрытием темноты.

При таком стремительном преследовании я не мог использовать прибывшую в корпус 1-ю кавалерийскую дивизию так, как я этого хотел. Она еще была далеко и была подчинена мне армией с ясным указанием ввести ее для прикрытия левого фланга армии у Парижа на Уазе. Впрочем, дивизия донесла мне, что — еще далеко от моих передовых дивизий — ее атаковали крупные танковые силы врага. Ясно, речь шла здесь о танках, которые ранее скрылись от 46-й дивизии и действовали теперь в нашем тылу на фланге.

Когда я вновь после короткой ночи 10 июня прибыл в Верной, первые части 46-й дивизии уже переправились через реку. Так, 38 ак первым вышел на южный берег Сены. Войска могли по праву гордиться проведенным ими преследованием. Я был счастлив, что благодаря быстрым действиям корпуса мы избежали, может быть, тяжелых боев за переправу через Сену.

Но положение корпуса все еще было не из легких. Он один стоял на южном берегу Сены. Действовавший справа от него 15-й корпус достиг Сены у Руана только 10 июня, то есть днем позже, и был повернут на Гавр. Следовавший за ним 2 ак был еще далеко от Сены. На левом фланге совершенно неясна была обстановка в районе Парижа, о гарнизоне которого ничего не было известно. К тому же 38 ак нуждался еще в двух днях, чтобы переправить через реку все свои силы. Легкие понтонные мосты, наведенные у Анделя и Вернона, были все время объектом неоднократных налетов английской авиации, которой удалось на некоторое время вывести из строя мост у Вернона. Если бы вражеское командование располагало на этом фланге какими-либо резервами, если бы оно проявило инициативу, то оно могло бы атаковать изолированно расположенный южнее реки 38 ак.

Командующий 4-й армией, генерал-полковник фон Клюге, сообщил мне в начале наступления, что оперативная задача армии, полученная от ОКХ, заключается в том, чтобы «захватить плацдармы южнее Сены». Хотя Главное командование не намерено было искать решения этой второй фазы французской кампании в духе плана Шлиффена — путем выдвижения вперед сильного северного фланга для глубокого охвата западнее Парижа, как в свое время было предложено мною, а собиралось осуществить — как это теперь ясно, с большим успехом — удар массированных танковых сил восточнее Парижа на юг, указанная 4-й армии задача была слишком скромна. Даже если собирались искать решения в результате нанесения удара восточнее Парижа и, следовательно, прорыва группы армий «Ц» через линию Мажино, а наступление группы армий «Б» к нижней Сене должно было представлять собою вспомогательные действия, то все же было необходимо удержать инициативу и на внешнем фланге. Группа армий «А» начала наступление через Эн только 9 июня. Было еще трудно предвидеть, принесет ли ее удар действительно желаемый решающий успех. Кроме того, надо было предполагать, что противник, имея в виду как раз план Шлиффена, знал об опасности глубокого охвата через нижнюю Сену и принял свои контрмеры. Тем более важно было удержать инициативу и на правом фланге и не дать противнику времени развернуться здесь для обороны или для наступления. Если, следовательно, по моему мнению, оперативная задача 4-й армии требовала немедленного продолжения наступления южнее Сены, то и 38 ак, казалось мне, не следовало выжидать на плацдарме до тех пор, пока противник не сосредоточит против него превосходящие силы.

Я запросил согласия армии начать наступление на юг сразу после того, как корпусная артиллерия будет переброшена через реку, вместо того, чтобы, как было приказано, удерживать плацдарм, который корпус расширил за это время до реки Эр. 27 пд заранее была выдвинута на южный берег Сены. 11 июня я попросил разрешения перебросить на южный берег Сены также и 1-ю кавалерийскую дивизию, укрепившуюся на Уазе и одержавшую в этот день прекрасную победу над упоминавшимися раньше танками. В данной обстановке мне казалось совершенно естественным, чтобы единственная наша кавалерийская дивизия была первой и в преследовании. Я предполагал выдвинуть ее впереди корпуса с задачей быстро перерезать с юго-востока железные дороги и шоссе, ведущие в Париж.

К сожалению, мои предложения отклонили. Мне сообщили, что армия ждет указаний о дальнейшем наступлении. 1-я кавалерийская дивизия была затем у меня отобрана и переподчинена 1 ак, находившемуся во втором эшелоне, с тем чтобы она могла при любых обстоятельствах по-прежнему прикрывать севернее Сены фланг на Уазе. Так, к моему сожалению, эта прекрасная дивизия не получила задачу, которая так подходила именно ей!

Вечером 11 июня произошли два события, которые, по моему мнению, подтвердили правильность наших соображений. В расположении 58 пп 6-й дивизии был сбит летчик, у которого был найден приказ, содержавший данные об отступлении противника на широком фронте. Следовательно, необходимо было следовать за ним по пятам. С другой стороны, 46-я дивизия донесла, что против нее ведется крупная танковая атака, — признак того, что наше пребывание южнее Сены было явно очень неприятным для противника. Дальнейшее наше выжидание могло не усилить для него эту неприятность, а только ее уменьшить.

Утром 12 июня 46-я дивизия, только что отбившая с большими для себя потерями атаку, донесла, что противник сосредоточивается перед ее фронтом, и срочно просила помощи (в донесении говорилось о 110 вражеских танках). Я решил на свой страх и риск начать наступление всеми тремя дивизиями. Но едва только я отдал приказ, как появился командующий армией. Хотя он и одобрил мое намерение, но полагал все же, что ввиду отсутствия новых оперативных указаний от ОКХ лучше подождать. Он был озабочен, конечно, главным образом тем, что мой корпус будет действовать впереди один. Он отдал поэтому строгий приказ не продолжать наступление за линию Эвре — Паси — приказ, который еще раз был подтвержден для верности в вечернем приказе по армии.

Наступление 27-й дивизии, действовавшей слева, проходило успешно, 46-я же дивизия донесла, что она не может выступить. На южном берегу она не имела в достаточном количестве артиллерии, боеприпасов, продовольствия. Она, правда, должна была отражать атаки танков, но их было всего 50—60.

В следующие дни бой опять принял характер преследования. 13 июня 2 ак справа от нас также форсировал Сену. В этот день наш штаб разместился в небольшом замке, который принадлежал известной писательнице Колетт Дарвиль. К сожалению, она отсутствовала. Я переночевал в ее спальне, которая одновременно служила салоном, была очень элегантно обставлена и по старым традициям имела собственную дверь в парк. Мы с удовольствием воспользовались бассейном в парке.

14 июня нас посетил командующий сухопутными силами. Я сообщил ему об успехах корпуса, что он принял к сведению, но ничего не сказал о дальнейших целях.

15 июня генерал-полковник фон Клюге сообщил мне, что армия теперь должна овладеть городом Ле-Ман. Необходимо стремитель-

но преследовать противника, не ожидая соседей. Для нас — не новая мудрость!

16 июня дивизии корпуса снова натолкнулись на линии Ферте — Видам — Сенонш — Шатенёв на организованное сопротивление. Это были части 1, 2 и 3-й механизированных дивизий, которые действовали во Фландрии, были эвакуированы из Дюнкерка и снова выгрузились в Бресте. Кроме того, вновь появились части двух колониальных бригад (спаги) и одной марокканской дивизии. Вечером сопротивление противника было сломлено. И здесь прекрасное впечатление оставили части 6-й дивизии, которые я посетил при объезде всех дивизий. Вечером мы получили от армии приказ, где нам указывалось направление — Ле-Ман, Анжер на Луаре. 1 ак должен выдвинуться слева от нас, и 46-я дивизия должна быть передана ему. 15 тк, за исключением одной дивизии, которая должна была овладеть Шербуром, получил направление на нижнюю Луару, с тем чтобы «образовать там плацдармы». Вот в чем, оказалось, заключался оперативный план.

17 июня стало известно об отставке Рейно и о назначении старого маршала Петэна. Должен ли был он организовать сопротивление или политики хотели предоставить старому заслуженному солдату Первой мировой войны право подписать капитуляцию?

Поступивший 18 июня приказ фюрера требовал самого энергичного преследования, что для нас тоже не было новостью. Далее, в нем требовалось быстрое занятие «старых имперских областей Туль, Верден, Нанси», заводов Крезо и портов Брест и Шербур. Мы совершили форсированный марш, в котором один полк прошел 78 км. Моторизованный передовой отряд под командованием полковника Линдемана достиг района западнее Ле-Ман. Я переночевал в замке Бонетабль средневековой роскошной постройки. Впереди, за валом с подъемным мостом — фронтальная стена с четырьмя большими башнями со стенами толщиной в три метра. Сзади — двор, в углах которого также возвышались две башни. Наряду с замками на Луаре, которые мне вскоре пришлось увидеть, это было самое великолепное строение, которые я видел во Франции. Внутреннее убранство также было великолепным, в замке еще находилась часть прислуги. Обладатель замка, г-н Рошфуко, герцог Дуденьский, к сожалению, бежал.

Утром 19 июня, чтобы попасть в передовой отряд Линдемана, я проехал 50 км, не увидев ни одного немецкого солдата. Я прибыл в Ле-Ман, куда в качестве победителя 70 лет назад вступил мой дед, и осмотрел там великолепный собор. По дороге мне встречались отряды французских солдат, которые двигались на восток без оружия, и целый артиллерийский дивизион со всеми орудиями и машинами, сдавшийся Линдеману. Армия противника явно начала распадаться. Несмотря на это, отряд Линдемана задержался перед участком реки Майенн у Лион — Анжер. На противоположном берегу были обнаружены вражеские пулеметы, обстреливавшие мост, и танки. Линдеман тщетно пытался подавить их одной батареей 100-мм орудий, бывшей в его распоряжении. Я направился в сторону от моста, на передний край у реки и выяснил, что, очевидно, в стороне от моста вообще не было противника или здесь были очень небольшие силы. Я порекомендовал одному командиру роты, который, по-видимому, выжидал на берегу, оставит ли противник мост, форсировать реку ниже по течению. Если он захочет, я буду его сопровождать. Это предложение подействовало. Через некоторое время солдаты роты, раздевшись, прыгнули в реку, переплыли ее и без всяких потерь достигли берега. Мост, на подступах к которому, к сожалению, уже лежали убитые, был захвачен! Я оставался еще в передовом отряде, пока он не начал продвижения на противоположном берегу, и затем возвратился на свой командный пункт. Все же противник несколькими танками и пулеметами держал отряд на Майенне 8 часов. Сразу же по прибытии на командный пункт я отослал моего первого адъютанта обер-лейтенанта Графа вновь к Линдеману со строгим приказом передовому отряду еще ночью перейти Луару. Действительно, он застал этот отряд готовящимся перейти на отдых на этом берегу. Адъютант добился, однако, того, что отряд перешел реку ночью, причем он сам сел в первую надувную лодку.

Ночью на КП корпуса прибыли донесения от обеих дивизий о том, что передовые отряды переправились через Луару. Я тотчас же выехал вперед и был поражен величием реки, которая на западной переправе у Инград была около 600 м ширины и имела сильное течение. На высоком мосту были взорваны два пролета. В этом промежутке надо было навести понтонный мост, причем ввиду разницы в высоте в 9 м пришлось использовать крутые сходни. Позже было страшно трудно съехать по этим сходням на автомашине. Во всяком случае, тяжелые машины надо было перевозить, что было довольно трудно при такой ширине реки, сильном течении и наличии многих отмелей.

У другой переправы около Шалонна дело было проще, поскольку река здесь разделялась на три рукава. Мосты через оба северные рукава оказались в наших руках невредимыми, в связи с этим надо было навести мост только через последний рукав шириной 160 м.

Здесь я наблюдал своеобразную дуэль. Утром французские солдаты показывались на том берегу только невооруженными. К вечеру же перед обоими мостами появились тяжелые танки. Наши части, выдвинутые на тот берег, не смогли их сдержать, так как орудия и зенитная артиллерия не могли быть еще переброшены туда. Так, на переправе у Шалонна я увидел, как одновременно на нашей стороне изготовилось к открытию огня 88-мм зенитное орудие, а на другой стороне — тяжелый танк, и оба одновременно открыли огонь. К сожалению, наше орудие было тотчас же подбито. В тот же момент, однако, появилось наше легкое противотанковое орудие, которое удачным попаданием в самое уязвимое место неприятельского 32-тонного танка подожгло его.

Вечером я остановился в замке Серран, расположенном недалеко от Шалонна. Это было огромное роскошное здание, окаймленное мощными башнями и подковой окружившее парадный двор. Вокруг замка был устроен ров. Замок принадлежал герцогу Тремуй, принцу Тарентскому. Это одно из самых видных имен старой Франции. Последний титул герцоги унаследовали около 1500 лет назад, породнившись с фамилией Анжу в Неаполе. Но им не удалось там попасть на трон, которым завладел Фердинанд. Один из членов семьи Тремуй вместе с Вайаром были единственными лицами, имевшими титул рыцаря «без страха и упрека». В замке хранилось, особенно в чудесной библиотеке, много исторических документов еще тех времен, когда его владельцы были сторонниками Стюартов. Весь нижний этаж был, однако, недоступен, так как здесь была сложена, как и в других замках, мебель королевского дворца в Версале. Сам я поместился в одной из комнат в башне, на верхнем этаже, которая была устроена как салон для «grand lever» (церемония утреннего туалета королевы. — *Примеч. ред.*), с великолепной кроватью под восьмиметровым балдахином. Рядом находилась роскошная комната для одевания с чудесным потолком в своде. Замок, отделанный с фасада белым камнем и имевший четыре огромные башни из серого камня, был расположен в огромном парке. Великолепная парадная лестница со сводчатым потолком в стиле Ренессанса вела в залы первого этажа, чудесно украшенные картинами и гобеленами. Понятно, что здесь, как и во всех других местах, мы внимательно относились к чужой собственности и бережно с ней обращались.

Нам удалось к 22 июня переправить 6-ю и 27-ю дивизии на южный берег Луары. Передовые отряды продвинулись еще глубже. Много французских солдат сдавалось в плен.

23 июня мы получили известие о том, что за день до этого было подписано перемирие в Компьенском лесу. Кампания во Франции окончилась. В своем приказе по корпусу я поблагодарил подчиненные мне дивизии, которые «не защищал ни один танк и не везла ни одна машина», за их самопожертвование, геройство и успехи. Они смогли благодаря успешному наступлению организовать преследование на глубину 500 км, которое по праву носит название «марш-бросок» к Луаре. «Колесо истории повернулось?!» Но от Компьена 1918 года до Компьена 1940 года лежал длинный путь. Куда он поведет нас дальше?

Глава 7
МЕЖДУ ДВУМЯ КАМПАНИЯМИ

ОКХ готовит частичную демобилизацию. Заседание рейхстага в Берлине. «Что же теперь?» Отсутствие военного плана. Победа над Англией при помощи воздушной и морской войны? Борьба за Средиземное море? Вторжение на Британские острова? Была ли осуществима операция «Морской лев»? Причины отказа от вторжения. Запоздалое решение, незначительные успехи в «битве за Англию». Политическая позиция Гитлера по отношению к Великобритании. Огромный риск войны на два фронта.

День победы над Францией искупил для Германии черный день поражения 11 ноября 1918 года, зафиксированного в салон-вагоне маршала Фоша в Компьене. Теперь Франция должна была подписать свою капитуляцию в том же месте, в том же вагоне. 22 июня 1940 года Гитлер достиг вершины своей славы. Франция, чья военная мощь с 1918 года была угрозой для Германии, — как уже раньше восточные сателлиты Франции, перестала существовать как противник империи. Англия была изгнана с материка, хотя и не окончательно разбита. Хотя на востоке Советский Союз — теперь сосед немецкой империи, — несмотря на Московский договор, представлял скрытую опасность, вряд ли можно было предполагать, что он в связи с германскими победами над Польшей и Францией собирался начать агрессию в ближайшее время. Если Кремль в то время и намеревался использовать то, что Германия была связана на западе, для расширения своей экспансии, то для таких действий он, видимо, упустил момент. Очевидно, и в Москве не рассчитывали на такие быстрые и полные победы немецкой армии над союзными армиями западных держав.

Если немецкая армия достигла таких успехов в Польше и Франции, то это объяснялось не тем, что ее командование готовило реванш с первых дней после Компьена. Вопреки всем утверждениям враждебной нам пропаганды, совершенно ясно, — если здраво оценивать опасность, которая могла угрожать империи в случае войны, — что немецкий Генеральный штаб в период между 1918 и 1939 годами не преследовал цель развязать агрессивную или реваншистскую войну, а стремился к обеспечению безопасности государства. Правда, военное командование отдало себя в конце концов в распоряжение Гитлера после его ошеломляющих политических успехов. Можно также сказать, что оно признало примат политики, политики, которой оно не одобряло и которую оно могло — если такая возможность вообще существовала — предотвратить только с помощью государственного переворота.

В завоеванных нами победах решающим, впрочем, не были масштабы перевооружения Германии, которое Гитлер форсировал всеми средствами. Конечно, принимая во внимание разоружение Германии, навязанное ей Версальским диктатом, это перевооружение было предпосылкой всякого успешного ведения войны (даже и в случае оборонительной войны). Однако в действительности немецкая армия не могла выставить в войне такие же превосходящие силы, как это мог сделать Советский Союз в отношении сухопутных сил, а западные державы — в отношении авиации. В действительности армии западных держав в отношении численности дивизий, танков и артиллерии были равны немецкой армии, а частично даже превосходили ее. Не военный потенциал был решающим моментом в кампании на западе, а высокая подготовка немецких войск и лучшее руководство ими. Немецкая армия кое-чему научилась с конца Первой мировой войны и снова вспомнила незыблемые законы военного искусства.

После заключения перемирия ОКХ приняло сначала меры, имевшие целью проведение демобилизации значительной части дивизий. Одновременно несколько пехотных дивизий должны были быть переформированы в танковые или моторизованные дивизии.

Штаб 38 ак был сначала переведен в район Сансер на средней Луаре, с тем чтобы руководить здесь переформированием этих нескольких дивизий. Итак, мы сменили чудесный замок Серран, наполненный историческими воспоминаниями, на маленький замок, который построил себе известный фабрикант Куантре на вершине крутого холма, возвышающегося над долиной Луары. Наш новый дом должен был изображать старую крепость и отличался безвкусицей, которой обычно отличаются всякие подражания. Стоявшая рядом с жилым домом башня, подделанная под развалины древней крепости, никак не изменяла положения. Маленькие пушки, стоявшие на террасе, не создавали впечатления военных трофеев, на что надеялся владелец, фабрикант ликера. Прекрасным был лишь вид, открывавшийся с вершины горы на широкую плодородную долину Луары. Характерным для вкуса этого выскочки — владельца замка — была большая картина, висевшая в его рабочем кабинете. На ней были изображены сидящие за круглым столом коронованные правители Европы начала века — наш кайзер, старый император Франц-Иосиф, королева Виктория и др. Они были изображены так, как будто Куантре уже немного подпоил их. Над ними же возвышался у стола владелец, с триумфом поднимавший над застольной компанией бокал ликера фирмы Куантре. Единственное изменение, которое мы сделали в этом «замке», заключалось в том, что мы сняли эту пошлую мазню.

19 июля все высшие руководители армии были вызваны в Берлин для участия в заседании рейхстага, где Гитлер провозгласил окончание западной кампании. На этом заседании он выразил благодарность нации путем оказания почестей высшим военным руководителям. Размах этих почестей говорил о том, что Гитлер считал войну уже выигранной.

Хотя немецкий народ, безусловно, принял оказание почестей заслуженным солдатам как вполне естественное явление, все же по своей форме и размерам эти почести — так, по крайней мере, восприняли мы, солдаты армии, — выходили за рамки необходимости.

Если Гитлер дал одному звание гросс-адмирала, а двенадцати другим — звание фельдмаршала, то это лишь наносило ущерб значимости такого ранга, который привыкли считать в Германии самым высшим чином. До сих пор было принято, что условием получения такого отличия было (если не считать фельдмаршалов, назначенных императором Вильгельмом II в мирное время) самостоятельное руководство кампанией, выигранное сражение или завоеванная крепость.

После польской кампании, в которой эти условия выполнили командующий сухопутными силами и командующие обеими группами армий, Гитлер не счел возможным выразить свою благодарность армии произведением их в ранг фельдмаршалов. Теперь же он сразу создал дюжину фельдмаршалов. Среди них были наряду с командующим сухопутными силами, который провел две блестящие кампании, начальник Главного штаба вооруженных сил (ОКВ), который ничем не командовал и не занимал должность начальника Генерального штаба. Далее, среди них был статс-секретарь по делам воздушного флота, который — каковы бы ни были его способности — никак не мог быть приравнен к командующему сухопутными силами.

Резче всего позиция Гитлера проявилась в том, что он выделил командующего военно-воздушными силами Геринга, назначив его рейхсмаршалом и наградив только его одного большим крестом к Железному кресту, не отметив таким же образом командующих сухопутными силами и военно-морскими силами. Такая форма распределения почестей могла рассматриваться только как сознательное принижение роли командующего сухопутными силами — так об этом свидетельствуют факты. В этом слишком ясно проявилось отношение Гитлера к ОКХ и оценка им его деятельности.

В день заседания рейхстага я узнал, что наш корпус должен получить новую задачу. Мы были переброшены к побережью пролива в целях подготовки к вторжению в Англию. Для этого нам были подчинены три пехотные дивизии. Мы разместились в Туке, элегантном морском курорте около Булони, где многими красивыми виллами владели англичане. Наш штаб разместился в большом отеле, при строительстве которого не щадили средств, я же с узким кругом лиц занял маленькую виллу, принадлежавшую одному французскому судовладельцу. Хозяин хотя и бежал, но оставил семью управляющего, так что здесь были люди, которые могли содержать дом и мебель в порядке и охранять их. В противоположность тому, что мне пришлось позже увидеть в Германии, мы ни в коем случае не вели себя, как господа, которые распоряжаются по своему усмотрению чужой собственностью. Напротив, мы строго обращали внимание на то, чтобы во всех домах, занятых нашими войсками, поддерживался порядок. Увоз всей мебели или изъятие ценных предметов в качестве «сувенира» не соответствовали обычаям немецкой армии. Когда я однажды проезжал мимо одной виллы, которая была оставлена недавно нашей частью и оказалась в довольно большом беспорядке, я приказал старшине роты возвратиться на виллу с командой и навести там порядок.

Вследствие безупречного поведения наших войск наши отношения с французским населением в те полгода, что я провел во Франции, ничем не были омрачены. Французы при всей своей вежливости проявляли достойную быть отмеченной сдержанность, чем только завоевали наше уважение. Впрочем, каждый из нас более или менее был очарован этой благословенной страной. Сколько здесь памятников древней культуры, красивых ландшафтов и шедевров знаменитой кухни! Сколько товаров было в этой богатой стране! Правда, наша покупательная способность была ограничена. Только определенный процент денежного содержания выдавался в оккупационных деньгах. Это правило строго выдерживалось, по крайней мере в сухопутных войсках. Таким путем умерялась понятная жажда к приобретениям, а это было весьма желательно в интересах сохранения престижа немецкой армии. Этих денег было достаточно, чтобы иногда съездить в Париж и один день насладиться прелестью этого города. В течение нашего пребывания на побережье вплоть до ноября мы получали удовольствие от морского купания, которым наслаждались мой новый адъютант обер-лейтенант Шпехт, мой верный водитель Нагель и конюх Рунге, совершавшие также долгие прогулки верхом по побережью. Следует заметить, что в проливе высота прилива достигает 8 м по сравнению с уровнем отлива. Это обстоятельство играло большую роль в вопросе о возможностях высадки на английском побережье, а также при выборе времени для входа в порты при вторжении. Однажды, купаясь, мы заплыли далеко в море, а наш «мерседес» неожиданно был захвачен приливной волной. Только в последнее мгновение его удалось вытащить из уже намокшего песка с помощью подоспевшего тягача. Зато Нагелю удалось поймать в море оригинальный трофей. Далеко в море плавал мостик с одного потопленного парохода. Нагель взобрался на него и появился вскоре из капитанской кабины с сеткой, ракетками и мячами для настольного тенниса, которыми мы пополнили арсенал наших спортивных принадлежностей. Таким странным образом, пожалуй, никому еще не удавалось приобрести настольный теннис.

Радость и удовольствие, которые доставляли эта прекрасная страна и затишье после выигранной кампании, не привели, однако, к тому, что солдаты распустились, как это обычно бывает с оккупационными войсками. Наоборот, перед командованием стояла задача обучать части совершенно новой задаче — я имею в виду вторжение. Войска ежедневно проходили обучение в прибрежной местности, покрытой дюнами и во многом похожей на участки, где должна была произойти высадка. После того как прибыли наши средства переправы — переделанные лодки с Эльбы и Рейна, небольшие рыболовные суда и катера, — мы смогли проводить при спокойной погоде вместе с кораблями военно-морского флота учения по посадке и высадке морских десантов. При этом многим приходилось принимать холодную ванну, если лодка неумело подводилась к берегу. Молодые фенрихи военно-морского флота тоже должны были сначала овладеть этой новой задачей. Нельзя было на них обижаться за то, что они это делали без особого воодушевления: командовать лодкой с Эльбы — это не то, что нести службу на красивом крейсере или подводной лодке. Трудно приходилось также и со старыми шкиперами, владельцами лодок или пароходов, которые вместе с фенрихами стояли на капитанском мостике этих несколько авантюристических судов вторжения. Но, несмотря ни на что, все в этой подготовке к необычной задаче делалось с огоньком, мы были убеждены, что справимся с ней.

ОПЕРАЦИЯ «МОРСКОЙ ЛЕВ»

Уместно будет сделать здесь некоторые критические замечания относительно плана Гитлера, предусматривавшего высадку в Англии, и в особенности причин, приведших к отказу от этого намерения.

Если Гитлер после победы над Францией действительно думал, что война уже выиграна и остается только внушить эту мысль Англии, то он явно ошибался. Тот холодный отказ, которым было встречено в Англии его крайне неопределенное мирное предложение, показал, что ни английское правительство, ни английский народ не склонны к такой мысли.

Перед Гитлером и его ОКВ встал теперь вопрос: «Что же теперь?» Этот вопрос неизбежно встает перед государственным деятелем или полководцем, когда в период войны стратегические промахи или неожиданные политические события, например, вступление новых государств в войну на стороне противника, создают совершенно новое положение. Тогда ничего другого не остается, как изменить «военный план». В таком случае соответствующих деятелей можно упрекнуть в том, что они переоценили силы своего государства и недооценили силы врага, что они неправильно оценивали политическую обстановку.

Но если государственные военные деятели должны задать себе вопрос «Что же теперь?» после того, как военные операции согласно их расчетам — в данном случае даже сверх всяких расчетов — привели к победе над врагом, если разбитый противник спасся на своих островах, то приходится спросить себя, а существовал ли вообще у немецкой стороны какой-либо «военный план».

Конечно, никакая война не идет по раз установленной программе, по плану, который выработала одна сторона. Но если Гитлер пошел в сентябре 1939 года на риск войны с Францией и Англией, то он должен был заранее подумать, как справиться с этими государствами. Ясно, что немецкое Главное командование до кампании во Франции и во время этой кампании не имело «военного плана» относительно того, что необходимо делать после победы в войне или как продолжать ее. Гитлер надеялся на уступчивость Англии. Его военные советники в свою очередь полагали, что нужно ждать «решений фюрера».

На этом примере особенно ясно видно, к чему приводит нецелесообразная организация высших военных органов, сложившаяся у нас вследствие передачи Главного командования вооруженными силами Гитлеру без одновременного создания ответственного за руководство всеми военными действиями имперского Генерального штаба.

Фактически наряду с главой государства, определявшим политику, не было военной инстанции, которая отвечала бы за руководство военными действиями. ОКВ Гитлер уже давно низвел до положения военного секретариата. Начальник ОКВ Кейтель вообще не был в состоянии давать советы Гитлеру по стратегическим вопросам.

Командующим тремя видами вооруженных сил Гитлер практически не предоставил почти никаких прав для оказания влияния на общее руководство военными действиями. Они могли только иногда высказывать свое мнение по вопросам ведения войны, но Гитлер принимал решения в конце концов только на основании своих соображений. Во всяком случае, он оставил за собой право инициативы, так что мне неизвестен ни один случай (за исключением вопроса о Норвегии, когда гросс-адмирал Редер первый подал ему мысль о действиях в этом районе), когда важное решение в вопросах общего ведения войны исходило бы от командования одного из видов вооруженных сил.

Так как никто не имел права составлять «военный план», и менее всего, конечно, ОКВ, то практически все сводилось к тому, что все ждали проявления «интуиции фюрера». Одни, как Кейтель и Геринг, — в суеверном почитании Гитлера, другие, как Браухич и Редер, — пав духом. Ничего не меняло и то обстоятельство, что в штабах трех видов вооруженных сил имелись мнения, затрагивавшие вопросы ведения войны на длительное время. Так, гросс-адмирал Редер еще зимой 1939/40 года дал задание Главному штабу военно-морских сил изучить технические возможности и условия операции по высадке десанта в Англии. Но не оказалось ни одной военной инстанции, ни одной личности, которая бы в духе деятельности подлинного начальника Генерального штаба была признана Гитлером не только экспертом или исполнителем, но и военным советником по вопросам общего руководства военными действиями.

В настоящем же случае результатом подобной организации высших военных органов было то, что после окончания кампании на западе нашего континента, как уже было сказано, стоял вопрос: «Что же теперь?»

Наряду с этим вопросом высшее германское руководство стояло перед двумя фактами:

1. Факт существования не разбитой и не согласной на переговоры Великобритании.

2. Тот факт, что Германия в связи с возможным рано или поздно вступлением в войну Советского Союза, ставшего теперь ее непосредственным соседом (как бы Кремль и ни казался сейчас миролюбиво настроенным по отношению к Германии), находилась под скрытой угрозой войны, о которой упоминал Гитлер еще в 1939 году, когда он подчеркивал необходимость немедленно достичь победы на западе.

Эти факты указывали на то, что Германия должна закончить войну с Англией в самое короткое время. Только в том случае, если это удастся, можно было считать, что Сталин окончательно упустил возможность использовать раздоры между европейскими государствами для продолжения своей экспансионистской политики.

Если не удастся найти мирный путь решения вопроса, Германия должна пытаться путем применения военной силы быстро разделаться со своим в то время последним врагом — Англией.

Трагедией этого короткого промежутка времени, определившей на долгое время судьбу Европы, было то обстоятельство, что обе стороны не искали серьезно путей мирного решения вопроса на разумной основе.

Совершенно уверенно можно сказать, что Гитлер предпочел бы избежать войны с Британской империей, так как его основные цели находились на Востоке. Но способ, который он избрал на заседании рейхстага после окончания кампании во Франции для столь неопределенного мирного предложения Великобритании, вряд ли мог вызвать благоприятный отклик у другой стороны. К тому же сомнительно, чтобы Гитлер, которым к тому времени уже овладела преступная мания величия, был готов к миру на основе разума и справедливости, если бы Англия сама сделала серьезное предложение об этом. К тому же Гитлер был уже в плену своих прежних дел. Он отдал половину Польши и Прибалтику Советскому Союзу — факт, который он мог ликвидировать только ценой новой войны. Он открыл путь к удовлетворению стремлений Италии к захвату областей, находившихся под господством Франции, и тем самым очутился в зависимости от своего союзника. Наконец, после Праги ему перестали верить в мире, и он потерял всякое доверие у держав, которые, возможно, и проявили бы готовность заключить с ним договоры, отвечавшие его стремлениям.

Немецкий народ, однако, в своей массе восторгался бы Гитлером, если бы он после победы над Францией добился согласованного мира на разумной основе. Народ не хотел присоединения к Германии областей, в которых преобладало польское население, он также не одобрял идеи некоторых фантазеров, которые, ссылаясь на древнюю историю, хотели обосновать эти притязания, указывая на то, что когда-то это были области Священной Римской империи германской нации. В Германии, за исключением некоторых фанатиков из партии, никогда не верили серьезно в идею «народа-господина», призванного повелевать в Европе или даже во всем мире. Народу нужно было только, чтобы Гитлер утихомирил свою свору пропагандистов, проложив путь к достижению разумного мира.

С другой стороны, английский национальный характер, так полно воплотившийся в личности главы правительства Черчилля, препятствовал тому, чтобы Англия в той фазе войны серьезно искала тогда — да и позже — разумного конструктивного соглашения. Приходится удивляться упорству англичан, при всех обстоятельствах решивших продолжать начатую борьбу, как бы ни угрожающе иногда было их положение. К этому нужно еще добавить, что это ожесточение, «непреклонная ненависть» к Гитлеру и его режиму (у некоторых политиков и по отношению к прусской Германии) притупили способность распознать еще более грозную опасность, которая создалась в Европе в лице Советского Союза. Очевидно также, что английская политика находилась в плену традиционных

соображений о «европейском равновесии» (ради восстановления
которого Англия в конце концов и вступила в войну), которые предполагали свержение ставшего слишком могущественным государства на континенте. Закрывали глаза на то, что в изменившемся
мире надо было восстанавливать «мировое равновесие» ввиду того,
что Советский Союз стал большой силой, и ввиду той опасности,
которую представляла для Европы эта страна, преданная идее мировой революции.

К тому же глава английского правительства Черчилль был
слишком воинственным. Это был человек, который думал исключительно о войне и желанной победе и смотрел на политическое
будущее через призму этих военных целей. Только спустя несколько
лет, когда Советы подошли уже к Балканам — этому нервному узлу
Великобритании, Черчилль распознал заложенную здесь опасность.
Но в то время он ничего не мог сделать, имея союзниками Руз-
вельта и Сталина. Сначала он верил в силы своего народа и в то,
что США в конце концов будут вести войну во главе со своим пре-
зидентом на стороне Англии. Но как мало в то время была готова
к этому основная масса американского народа при всей его анти-
патии к Гитлеру!

Скрытая угроза, которая исходила для Германии от Советского
Союза, не могла, конечно, укрыться от взгляда такого человека, как
Черчилль. Что касается войны, то он рассматривал ее как надежду
для Англии. Напротив, мысль о соглашении с Германией не находила
места в его мозгу, так как после подобного соглашения с большой вероятностью последовала бы в ближайшее время борьба между обоими
тоталитарными государствами. Хотя здравое взвешивание сильных
и слабых сторон обоих государств не позволяло с уверенностью ожидать полной победы одного из них, можно было надеяться на то, что
они оба свяжут себя такой войной на долгое время, что приведет к их
взаимному ослаблению. Эта ситуация неизбежно будет иметь следствием то, что обе англосаксонские державы получат роль мировых
судей. Возможно также, что война между обоими тоталитарными
государствами приведет к гибели их режимов.

Во времена диктатур, идеологий, «крестовых походов», взвин-
чивания масс народа безудержной пропагандой слово «Разум» нигде, к сожалению, не пишется с большой буквы. Так, в ущерб обоим
народам и к несчастью Европы, получилось, что обе стороны избрали путь решения спора между Англией и Германией с помощью
оружия.

Вопрос «Что же теперь?», который встал перед немецким главным командованием после окончания войны с Францией, был решен, следовательно, в духе продолжения войны против Англии. Но тот факт, что по изложенным мною причинам у Германии не было никакого плана войны, который предусматривал бы продолжение военных действий после кампании во Франции, должен был привести к тяжелым последствиям. После того как Гитлер принял план (но не решение) повергнуть Англию в результате вторжения, не было сделано никаких практических приготовлений для решения этой задачи. Результатом было то, что мы упустили лучший шанс — немедленно использовать слабость Англии. Предпринятые теперь для наступления меры заняли много времени, так что удача высадки была сомнительной уже из-за одних метеорологических условий.

Этот последний факт наряду с другими, о которых я еще буду говорить, дал Гитлеру повод или предлог, отказавшись от вторжения, вообще отвернуться от Англии, чтобы затем выступить против Советского Союза. Результаты известны.

Прежде чем остановиться на причинах этой решающей перемены фронта, я остановлюсь на возможностях, которые бы возникли в том случае, если бы Гитлер был готов вести войну с Англией до последнего.

Здесь были возможны три пути. Первый путь — попытка поставить Англию на колени путем блокады ее морских коммуникаций. Германия имела для этого благоприятные предпосылки, поскольку она теперь владела побережьем Норвегии, Голландии, Бельгии и Франции в качестве баз для авиации и подводных лодок.

Менее благоприятно было положение с необходимыми для этого средствами борьбы.

Военно-морской флот ни в коей мере не располагал даже приблизительно достаточным количеством подводных лодок, не говоря уже о тяжелых кораблях, особенно авианосцах, с которыми могли бы взаимодействовать подводные лодки. К тому же оказалось, что борьба Англии с подводными лодками будет эффективной до тех пор, пока английская авиация не окажется разгромленной. Что касается немецкой авиации, то на ее долю выпали бы в этой борьбе следующие задачи:

— завоевание господства в воздухе, по крайней мере в такой степени, которая исключала бы воздействие английской авиации на подводную войну;

— парализация английских портов путем их разрушения;

— эффективное взаимодействие с подводными лодками в борьбе против вражеских транспортов.

Практически это должно было иметь предпосылкой уничтожение английской авиации и разрушение военного потенциала Англии.

Ход «битвы за Англию» показал, что немецкая авиация в 1940 году не была достаточно сильной, чтобы выполнить эту задачу. Не стоит решать сейчас вопрос о том, были ли бы результаты иными, если бы условия погоды в августе и сентябре не были столь неблагоприятными (чего нельзя было ожидать) и если бы германское руководство в самый, по-видимому, критический для врага момент не прекратило бы борьбу с английской авиацией и не бросило бы самолеты на Лондон.

Во всяком случае, летом 1940 года ввиду ограниченного количества бомбардировочной авиации и отсутствия истребителей с большим радиусом действия вряд ли можно было с уверенностью ожидать быстрого достижения цели: уничтожения английской авиации и разрушения военного потенциала Англии. Война, которая в основном должна была быть решена с помощью технических средств, все еще требовала намного больше сил и времени, чем мы предполагали. В войне между приблизительно равноценными противниками быстрый исход, как правило, достигается только лучшим военным искусством, и реже — в результате борьбы вооруженных сил до истощения одного из противников, как это неизбежно произошло бы здесь.

Надо было с самого начала, следовательно, готовиться к длительной войне. Чтобы обеспечить успех, нужно было так же умножить военную авиацию, как был увеличен в свое время подводный флот.

Я должен совершенно ясно заявить, что мысль, будто такая большая страна, как Великобритания, может быть быстро поставлена на колени «оперативной воздушной войной» в духе генерала Дуэ, была, во всяком случае в то время, только мечтой. То же выявилось позднее и в воздушной войне союзников против Германии. Во всяком случае, надо было, если решили победить Англию путем блокады морских коммуникаций, обратить всю военную мощь страны на усиление подводного флота и авиации. Для этого необходимо было сократить сухопутную армию с целью высвобождения рабочей силы.

В затягивании этой войны скрывалась главная опасность. Никто не мог знать, как долго еще будет выжидать Советский Союз. Если бы мы встали на путь сокращения сухопутной армии и связали нашу авиацию борьбой против Англии, то Советский Союз, если бы и не вступил в войну, встал бы на путь политического шантажа.

Другая опасность скрывалась в возможности вступления Америки в войну на ее ранней стадии. Вряд ли она стала бы спокойно смотреть на то, как медленно душат Англию. В эту войну авиации и военно-морских сил Америка могла вступить сравнительно рано, но в случае немецкого вторжения в Англию в то время она опоздала бы.

Все же, если бы Германия имела действительно единое военное руководство, было бы возможно решиться на этот путь с надеждой на успех, правда, учитывая существование постоянной угрозы вмешательства со стороны Советского Союза или Америки. И это, конечно, только в том случае, если строго ограничиться целью уничтожения английской авиации и блокады ее морских коммуникаций. Любое отклонение в сторону сомнительных идей борьбы против духа вражеского народа путем налетов на города могло только поставить под угрозу успех войны.

В качестве второго возможного пути, которым можно было бы пойти, чтобы победить Англию, называют войну за Средиземное море. Гитлеру или немецкому военному командованию вообще делали упрек в том, что они никак не могли отрешиться от оков континентального мышления. Они якобы никогда не могли правильно оценить значение Средиземного моря как жизненной артерии Британской империи. Возможно, что Гитлер мыслил континентальными понятиями. Но другой вопрос — привела ли бы потеря Средиземного моря Англией действительно к отказу ее от продолжения войны, а также какие последствия имело бы для Германии завоевание района Средиземного моря.

Бесспорно, потеря позиций на Средиземном море была бы для Великобритании тяжелым ударом. Это могло бы сильно сказаться на Индии, на Ближнем Востоке и тем самым на снабжении Англии нефтью. Кроме того, окончательная блокада ее коммуникаций на Средиземном море сильно подорвала бы снабжение Англии. Но был бы этот удар смертельным? На этот вопрос, по моему мнению, надо дать отрицательный ответ. В этом случае для Англии оставался бы открытым путь на Дальний и Ближний Восток через мыс Доброй Надежды, который никак нельзя было блокировать. В таком случае потребовалось бы создать плотное кольцо блокады вокруг Британских островов с помощью подводных лодок и авиации, то есть избрать первый путь. Но это потребовало бы сосредоточения здесь всей авиации, так что для Средиземного моря ничего бы не осталось! Какой бы болезненной ни была для Англии потеря Гибралтара, Мальты, позиций в Египте и на Ближнем Востоке, этот удар не был бы для нее смертельным. Напротив, эти потери скорее ожесточили бы волю англичан к борьбе — это в их характере. Британская нация не признала бы этих потерь для себя роковыми и еще ожесточеннее продолжала бы борьбу! Она, по всей видимости, опровергла бы известное утверждение, что Средиземное море — это жизненная артерия Британской империи. Очень сомнительно также, чтобы доминионы не последовали за Англией при продолжении ею борьбы.

Второй вопрос состоит в том, какие последствия имел бы исход решающей борьбы за Средиземное море для Германии.

Первое заключается в том, что Италия могла явиться для этой борьбы хорошей базой, но что ее вооруженные силы внесли бы в борьбу весьма скромный вклад. Это положение не требовало подтверждения событиями, поскольку тогда уже все было ясно. В частности, нельзя было ожидать, что итальянский флот будет в состоянии изгнать англичан из Средиземного моря. Германия, следовательно, должна была нести всю тяжесть этой борьбы, кроме того, дело могло осложнить то обстоятельство, что итальянский союзник рассматривал бы Средиземное море в качестве своей акватории и выставил бы свои притязания на занятие там господствующего положения.

Если бы мы хотели лишить Великобританию ее позиций на Средиземном море, надеясь нанести ей этим смертельный удар, то надо было забрать Мальту и Гибралтар и изгнать англичан из Греции и Египта. Не подлежит сомнению, что немецкие вооруженные силы, если бы они перенесли свои действия в район Средиземного моря, в военном отношении решили бы эту задачу. Однако этот путь неизбежно повел бы дальше. Захват Гибралтара требовал или согласия Испании, которого фактически нельзя было получить, или нужно было оказать давление на Испанию. В обоих случаях это привело бы к окончанию нейтралитета Испании. Германии ничего бы не оставалось, как организовать охрану побережья Пиренейского полуострова с согласия или против воли испанского и португальского правительств и одновременно взять на себя снабжение этого района. Необходимо было бы считаться с сопротивлением как в Испании, так прежде всего и в Португалии, которая считала, что ее колонии в этом случае будут вскоре оккупированы англичанами. Во всяком случае, Пиренейский полуостров надолго поглотил бы значительную часть немецкой армии. Насильственная оккупация стран Пиренейского полуострова могла бы оказать катастрофическое для нас воздействие на США и латино-американские страны.

Если бы не удалось достичь действительного взаимопонимания с Францией, что было почти исключено ввиду итальянских и испанских претензий на французские колониальные области, то в дальнейшем стало бы необходимым занятие французской Северной Африки, если мы были намерены не допустить, чтобы Англия когда-нибудь вновь овладела районом Средиземного моря.

Если бы мы изгнали англичан из Египта (а в случае, если бы они закрепились и в Греции, — то и оттуда), этот путь и в восточной части Средиземного моря в дальнейшем неизбежно привел бы к странам Ближнего Востока, особенно ввиду того, что требовалось бы отрезать пути снабжения Англии нефтью. Существовало мнение, что создание базы на Ближнем Востоке дало бы Германии два преимущества. Первое — возможность угрозы Индии. Второе — выход во фланг Советскому Союзу, что могло бы удержать Советский Союз от вступления в войну против Германии. Я думаю, что такой ход мыслей является неправильным. Не говоря уже о том, что было очень сомнительно, какое влияние окажет укрепление немецкой армии на длительный период в странах Ближнего Востока на позицию этих народов, можно сделать два вывода:

— операции из района Ближнего Востока против Индии или против Советского Союза уже по одной причине использования коммуникаций никогда не могли проводиться в том объеме, который гарантировал бы действительный успех; морская мощь Англии постоянно в этом случае играла бы решающую роль;

— появление Германии на Ближнем Востоке ни в коем случае не удержало бы Советский Союз от вступления в войну против Германии, наоборот, скорее привело бы к этому.

Вся суть вопроса борьбы за район Средиземного моря заключается, на мой взгляд, в следующем. Утеря позиций на Средиземном море не была бы смертельным ударом для Англии. Далее, решающая борьба за Средиземное море надолго связала бы крупные немецкие силы, что сильно увеличило бы соблазн для Советского Союза начать войну против Германии. Это тем более возможно, что те призы, которые он, вероятно, хотел получить, а именно Балканы и господствующее влияние на Ближнем Востоке, можно было завоевать только в войне против Германии.

Путь через Средиземное море для достижения победы над Англией был тем обходным путем, который можно сравнить с путем Наполеона, когда он надеялся нанести смертельный удар Англии, пройдя через Египет в Индию. Этот путь должен был надолго отвлечь немецкие силы на отнюдь не решающее направление. Это положение давало, с одной стороны, возможность вооружения Британского материка, а с другой — большой шанс Советскому Союзу против Германии. Путь через Средиземное море в действительности был уклонением от решения вопроса, которого не надеялись достичь в войне против Британских островов. В результате этого был избран третий путь, обсуждавшийся в 1940 году, — путь вторжения на Британские острова.

Прежде чем перейти к этому вопросу, необходимо заметить относительно ведения войны в Средиземном море, что в ней фактически, как потом часто было и в России, Гитлер никогда своевременно не сосредоточивал необходимые силы. Кардинальной ошибкой был отказ от захвата Мальты, что вполне возможно было сделать на более ранней фазе войны. Этот отказ сыграл решающую роль в конце концов для последовавшей затем потери Северной Африки со всеми вытекающими отсюда последствиями. Во всяком случае, в июле 1940 года Гитлер составил план вторжения на Британские острова (но не принял окончательного решения) и дал указания о проведении соответствующей подготовки.

Операция должна была готовиться под шифрованным названием «Морской лев», но проводиться только при определенных предпосылках. О форме проведения этой операции, о трениях, которые возникли в связи с этим вопросом прежде всего между ОКХ и Главным штабом военно-морских сил, уже сообщалось другими лицами, представлявшими противную сторону. Писали также о причинах или предлогах, которые в конце концов должны были оправдать отказ от этого мероприятия.

Здесь я затрону поэтому только три важных вопроса:

— Могло ли вторжение в Англию вынудить ее отказаться от борьбы, то есть принесло ли бы оно нам в случае успеха операции полную победу?

— Могли ли мы вообще рассчитывать на успех вторжения и какие последствия имел бы провал этой операции?

— Каковы были причины, заставившие в конце концов Гитлера отказаться от вторжения и тем самым от достижения победы над Англией и повернуть армию против Советского Союза?

По первому вопросу надо сказать, что вторжение было бы самым быстрым путем победы над Англией. Оба другие пути, о которых мы говорили выше, не могли привести к быстрой победе. Но была ли бы эта победа окончательной? Возможно и весьма вероятно, что правительство Черчилля даже после завоевания Британских островов пыталось бы продолжать войну из Канады. Последовали ли бы за ним по этому пути все доминионы — этот вопрос мы не будем обсуждать. Во всяком случае, завоевание Британских островов не означало бы окончательного поражения Британской империи[1].

Важнейшим, видимо, было следующее: после завоевания Британских островов немцами враг потерял бы базу, которая, по крайней мере тогда, была необходима для наступления с моря на Европейский континент. Осуществить вторжение через Атлантику, не пользуясь при этом в качестве трамплина Британскими островами, было в то время абсолютно невозможно, даже и в случае вступления Америки в войну. Можно не сомневаться также и в том, что после победы над Англией и вывода из строя английской авиации, изгнания английского флота за Атлантику и разрушения военного потенциала Британских островов Германия была бы в состоянии быстро улучшить обстановку на Средиземном море.

Можно было, следовательно, сказать, что, даже если английское правительство после потери Британских островов пыталось бы продолжать войну, оно вряд ли имело шансы выиграть ее. Последовали ли бы за Англией в этом случае доминионы?

Не перестала ли бы существовать скрытая угроза, которую представлял собой Советский Союз для Германии, если бы Советы не рассчитывали в ближайшем будущем на открытие «Второго фронта» в Европе? Не мог ли бы тогда Сталин с согласия Гитлера повернуть в Азию?

Предприняла ли бы Америка свой «крестовый поход» против Германии, если бы она одна должна была, по существу, нести тяжесть войны?

---

[1] Вопрос о том, продолжал ли бы английский народ сопротивление, не так, как французский, после успешного вторжения или, что Черчилль считал вероятным, нашел ли бы он такое правительство, которое подписало бы капитуляцию, мы не будем освещать вследствие его гипотетического характера. Мы не будем также затрагивать вопроса, нашелся ли бы в этом случае путь для снабжения английского народа, как для Бельгии в Первую мировую войну. — *Примеч. автора.*

Никто не может сейчас и не мог тогда дать на это решительного ответа.

Конечно, Германия также не имела тогда возможности добиться мира по ту сторону морей. Одно только ясно: ее положение после успешного вторжения на Британские острова было бы несравненно выгоднее, чем когда-либо, в результате того пути, на который встал Гитлер.

С военной точки зрения, следовательно, вторжение в Англию летом 1940 года, если была надежда на успех этого предприятия, несомненно, было правильным решением. Что должно было произойти или могло произойти в случае успеха Германии в этой операции с целью достижения ничейного мира, который всегда должен был быть целью разумной германской политики, не относится к области военных вопросов.

Лучше вновь вернемся к военной стороне дела и, следовательно, к решающему вопросу, могло бы быть вторжение в Англию в 1940 году успешным?

Конечно, мнения о том, имела ли операция «Морской лев» шансы на успех или нет, всегда разделяются. Одно ясно, что эта операция была связана с чрезвычайным риском. Ссылка на необходимость колоссального технического снаряжения, которое понадобилось союзникам при вторжении 1944 года (десантные суда для высадки танков, плавучие гавани и т.д.), недостаточна для того, чтобы сделать вывод о провале немецкого вторжения, обеспеченного тогда, по существу, значительно более примитивными переправочными средствами. Недостаточно также указать на абсолютное превосходство союзников в 1944 году в воздухе и на море, как бы ни важны были оба эти фактора.

С другой стороны, если Германия летом 1940 года даже и приблизительно не имела столько преимуществ, то у нее имелось одно решающее преимущество, а именно то обстоятельство, что она вначале не могла встретить на английском побережье какую-либо организованную оборону, обеспеченную хорошо вооруженными, обученными и хорошо управляемыми войсками. Фактически летом 1940 года Англия была почти абсолютно беззащитна на суше перед вторжением. Эта беззащитность была бы почти полной, если бы Гитлер не дал уйти из Дюнкерка английскому экспедиционному корпусу.

Успех вторжения в Англию летом 1940 года зависел от двух факторов:

1. От возможно более раннего проведения этой операции с тем, чтобы нанести поражение Англии на суше еще в момент ее полной беззащитности и чтобы одновременно использовать благоприятные метеорологические условия лета (в июле, августе и начале сентября в Ла-Манше море было обычно спокойно).

2. От возможности в достаточной степени парализовать действия английской авиации и флота на период форсирования и захвата плацдармов.

Очевидно также, что ввиду непостоянства погоды, а также неясности того, сможет ли немецкая авиация обеспечить себе превосходство в воздухе над Ла-Маншем хотя бы на этот период, операция «Морской лев» всегда была связана с очень большим риском.

Учитывая этот риск, ответственные высшие инстанции медлили и с многими оговорками рассматривали вопрос об этой операции.

Уже тогда было ясно, что у Гитлера не лежало сердце к этой операции. В исполнительных органах можно было заметить отсутствие при этих приготовлениях настойчивости и энергии со стороны высших инстанций. Генерал Иодль, начальник штаба оперативного руководства вооруженными силами, даже видел в этой попытке вторжения своего рода шаг отчаяния, делать который никак не заставляла общая ситуация.

Командующий военно-воздушными силами Геринг, которого руководство вооруженными силами, как всегда, недостаточно строго контролировало, не рассматривал воздушную войну против Англии, которой он руководил, как часть — хотя и самую существенную — операции по вторжению всей германской армии. Методы использования авиации, которые в конце концов сильно потрепали ее материальную часть и личный состав, показывают скорее, что он рассматривал воздушную войну против Британских островов как самостоятельный оперативный акт и в соответствии с этими установками руководил ею.

Главный штаб военно-морских сил, который первым поставил вопрос о вторжении в Англию, при исследовании практических возможностей проведения этой операции пришел к выводу, что эту операцию при определенных предпосылках можно провести. Но, несмотря на это, он лучше всего отдавал себе отчет в слабости своих средств.

Наиболее положительную позицию занимало, пожалуй, ОКХ, хотя оно сначала (до победы над Францией) вообще не рассматривало вопрос о возможности вторжения на Британские острова.

Совершенно ясно, однако, что те, кто в первую очередь рисковал собой при операции «Морской лев», — предназначенные для вторжения части сухопутной армии, — как раз наиболее интенсивно готовились к ней и подходили к этому делу с верой в успех. Я думаю, что я имею право утверждать это, так как подчиненный мне 38 ак должен был действовать в первом эшелоне армии вторжения — из Булони в Бексхилл-Бичи Хэд. Мы были убеждены в возможности успеха, но не недооценивали и опасности. Вероятно, однако, мы недостаточно знали то, что тревожило два других вида вооруженных сил, особенно военно-морской флот.

Известно, что в основном две причины, или два предлога, заставили Гитлера отказаться в конце концов от плана операции «Морской лев».

Первое — тот факт, что подготовка этой операции займет много времени, в результате чего первый эшелон вторжения сможет начать форсирование самое раннее 24 сентября, то есть в то время, когда — даже в случае удачной операции первого эшелона — не будет никакой гарантии, что в проливе можно ожидать метеорологических условий, способствующих дальнейшему проведению операций.

Второе и решающее обстоятельство состояло в том, что нашей авиации в этот период не удалось достичь необходимого воздушного превосходства над Англией.

Если даже мы согласимся с тем, что в сентябре 1940 года эти факторы могли казаться решающими для отказа от вторжения в Англию, то тем самым мы не дадим еще ответа на вопрос, было ли возможно вторжение при другом руководстве в Германии. Но именно об этих факторах в конечном счете идет речь, когда мы оцениваем решение Гитлера уклониться от решающей битвы с Англией и напасть на Советский Союз.

Речь идет, следовательно, о вопросе, были ли оба названных фактора — затягивание операции «Морской лев» и недостаточные результаты воздушной битвы за Англию — неизбежными.

Что касается первого из этих факторов — откладывание срока высадки до последней декады сентября, — то ясно, что этого можно было избежать. Если бы существовал какой-либо «военный план», в котором заранее был бы предусмотрен также вопрос о нанесении поражения Англии, то значительная часть технических приготовлений к вторжению могла бы быть предпринята еще до окончания кампании на западе. Если бы существовал такой план, то было бы немыслимо, чтобы Гитлер дал возможность по каким-либо причинам уйти из Дюнкерка английскому экспедиционному корпусу. По крайней мере, оттягивания сроков высадки до осени не произошло бы, если бы немецкое руководство приурочило вторжение к моменту поражения Франции, то есть к середине июня, а не к середине июля. Подготовка к вторжению на основе поступившего в июле приказа при полном использовании всех возможностей могла быть вообще закончена к середине сентября. Если бы решение было принято четырьмя неделями раньше, то это дало бы возможность начать форсирование пролива уже в середине августа.

Что касается второго фактора, ставшего причиной отказа от операции «Морской лев», — недостаточные результаты «воздушной битвы за Англию», — то в связи с этим необходимо сказать следующее: надо считать ошибкой военного руководства намерение достичь превосходства в воздухе над Англией посредством изолированной воздушной войны, начатой за много недель до наиболее раннего срока вторжения.

Руководство хотело достичь гарантии успеха вторжения посредством овладения воздушным пространством над Англией еще до вторжения. Тем самым только растратили силы немецкой авиации в преждевременных боях, проводившихся при неблагоприятных условиях.

При здравой оценке собственных и вражеских сил и возможностей командование военно-воздушных сил по меньшей мере должно было бы иметь сомнения в том, достаточно ли своих сил и способны ли они добиться решающего успеха в борьбе против английской авиации и авиационных заводов, ведя бои над Англией.

Сначала командование немецких военно-воздушных сил недооценивало английскую истребительную авиацию, переоценивало действия своей бомбардировочной авиации и было застигнуто врасплох наличием у противника эффективной системы радарных установок. Кроме того, было известно, что у наших бомбардировщиков и прежде всего истребителей был недостаточный радиус действия и тем самым недостаточная глубина вторжения. Вражеская авиация смогла уйти от наносившихся нами ударов, имевших цель уничтожить ее. При этом мы не говорим уже о том, что немецкие истребители должны были вести бой над Англией при более неблагоприятных условиях, чем противник. Бомбардировщики не могли получать достаточного прикрытия истребителями, если они совершали полеты, превышавшие радиус действия истребителей. Только одно это соображение должно было побудить командование воздушных сил начать решающие бои против английской авиации лишь в тот момент, когда она должна была бы принять бой в равных условиях, то есть над проливом или над побережьем, в непосредственной оперативной связи с вторжением.

Немецкое командование, наконец, сделало еще одну ошибку, изменив оперативную цель воздушных налетов, несмотря на упомянутые ранее, частично предвиденные, частично неожиданные неблагоприятные условия борьбы, как раз в тот момент, когда успех операции висел на волоске. 7 сентября главное направление атак было перенесено на Лондон — цель, не стоявшую ни в какой оперативной связи с подготовкой вторжения.

Как бы ни было желательным добиться превосходства в воздухе еще до начала вторжения, все же здравый учет всех факторов должен был заставить немецкое Главное командование использовать авиацию для решающего удара только в непосредственной связи с вторжением.

Конечно, можно возразить, что при таком способе использования сил немецкой авиации она имела бы слишком много задач, а именно:

— налеты на английские воздушные базы в Южной Англии;

— прикрытие с воздуха посадки десантов на суда во французских портах;

— защита транспортов при пересечении пролива;

— поддержка первого эшелона войск вторжения при их высадке;

— воспрещение действий английского флота во взаимодействии с военно-морским флотом и береговой артиллерией.

Но эти задачи не надо было решать все одновременно, хотя по времени они должны были решаться быстро одна за другой. Так, например, английский флот, за исключением легких кораблей, базировавшихся на порты Южной Англии, мог, видимо, вступить в бой лишь тогда, когда первый эшелон войск вторжения уже высадился бы.

Судьба сражения зависела бы от исхода большой воздушной битвы, которая разыгралась бы над проливом или над Южной Англией, с того момента, когда начали бы операции армия и военно-морской флот. В этой битве условия для немецкой авиации были бы значительно благоприятнее, нежели при ее налетах на британский материк. Такой способ ведения войны, естественно, означал бы, что все было бы поставлено на карту. Но это и было той ценой, которую надо было заплатить в тех условиях, если уж вообще решились предпринять вторжение.

Если Гитлер в сентябре 1940 года по упомянутым выше причинам отложил план вторжения в Англию, то эти причины тогда, может быть, действительно были основательными. Что эти причины вообще тогда вскрылись, зависело от того, что внутри германского Главного командования не было никого, кроме политического деятеля Гитлера, кто отвечал бы за общее руководство военными действиями. Не было инстанции, которая бы своевременно подготовила план войны против Англии и которая была бы в состоянии руководить вторжением как единой операцией всех трех видов вооруженных сил.

Если германское командование летом 1940 года в результате описанных мною причин упустило шанс успешно закончить войну с Англией, то причины этого заключаются, во всяком случае, не только в недостатках организации высшего командования, но в значительной мере в политической доктрине Гитлера.

Очевидно, не подлежит сомнению, что Гитлер имел желание избежать войны с Англией и с Британской империей. Он часто говорил, что не в интересах Германии уничтожить Британскую империю. Он считал, что она представляет крупное политическое достижение. Если даже и не доверять полностью этим заявлениям Гитлера, то одно все же ясно: Гитлер знал, что в случае уничтожения Британской империи наследником будет не он и не Германия, а Америка, Япония или Советский Союз. Если исходить из этих соображений, то его позиция по отношению к Англии всегда будет понятна. Он не хотел войны с Англией и не ожидал ее. Он хотел, если это было возможно, избежать решающей схватки с этой державой. Эта его позиция и то обстоятельство, что он не ожидал такой полной победы над Францией, объясняет нам и то, почему Гитлер не имел плана войны, предусматривавшего после победы над Францией победу и над Англией. В конце концов он не хотел высаживаться в Англии. Его политическая концепция противоречила стратегическим требованиям, выявившимся после победы над Францией. Роковым было то обстоятельство, что его политическая концепция не нашла симпатии со стороны англичан.

В противоположность этому Гитлер всегда был настроен против Советского Союза, хотя он в 1939 году и заключил договор со Сталиным. Он не доверял этой стране и одновременно недооценивал ее. Он опасался традиционных экспансионистских устремлений русского государства, которому он, правда, Московским пактом сам снова открыл ворота на запад.

Можно предполагать, что Гитлер сознавал, что когда-нибудь оба этих режима, ставшие непосредственными соседями, столкнутся. Далее, политик Гитлер был одержим идеей «жизненного пространства», которое он считал себя обязанным обеспечить немецкому народу. Это жизненное пространство он мог искать только на востоке.

Если обе приведенные мною мысли и допускали отсрочку столкновения с Советским Союзом до более позднего времени, то они должны были с новой силой овладеть умом такого человека, как Гитлер, после того как он, победив Францию, практически стал хозяином на континенте, тем более что угрожающие скопления советских войск на восточной границе Германии возбуждали сомнения относительно будущей позиции Кремля.

Теперь Гитлер был поставлен перед вопросом о вторжении в Англию. Он, без сомнения, понимал большой риск, связанный тогда с таким предприятием. Если бы вторжение не удалось, то действовавшие там силы немецкой армии и флота были бы потеряны. Немецкая авиация также была бы значительно ослаблена в этой безуспешной битве. С чисто военной точки зрения, однако, даже неуспех вторжения в Англию не означал еще такого ослабления германской военной мощи, которое нельзя было бы восстановить. Более серьезными были бы политические последствия. Взять хотя бы тот факт, что провал вторжения укрепил бы стремление англичан продолжать войну. Можно указать, далее, на позицию Америки и Советского Союза, которую они заняли бы в этом случае. Но прежде всего подобное явное военное поражение, каким был бы провал вторжения в Англию, серьезно подорвало бы престиж диктатора в Германии и во всем мире.

Но такой опасности диктатор не мог подвергать себя. Он всегда уклонялся от мысли о решительной схватке с Англией (а в силу неправильного понимания английской политической концепции тешил себя надеждой прийти в конце концов к соглашению с этой страной), так он и на этот раз испугался риска. Он хотел избежать риска решающей битвы с Великобританией. Вместо того чтобы победить эту страну, он надеялся убедить ее в необходимости соглашения, пытаясь выбить из ее рук последний «континентальный меч», на который Англия, видимо, возлагала надежды. Этим уклонением от безусловно большого военного и политического риска

Гитлер совершил великую ошибку. Ибо одно было ясно: если Гитлер побоялся начать битву против Англии в благоприятный момент, то Германия рано или поздно должна была очутиться в критической обстановке. Чем дольше затягивалась война с Англией, тем больше становилась опасность, грозившая Германии с востока.

После того как Гитлер отказался от решающего сражения с Англией летом 1940 года и упустил единственный для него шанс, он больше уже не мог играть на «выжидание». Под давлением необходимости он решил теперь попытаться путем превентивной войны ликвидировать такого противника, как Советский Союз, поскольку на западе больше не было такого противника, который был бы ему опасен на континенте.

В действительности же Гитлер из страха перед риском вторжения в Англию пошел на еще больший риск войны на два фронта. Однако вследствие запоздалого планирования вторжения и, в конечном счете, отказа от него он потерял целый год. Год, который мог бы решить исход войны. Потеря времени, которую Германии уже нельзя было возместить.

С отменой операции «Морской лев» 38-й корпус вернулся в конце сентября к нормальной боевой жизни. Наши переправочные средства были выведены из портов, подвергавшихся налетам английской авиации. Но еще ничего не было известно о намерениях Гитлера относительно Советского Союза, так как окончательное решение о нападении на Советский Союз было принято много позднее. Первый намек на надвигающиеся события я получил только тогда, когда был вызван весной 1941 года для получения новой задачи.

III
ВОЙНА ПРОТИВ СОВЕТСКОГО СОЮЗА

Глава 8
ТАНКОВЫЙ РЕЙД

Оперативный план войны с Советским Союзом. Различие целей Гитлера и ОКХ и последствия этого. План операций группы армий «Север» и 4-й танковой группы. Приказ о комиссарах. Последние дни на немецкой земле. Война начинается. Удар на Дубиссу. Захват Двинска (Даугавпилс). Мы вынуждены ждать. Ленинград или Москва? Войска СС. Управление подвижными соединениями. Маленькие радости. Наступление к озеру Ильмень. Окружение у Сольцы. Луга. Обходными путями к 16-й армии. Мы наносим удар во фланг одной советской армии. Удар на Полы. Назначение командующим 11-й армией. Прощание с моим танковым корпусом.

В конце февраля 1941 года я сдал командование 38 ак у побережья Ла-Манша, чтобы получить вновь формируемый в Германии 56 тк. Тем самым исполнилось желание, которое я имел еще до начала западной кампании, командовать «подвижным» корпусом.

Само собой разумеется, что меня, командира корпуса, не спрашивали о том, нужно ли и как вести войну против Советского Союза. И только намного позже, насколько я припоминаю, в мае 1941 года, корпус получил план развертывания, который ограничивался только масштабами танковой группы[1], в которую входил корпус.

Поэтому в рамках этих «воспоминаний» я не могу говорить о ведении операций против Советского Союза в 1941 году, в том плане, как я это мог сделать относительно наступления на западе

---

[1] Примерно соответствует армии. — *Примеч. ред.*

на основе моего тогдашнего влияния на окончательное оформление оперативного плана.

Но, как теперь известно и, видимо, общепризнанно, можно сделать два вывода.

Первый вывод: ошибка, в которую впал Гитлер, недооценивая прочность советской государственной системы, ресурсы Советского Союза и боеспособность Красной Армии. Поэтому он исходил из предположения, что ему удастся разгромить Советский Союз в военном отношении в течение одной кампании. Но вообще, если это и было возможно, то только в случае, если бы удалось одновременно подорвать советскую систему изнутри. Но политика, которую Гитлер вопреки стремлениям военных кругов проводил в оккупированных восточных областях при помощи своих рейхскомиссаров и СД[1], могла принести только противоположные результаты. В то время как Гитлер в своих стратегических планах исходил из того, что он ставил себе целью быстрый разгром Советского Союза, в политическом отношении он действовал в диаметрально противоположном направлении. В других войнах также часто возникали противоречия между военными и политическими целями. В данном случае и военное и политическое руководство объединялось в руках Гитлера, но результатом было то, что его восточная политика резко противоречила требованиям его стратегии и лишила его, возможно, существовавшего шанса на быструю победу.

Второй вывод: то, что в сфере высшего военного командования, то есть между Гитлером и ОКХ, не удалось выработать единой стратегической концепции, что было необходимо как при разработке общего плана операций, так и в ходе проведения самой кампании 1941 года.

Стратегические цели Гитлера покоились преимущественно на политических и военно-экономических соображениях. Это был в первую очередь захват Ленинграда, который он рассматривал как колыбель большевизма и который должен был принести ему одновременно и связь с финнами, и господство над Прибалтикой. Далее — овладение источниками сырья на Украине и военными ресурсами Донбасса, а затем нефтяными промыслами Кавказа. Путем овладения этими районами он надеялся, по существу, парализовать Советский Союз в военном отношении.

---

[1] Гитлеровская «служба безопасности» — филиал гестапо. — *Примеч. ред.*

В противовес этому ОКХ правильно полагало, что завоеванию и овладению этими, несомненно, важными в стратегическом отношении областями должно предшествовать уничтожение Красной Армии. Главным силам Красной Армии должно быть навязано решительное сражение путем нанесения удара на Москву (этот план не соответствовал полностью фактической группировке советских сил, как это выявилось позже). Москва представляет собой главный центр советской державы, потерей которого страна не стала бы рисковать, во-первых, потому, что Москва — в противоположность 1812 году — была действительно политическим центром России; во-вторых, потому, что потеря военно-промышленных районов вокруг Москвы и восточнее ее по крайней мере значительно ослабила бы советскую военную промышленность; в-третьих, что по стратегическим соображениям было наиболее важно, потому, что Москва является центральным узлом коммуникаций Европейской части России. С потерей Москвы советская оборона практически раскололась бы на две части и советское командование не было бы в состоянии организовать единые операции по всему фронту.

В стратегическом отношении разногласия между Гитлером и ОКХ сводились к следующему: Гитлер хотел добиться военного успеха на обоих флангах (для чего немецких сил ввиду соотношения сил и ширины оперативного района было недостаточно), ОКХ же стремилось достичь успеха в центре общего фронта.

В результате расхождения между этими принципиальными стратегическими концепциями немецкое командование в конечном счете потерпело поражение. Гитлер, правда, согласился с предложенным ОКХ распределением сил, согласно которому основная часть армии должна была действовать двумя группами армий севернее и только одной группой армий южнее Припятских болот. Но спор из-за этих двух оперативных целей длился всю кампанию. Результат же этого мог быть только один: Гитлер не добился своих и без того слишком далеко идущих целей и одновременно нарушил всю стратегическую концепцию ОКХ.

Указанная Гитлером в плане «Барбаросса» «общая цель» («необходимо уничтожить основную массу войск, расположенных в Западной России, путем смелых операций, выдвигая далеко вперед танковые клинья; воспрепятствовать отходу боеспособных соединений в глубину русского пространства») была в конце концов не чем иным, как лишь оперативным или тактическим «рецептом». И только благодаря превосходному военному руководству германской армии были достигнуты чрезвычайно большие успехи, поставившие Советскую Армию на край пропасти. Но этот «рецепт» никогда не мог заменить оперативного плана, относительно разработки и выполнения которого Главное командование должно было быть единого мнения, оперативного плана, который ввиду соотношения сил и протяженности театра военных действий заранее должен был предусматривать возможность уничтожения Советской Армии, в случае необходимости в результате двух кампаний.

Занимаемая мною должность командира корпуса, как я уже говорил, не позволяла мне знать планы и намерения Главного командования. Я не предполагал поэтому в то время, что существуют столь опасные разногласия относительно стратегических целей между Гитлером и ОКХ. Однако, находясь даже на моей должности, вскоре можно было ощутить результаты этих противоречий.

56 тк должен был наносить удар в составе 4-й танковой группы (группа армий «Север») из Восточной Пруссии.

Группа армий «Север» (командующий — фельдмаршал фон Лееб) получила задачу, нанося удар из Восточной Пруссии, уничтожить расположенные в Прибалтике вражеские силы и начать затем наступление на Ленинград. Действовавшая в ее составе 4-я танковая группа (командующий — генерал-полковник Геппнер) получила задачу быстро выйти на рубеж Двины у Двинска (Даугавпилс) и ниже его, чтобы захватить переправы через Двину для дальнейшего наступления в направлении Опочка. Справа от нее 16-я армия (командующий — генерал-полковник Буш) наносила удар через Ковно (Каунас) с тем, чтобы быстро следовать за 4-й танковой группой; слева от 4-й танковой группы наступала в общем направлении на Ригу 18-я армия (командующий — генерал фон Кюхлер).

16 июня я прибыл, побывав уже до этого один раз в Восточной Пруссии, в район развертывания 56 тк. Генерал-полковник Геппнер отдал следующий приказ о наступлении 4-й танковой группы:

56 тк (8 тд, 3-я мотопехотная дивизия, 290 пд) получил задачу начать наступление из лесов севернее Мемеля (Клайпеда), восточнее Тильзита (Советск) на восток и овладеть северо-восточнее Ковно (Каунас) большим шоссе, ведущим в Двинск (Даугавпилс). Слева от него 41 тк генерала Рейнгардта (1 тд и 6 тд, 36-я мотопехотная дивизия, 269 пд) получил задачу наступать в направлении на переправы через Двину в Якобштадт (Екабпилс). Входившая в состав танковой группы дивизия СС «Тотенкопф» («Мертвая

голова») должна была следовать во втором эшелоне, а затем догнать корпус, продвигающийся быстрее других соединений.

В связи с необходимостью отсечения всех расположенных вдоль Двины вражеских войск и быстрого развития операций группы армий «Север» решающее значение имело овладение не разрушенными мостами через Двину, так как широкая река представляла собой сильное препятствие. При наступлении 4-й танковой группы оба танковых корпуса должны были стремиться как можно скорее достичь Двины. 56 тк надеялся выиграть это соревнование. Он находился в более выгодном положении потому, что, насколько нам была известна группировка сил противника, он должен был в глубине встретить более слабые неприятельские силы, чем 41 тк. По этой причине 41 тк был усилен командованием танковой группы одной танковой дивизией. Мое предложение — вместо этого перенести направление главного удара на участок с более слабыми силами — было оставлено без внимания.

Прежде чем начать описание боевых действий 56 тк, которые, собственно, интересны только потому, что они стали в настоящем смысле этого слова танковым рейдом, я должен остановиться на одном обстоятельстве, которое проливает яркий свет на ту пропасть, которая существовала между мнением солдата и мнением политического руководства.

За несколько дней до начала наступления мы получили приказ ОКБ, который позже стал известен под названием «приказа о комиссарах». Суть его заключалась в том, что в нем предписывался немедленный расстрел всех попавших в плен политических комиссаров Красной Армии   носителей большевистской идеологии.

С точки зрения международного права политические комиссары вряд ли могли пользоваться привилегиями, распространяющимися на военнослужащих. Они, конечно, не были солдатами. Я вряд ли стал бы рассматривать как солдата, например, гаулейтера, приставленного ко мне в качестве политического надзирателя. Но равным образом нельзя было причислить этих комиссаров к не участвующим в бою, как, например, медицинский персонал, военных священников или корреспондентов. Напротив, не будучи солдатами, они были фанатическими борцами, а именно, борцами, деятельность которых по традиционным военным понятиям могла лишь считаться нелегальной. В их задачу входило не только осуществлять политический контроль над командирами, но и придать войне самый жестокий характер, который полностью противоречил прежнему пониманию ведения войны. Комиссары были как раз теми людьми, которые в первую очередь ввели те методы ведения войны и обращения с военнопленными, которые находились в явном противоречии с положениями Гаагской конвенции о ведении сухопутной войны.

Но какого бы мнения мы ни придерживались относительно статуса комиссаров с точки зрения международного права, их расстрел после взятия в плен в бою противоречил всяким представлениям о солдатской морали. Такой приказ, как приказ о комиссарах, по своему существу противоречил ей. Выполнение этого приказа угрожало не только чести войск, но и их моральному духу. Я был поэтому вынужден доложить моему начальнику, что в моих войсках этот приказ не будет выполняться. Я действовал при этом с согласия командиров частей и в своем корпусе так и поступал. Впрочем, естественно, мои начальники были полностью согласны с моим мнением. Попытки отменить этот приказ привели к успеху только много позднее, когда стало ясно, что единственным результатом приказа о комиссарах было то, что комиссары самыми жестокими способами заставляли войска сражаться до последнего[1].

В период наших очень непродолжительных приготовлений штаб корпуса находился в Инстербурге (Черняховск). Сам я с моим адъютантом обер-лейтенантом Шпехтом расположился за городом, в построенной на опушке леса вилле главного врача инстербургской больницы доктора Видвальда. Супругами Видвальд мы были приняты с тем гостеприимством и сердечием, которые вошли в Восточной Пруссии в пословицу. Стояли прекрасные дни, которые нам посчастливилось провести в этом чудесном доме с нашими любезными хозяевами.

Мне приятно вспомнить и старого лесника, в доме которого мы, спасаясь от дождя, подкреплялись после ночных учений одной из наших дивизий чашкой горячего кофе и настоящим прусским завтраком, в то время как наш хозяин рассказывал то о своих оленях и лосях, то о своей службе в армии.

---

[1] Когда я принял командование 11-й армией, выяснилось, что мое мнение разделялось почти во всех соединениях сухопутных сил. И в 11-й армии приказ о комиссарах не выполнялся. Небольшое число комиссаров, которые, несмотря на это, были расстреляны, не были взяты в плен в бою, а схвачены в тылу как руководители или организаторы партизан. С ними обращались поэтому согласно военному праву. — *Примеч. автора.*

Последние дни перед началом наступления мы провели в расположенном близко от границы поместье Ленкен, славившемся в Восточной Пруссии своим конным заводом. Его хозяин, фон Шпербер, был ротмистром запаса и в то время находился на фронте.

Поместье Ленкен было расположено в чудесном лесу, и когда мы туда прибыли, то увидели выгон, на котором паслись чистокровные лошади. Это был уголок, полный красоты и гармонии. Его вид показался нам хорошим предзнаменованием. Как прекрасен был этот далекий уголок нашей родины, наше последнее пристанище на немецкой земле! Когда мы проезжали мимо типичного для Восточной Пруссии низкого и простого господского дома, мы увидели прелестную молодую девушку, которая усердно убирала веранду. Пестрый платок обрамлял красивое, свежее лицо. «О!.. — воскликнул один из моих спутников, — если все здесь так мило!» Он спросил молодую девушку о хозяйке дома. Его лицо приняло не очень умное выражение, когда ему с улыбкой приветливо ответили: «Я. Добро пожаловать!» Общий веселый смех. Молодая хозяйка имения недавно родила сына, и я стал его крестным отцом. Так установилась связь, которая пережила годы войны и тяжелые послевоенные годы. Молодая фон Шпербер, когда ее муж был на войне, управляла поместьем и заводом; ей пришлось потом бежать от русских. С мужем и семью детьми это «молодое существо», в котором мы тогда так ошиблись, живет сейчас в Эльтвилле на Рейне. Когда в 1953 году я возвратился наконец из английского плена, она прислала мне бутылку лучшего вина, какое можно было только найти в этом известном районе, славящемся своими виноградниками. Кто знает рейнские вина, тот понимает, что это был за драгоценный напиток.

21 июня в 13 ч. 00 м. в штаб корпуса прибыл приказ о том, что наступление начинается на следующее утро в 3 ч. 00 м. Кости были брошены!

Небольшой район, который был отведен корпусу в лесу севернее Мемеля (Клайпеда), позволил мне вначале использовать для наступления на пограничные позиции противника, по данным разведки, занятые его гарнизонами, только 8 тд и 290 пд; 3-я мотопехотная дивизия находилась в резерве южнее Мемеля (Клайпеда).

Сначала наши войска непосредственно на границе натолкнулись на слабое сопротивление, по-видимому, вражеского боевого охранения. Но они остановились вскоре перед укрепленным районом, который был преодолен только после того, как в полдень 8 тд прорвала вражеские позиции севернее Мемеля (Клайпеда).

Уже в этот первый день нам пришлось познакомиться с теми методами, которыми велась война с советской стороны. Один из наших разведывательных дозоров, отрезанный врагом, был потом найден нашими войсками, он был вырезан и зверски искалечен. Мой адъютант и я много ездили по районам, в которых еще могли находиться части противника, и мы решили не отдаваться живыми в руки этого противника. Позже часто случалось, что советские солдаты поднимали руки, чтобы показать, что они сдаются в плен, а после того, как наши пехотинцы подходили к ним, они вновь прибегали к оружию; или раненый симулировал смерть, а потом с тыла стрелял в наших солдат.

Общее впечатление от противника было такое, что он во фронтовой полосе не был захвачен врасплох нашим наступлением, но что советское командование не рассчитывало — или еще не рассчитывало — на него и поэтому не сумело быстро подтянуть вперед имевшиеся в его распоряжении крупные силы.

Много спорили о том, носило ли развертывание сил Советской Армии оборонительный или наступательный характер. По числу сосредоточенных в западных областях Советского Союза сил и на основе сосредоточения больших масс танков как в районе Белостока, так и в районе Львова можно было вполне предполагать — во всяком случае, Гитлер так мотивировал принятие им решения о наступлении, что рано или поздно Советский Союз перейдет в наступление. С другой стороны, группировка советских сил на 22 июня не говорила в пользу намерения в ближайшее время начать наступление.

Группа армий Ворошилова, противостоявшая нашей группе армий «Север», имела на границе только 7 дивизий, хотя в ее составе действовали 29 сд, 2 тд и 6 мех. бригад (по фон Типпельскирху), расположенные в тылу, у Шауляя, Ковно (Каунас) и Вильно (Вильнюс), а частично даже в районе Псков — Опочка (следовательно, на линии Сталина). Обе другие советские группы армий (Тимошенко и Буденного) также были глубоко эшелонированы, хотя в них части, действовавшие в пограничной полосе, были значительно сильнее.

Более всего будет соответствовать правде утверждение о том, что развертывание советских войск, начавшееся уже с развертывания крупных сил еще в период занятия Восточной Польши, Бессарабии и Прибалтики, было «развертыванием на любой случай». 22 июня 1941 года советские войска были, бесспорно, так глубоко эшелонированы, что при таком их расположении они были готовы только для ведения обороны. Но картина могла в зависимости от развития политического и военного положения Германии быстро измениться. Красная Армия, по составу своих групп армий численно, но не в качественном отношении превосходившая немецкие войска, могла быть в течение короткого времени сосредоточена так, что она была бы способна начать наступление. Развертывание советских войск, которое до 22 июня и могло быть подготовкой к обороне, представляло собой скрытую угрозу. Как только Советскому Союзу представился бы политический или военный шанс, он превратился бы в непосредственную угрозу для Германии.

Конечно, летом 1941 года Сталин не стал бы еще воевать с Германией. Но если правительство Советского Союза, смотря по развитию обстановки, полагало перейти к политическому давлению на Германию или даже к угрозе военного вмешательства, то, безусловно, подготовка сил для обороны могла быть в короткое время превращена в подготовку к наступлению. Речь шла именно «о развертывании сил на любой случай».

Но вернемся к 56-му танковому корпусу.

Если корпус хотел выполнить поставленную ему задачу овладеть неразрушенными мостами через Двину у Двинска (Даугавпилс), то после прорыва пограничных позиций необходимо было сделать следующее.

В первый день наступления корпус должен был продвинуться на 80 км в глубину, чтобы овладеть мостом через Дубиссу около Айрогольы. Я знал рубеж Дубиссы еще с Первой мировой войны. Участок представлял собой глубокую речную долину с крутыми, недоступными для танков склонами. В Первую мировую войну наши железнодорожные войска в течение нескольких месяцев построили через эту реку образцовый деревянный мост. Если бы противнику удалось взорвать этот большой мост у Айрогольы, то корпус был бы вынужден остановиться на этом рубеже. Враг выиграл бы время для организации обороны на крутом берегу на той стороне реки, которую было бы трудно прорвать. Было ясно, что в таком случае нечего было рассчитывать на внезапный захват мостов у Двинска (Даугавпилс). Переправа у Айрогольы давала нам незаменимый трамплин для этого.

Какой бы напряженной ни была поставленная мною задача, 8 тд (командир — генерал Бранденбергер), в которой я в этот день больше всего был, выполнила ее. После прорыва пограничных позиций, преодолевая сопротивление врага глубоко в тылу, к вечеру 22 июня ее передовой отряд захватил переправу у Айроголы. 290-я дивизия следовала за ним быстрыми темпами, 3 пд (мот.) в полдень прошла через Мемель (Клайпеда) и была введена в бой за переправу южнее Айроголы.

Первый шаг удался.

Вторая предпосылка успеха у Двинска (Даугавпилс) заключалась в том, чтобы корпус наступал без остановок до Двинска (Даугавпилс), не обращая внимания на то, успевали ли за ним соседи. Только совершенно неожиданный для противника удар дал бы нам возможность захватить там мосты. Само собой понятно, что такое наступление было большим риском.

Корпусу, как мы и надеялись, удалось найти во время прорыва слабое место в обороне противника. Правда, он все время наталкивался на вражеские части, которые бросались против него в бой. Но его дивизиям удавалось сравнительно быстро ломать вражеское сопротивление, хотя иногда и в упорных боях.

Если слева от нас 41 тк встретил сначала сильную группировку противника, сосредоточенную в районе Шауляя, и поэтому сильно задержался, а справа от нас левый фланг 16-й армии боролся за Ковно (Каунас), то 56 тк уже 24 июня овладел в районе Вилкомерз большой дорогой, ведущей на Двинск (Даугавпилс). Вклинившись на 170 км в глубину вражеской территории, корпус оставил далеко позади себя не только своих соседей, но и вражеские части, располагавшиеся в пограничной области. Только 130 км отделяли нас от желаемой цели — от мостов через Двину! Можем ли мы сохранить такой темп? Было очевидно, что противник бросит на нас свежие силы из резервов. Одновременно он мог бы каждое мгновение закрыть, хотя бы временно, образовавшуюся после нас брешь и отрезать нас от тылов. Нас не раз предупреждало об осторожности командование танковой группы. Но мы не были намерены из-за нашего промедления упустить изменчивое счастье. Наша 290 пд не могла, конечно, выдержать такого темпа. Но так как она следовала за корпусом, то это придавало нам некоторую уверенность, а она отвлекала уже на себя большие силы, которые могли напасть на нас с тыла. Но корпус наступал на заветную цель — Двинск (Даугавпилс) — обеими дивизиями, 8-й танковой, действовавшей на большом шоссе, и продвигавшейся медленнее по обходным путям южнее шоссе 3-й мотопехотной дивизией.

Обе дивизии в упорных боях частично разбили бросаемые в бой вражеские резервы; 70 вражеских танков (примерно половина всей численности наших танков) и много вражеских батарей остались на дорогах. На сбор пленных у нас оставалось мало времени и сил.

26 июня утром 8 тд подошла к Двинску (Даугавпилс). В 8 часов утра, будучи в ее штабе, я получил донесение о том, что оба больших моста через Двину в наших руках. Бой шел за город, расположенный на том берегу. Большой мост, абсолютно не поврежденный, попал в наши руки. Посты, которые должны были поджечь огнепроводный шнур, были схвачены у подходов к мосту. Железнодорожный мост был только легко поврежден небольшим взрывом, но остался пригоден для движения. На следующий день 3-й мотопехотной дивизии удалось неожиданно форсировать реку выше города. Наша цель была достигнута!

Перед началом наступления мне задавали вопрос, думаем ли мы и за сколько времени достичь Двинска (Даугавпилс). Я отвечал, что если не удастся это сделать за 4 дня, то вряд ли нам удастся захватить мосты в неповрежденном состоянии. Теперь мы это сделали за 4 дня и 5 часов, считая с момента начала наступления; мы преодолели сопротивление противника, проделав 300 км (по прямой) в непрерывном рейде. Успех, вряд ли возможный, если бы все командиры и солдаты не были охвачены одной целью — Двинск, и если бы мы не были согласны пойти на большой риск ради достижения этой цели. Теперь мы испытывали чувство большого удовлетворения, проезжая через огромные мосты в город, большую часть которого противник, к сожалению, предал огню. Наш успех не был к тому же достигнут ценой больших жертв.

Конечно, положение корпуса, одиноко стоявшего на северном берегу Двины, никак нельзя было считать безопасным. 41 тк и правый фланг 16-й армии находились в 100—150 км сзади. Между ними и нами находилось много советских корпусов, отступавших на Двину. Нам приходилось считаться не только с тем, что противник во что бы то ни стало постарается бросить на нас, на северный берег Двины, подходящие новые силы. Мы должны были также обеспечить прикрытие южного берега от отходящих туда вражеских частей. Опасность нашего положения стала ясной особенно тогда, когда отдел тыла штаба корпуса подвергся нападению с тыла недалеко от КП корпуса. Но этот вопрос о нашем временном одиноком положении, в котором, конечно, мы не могли находиться очень долго, менее занимал наш штаб, чем вопрос о том, как будут развиваться события дальше. Будет ли ближайшей целью Ленинград или Москва? Командующий танковой группой, прибывший к нам

27 июня на «шторхе»[1], не мог ответить нам на этот вопрос. Можно было предполагать, что командующий должен знать дальнейшие оперативные цели. Но это было не так. Вместо этого нам подлили воды в вино, отдав приказ удерживать переправы в районе плацдарма у Двинска (Даугавпилс), который мы должны были расширить. Мы вынуждены были ждать подхода 41 тк, который должен был переправиться у Якобштадта (Екабпилс), а также частей левого фланга 16-й армии.

Конечно, это было «надежным» и по-школьному правильным решением. Мы же все-таки думали иначе. По нашему мнению, неожиданное появление корпуса далеко в глубине вражеского фронта вызовет сильную панику у противника. Противник, конечно, будет пытаться сделать все, чтобы отбросить нас вновь за реку и стянуть для этого все силы.

Но чем быстрее мы продвигались бы, тем меньше он был бы в состоянии бросить на нас превосходящие силы, заранее спланировав эту операцию. Если бы мы продолжили, обеспечив охрану переправ через Двину, наступление в направлении на Псков и танковая группа выдвинула бы другой танковый корпус как можно быстрее через Двину, то противник был бы вынужден, как то уже имело место, бросить на нас только то, что он имел под рукой. Он не смог бы провести заранее подготовленную операцию. Позаботиться о разбитых вражеских частях южнее Двины могли бы следовавшие за нами армии.

Естественно, риск возрастал по мере того, как отдельный танковый корпус или вся танковая группа одна продвигалась в глубину русского пространства. Но, с другой стороны, безопасность подвижного соединения, находящегося в тылу вражеского фронта, основывается главным образом на том, что оно все время остается в движении. Если оно остановится, то будет немедленно атаковано со всех сторон подходящими вражескими резервами.

Как сказано, это мнение не поддерживалось Главным командованием, в чем, конечно, ему не сделаешь упрека. Конечно, если бы мы пытались дальнейшим продвижением удержать фортуну, это было бы азартной игрой. Она могла бы заманить нас и в пропасть. Следовательно, цель — Ленинград — отодвигалась от нас в далекое будущее, а корпус должен был выжидать у Двинска (Даугавпилс). Как можно было предвидеть, противник подтянул свежие силы,

---

[1] Самолет типа «Физелер-Шторх». — *Примеч. ред.*

и не только от Пскова, но и от Минска и Москвы. Вскоре нам пришлось на северном берегу Двины обороняться от атак противника, поддержанных одной танковой дивизией. На некоторых участках дело принимало серьезный оборот. В одной контратаке, которую предприняла 3-я мотодивизия с целью вернуть потерянную местность, 3 раненых офицера и 30 солдат, которые за день до этого попали в руки противника на перевязочном пункте, были найдены мертвыми.

В эти дни советская авиация прилагала все усилия, чтобы разрушить воздушными налетами попавшие в наши руки мосты. С удивительным упорством на небольшой высоте одна эскадрилья летела за другой с единственным результатом — их сбивали. Только за один день наши истребители и зенитная артиллерия сбили 64 советских самолета.

Наконец, 2 июля мы смогли вновь выступить после того, как в корпус прибыло третье механизированное соединение — дивизия СС «Тотенкопф», а слева от нас 41 тк перешел Двину у Якобштадта (Екабпилс).

4-я танковая группа получила направление для дальнейшего наступления через Резекне — Остров на Псков. Итак, где-то вдалеке наконец-то выявилась все же наша цель — Ленинград!

Однако после внезапного рейда корпуса на Двинск (Даугавпилс) прошло уже 6 дней. Противник имел время преодолеть тот шок, который он получил при появлении немецких войск на восточном берегу Двины.

Такой рейд, какой сделал 56 тк до Двинска (Даугавпилс), неизбежно вносит растерянность и панику в тылу врага, нарушает управление войсками противника и делает почти невозможным планомерное ведение операций. Эти преимущества 4-я танковая группа в результате своих действий на Двине потеряла, хотя для этого, может быть, и были веские причины. Удастся ли еще раз в такой же степени упредить противника, было по крайней мере сомнительно. Во всяком случае, одно было ясно, что это было бы возможно лишь в том случае, если бы танковой группе удалось направить все силы на выполнение одной задачи. Как раз этого, как будет показано, не произошло, хотя противник и не имел достаточно сил, чтобы остановить продвижение танковой группы.

Сначала танковая группа выступила всеми силами с линии Двинск (Даугавпилс) — Якобштадт (Екабпилс) в направлении на Псков, 56 тк — по большой дороге Двинск (Даугавпилс) — Резекне — Остров — Псков и восточнее этой дороги на левом фланге — 41 тк. Сопротивление противника оказалось более сильным и планомерным, чем в первые дни войны. Несмотря на это, мы все время теснили его.

В этих боях мне запомнился один маленький эпизод, который был воспринят моими подчиненными не без примеси чувства злорадства. Кто командовал в таких боях танковым корпусом, тот знает, что — как ни удивительно было стремительное продвижение немецких войск вперед — для непрерывного преследования противника войска тем не менее всегда нуждаются в присутствии высших командиров в передовых подразделениях и подстегивании с их стороны. Так и я прибыл однажды в штаб одной боевой группы 8 тд, продвижение которой остановилось из-за неприятельского артиллерийского огня. Сначала я подумал, судя по характеру огня, что это был беспокоящий огонь противника по этой большой дороге, который не должен остановить наше продвижение. Едва я только успел высказать это мнение, как вражеская артиллерия обрушила на нас ураганный огонь, заставивший нас быстро укрыться в щелях. Мой верный водитель Нагель, который хотел быстро вывести машину из района обстрела, был ранен, но, к счастью, только легко. В то время как мы, сидя в наших щелях, пережидали обстрел, господа из этого штаба не могли скрыть своего злорадства по поводу того, что командир корпуса так хорошо проучен фактами. Потом мы все искренне посмеялись и затем отправились дальше.

Танковая группа приближалась к «линии Сталина» — советским пограничным укреплениям, которые тянулись, изменяясь по своему характеру, вдоль бывшей советской границы от южной оконечности Чудского озера западнее Пскова до бывшей небольшой русской пограничной крепости Себеж.

Командование танковой группы отвело для наступления 41 тк большую дорогу на Остров, а 56 тк повернул резко на восток на Себеж — Опочка. Командование думало, что корпус после прорыва «линии Сталина» сможет обойти с востока сильную группировку вражеских танков, предполагаемую в районе Пскова: прекрасная мысль, если бы вражеская группировка действительно была там и можно было бы надеяться, что 56 тк быстро проведет обходный маневр.

По нашему же мнению, первое предположение не соответствовало действительности, а второй замысел был неосуществим, так как корпус в указанном ему направлении должен был преодолеть широкую болотистую местность впереди «линии Сталина». Наши предложения — продолжать наступление обоими корпусами на Остров — остались безрезультатными. К сожалению, наши опасения насчет болотистой местности оправдались. 8 тд нашла, правда, гать, ведущую через болота. Но она была забита машинами советской мотодивизии, которые здесь так и остались. Потребовались дни, чтобы расчистить дорогу и восстановить разрушенные мосты. Когда, наконец, танковая дивизия смогла выйти из болот, она натолкнулась на сильное сопротивление, которое удалось сломить только после сравнительно упорных боев.

3-я мотодивизия в своей полосе нашла только узкую дорогу, по которой она со своими машинами не смогла пройти. Она должна была отойти назад и была введена в состав 41 тк, действовавшего в направлении на Остров.

Более сносные условия местности, но и сильную укрепленную линию встретила дивизия СС «Тотенкопф», наступавшая на Себеж. Но здесь сказалась слабость, присущая неизбежно войскам, командному составу которых не хватает основательной подготовки и опыта.

Что касается дисциплины и солдатской выдержки, то дивизия производила, несомненно, хорошее впечатление. Я даже имел случай отметить ее особенно хорошую дисциплину на марше — важнейшую предпосылку для четкого движения моторизованных соединений.

Дивизия также всегда атаковала с большой смелостью и показала упорство в обороне. Позже не раз эта дивизия была в составе моих войск, и я полагаю, что она была лучшей из всех дивизий СС, которые мне приходилось иметь. Ее бывший командир был храбрым солдатом, однако он вскоре был ранен, а позже убит. Но все эти качества не могли возместить отсутствующей военной подготовки командного состава. Дивизия имела колоссальные потери, так как она и ее командиры должны были учиться в бою тому, чему полки сухопутной армии уже давно научились. Эти потери, а также и недостаточный опыт приводили в свою очередь к тому, что она упускала благоприятные возможности и неизбежно должна была вести новые бои. Ибо нет ничего труднее, как научиться пользоваться моментом, когда ослабление силы сопротивления противника дает наступающему наилучший шанс на решающий успех. В ходе боев я все время должен был оказывать помощь дивизии, но не мог предотвратить ее сильно возраставших потерь. После десяти дней боев три полка дивизии пришлось свести в два.

Как бы храбро ни сражались всегда дивизии войск СС, каких бы прекрасных успехов они ни достигали, все же не подлежит никакому сомнению, что создание этих особых военных формирований было непростительной ошибкой. Отличное пополнение, которое могло бы в армии занять должности унтер-офицеров, в войсках СС так быстро выбывало из строя, что с этим никак нельзя было примириться. Пролитая ими кровь ни в коей мере не окупалась достигнутыми успехами. Понятно, что нельзя в этом упрекать войска. Вину за эти ненужные потери несут те, кто формировал эти особые соединения из политических соображений вопреки возражениям всех авторитетных инстанций сухопутной армии. Ни в коем случае нельзя, однако, забывать, что солдаты войск СС на фронте были хорошими товарищами и показали себя храбрыми и стойкими бойцами. Несомненно, большая часть состава войск СС приветствовала бы выход их из подчинения Гиммлера и включение в состав сухопутной армий.

Прежде чем вернуться после этого отступления к боевым действиям 56 тк, скажу еще несколько слов, которые дадут наглядное представление читателю о том, как в последней войне организовывалось управление подвижными соединениями.

В битве у С. Прива-Гравлот в войне 1870—1871 годов мой дед, будучи командиром корпуса, находился со своим штабом под обстрелом на одной высотке, с которой он обозревал все поле и мог лично руководить боем корпуса. Он мог еще подъезжать к готовившимся к штурму войскам и, как сообщают, строго «отчитал» батарею, которая заняла огневые позиции недостаточно близко от расположения противника.

Все эти картины ушли, конечно, безвозвратно в прошлое. В Первую мировую войну все более дальний огонь вражеской артиллерии заставлял высшие штабы удаляться глубже в тыл. Размеры полос исключали возможность непосредственного наблюдения и управления на поле боя. Решающее значение стала иметь хорошо функционирующая телефонная связь. Картина, нарисованная Шлиффеном, видевшим будущего полководца сидящим у телефона и отдающим за письменным столом приказы, воодушевляющие войска, стала действительностью.

Однако Вторая мировая война потребовала новых методов управления, особенно подвижными соединениями. Здесь так быстро меняется обстановка, так быстро меняются возможности для использования благоприятных моментов, что ввиду этого командир соединения не может находиться далеко в тылу на КП. Если сидеть на КП и ждать донесений, то в таком случае будут приниматься слишком запоздалые решения, многие шансы останутся неиспользованными. Часто необходимо — особенно после достижения успеха в бою — преодолеть вполне естественные явления усталости у войск и подстегнуть их. Но этим еще дело не сделано.

При тех больших требованиях, которые предъявляет вновь возрожденная нами маневренная война к выдержке солдат и командиров, еще важнее старшему командиру как можно чаще появляться перед войсками. Солдат не должен иметь такого чувства, что «тыловые командиры» выдумывают какие-то приказы, не зная действительной обстановки на поле боя. У него появляется известное чувство удовлетворения, когда он видит, что и командир корпуса попадает иногда в переделку или становится свидетелем достигнутого успеха. Если ежедневно бывать в войсках, узнаешь их нужды, выслушаешь их заботы и поможешь им. Командир соединения — это не только человек, который по долгу своей службы вынужден постоянно требовать, но он и помощник и товарищ. Кроме того, он сам черпает из этих посещений войск новые силы.

Как часто случалось, что я, бывая в каком-либо штабе дивизии, выслушивал опасения в связи с ослаблением ударной силы частей или в связи с часто неизбежным перенапряжением сил. Безусловно, что эти опасения чем дальше, тем больше давили и на командиров, так как на них лежала ответственность за их батальоны и полки. Когда я затем выезжал в сражающиеся части на передний край, то часто с радостью констатировал, что там нередко оценивали положение более уверенно, а настроение — может быть, в связи с одержанной в это время победой — было более бодрым, нежели я предполагал. Когда выкуришь сигарету с экипажем танка или расскажешь в роте об общей обстановке, то после этого всегда наблюдаешь, как прорывается неукротимое стремление немецких солдат вперед и готовность отдать все до последней капли крови. Такие встречи для командиров соединений являются часто самыми прекрасными моментами, какие они только могут пережить. К сожалению, их тем меньше, чем выше командир. Командующий армией или группой армий не может ведь бывать в войсках так часто, как это еще может делать командир корпуса.

Но и командир корпуса не может все время разъезжать. Командир, который непрерывно находится на местности и которого никогда не застанешь, практически теряет руководство в своем штабе. В некоторых случаях, может быть это и хорошо, но в конце концов не в этом смысл дела. Поэтому необходимо разумно организовать управление, особенно в подвижных соединениях, и во всяком случае обеспечивать его непрерывность.

Необходимо также, чтобы отдел тыла штаба корпуса, как правило, оставался бы несколько дней на одном месте, чтобы не прекращать обеспечения подвоза. Командир же корпуса с оперативным отделом штаба должен, чтобы следовать за продвижением своих подчиненных дивизий, почти ежедневно, а иногда и два раза в день перемещать свой командный пункт. Это требует, конечно, большой подвижности штаба. Этого можно достичь только путем уменьшения состава своего боевого штаба, что, впрочем, часто только полезно для управления, и отказом от всяких удобств. Духу бюрократизма, который, к сожалению, проникает и в армию, приходится тогда, конечно, туго.

Мы не задерживали себя долго поисками мест расквартирования. Во Франции на каждом шагу стояли большие и маленькие замки. На востоке маленькие деревянные дома не имели ничего заманчивого, особенно если учесть, что там всегда присутствовали «домашние зверьки». Поэтому боевой штаб жил почти всегда в палатках и в двух штабных автобусах, которые вместе с немногими легковыми автомашинами, радиостанцией и телефонной станцией одновременно служили и транспортом для технического персонала штаба. Я разделял мою маленькую палатку с моим адъютантом и, кажется, за весь этот танковый рейд только три раза спал в постели, а то все время в палатке в моем спальном мешке. Только один наш офицер штаба всегда питал непреодолимое отвращение к палатке. Он предпочитал спать в своей машине. Его длинные ноги свешивались за дверцу, и после дождливых ночей он не мог снять свои мокрые сапоги.

Мы всегда разбивали свой маленький палаточный лагерь в лесу или кустарнике недалеко от главной дороги, если возможно — около озера или реки, с тем чтобы после возвращения из наших поездок, все в грязи и пыли, а также при утреннем подъеме выкупаться в воде.

В то время как начальник моего боевого штаба в связи со своей работой, а также в связи с необходимостью поддерживать телефонную связь вынужден был находиться на нашем КП, я целый день до поздней ночи разъезжал. Большей частью я выезжал рано утром после получения утренних донесений и отдачи необходимых приказов, чтобы побывать в дивизиях или в передовых частях. В полдень я возвращался на КП и после короткого отдыха вновь отправлялся в какую-либо дивизию. Часто как раз в вечерние часы решался успех и необходимо было подстегнуть войска. Усталые, от пыли похожие на негров, мы возвращались в наш палаточный лагерь, который к этому времени был уже разбит на новом месте. Особенно приятно было, когда вместо обычного ужина, состоявшего, как правило, из хлеба, копченой колбасы и маргарина, благодаря заботам майора Нимана мы получали жареную курицу или даже бутылку вина, которую он выдавал нам из своего маленького запаса. Правда, куры и утки были редкостью, поскольку, хотя мы и были всегда впереди, на них находилось много других любителей. Когда начались ранние осенние дожди и в палатках стало довольно холодно, баня, которую в примитивном виде можно были найти в каждом дворе, доставляла нам приятную и освежающую теплоту.

Конечно, я мог постоянно передвигаться и при этом продолжать управлять войсками только потому, что постоянно брал с собой радиостанцию на машине под начальством нашего превосходного офицера связи, позже майора Генерального штаба Колера. Он с удивительной быстротой искусно налаживал радиосвязь с дивизиями, а также с КП и поддерживал ее во время поездок. Поэтому я всегда был в курсе обстановки на всем участке корпуса, и те распоряжения, которые я отдавал на месте, попадали сразу же в оперативную группу штаба, он сам также своевременно получал сведения. Кстати, Колер в период моего плена оказался верным другом и помощником моей жены.

Моим постоянным спутником в этих поездках наряду с двумя верными водителями Нагелем и Шуманом и двумя связными мотоциклистами был мой адъютант обер-лейтенант Шпехт. Мы называли его «Пепо» за его небольшую тонкую фигуру, свежесть и беззаботность. Он представлял собой тип молодого офицера-кавалериста, каким его себе обычно представляешь. Бодрый, молодцеватый, с долей легкомыслия по отношению к опасностям, сообразительный и находчивый, всегда веселый и несколько наглый — качества, которыми он завоевал мое сердце. Он был хорошо сложен как кавалерист (его отец был большим любителем лошадей, а его мать — замечательной наездницей) и, едва став лейтенантом, незадолго до войны выиграл несколько больших скачек. Он был всегда готов к любым поездкам, но больше всего любил участие в «дозорах» вместе со своим командиром корпуса. Пока мы, будучи в танковом корпусе, могли ежедневно бывать на поле боя, «Пепо» был доволен мною и своей судьбой. Но когда я позже в качестве командующего армией не мог уже так часто бывать на фронте, он начал терзаться своим положением и настойчиво проситься в часть. Стремление, вполне понятное для молодого офицера. Я часто выполнял его желание, и в Крыму он дважды очень умело и храбро командовал эскадроном одного разведывательного батальона. Когда я перед Ленинградом вновь послал его в одну дивизию, он разбился со «штормом» — потеря, которая причинила мне большую боль.

Вернемся к 56-му корпусу. Жизнь в палатках и машине была тяжелой, и мы часто зверски уставали. В такое время нас ободряли маленькие веселые эпизоды, которые нам приходилось переживать. Однажды мы мучительно медленно двигались в составе колонны 3-й мотодивизии по узкой дороге, которая не давала возможности обгона. Мы двигались в сплошном облаке пыли. Перед радиатором мы видели только тень движущейся впереди машины или задний огонь, который предусмотрительно зажигался на ней. На перекрестке дорог около одной деревни создалась пробка. Облако пыли опало и медленно рассеивалось. Мы взглянули вперед, и наши лица вытянулись от удивления. Несколько секунд мы сидели без движения. Мы увидели впереди нас два советских броневика. Они уже давно, ничего не подозревая, ехали в нашей колонне. К нашему счастью, их экипаж, заметивший, где он находится, был ошеломлен не менее нас. Если бы они проявили сообразительность, то могли бы открыть по нам огонь из всего оружия. Однако они с завывающими моторами ушли влево и свернули на боковую дорогу.

В другой раз в ужасную жару, черные, как негры, от пыли, мы, довольно усталые, прибыли в штаб 8 тд. В то время когда командир докладывал обстановку, офицер штаба дивизии майор Берендзен (в настоящее время депутат бундестага), бывший, впрочем, прекрасным офицером танковых войск, протянул мне бутылку французского коньяка во льду. Где он мог в этой жаре достать льду? Выяснилось, что саперная рота, оборудуя новый подъезд к мосту, раскопала большой холм, оказавшийся засыпанной землей ледяной горой — складом льда молочной фермы. Пожалуй, никогда еще коньяк не доставлял мне такого удовольствия, как в этот раз.

Спустя несколько дней мы проезжали по охваченному пламенем городу Сольцы. Вдруг из густого дыма прямо перед нашей машиной появился какой-то русский. Он тащил за собой небольшую тележку, нагруженную ящиками, в которых поблескивали небольшие бутылки с водкой государственного спирто-водочного завода. Видимо, он «спас» их из государственного склада и решил, что полезно будет принести и нам дань в виде одного ящика с водкой. Редко нам оказывался такой восторженный прием при возвращении на КП, как в этот раз, когда мы привезли с собой эти бутылочки с водкой и раздали их нашим. Трудно представить себе, какую большую роль играют эти маленькие радости во фронтовой жизни.

Наряду с преимуществами, которые частое пребывание на передовой представляло для управления танковым корпусом, оценки боеспособности своих войск и использования благоприятной тактической обстановки, с этим связано еще одно удобство. Благодаря ему не чувствуешь себя привязанным к «проводу», к телефону, соединяющему тебя с высшим начальством, а это освобождает от многих излишних запросов и ответов. Как бы ни была необходима телефонная связь для управления войсками, она все же легко превращается в путы, сковывающие свободную инициативу.

Однако вернемся к изображению тогдашних военных событий.

К 9 июля окончательно выяснилось, что попытка командования танковой группы обойти силами 56 тк с востока силы противника, сосредоточенные, как полагали, в Пскове, не может дать успеха. Этому препятствовали болотистая местность и сильное сопротивление противника. Не оставалось ничего другого, кроме как прекратить проведение этого маневра и все же перебросить штаб корпуса вместе с 8 тд на север в направлении на Остров, куда уже была направлена ранее 3-я мотопехотная дивизия. Как показала сводка от 10 июля, танковый корпус после начала своего продвижения от Двинска (Даугавпилс) разгромил четыре или пять стрелковых дивизий противника, танковую дивизию и моторизованную дивизию, то есть значительно превосходящие его численно силы противника. Наряду с тысячами пленных нами с момента перехода через государственную границу было взято в качестве трофеев 60 самолетов, 316 орудий (включая противотанковые и зенитные), 205 танков и 600 грузовых автомашин. Однако отброшенный теперь на восток противник, как вскоре оказалось, еще не был уничтожен.

Командование корпуса ожидало, что после сосредоточения сил 4-й танковой группы в районе Острова непосредственно последует быстрое и массированное наступление группы на Ленинград — 56 тк через Лугу, а 41 тк через Псков. По крайней мере, по нашему мнению, таким образом лучше всего было бы обеспечено взятие Ленинграда в кратчайший срок и окружение сил противника, отходящих под натиском 18-й армии через Лифляндию[1] в Эстонию. 16-я армия, следовавшая позади 4-й танковой группы, должна была бы наступательными действиями обеспечить в этой операции открытый восточный фланг.

Но командование танковой группы, следуя, видимо, указаниям Главного командования, приняло иное решение. 41 тк было при-

---

[1] Прибалтика, здесь Латвийская ССР. — *Примеч. ред.*

казано продвигаться в направлении на Ленинград по шоссе через Лугу. 56 тк должен был, снова нанося удар в восточном направлении, продвигаться через Порхов — Новгород, чтобы возможно скорее перерезать в районе Чудово железнодорожную линию Москва — Ленинград. Как бы ни была важна эта задача, такая группировка сил означала новый большой разрыв между обоими танковыми корпусами. В этом крылась опасность, что и та и другая группировка не будет обладать необходимой ударной силой. Усугублялась эта опасность тем, что сильно заболоченная и в значительной части покрытая лесом местность, отделявшая нас от Ленинграда, была не очень-то благоприятна для действий танковых корпусов.

Особенно было достойно сожаления, что из-под подчинения 56 тк была изъята дивизия СС «Тотенкопф», смененная в районе Себеж — Опочка подошедшей 290 пд. Эта дивизия находилась в резерве танковой группы южнее Острова. Как и в начале наступления от немецкой границы, танковая группа вновь наносила главный удар своим левым флангом — 41 тк. 56 тк должен был начать свой глубокий обходный маневр на Чудово в составе только двух дивизий — одной танковой и одной моторизованной. Он был лишен возможности прикрыть, как это было необходимо, свой открытый южный фланг, поместив на нем уступом вправо дивизию СС «Тотенкопф». Это было тем более опасно, что силы противника, с которыми корпус вел бой до того времени, хотя и были потрепаны, но отнюдь не были уничтожены. Как бы то ни было, командование корпуса продолжало считать, что безопасность корпуса по-прежнему следует обеспечивать быстротой его маневра.

3-я мотодивизия, впервые перешедшая в наше распоряжение в районе Острова, 10 июля в ожесточенном бою взяла Порхов и была направлена дальше по боковой дороге на север. 8 тд должна была продвигаться через Сольцы, чтобы возможно скорее захватить важный для дальнейшего продвижения переход через реку Мшага у ее впадения в озеро Ильмень.

В последующие дни мы продвигались с продолжительными и большей частью тяжелыми боями. Противник на нашем открытом южном фланге не давал пока о себе знать, только 14 июля КП корпуса на северном берегу Шелони был атакован противником, по-видимому, его разведывательным отрядом. 8 тд, взявшая Сольцы в боях с противником, располагавшим сильной артиллерией и тяжелыми танками, в тот же день по моему приказу вышла на рубеж реки Мшага. Мост оказался разрушенным.

Тем временем командование танковой группы перенесло направление главного удара с шоссе, ведущего через Лугу, дальше на запад. Оно бросило 41 тк в составе трех танковых и мехдивизий от Пскова на север, чтобы отрезать путь отступления противнику, отходящему перед 18-й армией через Нарву севернее Чудского озера. На Лужском шоссе от корпуса осталась только одна 269 пд.

Вследствие этого 56 тк в своем глубоком обходном маневре на Чудово неожиданно оказался еще более изолированным, чем раньше. Поэтому командование корпуса доложило командующему танковой группой, что в этой обстановке для выполнения задачи по овладению городом Чудово необходимо немедленно направить дивизию СС «Тотенкопф» вслед корпусу, а также подтянуть 1 ак 16-й армии, следовавший на относительно близком расстоянии.

Прежде чем было предпринято что-либо по этому докладу, 66 тк оказался в затруднительном положении. 15 июля на КП командира корпуса, находившийся на Шелони западнее Сольцы, поступили малоутешительные донесения. Противник большими силами с севера ударил во фланг вышедшей на реку Мшага 8 тд и одновременно с юга перешел через реку Шелонь. Сольцы — в руках противника. Таким образом, главные силы 8 тд, находившиеся между Сольцами и Мшагой, оказались отрезанными от тылов дивизии, при которых находился и штаб корпуса. Кроме того, противник отрезал нас и с юга большими силами, перерезал наши коммуникации. Одновременно продвигавшаяся дальше к северу 3 мд была у Мал. Утогорж атакована с севера и северо-востока превосходящими силами противника.

Было ясно, что цель противника заключается в окружении изолированного 56 тк. Так как на нашем правом фланге не следовала уступом дивизия СС «Тотенкопф», ему удалось форсировать Шелонь силами, находившимися на нашем южном фланге. Одновременно отвод 41 тк с Лужского шоссе освободил там значительные силы противника, которые и атаковали наш северный фланг.

Нельзя было сказать, чтобы положение корпуса в этот момент было весьма завидным. Мы должны были задаться вопросом: не шли ли мы на слишком большой риск? Не слишком ли мы под влиянием своих прежних успехов недооценили противника на нашем южном фланге? Но что же нам оставалось, если мы хотели обеспечить себе хотя какие-нибудь шансы для выполнения поставленной задачи? В сложившейся обстановке не оставалось ничего другого, как отвести через Сольцы 8 тд, чтобы уйти от угрожавших нам клещей. 3 мд также должна была временно оторваться от противника, чтобы корпус вновь мог получить свободу действий. Последующие несколько дней были критическими, и противник всеми силами старался сохранить кольцо окружения. Для этой цели он ввел в бой кроме стрелковых дивизий две танковые дивизии, большие силы артиллерии и авиации. Несмотря на это, 8 тд удалось прорваться через Сольцы на запад и вновь соединить свои силы. Все же некоторое время ее снабжение обеспечивалось по воздуху. 3-й моторизованной дивизии удалось оторваться от противника, только отбив 17 атак. Тем временем удалось также освободить от противника наши коммуникации, после того как командование группы вновь передало в подчинение корпуса дивизию СС «Тотенкопф».

18 июля кризис можно было считать преодоленным. Фронт корпуса, направленный на восток и северо-восток и проходивший примерно на рубеже города Дно, вновь был восстановлен. 8 мд была сменена дивизией СС и получила короткий отдых. На южном фланге, который раньше был открыт, опасность была ликвидирована благодаря подходу 1 ак 16-й армии, продвигавшегося на Дно.

Утешением для нас было захваченное нами в самолете связи донесение советского маршала Ворошилова, который командовал противостоящим нам фронтом. Из донесения следовало, что были разбиты значительные силы советских войск, причем особо упоминались бои за Сольцы.

В дни окружения мы, естественно, имели связь с тылом в лучшем случае по радио или самолетами. Едва только была восстановлена нормальная связь, как на нас опять обрушился бумажный поток. Упоминания заслуживает телеграфный запрос угрожающего содержания, исходивший от Главного командования. Дело в том, что московское радио несколько преждевременно сообщило о нашем окружении и при этом отметило, что советские войска захватили у нас важные секретные уставы. Речь шла о сугубо секретном наставлении по химическим минометам. Это новое оружие, из которого мы стреляли также снарядами с горючей жидкостью, по-видимому, доставляло много неприятностей Советам. Стоявшая против нас Советская Армия однажды уже открыто передала по радио, что если мы не прекратим игры с зажигательными снарядами, то будут применены газы (что они, конечно, не посмели бы сделать из-за того, что противохимическая защита у них была совершенно недостаточной). Было вполне понятно, что московское радио с радостью протрубило на весь мир о захвате этого секретного наставления. Теперь Главное командование требовало от нас объяснений, «как оказалось возможным», что совершенно секретный документ попал в руки противника. Противник захватил наставление, конечно, не у передовых частей, а в обозе, когда он занял наши коммуникации. Это всегда может случиться с танковым корпусом, находящимся далеко впереди фронта своих войск. В ответ на запрос мы изложили обстоятельства дела с добавлением, что впредь, дабы избежать порицания, мы не позволим себе разгуливать в 100 км впереди фронта своих войск.

Уже 19 июля командование танковой группы поставило нас в известность о том, что оно намерено направить 56 тк через Лугу на Ленинград. Находившаяся у Лужского шоссе 269 тд была уже подчинена нам. Опять было отвергнуто наше предложение сосредоточить наконец силы танковой группы в полосе 41 ак восточнее Нарвы (откуда на Ленинград вели четыре исправные дороги), а не в гораздо менее выгодном направлении на Лугу, где обширные леса затрудняли ведение боевых действий. Пока что мы должны были вместе с 1 ак наступать на восток, чтобы занять достигнутый уже однажды рубеж реки Мшага. Главное командование, по-видимому, все еще придерживалось плана глубокого обхода, даже восточнее озера Ильмень. Так развернулись новые бои, в которых мы вместе с 1 ак отбросили противника за реку Мшага.

26 июля к нам прибыл обер-квартирмейстер (начальник оперативного управления) ОКХ, генерал Паулюс. Я разъяснил ему ход боев за прошедшее время и указал на большие потери танкового корпуса на местности, не приспособленной для действий танковых войск, а также на недостатки, связанные с распылением сил танковой группы. Потери трех дивизий корпуса достигли уже 600 человек. Как люди, так и техника выносили тяжелейшую нагрузку, однако 8 тд удалось за несколько дней отдыха довести число готовых к бою танков с 80 до 150 единиц круглым счетом.

Я заявил Паулюсу, что, по моему мнению, было бы наиболее целесообразным высвободить всю танковую группу из этого района, где быстрое продвижение почти невозможно, и использовать ее на московском направлении. Если же командование не хочет отказываться от мысли взять Ленинград и провести обходный маневр с востока через Чудово, то для этой цели прежде всего следует использовать пехотные соединения. Танковый корпус нужно было бы сохранить для нанесения последнего удара по городу, после преодоления зоны лесов. Иначе наши дивизии утратили бы свою боеспособность, подойдя к Ленинграду. Такая операция, во всяком случае, оправдала бы затраченное время. Если же мы хотим быстро захватить побережье и Ленинград, то остался бы вариант сосредоточения всех сил танковой группы на севере в районе восточнее Нарвы для прямого удара на Ленинград. Генерал Паулюс целиком согласился с моим мнением.

Однако пока что все шло по-другому. В то время как 16-я армия в составе 1 ак и еще одного вновь подошедшего корпуса заняла фронт по реке Мшага западнее озера Ильмень, 56 тк должен был все же осуществить удар через Лугу на Ленинград. Для этого ему были подчинены 3-я моторизованная дивизия, 269 пд и вновь прибывшая полицейская дивизия СС.

Таким образом, распыление механизированных сил танковой группы достигло своей высшей точки. Дивизия СС «Тотенкопф» осталась в подчинении 16-й армии у озера Ильмень, 8 пд была изъята из подчинения корпуса и как резерв командующего группой использовалась для очистки тылового района от партизан, хотя была мало пригодна для выполнения подобной задачи и могла бы быть использована иначе с большим эффектом. В районе Луги корпус имел в своем подчинении только одну мотодивизию — 3 мд, тогда как 41 тк со своими тремя дивизиями вел бои восточнее Нарвы. Генерал-полковник Гудериан, создатель танковых войск, выдвинул следующий принцип их действий: «В кулаке, а не вразброс». У нас это положение было совершенно явно превращено в свою противоположность. Все попытки сохранить за корпусом все три подвижные дивизии независимо от того, в каком направлении будет действовать 56 тк, были безрезультатны. Но вообще давно известно, что при недостатке сил мало кому из командиров удается сохранить порядок в их распределении и избежать рассредоточения соединений.

Изложение хода боев за Лугу завело бы нас здесь слишком далеко. Противник, у которого всего только несколько недель назад в этом районе наверняка имелись лишь незначительные силы, теперь имел здесь целый корпус с тремя дивизиями и сильной артиллерией и танками. К тому же район Луги представлял собой учебное поле Советской Армии, так что противник, конечно, прекрасно знал местность во всех подробностях. Кроме того, у него было достаточно времени для сооружения прочных оборонительных рубежей.

К 10 августа корпус наконец был готов начать наступление. Оно проходило в тяжелых боях, но все же успешно. К сожалению, наши потери были довольно значительны. Полицейская дивизия СС потеряла своего храброго командира, генерала полиции Мюлерштедта.

Особенно неприятны были многочисленные контратаки танков противника, тогда как наш корпус вообще не располагал теперь танковыми силами. Следует отметить, как показал себя в этих боях наш дивизион артиллерийской инструментальной разведки, — противник не мог противопоставить ему ничего равноценного. Благодаря проводившейся им разведке целей и корректированию огня нам удавалось подавить значительную часть сильной артиллерии противника или по крайней мере заставить ее отойти на более удаленные от переднего края позиции. Однако против тяжелых минометов противника, которые стали применяться в больших количествах, и дивизион АИР не мог ничего предпринять.

Еще в ходе этих боев штаб корпуса получил приказ, содержавший новую задачу. Наконец корпус должен был соединиться с 41 тк на севере для удара на Ленинград. Правда, и в этот раз это относилось только к штабу корпуса и 3 мд, тогда как 8 мд и дивизия СС «Тотенкопф» должны были продолжать действия в прежнем направлении.

16 августа мы передали участок у Луги командиру 50 ак, генералу Линдеманну, старому знакомому со времен Первой мировой войны, и отправились на север. Дорога на наш новый КП на озере Самро, 40 км юго-восточнее Нарвы, была настолько плоха, что на 200-километровый путь нам потребовалось 8 часов. Едва мы поздно вечером прибыли к озеру Самро, как нас вызвал по телефону штаб танковой группы. Мы получили приказ немедленно приостановить движение следовавшей за нами 3 мд, а самим назавтра с утра срочно возвратиться на юг и доложить о своем прибытии в Дно командующему 16-й армией. Наш корпус в составе 3 мд и дивизии СС «Тотенкопф», которая снималась с ильменского участка, передавался в подчинение 16-й армии. Нельзя сказать, чтобы эти перипетии нас особенно обрадовали. Прекрасно чувствовал себя только квартирмейстер, майор Клейншмидт, принявший известие о том, что все его распоряжения по тылу надо повернуть на 180°, не теряя своего юмора.

Итак, 16 августа мы поехали обратно по той же дороге и дальше на Дно. На этот раз на 260 км пути нам понадобилось 13 часов. К счастью, 3 мд не успела уйти далеко на север и смогла своевременно повернуть на юг. Что во время этих метаний испытывали наши солдаты, об этом мне не хотелось бы их расспрашивать.

Конечной причиной этой неразберихи было, по-видимому, то, что в целом сил у нас недоставало и что весь район между Ленинградом, Псковом и озером Ильмень был совершенно непригоден для действий танковых сил.

В штабе 16-й армии выяснилось следующее. 10 ак, который вел бой на правом фланге 16-й армии южнее озера Ильмень, был атакован значительно превосходящими силами противника (38-я советская армия с восемью дивизиями и кавалерийскими соединениями) и потеснен ими. Теперь он, обернувшись фронтом на юг, вел тяжелые оборонительные бои южнее озера Ильмень. Противник, видимо, имел намерение охватить его западный фланг. 56 тк должен был срочно отвлечь силы противника и выручить 10 ак.

Задача нашего корпуса прежде всего состояла в том, чтобы вывести свои две мотодивизии по возможности незаметно для противника к его открытому западному флангу восточнее Дно, с тем чтобы затем с фланга сбить его с позиций, обращенных фронтом на север против 10 ак, или зайти ему в тыл. Перед нами стояла прекрасная задача. Удовлетворением для нас было и то, что в дивизии СС «Тотенкопф» обрадовались, узнав, что она вновь поступила под наше командование. Но, к сожалению, нам не удалось добиться передачи нам и 8 тд для выполнения этой задачи.

К 18 августа нам удалось скрытно перебросить обе дивизии к западному флангу войск противника и, тщательно маскируясь, занять исходное положение. 19 августа утром началось наступление корпуса, явившееся, по-видимому, неожиданным для противника. Действительно, удалось, как и было задумано, сбить противника с позиций, нанеся ему удар во фланг, и во взаимодействии с вновь перешедшим в наступление 10 ак в дальнейших боях нанести решительное поражение советской 38-й армии. 22 августа мы достигли реки Ловать юго-восточнее Старой Руссы, несмотря на то, что в этой песчаной местности, почти полностью лишенной дорог, пехоте обеих моторизованных дивизий пришлось большую часть пути проходить пешим строем. Все же корпус за эти дни захватил 12 000 пленных, 141 танк, 246 орудий, а также сотни пулеметов, автомашин и другие средства транспорта. Среди трофеев находились две интересные вещи. Одна из них — новенькая батарея немецких 88-мм зенитных орудий образца 1941 года! Вторая — это первое советское реактивное орудие, захваченное немецкими войсками. Я особенно был заинтересован в эвакуации этого орудия. Как же я был возмущен, когда мне доложили, что орудие не может быть отправлено в тыл, так как кто-то снял с него скаты. Кто же это сделал? Не кто иной, как мой второй адъютант, майор Ниман, которому эти скаты показались подходящими для нашего штабного автобуса. Он был весьма огорчен, когда узнал, что ему придется вернуть скаты и опять надеть их на старое место.

Во время короткого отдыха на реке Ловать, предоставленного войскам, которым опять пришлось вести бой с самым высоким напряжением сил, командование, по-видимому, рассматривало вопрос о выводе 56 тк для использования его на другом направлении. Затем все же было возобновлено наступление 16-й армии на восток южнее озера Ильмень. В конце августа, однако, начался первый за это лето период дождей, которые вскоре так размыли дороги, что обе моторизованные дивизии на время были совершенно прикованы к своему месту. Одновременно противник подтягивал новые силы. Вместо разбитой 38-й армии перед фронтом 16-й армии на участке Холм — озеро Ильмень появились три новые советские армии — 27, 34 и 11-я. Развернулись новые бои, описание хода которых завело бы нас слишком далеко. 56 тк форсировал Полу и подошел вплотную к Демянску. Не говоря уже об усиливающемся сопротивлении противника, особенно тягостном для войск, и большой нагрузке для техники, было мучительно медленное продвижение по совершенно размытым дождями дорогам. В это время я также проводил целые дни в пути вместе с подчиненными мне дивизиями, но часто даже моя мощная машина могла продвигаться по этим так называемым дорогам только с помощью тягачей. Когда я однажды, уже после наступления темноты, подъехал к только что захваченному нами мосту через Полу, подъезд к которому был, как мне доложили, разминирован, вдруг под правым передним колесом взорвалась мина. Колесо было сорвано и отброшено на 100 м, стекла разбиты. Только радио действовало по-прежнему. Из четырех человек, находившихся в машине, никто не был даже легко ранен. Я сам, сидевший на переднем сиденье справа от водителя, также остался невредим — это поистине милость судьбы!

В нашем палаточном лагере постепенно становилось довольно неуютно, сыро и холодно. Однако найти какую-либо порядочную квартиру для штаба в этой местности было невозможно. Чтобы хоть как-нибудь разогреться, мы ходили в баню, хотя и очень бедную, находившуюся при каждом даже самом маленьком дворе.

В те недели и мы в конечном счете ощущали на себе разногласия между планами Гитлера (цель — Ленинград) и ОКХ (цель — Москва). Командующий 16-й армией, генерал-полковник Буш, говорил мне, что он намерен вести наступление на восток в направлении на Валдайскую возвышенность, чтобы обеспечить себе возможность дальнейшего продвижения в направлении Калинин — Москва. Командование же группы армий «Север», видимо, держалось иного мнения, так как опасалось в этом случае за открытый восточный фланг армии. В то время как из полосы группы армий «Центр» в начале сентября в наших операциях принял участие продвигавшийся с юга 57 тк, мы получили 12 сентября приказ, по которому нам в кратчайший срок предстояла переброска с 3 мд на юг, в подчинение 9-й армии, входившей в группу армий «Центр». Даже я, как командир корпуса, не мог ничего понять в этих вечных переменах. Но у меня сложилось впечатление, что все это в конечном счете было результатом споров между Гитлером и ОКХ о том, что должно стать целью кампании — Москва или Ленинград.

Как бы то ни было, действия 16-й армии в течение трех недель, когда в них принимал участие 56 тк, были по-прежнему успешны. 16 сентября ОКВ сообщило, что разбиты значительные силы 11, 27 и 34-й советских армий. Было объявлено, что девять дивизий противника уничтожено, а еще девять — разбито. И все же не было чувства настоящей удовлетворенности этими успехами. Не было ясно, какую оперативную цель мы преследовали, в чем же заключался смысл всех этих боев. Во всяком случае, прошли времена стремительных бросков вперед, как во время нашего рейда на Двинск (Даугавпилс). Но и время моего командования 56 тк близилось к концу,

12 сентября вечером я сидел с офицерами штаба в своей палатке, шел проливной дождь. С тех пор как стало рано темнеть, мы решили убить время до поступления вечерних сводок игрой в бридж. Вдруг около меня зазвонил телефон. Меня вызывал командующий армией, мой друг Буш. Такой ночной телефонный вызов не обещает обычно ничего хорошего. Но Буш прочел мне следующую телеграмму ОКХ:

«Немедленно направить генерала пехоты фон Манштейна в распоряжение группы армий "Юг" для принятия командования 11-й армией».

Каждый солдат поймет, какую радость и гордость вызвало у меня назначение командующим армией. Для меня это было венцом моей военной карьеры.

Рано утром на следующий день я попрощался — к сожалению, только по телефону — с подчиненными мне дивизиями, а затем с моим штабом. Я с благодарностью напомнил обо всем, что сделали корпус и его штаб за истекшие месяцы кампании. За эти месяцы корпус и дивизии были действительно крепко спаяны.

Хотя я с радостью принял возложенную на меня более ответственную задачу, я все же понял, что самый приятный, наиболее удовлетворявший меня как солдата период моей жизни прошел. Три месяца я провел среди войск, деля с ними все тяготы, заботы и гордость успехами. Я черпал новые силы в том, что мы переживали вместе, в преданности и готовности, с которой каждый выполнял свой долг, и в тесном солдатском товариществе. В будущем мое положение не позволит мне уже в такой же мере связывать себя с жизнью войск.

Едва ли мне придется, думал я, вновь пережить что-либо подобное стремительному рейду 56 тк в первые дни войны — исполнение всех желаний командира танкового соединения. Нелегко мне было поэтому прощаться с корпусом и с моим штабом. Тяжело было расставаться с моим испытанным начальником штаба, полковником бароном фон Эльверфельдтом, благородно мыслящим, уравновешенным и всегда надежным советчиком. Трудной была минута прощания и с темпераментным, умным начальником оперативного отдела, майором Детлеффсеном, начальником разведки Гвидо фон Кесселем и неутомимым квартирмейстером, майором Клейншмидтом. Пришлось расстаться и с начальником отдела офицерских кадров, майором фон дер Марвицем, который находился у нас уже несколько недель и с которым меня связывала тесная дружба по совместному пребыванию в военном училище в Энгерсе и по службе в Померании. Когда я утром 13 сентября направился к своему другу Бушу, чтобы доложить о своем отбытии, меня сопровождали только мой адъютант Шпехт и два моих водителя — Нагель и Шуман. Ни одного из них нет теперь уже в живых!

Глава 9
КРЫМСКАЯ КАМПАНИЯ

Особенности крымской кампании. Принятие командования. Штаб 11-й армии. «Новый хозяин». Румыны. Новый театр военных действий. Обстановка во время вступления в командование. Двойная задача армии: Крым или Ростов? Аскания-Нова. Сражение на два фронта. Прорыв через Перекопский перешеек, сражение у Азовского моря. Прорыв через Ишунь. Взятие Крыма. Первое наступление на Севастополь. Сталинское наступление. Десанты Советов у Керчи и Феодосии. Трагический случай с генералом графом Шпонеком. Де-

сант у Евпатории. Партизанская война. Судьба армии на волоске.
Контрудар у Феодосии. Оборонительные бои на перешейке Парпач.
Изгнание советских войск с Керченского полуострова. «Охота на
дроф» — сокрушительная победа. Взятие крепости Севастополь.
Отпуск в Трансильвании.

Если я делаю здесь попытку изложить ход боев 11-й армии и ее
румынских боевых друзей в Крыму, то в первую очередь для того,
чтобы увековечить память своих товарищей по крымской армии.
Одновременно я хочу дать тем из них, кто остался в живых, общую
картину тогдашних событий, которые были известны им тогда только в отдельных деталях.

В 1941—1942 годах они показали чудеса храбрости и выдержки
в почти непрерывных боях и почти всегда против численно превосходящего их противника. Они атаковали и преследовали врага всегда с несравненным наступательным порывом и стойко держались,
когда обстановка казалась безнадежной. Часто они могли и не знать,
почему командование армии вынуждено было ставить им задачи,
казавшиеся невыполнимыми, почему их бросали с одного участка
фронта на другой. И все же они с величайшей преданностью и доверием к командованию выполняли эти требования, а командование
всегда было уверено, что может положиться на свои войска!

Рамки данной книги не позволяют подробно излагать ход всех
боев этой кампании, перечислять все подвиги отдельных людей
и частей. Кроме того, из-за отсутствия соответствующего архивного
материала я мог бы назвать только тех, чьи подвиги сохранились
в моей памяти, что было бы несправедливо по отношению ко многим другим, совершавшим не меньшие подвиги. Итак, я вынужден
ограничиться изложением общего хода операций. И при таком изложении читателю будет ясно, что деятельность войск являлась
основным фактором, приносившим решительный исход в наступательных сражениях, *основным* фактором, позволявшим командованию «справиться с поражением» в самой тяжелой обстановке,
и *основным* фактором, обеспечившим возможность победоносного
завершения кампании решительным сражением на уничтожение
противника на Керченском полуострове и взятием морской крепости Севастополь.

Но крымская кампания 11-й армии, можно надеяться, вызовет
интерес и не только в кругу ее бывших участников. Это один из
немногих случаев, когда армия имела возможность вести самостоя-

тельные операции на отдельном театре. Она имела только свои собственные силы, но зато была избавлена от вмешательства Главного командования. Кроме того, в этой кампании на протяжении десяти месяцев непрерывных боев имели место и наступательные и оборонительные сражения, ведение свободных операций по типу маневренной войны, стремительное преследование, десантные операции противника, имевшего превосходство на море, бои с партизанами и наступление на мощную крепость.

Кроме того, крымская кампания вызовет интерес и потому, что ее театром является тот самый господствующий над Черным морем полуостров, который и поныне сохраняет следы греков, готов, генуэзцев и татар. Уже однажды (в Крымскую войну 1854—1856 гг.) Крым стоял в центре исторического развития. Вновь всплывут названия мест, игравших роль уже тогда: Альма, Балаклава, Инкерман, Малахов курган. Правда, оперативная обстановка в Крымской войне 1854—1856 годов никак не может идти в сравнение с обстановкой 1941—1942 годов. В то время наступавшие западные державы господствовали на море и могли пользоваться всеми вытекавшими отсюда преимуществами. В крымской кампании 1941—1942 годов, однако, господство на море было в руках русских. Наступавшая 11-я армия должна была не только занять Крым и взять Севастополь, но и нейтрализовать все преимущества, которые предоставляло русским господство на море.

ОБСТАНОВКА ВО ВРЕМЯ ВСТУПЛЕНИЯ В КОМАНДОВАНИЕ 11-й АРМИЕЙ

17 сентября я прибыл к месту расположения штаба 11-й армии, в русский военный порт Николаев, находящийся у устья Буга, и принял командование.

Прежний командующий генерал-полковник фон Шоберт был накануне похоронен в Николаеве. Во время одного из своих ежедневных вылетов на фронт на самолете типа «шторх» он сел на русское минное поле и погиб вместе со своим пилотом. В его лице германская армия потеряла благородного духом офицера и одного из своих испытаннейших фронтовых командиров, которому принадлежали сердца всех его солдат.

Штаб армии, оперативный отдел которого впоследствии вошел и в штаб группы армий «Дон» (и «Юг»), почти целиком состоял из отличнейших офицеров. Я с благодарностью вспоминаю время, когда я два с половиной тяжелых военных года сотрудничал с такими прекрасными помощниками. За этот продолжительный период мы не раз оказывались перед новыми и сложными задачами, нам приходилось разбираться не в одной новой обстановке. Тем самым наш штаб избежал опасности попасть в русло рутины, которая так легко затягивает штабы, в особенности в позиционной войне или на спокойных участках фронта. Одновременно совместное решение все новых проблем укрепляло взаимное доверие, что в свою очередь способствовало развитию личной инициативы и самостоятельности каждого.

Я не могу припомнить по именам всех своих сотрудников тех лет. Я назову только имена моих ближайших соратников. Это — начальник моего штаба, полковник Велер, невозмутимое спокойствие которого было для меня неоценимой опорой в наиболее критические недели крымской кампании. Затем — мой тогдашний начальник оперативного отдела, позже произведенный в генералы, Буссе, поднявшийся с этой должности до должности начальника штаба группы армий «Юг» и таким образом оставшийся со мной до конца моей деятельности на посту командующего. Он не только был все эти трудные годы моим самым ценным советчиком, на мнение которого всегда можно было положиться, работоспособность которого никогда не иссякала и который не терял самообладания в самых критических положениях. Сверх этого он стал для меня самым верным другом и после войны, отказавшись на время от всех своих планов и намерений, пожертвовал больше чем годом своего времени, чтобы взять на себя мою защиту на процессе. Наконец, я хотел бы назвать и нашего прекрасного начальника тыла Гаука, также впоследствии генерала, который часто освобождал меня от забот в нередко очень сложном деле организации тыла армии; после войны он также доказал мне свою преданность.

Хотя наш штаб — сначала как штаб 11-й армии, а затем как штаб группы армий «Дон» (и «Юг») — очень тесно сработался и отношения между мною и моими офицерами характеризовались взаимным доверием, все же вначале личный состав штаба 11-й армии не без некоторого беспокойства ожидал прибытия нового хозяина. Мой предшественник, генерал фон Шоберт, по своим манерам был типичным баварцем, и даже грубое слово у него звучало добродушно. Обо мне же шла слава как о человеке, отличающемся известной «прусской» холодностью и сдержанностью. Во всяком случае, я узнал об этом, — правда, спустя много времени — из одной

комической интермедии во время моего процесса, проходившего
в Гамбурге. Когда развертывался этот акт «дорогостоящей мести»
со всей присущей ему призрачной серьезностью, главный обвинитель обнаружил в журнале боевых действий 11-й армии, при-
влеченном им в качестве документа обвинения, заклеенное место.
Какая находка! Здесь ведь могло скрываться только что-нибудь
такое, что можно было бы использовать для подкрепления обви-
нений, выдвигавшихся против меня. Наклейка, скрывавшая, как
предполагалось, какой-то таинственный текст, была удалена в зале
суда. Какие бесчинства выяснятся сейчас? Мне самому об этом
заклеенном месте ничего не было известно, так как я, хотя и под-
писывал в качестве командующего этот журнал, как требовалось
по положению, но за недостатком времени никогда его не читал.
Это входило в обязанности начальника штаба. После того как наклейка была удалена, обвинитель зачитал суду открывшийся текст.
Он читал не без растерянности и с растущим смущением. Отрывок
этот примерно гласил:

«Прибывает новый командующий. Он — "господин", и нам придется нелегко. Но с ним можно говорить открыто».

Судьи неуверенно переглянулись и стали усмехаться. Оказалось, что то, на что обвинение возлагало такие большие надежды,
вовсе не привело к сенсационному разоблачению обвиняемого. Несомненно, и самим судьям приходилось иметь дело с такими начальниками. Впрочем, этот инцидент скоро был выяснен. Незадолго до
моего прибытия начальник штаба Велер провел совещание офицеров штаба, на котором он кратко охарактеризовал и личность нового командующего. Офицер, который вел журнал, включил в свою
запись и слова Велера. Велер же был достаточно тактичным, чтобы
заклеить эти слова, представляя журнал мне на подпись. Так случай
иногда раскрывает человеку мнение других о нем самом. Но, как
я сказал выше, у нас впоследствии установились самые хорошие
отношения. Когда в 1944 году я сдал командование, многие из моих
помощников также не захотели остаться в штабе.

Новая обстановка, в которой я оказался, приняв командование
армией, характеризовалась не только расширением моих полно-
мочий от корпусного до армейского масштаба. Я узнал сверх того
в Николаеве, что на меня возлагается командование не только
11-й армией, но одновременно и примыкающей к ней 3-й румынской армией.

Порядок подчинения войск на этой части восточного театра по политическим соображениям оказался довольно запутанным.

Верховное командование выступившими из Румынии союзными силами 3-й и 4-й румынской и 11-й немецкой армиями было передано в руки главы румынского государства маршала Антонеску. Однако одновременно он был связан оперативными указаниями генерал-фельдмаршала фон Рундштедта, как командующего группой армий «Юг». Штаб 11-й армии составлял как бы связующее звено между маршалом Антонеску и командованием группы армий и консультировал Антонеску в оперативных вопросах. Однако к моменту моего прибытия получилось так, что Антонеску сохранил в своем распоряжении только 4-ю румынскую армию, которая вела наступление на Одессу. 11-я армия, находившаяся теперь в непосредственном подчинении штаба группы армий, получила в свое распоряжение для дальнейшего движения на восток вторую из двух участвовавших в войне румынских армий — 3-ю румынскую армию.

И так уже неприятно, когда штабу армии приходится командовать, кроме своей, еще одной самостоятельной армией, но эта задача вдвое труднее, если дело касается союзнической армии, тем более что между этими двумя армиями существуют не только известные различия в организации, боевой подготовке, командной традиции, что неизбежно бывает у союзников, но что они также существенно отличаются по своей боеспособности. Этот факт делал неизбежным более энергичное вмешательство в управление войсками армии союзников, чем это принято внутри нашей армии и чем это было желательно в интересах сохранения хороших отношений с союзниками. И если нам все же удавалось наладить взаимодействие с румынским командованием и войсками, несмотря на эти трудности, без особых осложнений, то это объясняется в большей степени лояльностью командующего 3-й румынской армии, генерала (позже генерал-полковника) Думитреску. Немецкие группы связи, имевшиеся во всех штабах до дивизии и бригады включительно, также тактично, а где нужно, и энергично, способствовали взаимодействию.

Но прежде всего в этой связи нужно упомянуть главу румынского государства маршала Антонеску. Как бы история ни оценила его как политика, маршал Антонеску был истинный патриот, хороший солдат и наш самый лояльный союзник. Он был солдат, связавший судьбу своей страны с судьбой нашей империи, и вплоть до своего свержения он делал все, чтобы использовать вооруженные силы Румынии и ее военный потенциал на нашей стороне. Если это ему, может быть, не всегда в полной мере удавалось, то причина этого крылась во внутренних особенностях его государства и режима. Во всяком случае, он был преданным союзником, и я вспоминаю о сотрудничестве с ним только с благодарностью.

Что касается румынской армии, то она, несомненно, имела существенные слабости. Правда, румынский солдат, в большинстве происходящий из крестьян, сам по себе непритязателен, вынослив и смел. Однако низкий уровень общего образования только в очень ограниченном объеме позволял подготовить из него инициативного одиночного бойца, не говоря уже о младшем командире. В тех случаях, когда предпосылки к этому имелись, как, например, у представителей немецкого меньшинства, национальные предрассудки румын являлись препятствием к продвижению по службе солдат-немцев. Устарелые порядки, как, например, наличие телесных наказаний, тоже не могли способствовать повышению боеспособности войск. Они вели к тому, что солдаты немецкой национальности всяческими путями пытались попасть в германские вооруженные силы, а так как прием их туда был запрещен, то в войска СС.

Решающим недостатком, определявшим непрочность внутреннего строения румынских войск, было отсутствие унтер-офицерского корпуса в нашем понимании этого слова. Теперь у нас, к сожалению, слишком часто забывают, скольким мы были обязаны нашему прекрасному унтер-офицерскому корпусу.

Немаловажное значение имело далее то, что значительная часть офицеров, в особенности высшего и среднего звена, не соответствовала требованиям. Прежде всего не было тесной связи между офицером и солдатом, которая у нас была само собой разумеющимся делом. Что касается заботы офицеров о солдатах, то здесь явно недоставало «прусской школы».

Боевая подготовка из-за отсутствия опыта ведения войн не соответствовала требованиям современной войны. Это вело к неоправданно высоким потерям, которые в свою очередь отрицательно сказывались на моральном состоянии войск. Управление войсками, находившееся с 1918 года под французским влиянием, оставалось на уровне идей Первой мировой войны.

Вооружение было частично устаревшим, а частично недостаточным. Это относилось в первую очередь к противотанковым орудиям, так что нельзя было рассчитывать, что румынские части выдержат атаки советских танков. Оставим в стороне вопрос о том, не была ли здесь необходима более действенная помощь со стороны империи.

Сюда же относится еще один момент, ограничивавший возможность использования румынских войск в войне на востоке, — это большое уважение, которое питали румыны к русским. В сложной обстановке это таило опасность паники. Этот момент следует учитывать в войне против России в отношении всех восточноевропейских народов. У болгар и сербов данное обстоятельство усугубляется еще чувством славянского родства.

И еще одно обстоятельство нельзя упускать из виду, оценивая боеспособность румынской армии. К тому моменту Румыния уже достигла своей собственной цели в войне, возвратив себе отнятую у нее незадолго до этого Бессарабию. Уже «Транснистрия» (область между Днестром и Бугом), которую Гитлер уступил или навязал Румынии, лежала вне сферы румынских притязаний. Понятно, что мысль о необходимости продвигаться дальше в глубь грозной России не вызывала у многих румын особого энтузиазма.

Несмотря на все перечисленные недостатки и ограничения, румынские войска, насколько позволяли их возможности, выполняли свой долг. Прежде всего они с готовностью подчинялись немецкому командованию. Они не руководствовались соображениями престижа, как другие наши союзники, когда вопросы нужно было решать по-деловому. Несомненно, решающее значение в этом имело влияние маршала Антонеску, который поступал, как подобает солдату.

Конкретно отзыв моих советников относительно подчиненной нам 3-й румынской армии сводился к следующему: после относительно больших потерь она совершенно неспособна к ведению наступления, а к обороне будет способна только в том случае, если к ней приспособить немецкие «подпорки».

Да будет мне позволено сообщить здесь о нескольких эпизодах, касающихся моих отношений с румынскими товарищами. Весной 1942 года я посетил однажды 4-ю румынскую горную дивизию, которая под командованием генерала Манолиу вела борьбу с партизанами в горах Яйлы. Временами нам приходилось использовать в этих целях весь румынский горный корпус, усиленный рядом мелких немецких подразделений. Сначала я инспектировал несколько частей, затем меня провели в здание штаба. Стоя перед большой картой, генерал Манолиу с гордостью показал мне весь путь, пройденный его дивизией от Румынии до Крыма. Было ясно, что он хотел намекнуть, что этого, мол, достаточно. Мое замечание: «О, значит, вы прошли уже полдороги до Кавказа!» — отнюдь не вызвало у него воодушевления. При обходе квартир каждый раз, когда я подходил к расположению части или подразделения, раздавался сигнал трубы. Видимо, это было своего рода приветствием для меня, но одновременно и предупреждением для войск — «Начальство идет!» Но я все же перехитрил своих ловких проводников: в расположении одной из частей я подошел к полевой кухне, чтобы попробовать, что готовят для солдат. Такое поведение высокого начальства оказалось для них полной неожиданностью. Не приходилось удивляться плохому качеству супа! Потом меня, как водится, пригласили обедать в штаб дивизии. Ну, здесь все было, конечно, по-другому. У румын не существовало одинакового снабжения солдат и офицеров. Был дан довольно пышный обед, но и здесь не без соблюдения иерархии. Младшим офицерам полагалось одним блюдом меньше. Да и вино на том конце стола, где сидел командир дивизии, было, вне всякого сомнения, лучшего качества. Хотя снабжение румынских войск и обеспечивалось нами, все же трудно было оказывать постоянное влияние на распределение продовольствия. Румынский офицер стоял на той точке зрения, что румынский солдат — по своему происхождению крестьянин — привык к самой грубой пище, так что офицер спокойно мог за его счет увеличить свой паек. Прежде всего это относилось к товарам, продаваемым за наличный расчет, в первую очередь к табачным изделиям и шоколаду, снабжение которыми производилось в соответствии с числом состоящих на довольствии. Офицеры утверждали, что солдаты все равно не в состоянии приобретать эти товары, так что все они застревали в офицерских столовых. Даже мой протест, заявленный маршалу Антонеску, ни к чему не привел. Он взялся расследовать это дело, но затем сообщил мне, что ему доложили, будто все в порядке.

Участок фронта, командование которым было поручено мне, представлял собой южную оконечность Восточного фронта. Он охватывал в основном район Ногайской степи между нижним течением Буга, Черным и Азовским морями и изгибом Днепра южнее Запорожья, а также Крым. Непосредственного соприкосновения с основными силами группы армий «Юг», наступавшими севернее Днепра, у нас не было, что обеспечивало большую свободу операций 11-й армии. Из лесных районов Северной России, где я должен был вести действия малопригодным для такой местности танковым корпусом, я попал в степные просторы, где не было ни препятствий, ни укрытий. Идеальная местность для танковых соединений, но их-то, к сожалению, в моей армии не было. Только русла пересыхающих летом мелких речек образовывали глубокие овраги с крутыми берегами, так называемые балки. И все же в однообразии степи была какая-то прелесть. Пожалуй, каждый испытывал тоску по Простору, по бескрайности. Можно было часами ехать этой местностью, следуя только стрелке компаса, и не встретить ни одного холмика, ни одного селения, ни одного человеческого существа. Только далекий горизонт казался цепью холмов, за которой, может быть, скрывались райские места. Но горизонт уходил все дальше и дальше. Лишь столбы англо-иранской телеграфной линии, построенной в свое время Сименсом, нарушали монотонность пейзажа. При закате солнца степь начинала переливаться прекраснейшими красками. В восточной части Ногайской степи, в районе Мелитополя и северо-восточнее его, встречались красивые деревни с немецкими названиями Карлсруэ, Гелененталь и т.д. Они были окружены пышными садами. Прочные каменные дома свидетельствовали о былом благосостоянии. Жители деревень в чистоте сохранили немецкий язык. Но в деревнях были почти только одни старики, женщины и дети. Всех мужчин Советы уже успели угнать.

Задача, поставленная перед армией Главным командованием, нацеливала ее на два расходящихся направления.

Во-первых, она должна была, наступая на правом фланге группы армий «Юг», продолжать преследование отходящего на восток противника. Для этого основные силы армии должны были продвигаться по северному берегу Азовского моря на Ростов.

Во-вторых, армия должна была занять Крым, причем эта задача представлялась особенно срочной. С одной стороны, ожидали, что занятие Крыма и его военно-морской базы — Севастополя возымеет благоприятное воздействие на позицию Турции. С другой стороны, и это особенно важно, крупные военно-воздушные базы противника в Крыму представляли собой угрозу жизненно важному для нас румынскому нефтяному району. После взятия Крыма входящий в состав 11-й армии горный корпус должен был продолжать движение через Керченский пролив в направлении на Кавказ, по-видимому, поддерживая наступление, которое должно было развернуться со стороны Ростова.

У германского Главного командования, следовательно, в то время были еще довольно далеко идущие цели для кампании 1941 года. Но скоро должно было выясниться, что эта двоякая задача 11-й армии была нереальной.

11-я армия в начале сентября (в тексте: декабря. — *Примеч. ред.*) форсировала нижнее течение Днепра у Берислава; это был подвиг, в котором особо отличилась Нижнесаксонская 22 пд. Однако с этого момента направление дальнейшего продвижения армии из-за ее двоякой задачи раздвоилось.

Когда я принял командование, обстановка была следующая: два корпуса, 30 ак генерала фон Зальмута (72 пд, 22 пд и лейб-штандарт) и 49-й горный корпус генерала Кюблера (170 пд, 1 гсд и 4 гсд), продолжали преследование разбитого на Днепре противника в восточном направлении и приближались к рубежу Мелитополь — изгиб Днепра южнее Запорожья.

54 ак под командованием генерала Ганзена, в составе 46 пд и 73 пд, свернул на подступы к Крыму, к Перекопскому перешейку. Прибывшая из Греции 50 пд частично (в составе 4-й румынской армии) находилась под Одессой, частично очищала побережье Черного моря от остатков противника.

3-я румынская армия в составе румынского горного корпуса (1, 2 и 4-я горные бригады) и румынского кавалерийского корпуса (5, 6 и 8-я кавалерийские бригады) находилась западнее Днепра. Армия намеревалась остановиться там на отдых. По-видимому, некоторую роль играло здесь нежелание продвигаться на восток дальше Днепра, после того как пришлось перейти Буг, ибо это уже не входило в политические цели Румынии.

Выпавшая теперь на долю 11-й армии двоякая задача — преследование в направлении на Ростов и взятие Крыма с последующим продвижением через Керчь на Кавказ — ставила перед командованием армии вопрос: можно ли выполнить эти две задачи и как это сделать? Нужно ли решать их одновременно или последовательно? Таким образом, решение, входившее по существу в компетенцию Главного командования, было предоставлено на усмотрение командующего армией.

Не вызывало сомнения, что имеющимися силами нельзя было решить одновременно обе задачи.

Для того чтобы занять Крым, нужны были значительно большие силы, чем те, которыми располагал подходивший к Перекопу 54 ак. Правда, разведка сообщала, что противник отвел от Днепра на Перекоп, по-видимому, только три дивизии. Но неясно было, какими силами он располагает в Крыму и в особенности в Севастополе. Скоро выяснилось, что противник мог использовать для обороны перешейка не 3, а 6 дивизий. К ним позже должна была подойти еще советская армия, защищавшая Одессу.

Однако на данной местности даже упорной обороны трех дивизий было достаточно, чтобы не допустить вторжения в Крым

54 ак или по крайней мере значительно измотать его силы в боях за перешеек.

Крым отделяет от материка так называемое «Гнилое море», Сиваш. Это своего рода соленое болото, по большей части непроходимое для пехоты, и, кроме того, из-за малой глубины оно представляет собой абсолютное препятствие для десантных судов. К Крыму есть только два подхода: на западе — Перекопский перешеек, на востоке — Генический перешеек. Но этот последний настолько узок, что на нем помещается только полотно автомобильной и железной дороги, да и то прерываемой длинными мостами. Для ведения наступления этот перешеек непригоден.

Перекопский перешеек, единственно пригодный для наступления, имеет в ширину также всего 7 км. Наступление по нему могло вестись только фронтально, никаких скрытых путей подхода местность не предоставляла. Фланговый маневр был исключен, так как с обеих сторон было море. Перешеек был хорошо оборудован для обороны сооружениями полевого типа. Кроме того, на всю ширину его пересекал древний «Татарский ров», имеющий глубину до 15 м.

После прорыва через Перекопский перешеек наступающий оказывался далее на юг еще на одном перешейке — Ишуньском, где полоса наступления, зажатая между солеными озерами, сужалась до 3—4 км.

Учитывая эти особенности местности и принимая во внимание, что противник имел превосходство в воздухе, можно было предположить, что бой за перешейки будет тяжелым и изматывающим. Даже если бы удалось осуществить прорыв у Перекопа, оставалось сомнительным, хватит ли у корпуса сил, чтобы провести второй бой у Ишуня. Но, во всяком случае, 2—3 дивизий никак не было достаточно, чтобы занять весь Крым, включая мощную крепость Севастополь.

Для того чтобы обеспечить возможно быстрое занятие Крыма, командование армии должно было перебросить сюда крупные дополнительные силы из состава группировки, преследующей противника в восточном направлении. Тех сил, которые вели преследование, было бы достаточно, пока противник продолжал отходить. Но для далеко задуманной операции, целью которой являлся Ростов, их было бы недостаточно, если противник займет оборону на каком-либо подготовленном рубеже или, кроме того, подтянет новые силы.

Если считать решающим продвижение в направлении на Ростов, то от Крыма пока нужно было отказаться. Но удастся ли в этом случае когда-либо высвободить силы для взятия Крыма? На этот

вопрос нелегко было ответить. В руках противника, сохраняющего
господство на море, Крым означал серьезную угрозу на глубоком
фланге германского Восточного фронта, не говоря уже о постоянной
угрозе, которую он представлял как военно-воздушная база для румынского нефтяного района. Попытка же одновременно проводить
двумя корпусами глубокую операцию на Ростов и дальше, а одним
корпусом захватить Крым могла иметь результатом только то, что
из обеих задач не будет выполнена ни одна.

Поэтому командование армии отдало предпочтение задаче
взятия Крыма. Во всяком случае, нельзя было браться за выполнение этой задачи с недостаточными силами. Само собой было
понятно, что 54 ак для наступления на перешейки должны были
быть приданы все имеющиеся в нашем распоряжении силы артиллерии РГК, инженерных войск и зенитной артиллерии. 50 пд,
которая пока еще находилась в тылу, должна была быть подтянута корпусом не позже начала боев за Ишуньский перешеек. Но
одного этого еще не хватало. Для быстрого овладения Крымом
после прорыва через перешейки или даже уже в боях за Ишунь
потребовался бы еще один корпус. Командование армии оста-
новило свой выбор на немецком горном корпусе в составе двух
горнострелковых дивизий, который в соответствии с указаниями
высшего командования все равно должен был быть переброшен
позднее через Керчь на Кавказ. В боях за гористую южную часть
Крыма этот корпус был бы использован эффективнее, чем в степи. Кроме того, надо было попытаться стремительным броском
моторизованных сил после прорыва через перешейки взять с хода
крепость Севастополь. Для этой цели позади наступающего 54 ак
должен был находиться лейб-штандарт. Такое решение командования армии означало, конечно, значительное ослабление ее
восточного крыла. Для высвобождения упомянутых соединений
помимо 22-й дивизии, несшей охрану побережья севернее Крыма,
могла быть использована только 3-я румынская армия. Путем
личных переговоров с генералом Думитреску я добился того,
что армия была быстро переброшена через Днепр, несмотря на
упомянутые выше соображения румын, не желавших этого. Ясно
было, что командование армии шло на большой риск, принимая
эти меры, так как противник мог прекратить отход на восточном
фронте армии и попытаться взять инициативу в свои руки. Но
без этого мы не могли обойтись, если не хотели начать битву за
Крым с недостаточными силами.

СРАЖЕНИЕ НА ДВА ФРОНТА.
ПРОРЫВ ЧЕРЕЗ ПЕРЕКОПСКИЙ ПЕРЕШЕЕК И СРАЖЕНИЕ У АЗОВСКОГО МОРЯ

В то время как подготовка 54 ак к наступлению на Перекоп из-за трудностей с подвозом затянулась до 24 сентября и пока шла упомянутая перегруппировка сил, уже 21 сентября наметилось изменение обстановки перед Восточным фронтом армии. Противник занял оборону на заранее подготовленной позиции на рубеже западнее Мелитополь — изгиб Днепра южнее Запорожья. Преследование пришлось прекратить. Однако командование армий не изменило своего решения о снятии с этого участка немецкого горного корпуса. Чтобы по возможности уменьшить связанный с этим риск, было решено перемешать оставшиеся здесь немецкие соединения с соединениями 3-й румынской армии. Румынский кавалерийский корпус на южном участке этого фронта был подчинен 30 немецкому ак, тогда как в состав 3-й румынской армии на северном участке для ее укрепления была включена 170 немецкая пд.

24 сентября 54 ак был готов к наступлению на Перекопский перешеек. Несмотря на сильнейшую поддержку артиллерии, 46 пд и 73 пд, наступавшим по выжженной солнцем, безводной, совершенно лишенной укрытий солончаковой степи, приходилось очень трудно.

Противник превратил перешеек на глубину до 15 км в сплошную, хорошо оборудованную полосу обороны, в которой он ожесточенно сражался за каждую траншею, за каждый опорный пункт. Все же корпусу удалось, отбивая сильные контратаки противника, 26 сентября взять Перекоп и преодолеть «Татарский ров». В три последующих дня труднейшего наступления корпус прорвал оборону противника на всю ее глубину, взял сильно укрепленный населенный пункт Армянск и вышел на оперативный простор. Разбитый противник отошел к Ишуньскому перешейку с большими потерями. Нами было захвачено 10 000 пленных, 112 танков и 135 орудий.

Однако нам еще не удалось воспользоваться плодами этой победы, достигнутой столь дорогой ценой. Хотя противник и понес тяжелые потери, число дивизий, противостоящих корпусу, достигало теперь шести. Попытка взять с ходу также и Ишуньский перешеек при нынешнем соотношении сил и больших жертвах, понесенных немецким корпусом, по всей видимости, превышала возможности войск. Намерение же командования армии подтянуть к этому моменту свежие силы — горный корпус и лейб-штандарт — было сорвано противником. Предвидя, по-видимому, нашу попытку быстро занять Крым, противник подтянул новые силы на участок фронта между Днепром и Азовским морем.

26 сентября противник перешел здесь в наступление на Восточный фронт нашей армии двумя новыми армиями, 18-й и 19-й, в составе двенадцати дивизий, частично вновь прибывших, частично заново пополненных. Правда, первый удар по фронту 30 ак не имел успеха, но обстановка стала весьма напряженной. Зато в полосе 3-й румынской армии противник сбил с позиций 4-ю горную бригаду и пробил во фронте армии брешь шириной 15 км. Эта бригада потеряла почти всю свою артиллерию и, казалось, совсем утратила боеспособность. Две другие румынские горные бригады также понесли большие потери. Не оставалось ничего иного, как приказать германскому горному корпусу, уже приближавшемуся к Перекопскому перешейку, повернуть назад, чтобы восстановить положение на фронте 3-й румынской армии. Одновременно, однако, командование армии было в большей или меньшей степени лишено права свободно распоряжаться своим единственным моторизованным соединением — лейб-штандартом. Главное командование отдало приказ о том, что это соединение должно быть передано в состав 1-й танковой группы и принять участие в планируемом прорыве на Ростов. Итак, командование армии должно было отказаться от его использования в целях развития успеха на перешейке. Лейб-штандарту было приказано возвратиться на восточный фронт.

Первый эшелон штаба армии, для того чтобы быть ближе к обоим фронтам армии, разместился уже 21 сентября на КП в Ногайской степи в Аскания-Нова. Аскания-Нова ранее принадлежала немецкой фамилии Фальц-Фейн. Раньше это было известное во всей России образцовое хозяйство, теперь же имение стало колхозом. Здания были запущены. Все машины были разрушены отступавшими советскими войсками, а обмолоченный хлеб, ссыпанный горами под открытым небом, был облит бензином и подожжен. Кучи хлеба тлели и дымились еще целые недели, потушить их было невозможно.

Аскания-Нова называлась так потому, что здесь в свое время приобрел большой участок земли герцог Ангальтский, уступивший впоследствии имение семейству Фальц-Фейн. Во всей России и далеко за ее пределами Аскания-Нова была известна своим заповедником. Прямо посреди степи поднимался большой парк с ручьями и прудами, в которых жили сотни видов водоплавающей птицы, от черно-бело-красных уток до цапель и фламинго. Этот парк в степи был поистине райским уголком, и даже большевики не притронулись к нему. К парку примыкал огороженный участок степи, простирающийся на много квадратных километров. Там паслись самые различные животные: олени и лани, антилопы, зебры, муфлоны, бизоны, яки, гну, важно шествующие верблюды и много других животных, которые чувствовали себя здесь довольно хорошо. Только немногие хищные животные содержались в открытых вольерах. Говорили, что там имелась и змеиная ферма, но Советы якобы перед своим уходом выпустили всех ядовитых змей на волю. Однако наши поиски змей не увенчались успехом, хотя все же оказалось, что они существовали. Однажды была объявлена воздушная тревога. Начальник штаба полковник Велер предусмотрительно приказал в свое время отрыть у здания штаба щель, и по его команде все офицеры штаба спокойно направились туда, соблюдая, как и всегда на военной службе, субординацию. Когда появились первые низко летящие самолеты противника и все направились к ступеням, ведущим в щель, полковник Велер вдруг остановился на нижней ступени как вкопанный. Сзади него раздался голос одного из офицеров: «Осмелюсь попросить вас, господин полковник, пройти немного дальше. Мы все еще стоим снаружи». Велер с яростью обернулся, не подвинувшись ни на шаг, и крикнул: «Куда дальше? Я не могу! Здесь змея!» И правда, все подошедшие увидели на дне щели змею довольно неприятного вида. Она наполовину приподнялась, яростно раскачивала головой и время от времени издавала злобное шипение.

Выбор между самолетами противника и змеей был решен в пользу самолетов. Конечно, этот комический случай явился темой наших разговоров за ужином. Начальнику инженерной службы рекомендовали включить в программу боевой подготовки, наряду с обнаружением мин, также и обнаружение змей. Кто-то предложил доложить ОКХ об этом новом виде оружия противника, применяющемся, по-видимому, исключительно против штабов соединений. Но вообще тогда приходилось проверять все здания, нет ли в них мин замедленного действия, так как в Киеве немецкий штаб, а в Одессе румынский штаб погибли от таких мин.

В этом заповеднике происходили и другие смешные случаи. Однажды наш начальник оперативного отдела сидел за своим рабочим столом, углубленный в карты. В одноэтажное здание забрела ручная лань и с любопытством рассматривала своими кроткими глазами висящие на стене схемы. Потом она подошла к полковнику Буссе и довольно неделикатно толкнула его мордой в поясницу. Он не любил, когда ему мешали за работой, вскочил со стула и закричал: «Это... это уж слишком... это же...» — и, обернувшись, увидел вместо ожидаемого нарушителя спокойствия... преданные и меланхоличные глаза лани! Он вежливо выпроводил необычную посетительницу. Когда мы уходили из Аскании-Нова, он захватил из вольера двух волнистых попугайчиков по имени Аска и Нова. Они весело порхали по комнате оперативного отдела. Правда, они мешали нам меньше, чем бесчисленные мухи, особенно любившие красный цвет. Результатом этого было то, что на картах, висевших на стене продолжительное время, войск противника, отмеченных красным, постепенно становилось все меньше. К сожалению, в действительности было наоборот.

Другую маленькую историю, иллюстрирующую взаимоотношения внутри нашего штаба, рассказывает один из офицеров штаба: «Мы, младшие офицеры штаба, находились под строгим присмотром начальника оперативного отдела полковника Буссе. Он называл нас обычно просто "ребята из оперативного отдела". Но, конечно, даже самый строгий присмотр не мог повлиять на наш молодой темперамент. Так, однажды мы устроили для узкого круга вечеринку с водкой. Она состоялась в комнате оперативного отдела, где мы обычно спали все пятеро, кто на полевых койках, кто на столах, тесно прижавшись друг к другу. После полуночи, когда были переданы последние сводки, наш праздник достиг своего апогея. В коридоре школы, где находились служебные помещения и комнаты командующего и начальника штаба, мы устроили торжественное шествие в ночных рубашках. Начали маршировать поодиночке, и при этом обнаружились существенные разногласия между пехотинцами и кавалеристами. Команды и возражения гулко раздавались в пустом коридоре. Вдруг все застыли, как соляные столбы. Медленно открылась одна из дверей, и в ней показался генерал фон Манштейн. Он обвел нас своим холодным взором и сказал вежливо вполголоса: "Господа, нельзя ли потише? Вы, чего доброго, разбудите начальника штаба и Буссе!" И дверь закрылась».

Обострившаяся обстановка перед фронтом армии заставила нас организовать 29 сентября передовой КП в непосредственной близости от угрожаемого участка фронта. Такая мера всегда целесообразна в критической обстановке, так как она препятствует переходу подчиненных штабов в более удаленные от фронта места, что всегда производит на войска неблагоприятное впечатление! В данном случае эта мера была в особенности необходима, так как некоторые румынские штабы имели явную склонность возможно скорее перебраться в тыл.

В тот же день немецкий горный корпус и лейб-штандарт начали наступление с юга во фланг противнику, прорвавшемуся на участке 3-й румынской армии и не сумевшему полностью использовать свой первоначальный успех. В то время как здесь удалось восстановить положение, наметился новый кризис на северном фланге 30 ак. Здесь не выдержала натиска румынская кавалерийская бригада, и потребовалось мое весьма энергичное вмешательство на месте, чтобы предотвратить ее поспешное отступление. Перебросив сюда лейб-штандарт, удалось затем ликвидировать наметившуюся здесь угрозу прорыва.

Хотя обстановка на Восточном фронте армии, как показано выше, была очень напряженной, для нас в ней все же скрывалось одно большое преимущество. Противник вновь и вновь наносил фронтальные удары своими двумя армиями, чтобы сорвать наши намерения в отношении Крыма. И, видимо, у него уже не было резервов, чтобы прикрыть себя со стороны запорожского и днепропетровского плацдармов на Днепре, откуда его северному флангу угрожала 1-я танковая группа генерала фон Клейста. Через несколько дней после того, как я изложил свои соображения по этому поводу командованию группы армий «Юг», 1 октября был отдан соответствующий приказ. В то время как 11-я армия по-прежнему приковывала к себе все еще наступающего противника, на севере постепенно стало усиливаться давление на него со стороны 1-й танковой группы. Противник потерял инициативу. 1 октября командование армии уже отдало приказ 30 ак и 3-й румынской армии перейти в наступление или начать преследование противника, если он будет отходить. В последующие дни удалось во взаимодействии с 1-й танковой группой окружить основные силы обеих армий противника в районе Большой Токмак — Мариуполь (Жданов) — Бердянск (Осипенко) либо уничтожить их в параллельном преследовании. Мы захватили круглым счетом 65 000 пленных, 125 танков и свыше 500 орудий.

ЗАНЯТИЕ КРЫМА

С окончанием «сражения у Азовского моря» на южном фланге восточного фронта произошла перегруппировка сил. Видимо, Главное командование германской армии поняло, что одна армия не может одновременно проводить две операции — одну в направлении на Ростов и другую в Крыму.

Наступление на Ростов было возложено теперь на 1-ю танковую группу, в подчинение которой передавались 49-й горный корпус и лейб-штандарт. 11-я армия имела теперь единственную задачу — занятие Крыма двумя оставшимися в ее составе корпусами (30 ак — 22, 72 и 170 пд и 54 ак — 46, 73 и 50 пд. Треть 50-й дивизии еще находилась под Одессой).

3-я румынская армия, которая вновь поступала под командование маршала Антонеску, должна была теперь только нести охрану черноморского и азовского побережья. Однако, обратившись непосредственно к маршалу, я добился от него согласия на то, что штаб румынского горного корпуса с одной горной и одной кавалерийской бригадой последуют за нами в Крым для охраны его восточного побережья.

Хотя задача нашей армии и ограничивалась теперь одной целью, Главное командование требовало от нас, чтобы один корпус возможно скорее был переброшен через Керченский пролив на Кубань.

В этом требовании Гитлера содержалась явная недооценка противника, ввиду чего командование армии и донесло, что условием для проведения подобной операции является решительная победа над противником в Крыму. Противник будет удерживать Крым до последнего и скорее откажется от Одессы, чем от Севастополя.

И действительно, пока Советы, имея господство на море, стояли еще одной ногой в Крыму, о переброске части армии через Керчь на Кубань не могло быть и речи, тем более что армия имела теперь всего два корпуса. Во всяком случае, командование армии воспользовалось этим, чтобы потребовать передачи ему еще одного корпуса в составе трех дивизий. По-видимому, в соответствии с ранее упомянутым пожеланием Гитлера нашей армии через некоторое время был передан 42 ак, в который входили 132 пд и 24 пд. Впоследствии оказалось, что ввиду усилий, предпринимавшихся Советами, чтобы удержать за собой Крым, а позднее вернуть его себе, такое усиление уже в боях за полуостров было совершенно необходимо.

БОИ ЗА ИШУНЬСКИЕ ПЕРЕШЕЙКИ

Ближайшей нашей задачей было возобновление боев на подступах к Крыму, за Ишуньские перешейки. Могут сказать, что это самое обыкновенное наступление. Но эти десятидневные бои выделяются из ряда обычных наступлений как ярчайший пример наступательного духа и беззаветной самоотверженности немецкого солдата.

В этом бою мы не располагали почти ни одной из предпосылок, которые обычно считаются необходимыми для наступления на укрепленную оборону.

Численное превосходство было на стороне оборонявшихся русских, а не на стороне наступавших немцев. Шести дивизиям 11-й армии уже очень скоро противостояли 8 советских стрелковых и 4 кавалерийские дивизии, так как 16 октября русские эвакуировали безуспешно осаждавшуюся 4-й румынской армией крепость Одессу и перебросили защищавшую ее армию по морю в Крым. И хотя наша авиация сообщила, что потоплены советские суда общим тоннажем 32 000 т, все же большинство транспортов из Одессы добралось до Севастополя и портов на западном берегу Крыма. Первые из дивизий этой армии вскоре после начала нашего наступления и появились на фронте.

Немецкая артиллерия имела превосходство перед артиллерией противника и эффективно поддерживала пехоту. Но со стороны противника на северо-западном побережье Крыма и на южном берегу Сиваша действовали бронированные батареи береговой артиллерии, неуязвимые пока что для немецкой артиллерии. В то время как Советы для контратак располагали многочисленными танками, 11-я армия не имела ни одного.

Командование не имело к тому же никаких возможностей облегчить войскам тяжелую задачу наступления какими-либо тактическими мероприятиями. О внезапном нападении на противника в этой обстановке не могло быть и речи. Противник ожидал наступления на хорошо оборудованных оборонительных позициях. Как и под Перекопом, всякая возможность охвата или хотя бы ведения фланкирующего огня была исключена, так как фронт упирался с одной стороны в Сиваш, а с другой — в море. Наступление должно было вестись только фронтально, как бы по трем узким каналам, на которые перешеек был разделен расположенными здесь озерами.

Ширина этих полос допускала сначала введение в бой только трех дивизий (73, 46 и 22 пд) 54 ак, в то время как 30 ак мог вступить в бой только тогда, когда будет занято некоторое пространство южнее перешейков.

К тому же совершенно плоская, покрытая только травой солончаковая степь не предоставляла наступающим ни малейшего укрытия. Господство же в воздухе принадлежало советской авиации. Советские бомбардировщики и истребители непрерывно атаковали всякую обнаруженную цель. Не только пехота на переднем крае и батареи должны были окапываться, нужно было отрывать окопы и для каждой повозки и лошади в тыловой зоне, чтобы укрыть их от авиации противника. Дело доходило до того, что зенитные батареи не решались уже открывать огня, чтобы не быть сразу же подавленными воздушным налетом. Только когда армии был подчинен Мёльдерс с его истребительной эскадрой, ему удавалось очистить небо, по крайней мере в дневное время. Ночью и он не мог воспрепятствовать воздушным налетам противника.

При таких условиях, в бою с противником, упорно обороняющим каждую пядь земли, к наступающим войскам предъявлялись чрезвычайно высокие требования, и потери были значительными. Я в те дни постоянно находился в переездах, чтобы на месте ознакомиться с обстановкой и знать, как и чем можно помочь ведущим тяжелые бои войскам.

С беспокойством я видел, как падает боеспособность. Ведь дивизии, вынужденные вести это трудное наступление, понесли тяжёлые потери еще раньше у Перекопа, а также в сражении у Азовского моря. Наступал момент, когда возник вопрос: может ли это сражение за перешейки завершиться успехом, и, если удастся прорваться через перешейки, хватит ли сил, чтобы добиться в бою с усиливающимся противником решительной победы — занять Крым?

25 октября казалось, что наступательный порыв войск совершенно иссяк. Командир одной из лучших дивизий уже дважды докладывал, что силы его полков на исходе. Это был час, который, пожалуй, всегда бывает в подобных сражениях, час, когда решается судьба всей операции. Час, который должен показать, что победит: решимость наступающего отдать все свои силы ради достижения цели или воля обороняющегося к сопротивлению.

Борьба за решение потребовать от войск последнего напряжения, с риском, что требуемые тяжелые жертвы все же окажутся напрасными, происходит только в душе командира. Но эта борьба была бы бессмысленной, если бы не опиралась на доверие войск и на их непреклонную решимость не отступить от намеченной цели.

Командование 11-й армии не пожелало после всего, что ему пришлось потребовать от войск, упустить победу в последнюю минуту. Наступательный порыв солдат, сохранившийся несмотря ни на что, преодолел упорное сопротивление противника. Еще один день тяжелых боев, и 27 октября решительный успех был достигнут. 28 октября, после 10 дней ожесточеннейших боев, советская оборона рухнула. 11-я армия могла начать преследование.

ПРЕСЛЕДОВАНИЕ

Побежденный обычно движется с большей скоростью, чем победитель. Надежда обрести безопасность где-либо в тылу окрыляет отступающего. У победителя же, наоборот, в час успеха наступает реакция на потребовавшееся от него перенапряжение. К тому же отступающий всегда имеет возможность задержать преследующего арьергардными боями и, таким образом, помочь своим главным силам оторваться и спастись от преследующего противника. Поэтому история войн знает мало примеров того, когда преследование приводило к уничтожению главных сил побежденного. Этот результат достигался всегда, когда удавалось обогнать отступающего в параллельном преследовании и отрезать ему путь к отступлению. В этом же и заключалась цель 11-й армии в те дни.

По всем признакам, прибывшая из Одессы Приморская армия противника (5 стрелковых дивизий, 2 кавалерийские дивизии) после крушения его обороны южнее перешейков отходила на юг, в направлении на столицу Крыма Симферополь. Город представлял собой ключ к единственным шоссейным дорогам, которые вели вдоль северных отрогов Яйлы на Севастополь и Керченский полуостров и через горы к южному берегу с его портами. Другая группа (9 ак в составе 4 сд и 2 кд), по-видимому, намеревалась отходить на юго-восток, то есть на Керченский полуостров. Три дивизии, по-видимому в качестве резерва, находились в районе Симферополя и Севастополя.

Разбитый, но численно еще довольно сильный противник, который к тому же мог получить подкрепления с моря, имел, во всяком случае, различные возможности. Он мог попытаться сохранить за собой южную часть Крыма как операционную базу для флота и для авиации, а также как плацдарм для последующих операций. Для этого он мог попытаться вновь занять оборону у северных отрогов Яйлы, чтобы, опираясь на труднодоступные горы, оборонять Южный Крым. Одновременно он постарался бы преградить подступы к Севастополю у Альмы и к Керченскому полуострову у Парпачского перешейка.

Если противник сочтет, что сил у него для этого не хватит, то он может попытаться занять основными силами Севастопольский укрепленный район, а частью сил отойти на Керченский полуостров, чтобы по крайней мере удержать эти две ключевые позиции Крыма. Исходя из этого, я направил вновь прибывший 42 ак в составе трех дивизий (73, 46 и 170 пд) для преследования отходящей в направлении Феодосия — Керчь группировки противника. Корпус должен был по возможности упредить противника на Парпачском перешейке и воспрепятствовать его эвакуации через феодосийский или керченский порты.

Задача главных сил армии заключалась в том, чтобы, стремительно преследуя противника, сорвать любую попытку русских занять оборону у северных отрогов гор. Но прежде всего необходимо было помешать отходящим на Симферополь главным силам противника укрыться в Севастопольском крепостном районе.

30 ак в составе 72 пд и 22 пд было приказано продвигаться на Симферополь, чтобы противник не мог задержаться на отрогах гор. Быстрый прорыв через Яйлу по дороге Симферополь — Алушта должен был возможно скорее обеспечить корпусу контроль над прибрежной дорогой Алушта — Севастополь.

54 ак (50 пд, вновь прибывшая 132 пд и наскоро сформированная моторизованная бригада) получил задачу преследовать противника в направлении Бахчисарай — Севастополь. Прежде всего он должен был возможно скорее перерезать дорогу Симферополь — Севастополь. Кроме того, командование армии надеялось, что, может быть, удастся внезапным ударом взять Севастополь.

Однако для этого нам не хватало моторизованного соединения, которое мы могли бы бросить вперед для внезапного захвата крепости. В этом случае мы избежали бы многих жертв, не потребовалось бы длившихся всю зиму тяжелых боев, а затем и наступления на крепость, а на Восточном фронте своевременно высвободилась бы целая армия для проведения новых операций. Все старания командования армии получить взамен взятого у него лейб-штандарта 60-ю моторизованную дивизию, которая ввиду недостатка горючего все равно бездействовала в составе 1-й танковой группы, ни к чему не привели из-за упрямства Гитлера, у которого была перед глазами только одна цель — Ростов. Наскоро сформированное командованием армии соединение в составе румынского моторизованного полка, немецких разведывательных батальонов, противотанковых и моторизованных артиллерийских дивизионов (бригада Циглера) не могло возместить этого недостатка.

В этом преследовании вновь лучшим образом проявились смелость и инициатива командиров всех степеней и самоотверженность войск. Глядя на то, как ослабленные тяжелыми потерями, измотанные до крайности труднейшими условиями похода полки стремились прорваться к манящей цели — южному берегу Крыма, я поневоле вспоминал солдат тех армий, которые в 1796 году штурмом завоевывали обещанные им Наполеоном области Италии.

16 ноября преследование было завершено, и весь Крым, за исключением Севастопольского крепостного района, был в наших руках.

Стремительными действиями 42 ак сорвал попытку противника оказать нам сопротивление на Парпачском перешейке. Корпус взял важный порт Феодосию, прежде чем противник сумел эвакуировать через него сколько-нибудь существенные силы. 15 ноября корпус взял Керчь. Только незначительным силам противника удалось перебраться через пролив на Таманский полуостров.

30 ак удалось расколоть главные силы противника на две части, осуществив смелый прорыв по горной дороге к расположенной на южном берегу Алуште, после того как Симферополь был взят еще 1 ноября передовым отрядом 77 пд. Противник тем самым не только был лишен возможности создать оборону на северных отрогах гор, но и все его силы, оттесненные в горы восточнее дороги Симферополь — Алушта, были обречены на уничтожение. Спасительный порт — Феодосия — был уже закрыт для них 42 ак. 30 ак вскоре овладел прибрежной дорогой Алушта — Ялта — Севастополь. Его прорыв завершился смелым захватом форта Балаклава, осуществленным 105 пп под командованием храброго полковника Мюллера (впоследствии расстрелян греками). Таким образом, этот малый порт, который являлся базой западных держав в Крымской войне, оказался под нашим контролем. На правом фланге армии была брошена вперед моторизованная бригада Циглера с целью возможно скорее перерезать противнику путь отхода на Севастополь. Ей действительно удалось своевременно занять на этой дороге переправы через реки Альма и Кача. Разведывательный батальон 22 пд под командованием подполковника фон Боддина, входивший в состав этой бригады, прорвался через горы до южного берега в районе Ялты. Таким образом, все шоссейные дороги, которые противник мог бы использовать для отхода на Севастополь, оказались перерезанными. Его войска, оттесненные в горы восточнее дороги Симферополь — Алушта, могли добраться до крепости только по труднопроходимым горным дорогам. Однако от заманчивой мысли произвести внезапный налет на Севастополь силами бригады Циглера пришлось отказаться. Сил этой бригады не хватило бы даже в том случае, если бы противник не имел сильного прикрытия на подступах к крепости.

54 ак, следовавшему вплотную за бригадой, была поставлена задача: прорваться через реки Бельбек и Черную и окончательно отрезать путь отступления на Севастополь частям противника, находящимся в горах. Однако корпус после активного преследования на подступах к крепости между реками Кача и Бельбек, а также при своем продвижении в горах к реке Черная натолкнулся на упорное сопротивление. Противник имел в крепости еще 4 боеспособные бригады морской пехоты, которые составили ядро группирующейся здесь армии обороны. Начала действовать крепостная артиллерия. Из оттесненных в горы частей Приморской армии довольно значительные силы добрались по горным дорогам до Севастополя, правда, без орудий и транспорта. Они сразу же получили пополнение по морю. Многочисленные рабочие батальоны, составленные из рабочих этой крупной военно-морской базы и вооруженные оружием из крепостных складов, также усиливали ряды обороняющихся. Благодаря энергичным мерам советского командующего противник сумел остановить продвижение 54 ак на подступах к крепости. В связи с наличием морских коммуникаций противник счел себя даже достаточно сильным для того, чтобы при поддержке огня флота начать наступление с побережья севернее Севастополя против правого фланга 54 ак. Потребовалось перебросить сюда для поддержки 22 пд из состава 30 ак. В этих условиях командование армии должно было отказаться от своего плана взять Севастополь внезапным ударом с хода — с востока и юго-востока. К тому же обеспечить наступление с востока не было никакой возможности ввиду отсутствия дорог. Шоссейная дорога, обозначенная на захваченных нами картах, на самом деле не существовала. Ее начало обрывалось в труднодоступной скалисто-лесистой местности. Хотя преследование, таким образом, не удалось завершить захватом крепости Севастополь, оно все же привело к почти полному уничтожению противника вне ее. Шесть дивизий 11-й армии уничтожили большую часть двух армий противника, насчитывавших 12 стрелковых и 4 кавалерийские дивизии. Спаслись через Керченский пролив и отошли в Севастополь лишь остатки войск, потерявшие все тяжелое вооружение. Если их удалось вскоре превратить в Севастополе в полноценные боеспособные войска, то это благодаря тому, что противник, имея господство на море, сумел обеспечить своевременный подвоз пополнений и техники.

Захватив Крым, за исключением крепостного района Севастополя, 11-я армия приобрела, если можно так выразиться, свой собственный театр военных действий. И хотя ей предстояли трудные времена, хотя от войск требовалось величайшее напряжение всех сил, все же красота местности и более мягкий климат в какой-то степени компенсировали это. Северная часть Крыма — пустынная солончаковая степь. Внимания заслуживают здесь только соляные промыслы. В больших водоемах испаряется сивашская вода и таким способом добывается соль, которая редко встречается в других местах России. Селения в этой части полуострова бедны и состоят главным образом из убогих мазанок.

Центральная часть Крыма — равнинная, почти безлесная, но плодородная местность, однако зимой по ней гуляют ледяные ветры с широких степей Восточной Украины. Здесь располагались большие богатые колхозы, инвентарь которых, конечно, был разрушен или увезен Советами. Мы сразу же приступили к возвращению земли экспроприированным крестьянам, насколько это позволяли интересы производства. Ввиду этого большая часть из них была на нашей стороне, но зато они подвергались террору со стороны действовавших в горах Яйлы партизан.

Горы Яйлы образуют южную часть Крыма. Они резко поднимаются из плоской равнины Центрального Крыма, достигая высоты 2000 м, и круто обрываются к югу, к Черному морю. Горы покрыты кустарником, вершины поэтому труднодоступны и представляли собой удобные укрытия для партизан. В долинах, прорезающих горы в северном направлении, были расположены богатые фруктовые сады и живописные татарские селения. Во время цветения фруктовые сады были чудесны, а в лесу весной расцветали прекраснейшие цветы, каких мне нигде больше не приходилось видеть. Бывшая столица татарских ханов Бахчисарай, живописно расположенная у небольшой горной реки, все еще сохраняла восточный колорит. Ханский дворец — жемчужина татарской архитектуры. Южный берег Крыма, часто сравниваемый с Ривьерой, пожалуй, превосходит ее по красоте. Причудливые очертания гор, крутые скалы, спадающие в море, делают его одним из прекраснейших уголков Европы. В районе Ялты, недалеко от которой расположен царский дворец Ливадия, горы покрыты чуднейшим лесом, какой только можно себе представить. Всюду, где между гор было немного пространства, плодородная земля покрыта виноградными и плодовыми плантациями. Всюду произрастают тропические растения, а в особенности в чудесном парке, окружающем Ливадийский дворец. Чувствуешь себя, как в райских садах. Кто из нас мог предвидеть тогда, что в этих-то райских садах спустя несколько лет произойдут события, в результате которых пол-Европы будет отдано во власть Советов? Кто мог предвидеть, что руководители двух великих англо-саксонских наций до такой степени попадутся на удочку жестокому деспоту, изображающему из себя добряка. Нас восхищал рай, лежащий перед нашими глазами. Но мы не видели змея, скрывавшегося в этом раю.

Не только красота местности, но и историческое прошлое на каждом шагу приковывало наше внимание. Портовые города Евпатория, Севастополь, Феодосия выросли из древнегреческих колоний. После взятия Севастополя мы обнаружили на полуострове Херсонес развалины древних греческих храмов. Затем готы основали свое государство в скалистых горах восточнее Севастополя. О нем еще свидетельствовали развалины огромной крепости в горах. Они держались здесь столетиями, причем время от времени в портах обосновывались генуэзцы, а позже Крым стал татарским ханством, выстоявшим против натиска русских до новейшего времени. Татары сразу же встали на нашу сторону. Они видели в нас своих освободителей от большевистского ига, тем более что мы уважали их религиозные обычаи. Ко мне прибыла татарская депутация, принесшая фрукты и красивые ткани ручной работы для освободителя татар «Адольфа-эффенди».

Восточная оконечность Крыма, вытянутый Керченский полуостров, выглядит совсем по-иному. Это равнина, только частично покрытая волнами холмов, а на восточном берегу, у узкого пролива, отделяющего Крым от Кубанского края, поднимаются на большую вышину голые высоты. На полуострове имеются залежи угля и руды, а также незначительные месторождения нефти. Вокруг портового города Керчь, лежащего у пролива, выросли крупные промышленные предприятия. В окружающих горах имелись разветвленные скальные пещеры, в которых скрывались партизаны, а позже остатки разбитого десанта.

В то время как отдел тыла штаба расположился в столице Крыма Симферополе, почти полностью русифицированном городе, живописно расположенном у северных отрогов Яйлы, первый эшелон штаба перешел в Сарабуз (Гвардейское), большое село севернее Симферополя. Мы удобно расположили там наши штабные службы в большой школе-новостройке; такие школы были выстроены Советами почти во всех крупных селах. Я сам с начальником штаба и несколькими офицерами жил в небольшом здании правления плодового колхоза, в котором каждый из нас занимал по одной скромной комнате. Обстановка моей комнаты состояла из кровати, стола, стула, табуретки, на которой стоял таз для умывания, и вешалки для одежды. Мы, конечно, могли подвезти мебель из Симферополя, но не в духе нашего штаба было создавать для себя удобства, которых солдаты были лишены.

На этой скромной квартире мы оставались до августа 1942 года, лишь дважды, в июне 1942 года, когда наш штаб находился под Севастополем, отлучаясь на КП на Керченском участке. После нашей прежней цыганской жизни это было для нас новым и не совсем приятным образом жизни. Когда штаб привязывается к одному месту, то неизбежен не только твердый распорядок дня, но обязательно начинается и бумажная война. Я выдержал эту «войну» в моей школьной комнате между двумя кирпичными печками, сложенными нами по русскому образцу, так как отопление, конечно, было разрушено Советами.

Я хотел бы здесь коснуться одной проблемы, которая всегда волновала меня, хотя тяжелые заботы, вызываемые оперативной обстановкой зимы 1941/42 года, и оттесняли ее на задний план. Командующий армией осуществляет также верховную юрисдикцию в своей армии. И самое тяжелое в этом — утверждение смертных приговоров. С одной стороны, первейшей обязанностью командующего является поддержание дисциплины и определение в интересах войск меры наказания за трусость, проявленную в бою. Но, с другой стороны, нелегко сознавать, что своей подписью ты уничтожаешь человеческую жизнь. Правда, смерть уносит на войне каждый день сотни и тысячи жизней, и каждый солдат готов к тому, чтобы отдать свою жизнь. Но одно дело — честно пасть в бою, быть настигнутым смертельной пулей, хотя ее и ждешь каждый момент, но все же неожиданно, а другое дело — встать перед стволами винтовок своих же товарищей и с позором покинуть ряды живущих.

Конечно, не могло быть и речи о пощаде, когда солдат своими позорными поступками наносил урон чести армии, когда его действия приводили к гибели товарищей. Но всегда бывают случаи, причиной которых является понятная человеческая слабость, а не низменный образ мыслей. И тем не менее суд в соответствии с законом должен был выносить смертный приговор.

Ни в одном случае, когда речь шла о смертном приговоре, я не ограничивался только докладом председателя моего армейского трибунала, о котором я не могу сказать ничего плохого. Я всегда

лично подробнейшим образом изучал дело. Когда в самом начале
войны два солдата моего корпуса были приговорены к смертной
казни за то, что изнасиловали, а затем убили старую женщину, то
это было только справедливо. Но совсем другое дело было в случае
с солдатом, награжденным в польскую кампанию Железным кре-
стам и попавшим из госпиталя в чужую для него часть. В первый
же день были убиты командир его пулеметного расчета и остальные
номера, и он не выдержал и побежал. По закону он должен был быть
казнен. Но все же в этом случае — хотя речь шла о трусости в бою,
представлявшей угрозу для своих войск, — нельзя было мерить той
же меркой. Я, правда, не мог просто отменить решение военного
трибунала части. Поэтому в этом и подобных случаях я прибегал
к следующей мере — откладывал на четыре недели утверждение
смертного приговора. Если солдат оправдывал себя в бою в течение
этого срока, то я отменял приговор, если же он вновь проявлял
трусость, то приговор вступал в силу. Изо всех, кому я предоставил
таким образом испытательный срок, впоследствии только один
перебежал к врагу. Остальные либо оправдали себя в бою, либо
пали в тяжелых боях, как настоящие солдаты.

ПЕРВОЕ НАСТУПЛЕНИЕ НА СЕВАСТОПОЛЬ

Теперь перед 11-й армией стояла задача взять штурмом последний оплот противника в Крыму — Севастополь. Чем раньше будет
предпринято это наступление, чем меньше времени будет дано противнику на организацию его обороны, тем больше будет и шансов на
успех. И тем меньше была опасность высадки противника с моря.

Первая задача заключалась в том, чтобы завершить окружение
крепости. Для этого левому флангу 54 ак необходимо было продвинуться дальше вперед и прежде всего занять район на стыке между
ним и 30 ак, находившимся в горах юго-восточнее Севастополя. Для
этого потребовался ряд трудных боев в горах, к участию в которых
командование армии привлекло также предоставленную в его распоряжение 1-ю румынскую горную бригаду.

Перед наступлением нужно было прежде всего решить вопрос
о силах. Не вызывало сомнения, что 4 дивизий, стоявших в то время перед крепостью, было недостаточно, чтобы осуществить ее
штурм. Их недоставало даже для того, чтобы создать сплошной
фронт. К тому же оказалось, что противник с помощью упомянутых выше мер сумел в относительно короткий срок довести силу

обороняющихся войск до 9 дивизий. Этот факт свидетельствовал о том, насколько необходимо было прежде всего перерезать его морские коммуникации.

Для того чтобы достичь решительного успеха, 11-я армия должна была, таким образом, подтянуть все силы, которые окажется возможным использовать. Но, с другой стороны, было также ясно, что противник, безраздельно господствовавший на море, мог предпринять высадку в любой момент и на любом облюбованном им для этой цели участке побережья, если побережье не будет обеспечено достаточной охраной. Таким образом, командование армии стояло перед выбором — или пойти на большой риск, оголив территорию Крыма и в особенности Керченский полуостров, или же заранее поставить под вопрос успех предполагаемого штурма, выделив для него заведомо недостаточно сил. Выбор выпал в пользу штурма.

При его организации мы руководствовались следующими соображениями. Необходимо было напасть на противника по возможности с нескольких направлений, чтобы не допустить концентрации его сил на одном атакованном участке крепостного фронта.

Для того чтобы сломить сопротивление крепости, необходимо было в качестве предварительного условия по возможности скорее поставить под свой контроль порт — бухту Северную. Пока крепость имела морские коммуникации, при нынешнем положении дел противник по технической обеспеченности, а быть может, и по численности постоянно сохранял бы превосходство над нами. Поэтому главный удар должен был наноситься с севера или северо-востока в направлении бухты Северной, следовательно, совсем не так, как наносили удар союзники в Крымской войне, когда они имели господство на море. Для нас важен был не город, а порт. Только на севере наша армия могла использовать свою мощную артиллерию для поддержки наступления. Организация же ее боепитания через горы на южном участке при данных возможностях транспорта была нереальна, тем более что прибрежная дорога в любой момент могла быть взята под огонь противника с моря. Если укрепления противника на северном участке и были более сильными и многочисленными, чем на южном, то местность на южном участке — крутые скалистые горы — была чрезвычайно трудно доступной. К тому же дорожная сеть на южном участке была совершенно недостаточной. Чтобы создать ее, нужна была еще длительная работа.

Исходя из этих соображений, командование армии приняло решение наносить главный удар с севера или северо-востока. На юге

решено было вести вспомогательное наступление главным образом
с целью сковывания и отвлечения сил противника.

На севере должен был наступать 54 ак, которому для этой цели
были подчинены четыре дивизии (22, 132, 50 пд и только что под-
тянутая 24 пд), а также большая часть тяжелой артиллерии.

Сковывающий удар на юге должен был наносить 30 ак, имевший
для этого в своем распоряжении кроме 72 пд также переброшенную
от Керчи 170 пд и румынскую горную бригаду. Со стороны Керчи
была подтянута также 73 пд, которая должна была составить резерв
войск, наступавших с севера. Таким образом, на Керченском полуострове остался только штаб 42 корпуса с 46 пд.

В горах Яйлы действовал штаб румынского горного корпуса
с подчиненной ему 4-й горной бригадой, так как здесь с самого начала развернулось сильное, хорошо подготовленное партизанское
движение. Партизанские отряды получили большое пополнение
за счет рассеянных в горах частей Приморской армии и постоянно
угрожали нашим коммуникациям как на дороге на Феодосию, так
и на Севастопольском фронте южнее горной гряды.

Таким образом, охрана побережья обеспечивалась, помимо
8-й румынской кавалерийской бригады на восточном берегу, только
немногими вновь созданными береговыми батареями да тыловыми
подразделениями наших дивизий.

Конечно, если учесть, что советский флот имел господство на
море, то это означало большой риск для командования армии. Но
этот риск казался оправданным, если наступление на Севастополь
начнется достаточно скоро, раньше, чем противник успеет на Кубани
или на Кавказе сформировать новые силы для высадки с моря.

Момент начала наступления имел, следовательно, большое значение. По нашим расчетам, необходимая перегруппировка войск и снабжение артиллерии боеприпасами могли быть закончены к 27 или
28 ноября. На этот срок и было назначено начало наступления.

Но здесь-то нам и помешала русская зима, причем двояким образом, что было особенно плохо. В Крыму начались непрерывные
дожди, которые в кратчайший срок вывели из строя все дороги без
твердого покрытия. Сеть же дорог с твердым покрытием в Крыму
начинается только от Симферополя. С материка к Симферополю
ведет только часто встречающаяся в этой стране «проселочная дорога», у которой выровнена лишь проезжая часть и по бокам которой
прорыты кюветы. В сухую погоду такие дороги на глинистой почве
Южной России очень хорошо проходимы. Но в период дождей их

пришлось сразу же перекрыть, чтобы они не вышли из строя совсем и на долгий срок. Таким образом, с началом дождей армия практически теряла возможность обеспечивать свое снабжение автогужевым транспортом, во всяком случае, на участке от материка до Симферополя. К 17 ноября уже вышло из строя по техническим причинам 50 % нашего транспорта. На материке же, на севере, уже свирепствовал лютый мороз, который вывел из строя четыре паровоза из пяти, имевшихся тогда в нашем распоряжении южнее Днепра. Таким образом, снабжение армии ограничивалось теперь одним-двумя эшелонами ежедневно. Днепр покрывался льдом, но он был еще слишком тонок, навести же мост нельзя было из-за льда. Подготовка к наступлению из-за всего этого затягивалась. Вместо 27 ноября мы смогли начать артиллерийскую подготовку только 17 декабря. Понятно, что эта потеря времени была на руку противнику, который не встречал подобных трудностей в своем укрепленном районе. К тому же с каждым днем увеличивалась опасность высадки новых сил противника с моря.

Итак, с опозданием на три недели, опозданием, которое, как оказалось, решило исход этой операции, 54 ак на северном участке и 30 ак на юге были наконец готовы к наступлению. Но перед этим командованию армии пришлось вынести еще одно трудное решение. 17 октября из-за обострившегося положения под Ростовом командование группы армий потребовало немедленно выделить в ее распоряжение 73 пд и 170 пд. Все объяснения командования 11-й армии относительно того, что этим будет сорвано наступление на Севастополь, привели только к тому, что нам была оставлена 170 пд, двигавшаяся по прибрежной дороге на соединение с 30 ак. Она все равно слишком поздно прибыла бы под Ростов. Но тем не менее без 73 пд мы оказались лишенными резерва, необходимого для наступления на северном участке. Командование армии должно было решить, есть ли смысл вообще начинать наступление в этих условиях. Оно решило идти на риск.

Нет возможности подробно излагать здесь ход наступления. Необходимо было сначала выбить противника внезапным ударом из полосы обеспечения на участке между реками Бельбек и Кача. Одновременно нужно было захватить его опорные пункты в долине Бельбека и на возвышенном южном берегу реки. Дальше наступление должно было вестись уже к бухте Северной. Основную тяжесть боя несла храбрая 22-я Нижнесаксонская пехотная дивизия во главе с ее отличнейшим командиром генерал-лейтенантом Вольфом; от нее же зависел успех. Она очистила от противника полосу обеспечения между реками Кача и Бельбек, вместе с наступавшей южнее 132 пд штурмовала высоты на южном берегу долины реки Бельбек и прорвалась уже в зону укреплений южнее долины. Но клин наступления становился все у́же, так как 50 пд и 24 пд, наступавшие с востока в направлении на бухту Северную, не продвинулись сколько-нибудь заметно в поросшей почти непроходимым кустарником гористой местности. В боях за упорно обороняемые противником долговременные сооружения войска несли большие потери. Начавшиеся сильные холода потребовали крайнего напряжения их сил. И все же в последние дни декабря — бои не прекращались и в Рождество — острие наступающего клина приблизилось к форту «Сталин», взятие которого означало бы по крайней мере овладение господствующим над бухтой Северной НП для нашей артиллерии. Если бы мы имели свежие войска, прорыв к бухте Северной удался бы. Но их не было, так как 73 пд мы должны были отдать, а заменить ее не могло даже и самое энергичное сосредоточение усилий наступающих дивизий на направлении главного удара.

В этой обстановке и произошла высадка советских десантов сначала у Керчи, а затем у Феодосии. Это была смертельная опасность для армии в момент, когда все ее силы, за исключением одной немецкой дивизии и двух румынских бригад, вели бой за Севастополь.

Было совершенно ясно, что необходимо срочно перебросить силы из-под Севастополя на угрожаемые участки. Всякое промедление было пагубно. Но можно ли было отказываться от наступления на Севастополь в такой момент, когда казалось, что достаточно только последнего усилия, чтобы по крайней мере добиться контроля над бухтой Северной? К тому же казалось бесспорным, что легче будет высвободить силы из-под Севастополя после успеха на северном участке фронта, чем в случае преждевременного ослабления нажима на противника.

Итак, командование армии приняло решение, даже после высадки десанта у Феодосии, все же идти на увеличивавшийся с каждым часом риск отсрочки высвобождения войск из-под Севастополя. Поэтому вначале был только отдан приказ прекратить наступление 30 ак, а 170 пд была направлена на находившийся под угрозой Керченский полуостров. На северном же участке фронта — по согласованию с командиром 54 ак и командирами дивизий — должна была быть предпринята еще одна последняя попытка прорыва к бухте Северной.

Как и всегда, войска прилагали все свои силы. 16 пп под командованием полковника фон Холтица, наступавшему на направлении главного удара 22 пд, удалось еще прорваться в полосу заграждений форта «Сталин». Но на этом сила наступающих иссякла. 30 декабря командиры наступающих дивизий доложили, что дальнейшие попытки продолжать наступление не обещают успеха. Командование армии дало приказ окончательно приостановить наступление, после того как веские причины, приведенные им в докладе по телефону штабу фронта, убедили в необходимости этого и Гитлера. Более того, нам пришлось скрепя сердце отдать приказ об отводе войск с северного участка фронта на высоты севернее долины Бельбека. Без этой меры было бы невозможно высвободить необходимые силы. Нашим войскам, глубоко вклинившимся в расположение противника, трудно было бы долго держаться. То, что Гитлер был недоволен этим решением (хотя и не мог изменить его), так как оно противоречило только что отданному им строгому приказу, запрещавшему добровольно оставлять что-либо, ничего не значило в сравнении с ответственностью, которую я испытывал перед войсками, понесшими такие большие потери. Но, именно думая о своих войсках и о том, как сохранить людей, мне пришлось принять это решение.

Итак, первая попытка штурмом взять крепость Севастополь потерпела неудачу. За нами осталось преимущество более плотного окружения крепости, для которого требовалось меньше сил; мы также захватили удобные исходные позиции для последующего наступления. 30 ак на юге также захватил важные пункты на местности, необходимые для последующего наступления. Но это было слабым утешением, если учитывать понесенные жертвы.

СТАЛИНСКОЕ НАСТУПЛЕНИЕ С ЦЕЛЬЮ ВОЗВРАЩЕНИЯ КРЫМА

Высадка советских войск на Керченском полуострове, предпринятая как раз в тот момент, когда решался исход боя на северном участке Севастопольского фронта, как вскоре оказалось, не была просто маневром противника, рассчитанным на отвлечение наших сил. Советские радиостанции сообщали, что речь идет о наступлении с решительной целью, с целью возвращения Крыма, проводимом по приказу и по планам Сталина. Как было объявлено по радио борьба будет закончена только уничтожением 11-й армии в Крыму, и то, что эти слова не были пустой угрозой, вскоре было подтверждено большой массой войск, брошенных в это наступление. В этом обстоятельстве, как и в том, что противник расходовал силы, ни с чем не считаясь, чувствовалась жестокая воля Сталина.

26 декабря противник, переправив две дивизии через Керченский залив, высадил десанты по обе стороны от города Керчи. Затем последовала высадка более мелких десантов на северном побережье полуострова.

Командование 42 ак (генерал граф Шпонек), имевшее в своем распоряжении для обороны полуострова только одну 46 пд, оказалось, конечно, в незавидном положении. Граф Шпонек поэтому запросил у командования армии разрешения на оставление Керченского полуострова, имея в виду запереть выходы из него у Парпачского перешейка. Но командование армии не разделяло его мнения. Если бы противнику удалось укрепиться в районе Керчи, то на полуострове возник бы еще один участок фронта, и обстановка для армии, пока не был еще взят Севастополь, стала бы чрезвычайно опасной. Поэтому командование армии приказало 42 ак, используя слабость только что высадившегося противника, сбросить его в море.

Для того чтобы целиком высвободить для выполнения этой задачи 46 пд, командование армии направило в район Феодосии стоявшую под Симферополем 4-ю румынскую горную бригаду и обеспечивавшую охранение восточного побережья Крыма 8-ю румынскую кавалерийскую бригаду с задачей ликвидации возможных десантов противника на этом критическом участке фронта. Одновременно туда был направлен из-под Геническа и Феодосии последний из полков отводимой из Крыма 73 пд (усиленный 213 пп).

46 пд действительно удалось к 28 декабря ликвидировать плацдармы противника севернее и южнее Керчи, за исключением небольшой полосы земли на северном побережье. Тем не менее граф Шпонек вторично запросил разрешения оставить Керченский полуостров. Командование армии категорически возражало против этого, так как мы по-прежнему придерживались мнения, что после оставления Керченского полуострова сложится такая обстановка, справиться с которой нашей армии будет не по силам.

Тем временем 54 ак 28 декабря перешел в последнее наступление под Севастополем.

Противник же готовился к нанесению нового удара. 29 декабря мы получили донесение из Феодосии, что ночью противник там высадил десант под прикрытием значительных сил флота. Незначительные силы наших войск, стоявшие под Феодосией (один саперный батальон, противотанковая истребительная артиллерия и несколько береговых батарей; румыны прибыли в Феодосию только в течение первой половины дня), не в состоянии были помешать высадке. Телефонная связь со штабом 42-го корпуса, находившимся примерно в центре полуострова, была прервана. В 10 часов от него была получена радиограмма о том, что граф Шпонек ввиду высадки противником десанта у Феодосии приказал немедленно оставить Керченский полуостров. Приказ командования армии, запрещавший этот отход, уже не был принят радиостанцией штаба корпуса. Хотя и можно было согласиться с опасением штаба корпуса, который боялся оказаться отрезанным с 46 пд на Керченском полуострове высадившимся десантом противника, мы все же считали, что чересчур поспешный отход ни в коей мере не может способствовать улучшению обстановки. Если в этот момент противник сможет активизировать остатки своих сил у Керчи, он сразу же начнет преследовать 46 пд. Эта дивизия оказалась бы на Парпачском перешейке между двух огней. Одновременно с приказом, запрещавшим оставлять Керченский полуостров (этот приказ, как было сказано выше, уже не смог быть принят штабом 42 ак), командование армии отдало приказ румынскому горному корпусу силами названных выше двух бригад и находившегося на подходе румынского моторизованного полка немедленно сбросить в море высадившийся у Феодосии десант противника. Мы, правда, не питали иллюзий относительно наступательного духа румынских соединений. Но противник не мог еще располагать у Феодосии крупными силами на суше. Решительными действиями можно было использовать эту его слабость. Мы имели основания надеяться, что румынам по меньшей мере удастся удержать противника в пределах небольшого плацдарма у Феодосии, пока не подойдут немецкие войска.

РАЗВИТИЕ ОБСТАНОВКИ НА КЕРЧЕНСКОМ ПОЛУОСТРОВЕ

Но и этой надежде не суждено было сбыться. Наступление румынского горного корпуса на Феодосию не только не имело успеха, но более того, румыны отступили перед немногими советскими танками, отойдя от рубежа восточнее города Старый Крым.

46 пд форсированным маршем вышла на Парпачский перешеек. Но при этом ей пришлось оставить на обледенелых дорогах большинство своих орудий. К тому же ее личный состав был совершенно

изнурен тяготами этого отступления. Вслед за 46 пд противник сразу же смог начать преследование с оставшихся за ним небольших плацдармов. Керченский пролив замерз, что позволило противнику быстро подтянуть новые силы.

Если бы противник использовал выгоду создавшегося положения и быстро стал бы преследовать 46 пд от Керчи, а также ударил решительно вслед отходившим от Феодосии румынам, то создалась бы обстановка, безнадежная не только для этого вновь возникшего участка восточного фронта 11-й армии. Решалась бы судьба всей 11-й армии. Более решительный противник мог бы стремительным прорывом на Джанкой парализовать все снабжение армии. Отозванные от Севастополя войска — 170 пд, а после прекращения наступления с севера и 132 пд — могли прибыть в район западнее или северо-западнее Феодосии не раньше чем через 14 дней.

Но противник не сумел использовать благоприятный момент. Либо командование противника не поняло своих преимуществ в этой обстановке, либо оно не решилось немедленно их использовать. Из захваченных нами оперативных карт было видно, что высадившаяся у Феодосии 44-я армия имела только одну цель — выйти к 4 января в район западнее и северо-западнее города Старый Крым имевшимися к этому времени в ее распоряжении шестью дивизиями, чтобы затем занять оборону на достигнутом рубеже. По-видимому, даже имея тройное превосходство в силах, противник не решался на смелую глубокую операцию, которая могла бы привести к разгрому 11-й армии. Очевидно, он хотел накопить сперва еще больше сил.

Но противник не достиг в действительности даже упомянутого выше рубежа западнее города Старый Крым.

Наступавшая через Керчь 51-я армия преследовала 46 пд очень нерешительно. Высадившаяся же у Феодосии 44-я армия сначала предпринимала в решающем западном и северо-западном направлении только осторожные вылазки. К нашему удивлению, она направила свои главные силы не в этом направлении, а на восток, навстречу 51-й армии. Противник явно видел перед собой только свою тактическую цель — уничтожение наших сил на Керченском полуострове — и совершенно упустил из виду оперативную цель — пересечение основной жизненной артерии 11-й армии.

Таким образом, нам удалось создать из измотанной 46 пд, прибывшего тем временем усиленного 213 пп и румынских частей очень, правда, непрочный фронт прикрытия на рубеже северные отроги Яйлы у Старого Крыма — побережье Сиваша западнее Ак-

Монай. На укрепление румынских частей были посланы все офицеры, унтер-офицеры и солдаты (в том числе из состава штаба армии), которых можно было высвободить, они же должны были обеспечить правильное использование тяжелого оружия румынами.

ТРАГИЧЕСКОЕ ДЕЛО
ГЕНЕРАЛА ГРАФА ШПОНЕКА

Оставление Керченского полуострова повлекло за собой меры Главного командования, которые не были оправданы и которые в интересах наших храбрых солдат должны быть здесь рассмотрены.

Тогдашний главнокомандующий группой армий «Юг», генерал-фельдмаршал фон Рейхенау, прежде всего запретил представлять к каким бы то ни было наградам личный состав 46 пд. Эта мера явилась, по-видимому, следствием категорического приказа Гитлера, который, принимая в декабре 1941 года командование над сухопутными силами, запретил им отступать назад хоть на один шаг независимо от обстановки. И все же в отношении этой дивизии такая мера не была оправдана. Она получила приказ на отход от штаба корпуса и обязана была его выполнить. К сожалению, только после последовавшей вскоре смерти генерал-фельдмаршала фон Рейхенау мне все же удалось добиться от его преемника, генерал-фельдмаршала фон Бока, отмены этого решения, являвшегося несправедливостью по отношению к такому храброму соединению. Командир дивизии, генерал-лейтенант Гимер, к сожалению, вскоре погиб в оборонительных боях на Парпачском перешейке.

Дело графа Шпонека показывает, насколько трагична бывает для военачальника коллизия между обязанностью выполнять приказ и своим собственным мнением об оперативной необходимости. Он знает, что, не подчиняясь приказу, он рискует толовой, и тем не менее он может оказаться перед необходимостью действовать вопреки приказу. Такая коллизия во всей ее остроте возможна только для солдата.

Получив донесение о том, что, вопреки неоднократным приказам командующего армией, запрещавшим отход с Керченского полуострова, командир корпуса все же приказал своим войскам отойти, я отстранил графа Шпонека от командования. Я сделал это не потому, что он поступил самовольно. Я сам достаточно часто вынужден был действовать вразрез с оперативными указаниями Гитлера, чтобы понимать, что и подчиненные мне командиры в случае необходимости имеют право поступать по своему усмотрению.

Я отстранил Шпонека от командования, потому что не был уверен, что он способен был в то время оправиться с критической обстановкой, сложившейся на Керченском полуострове. В тяжелых боях за Днепр ему в свое время пришлось вынести тягчайшее напряжение. На его место я назначил отлично проявившего себя командира 72 пд, генерала Маттенклотта.

Граф Шпонек, конечно, пожелал оправдать свой образ действий в ходе судебного разбирательства судом военного трибунала. Такой процесс и был назначен Гитлером, для чего Шпонек был вызван в Ставку фюрера. Процесс проходил в Ставке фюрера под председательством Геринга в дни, когда обстановка в Крыму была наиболее острой. После краткого судебного разбирательства был вынесен смертный приговор, замененный, однако, Гитлером заточением в крепость. Штабу армии не была сообщена дата судебного разбирательства, так же как и мне не была предоставлена возможность дать свою оценку поступку графа Шпонека.

Чтобы объективно оценить этот случай, необходимо сказать следующее.

В качестве обстоятельства, смягчающего вину графа Шпонека, обязательно следовало признать, что он очутился в чрезвычайно затруднительном положении. Хотя командование армии и запретило оставлять Керченский полуостров, все же советский десант у Феодосии создал новую обстановку. Нельзя не признать логичной мысль, что теперь главная задача свелась к тому, чтобы сохранить боевую мощь 46 пд путем ее быстрого отвода к Парпачскому перешейку. Несомненно, этой мыслью граф Шпонек и руководствовался.

Нельзя было все же одобрить того, что штаб 42 ак своей радиограммой об уже отданном приказе на отход поставил командование армии перед совершившимся фактом, а также, что он, свернув свою рацию, сделал невозможным всякое вмешательство со стороны командования армии, направленное на отмену такого решения. Кроме того, нужно сказать, что такой чересчур поспешный отход 46 пд никак не мог способствовать сохранению ее боеспособности. Если уж оставлять Керченский полуостров, то нужно было приложить все усилия к тому, чтобы дивизия достигла Парпачского перешейка в боеспособном состоянии. Если бы противник под Феодосией действовал правильно, то дивизия в том состоянии, в каком она добралась до Парпача, едва ли смогла бы пробиться на запад.

Как бы то ни было, военно-полевой суд, состоявший из опытных фронтовых командиров, не вынес бы такого приговора, какой вынес суд под председательством Геринга. В качестве обстоятельства, смягчающего вину графа Шпонека, необходимо было принять во внимание, что он, попав в чрезвычайно сложную обстановку, был глубоко убежден, что иначе поступить нельзя. Кроме того, то, что он отличился на посту командира 22 пд под Роттердамом и при форсировании Днепра под Бериславом, должно было бы исключить возможность подобного приговора.

Как только я узнал о приговоре, я в рапорте на имя командующего группой армий вступился за графа Шпонека и потребовал, чтобы прежде всего еще раз выслушали меня. Генерал-фельдмаршал фон Бок полностью поддержал мою позицию. Однако мы получили только ответ Кейтеля, в совершенно неоправданно резкой форме отклонявший нашу точку зрения. Все же Гитлер, как сказано выше, изменил приговор. Последующие годы генералу графу Шпонеку пришлось провести в крепости Гермерсгейм. Мои неоднократные попытки добиться его полной реабилитации остались безуспешными. Потом он подло был расстрелян по приказу Гиммлера после 20 июля 1944 года, но об этом факте стало известно только после конца войны. Все мы, кто его знал, будем с уважением хранить память о нем, как о честном солдате и о командире, исполненном высокого чувства ответственности.

Но вернемся к положению 11-й армии. В первые дни января 1942 года для войск противника, высадившихся у Феодосии и подходивших со стороны Керчи, фактически был открыт путь к жизненной артерии 11-й армии, железной дороге Джанкой — Симферополь. Слабый фронт охранения, который нам удалось создать, не мог бы устоять под натиском крупных сил. 4 января стало известно, что у противника в районе Феодосии уже было 6 дивизий. До тех пор, пока не прибудут дивизии, подтягиваемые из-под Севастополя, судьба 11-й армии действительно висела на волоске. Однако противник пытался помешать снятию войск с Севастопольского фронта, перейдя теперь со своей стороны в наступление на наши новые и недостаточно укрепленные позиции.

В эти дни нас морально особенно угнетало то, что в госпиталях Симферополя лежало 10 000 раненых, которых мы не могли эвакуировать. В Феодосии большевики убили наших раненых, находившихся там в госпиталях, часть же из них, лежавших в гипсе, они вытащили на берег моря, облили водой и заморозили на ледяном ветру. Что произошло бы, если бы был прорван слабый фронт нашего охранения западнее Феодосии и противник добрался до Симферополя?

И вообще все как будто вступило в заговор против нас. Сильный мороз на аэродромах в районе Симферополя и Евпатории, с которых должны были подниматься наши бомбардировщики, часто препятствовал старту самолетов для налетов на места выгрузки противника в Феодосии. Мы уже раньше говорили о том, что противник имел возможность переправляться через Керченский пролив по льду. С другой стороны, соединения бомбардировочной авиации, базирующиеся на район Херсона и Николаева, также не могли подниматься в воздух из-за неблагоприятной погоды в этом районе. Из-за затруднений с подвозом в прошедшие недели не оказалось возможным обеспечить для лошадей кроме овса также и грубые корма. Этот недостаток привел к тому, что конский состав частей, стоявших на южном берегу под Севастополем, где не было грубых кормов, был сильно истощен и среди него был большой падёж. Например, вся артиллерия на конной тяге 170 пд смогла преодолеть горы между Алуштой и Симферополем только без орудий. Орудия же пришлось перевезти автотранспортом.

В этой связи я хотел бы сделать одно замечание по другому поводу. Несмотря на все изложенные выше трудности со снабжением, армия прилагала все усилия — вплоть до снижения довольствия своих войск — для того, чтобы хотя как-нибудь обеспечить пищей многочисленных пленных, которых нельзя было отправить в тыл из-за недостатка транспорта. В результате среднегодовая смертность среди них не достигала и двух процентов, цифра, которая представляется очень низкой, если учесть, что значительная часть пленных попадала в наши руки тяжело раненными или в совершенно изможденном состоянии! Доказательством того, что мы хорошо обращались с пленными, было их собственное поведение во время высадки советского десанта под Феодосией. Там находился лагерь с 8000 пленных, охрана которого бежала. Однако эти 8000 человек отнюдь не бросились в объятия своим «освободителям», а, наоборот, отправились маршем без охраны в направлении на Симферополь, то есть к нам.

Сверх этого армия предпринимала все от нее зависящее, чтобы помочь гражданскому населению. Оно переносило тяжелые лишения, так как Советы перед уходом из Крыма с помощью специально для этой цели созданных «истребительных батальонов», представлявших собой часть умело организованных партизанских отрядов, не только разрушили почти все фабрики, мельницы и т.д., но также уничтожили большинство наличных складов продовольствия. Надо учесть, что Крым всегда ввозил продовольствие из других областей.

Начальник тыла армии полковник Гаук и прекрасно справлявшийся со своими обязанностями интендант армии Рабус, несмотря на все трудности со снабжением, также достойным образом поработали над разрешением этой проблемы.

Успех этой помощи, а также уважение религиозных обычаев татар с нашей стороны привели к тому, что большинство татарского населения Крыма было настроено весьма дружественно по отношению к нам. Нам удалось даже сформировать из татар вооруженные роты самообороны, задача которых заключалась в охране своих селений от нападений скрывавшихся в горах Яйлы партизан. Причина того, что в Крыму с самого начала развернулось мощное партизанское движение, доставлявшее нам немало хлопот, заключалась в том, что среди населения Крыма помимо татар и других мелких национальных групп было все же много русских. Часть из них была поселена в Крыму только при большевистском режиме. Из них, а также из многочисленных военнослужащих рассеянных в первых боях частей и рекрутировались преимущественно партизаны.

Партизанское движение в Крыму готовилось заранее. В недоступных горах Яйлы партизаны имели убежища и подготовленные склады продовольствия и боеприпасов, к которым трудно было подступиться. Базируясь на них, они пытались блокировать немногочисленные дороги. Как раз во время освещаемых здесь событий, когда обстановка была очень напряженной и даже все румынские горные войска были брошены на фронт, партизаны представляли собой серьезную угрозу. Временами движение по дорогам было возможно только с конвоем. Вообще же партизаны, как и всюду на Востоке, вели боевые действия с чрезвычайным вероломством и жестокостью. Они не уважали никаких норм международного права. Для защиты своих войск, а также и мирного населения нам не оставалось ничего другого, как поступать с каждым пойманным партизаном по законам военного времени. Какую опасность они собой представляли и как хорошо была подготовлена их организация, проявилось особенно ярко в критические дни начала января.

Когда никто еще не мог предвидеть, удастся ли вообще справиться со смертельной опасностью для 11-й армии, возникшей в результате десантных операций у Керчи и Феодосии, русские нанесли новый удар.

5 января последовала новая высадка русских войск под прикрытием флота в порту Евпатории. Одновременно в городе вспых-

нуло восстание, в котором участвовала часть населения, а также просочившиеся, по-видимому, извне партизаны. Незначительные силы охранения, выделенные для обороны города и порта, не смогли помешать высадке и подавить восстание. Румынский артиллерийский полк, предназначенный для береговой обороны, оставил свои позиции. Если бы не удалось немедленно ликвидировать этот новый очаг пожара, если бы русские смогли высадить здесь новые войска, перебросив их из недалеко расположенного Севастополя, то за последствия никто не мог бы поручиться.

Хотя обстановка на феодосийском участке была очень серьезной, командование армии вынуждено было все-таки решиться на то, чтобы повернуть первый же направлявшийся туда на автомашинах с южного фронта из-под Севастополя полк (105 пп) и послать его в Евпаторию с задачей возможно скорее уничтожить высадившиеся здесь войска и поддерживающие их вооруженные элементы из населения. Находившиеся в распоряжении командования армии разведывательный батальон 22 пд, несколько батарей и 70 саперный батальон уже ранее были направлены в Евпаторию.

Посланным в Евпаторию частям, находившимся сначала под командованием полковника фон Гейгля, а затем полковника Мюллера (командира 105 пп), удалось в тяжелых уличных боях одержать верх над противником. Особенно упорное сопротивление оказывали повстанцы и партизаны, засевшие в большом здании. Не оставалось, наконец, ничего другого, как подорвать это здание с помощью штурмовых групп саперов. В боях в Евпатории наряду с многими храбрыми солдатами пал смертью героя и командир 22-го разведывательного батальона, подполковник фон Боддин, один из храбрейших наших офицеров и горячо любимый солдатами командир. Он был застрелен в спину партизанами, находившимися в засаде.

7 января бой в Евпатории был окончен. Высадившиеся войска русских были частично уничтожены, частично взяты в плен. Было убито около 1200 вооруженных партизан.

Между тем наш слабый фронт под Феодосией каким-то чудом держался. Однако подходившие из-под Севастополя две дивизии могли вступить в дело не раньше чем через неделю. Кроме того, командование армии перебросило с южного фронта из-под Севастополя 30 ак для нанесения контрудара на Феодосию. Под Севастополем в это время без такого контрудара, на крайний случай, можно было обойтись. Командование корпусом вместо тяжело заболевшего желтухой генерала фон Зальмута принял генерал Фреттер-Пико.

Противник тем временем высадил в Феодосии новые войска, а также подтягивал свежие силы через Керчь. Одновременно на Севастопольском фронте, где фронт окружения держали теперь только 4 немецкие дивизии и 1 румынская горная бригада, обстановка стала весьма напряженной вследствие контратак противника из крепости.

Наконец, 15 января все было готово для нанесения контрудара на Феодосию силами 30 ак и 42 ак. Нелегко было все же решиться на это наступление. Оно должно было вестись тремя с половиной немецкими дивизиями и одной румынской горной бригадой против противника, силы которого возросли теперь до восьми дивизий и двух бригад. В то время как противник располагал танками, хотя и в ограниченном количестве, у нас не было ни одного. Поддержка авиации стояла под вопросом из-за нелетной погоды. Тем не менее необходимо было решиться на наступление.

Благодаря храбрости войск, среди которых наряду с 105 пп особенно отличился 213 пп со своим испытанным командиром полковником Гицфельдом, наступление имело успех. Полк отличился в свое время уже при штурме «Татарского рва» и при взятии Керчи. К 18 января Феодосия была в наших руках. Противник потерял 6700 человек убитыми, 10 000 пленными, 177 орудий и 85 танков. Авиация, как мы теперь увидели, несмотря на неблагоприятную погоду, неплохо поработала в феодосийском порту и потопила несколько транспортов.

Новый небольшой десант, высаженный в эти дни противником в Судаке, западнее Феодосии, также был ликвидирован.

После успеха у Феодосии, естественно, встал вопрос, окажется ли возможным немедленно использовать этот успех с целью окончательного освобождения Керченского полуострова от советских армий. Хотя это и было весьма желательно, командование армии после зрелого размышления все же должно было прийти к выводу, что достижение указанной цели имевшимися в то время силами невозможно, тем более что обещанный армии танковый батальон, а также две бомбардировочные эскадры потребовалось передать группе армий «Юг». Эти силы как раз особенно были бы нужны для выполнения данной задачи.

Таким образом, командование армии оказалось вынужденным отказаться от полного использования успеха и ограничиться тем, чтобы отбросить противника к Парпачскому перешейку. Здесь армия могла отсечь Керченский полуостров в его самом узком месте между Черным и Азовским морями. Конечно, не робость руководила нами, когда мы решили таким образом ограничить свою цель. Мы понимали, что после всего того, что нам пришлось потребовать от войск, новые несоразмерные требования могли бы привести к тягчайшим неудачам.

«СТАЛИНСКОЕ НАСТУПЛЕНИЕ» ПРОДОЛЖАЕТСЯ

Несмотря на то что, возвратив себе Феодосию и перекрыв Керченский полуостров на Парпачском перешейке, 11-я армия избежала угрожавшей ей смертельной опасности, мы все же не тешили себя иллюзией, что противник оставит нас теперь в покое. На всем протяжении Восточного фронта он в это время пытался ликвидировать последствия своих летних поражений и захватить инициативу в свои руки. Почему же именно в Крыму ему не попытаться сделать то же? Тем более что господство на море предоставляло ему здесь особые преимущества. Ведь успех на этом участке имел бы большое политическое значение, так как он оказал бы влияние на позицию Турции, и большое военно-экономическое значение, так как захват военно-воздушных баз в Крыму для налетов на румынские нефтяные районы имел бы решающее влияние на всю обстановку на Восточном фронте! Наконец, в пропаганде противника наступление в Крыму так тесно связывалось с именем Сталина, что отказ от него казался маловероятным.

Мы установили, что противник подтягивает новые силы на Керченский полуостров. Располагая «Керченской ледовой дорогой», он не особенно пострадал от потери феодосийского порта. Воздушная разведка постоянно обнаруживала большие скопления сил противника в портах черноморского побережья, а также на аэродромах Северного Кавказа. Уже 29 января данные разведки говорили о том, что противник все еще, или, вернее, снова располагает на парпачском участке 9 дивизиями, двумя стрелковыми бригадами и двумя танковыми бригадами. И на севастопольском участке активность противника, особенно активность его артиллерии, снова возросла. Мы уже вынуждены были выжидать и на обоих участках приготовить все для горячего приема противника, на случай если он перейдет в наступление.

Хотя ОКХ и понимало затруднительность нашего положения, оно пока не могло ничем нам помочь, ввиду занятости всех сил на остальных участках Восточного фронта. Маршал Антонеску зато предоставил нам еще две румынские пехотные дивизии. Из них

10 пд была использована для охранения западного берега Крыма, в особенности порта Евпатория. 18 пд мы поставили на северном фланге парпачского участка. Мы рассчитывали, что, упираясь флангом в Азовское море, она сможет удержать свою позицию, тем более что болотистая местность перед ее фронтом делала мало вероятным использование противником крупных сил.

После нескольких внешне спокойных, в действительности же напряженных до крайности недель противник 27 февраля начал наконец ожидавшееся нами крупное наступление. На Севастопольском фронте он попытался вырваться на север и на восток сквозь неплотное кольцо окружения 54 ак. Четырем немецким дивизиям и одной румынской горной бригаде он мог уже противопоставить в крепостном районе 7 стрелковых дивизий, 3 бригады и 1 кавалерийскую дивизию без лошадей. Артиллерия этих дивизий дополнялась крепостной артиллерией, частично расположенной в бронированных башнях. Атаки противника, предпринятые главным образом в полосах Нижнесаксонской 22 пд и Саксонской 24 пд, были отбиты в упорных боях благодаря прекрасным действиям наших войск и эффективному огню артиллерии.

На парпачском участке противник предпринял наступление против стоявших там 30 ак (170 пд и 132 пд) и 42 ак (46 пд и 18 румынская пд) силами 7 стрелковых дивизий, 2 бригад и нескольких танковых батальонов. Еще 6 или 7 стрелковых дивизий, 2 танковые бригады и 1 кавалерийская дивизия находились во втором эшелоне и должны были быть введены в бой для использования достигнутого прорыва.

Немецкие дивизии сумели отбить атаки противника, но 18-я румынская пд не устояла. При этом мы потеряли и 2 немецких артиллерийских дивизиона, действовавших в ее полосе. Нам не оставалось ничего другого, как бросить в бой наш резерв, 213 пп, и снять с южного фланга этого фронта штаб 170 пд и 105 пп, чтобы ликвидировать прорыв противника на севере. Однако эти части со своим тяжелым вооружением настолько медленно продвигались из-за глубокой грязи, что противнику удалось прорваться на запад до Киета, чем он практически обеспечил себе возможность выйти через Парпачский перешеек на север. Румынская дивизия была выведена из боя.

Тяжелые бои продолжались с неослабевающим напряжением как здесь, так и под Севастополем до 3 марта. Но потом наступила пауза, вызванная утомлением обеих сторон. На парпачском участке все же удалось преградить путь прорвавшемуся на севере противнику, используя преимущества болотистой местности. Противник был настолько потеснен, что удалось опять создать сплошной фронт, хотя и отклонявшийся на севере дугой далеко на запад.

13 марта противник вновь начал крупное наступление. На этот раз в его первом эшелоне наступали 8 стрелковых дивизий и 2 танковые бригады. Из состава последних в течение первых трех дней наступления удалось подбить 136 танков. Тем не менее на ряде участков создавалось критическое положение. О том, насколько упорны были бои, свидетельствует тот факт, что полки 46 пд, в полосе которой наносился главный удар, в течение первых трех дней отбили от 10 до 22 атак.

18 марта штаб 42-го корпуса вынужден был доложить, что корпус не в состоянии выдержать еще одно крупное наступление противника.

Тем временем за этим фронтом расположилась присланная ОКХ вновь сформированная 22 тд. Учитывая чрезвычайную напряженность обстановки, командование армии приняло решение использовать эту дивизию для контрудара. Цель его заключалась в том, чтобы восстановить проходившую по самому перешейку прежнюю линию фронта и при этом отрезать вклинившиеся в наш фронт на севере 2—3 дивизии противника.

Я с офицерами оперативной группы штаба вновь выехал на передовой КП вблизи угрожаемого парпачского участка, чтобы лично наблюдать за подготовкой к контрудару, проводимой штабом 42 ак.

Предпринятое 20 марта наступление, к которому должны были также присоединиться на флангах 46 пд и 170 пд, потерпело неудачу. Танковая дивизия в утреннем тумане натолкнулась на советские войска, занявшие исходное положение для наступления. Оказалось, что командование армии совершило ошибку, бросив эту вновь сформированную дивизию в большой бой, не испытав ее заранее и не проведя с ней учений в составе соединения. Хотя на этот раз наступление дивизии не имело успеха, несмотря на то, что ей ставилась ограниченная задача, спустя несколько недель, когда с ней были проведены занятия в условиях, близких к боевым, в составе соединения, она целиком оправдала возложенные на нее надежды. Но что нам оставалось делать в этой крайне напряженной обстановке, как не идти на риски бросать в бой танковую дивизию? Все же противнику был нанесен моральный удар, и мы сорвали его подготовку к новому крупному наступлению в решающий момент. Теперь же наступление было предпринято им только 26 марта, и оно было отбито 42 ак. Противник на этот раз послал в наступление только 4 дивизии — либо ударная сила остальных его соединений была, по крайней мере временно, исчерпана, либо ввиду первого случая применения танков с нашей стороны он предпочел довольствоваться ограниченной задачей.

Между тем, когда 22 тд была отведена в тыл на пополнение, за нашим фронтом появились первые части вновь прибывшей 28 лпд[1].

Теперь мы спокойно могли ожидать наступления противника.

Оно было предпринято — как последняя попытка противника возвратить себе Крым — 9 апреля силами 6 — 8 пехотных дивизий при поддержке 160 танков. К 11 апреля оно было отбито с тяжелыми потерями для противника.

Ударная сила противника была теперь окончательно исчерпана. Храбрые дивизии, вынесшие это оборонительное сражение, несмотря на нечеловеческое напряжение сил, могли теперь отдохнуть, хотя и не было возможности отвести их с передовой. Что же касается командования армии, то оно приступило после тяжелой, принесшей много кризисов зимы к своей очередной задаче, к подготовке наступления с целью окончательного изгнания советских войск из Крыма.

«ОХОТА НА ДРОФ». ВОЗВРАЩЕНИЕ КЕРЧЕНСКОГО ПОЛУОСТРОВА

Еще во время передышки между предпоследним и последним оборонительными сражениями в Крым прибыл глава румынского государства Антонеску; вместе со мной он побывал в румынских дивизиях и на Севастопольском фронте. Как военачальник он произвел на меня прекрасное впечатление, особенно своей манерой держаться. Высшие румынские офицеры, казалось, боялись его, как самого Господа Бога. Для меня особенно ценно было то, что он обещал нам еще 2 румынские дивизии, тем более что ОКХ не могло нам предоставить других сил для предполагаемого наступления, кроме уже прибывших 22 тд и 28 лпд.

---

[1] Новые «легкие» дивизии, в отличие от прежних, не представляли собой нечто среднее между танковой и моторизованной дивизией; они соответствовали по штатам и вооружению скорее горной дивизии. Позже они были переименованы в горнострелковые дивизии. — *Примеч. автора.*

По замыслу ОКХ, окончательное изгнание советских войск из Крыма, включая Севастополь, должно было составить начало планируемого Главным командованием крупного наступления на южном отрезке Восточного фронта.

Было ясно, что ближайшей целью 11-й армии являлось уничтожение сил противника на Керченском полуострове, прежде всего потому, что нельзя было предсказать, сколько времени потребуется на наступление с целью взятия Севастополя, но главное, ввиду того, что Керченский фронт, куда противник легче всего мог подбрасывать новые силы, по-прежнему оставался основной угрозой для 11-й армии. Здесь противнику нельзя было давать времени оправиться от потерь, понесенных в неудавшихся наступлениях. Севастополь должен был быть отодвинут на второй план до уничтожения противника на Керченском полуострове.

Соотношение сил в Крыму, однако, не давало особенных причин для оптимизма в отношении выполнения обеих больших задач.

Под командованием созданного, по-видимому вновь, штаба Крымского фронта, расположенного, по нашим данным, в Керчи, в Крыму находились 3 армии противника.

Крепость Севастополь по-прежнему обороняла Приморская армия, которая на февраль состояла, по нашим данным, из 7 стрелковых дивизий, 1 стрелковой бригады, 2 бригад морской пехоты и 1 кавалерийской дивизии (спешенной). Против этих сил мы могли оставить во время планируемого наступления на Керченском полуострове только 54 ак, державший северный и восточный участки перед крепостью, а также вновь прибывшую румынскую 19 пд. Она должна была высвободить для Керченского фронта немецкую 50 пд. На южном участке под Севастополем оставалась только 72 пд.

Румынский горный корпус должен был обеспечивать 4-й горной бригадой весь южный берег Крыма против возможных внезапных нападений противника. Для того чтобы провести предполагаемое наступление на Керчь возможно большими силами, командованию армии вновь пришлось оголить остальные участки.

На Керченском фронте противник по-прежнему держал свои 44-ю и 51-ю армии. Их общий состав равнялся к концу апреля 17 стрелковым дивизиям, 3 стрелковым бригадам, 2 кавалерийским дивизиям и 4 танковым бригадам, то есть в целом 26 крупным соединениям.

Этим силам командование армии могло противопоставить не более 5 немецких пехотных дивизий (в том числе перебрасываемую из-под Севастополя 50 пд) и 1 танковой дивизии (22 тд). К ним прибавлялись еще входившие в состав вновь прибывшего румынского 7 ак 19-я румынская дивизия и 8-я румынская кавалерийская бригада, а также переброшенная с западного побережья 10-я румынская дивизия. Так как румынские соединения только условно были пригодны для наступательных действий, соотношение сил в планируемой операции, закодированной под названием «Охота на дроф», фактически было еще хуже. К тому же наступление на Парпачском перешейке должно было вестись только фронтально. Оба моря исключали всякую возможность флангового маневра. Кроме того, противник создал глубоко эшелонированную оборону. Как можно было в этих условиях и при соотношении сил 2: 1 в пользу противника добиться уничтожения двух его армий?

Ясно было, что, оттеснив противника только фронтально или даже просто осуществив прорыв, мы не могли добиться цели. Если бы противнику удалось, после того как он оставит парпачскую позицию, снова где-либо занять оборону, наше наступление захлебнулось бы. По мере того как Керченский полуостров расширялся на восток, противник все лучше мог бы использовать свое численное превосходство. Наших 6 немецких дивизий было бы достаточно для наступления на 18-километровом перешейке у Парпача, где противник не мог одновременно ввести в бой все свои силы. Но как бы развивалась операция, если бы нам пришлось вести бой дальше на восток на фронте в 40 км, где противник мог бы полностью использовать свое численное превосходство? Задача, следовательно, заключалась не только в том, чтобы прорвать фронт противника на перешейке и чтобы затем продвигаться дальше вглубь, но прежде всего в том, чтобы уже в ходе прорыва уничтожить главные силы противника или по крайней мере большую их часть. В этом отношении сам противник предоставил нам благоприятные условия. На южном участке своего фронта — между Черным морем и Кой-Ассаном — он в основном по-прежнему занимал свой старый, хорошо оборудованный парпачский рубеж, так как все его атаки на этом участке были отбиты. На северном же участке его фронт отклонялся большой дугой на запад до Киета, выходя далеко вперед за этот рубеж. Этот фронт образовался в то время, когда противник сбил с позиций 18-ю румынскую дивизию.

Группировка сил противника свидетельствовала о том, что советское командование считается с возможностью попыток с нашей стороны отрезать войска, расположенные на этой дуге. Наша раз-

ведка показала, что противник сосредоточил две трети своих сил на
северном участке (часть из них на самой оборонительной позиции,
часть же позади нее в качестве резерва). На южном участке оборону занимали только 3 дивизии и еще 2—3 дивизии составляли
резерв. Не будет ошибкой предположить, что такое распределение
сил противника было обусловлено неудавшимся в свое время наступлением 22 тд, имевшим задачу перерезать изгиб фронта противника в районе Кой-Ассана.

Эта обстановка и явилась основой, на которой штаб армии раз-
работал план операции «Охота на дроф». Замысел заключался в том,
чтобы нанести решающий удар не непосредственно по выдающейся
вперед дуге фронта противника, а на южном участке, вдоль побережья Черного моря, то есть в том месте, где противник, по-видимому,
меньше всего его ожидал.

Эта задача возлагалась на 30 ак, в составе 28 лпд, 132 пд и 50 пд,
а также на 22 тд.

170 пд, которая вначале должна была оставаться на центральном
участке с целью введения противника в заблуждение, впоследствии
должна была продвигаться вслед за наступающими на южном участке войсками.

Корпус должен был прорвать позицию на Парпачском перешейке, имея в первом эшелоне все 3 пехотные дивизии. Его ближайшая задача заключалась в том, чтобы захватить плацдарм по ту
сторону противотанкового рва и этим обеспечить 22 тд возможность
преодолеть ров. Затем он должен был повернуть на северо-восток
и позже на север, чтобы ударить во фланг и в тыл основным силам
противника, занимавшим оборону на северном участке, а также
находившимся там в резерве, и окружить их у северного побережья
полуострова во взаимодействии с 42 ак и румынским 7 ак.

Прикрытие образующегося при этом маневре открытого восточного фланга корпуса против возможного удара противника со
стороны Керчи возлагалось на моторизованное соединение — бригаду
Гроддека, составленную из немецких и румынских моторизованных
частей. Бригада должна была обеспечить выполнение этой своей
задачи путем наступательных действий, быстро продвигаясь в направлении на Керчь, чтобы одновременно отрезать путь отхода на
тыловые позиции отступающим частям противника.

Для того чтобы облегчить себе трудную задачу прорыва парпачского рубежа, командование армии, возможно, впервые приняло решение провести морскую десантную операцию с помощью штурмовых

лодок. Было решено перебросить на рассвете по морю на штурмовых лодках из Феодосии один батальон пехоты в тыл парпачского рубежа. Решительное наступление корпуса должно было быть поддержано кроме больших сил артиллерии также и 8-м авиационным корпусом в полном составе. 8-й авиационный корпус, которым располагало командование для поддержки операций сухопутных войск, имел в своем составе также большие силы зенитной артиллерии. Он был самым мощным соединением военно-воздушных сил, обладающим большой ударной силой. Его командир барон фон Рихтгофен, можно с уверенностью сказать, был лучшим из авиационных командиров во Второй мировой войне. Он не только предъявлял очень большие требования к подчиненным ему соединениям, но и лично наблюдал за их каждой важной операцией в воздухе. Его всегда можно было встретить в передовых соединениях сухопутной армии на фронте, где он лично изучал возможности поддержки сухопутных операций. Наше взаимодействие с ним как в 11-й армии, так и позже в группе армий «Дон» и «Юг» всегда было прекрасным. Я вспоминаю о его личных успехах и успехах его авиационного корпуса с большим восхищением и благодарностью. Приятно было работать также и с его начальником штаба полковником Кристом.

На остальных участках фронта 42 ак и румынский 7 ак должны были вначале произвести демонстрацию наступления, чтобы сковать силы противника. Сразу же после прорыва парпачского рубежа на юге и эти корпуса должны были перейти в наступление.

Успех операции зависел от двух предварительных условий. Во-первых, от того, удастся ли нам держать противника в заблуждении относительно направления главного удара, а именно, что он наносится якобы на северном участке, до тех пор пока для противника не будет упущена возможность выйти из окружения или перебросить свои резервы на южный участок. Во-вторых, от того, с какой скоростью будет проходить наступление на север 30 ак, а в особенности 22 тд.

Первая предпосылка была обеспечена обширной системой мероприятий, направленных на введение противника в заблуждение. Помимо демонстрации подготовки к наступлению путем ведения ложных радиопереговоров предусматривалась в первую очередь ложная артиллерийская подготовка на северном и центральном участках, а также передвижение войск на этих же участках. По-видимому, эти мероприятия имели полный успех, так как основные резервы противника находились позади его северного фланга до тех пор, пока не стало поздно. Что же касается темпа проведения операции 30 ак, то временами казалось, что «бог погоды» опять собирается встать на сторону противника.

Буквально накануне начала наступления нам пришлось расстаться с нашим испытанным начальником штаба генералом Велером, который был для меня таким ценным помощником в тяжелые дни зимы и который принимал ведущее участие в подготовке операции «Охота на дроф». Нам особенно было тяжело расставаться потому, что мы наконец-то опять получили возможность снова взять инициативу в свои руки. Но Велер был назначен начальником штаба группы армий «Центр», и я, конечно, не мог как-либо препятствовать его продвижению по службе.

Преемником Велера стал генерал Шульц. И он стал для меня верным другом и советчиком. Во время самой тяжелой обстановки в зимнюю кампанию 1943 года, в дни гибели 6-й армии, он был для меня особенно ценным помощником. Этот храбрейший человек отличался железными нервами. Он прекрасно понимал нужды войск и всегда оставался одинаково любезным. Еще раньше, будучи командиром дивизии, он за руководство боевыми действиями в очень сложной обстановке был награжден Рыцарским крестом. Позже, командуя уже корпусом на фронте группы армий «Юг», он стоял, как утес во время прибоя.

8 мая армия начала наступление по плану операции «Охота на дроф». 30 ак удалось преодолеть противотанковый ров и прорвать первую позицию противника. Высадка десанта с моря хорошо помогла войскам, наступавшим на фланге, так как застигла противника врасплох. Но все же бой был нелегок. Плацдарм, захваченный по ту сторону противотанкового рва, был недостаточным для того, чтобы обеспечить выдвижение танковой дивизии. Начавшееся позже наступление 42 ак продвигалось также, только медленными темпами. Но тем не менее мы завязали уже бой с 10 дивизиями противника и разгромили его южный фланг. Резервы же противника, по всем признакам, продолжали оставаться позади его северного фланга.

9 мая мы уже смогли подтянуть 22 тд, и она заняла исходное положение для наступления. Когда же она собиралась повернуть на север, ей пришлось сначала отбить сильную атаку танков противника. Потом начался дождь, продолжавшийся и всю следующую ночь, почти исключавший действия ближних бомбардировщиков и сделавший почти невозможным продвижение танков 10 мая утром.

Только во второй половине дня 10 мая погода прояснилась, и продвижение возобновилось. Но все же из-за того, что вся операция зависела от темпов продвижения, эта 24-часовая задержка могла оказаться роковой. Утешало нас то, что бригада Гроддека быстро продвинулась еще до начала дождя, благодаря чему ей удалось сорвать все попытки противника закрепиться на тыловых позициях. По-видимому, противник не ожидал такого смелого прорыва в глубину его тылового района. К сожалению, храбрый полковник Гроддек, на которого было возложено командование бригадой, в ходе этой операции был тяжело ранен и вскоре скончался.

Начиная с 11 мая операция протекала уже без существенных задержек. 22 тд броском вышла на северное побережье. Примерно 8 дивизий противника оказалось в созданном ею котле. Командование армии могло теперь отдать приказ преследовать противника. Преследование проводилось всеми частями, в том числе румынскими, с максимальным напряжением сил. 16 мая Керчь была взята 170 пд и 213 пп. Но потребовались еще тяжелые местные бои, чтобы уничтожить остатки сил противника, добравшиеся до восточного побережья.

Перед наступлением я опять устроил передовой КП в непосредственной близости к фронту и целыми днями объезжал дивизии и войска на передовой. У солдата это стремительное преследование оставляло неизгладимое впечатление. Все дороги были забиты брошенными машинами, танками и орудиями противника. На каждом шагу навстречу попадались длинные колонны пленных. Незабываемое зрелище открывалось с высоты вблизи города Керчь, где мы встретились с генералом фон Рихтгофеном. Перед нами в лучах сияющего солнца лежало море, Керченский пролив и противоположный берег. Цель, о которой мы так долго мечтали, была достигнута. Перед нами был берег, на котором стояло несметное количество разных машин. Советские катера предпринимали все новые попытки подойти к берегу, чтобы взять на борт хотя бы людей, но наши отгоняли их огнем. Чтобы добиться капитуляции последних остатков сил противника, отчаянно оборонявшихся на берегу, и избежать ненужных жертв со стороны нашей пехоты, огонь всей артиллерии был сосредоточен на этих последних опорных пунктах.

18 мая «Сражение на Керченском полуострове» было закончено. Только небольшие отряды противника под давлением нескольких фанатичных комиссаров еще несколько недель держались в подземных пещерах в скалах вблизи Керчи. По имеющимся данным, мы

захватили около 170 000 пленных, 1133 орудия и 258 танков. Пять немецких пехотных дивизий и одна танковая дивизия, а также две румынские пехотные дивизии и одна кавалерийская бригада уничтожили две армии, в состав которых входило 26 крупных соединений. Только ничтожное количество войск противника сумело уйти через пролив на Таманский полуостров.

Наши войска еще раз сделали невероятное. Их успех во многом зависел от действий 8-го авиационного корпуса. Победоносно была окончена настоящая битва на уничтожение!

«ЛОВ ОСЕТРА»
Взятие крепости Севастополь

11-й армии еще предстояла самая трудная задача — взятие крепости Севастополь.

Свои мысли относительно проведения наступления на крепость, так же как и планы керченского наступления, я еще в середине апреля доложил Гитлеру в Ставке фюрера. С тех пор как я излагал ему свои мысли относительно проведения наступления на западе в феврале 1940 года, я впервые встречался с ним как командующий крупным войсковым объединением. И при этой встрече у меня создалось впечатление, что он не только очень точно информирован обо всех деталях прошедших боев, но что он также прекрасно понимал докладываемые ему оперативные соображения. Он внимательно прослушал мои объяснения и полностью одобрил намерения командования армии как в отношении проведения наступления на Керчь, так и в отношении наступления на крепость Севастополь. Он отнюдь не делал попыток каким-либо образом воздействовать на наше решение или, как это часто бывало впоследствии, углубляться в бесконечное перечисление цифр, характеризующих наше производство, и т.д.

Один принципиальный вопрос, однако, тогда не обсуждался: оправданна ли, — имея в виду планируемое наступление на Украине, — задержка всей 11-й армии на неопределенно долгий срок для наступления на мощную крепость Севастополь? В особенности после того, как благодаря победе на Керченском полуострове угроза для Крыма была ликвидирована. Решать этот вопрос было, бесспорно, делом Главного командования, а не командования армии. Я лично в то время придерживался и сейчас придерживаюсь того мнения, что поставленная тогда 11-й армии задача взять Севастополь была правильной. Если бы мы в дальнейшем ограничивались только блокадой крепости, в Крыму все же были бы связаны, помимо румынских войск, по меньшей мере 3—4 немецкие дивизии, то есть половина 11-й армии. Однако без всякого сомнения можно считать ошибкой, что после того как Севастополь своевременно был взят, Главное командование сняло 11-ю армию с южного фланга Восточного фронта, с тем чтобы использовать ее под Ленинградом и для заполнения промежутков на фронте. После взятия Севастополя 11-ю армию следовало, как и предполагалось вначале, перебросить через Керченский пролив на Кубань, чтобы отрезать путь к отступлению силам противника, отходившим перед группой армий «А» с нижнего Дона к Кавказу. Или, если этого нельзя было бы успеть сделать, ее следовало бы, во всяком случае, держать в резерве позади южного фланга. Сталинградской трагедии тогда, возможно, удалось бы избежать.

Сразу же после завершения боев под Керчью командование армии приступило к перегруппировке сил для наступления на Севастополь. На 42 ак было возложено охранение Керченского полуострова и южного берега. Для выполнения этой задачи в его распоряжении оставалась из немецких войск только 46 пд, а также 7 румынский ак в составе 10 пд и 19 пд, 4-й горной дивизии и 8-й кавалерийской бригады. Все остальные силы немедленно были направлены к Севастополю[1].

Было ясно, что наступление на крепость будет еще более трудным, чем в декабре прошлого года. Ведь противник имел полгода времени для того, чтобы усилить свои укрепления, пополнить свои соединения и подвезти морем в крепость материальные резервы.

Основное, чем была сильна крепость Севастополь, заключалось не в наличии современных крепостных сооружений, хотя и они имелись в некотором количестве. Основными факторами были чрезвычайно труднодоступная местность и то, что эта местность была усилена огромным количеством мелких оборонительных сооружений.

Они густой сетью покрывали весь район от долины реки Бельбек до Черного моря. Особенно сильно был укреплен участок местности между долиной реки Бельбек и бухтой Северной, представлявший собой сплошной укрепленный район.

Северный участок фронта проходил южнее реки Бельбек. Но, правда, противник удерживал и севернее реки большой опорный

---

[1] 22 тд пришлось передать в распоряжение командования группы армий «Юг». — *Примеч. автора.*

пункт у села Любимовка и участок севернее его. Сама долина, а также поднимающиеся на юге склоны гор простреливались в продольном направлении батареей 305-мм орудий (в броневых башнях), оборудованной по последнему слову техники (мы называли ее «Максим Горький I»). Сами же склоны были покрыты густой сетью укреплений полевого типа, в том числе и бетонных долговременных сооружений, простиравшихся на глубину до 2 км. Далее следовал ряд хорошо укрепленных, большей частью бетонированных опорных пунктов, названных нами «Сталин», «Волга», «Сибирь», «Молотов», «ГПУ», «ЧК». Все они были связаны между собой цепью полевых сооружений. Третья полоса, состоявшая из опорных пунктов «Донец», «Волга», «Ленин», а также из оборудованного как опорный пункт населенного пункта Бартеньевка, старого Северного форта и береговых батарей на мысе «Батарейном», являлась последней линией обороны, прикрывавшей подступы к северному крутому берегу бухты Северной. В скалах берега на глубине 30 м были вырублены помещения для складов боепитания и резервов.

Восточный участок фронта начинался примерно в двух километрах восточнее села Бельбек поворотом линии фронта на юг. Стык обоих участков был прикрыт глубоким и крутым Камышлинским ущельем. Далее северный фланг восточного участка проходил через густые заросли кустарника, покрывавшие крутые высоты, являвшиеся отрогами Яйлы. В этих зарослях кустарника было расположено множество мелких долговременных сооружений, в том числе и выбитых в скалах, почти неуязвимых для артиллерии наступающего. Этот проходивший по лесу северный участок заканчивался на крутых высотах южнее и юго-восточнее села Гайтаны.

Дальше на юг леса больше не было, но местность становилась все менее доступной и у берега переходила в скалистые горы.

Южнее реки Черная подступы к южному укрепленному району по обе стороны южнобережной дороги на Севастополь прикрывались рядом крутых вершин, превращенных Советами в мощные опорные пункты. Они известны участникам боев в Крыму под названием «Сахарная голова», «Северный нос», «Гора с часовней» и «Холм с развалинами». Дальше следовало сильно укрепленное село Камиры и, наконец, скальный массив северо-восточнее Балаклавской бухты. Здесь противнику удалось удержаться, когда осенью 1941 года 105 пп смелым броском занял форт Балаклаву. Особенно трудно было прорвать эту полосу укрепленных скал и вершин потому, что с одной горы всегда мог вестись фланкирующий огонь по склонам другой.

Позади этой первой линии обороны на южном участке севернее дороги поднимался массив Федюхиных высот; эта линия продолжалась далее на юг до прибрежных гор такими опорными пунктами, как «Орлиная высота» и укрепленная деревня Кадыковка. Все они образовывали, если можно так выразиться, полосу обеспечения самой мощной позиции противника на Сапун-горе. Это — круто обрывающаяся на восток гряда высот, которая, начинаясь от скал у Инкермана, господствует над долиной реки Черная, заходя на юг дальше села Гайтаны. Затем эта горная гряда поворачивает на юг, как бы перекрывая дорогу на Севастополь. С берегом она смыкается через высоту «Ветряная мельница», которая представляет собой западную оконечность прибрежных гор. Из-за крутых склонов и хороших условий для ведения фланкирующего огня эта позиция была почти неуязвима для пехоты. С расположенных на ней артиллерийских НП на большое расстояние просматривается весь район крепости. Между прочим, во время Крымской войны западные державы удерживали рубеж Сапун-горы во время своего наступления для прикрытия тыла против бездействовавшей русской армии, задача которой заключалась в деблокировании Севастополя.

Но даже после взятия этих командных высот наступающему еще не открывался свободный путь. У берега был расположен ряд береговых батарей, в том числе современная батарея башенных орудий «Максим Горький II». Дальше большим полукругом проходила сплошная позиция, начинавшаяся от Инкермана на берегу бухты Северной и заканчивавшаяся западнее города у бухты Стрелецкой. Она состояла из противотанкового рва, проволочных заграждений и многочисленных долговременных сооружений. В нее входило также превращенное в укрепленную артиллерийскую огневую позицию старое английское кладбище времен Крымской войны, расположенное юго-восточнее города.

Далее последняя линия укреплений проходила вдоль самой окраины города, а полуостров Херсонес также был прикрыт с востока рядом пересекавших его позиций. Если русские издавна были известны своим умением оборудовать и маскировать полевые укрепления, то под Севастополем местность, кроме того, предоставляла им прекрасные возможности для устройства фланкирующих огневых точек. Кроме того, скалистый грунт позволял отрывать такие узкие укрытия для минометов и другого тяжелого оружия, а также и для орудий, что они практически могли быть уничтожены только прямым попаданием. Как и всегда у Советов, минные поля были

созданы не только перед различными оборонительными рубежами,
но и в глубине обороны.

Оценивая возможности проведения наступления на этот укрепленный район, командование армии пришло в основном к тем же
выводам, что и в прошлом году. Центральный участок фронта для
решительного наступления не годился. Бой в лесистой местности
потребовал бы слишком много жертв, потому что здесь действия артиллерии и авиации, которые были главным козырем в наших руках,
никогда не могли бы стать достаточно эффективными. Оставалось
только вести наступление с севера и северо-востока, а также в южной
части восточного участка. При этом главный удар — по крайней мере
на первом этапе — должен был наноситься с севера. Если позиции
в северной части укрепленного района, севернее бухты Северной,
и были явно мощнее и многочисленнее, чем на юге, то местность
здесь, наоборот, была гораздо доступнее. И, что главное, эффективные
действия артиллерии и авиации на севере были возможны в гораздо
больших масштабах, чем на юге. Но ясно было также и то, что от наступления на юге отказаться было нельзя. Во-первых, необходимо
было добиться распыления сил противника, атакуя его одновременно
с разных сторон. Во-вторых, нужно было иметь в виду, что, даже потеряв часть укрепленного района за бухтой Северной, противник будет
пытаться удержаться еще в самом городе и на полуострове Херсонес.
Нельзя забывать, что в Севастопольской операции речь шла не только
о наступлении на крепость, но и о действиях против армии, численность которой была по меньшей мере равна численности наступающих сил, если в отношении оснащенности она и уступала нам[1].

Для нас, правда, уже не имели решающего значения соображения, которыми мы руководствовались зимой, а именно, стремление
возможно скорее захватить контроль над портом. Пока 11-й армии
был придан 8-й авиационный корпус, противник был лишен возможности беспрепятственно осуществлять перевозки по морю.

Изложенные выше соображения и легли в основу операции, которая была зашифрована под условным названием «Лов осетра».

---

[1] По имевшимся у штаба армии сведениям, к тому времени в крепости
находились: штаб Приморской армии (командующий — генерал Петров), 2,
25, 95, 172, 345, 386, 388 сд, 40 кд (спешенная), 7, 8, 79-я бригады морской
пехоты. (Мы имели основания считать, что разбитые в свое время и укрыв-
шиеся в крепости дивизии Приморской армии были вновь доведены до
полного состава.) — *Примеч. автора.*

Армия намеревалась вести наступление в северной и южной частях восточного участка, одновременно сковывая противника в центре на участке Мекензия — Верх. Чогунь. Ближайшей целью наступления на севере были северный берег бухты Северной и высоты у села Гайтаны, на юге — захват командных высот Сапун-горы по обе стороны от дорог, связывающих Севастополь с южным берегом Крыма и Балаклавой.

Наступление на севере должен был вести 54 ак в составе 22, 24, 50 и 132 пд[1] и усиленного 213 пп. Корпусу было приказано сосредоточить свои главные силы на направлении главного удара, на высотах севернее восточной оконечности бухты Северной. Участки укрепленного района, соседние с атакуемым, необходимо было вначале подавить огнем, с тем чтобы позже их позиции были взяты с тыла. Левый фланг корпуса должен был овладеть высотами у села Гайтаны и юго-восточнее его, чтобы обеспечить в дальнейшем возможность наступления румынского горного корпуса южнее этого участка.

Ведение наступления на южном участке было возложено на 30 ак в составе дивизий 72, 170 и 28-й легкой[2]. Он должен был прежде всего захватить себе исходные позиции и артиллерийские НП для последующего наступления в направлении на Сапун-гору. Для этого было необходимо овладеть первой линией обороны противника на рубеже «Северный нос» — «Гора с часовней» — «Холм с развалинами» — Камары — скальные высоты южнее Камары, а также лишить противника возможности ведения фланкирующего огня с юга, со скалистых высот восточнее Балаклавы. Для выполнения этой задачи 72 пд было приказано наступать по обе стороны шоссе на Севастополь, а 28-й легкой дивизии захватить самую северную гряду скалистых гор восточнее Балаклавской бухты. Это задание соответствовало особенностям боевого использования этой дивизии. 170 пд пока оставалась в резерве. Из-за резкой пересеченности местности названные задачи могли быть решены только путем ряда тщательно подготовленных наступательных боев с ограниченной целью.

Румынский горный корпус, действовавший между двумя названными ударными группами немецких войск, на первом этапе операции должен был сковывать противника перед своим фронтом.

---

[1] Командиры дивизий — генералы Вольф, барон фон Теттан, Шмидт и Линдеман. — *Примеч. автора.*

[2] Командиры дивизий — генералы Мюллер-Гебгард, Зандер и Зингубер. — *Примеч. автора.*

18-я румынская дивизия, в частности, должна была прикрывать наступление левого фланга 54 ак, защищая его от фланкирующего огня противника с юга. С этой целью она должна была проводить местные атаки небольшими силами и подавлять противника огнем артиллерии. Южнее 1-я румынская горная дивизия должна была поддержать наступление северного фланга 30 ак путем захвата «Сахарной головы».

Что касается артиллерийской подготовки наступления, то командование армии отказалось от огневого налета, столь излюбленного нашим противником. Во-первых, при данных условиях местности и огромном числе укреплений противника такой огонь не обещал решающего успеха, а во-вторых, у нас не хватило бы для этого боеприпасов. Вместо этого решено было начать артиллерийскую подготовку за 5 дней до начала наступления пехоты бомбовыми ударами и мощными дальними огневыми нападениями по обнаруженным районам сосредоточения резервов противника и по его коммуникациям. Затем артиллерия должна была, ведя методический корректируемый огонь, в течение 5 дней подавить артиллерию противника и обработать огнем оборонительные сооружения, расположенные на передовых рубежах. Тем временем 8-й авиационный корпус имел задачу непрерывно производить налеты на город, порт, тылы и аэродромы.

Еще несколько слов о силе нашей артиллерии в наступлении.

Командование армии, конечно, использовало для наступления все имевшиеся в распоряжении орудия, а ОКХ предоставило в наше распоряжение самые мощные огневые средства. В целом 54 ак (начальник артиллерии — генерал Цукерторт) располагал вместе с входящими в него дивизиями 56 батареями тяжелой артиллерии и артиллерии большой мощности, 41 батареей легкой артиллерии, 18 минометными батареями и двумя дивизионами самоходных артиллерийских установок. Эта 121 батарея обслуживалась двумя дивизионами артиллерийской инструментальной разведки.

Среди батарей артиллерии большой мощности имелись пушечные батареи с системами калибра до 190 мм, а также несколько батарей гаубиц и мортир калибра 305, 350 и 420 мм. Кроме того, было два специальных орудия калибра 600 мм и знаменитая пушка «Дора» калибра 800 мм. Она была спроектирована для разрушения наиболее мощных сооружений линии Мажино, однако использовать ее там для этого не пришлось. Это было чудо артиллерийской техники. Ствол имел длину порядка 30 м, а лафет достигал высоты трехэтажного дома. Потребовалось около 60 железнодорожных составов, чтобы по специально проложенным путям доставить это чудовище на огневую позицию. Для его прикрытия постоянно стояли наготове два дивизиона зенитной артиллерии. В целом эти расходы, несомненно, не соответствовали достигаемому эффекту. Тем не менее это орудие одним выстрелом уничтожило большой склад боеприпасов на северном берегу бухты Северной, укрытый в скалах на глубине 30 м.

Артиллерией 30 ак командовал бывший австрийский генерал Мартинек, который был выдающимся артиллеристом. К сожалению, он впоследствии погиб на Восточном фронте, командуя корпусом.

Корпус располагал 25 батареями тяжелой артиллерии и артиллерии большой мощности, 25 батареями легкой артиллерии, 6 минометными батареями, одним дивизионом самоходных артиллерийских установок и одним дивизионом АИР. Кроме того, корпусу был придан 300-й отдельный танковый батальон, имевший на вооружении танки — носители взрывных зарядов, управляемые на расстоянии.

Румынский горный корпус для выполнения задачи по сковыванию противника имел 12 тяжелых и 22 легкие батареи.

Хорошим усилением артиллерии было то, что командир 8-го авиационного корпуса, генерал фон Рихтгофен, выделил для участия в наземном бою несколько зенитно-артиллерийских полков.

В целом во Второй мировой войне немцы никогда не достигали такого массированного применения артиллерии, как в наступлении на Севастополь. И все же каким незначительным кажется это количество по сравнению с тем, которое Советы считали необходимым для осуществления своих прорывов на открытой местности! Под Севастополем наступающий имел (не считая зенитной артиллерии) 208 батарей на фронте в 35 км, то есть едва 6 батарей на километр фронта. На участках, где, собственно, велось наступление, эта цифра, конечно, была в несколько раз выше. Советы же в планах своих наступательных операций в 1945 году исходили из расчета 250 стволов на километр фронта наступления!

В последние дни подготовки к наступлению я на короткий срок выехал на южный берег, чтобы ближе ознакомиться с положением в 30 ак. Наш КП помещался там в небольшом бывшем великокняжеском дворце мавританского стиля, чудесно расположенном на крутой скале над берегом Черного моря. В последний день своего пребывания там я с целью ознакомления с местностью совершил поездку вдоль южного берега до Балаклавы на итальянском торпедном катере, который был единственным судном нашего флота. Мне необходимо было установить, в какой степени прибрежная дорога, по которой обеспечивалось все снабжение корпуса, могла просматриваться с моря и обстреливаться корректируемым огнем. Советский Черноморский флот не решился взяться за выполнение этой задачи, видимо, из страха перед нашей авиацией.

На обратном пути у самой Ялты произошло несчастье. Вдруг вокруг нас засвистели, затрещали, защелкали пули и снаряды: на наш катер обрушились два истребителя. Так как они налетели на нас со стороны слепящего солнца, мы не заметили их, а шум мощных моторов торпедного катера заглушил гул их моторов. За несколько секунд из 16 человек, находившихся на борту, 7 было убито и ранено. Катер загорелся; это было крайне опасно, так как могли взорваться торпеды, расположенные по бортам. Командир катера, молодой лейтенант итальянского флота, держался прекрасно. Не теряя присутствия духа, он принимал меры к спасению катера и людей. Мой адъютант «Пепо» прыгнул в воду, доплыл, несмотря на мины, до берега; задержал там — совершенно голый — грузовик, домчался на нем до Ялты, вызвал оттуда хорватскую моторную лодку, которая и отбуксировала нас в порт. Это была печальная поездка. Был убит итальянский унтер-офицер, ранено три матроса. Погиб также и начальник ялтинского порта, сопровождавший нас, капитан 1-го ранга фон Бредов. Будучи прикован к берегу как начальник порта, он был так счастлив, что наконец он — старый моряк — вновь ступил на палубу военного корабля, хотя и такого маленького. И вот он пал смертью, достойной моряка!

У моих ног лежал мой самый верный боевой товарищ, мой водитель Фриц Нагель, тяжело раненный в бедро. Итальянский лейтенант сорвал с себя рубашку, чтобы наложить жгут, но кровотечение из артерии остановить не удавалось.

Фриц Нагель был родом из Карлсруэ, он был моим водителем с 1938 года. Нам много пришлось пережить вместе, Он был уже однажды ранен, будучи со мной в 56 тк. За все эти годы он стал для меня верным товарищем и другом. Среднего роста, темноволосый, с красивыми, открытыми, карими глазами, чуждый всякому угодничеству, хороший спортсмен, чрезвычайно честный человек и отличнейший солдат, всегда веселый, он завоевывал сердца своих товарищей и начальников. Когда мы высадились, я лично доставил его в госпиталь. Ему сделали операцию, но он потерял слишком много крови. Ночью эта молодая жизнь угасла. Мы похоронили его вместе с другими павшими тогда же немецкими и итальянскими товарищами на ялтинском кладбище, высоко над морем, в одном из красивейших мест этого живописного побережья.

Чтобы почтить его память, хочу поместить здесь слова, сказанные мною над его могилой. Они сохранились только благодаря тому, что я отослал тогда текст своей речи его родителям.

«Мы прощаемся с нашим дорогим товарищем, обер-фельдфебелем Фридрихом Нагелем. Ты был при жизни прекрасным солдатом. Военная служба была твоим внутренним призванием. Твоими делами и мыслями руководила любовь к солдатскому делу, унаследованная от отца. Поэтому ты был храбр и верен, исполнен инициативы и чувства долга. Ты был образцовым солдатом, которого ожидало бы дальнейшее продвижение по службе, если бы судьба не пожелала иного.

Ты был прекрасным товарищем, всегда бодрым и готовым оказать помощь другому, и поэтому ты завоевал наши сердца. Ты прожил жизнь счастливо. Ты был прекрасно воспитан в доме своих родителей, к которому всегда был привязан сыновней любовью, и рано познал труд. Но ты приступал к решению всякой стоящей перед тобой задачи — в труде и на службе — бодро и радостно, и тебе удавалось все, за что ты брался.

Открытым взором ты воспринимал красоты этого мира и открытой душой переживал великие события нашего времени. С бодрым духом ты наслаждался радостями жизни, но они ни на шаг не отвлекали тебя от выполнения твоего долга. Веселый и всегда готовый оказать помощь другому, ты покорял сердца всех, с кем встречался на жизненном пути.

Солнце счастья, успеха, радости и любви озаряло твой жизненный путь. Он не был еще омрачен заботами и печалью. К твоей жизни можно с полным правом отнести слова древних греков, некогда населявших берега, где ты нашел себе могилу: "Своих любимцев боги рано берут к себе".

Более пяти лет ты, мой водитель и верный спутник, сидел рядом со мной за рулем нашей машины. Твой верный глаз и твоя твердая рука провели нас через много стран и много тысяч километров. Между нами никогда не было размолвок. Вместе мы увидели в эти годы много прекрасного, вместе переживали великие события и победы. Рядом со мной ты был ранен в прошлом году, рядом со мной настигла тебя роковая пуля и сейчас. За дни и годы нашей совместной жизни и общих больших переживаний мы стали друзьями. Узы дружбы, связывающие нас, не могут быть разорваны и этой коварной пулей, настигшей тебя.

Моя благодарность и моя верность, мысли всех нас не оставят тебя и за порогом могилы, они следуют за тобой вечно. Спи спокойно, мой лучший товарищ!»

Но война не терпит остановок даже в мыслях. Через несколько дней небольшая оперативная группа штаба армий выехала на Севастопольский фронт и расположилась на КП в татарском селении Юхары-Каралес.

Оно было живописно расположено в глубоком горном ущелье. Тем не менее Советы, видимо, все же установили, что здесь расположился штаб со своей рацией. Каждый вечер появлялся их «дежурный летчик» со своей старой «швейной машиной», чтобы сбросить несколько бомб, — к счастью, без всякого успеха. На скалистой вершине, поднимающейся над деревней, в скалистых горах Черкес-Кермена, где некогда построили свою крепость готы, мы устроили свой НП. На этот НП мы перешли вечером 6 июня, чтобы на следующий день наблюдать, как начнется наступление пехоты по всему фронту. Это был небольшой земляной блиндаж, из которого можно было вести наблюдение при помощи стереотрубы; там мы — начальник штаба, начальник оперативного отдела, начальник разведки, «Пепо» и я — провели тихие вечерние часы перед штурмом. И снова «Пепо» вносил веселье в царившую у нас напряженную атмосферу.

Мне предложили издать еще «приказ войскам», в котором надо было разъяснить значение предстоящего боя. Я вообще не сторонник подобных воззваний. Обычно они вывешиваются только в канцеляриях, а солдаты и без того знали, в чем дело, и не нуждались ни в каком подбадривании. Но так как подобные приказы принято было издавать, я изложил все, что нужно, в нескольких словах и передал приказ «Пепо», чтобы он довел его до штабов корпусов. Через некоторое время он вернулся и доложил: «Я передал эту бумажку». Это было дерзостью, но, по существу, он высказал то, что каждый солдат думает о подобных призывах. Мы от души посмеялись.

На следующее утро, 7 июня, когда заря начала окрашивать небо в золотистые тона и долины стали освобождаться от ночных теней, кулак нашей артиллерии всей своей силой ударил по противнику, возвещая начало наступления пехоты, целые эскадры самолетов обрушились на указанные им цели. Перед нами открылось незабываемое зрелище. Это был единственный в своем роде случай в современной войне, когда командующий армией видел перед собой все поле сражения. На северо-западе взору открывалась лесистая местность, скрывавшая от нас тяжелые бои на левом фланге 54 ак, и дальше высоты южнее долины Бельбека, за которые велись такие упорные бои. На западе виднелись Гайтанские высоты, за которыми вдалеке сверкала водная поверхность бухты Северной у ее соединения с Черным морем. В хорошую погоду была видна даже оконечность полуострова Херсонес, на котором мы впоследствии обнаружили остатки эллинской культуры. На юго-западе угрожающе поднимались высоты Сапун-горы и возвышались скалы прибрежных гор. На всем широком кольце крепостного фронта ночью видны были вспышки орудий, а днем — облака из пыли и обломков скал, поднимаемые разрывами снарядов и бомб нашей авиации. Поистине фантастическое обрамление грандиозного спектакля!

Но сильнее, чем природа этой «железной земли», как справедливо называли этот кусок суши, за который велись такие жаркие бои, сильнее, чем все средства техники, которые использовали наступающие и обороняющиеся, оказалась сила и самоотверженность тех солдат, которые боролись здесь за победу. Под Севастополем не только наступающая армия противостояла численно примерно равному обороняющемуся противнику, не только современные средства нападения артиллерии и авиации противостояли укреплениям, прикрытым сталью, бетоном и камнем. Здесь дух немецкого солдата, его храбрость, инициатива, самоотверженность боролись против отчаянного сопротивления противника, сила которого заключалась в благоприятной для него местности, в выносливости и невероятной стойкости русского солдата, усиленной железной системой принуждения советского режима. Эту борьбу, длившуюся беспрерывно около месяца в самое жаркое время года (уже рано утром температура достигала 50 градусов), невозможно хотя бы приблизительно описать так, чтобы это описание выражало то напряжение сил, с которым сражались как наступающие, так и обороняющиеся. То, что свершили в этой борьбе наши войска, достойно героического эпоса! Здесь может быть описан лишь в самом сжатом виде ход одного боя, который по своей сложности и напряжению вряд ли может найти себе равный в этой войне.

Командование 54 ак силами 132-й дивизии предприняло на правом фланге своего корпуса фронтальное наступление через долину реки Бельбек на высоты, расположенные южнее ее, оставляя в стороне плацдарм противника в районе Любимовки. Левее 22 пд имела задачу — ударом с востока южнее реки Бельбек, через ущелье Камышлы, обеспечить 132-й дивизии успешное преодоление долины реки Бельбек. Еще левее 50 пд, наступая через населенный пункт Камышлы, должна была наносить удар в юго-западном направлении. На левом фланге корпуса в гористой местности, покрытой лесом, 24 пд имела задачу продвигаться в направлении на Гайтанские высоты. Левый фланг этой дивизии прикрывался 18-й румынской дивизией.

В первый день при мощной поддержке крупных сил артиллерии и 8-го авиационного корпуса, совершавшего непрерывные налеты на позиции противника, удалось преодолеть ущелье Камышлы и долину реки Бельбек и закрепиться на господствующих высотах южнее долины.

На южном фланге 30 ак имел задачу прежде всего захватить для себя по обе стороны большой севастопольской дороги исходные позиции для продолжения наступления, которое корпус должен был начать своими главными силами только через несколько дней.

Второй этап наступления, до 17 июня, характеризуется на обоих фронтах наступления ожесточенной борьбой за каждую пядь земли, за каждый ДОС, за каждую полевую позицию. Ожесточенными контратаками русские вновь и вновь пытаются вернуть потерянные позиции. В своих прочных опорных пунктах, а то и в небольших ДОС, они часто держатся до последнего человека. В этих боях, основная тяжесть которых приходится на пехоту и саперные войска, заслуживает особого упоминания работа передовых наблюдателей артиллерии. Это они корректировали огонь, с помощью которого удавалось занять отдельные опорные пункты или ДОС. Они, а в еще большей степени самоходные артиллерийские установки, были лучшими помощниками пехоты.

13 июня храбрым солдатам 16 пп 22-й дивизии (командир полка полковник фон Холтитц) удалось овладеть фортом «Сталин», перед которым зимой было остановлено наступление полка. Дух нашей пехоты можно видеть на примере одного раненого из этого полка. Указывая на свою раздробленную руку и перевязанную голову, он говорит: «Это не так уж плохо — зато в наших руках "Сталин"!»

До 17 июня удается — правда, ценой больших потерь — на большую глубину и на широком участке вклиниться в долговременный оборонительный рубеж на севере. Оборонительные сооружения второй линии обороны — «ЧК», «ГПУ», «Сибирь», «Волга» — в наших руках.

В полосе наступления 30 ак к 17 июня также удается вклиниться в передовые оборонительные посты противника, выдвинутые перед его позицией в районе Сапун-горы. В тяжелых боях 72-я дивизия овладевает укрепленными опорными пунктами первой оборонительной зоны: «Северный нос», «Гора Капелла», «Руина»; в это время 170-я дивизия занимает Камары. Также и севернее полосы наступления корпуса 1-й румынской горнострелковой дивизии удается наконец, после многократных безуспешных атак овладеть «Сахарной головой». Между тем 28-я легкая дивизия очень медленно с боями продвигалась в прибрежных горах с отвесными скалами, через «Холм роз», через высоты «Киноварь I и II». Собственно бой в скалистой местности, изрезанной глубокими ущельями, может вестись только на основе использования действий штурмовых групп и связан с значительными потерями.

Но, несмотря на эти с трудом завоеванные успехи, судьба наступления в эти дни, казалось, висела на волоске. Еще не было никаких признаков ослабления воли противника к сопротивлению, а силы наших войск заметно уменьшились. Командование 54 ак вынуждено временно отвести с фронта 132-ю дивизию, заменив ее пехотные полки, понесшие тяжелые потери, полками 46-й дивизии с Керченского полуострова. Место 46-й дивизии должна была занять снимаемая с левого фланга корпуса 24-я дивизия. Вместе с тем ОКХ торопит с проведением наступления и рассматривает вопрос о том, чтобы снять 8-й авиационный корпус с крымского участка фронта для наступления на Украине, если штаб армии не рассчитывает на скорое падение крепости. Напротив, штаб армии считает, что наступление при любых обстоятельствах должно вестись до окончательной победы, но для этого необходимо, чтобы 8-й авиационный корпус был оставлен в Крыму. Командованию армии удается отстоять свою точку зрения. Но кто мог бы в тот момент, видя, как заметно иссякают силы наших храбрых полков, дать гарантию в скором падении крепости? Так как можно было предвидеть, что силы собственной пехоты будут, по всей вероятности, преждевременно истощены, командование армии попросило выделить в его распоряжение 3 пехотных полка, на что и было получено согласие ОКХ. Эти полки должны были подоспеть по крайней мере к последней фазе схватки.

В создавшейся обстановке оба корпуса, осуществлявшие наступление, воспользовались преимуществом наступающего выбирать по своему усмотрению участок для атаки или направление главного удара, ставя тем самым противника перед фактом внезапности.

Командование 54 ак, введя в бой 213 пп и 24 пд, повернуло фронт на запад. 213 пп под командованием полковника Хитцфельда захватил бронебатарею «Максим Горький I». Одно из орудий батареи было уже выведено из строя прямым попаданием снаряда крупнокалиберной батареи. Другое было подорвано нашими саперами, проникшими на территорию форта. Все же гарнизон этого оборонительного сооружения, насчитывавшего несколько этажей под землей, сдался лишь после того, как наши саперы с подрывными зарядами проникли внутрь форта через башни. Во время одной из попыток прорваться из форта был убит командовавший фортом комиссар. Его солдаты сдались. Вслед за тем 24-й дивизии удалось к 21 июня захватить всю еще остававшуюся в руках противника часть северного участка фронта вдоль западного побережья до оборонительных сооружений, защищавших вход в бухту Северную.

17 июня в полосе наступления 30 ак неожиданный перенос направления главного удара также привел к важному успеху. Штаб корпуса принял решение приостановить наступление через северную гряду прибрежных гор восточнее Балаклавы и сосредоточить силы корпуса у главной дороги и непосредственно южнее ее для внезапного удара. От фланкирующего огня со стороны прибрежных гор здесь мог защитить лишь ответный огонь артиллерии. И действительно, 72-й дивизии удалось захватить позиции противника южнее дороги. Разведывательный батальон этой дивизии под командованием майора Бааке, смело используя начальный успех, беспрепятственно прошел через боевые порядки ошеломленного противника до «Орлиной высоты», расположенной перед Сапунгорой. Утром 18 июня батальону удалось занять сильно укрепленную «Орлиную высоту» и удерживать ее до подхода новых сил дивизии. Тем самым были созданы предпосылки для расширения прорыва оборонительной системы противника в северном направлении.

Также и в последовавшем затем третьем этапе наступательного боя успех был достигнут неожиданным переносом направления главного удара, особенно при поддержке артиллерии. На севере успех выразился в том, что была достигнута ближайшая задача наступления — захвачена бухта Северная, на юге — в том, что мы овладели исходными позициями для наступления на Сапунские высоты.

На северном участке сосредоточенное использование артиллерии приводит к тому, что 24-й дивизии удается овладеть оборонительными сооружениями полуострова, господствующего над входом в бухту Северная. Среди захваченных сооружений находится, правда, устаревший, но все же мощный опорный пункт противника — форт Северный.

22-я дивизия во всей полосе своего наступления овладевает скалистыми высотами, обрывающимися у северного берега бухты. Особенно ожесточенный характер приобретают бои за железнодорожный туннель на стыке между 22-й и 50-й дивизиями; из этого туннеля противник значительными силами (лишь незадолго до этого сюда была доставлена на крейсере новая бригада) предпринимает контратаки. Наконец, прямым обстрелом входа в туннель нам удается овладеть им. Из него выходят не только сотни солдат, но и еще большее количество гражданского населения, мужчин, женщин и детей. Особенно трудным оказывается выбить противника из его последних укрытий на северном берегу бухты. Для размещения боеприпасов и резервов Советы устроили в отвесных стенах скал глубокие штольни с бронированными воротами, которые были оборудованы для обороны. Их гарнизоны, находившиеся под властью своих комиссаров, не думали о сдаче. Не оставалось ничего другого, как предпринять попытку взорвать ворота. Когда наши саперы приблизились ко входу в первую из этих пещер, внутри каземата произошел взрыв. Обрушился значительный участок скалистого берега, погребя противника, бывшего в каземате, а также и группу наших саперов. Командовавший казематом взорвал его вместе с находившимися в нем людьми. В конце концов лейтенанту из одной батареи штурмовых орудий, который, не обращая внимания на огонь противника, приблизился с южного берега бухты по прибрежной дороге, удалось огнем из своего орудия с самой близкой дистанции по амбразурам входов заставить противника открыть остальные казематы. Комиссары в этих казематах покончили с собой. Из казематов вышли совершенно измученные солдаты и гражданские лица.

50-я дивизия, которой приходилось вести трудные бои в своей полосе наступления, проходившей на местности, покрытой кустарником, смогла выйти на восточную оконечность бухты Северная и овладеть Гайтанскими высотами, господствующими над выходом из долины реки Черная.

Слева от нее войска правого фланга румынского горнострелкового корпуса продвигались с боями через лесистую местность в районе высот юго-восточнее Гайтаны. Румынский генерал Ласкар, который позже погиб в сражении под Сталинградом, был здесь душой наступления.

В полосе наступления 30 ак внезапность действий, достигнутая в результате смены направления атаки, также привела к успеху. Используя упоминавшийся выше захват «Орлиной высоты» 72-й дивизией, штаб корпуса ввел в бой подтянутую сюда же с юга 170-ю дивизию для овладения массивом Федюхиных высот. Этот удар с юга оказался для противника, взоры которого были обращены на восток и который, видимо, уже ожидал наступления на Сапунские высоты, полной неожиданностью. Захват Федюхинского массива удался относительно быстро. Тем самым была завоевана исходная база для решающего наступления на Сапунские высоты.

Левый фланг румынского горнострелкового корпуса (1-я горнострелковая дивизия) также добился в эти дни успехов.

Таким образом, к утру 26 июня в руках 11-й армии оказался почти весь внешний обвод крепости. Противник был отброшен внутрь крепости, северную часть фронта которой образовывали крутые высоты по южному берегу бухты Северная, в то время как ее восточный фронт проходил от высот Инкермана через Сапунские высоты до скал в районе Балаклавы.

Командование армии должно было решить задачу — как прорвать этот внутренний пояс крепости. Не было никакого сомнения в том, что противник и дальше будет продолжать ожесточенное сопротивление, тем более что он, согласно заявлениям своего штаба фронта (Крымского фронта), не мог рассчитывать на эвакуацию с полуострова.

С другой стороны, нельзя было не признать, что даже если резервы противника и были в основном израсходованы, то и ударная сила немецких полков была на исходе.

В эти недели я ежедневно, до и после обеда, находился в пути: в штабах корпусов, у артиллерийских командиров, в дивизиях, полках, батальонах и на артиллерийских наблюдательных пунктах. Поэтому я слишком хорошо знал, как обстояло дело в наших частях и соединениях. Полки насчитывали по нескольку сот человек. Мне припоминается донесение одной снятой с переднего края роты, боевой состав которой исчислялся 1 офицером и 8 рядовыми. Как можно было с этими растаявшими частями и подразделениями завершить бой за Севастополь, когда 54 ак стоял перед бухтой Северная, а 30 ак предстояли тяжелые бои за захват позиций на Сапунских высотах?

Самым удачным в этой обстановке было бы перенести общее направление главного удара на южный фланг, где действовал 30 ак. Но как раз это практически было невозможно. Переброска пехотных дивизий с северного участка фронта на южный должна была занять много дней, что давало противнику возможность отдохнуть и прийти в себя. Ведь имелась только одна узкая дорога, связывавшая в прифронтовой полосе оба участка и построенная нами зимой в горах ценой неимоверных усилий. Однако по этой дороге нельзя было перебрасывать артиллерию большой мощности. Переброска главных сил артиллерии с северного участка на южный через Ялту и обеспечение ее боеприпасами — это заняло бы несколько недель. К тому же Главное командование при любых обстоятельствах намерено было в ближайшее время снять 8-й авиационный корпус с Крымского театра военных действий.

Сразу же после того как 22-я дивизия вышла на северный берег бухты Северная, я поехал в полки этой дивизии. С одного наблюдательного пункта на северном берегу бухты я хотел осмотреть окружающую местность. Передо мною лежала бухта шириной 800—1000 м, в которой в свое время стояли на якоре целые флоты, на противоположной стороне справа — город Севастополь, прямо передо мною — обрывистые прибрежные высоты, усеянные укреплениями. Мне пришла в голову мысль, что отсюда, то есть с фланга, следовало бы уничтожить позицию на Сапун-горе, так как именно в этом месте, через бухту Северная, противник менее всего ожидает нашего наступления.

Правда, когда я обсудил этот план вначале в штабе 54 ак и затем с некоторыми подчиненными командирами соединений, к нему отнеслись с сомнением. Как можно было преодолеть широкую морскую бухту на штурмовых лодках на виду хорошо оборудованных и оснащенных высот южного берега? Как можно было вообще доставить на берег штурмовые лодки через обрывистые скалы, погрузить в них войска, когда имелось всего несколько глубоких ущелий, через которые был возможен доступ к берегу? Ведь противник у южного берега мог, разумеется, просматривать и держать эти выходы под огнем! Все же именно потому, что атака через бухту Северная казалась почти невозможной, она будет для противника неожиданной, а это могло содержать в себе залог удачи. Поэтому, несмотря на все сомнения, которые были мне высказаны, я настоял на своем плане, как ни тяжело возглавлять такое смелое предприятие, когда в силу своего положения сам не можешь принять в нем участия.

После того как это решение было принято, все штабы с величайшим рвением взялись за его осуществление. Здесь хочется высказать особую похвалу саперам, которые наряду с пехотой показали себя с наилучшей стороны уже во время боев за ДОС.

Рано утром 29 июня должно было начаться генеральное наступление на внутреннюю часть крепости: в полосе 54 ак — через бухту Северная, в полосе 30 ак — на Сапунские высоты. Уже 28 июня 50-й дивизии удалось форсировать реку Черная в нижнем течении и занять Инкерман.

Здесь произошла трагедия, показавшая, с каким фанатизмом боролись большевики. Высоко над Инкерманом поднималась длинная, уходящая далеко на юг скалистая стена. В этой стене находились огромные галереи, служившие в Крыму винными погребами для заводов шампанских вин. Наряду с большими запасами этого напитка большевики создали здесь склады боеприпасов; кроме того, эти помещения использовались ими для размещения тысяч раненых и бежавшего гражданского населения. Когда наши войска ворвались в населенный пункт Инкерман, вся скала за населенным пунктом задрожала от чудовищной силы взрыва. Стена высотой примерно 30 м обрушилась на протяжении около 300 м.

Чрезвычайное напряжение переживали все те, кто участвовал в осуществлении переправы через бухту в полночь 28 июня, когда проходила подготовка к наступлению. Непрерывная бомбардировка города 8-м авиационным корпусом должна была заглушить шум на северном берегу бухты. Вся артиллерия была в готовности открыть ураганный огонь по высотам южного берега, как только огонь оттуда показал бы, что противник разгадал наш замысел. Но на противоположной стороне все было спокойно. Трудный спуск штурмовых лодок на воду и их погрузка удались. В 1 час ночи от северного берега отчалил первый эшелон 24-й и 22-й дивизий, и лодки взяли курс на южный берег.

Переправа, которая явилась для противника совершенно неожиданной, удалась. Смелый прыжок через морскую бухту увенчался успехом. Когда вражеская оборона района южных высот вступила в действие, наши бравые пехотинцы уже закрепились на южном берегу. Обнаруживаемые огневые средства противника на скатах высот южного берега уничтожались нашим огнем; наши войска поднялись на плоскогорье. Тем самым была уничтожена представлявшая серьезную угрозу позиция на Сапунских высотах. С первым ружейным выстрелом начали атаку этой позиции также и войска, действовавшие с фронта.

На левом фланге 54 ак 50-я дивизия и вновь введенная в бой 132-я дивизия (с полками 46-й дивизии) из района Гайтаны и южнее начали атаку высот в районе Инкермана и южнее его, поддержанную с фланга артиллерией, расположенной на северном берегу бухты Северная. В эту атаку включились и войска правого фланга румынского горнострелкового корпуса.

Также на рассвете перешел в решительную атаку на Сапунские высоты 30 ак, поддержанный дальнобойными батареями 64 ак и последовательными воздушными атаками 8-й авиационного корпуса. В то время как корпус демонстрировал артиллерийским огнем наступление на широком фронте, 170 пд этого корпуса изготовилась для удара в очень узкой полосе у Федюхиных высот. Наступление сопровождалось огнем прямой наводкой одного зенитного артиллерийского полка, штурмовыми орудиями и 300-м танковым батальоном. Дивизия быстро вышла на высоты по обе стороны большой севастопольской дороги. Используя момент внезапности, она вскоре овладела таким широким участком в северном, восточном и южном направлениях, что корпус смог подтянуть на высоты другие свои дивизии.

С успешной переправой через бухту, падением Инкерманских высот и прорывом 30 ак Сапунской позиции судьба Севастопольской крепости была решена.

То, что далее последовало, было последним боем армии, который не мог ни изменить ее судьбы, ни принести какой-либо пользы Советам с точки зрения общей оперативной обстановки. Даже для сохранения чести оружия этот бой был бы излишен, ибо русский солдат поистине сражался достаточно храбро! Но политическая система требовала продолжения бесполезной борьбы.

Дивизии 54 ак, переправившиеся через бухту Северная, после занятия высот южного берега находились уже внутри того внешнего обвода, который большой дугой опоясывал город. Удержание этого обвода стало тем самым бессмысленным для противника. Корпус, выделив часть средств для атаки вдоль позиции в южном направлении, повернул на запад и начал наступление на позицию, расположенную на окраине города, и на самый город. Знаменитый Малахов курган, за который было пролито так много крови в Крымскую войну, попал в руки корпуса. Он представлял собой часть позиции на окраине города.

Тем временем 30 ак еще 29 июня быстро подтянул вслед за 170-й дивизией свои 28-ю легкую дивизию и 72-ю дивизию, имевшие задачу демонстрировать наступление на широком фронте. Теперь дивизии с трамплина, завоеванного 170-й дивизией на Сапунских высотах, получили задачу продвигаться в радиальных направлениях для захвата Херсонесского полуострова.

28-я легкая дивизия, захватив «английское кладбище», прорвала внешний оборонительный обвод юго-восточнее Севастополя. Советы оборудовали «английское кладбище» как основной опорный пункт своего внешнего оборонительного обвода. Мраморные памятники, которые в свое время были поставлены погибшим английским солдатам, были разрушены. Новые мертвецы лежали у могил, развороченных снарядами. Далее, дивизия начала продвигаться на запад, оставляя город справа, с тем чтобы в случае если город будет защищаться, захватить его с запада или предотвратить прорыв вражеских сил в этом направлении.

Объектом атаки 170-й дивизии был маяк на западном мысе Херсонесского полуострова, на том месте, откуда, может быть, смотрела Ифигения, «ища душою землю греков»[1].

72-я дивизия наносила удар вдоль южного побережья. Очищая Сапунскую позицию в южном направлении, она вначале овладела господствующей над всей местностью высотой «Ветряная мельница» и тем самым дала корпусу возможность пользоваться большой севастопольской дорогой. За ней следовала 4-я румынская горнострелковая дивизия, которая, нанеся удар в тыл, захватила еще защищавшуюся противником оборонительную систему вокруг Балаклавы. При этом дивизия захватила 10 000 пленных.

Изучив на опыте действия советского командования, мы предполагали, что противник окажет последнее сопротивление на позиции, расположенной на окраине города, и, наконец, в самом городе. В Севастополь все снова и снова передавался по радио приказ Сталина держаться до последнего человека. Мы знали, что все жители города, способные носить оружие, в том числе и женщины, были привлечены для защиты города.

Командование армии поступило бы преступно по отношению к солдатам своей армии, если бы оно не учитывало указанного обстоятельства. Борьба внутри города требовала от наступающего новых тяжелых жертв. Чтобы избежать этого, штаб армии отдал приказ предоставить еще раз слово артиллерии и 8-му авиационному корпусу, прежде чем дивизии вновь выступят против города. Они должны были показать противнику, что он не может рассчитывать на то, чтобы заставить нас в уличных боях приносить новые кровавые жертвы.

---

[1] Ифигения — по древнегреческой мифологии, дочь греческого царя Агамемнона, бывшая на Тавриде (в Крыму) жрицей богини Артемиды. — *Примеч. ред.*

День 1 июля начался массированным огнем по окраинным укреплениям и внутренним опорным пунктам города. Обстрел был успешным. Уже через некоторое время разведчики донесли, что серьезного сопротивления противника не ожидается. Ведение огня было приостановлено, дивизии пошли в наступление. Вероятно, противник в ночь на 1 июля вывел свои главные силы из крепости на запад.

Но борьба еще не закончилась. Приморская армия, правда, оставила город, но лишь с целью попытаться оказать новое сопротивление на позициях, которые прикрывали Херсонесский полуостров, возможно, во исполнение приказов Сталина бороться до последнего человека или в надежде вывезти ночью на кораблях Красного флота хотя бы часть армии из глубоких бухт западнее Севастополя. Но в действительности были вывезены на торпедных катерах только немногие из высших командиров и комиссаров, в том числе командующий генерал Петров. Его преемник был задержан в Черном море нашим торпедным катером (итальянским) при попытке спастись подобным же образом.

Заключительные бои на Херсонесском полуострове длились еще до 4 июля. 72-я дивизия захватила бронированный ДОС «Максим Горький II», который защищался гарнизоном в несколько тысяч человек. Другие дивизии все более теснили противника на самый конец полуострова. Противник предпринимал неоднократные попытки прорваться в ночное время на восток в надежде соединиться с партизанами в горах Яйлы. Плотной массой, ведя отдельных солдат под руки, чтобы никто не мог отстать, бросались они на наши линии. Нередко впереди всех находились женщины и девушки-комсомолки, которые, тоже с оружием в руках, воодушевляли бойцов. Само собой разумеется, что потери при таких попытках прорваться были чрезвычайно высоки.

Наконец, остатки Приморской армии попытались укрыться в больших пещерах, расположенных в крутых берегах Херсонесского полуострова, напрасно ожидая своей эвакуации. Когда они 4 июля сдались, только из района крайней оконечности полуострова вышло около 30 000 человек.

Потери противника в живой силе превосходили наши в несколько раз. Количество захваченных трофеев было огромно. Крепость, защищенная мощными естественными препятствиями, оборудованная всеми возможными средствами и оборонявшаяся целой армией, пала. Эта армия была уничтожена, весь Крым был теперь в наших руках. С оперативной точки зрения, 11-я армия как раз вовремя освободилась для использования в большом немецком наступлении на южном участке Восточного фронта.

1 июля вечером я с моими ближайшими помощниками из оперативной группы штаба находился на нашем командном пункте, в небольшом татарском домике в Юхары-Каралес. Советский «ночной дежурный самолет», который до этого всегда под вечер сбрасывал несколько бомб на нашу долину, не появлялся более. Мысленно мы переживали бои последних месяцев; мы думали о наших товарищах, могилы которых покрывала теперь зеленая трава.

Тут раздались по радио звуки победных фанфар, которыми началось специальное сообщение о падении Севастополя. Вслед за тем была передана следующая телеграмма:

«Командующему Крымской армией
генерал-полковнику фон Манштейну

С благодарностью отмечая Ваши особые заслуги в победоносно проведенных боях в Крыму, увенчавшихся разгромом противника в керченском сражении и захватом мощной Севастопольской крепости, славящейся своими естественными препятствиями и искусственными укреплениями, я присваиваю Вам чин генерал-фельдмаршала. Присвоением Вам этого чина и учреждением специального знака для всех участников крымских боев я перед всем немецким народом отдаю дань героическим подвигам сражающихся под Вашим командованием войск.

Адольф Гитлер».

Понятно, что мы, работавшие и боровшиеся столь долгие месяцы для достижения окончательной победы в борьбе за Крым и знавшие лучше кого-либо другого, на каком тонком волоске висела временами судьба армии, в этот час были исполнены чувства гордости и радости.

Какое это неповторимое переживание — насладиться чувством победы на поле боя!

Но если маршальский жезл как знак победоносно проведенной кампании означал венец моей военной карьеры, то я все же не забывал, сколько нужно солдатской удачи, чтобы достичь такой цели. Бывает, кое-кому не удается увенчать себя лаврами победителя только потому, что он либо слишком молод, либо слишком стар.

Впрочем, что стоят эти почести в сравнении с бременем ответственности, которое несет тот, на кого вместе с управлением армией одновременно возлагается ответственность за сотни тысяч жизней и — по крайней мере, отчасти — за судьбу своей страны!

Однако прежде всего в тот час мои соратники и я думали о том, что именно благодаря преданности, храбрости, стойкости, чувству ответственности наших солдат были преодолены все трудности и достигнута победа в кампании, которую счастливо завершила предоставленная сама себе 11-я армия. Верная немецким солдатским традициям, она сражалась благородно и по-рыцарски!

После того как наша задача была завершена такой победой, я испытывал внутреннюю потребность сказать слово благодарности своим соратникам. Я не имел возможности всех их увидеть, чтобы пожать им руку. Поэтому я пригласил по крайней мере всех командиров, вплоть до командиров батальонов, и всех тех офицеров, унтер-офицеров и рядовых, кто имел Рыцарский крест или Золотой немецкий крест, на торжественный акт в парк бывшего царского дворца в Ливадии. Вначале мы почтили память товарищей, отдавших свою жизнь, чтобы проложить нам путь к победе. Прозвучала вечерняя заря. «Сила любви» и наша тихая молитва вознеслись к небу. Последнюю дробь барабана сменила песня о добром товарище, которая, пожалуй, нигде не была более правдивой, чем в боях на востоке, прощальный привет тем, кого нам пришлось похоронить в крымской земле. Наши славные товарищи! Затем я поблагодарил всех солдат 11-й армии и 8-го авиационного корпуса, а также и тех, которые не могли участвовать в этом торжестве, за их преданность, храбрость и стойкость, нередко проявлявшиеся почти в критическом положении, за все совершенное ими. В заключение мы собрались все за скромным ужином, который, правда, прошел не совсем спокойно. Несколько советских самолетов, прилетевших с Кавказа, угостили нас бомбами; к счастью, все обошлось без жертв.

Конечно, после падения Севастополя я получил массу поздравлений. Но три подарка доставили мне особую радость. После того как мы 1 июля поздним вечером, по получении телеграммы фюрера о присвоении мне звания фельдмаршала и учреждении знака «Крымский щит» для 11-й армии, еще раз собрались, чтобы отпраздновать в нашем татарском домике, на небольшой открытой веранде, это событие, наш начальник разведывательного отдела майор Генерального штаба Эйсман ночью выехал в Симферополь. Там он поднял с постели одного татарина, золотых дел мастера, дал ему свои серебряные часы и приказал к утру сделать из серебра, содержащегося в часах, одну пару маршальских жезлов на мои погоны. Когда я 2 июля появился к завтраку, жезлы, с тонкой гравировкой, лежали на моем месте. Это был трогательный знак привязанности, и именно поэтому он доставил мне большую радость.

Вскоре я получил небольшую посылочку. Отправителем был немецкий кронпринц. Посылка содержала тяжелый золотой портсигар. На крышке был искусно выгравирован план крепости Севастополь со всеми ее оборонительными сооружениями. На внутренней стороне было начертано имя высокого жертвователя. Особенно же тронули меня слова сопроводительного письма. Кронпринц писал, что ему не было суждено овладеть в свое время Верденом. Тем более его радует, что мне удалось занять мощную крепость Севастополь. Это были слова любезного человека, настоящего товарища!

Своеобразным был третий подарок. Один русский священник, бежавший от большевиков во Францию и живший теперь в Виши, прислал мне толстую трость. Она была изготовлена из узловатой виноградной лозы, в набалдашник был вделан топаз, а на узком металлическом кольце стояла надпись на русском языке. В письме священник писал, что его дед во время Крымской войны, будучи командиром полка, участвовал в обороне Севастополя. Он был тяжело ранен в ногу, и солдаты его полка сделали ему эту трость. Обрадованный тем, что я занял Севастополь и освободил Крым от большевиков, он, священник, захотел послать мне эту трость в знак благодарности.

Я получил также две книги в красных кожаных переплетах. Это были мемуары некоего генерала фон Манштейна, который во времена императрицы Анны, находясь на русской службе, воевал под командованием фельдмаршала Миниха на берегах Черного моря. Хотя меня связывало с ним лишь имя, а не кровное родство, все же чтение этих мемуаров, написанных на французском языке, представляло для меня большой интерес. Не говоря уже о том, что я двигался, так сказать, по следам этого Манштейна, сражался на тех же самых полях, мемуары представляли интерес и с той точки зрения, что в них была описана жизнь, полная приключений. После вступления на престол императрицы Елизаветы Манштейну пришлось бежать из России, в то время как его покровитель Миних отправился в Сибирь. Оба вместе в свое время свергли истинного правителя России, герцога Бирона Курляндского. Когда Миних ехал в санях в Сибирь, он повстречал возвращавшегося оттуда герцога. Оба, отмечается в мемуарах, вежливо, как рыцари, поприветствовали друг друга. Манштейн после бегства из России поступил на службу в Пруссии, в бою при Колине был тяжело ранен и во время возвращения домой был убит пандурами[1], которым он не захотел сдаться.

---

[1] Пандур (венг.) — словенский солдат пехотинец. — Примеч. ред.

ОТПУСК В РУМЫНИИ

В то время как по окончании боев в Крыму наши войска получили несколько недель вполне заслуженного ими отдыха в чудесной местности Южного Крыма, где уже созревали фрукты, я также мог позволить себе отдохнуть.

Маршал Антонеску, навестивший нас летом после сражения на Керченском полуострове, сделал мне приглашение провести вместе с женой отпуск в Карпатах в качестве его гостя, как только будет закончена борьба за Севастополь. Он по-дружески распространил свое приглашение также и на нашего старшего сына, который после участия в боях в России и учебы в военном училище получил весной чин лейтенанта и после перенесенной им скарлатины нуждался в отдыхе.

Нам довелось в эти недели узнать чудесное румынское гостеприимство. Правда, из задуманного отпуска получился в той или иной мере официальный визит.

Когда мы как простые путешественники прибыли на румынскую границу, нас уже ожидал салон-вагон. Румынский генерал и представитель министерства иностранных дел встретили нас как гостей маршала и правительства. После чудесной поездки через Карпаты мы прибыли на следующий день в Предеаль, климатический курорт, расположенный высоко в горах неподалеку от известного королевского замка Синая. В Предеале маршал Антонеску имел великолепную виллу. На вокзале нас встретили госпожа Антонеску и военный министр Румынии. Был выстроен почетный караул в составе роты гвардейского батальона маршала Антонеску. Интересно, что маршал имел свой собственный гвардейский батальон (видимо, напуганный путчем, который в свое время попыталась устроить Железная гвардия). Батальон маршала во всем был похож на гвардейский батальон короля, с той лишь разницей, что королевский батальон имел белые этишкеты, а батальон маршала — красные.

По украшенным флагами улицам, на которых школьники образовали шпалеры, мы проехали к чудесной маленькой вилле, служившей резиденцией для гостей правительства. В ней разместились моя жена, наш сын, который прибыл несколькими днями позже, и я, в то время как Шпехт и оба румынских офицера, выделенных в мое распоряжение, устроились в соседнем доме. Нас очень любезно приняла госпожа Гога, супруга бывшего, умершего премьер-министра и интимный друг дома Антонеску. Ранее дом принадлежал ей, и она показала нам хорошо обставленные помещения: жилую комнату, столовую, две спальни. Она представила нам также персонал виллы и сказала при этом тихо, но настойчиво, что мы вполне можем полагаться на повара. Это напоминало нам о том, что мы находимся на Балканах.

Действительно, премьер-министр Гога, избравший дружественный Германии курс, был отравлен. Когда во время нашего пребывания маршал Антонеску заболел легким желудочным расстройством, он первым делом рассчитал повара. Вообще нас хранили как зеницу ока. Всегда за нами «незаметно» следовали два немецких и два румынских служащих уголовной полиции. Еще в салон-вагоне нам лишь с трудом удалось уговорить румынского чиновника, которому было приказано спать на полу перед дверью в мое купе, выбрать себе несколько более удобное место. Это было первый и единственный раз в моей жизни, что меня принимали с такими почестями и так заботливо охраняли; для этого нужна особая привычка. Жизнь простого путешественника, конечно, удобнее.

Во время нашего пребывания в Предеале мы были несколько раз в гостях в доме маршала. Он, а также его жена разговаривали на великолепном французском языке и были любезнейшими хозяевами. Антонеску долгое время был военным атташе в Париже и Лондоне. Тем приятнее была его прогерманская позиция.

Однажды нас пригласили на завтрак к королю и его матери, королеве Елене. Королева была все еще красивой женщиной, любезной и умной, естественной и непринужденной в беседе. Она тосковала по Флоренции, где жила годами в то время, когда ее муж, король Кароль, был влюблен в мадам Лупеску. Можно было заметить, что в жилах королевы течет кровь Гогенцоллернов.

Юный король Михай производил тогда впечатление несколько беспородного и безразличного человека. Его склонности, казалось, целиком были сосредоточены на автомобилях и моторных лодках. В то время как королева-мать проявляла интерес к политическим вопросам, король, казалось, холодно или без интереса относился к своей задаче правителя. Для своего возраста он скорее производил впечатление разочарованного человека. Было ли это уже тогда маской? Его незрелость наверняка была связана с тем, что детство свое он провел между несдержанным отцом и матерью, жившей большей частью за границей. К этому прибавилось еще то, что маршал Антонеску отстранил его от всякой практической работы, связанной с управлением страной. Молодой король не умел даже вести себя, когда ему приходилось посещать какую-либо воинскую часть, да это и случалось довольно редко.

В другой раз мы предприняли в сопровождении румын поездку по Трансильвании и посетили кавалерийское училище в Германн-штадте (Сибиу). Антонеску был в свое время начальником этого училища и поэтому проявлял о нем особую заботу. Оно было образцово оборудовано, и продемонстрированная нам верховая езда находилась на высоком уровне.

Мы приняли также приглашение румынского патриарха и посетили его в его сельской резиденции, расположенной рядом с монастырем, среди чудесного леса. Как все православные священники, он и его младшие товарищи носили красивые длинные бороды, подчеркивавшие достоинство их сана. Беседа с высокоообразованным пастырем, изучавшим геологию в Бреславле (Вроцлаве) и Тюбингене, была большим наслаждением. Вечером мы сидели на террасе скромного сельского дома, и пища наша была по-сельскому проста и скромна, в противоположность угощениям на светских церемониях. Но самым приятным впечатлением во время нашего пребывания в Румынии было посещение немцев, проживавших в Румынии, которые при режиме Антонеску и под влиянием Германии пользовались значительно большими свободами, чем в прежние времена.

Между прочим, широко распространенное название «трансильванские саксонцы» является ошибочным. Трансильванские немцы прибыли сюда из Люксембурга и Лотарингии. Мы совершили поездку по чудесной Трансильванской провинции. День начался богослужением в одной из старых укрепленных церквей-крепостей. Они были еще защищены стенами, за которыми укрывались жители во время войны и к которым были пристроены хлева для животных и закрома для продовольствия. Епископ Трансильванский отправлял богослужение. Из близлежащих сел сюда поспешили прибыть крестьяне со своими женами и детьми, все в старинных, красочных нарядах. Затем началась наша поездка по красивым селам с их богатыми усадьбами. Всюду были вывешены флаги, а школьники приветствовали нас с цветами в руках. Мы посетили замок Марненбург, являющийся предшественником замка Мариенбург (Мальборк) в Пруссии. Немецкий Рыцарский орден, вынужденный отступить из Святой земли[1], получил вначале колонизаторскую задачу в Тран-

---

[1] Имеется в виду библейское предание. Святая земля — Палестина. — *Примеч. ред.*

сильвании, прежде чем он прибыл в Германию, чтобы завоевать затем для немцев Пруссию.

Днем мы присутствовали при крещении немецкого мальчика, крестным отцом которого стал я. На крестинах в кругу крестьян, гордых своим хозяйством и своей прекрасной родиной, было подано все, что только имелось у хозяина. После обеда, в другом селе, мы приняли участие в сельском празднике, во время которого молодые девушки и парни, в пестрых народных костюмах, показали нам свои прекрасные старинные танцы. Чудесная картина! Вечер мы провели в кругу немцев в главном немецком населенном пункте Кронштадте (Оразул Сталин), гордостью которого являлся большой, так называемый Черный кафедральный собор. Это название было связано со стенами собора, почерневшими во время пожара.

Последние дни отпуска мы находились в Бухаресте. Мы увидели нефтяные поля Плоешти, румынский военный завод, а я посетил также военный госпиталь. Госпиталь был размещен в роскошном здании, которое королевский двор построил для своих служащих. В начале войны маршал Антонеску, недолго думая, отобрал это здание у двора и превратил в госпиталь. Как ни правильно было это мероприятие само по себе, но та грубость и прямолинейность, которые при этом были проявлены маршалом, сделали многих в придворных кругах его врагами. То же относится и к следующему факту: в один прекрасный день маршал неожиданно уволил все окружение королевы и заменил его другими лицами. Жертвой этой замены оказался и майор Розетти, сын дипломата и шурин генерала Паулюса. Позже он прибыл ко мне в качестве румынского офицера связи и стал хорошим посредником и товарищем. Несомненно, маршал Антонеску значительно повредил себе тем, что полностью отстранил от участия в государственных делах короля, хотя он и не был еще достаточно для этого подготовлен, а также и тем, что он применял подобные грубые меры. Во всяком случае, кто видел тогда короля, тот ни за что бы не подумал, что он когда-либо наберется мужества и инициативы, чтобы арестовать Антонеску. То, что он, представитель династии Гогенцоллернов, позже предал Германию, предрешив тем самым конец своего господства, тогда было еще скрыто во мраке будущего.

Как бы то ни было, мы можем лишь с благодарностью вспоминать о тех неделях, когда мы могли испытать широкое румынское гостеприимство и когда мы получили незабываемые впечатления от пребывания в немецкой Трансильвании. Сейчас немцы, не подвергшиеся изгнанию из этой провинции, снова порабощены.

Мне доставило радость только то, что мой крестник со своими родителями спасся от грозившей ему волны уничтожения и живет теперь в Ганновере.

Глава 10
ЛЕНИНГРАД — ВИТЕБСК

Главное командование отказывается от использования 11-й армии в летнем наступлении и намеревается захватить Ленинград. Подготовка наступления на город. Противник перечеркивает планы Гитлера. Уничтожение прорвавшейся армии противника в районе южнее Ладожского озера. Смерть моего адъютанта обер-лейтенанта Шпехта. Авиаполевые дивизии. Стратегические фантазии Гитлера. Смерть моего сына Геро фон Манштейна. Переброска штаба армии в район группы армий «Центр». Новая задача.

В то время как дивизии 11-й армии, находясь в Крыму, отдыхали от перенесенных ими тягот, а я проводил свой отпуск в Румынии, штабы имели задачу подготовить форсирование Керченского пролива. Это должно было явиться началом участия армии в уже развернувшемся большом наступлении южного крыла германской армии. Находясь в Предеале, я был в курсе того, как проходит подготовка, так как меня навещал начальник оперативного отдела штаба армии полковник Буссе. К сожалению, из всей этой подготовки ничего не вышло, кроме напрасной бумажной писанины. Гитлер, гнавшийся, как всегда, сразу за несколькими целями и переоценивший начальные успехи нашего наступления, отказался от первоначального плана включить в него и 11-ю армию.

Когда я 12 августа возвратился в Крым, то нашел здесь, к моему сожалению, новые указания Главного командования. План форсирования армией Керченского пролива отпадал. Выполнение этой операции возлагалось лишь на штаб 42-го корпуса и 42-ю дивизию совместно с румынами. 11-я же армия предназначалась для захвата Ленинграда, куда уже была отправлена действовавшая под Севастополем артиллерия. Но, к сожалению, в дальнейшем от нашей армии откололись еще 3 дивизии. 50-я дивизия должна была оставаться в Крыму, 22-я дивизия, опять преобразованная в авиадесантную, была отправлена на остров Крит, где она оставалась, по существу, в бездействии до конца войны, а это была одна из наших лучших дивизий. Уже во время переброски у нас была взята в группу армий «Центр» 72-я дивизия, чтобы ликвидировать на одном участке кризисное положение. В результате для выполнения будущих задач в распоряжении штаба армии из старых соединений остались только штабы 54-го и 30-го корпусов, а также 24, 132, 170-я пехотные и 28-я горнострелковая дивизии. Такое расчленение армии, в которой под руководством штаба армии длительное время совместно действовали одни и те же корпусные штабы и дивизии, при любых обстоятельствах было достойно сожаления, каковы бы ни были причины, побудившие Главное командование на такой шаг. Знание друг друга, доверие друг к другу, добытое в трудных боях, — это моменты, которые имеют большой вес в войне и которыми никогда не следовало бы пренебрегать.

Помимо этого вопроса всплыл другой, еще более важный. Целесообразно ли было в этот момент снимать 11-ю армию с южного крыла Восточного фронта, чтобы поставить ей, несомненно, менее важную задачу — захват Ленинграда? Ведь летом 1942 года Германия искала решения своей судьбы на юге Восточного фронта. А для этого никакое количество сил не было лишним. Тем более, исходя из целей, которые преследовал Гитлер, можно было с самого начала видеть, что немецкое наступление будет развиваться в двух направлениях — на Сталинград и на Кавказ — и что чем далее на восток продвинутся наступающие войска, тем более растянутым окажется северный фланг наносящего удар клина.

Ход событий показал, насколько нужна была в дальнейшем 11-я армия на южном крыле, независимо от того, была бы она использована для форсирования Керченского пролива, чтобы воспрепятствовать отходу противника на Кавказ, или действовала бы сначала в качестве оперативного резерва наступающих армий.

Когда я по пути на север сделал посадку в Виннице, чтобы обсудить в Главной ставке фюрера мои новые задачи, я подробно говорил по этому вопросу с начальником Генерального штаба генерал-полковником Гальдером. При этом Гальдер дал ясно понять, что мысль Гитлера добиваться захвата Ленинграда одновременно с наступлением на юге противоречит его точке зрения. Но Гитлер настоял на этом и не отступит от своего намерения. Правда, на мой вопрос, считает ли он, Гальдер, возможным обойтись вообще без 11-й армии на юге, он ответил утвердительно. Я сам в этом сомневался, но не мог тогда опровергнуть эту точку зрения начальника Генерального штаба.

При этом моем посещении я с ужасом констатировал, насколько плохими были отношения между Гитлером и его начальником Генерального штаба. Из доклада об обстановке выяснилось, что в группе армий «Центр» вследствие наступления советских войск в одном районе создалось кризисное положение (для ликвидации которого была направлена наша 72-я дивизия). Когда Гитлер в связи с этим начал делать выпады против сражавшихся там войск, начальник Генерального штаба настойчиво возражал ему. Он указал на то, что войска давно уже переутомлены, что большие потери в офицерском и унтер-офицерском составе не могут не оказывать влияние на состояние и боеспособность армии. Эти соображения, изложенные Гальдером в исключительно деловой форме, имели следствием взрыв гнева Гитлера, впрочем, единственный, случившийся в моем присутствии. В нетактичной форме Гитлер подверг сомнению право начальника Генерального штаба высказывать подобные суждения относительно его мнения. Он, Гитлер, мол, может судить обо всем этом гораздо лучше, так как он в Первую мировую войну сражался в качестве пехотинца на фронте, в то время как генерал Гальдер не был там. Вся сцена была настолько недостойной, что я демонстративно отошел от стола с картами и вернулся с докладом лишь по требованию Гитлера, после того как он успокоился. Я считал нужным поговорить после доклада с начальником управления кадров генералом Шмундтом, бывшим одновременно военным адъютантом при Гитлере. Я сказал ему, что подобные отношения между главнокомандующим и начальником Генерального штаба сухопутных сил совершенно невозможны. Либо Гитлеру нужно слушаться своего начальника Генерального штаба и соблюдать необходимые формы обращения с ним, либо последний должен сделать для себя определенные выводы. К сожалению, ничего подобного не произошло. Шесть недель спустя вследствие разрыва между Гитлером и генерал-полковником Гальдером последний был уволен в отставку.

27 августа штаб 11-й армии прибыл на Ленинградский фронт, чтобы здесь, в полосе 18-й армии, выяснить возможности для нанесения удара и составить план наступления на Ленинград. Было условлено, что затем штаб 11-й армии займет часть фронта 18-й армии, обращенную на север, в то время как за 18-й армией оставалась восточная часть фронта, по Волхову. Отведенный 11-й армии северный участок фронта состоял из полосы по берегу Невы — от Ладожского озера до пункта юго-восточнее Ленинграда, из полосы, в которой должно было развернуться наступление, — южнее

Ленинграда — и из полосы, которая охватывала длинный участок земли по южному берегу Финского залива, еще удерживавшийся Советами в районе Ораниенбаума.

Штабу 11-й армии, кроме мощной артиллерии, предназначенной для поддержки наступления, отчасти доставленной сюда из района Севастополя, были подчинены 12 дивизий, в том числе испанская «Голубая дивизия», одна танковая и одна горнострелковая дивизии, а также бригада СС. Из этих сил 2 дивизии действовали на Невском фронте и 2 — на Ораниенбаумском, так что для наступления на Ленинград оставалось девять с половиной дивизий. Это не так уж много сил, если учесть тот факт, что противник в районе Ленинграда имел 19 стрелковых дивизий, одну стрелковую бригаду, одну бригаду пограничных войск и одну-две танковые бригады.

Ввиду такого соотношения сил для нас, естественно, имело бы существенное значение, если бы в наступлении приняли участие финны, которые блокировали район Ленинграда с севера по Карельскому перешейку. Достаточно было бы, если финны сковали бы стоявшие против них пять с половиной советских дивизий. Однако соответствующий запрос, сделанный немецкому генералу при финской Главной ставке, генералу Эрфурту, показал, что финское Главное командование отклоняет это предложение. Генерал Эрфурт объяснил эту точку зрения финнов тем, что Финляндия с 1918 года всегда придерживалась того мнения, что существование Финляндии никогда не должно представлять угрозы Ленинграду. По этим причинам, отмечал Эрфурт, участие Финляндии в наступлении на город исключено.

Таким образом, штаб армии, выполняя поставленную ему задачу, мог рассчитывать только на собственные силы. Мы совершенно ясно сознавали, что успех этой операции был в известной мере проблематичным. То обстоятельство, что данную операцию вообще можно было и не проводить, не способствовало тому, чтобы сделать ее особенно приятной для нас. Летом 1941 года, безусловно, существовала возможность захватить Ленинград внезапным ударом. Срочное овладение этим городом стояло в первоначальном плане Гитлера в числе первоочередных задач. Каковы бы ни были причины для этого, существовавшие тогда шансы не были использованы. Позже Гитлер надеялся на возможность вынудить Ленинград и его население к сдаче голодной блокадой. Но Советы перечеркнули его планы, организовав снабжение города через Ладожское озеро — летом с помощью судов, зимой по построенной на льду дороге.

Оставался, кроме того, фронт от Ладожского озера до Ораниенбаума, поглощавший много наших сил. Ликвидация его была весьма желательной. Сомнение вызывало лишь то, было ли оправданным наступление теперь, когда мы старались решить судьбу войны на юге Восточного фронта. Слова «что ты не захотел сделать в ту минуту, не вернет тебе и вечность», казалось, были начертаны над операцией против Ленинграда.

Между тем мы должны были самым наилучшим образом готовить порученное нам наступление. Во время разведки местности на фронте южнее Ленинграда мы видели город, защищенный глубоко эшелонированной системой полевых укреплений, но расположенный, казалось, рядом. Виден был большой завод в Колпино на Неве, все еще выпускавший танки. Видны были Пулковские верфи у Финского залива. Вдали вырисовывался силуэт Исаакиевского собора и шпиль Адмиралтейства, а также Петропавловская крепость. В ясную погоду можно было различить на Неве также броненосец, выведенный из строя артиллерийскими снарядами. Это был один из наших броненосцев водоизмещением в 10 000 т, купленный русскими в 1940 году. Мне грустно было смотреть, что жертвой войны оказались известные мне по 1931 году царские дворцы: прекрасный Екатерининский дворец в Царском Селе (г. Пушкин), а также другой, меньших размеров дворец здесь же, в котором жил последний царь, и восхитительный Петергоф (Петродворец) на берегу Финского залива. Они были сожжены советской артиллерией.

На основе наблюдений нам стало ясно, что наша армия ни при каких обстоятельствах не должна быть втянута в боевые действия в черте города Ленинграда, где бы наши силы быстро растаяли. Точку зрения Гитлера о том, что город можно принудить к сдаче террористическими налетами специально для этого предназначенного 8-го авиационного корпуса, мы так же мало склонны были разделять, как и умудренный опытом командир этого корпуса генерал-полковник фон Рихтгофен.

Исходя из сказанного выше, замысел штаба армии заключался в том, чтобы, используя вначале сильнейшее артиллерийское и авиационное воздействие на противника, прорвать силами 3 корпусов его фронт южнее Ленинграда, продвинувшись при этом только до южной окраины самого города. После этого 2 корпуса должны были повернуть на восток, чтобы с ходу внезапно форсировать Неву юго-восточнее города. Они должны были уничтожить противника, находившегося между рекой и Ладожским озером, перерезать путь подвоза через Ладожское озеро и вплотную охватить город кольцом также и с востока. В таком случае захвата города можно было бы добиться быстро и без тяжелых уличных боев, подобно тому, как это случилось в свое время с Варшавой.

Но вскоре выявилось, что цитированным выше словам суждено было стать правдой. Немецкие военные транспорты, прибывавшие на Ленинградский фронт, не могли, конечно, уйти от внимания противника. Уже 27 августа противник атаковал 18-ю армию, стоявшую фронтом на восток. Необходимо было ввести в бой только что прибывшую 170-ю дивизию. В последующие дни стало ясно, что советская сторона, используя крупные силы, организовала наступление с целью прорыва блокады Ленинграда; этим наступлением противник, очевидно, хотел упредить наше наступление.

4 сентября вечером мне позвонил Гитлер. Он заявил, что необходимо мое немедленное вмешательство в обстановку на Волховском фронте, чтобы избежать катастрофы. Я должен был немедленно взять на себя командование этим участком фронта и энергичными мерами восстановить положение. Действительно, в этот день противник в районе южнее Ладожского озера совершил широкий и глубокий прорыв занятого незначительными силами фронта 18-й армии.

Нам было, конечно, не очень удобно брать на себя в районе 18-й армии в критический момент командование угрожаемым участком фронта. Уже на то, что на нас была возложена задача организовать наступление на Ленинград, в штабе 18-й армии смотрели отрицательно, что было вполне справедливо. Однако, несмотря на такое очевидное пренебрежение (со стороны Главного командования. — *Примеч. ред.*), штаб 18-й армии делал все возможное, чтобы всеми средствами облегчить нам выполнение нашего задания, особенно учитывая, что у нас в штабе не было отдела тыла.

И вот вместо запланированного наступления на Ленинград развернулось «сражение южнее Ладожского озера».

Севернее дороги, идущей из Ленинграда через Мгу на восток, противнику удалось захватить участок фронта 18-й армии шириной 8 км и продвинуться примерно на 12 км в западном направлении, до района севернее Мги. Прежде всего нужно было остановить продвижение противника имеющимися под руками силами нашей 11-й армии. В последующие дни в ходе тяжелых боев нам удалось остановить противника. После сосредоточения прибывших к этому времени остальных дивизий армии штаб мог начать решающее контрнаступление. Контрнаступление было организовано с севера и юга, из опорных пунктов уцелевшего фронта, чтобы отрезать вклинившиеся войска противника прямо у основания клина.

С юга наступал 30 ак в составе 24, 132, 170-й пехотных и 3-й горнострелковой дивизий, с севера — занимавший и ранее этот участок фронта 28-й корпус с 3 дивизиями: 121-й пехотной, 5-й и 28-й горнострелковыми дивизиями. К 21 сентября в результате тяжелых боев удалось окружить противника. В последующие дни были отражены сильные атаки противника с востока, имевшие целью деблокировать окруженную вражескую армию прорыва. Та же судьба постигла и Ленинградскую армию, предпринявшую силами 8 дивизий отвлекающее наступление через Неву и на фронте южнее Ленинграда.

Вместе с тем необходимо было уничтожить находящиеся в котле между Мгой и Гайтоловом значительные силы противника. Как всегда, противник не помышлял о сдаче, несмотря на безвыходность положения и на то, что продолжение борьбы и с оперативной точки зрения не могло принести ему пользы. Напротив, он предпринимал все новые и новые попытки вырваться из котла. Так как весь район котла был покрыт густым лесом (между прочим, мы никогда не организовали бы прорыва на такой местности), всякая попытка с немецкой стороны покончить с противником атаками пехоты повела бы к огромным человеческим жертвам. В связи с этим штаб армии подтянул с Ленинградского фронта мощную артиллерию, которая начала вести по котлу непрерывный огонь, дополнявшийся все новыми воздушными атаками. Благодаря этому огню лесной район в несколько дней был превращен в поле, изрытое воронками, на котором виднелись лишь остатки стволов когда-то гордых деревьев-великанов. Из захваченного нами дневника советского командира полка мы узнали позже, какое воздействие оказывал этот огонь. Из него мы узнали также, с какой суровостью комиссары принуждали советские войска в котле к продолжению сопротивления.

К 2 октября, таким образом, удалось закончить бои в котле. Со стороны противника в этом сражении участвовала 2-я ударная армия, состоявшая не менее чем из 16 стрелковых дивизий, 9 стрелковых бригад и 5 танковых бригад. Из них в котле было уничтожено 7 стрелковых дивизий, 6 стрелковых бригад и 4 танковые бригады. Другие соединения понесли огромные потери во время безуспешных атак с целью деблокирования окруженных сил. Нами было захвачено 12 000 пленных, противник потерял свыше 300 орудий, 500 минометов и 244 танка. Потери противника убитыми во много раз превышали число захваченных пленных.

Если задача по восстановлению положения на восточном участке фронта 18-й армии и была выполнена, то все же дивизии нашей армии понесли значительные потери. Вместе с тем была израсходована значительная часть боеприпасов, предназначавшихся для наступления на Ленинград. Поэтому о скором проведении наступления не могло быть и речи. Между тем Гитлер все еще не хотел расстаться с намерением овладеть Ленинградом. Правда, он готов был ограничить задачи наступления, что, естественно, не привело бы к окончательной ликвидации этого фронта, а к этой ликвидации в конце концов все сводилось. Напротив, штаб 11-й армии считал, что нельзя приступать к операции против Ленинграда, не пополнив наши силы и вообще не имея достаточного количества сил. За обсуждением этих вопросов и составлением все новых планов прошел октябрь.

Не особенно приятно было пребывать в бездействии здесь на севере, в то время как на юге Восточного фронта, на Кавказе и под Сталинградом, по всей видимости, наше наступление захлебывалось. Наступил момент, когда и мой адъютант Шпехт снова почувствовал неудовлетворенность собой, связанную для молодого офицера, работающего в большом штабе, с тем, что этот штаб не выполняет никаких решающих задач. «Пепо» снова начал грызть удила и проситься на фронт. Понимая его стремление, я не мог заставить себя отказать ему. Я отправил его в 170-ю дивизию, которая вела бои на Неве и в рядах которой он одно время сражался в Крыму. Самолет «Физелер Шторх», на котором он полетел туда, потерпел аварию, и Шпехт погиб. 25 октября мы похоронили славного юношу. Для всех нас, особенно для меня, это был тяжелый удар. Никогда больше не услышим мы его веселого смеха, его звонкого голоса. Как мне будет недоставать этого юного товарища, наполнявшего радостью нашу палатку, часто сопровождавшего меня во время трудных и опасных поездок и всегда бодрого, уверенного и предприимчивого! После моего шофера и хорошего товарища Нагеля Шпехт был вторым из моих ближайших спутников, ставшим жертвой этой войны.

Прямо с похорон Шпехта мне пришлось вылететь в Главную ставку фюрера, чтобы получить маршальский жезл. Какую радость доставил бы этот полет Шпехту!

Как всегда до сих пор, Гитлер был изысканно вежлив со мной и дал высокую оценку действиям войск 11-й армии в сражении у Ладожского озера. Я воспользовался случаем, чтобы высказать ему свое глубокое убеждение в слишком высоком перенапряжении нашей пехоты. Ввиду больших потерь, неизбежных при ведении войны против упорного противника, решающее значение имел вопрос о своевременном пополнении рядов пехотных полков. Но поскольку пополнение почти никогда не прибывало вовремя (так было с самого начала похода в Россию) и полки шли в бой с совершенно недостаточными силами, то неизбежно сила пехоты убывала со всё возрастающей быстротой.

Нам стало известно, что по приказу Гитлера военно-воздушные силы приступили к формированию 22 авиаполевых дивизий, для которых ВВС смогли выделить 170 000 человек. Это было неудивительно. Прежде всего Геринг в своей области[1] всегда действовал расточительно. Это касалось не только денег и строительства, но также и числа солдат. Далее, военно-воздушные силы строились из расчета крупных оперативных задач, для осуществления которых, как выяснилось, не имелось в достаточном количестве ни летного персонала, ни самолетов. Здесь не место рассматривать вопрос, почему так случилось. Во всяком случае, было фактом, что ВВС смогли высвободить 170 000 человек, причем они могли бы это сделать и значительно раньше. Ведь мечта о ведении оперативной воздушной войны практически лопнула вместе с битвой за Англию.

Теперь из этих 170 000 человек в рамках ВВС создавались соединения для ведения наземных боев. Если учесть, что в свое время ВВС имели широкую возможность выбора при наборе рядовых, то речь шла, несомненно, о первоклассных солдатах. Если бы они осенью 1941 года влились в качестве пополнения в дивизии сухопутных сил, эти дивизии сохранили бы свою полную боеспособность, и тогда сухопутным силам Германии не пришлось бы испытать многих трудностей зимы 1941/42 года. Но создавать из этих солдат дивизии в рамках ВВС было чистым безумием. Где могли эти дивизии получить необходимую боевую и общевойсковую подготовку, откуда было взять боевой опыт, совершенно необходимый для войны на Востоке? Откуда в составе ВВС смогли взяться командиры дивизий, полков и батальонов?

Во время нашей беседы я подробно изложил Гитлеру все эти соображения, а немного позже представил их ему в памятной записке. Он выслушал мои аргументы, но заявил, что он основательно обдумал эти вопросы и все же будет придерживаться своего мнения. Через некоторое время тогдашний начальник оперативного отдела

---

[1] Геринг был, как известно, командующим военно-воздушными силами. — *Примеч. ред.*

штаба группы армий «Центр», всегда хорошо осведомленный благодаря дружбе с адъютантом Гитлера, сообщил мне по этому вопросу следующее: требование сформировать собственные дивизии в рамках ВВС Геринг обосновывал перед Гитлером тем, что он не может отдать «своих» солдат, воспитанных в национал-социалистском духе, в сухопутные силы, в которых имеются еще священники и которыми командуют вильгельмовские офицеры. Своим же подчиненным он сказал, что ВВС также должны принести жертвы, чтобы не только сухопутные силы были тем видом вооруженных сил, который один или главным образом один приносит жертвы. Вот такими аргументами Геринг смог уговорить Гитлера принять его план!

В остальном наша задача под Ленинградом приближалась к концу. Во время моего приезда в Винницу Гитлер сказал мне, что штаб 11-й армии, вероятно, будет переведен в состав группы армий «Центр» в район Витебска, где имелись признаки предстоявшего в ближайшее время крупного наступления противника. Мы должны были при возможности ответить наступающему противнику контрнаступлением. Гитлер, правда, заявил мне, что если он сам со своей Ставкой покинет Винницу, то я получу командование над группой армий «А». После того как Гитлер отстранил фельдмаршала Листа от командования этой группой (ввиду расхождения во мнениях по одному вопросу, но без всякой основательной причины), Гитлер сам командовал «по совместительству» этой группой армий. Это положение было нетерпимым. Но еще удивительнее было то, что Гитлер в этот момент сказал в связи с моим возможным назначением на пост командующего этой группой армий. На будущий год он предполагает, заявил Гитлер, предпринять силами группы механизированных армий наступление через Кавказ на Ближний Восток! Это характерный признак того, насколько утопической еще в то время была его оценка военной обстановки в целом и оперативных возможностей в частности.

На последние дни под Ленинградом приходится событие, явившееся самым тяжелым ударом, какой мог постигнуть лично мою дорогую жену, меня самого и наших детей: смерть нашего старшего сына Геро. Он погиб 29 октября за нашу любимую Германию, будучи лейтенантом 51-го мотострелкового полка моей старой 18-й дивизии. Да простят мне, что я говорю здесь о своей личной утрате, хотя, находясь под моим командованием, подобным же образом отдали свои жизни за Германию многие тысячи молодых немцев. Жертва, принесенная нашим сыном, конечно, была такой же, как жертва, которую пришлось принести тысячам и тысячам немецких юношей, их отцам и матерям. Но меня поймут, что в этих моих воспоминаниях должно быть место и для нашего сына, отдавшего свою жизнь за отечество. Он будет представлять здесь многих других, которые прошли вместе с ним тот же путь, которые пожертвовали тем же, чем и он, и которые продолжают жить в сердцах своих близких, как наш любимый мальчик в наших сердцах.

Наш Геро, родившийся в канун Нового, 1923 года и погибший 19 лет от роду, был от рождения слабым ребенком. С раннего детства он страдал от астмы, и только благодаря неусыпным заботам моей дорогой жены он вырос юношей, который смог стать солдатом. Уже с детства ему пришлось из-за физических недугов во многом отказывать себе, но это все же привело к тому, что он быстро развивался и выработал в себе сильную волю, чтобы справляться с требованиями, предъявляемыми жизнью, несмотря ни на какие препятствия.

Геро был ребенком, заслуживавшим особой любви, серьезным и задумчивым, но вместе с тем и жизнерадостным. Скромный, всегда готовый оказать помощь и верный долгу, таким прошел он свой жизненный путь и выполнил изречение, произнесенное при его крещении: «Но он радостно шел своей дорогой!»

Когда он в 1940 году сдал экзамен на аттестат зрелости в рыцарской академии[1] в Лигнице (Легница), его желанием было стать солдатом, а именно солдатом того рода войск, в котором служил в свое время и я, солдатом пехоты, которую зовут царицей полей, так как на ней искони лежала основная тяжесть боя. Не стоит говорить о том, что мы, его родители, понимали его желание пойти по пути поколений его предков, и это желание во время войны было для него само собой разумеющимся, хотя моя жена и я никогда не пытались побудить его к выбору этой профессии. Профессия офицера, стремление быть воспитателем немецкой молодежи и вести ее за собой, когда его призывал к этому долг, — это было у него в крови. Поэтому, получив аттестат зрелости, он вступил в 51-й мотострелковый полк в Лигнице (Легница) и в качестве пехотинца участвовал в летней кампании 1941 года в России. Он стал унтер-офицером и получил Железный крест за спасение товарища, раненного во время поиска и отставшего от своей поисковой группы. Осенью

---

[1] Историческое название гимназий, в которых обучались дети дворян. — *Примеч. ред.*

1941 года он возвратился на родину, поступил в военное училище и весной 1942 года стал офицером.

После тяжелого заболевания и отпуска он снова прибыл в свой любимый полк, сражавшийся в составе 16-й армии южнее озера Ильмень. Я имел радость увидеть его, когда он ненадолго побывал у меня в моей командирской машине во время сражения у Ладожского озера. После этого я видел его еще раз, когда я 18 октября навестил своего друга, генерал-полковника Буша, в штабе 16-й армии. Он пригласил на вечер Геро, и мы весело провели время вместе с Бушем и моим любимым адъютантом Шпехтом, который погиб несколькими днями позже.

Утром 30 октября 1942 года мой верный начальник штаба генерал Шульц, преемник Велера, после доклада утренней сводки сообщил мне, что мой сын Геро погиб прошлой ночью от русской авиабомбы. Будучи в своем батальоне офицером для поручений, он в этот момент шел на передний край, чтобы передать приказ одному командиру взвода.

31 октября мы похоронили моего дорогого сына на берегу озера Ильмень. Дивизионный священник 18-й мотострелковой дивизии, Крюгер, совсем в духе нашего сына, начал свою речь следующими словами:

«Он был рядовым лейтенантом пехоты».

После погребения я на несколько дней вылетел домой, к своей дорогой жене, которая особенно любила этого нашего сына и заботилась больше всего о нем, доставлявшем нам только радость, хотя и перемежавшуюся иногда заботами из-за его недугов, которые он мужественно переносил. Мы вложили его душу в руки Божьи.

Геро Эрих Сильвестр фон Манштейн, как многие, многие молодые немцы, погиб перед лицом врага, как храбрый солдат. Профессия офицера была его призванием. Он прошел свою жизнь, хотя и молодым, но с удивительной зрелостью взглядов! Если можно говорить о благородном юноше в настоящем смысле этого слова, то он был именно таким, причем не только по своему внешнему виду — высокий, стройный, хрупко сложенный, с продолговатым, благородным лицом, — но прежде всего по своему характеру, убеждению. В этом юноше не было ничего фальшивого. Скромный, любящий, всегда готовый помочь, серьезный по своим взглядам, но одновременно и веселый, он испытывал не честолюбие, а только чувство товарищества, и больше того — чувство любви к людям. Его мысли и душа были открыты для всего доброго и прекрасного.

Он был потомком многих поколений солдат; но именно благодаря тому, что он был вдохновенным немецким солдатом, он был благородным человеком в подлинном смысле этого слова, человеком и христианином.

В то время как я после похорон Геро находился в Лигнице (Легница), штаб 11-й армии был переведен из района Ленинграда в труппу армий «Центр», в район Витебска. За несколько недель пребывания в этом районе не произошло существенных событий, достойных упоминания. Прежде чем возникла реальная возможность использования штаба 11-й армии против ожидавшегося русского наступления, события на юге Восточного фронта повлекли за собой необходимость использования его в новом месте и для решения новых задач.

20 ноября в штабе армии был получен приказ о том, что мы в качестве штаба вновь создаваемой группы армий «Дон» должны принять на себя командование участком фронта по обе стороны от Сталинграда. Я с начальником оперативного отдела полковником Буссе находился в это время на участке фронта в корпусе фон дер Шевалери и задержался там, так как полотно железной дороги оказалось взорванным партизанами. Из-за действий партизан в этом районе можно было передвигаться либо в бронированных машинах, либо в специально охраняемых поездах.

Стояла нелетная погода, поэтому мы выехали 21 ноября из Витебска железной дорогой и вновь были задержаны, так как дорога была повреждена взрывом мины, 24 ноября, в мой день рождения (мне исполнилось в этот день 55 лет), мы прибыли в штаб группы армий «Б», занимавшей еще наш будущий участок фронта. То, что мы узнали здесь о положении 6-й армии и об обстановке на примыкающих к ней фронтах 4-й танковой армии и 3-й и 4-й румынских армий, будет рассказано в главе «Сталинградская трагедия».

Глава 11
ГИТЛЕР — ВЕРХОВНЫЙ ГЛАВНОКОМАНДУЮЩИЙ

Впечатления первых военных лет. Способность Гитлера оценивать оперативные возможности. Интерес к технике приводит к переоценке технических средств. Ему не хватает оперативной подготовки и опыта, а также способности соблюдать меру. Его оперативные цели в значительной степени определяются политическими и экономическими соображениями. Его вера в свою «всемогущую» волю. Игнорирование планов противника. Боязнь оперативного риска. Откладывание решения неприятных вопросов. Его склонность не отдавать ничего добровольно. Его вера в силу позиционной обороны. Rage du nombre[1]. Мыслил ли Гитлер по-солдатски? Вопрос об орденах. Неверная организация нашего Главного командования. Театры военных действий ОКБ. Гитлер вмешивается в управление войсками по частным вопросам, но не делает перспективных оперативных указаний. Дискуссии с Гитлером. Его упорство, его аргументы, его манеры. Попытки склонить его к принятию разумной организации Главного командования. Почему фронтовой начальник должен был отрицательно отнестись к идее государственного переворота во время войны?

С назначением на должность командующего группой армий «Дон» я впервые оказался в непосредственном подчинении Гитлера как главнокомандующего вооруженными силами и сухопутными силами. Только теперь я получил возможность по-настоящему узнать и оценить то, как он пытался наряду с управлением государством выполнить задачу полководца. До этого времени я наблюдал его влияние на управление войсками лишь издали, а не непосредственно. Ввиду обстановки строгой секретности при решении всех оперативных вопросов я не мог составить себе собственного обоснованного мнения о Гитлере.

Во время польской кампании нам остались неизвестными случаи вмешательства Гитлера в руководство сухопутной армией. Во время своего двукратного посещения группы армий Рундштедта он внимательно выслушал наш доклад об обстановке и о намерениях штаба группы армий, согласившись с нашими соображениями без всяких возражений.

О плане оккупации Норвегии никому из посторонних не было вообще ничего известно.

Позиция Гитлера в вопросе о наступлении на западе была уже подробно изложена. Конечно, было достойно сожаления, что в этом вопросе он нисколько не считался с ОКХ. Во всяком случае, необходимо признать, что его концепция активных наступательных действий на западе была с военной точки зрения принципиально правильной, хотя и не в отношении намечавшегося им первоначального срока. Конечно, оперативный план наступления, проводившегося по

---

[1] Погоня за количеством *(франц.).*

его приказанию, был в основных чертах составлен им, правда, как уже указывалось выше, этот план едва ли мог привести к решительному успеху. Видимо, вначале он сам не верил в возможность достичь успеха в том объеме, в каком он потом фактически был достигнут. Однако, когда штаб группы армий «А» представил ему оперативный план с изложением подобных возможностей, Гитлер сразу ухватился за него. Он сделал его своим собственным планом, правда, с известными оговорками, в которых уже проступала боязнь риска. Его кардинальная ошибка — приказ остановить танковые соединения перед Дюнкерком — не была в то время очевидной для непосвященных, так как об этом почти ничего не было известно. Мы были введены в заблуждение зрелищем военной техники, оставленной противником в огромном количестве на побережье Дюнкерка, мы еще не знали, что англичане по существу полностью спасли свою армию.

Отсутствие «военного плана», который позволил бы провести своевременную подготовку вторжения[1], ясно указывало на фиаско командования вооруженных сил, т.е. Гитлера. С другой стороны, постороннему наблюдателю невозможно было судить о том, было ли с политической точки зрения неизбежным решение о выступлении против Советского Союза. Во всяком случае, сосредоточение советских сил на нашей, а также на венгерской и румынской границах было достаточно угрожающим.

О влиянии Гитлера на разработку плана операций против Советского Союза, равно как и на проведение операций в первый период кампании, я, будучи командиром корпуса, а затем командующим 11-й армией, так же мало знал, как и о планах летнего наступления 1942 года. Во всяком случае, Гитлер не вмешивался в руководство кампанией в Крыму. Более того, во время моего доклада весной 1942 года он безоговорочно согласился с нашими планами, и он сделал, несомненно, все возможное, чтобы обеспечить успех под Севастополем. Здесь уже говорилось о том, что последующее использование 11-й армии я считал ошибочным. Только теперь, находясь как командующий группой армий в непосредственном подчинении у Гитлера, я мог по-настоящему узнать его в роли Верховного главнокомандующего.

Как военного руководителя Гитлера нельзя, конечно, сбрасывать со счетов с помощью излюбленного выражения «ефрейтор Первой мировой войны». Несомненно, он обладал известной способностью анализа оперативных возможностей, которая проявилась

---

[1] В Англию. — *Примеч. ред.*

уже в тот момент, когда он одобрил план операций на Западном фронте, предложенный группой армий «А». Подобные способности нередко встречаются также и у дилетантов в военных вопросах. Иначе военной истории нечего было бы сообщать о ряде князей или принцев как талантливых полководцах.

Но помимо этого Гитлер обладал большими знаниями и удивительной памятью, а также творческой фантазией в области техники и всех проблем вооружения. Его знания в области применения новых видов оружия в нашей армии и — что было еще более удивительно — в армии противника, а также цифровых данных относительно производства вооружения в своей стране и в странах противника были поразительны. Этим он охотно пользовался, когда хотел отвлечь разговор от неприятной ему темы. Нет сомнения, что он своим знанием дела и своей чрезвычайной энергией способствовал ускоренному развитию многих отраслей вооружения. Но вера в свое превосходство в этих вопросах имела роковые последствия. Своим вмешательством он мешал постоянному развитию военно-воздушных сил и их своевременному усовершенствованию. Несомненно, он затормозил развитие и в области производства реактивных двигателей и атомного оружия.

К тому же интерес ко всем техническим вопросам привел его к переоценке технических средств. Так, он считал возможным с помощью нескольких дивизионов штурмовых орудий или новых танков «Тигр» восстановить положение на участках, где успеха можно было добиться только использованием крупных соединений. Вообще говоря, ему недоставало именно основанных на опыте военных знаний, которые, к сожалению, нельзя было заменить его «интуицией».

Если, как уже было сказано, Гитлер и обладал известным пониманием оперативных возможностей или быстро усваивал их, когда они излагалась ему кем-то другим, то все же он не был способен судить о предпосылках и возможностях осуществления той или иной оперативной идеи. У него отсутствовало понимание соотношения, в котором должны находиться любая оперативная задача и вытекающие из нее пространственные факторы, с одной стороны, потребность в силах и времени — с другой, не говоря уже об их зависимости от возможностей материально-технического обеспечения. Он не понимал или не хотел понять, что, например, каждая крупная наступательная операция помимо сил, потребных для первого наступательного боя, нуждается в постоянном пополнении новыми силами. Особенно резко все это выявилось в ходе подготовки и проведения летнего наступления 1942 года. Сюда нужно отнести и фантастический план наступления через Кавказ на Ближний Восток и даже в Индию, который он хотел осуществить на следующий год силами моторизованной группы войск.

И в области политики — во всяком случае, после успехов в 1938 году, — и в военной области Гитлеру недоставало чувства меры для определения того, что может быть и что не может быть достигнуто. Осенью 1939 года он не увидел возможности решительного успеха правильно организованного немецкого наступления на Западном фронте, несмотря на свою пренебрежительную оценку способности Франции к сопротивлению. Когда же этот успех был достигнут, он потерял способность правильно оценивать свои возможности в иных условиях. В обоих случаях ему не хватало стратегической и оперативной грамотности.

Имея живое воображение, он хватался за всякую заманчивую цель, а результатом было то, что он дробил немецкие силы между несколькими целями одновременно или между различными театрами военных действий. Он никогда по-настоящему не понимал того правила, что на решающем направлении ни в коем случае не следует жалеть сил, что в случае надобности следует жертвовать второстепенными фронтами или идти на известный риск путем их решительного ослабления. Так, во время летнего наступления 1942 и 1943 годов он не мог решиться поставить на карту все, чтобы добиться успеха. В то же время он не был в состоянии или не хотел предусматривать необходимые меры на случай, если потребуется изменить неблагоприятное развитие событий.

Что касается оперативных целей Гитлера — по крайней мере в войне с Советским Союзом, — то они в значительной степени обусловливались политическими и военно-экономическими соображениями. Об этом уже вскользь упоминалось во вводных замечаниях к кампании в России и будет далее говориться при описании оборонительных боев 1943—1944 годов.

Безусловно, политические, а в настоящее время прежде всего военно-экономические вопросы играют существенную роль при определении стратегической цели войны. Но Гитлер не учитывал следующего обстоятельства: захват и особенно удержание территории должны иметь предпосылкой победу над вооруженными силами противника. Пока этот военный фактор не достигнут, занятие ценных в военно-экономическом отношении районов, то есть достижение территориальной цели войны, остается сомнительным, а их длительное удержание — невозможным. Об этом наглядно свидетельствует война с Советским Союзом. Тогда еще не было возможно, как теперь, с помощью авиации и различных видов оружия дальнего действия настолько разрушить военную промышленность и сеть коммуникаций противника, чтобы его вооруженные силы оказались не в состоянии продолжать борьбу.

Как ни верно, что стратегия должна быть служанкой политического руководства, тем не менее последнее не может до такой степени пренебрегать стратегической целью всякой войны — уничтожением армии противника, как это имело место при определении Гитлером оперативных целей войны. Лишь победа открывает путь к достижению политических и экономических целей.

Теперь я подхожу к тому решающему фактору, который составлял у Гитлера основу руководства: переоценка силы воздействия воли, его воли, которой якобы достаточно было воплотиться в убежденность даже у самого молодого пехотинца, чтобы подтвердить правильность его решений, чтобы обеспечить успех выполнения его приказов.

Сильная воля полководца является, разумеется, одним из существенных условий победы. Иногда сражение бывает проигранным, успех — упущенным только потому, что в решительный момент воля командира оказалась парализованной. Но воля командира к победе, помогающая ему выстоять и в трудные, критические моменты, это не то, что воля Гитлера, проистекавшая у него в конце концов из веры в свою «миссию». Такая вера неизбежно ведет к безосновательному отстаиванию своих взглядов, равно как и к убеждению, что собственная воля может превзойти границы, которые ставит на ее пути суровая действительность, пусть это будут границы, заключающиеся в многократном превосходстве сил противника, в условиях места, времени или просто в том обстоятельстве, что в конце концов и противник обладает волей.

Убежденный в том, что его воля в конечном счете восторжествует, Гитлер был в общем мало склонен к тому, чтобы принимать в расчет предполагаемые намерения командования противника. Так же мало был он готов признать даже самые надежные данные, скажем, о многократном превосходстве противника. Он отклонял их, либо преуменьшал, утверждая, что соединения и части противника плохо подготовлены, либо прибегал к своему излюбленному приему — перечислению цифр, относящихся к данным о военной промышленности Германии. Так, фактор воли фюрера исключают в известной мере такие существенные элементы, как «оценка обстановки», из которой должно вытекать решение любого командира. Но тем самым Гитлер оставил почву реальной действительности.

Странным, однако, было то, что эта переоценка значения собственной воли, это игнорирование возможных намерений и сил противника сочетались с отсутствием необходимой смелости при принятии решения. После успехов, которых Гитлер добился к 1938 году на политической арене, он в вопросах политики стал азартным игроком, но в военной области боялся всякого риска. Смелым решением Гитлера с военной точки зрения можно считать только решение оккупировать Норвегию, хотя и в этом вопросе инициатива исходила от гросс-адмирала Редера. Но даже и здесь, как только создалась критическая обстановка под Нарвиком, Гитлер был уже готов отдать приказ об оставлении города и тем самым пожертвовать главной целью всей операции — обеспечением вывоза руды. При проведении наступления на западе также проявилась боязнь Гитлера пойти на военный риск, о чем уже шла речь выше. Решение Гитлера напасть на Советский Союз было в конце концов неизбежным следствием отказа от вторжения в Англию, риск которого опять-таки показался Гитлеру слишком большим.

Во время кампании против России боязнь риска проявилась в двух формах. Во-первых, как будет описано ниже, в отклонении всякого маневра при проведении операций, который в условиях войны, начиная с 1943 года, мог быть обеспечен только добровольным, хотя и временным оставлением захваченных районов. Во-вторых, в боязни оголить второстепенные участки фронта или театры военных действий в интересах участка, который приобретал решающее значение, даже если на этом участке складывалась явно угрожающая обстановка.

Это стремление избежать риска в военных вопросах было обусловлено, по-видимому, следующими тремя причинами: во-первых, подсознательным чувством Гитлера, что он не обладает талантом полководца для того, чтобы в случае необходимости преодолеть кризис, связанный с подобным риском; то, в чем он не мог полагаться на самого себя, он в еще меньшей мере мог доверить своим генералам; во-вторых, свойственным каждому диктатору беспокойством по поводу того, как бы обнаружившиеся ошибки не подорвали его престиж (естественно, в конечном итоге в результате неизбежно допускаемых в таком случае военных ошибок обычно происходит еще большая потеря престижа); в-третьих, коренившимся в его властолюбии нежеланием отказаться от того, чем он однажды овладел.

В связи со сказанным следует упомянуть о другом свойстве характера Гитлера, против которого вели безуспешную борьбу как начальник его Генерального штаба, генерал-полковник Цейтцлер, так и я в бытность мою командующим группой армий.

Гитлер любил как можно дольше оттягивать всякое решение, которое ему было неприятно, но без которого он все же не мог обойтись. Это случалось всякий раз, когда нужно было, своевременно бросив в бой свои силы, воспрепятствовать намечающемуся в связи с обстановкой боевому успеху противника или не дать противнику возможности использовать имеющийся успех. Начальник Генерального штаба вынужден был целыми днями вести борьбу с Гитлером, когда речь шла о том, чтобы высвободить силы с менее угрожаемых в данный момент участков фронта для тех районов, где создалась критическая обстановка. Обычно он давал слишком мало сил и слишком поздно, так что в последующем ему приходилось давать их в несколько раз больше, чем это потребовалось бы для восстановления положения в том случае, если бы он немедленно предоставил затребованное вначале количество сил. Но нужны были недели борьбы для того, чтобы добиться от него решения об оставлений позиции, которую практически невозможно было удержать (как например, в 1943 году Донецкий бассейн или в 1944 году Днепровскую дугу). То же самое случалось, если речь шла о том, чтобы с целью высвобождения сил очистить не имеющие никакого оперативного значения выдающиеся вперед участки на фронте, которому в данный момент никто не угрожал. Видимо, Гитлер все время верил, что события будут развиваться все-таки по его желанию и что он может избежать принятия решений, которые были неприятны ему, ибо означали признание того факта, что ему пришлось считаться с волей противника. Одновременно он боялся рисковать, снимая силы с тех участков фронта, которые могли быть ослаблены.

Переоценка значения собственной воли, известная боязнь риска в случае ведения маневренных боевых действий (например, в форме ответных ударов «retour offensif»[1], когда нельзя было заранее гарантировать благополучный исход), а также нежелание Гитлера добровольно отказаться от чего бы то ни было — все это с течением времени становилось все более характерным для его военного руководства.

Упорная оборона каждой пяди земли постепенно стала единственным принципом его руководства. Таким образом, после блестящих

---

[1] Ответный удар *(франц.)*.

успехов, достигнутых немецкими вооруженными силами в первые годы войны благодаря проведению маневренных операций, Гитлер, когда наступил первый кризис под Москвой, перенял у Сталина рецепт упорного удержания любой позиции. Этот рецепт в 1941 году привел советское командование на край гибели, вследствие чего оно отказалось от него во время немецкого наступления 1942 года.

Но когда зимой 1941 года советское контрнаступление было наконец остановлено благодаря сопротивлению наших войск, Гитлер был убежден, что только его приказ — не допускать отхода без разрешения — спас немецкую армию от судьбы, постигшей армию Наполеона в 1812 году. Правда, это убеждение было укреплено в нем людьми из его окружения, а также некоторыми фронтовыми командующими. Когда затем осенью 1942 года прекратилось немецкое наступление под Сталинградом и на Кавказе и вновь создалась критическая обстановка, Гитлеру казалось, что в упорном сопротивлении любой ценой он нашел залог успеха. И в дальнейшем его в общем не удалось переубедить и заставить отказаться от этого взгляда.

Общепризнано, что позиционная оборона представляет собой самую сильную форму боя. Но это справедливо, если она может быть организована настолько эффективно, что противник истекает кровью в ходе атаки позиций обороняющегося. Но об этом не могло быть и речи на востоке. Количества наличных немецких дивизий никогда не хватало, чтобы организовать подобной силы позиционную оборону. Во много раз превосходивший нас противник всегда имел возможность путем массированного использования своих сил добиться в любом пункте прорыва наших слишком растянутых фронтов. В результате этого значительные немецкие силы оказывалась не в состоянии избежать окружения. Только ведением маневренных боевых действий можно было бы реализовать превосходство немецкого командования и немецких войск и тем самым, возможно, добиться в конце концов ослабления сил Советского Союза.

О последствиях влияния принципа «удерживать любой ценой», на котором Гитлер все сильнее настаивал, я еще буду подробнее говорить ниже, при характеристике оборонительных боев на востоке в 1943—1944 годах. То, что Гитлер все упорнее настаивал на этом принципе, было очень тесно связано с его характером. Он был человеком, которому была известна только жестокая борьба до последнего предела. Его образу мыслей более соответствовала картина истекающего кровью перед нашими линиями противника, чем картина элегантного фехтовальщика, который умеет также и отступить, чтобы тем увереннее нанести затем решающий удар. Понятию военного искусства он противопоставил в конце концов понятие грубой власти, власти, наибольшая сила воздействия которой гарантируется, по мысли Гитлера, силой воли, на которую опирается эта власть.

Если, таким образом, Гитлер поставил силу власти над силой духа, ценил храбрость солдата, но не в такой же мере его умение, то неудивительно, что он впал в ошибку переоценки технических средств, а также «rage du nombre». Он опьянял себя цифровыми показателями немецкой военной промышленности, которая в значительной степени благодаря ему двинулась вперед (при этом, правда, он стремился не замечать того факта, что цифровые показатели военной промышленности противника были значительно выше немецких).

Он не замечал, сколько нужно умения и выучки, чтобы использовать новое оружие с наибольшей эффективностью. Для него было достаточно, если новые виды оружия поступили на фронт, независимо от того, умеют ли применять его оснащенные им части и было ли оружие испытано в боевых условиях.

В том же духе формировались по приказу Гитлера все новые и новые дивизии. Увеличение числа наших крупных соединений было, несомненно, желательно. Однако их формирование шло за счет пополнения существующих дивизий. Последние истекали кровью, а новые формирования вследствие их недостаточного боевого опыта также должны были вначале расплачиваться за это излишним кровопролитием. Ярким примером является упоминавшееся выше формирование авиаполевых дивизий, новых дивизий СС и так называемых дивизий народных гренадер[1].

Наконец, следует еще отметить, что хотя Гитлер постоянно подчеркивал, что он мыслит, как солдат, и охотно говорил о том, что военный опыт он приобрел на фронте, в действительности ему далеки были мысли и чувства солдата. Точно так же и образ действий его партии не имел ничего общего с прусским духом, хотя она и любила подчеркивать это.

Безусловно, Гитлер был совершенно точно информирован о положении на фронте через доклады командующих группами армий, командующих армиями и т.д. Нередко он непосредственно выслушивал и устные доклады фронтовых офицеров. Таким образом, он знал не только о действиях наших войск, но также и о том, что им

---

[1] Ополченческие дивизии, формировавшиеся гитлеровским командованием в конце войны. — *Примеч. ред.*

пришлось перенести в результате длительного перенапряжения с начала кампании против Советского Союза. Может быть, это и было одной из причин нежелания Гитлера приехать на фронт. Довольно трудно было уговорить его посетить штаб нашей группы армий, не говоря уже о том, что ему никогда не приходило в голову продолжить поездку еще ближе к фронту. Возможно, он боялся, что такие поездки разрушат взлелеянную им мечту о непреодолимости его воли.

Как ни старался Гитлер при каждом удобном случае подчеркивать свои качества бывшего фронтовика, у меня никогда не создавалось чувства, что судьба армии глубоко трогает его. Потери были для него лишь цифрами, свидетельствовавшими об уменьшении боеспособности. Как человека они едва ли серьезно трогали его[1].

---

[1] Один бывший офицер ОКВ, переведенный туда как фронтовой офицер, после тяжелого ранения, служебное положение которого позволяло ему наблюдать Гитлера почти ежедневно, особенно в связи с докладами об обстановке, а также и в более узком кругу, пишет мне по этому поводу:

«Я вполне понимаю Ваше субъективное чувство (речь идет об отсутствии у Гитлера любви к войскам и о том, что потери войск для него были лишь цифрами). Таким он казался более или менее широкому кругу людей, но в действительности все было почти наоборот. С солдатской точки зрения, он был, возможно, даже слишком мягким, во всяком случае, он слишком зависел от чувств. Симптоматично, что он не мог переносить встречи с ужасами войны. Он боялся своей собственной мягкости и чувствительности, которые помешали бы ему принимать решения, которых требовала от него его роль политического руководителя. Потери, о которых ему приходилось выслушивать подробные описания, а также получаемые им общие сведения о них вызывали в нем страх, он буквально страдал от этого, точно так же, как он страдал от смерти людей, которых он знал.

В результате многолетних наблюдений я пришел к выводу, что это не было театральной игрой, это была одна из сторон его характера. Внешне он был подчеркнуто равнодушен, чтобы не поддаваться влиянию этого свойства характера, перед которым он сам испытывал страх. В этом кроется и более глубокая причина того, почему он не ездил на фронт и в города, подвергшиеся разрушению в результате бомбардировок. Безусловно, это объяснялось не тем, что у него не хватало личного мужества, а тем, что он боялся своей реакции на эти ужасы.

В неофициальной обстановке встречалось много случаев, когда во время разговора о действиях и усилиях наших войск — без различия чинов — можно было видеть, что он хорошо понимал то, что переживают сражающиеся войска, и сердечно относился к ним».

Правда, в одном вопросе Гитлер мыслил, как подобает солдату: в вопросе о военных наградах. Этими наградами он хотел отмечать в первую очередь настоящих бойцов, храбрецов. Так, изданное им в начале кампании положение о награждении Железным крестом может считаться образцовым. Этот орден мог вручаться только за храбрость, проявленную в бою, и за действительные заслуги по управлению войсками, то есть — в отношении последних — только крупным войсковым начальникам и их ближайшим помощникам. К сожалению, это ясное и, безусловно, верное положение со стороны отдельных наградных инстанций было нарушено уже в начале войны. Правда, отчасти это объяснялось запоздалым учреждением Креста за военные заслуги, предназначавшегося для тех, кто в силу своего служебного использования не мог выполнить условия, дающие право на Железный крест, хотя и заслуживал награды. У Гитлера всегда было труднее получить Рыцарский крест для генерала, чем для офицера или рядового с переднего края.

Тем, кто позднее смеялся над всевозможными знаками, введенными Гитлером во время войны, нужно было бы представить себе, какие чудеса совершали наши солдаты в ходе этой долгой войны. Во всяком случае, такие знаки, как, например, знак за участие в рукопашном бою или выданный солдатам 11-й армии. «Крымский щит» солдаты носили с гордостью. Впрочем, как показывают факты награждения солдат противной стороны многочисленными орденами, от вопроса военных наград нельзя отмахнуться, прибегнув к неумному выражению «побрякушки».

Описанные выше недостатки значительно снижали возможности, которые давали бы Гитлеру основание успешно играть избранную им самим роль Верховного главнокомандующего. Эти недостатки могли бы быть компенсированы, если бы он был готов прибегать к советам разделяющего с ним ответственность опытного начальника Генерального штаба или если бы он пересилил в себе

Суждение этого офицера, который не относился к приверженцам или почитателям Гитлера, показывает по крайней мере, насколько противоречивым могло быть впечатление, которое получали различные люди от характера и образа мышления Гитлера, насколько трудно было по-настоящему узнать или понять его. Если Гитлер, как говорится выш, был действительно «мягким», то как же объяснить в таком случае ту зверскую жестокость, которая с течением времени во все большей степени характеризовала его режим? — *Примеч. автора.*

чувство недоверия к последнему. Ведь Гитлер имел некоторые важные для роли полководца качества: сильную волю, нервы, выдерживавшие в труднейшие критические моменты, несомненно, острый ум и, как уже говорилось, при известных способностях в области оперативного искусства также и способность анализировать технические возможности. Если бы он сумел дополнить недостававшие ему подготовку и опыт в военной области (особенно в области стратегии и оперативного искусства) знаниями и умением начальника своего Генерального штаба, то, несмотря на вышеупомянутые недостатки, мы все же могли иметь вполне удовлетворительное военное руководство. Но как раз на это Гитлер не был согласен.

Подобно тому как он рассматривал силу своей воли в любом отношении, как решающий фактор, его политические успехи, а также военные победы первых военных лет, которые он приписывал самому себе, повлекли за собой то, что Гитлер все более терял чувство меры при оценке своих собственных способностей. Принятие предложений разделяющего вместе с ним ответственность начальника Генерального штаба означало бы для него не дополнение его собственной воли, а сгибание его воли перед волей другого. К этому еще прибавлялся тот факт, что вследствие своего происхождения и развития он питал непреодолимое недоверие к военным руководителям. Для него был закрыт путь к их мыслям и чувствам, ибо они происходили из другой среды. Поэтому он не хотел иметь рядом с собой действительно ответственного советника по военным вопросам. Он хотел походить на Наполеона, который терпел только помощников и исполнителей своей воли; но у него не было ни военных знаний, ни военного гения, какими обладал Наполеон.

Описывая план вторжения в Англию, я уже говорил, что Гитлер так организовал верховное военное руководство, что не оказалось такого органа, который мог бы консультировать его по вопросам ведения войны в целом и который был бы в состоянии составить план ведения войны. Штаб оперативного руководства вооруженными силами, который теоретически был призван решать такую задачу, играл на практике лишь роль военного секретариата. Он существовал для того, чтобы переводить мысли и распоряжения Гитлера на язык военных приказов.

Но в дальнейшем положение еще более ухудшилось. Отнеся Норвежский театр военных действий к компетенции ОКБ и полностью исключив участие ОКХ в руководстве данным театром, Гитлер сделал первый шаг по пути дробления руководства боевыми действиями также и на суше. В дальнейшем постепенно в ведение ОКВ были переданы и все другие театры военных действий. ОКХ остался в конце концов ответственным только за Восточный театр военных действий, во главе которого стоял сам Гитлер. Начальник Генерального штаба сухопутных сил был тем самым отстранен от всякого вмешательства в боевые действия на других театрах военных действий, подобно тому как командующие двумя другими видами вооруженных сил были отстранены от участия в решении вопросов ведения войны в целом. Первый из них не имел ни малейшего влияния на распределение сил сухопутной армии между различными театрами военных действий, а нередко не имел даже достаточных сведений о том, какую живую силу и технику получил тот или иной театр. При таких обстоятельствах неизбежны были разногласия между штабом оперативного руководства вооруженными силами и Генеральным штабом сухопутных сил. А одним из принципов Гитлера и было создавать подобные разногласия, чтобы во всех вопросах его голос был решающим. Такая неудачная организация высшего военного руководства должна была, естественно, привести к тому, что оно не справилось со своими задачами.

Переоценка силы своей воли и своего умения имела, далее, своим следствием то, что Гитлер все чаще пытался вмешиваться в руководство нижестоящими командными инстанциями путем отдачи отдельных распоряжений.

Сильной стороной немецкого военного командования с давних пор было то, что оно опиралось на чувство ответственности, на самостоятельность, инициативу командиров всех степеней и по возможности развивало эти качества. Поэтому «указания» в рамках высших военных инстанций и приказы в среднем и низшем звеньях содержали для подчиненных соединений, частей и подразделений в основном «задачу». Конкретное же выполнение этих задач было делом командиров подразделений. Этому характеру управления немецкая сухопутная армия обязана значительной частью успехов, которых она добилась над своими противниками, в армиях которых приказы обычно определяют действия командиров подразделений до отдельных частностей. У нас же такого рода вмешательства в функции подчиненной командной инстанции имели место только в том случае, когда в интересах дела без этого нельзя было обойтись.

Напротив, Гитлер полагал, что ему из-за его письменного стола все видно значительно лучше, чем командирам на фронте, хотя было само собой понятно, что многое на его оперативной карте уже устарело (между прочим, на его карте отмечались, к сожалению, все подробности). При этом не стоит уже и говорить о том, что он не мог определить издалека, какое мероприятие на месте является правильным и необходимым.

В его привычку все более входило стремление вмешиваться в управление группами армий, армиями и т.д. путем отдачи отдельных распоряжений, что вовсе не входило в его обязанности. Хотя я сам до тех пор и не встречался с подобными случаями вмешательства в наши функции, я все же получил об этом представление из рассказов фельдмаршала фон Клюге, с которым я встретился на одной станции на пути из Витебска в Ростов. Он сообщил, что в районе действий группы армий «Центр» он обязан запрашивать Гитлера относительно любых действий подразделений и частей силой в батальон и выше. Если мне позже и не пришлось наблюдать подобные случаи недопустимого вмешательства Гитлера в управление нашей группой армий, то все же у нас достаточно было поводов для конфликтов с Главным командованием вследствие вмешательства Гитлера.

Стремлению отдавать отдельные распоряжения, как правило, только мешавшие и наносившие вред управлению, не соответствовала его пассивность, когда речь шла о перспективных указаниях оперативного характера. Чем более он рассматривал принцип «держаться любой ценой» в качестве альфы и омеги своего полководческого искусства, тем менее он был склонен давать указания на длительное время, которые учитывали бы предполагаемое развитие оперативной обстановки. Он не хотел признавать, что при таком методе командования ему будет в конце концов навязана воля противника. Его подозрительность помешала ему, дав указания с расчетом на длительное время, предоставить тем самым своим подчиненным командирам свободу действий, которой они, возможно, воспользовались бы иначе, чем это рисовалось его воображению. Тем самым он так или иначе лишал искусство вождения войск его реальной основы. Под конец даже штаб группы армий не мог обойтись без указаний Главного командования, по крайней мере в тех случаях, когда группа армий действовала как часть целого фронта, то есть также и во взаимодействии со своими соседями. Мы часто с тоской вспоминали то время, когда мы в Крыму могли воевать на своего рода собственном театре военных действий.

Остается еще рассказать, как протекали споры между Гитлером и крупными военачальниками, неизбежные при тех взглядах, которых придерживался Гитлер по вопросам военного руководства. В отдельных описаниях подобных дискуссий перед нами предстает беснующийся Гитлер с пеной на губах, а при случае и впивающийся зубами в ковер. То, что у него были взрывы бешенства, когда он терял всякое самообладание, безусловно, верно. Но я лично наблюдал в качестве слушателя лишь один упоминавшийся уже выше инцидент между Гитлером и генерал-полковником Гальдером, во время которого Гитлер кричал и был нетактичен. Также и его обращение с Кейтелем не соответствовало положению последнего. Но, совершенно очевидно, Гитлер безошибочно чувствовал, как далеко он мог зайти в разговоре с тем или иным собеседником и в каком месте с помощью взрыва гнева — возможно, нередко умышленного, напускного — он мог рассчитывать на то, что его запугивание увенчается успехом.

Что касается моего личного опыта общения с Гитлером, то я должен сказать, что он всегда соблюдал форму и оставался на деловой почве, даже когда наши взгляды были противоположными или исключали друг друга. Когда он один-единственный раз сделал по моему адресу одно замечание, носившее не деловой, а личный характер, он молча принял мою довольно резкую реплику.

Гитлер мастерски владел способностью психологически подстраиваться под характер собеседника, которого он желал в чем-то убедить. К тому же он, конечно, всегда знал, по какому поводу или с каким намерением являлись к нему для доклада. Поэтому он мог заранее приготовить все свои контраргументы. Он обладал исключительной способностью передавать другим свою собственную уверенность — истинную или наигранную, особенно когда прибывали офицеры с фронта, не знавшие его близко. В таких случаях можно было наблюдать, как человек, вошедший, «чтобы рассказать Гитлеру о критическом положении на фронте», возвращался от него, обретя уверенность.

Во время отдельных споров, которые мне как командующему группой армий пришлось иметь с ним по оперативным вопросам, огромное впечатление производило прямо-таки невероятное упорство, с которым он боролся за свою точку зрения. Почти всегда требовалось много часов борьбы, чтобы добиться от него желаемого или уйти, получив утешительные обещания, а иногда и ни с чем. Я не встречал более ни одного человека, который мог бы в подобных дискуссиях проявлять хотя бы примерно такую же выдержку и упорство. Если такие дискуссии между Гитлером и фронтовым командиром длились самое большее несколько часов, то начальнику Генерального штаба генералу Цейтцлеру приходилось часто бороться много дней подряд во время каждого вечернего доклада обстановки, чтобы добиться от Гитлера чего-либо совершенно необходимого. В таких случаях мы всегда спрашивали его, на каком раунде он выиграл этот бой.

При этом аргументы Гитлера, в том числе и чисто военные, с помощью которых он защищал свою точку зрения, как правило, не так легко было опровергнуть. Ведь когда рассматривается вопрос об оперативных намерениях, то никто не может предсказать с полной уверенностью исход той или иной операции. В войне, вообще говоря, ни в чем нельзя быть абсолютно уверенным.

Когда Гитлер замечал, что его точка зрения по оперативному вопросу не производила должного впечатления, тогда он приводил политические и экономические аргументы и достигал своего, так как эти его аргументы обычно не в состоянии был опровергнуть фронтовой командир, не располагавший сведениями о политической обстановке и экономических условиях. В конце концов оставалось только настаивать на том, что если Гитлер не утвердит содержащихся в докладе планов или требований, то сложится неблагоприятная обстановка в военном отношении, что окажет еще более неблагоприятное воздействие на политику и экономику.

С другой стороны, иногда Гитлер проявлял готовность выслушивать соображения, даже если он не был с ними согласен, и мог затем по-деловому обсуждать их.

Какая-либо внутренняя связь, тесный контакт между диктатором, фанатиком, думавшим только о своих политических целях и жившим верой в свою «миссию», и военными руководителями, естественно, не могла установиться. Личное, по-видимому, не интересовало Гитлера вообще. В людях он видел всего-навсего инструменты, призванные служить его политическим целям. Никакие узы дружбы не связывали Гитлера с немецкими солдатами.

Все сильнее выявлявшиеся ошибки немецкого военного руководства, которые отчасти объяснялись личностью Гитлера, отчасти были следствием описанной выше совершенно неудачной организации высших органов военного руководства, заставляли, естественно, задумываться над вопросом, нельзя ли изменить создавшееся положение и как изменить его. При этом, как и в этой книге в целом, я не хотел бы касаться политической стороны вопроса. Я не менее трех раз пытался побудить Гитлера в интересах разумного ведения войны изменить структуру верховного военного руководства. Я не думаю, чтобы кто-либо другой подобным же образом пытался убедить его, что его военное руководство является неудовлетворительным.

При этом мне было ясно, что Гитлер никогда не согласится официально сложить с себя верховное командование. Как диктатор он этого не мог бы сделать без потери своего престижа, что для него было немыслимо. Поэтому, по моему мнению, важно было добиться, чтобы Гитлер, сохраняя за собой номинально верховное командование, согласился передать командование операциями на всех театрах военных действий практически в руки одного ответственного начальника Генерального штаба и назначить специального командующего Восточным театром военных действий. Об этих попытках, оставшихся, к сожалению, безрезультатными, речь еще будет идти ниже, при характеристике военных событий 1943—1944 годов. Для меня это был весьма щекотливый вопрос, так как Гитлеру хорошо было известно, что многие в сухопутных силах желали бы видеть именно меня на посту действительно облеченного полнотой власти начальника Генерального штаба или командующего всем Восточным фронтом.

Я не имел намерения останавливаться здесь на вопросе о насильственном изменении в управлении государством и на попытке, предпринятой с этой целью 20 июля 1944 года. На этом я хочу остановиться в другой раз и в другом месте. В рамках же данного описания моего боевого опыта достаточно будет сказать, что я как ответственный командующий на фронте не считал возможным ставить вопрос о государственном перевороте во время войны, так как, по моему мнению, это привело бы вскоре к развалу фронта и, возможно, к хаосу в Германии. Не приходится говорить уже о присяге, как и о допустимости убийства по политическим мотивам.

Я сказал на моем процессе: «Нельзя, будучи высоким военным руководителем, требовать в течение многих лет от солдат отдавать жизнь за победу, чтобы затем собственной рукой способствовать поражению».

Между прочим, уже тогда было ясно, что и государственный переворот ни в коей мере не изменил бы требования союзников о безоговорочной капитуляции Германии. Я считаю, однако, что в то время, когда я занимал пост командующего, мы еще не пришли к убеждению, что подобное решение вопроса является единственно возможным.

Глава 12
СТАЛИНГРАДСКАЯ ТРАГЕДИЯ

Путь в Сталинград. Коренные ошибки Гитлера. Развитие обстановки в районе Сталинграда до принятия мною командования группой армий «Дон». Обстановка, сложившаяся к 24 ноября. Упущена первая возможность. Следует ли 6-й армии хотя бы с запозданием попытаться вырваться из окружения или ждать помощи от деблокирующих войск? При любых условиях предпосылкой является снабжение армии по воздуху. Мои первые впечатления. Письмо маршала Антонеску. Двоякая задача группы армий «Дон». Обстановка в момент принятия мною командования. Генерал Паулюс просит предоставить ему свободу действий «на крайний случай». Можно ли было обеспечить воздушным путем достаточное снабжение окруженных войск? Вина Геринга. План спасения 6-й армии. Приказ «Зимняя буря». Противник начинает наступление. Удар противника на фронте 4-й танковой армии. Обострение обстановки на Чире. Гитлер медлит с принятием необходимых решений. Состязание не на жизнь, а на смерть. Боевые действия 57 тк. Миссия майора Эйсмана. Штаб группы армий отдает 6-й армии приказ вырваться из кольца: операция «Удар грома». Возможность не использована. Положение с горючим дает Гитлеру возможность обосновать свой отказ сдать Сталинград. Наступление с целью деблокировки приходится прервать. Последний этап борьбы 6-й армии. Было ли возможно предпринять еще одну попытку деблокировать окруженные войска? Сообщение генерала Хубе. Требование капитуляции. Смысл борьбы 6-й армии. Конец.

> «Путник, придешь в Спарту, скажи там, что видел нас лежащими здесь, как велел закон».

Эти стихи, донесшие до нас весть о героизме защитников Фермопил и считавшиеся с тех пор песнью песней храбрости, верности и долга, никогда не будут высечены на камне в Сталинграде, городе на Волге, в память о жертвах погибшей там 6-й армии.

Над заметенными следами погибших, умерших с голоду, замерзших немецких солдат никогда не станет крест, не будет водружен надгробный камень.

Но память об их непередаваемых страданиях и смерти, об их беспримерной храбрости, преданности и верности долгу переживет время, когда уже давно умолкнут триумфальные крики победителей, когда умолкнут стоны страдающих, забудется гнев разочарованных и ожесточенных.

Пусть эта храбрость была напрасной, пусть это была верность человеку, который не понимал ее, не отвечал на нее тем же, а поэтому и не заслуживал ее, пусть это выполнение долга привело к гибели или плену, но все же эта храбрость, эта верность, это служение долгу остаются песнью песней немецкого солдатского духа! Того солдатского духа, которого сегодня, правда, уже нет более и который кажется пережитком в такой век, когда можно с безопасного расстояния послать атомные бомбы, способные погасить всякую жизнь, героизм которого, однако, также достоин увековечения, как и тот героизм, которому однажды были посвящены те стихи. Жертва может оказаться напрасной, если она принесена проигранному делу, верность — бессмысленной, если она относилась к режиму, который не умел ее ценить. Верность долгу может оказаться ошибкой, если основания, на которых она покоилась, оказались ложными. И все же остается этическая ценность убеждения, из-за которого солдаты 6-й армии прошли свой жертвенный путь до конца.

Описать героизм немецкой 6-й армии окажется когда-нибудь под силу перу настоящего писателя. Но страдания и гибель немецких солдат слишком священны, чтобы делать из них сенсацию ужасов, использовать их как источник сомнительных разоблачений или как возможность для политического спора. Пером того, кто хочет сделать свой вклад в историю этой трагедии, должно двигать благоговение, а не ненависть! Тот, кто, подобно мне, участвовал в битве под Сталинградом, находясь на ответственном посту — хотя бы извне и не имея возможности оказывать на нее влияние, — тот, в чьей груди бьется сердце солдата, тот не осквернит пустыми словами смертный путь героев Сталинграда. Трагедии этого события не соответствует ни громкая фраза, ни фальшивый голос ненависти. Автор будет довольствоваться объективным изложением того, что он может сказать со своей точки зрения, что он считает возможным оценить реалистически. Окончательное суждение он предоставит истории, уверенный, что история будет справедлива по крайней мере к тем, которые, веря в свой долг, прошли этот горький путь, уверенный также в том, что история осудит заблуждения, ошибки или упущения, но что она предаст проклятию лишь тех, кто нарушил заповедь верности, которую должен соблюдать и тот, кто требует ее выполнения.

Я не берусь описывать страдания и бои солдат 6-й армии, в которых мне помешал участвовать мой служебный долг. Я не буду здесь касаться человеческой стороны трагедии, страданий, отчаяния или ожесточения, смерти этих людей, страха, забот и печали их близких в те дни. Но не потому, что я, мои товарищи по работе, как и все те, кто сражался тогда за спасение 6-й армии, не осознавали ежедневно и ежечасно всех этих ужасов. Кроме тех, кто шли тогда под Сталинградом этим жертвенным путем, и их дорогих близких на родине, никто не пережил и не выстрадал человеческую сторону этой трагедии так глубоко, как мы, пытавшиеся до последней возможности прийти на помощь нашим товарищам. Но человеческую сторону этой трагедии составляют такие глубокие, почти невообразимые страдания и такой величайший, хотя и напрасный героизм, что мы, пережившие все это, находимся в опасности, описывая их, потерять чувство меры. Этим мы не убавили бы боль тех, кто так много страдал, но разбередили бы лишь старые раны. Мы больше способствовали бы разжиганию ненависти, чем изучению событий.

Поэтому я попытаюсь сделать беспристрастное и объективное описание развития этой трагедии. Я считаю, что я не должен говорить о величии героизма и страданий этих немецких солдат. Я хочу сделать попытку посмотреть на судьбу 6-й армии — в соответствии с моим служебным положением — с точки зрения более широкого круга событий, частью которых, хотя и самой трагической, являлся Сталинград. Поэтому читатель поймет меня, если я поведу его не в пекло битвы, не на снежные поля вокруг Сталинграда или в места боев за овраги и жилые кварталы, а в расположение крупного штаба. Его будет окружать не жар боя или мертвящий холод степи, а атмосфера анализа и оценки обстановки, атмосфера ответственности. Он может быть уверен в том, что и в ней бились горячие сердца, которые были с теми, кто сражался за Сталинград.

Сражение за Сталинград по вполне понятным причинам рассматривается Советами как решительный перелом в войне. Англичане приписывают подобное же значение исходу «battle of Britain»[1], то есть отражению немецкого воздушного наступления на Британские острова в 1940 году. Американцы склонны приписывать окончательный успех союзников своему участию в войне.

---

[1] Битва за Англию *(англ.)*.

Также и в Германии многие считают, что Сталинград имеет значение «решающего сражения».

В противоположность этому следует констатировать, что нельзя приписывать никакому из тех или иных отдельных событий решающее значение. Это — следствие влияния целого ряда факторов, важнейшим из которых является, видимо, то, что Германия в конце концов в результате политики и стратегии Гитлера оказалась безнадежно слабее своих противников.

Конечно, Сталинград постольку является поворотным пунктом в истории Второй мировой войны, поскольку на Волге разбилась волна немецкого наступления, чтобы затем откатиться обратно, подобно волне прибоя. Но как ни тяжела была утрата 6-й армии, это не означало еще проигрыша войны на востоке и тем самым войны вообще. Все еще можно было добиваться ничейного исхода, если бы такую цель поставили перед собой немецкая политика и командование вооруженных сил.

ПУТЬ В СТАЛИНГРАД

Причину гибели 6-й армии следует, разумеется, искать в том, что Гитлер — главным образом из соображений престижа — отказался дать приказ об оставлении Сталинграда.

Но то обстоятельство, почему 6-я армия могла вообще оказаться в таком положении, имеет своей причиной оперативные ошибки, допущенные немецким Главным командованием раньше, при организации и проведении наступления 1942 года и главным образом в его последней фазе.

Об оперативной обстановке, в которой вследствие этих ошибок оказалось южное крыло немецкого Восточного фронта глубокой осенью 1942 года, речь будет идти ниже, при описании зимней кампании 1942/43 года. Здесь я хотел бы подчеркнуть только те моменты, которые были решающими для судьбы 6-й армии.

Вследствие того, что Гитлер определил цель наступления 1942 года, исходя главным образом из военно-экономических соображений, наступление развивалось в двух расходящихся направлениях — на Кавказ и на Сталинград. Поэтому после прекращения немецкого наступления возник фронт, для удержания которого на немецкой стороне не имелось достаточных сил. На этом крыле фронта в распоряжении немецкого командования не было оперативного резерва, после того как оно разбросало по различным направлениям освободившуюся в Крыму 11-ю армию.

Группа армий «А» стояла фронтом на юг в северной части Кавказа между Черным и Каспийским морями. Группа армий «Б» держала фронт, обращенный на восток и северо-восток, начинавшийся на Волге южнее Сталинграда, поворачивавший севернее города к среднему течению Дона и проходивший далее вдоль этой реки до района севернее Воронежа. Обеим группам армий приходилось держать фронты такой протяженности, для каких у них было слишком мало сил, тем более если учесть тот факт, что южное крыло противника не было по-настоящему разбито, а смогло избежать уничтожения путем отвода сил, хотя и понеся значительные потери. К тому же противник располагал очень крупными оперативными резервами на остальных участках фронта, а также в глубоком тылу. В конце концов между обеими немецкими группировками в районе калмыцких степей (Астраханская область) образовался разрыв шириной 300 км, который прикрывался совершенно недостаточными силами одной дивизии (16-й мотострелковой дивизии), располагавшейся в районе Элиста (Степная).

Попытка удержать этот чрезмерно растянутый фронт длительное время представляла собой первую ошибку (не считая ошибок в организации и проведении летнего наступления), поставившую 6-ю армию в конце ноября 1942 года в критическое положение.

Вторая, еще более тяжелая ошибка состояла в том, что Гитлер заставил группу армий «Б» использовать свою главную ударную силу — 6-ю армию и 4-ю танковую армию — в боях в районе Сталинграда и в самом Сталинграде. Обеспечение же глубокого северного фланга этой группы в районе реки Дон было поручено 3-й румынской, одной итальянской и одной венгерской армиям, а также в районе Воронежа — слабой 2-й немецкой армии. Гитлер должен был знать, что союзные армии не будут в состоянии противостоять серьезному советскому наступлению, даже прикрываясь обороной по Дону. Сказанное относится и к 4-й румынской армии, которой он доверил обеспечение правого открытого фланга 4-й танковой армии.

После того как в результате первого натиска удалось овладеть лишь частью города, попытка захватить Сталинград путем планомерного наступления, чтобы обеспечить господство над Волгой, была на определенный, непродолжительный период времени, видимо, допустима. Но оставление главных сил группы армий «Б» в районе Сталинграда на многие недели при недостаточно обеспеченных флангах было решающей ошибкой. Тем самым мы буквально вкладывали инициативу в руки противника, лишаясь ее на всем южном крыле, ввиду того, что мы увязли в боях за Сталинград. Противника буквально приглашали воспользоваться возможностью окружить 6-ю армию.

К этому добавлялась третья ошибка: прямо-таки удивительная организация управления войсками на южном крыле Восточного фронта германской армии. Группа армий «А» вообще не имела своего собственного командующего. Ею командовал «по совместительству» Гитлер. В состав группы армий «Б» входило не более и не менее как 7 армий, в том числе 4 союзных. А ведь когда речь идет о союзных армиях, составляющих большую часть сил, такая задача находится за пределами возможностей одного штаба группы армий. Штаб группы армий «Б» правильно выбрал место своего расположения — позади фронта обороны на Дону (Старобельск), чтобы лучше наблюдать за действиями союзных армий. Но выбор этого пункта невольно привел к тому, что штаб оказался на слишком большом удалении от правого фланга своего фронта. К этому прибавлялось еще и то, что в результате вмешательства Гитлера штаб группы армий оказался в значительной мере отстраненным от руководства действиями 6-й армии.

В ОКХ эти трудности в командовании были учтены, и там был подготовлен приказ об образовании новой группы армий «Дон» под командованием маршала Антонеску. Но этот штаб группы не был еще введен в действие, так как Гитлер вначале хотел дождаться падения Сталинграда. То, что румынский маршал не был тогда привлечен к руководству операцией, явилось крупной ошибкой. Конечно, его оперативные способности еще не были проверены. Но, во всяком случае, он был хорошим солдатом. Его личность способствовала бы укреплению воли к сопротивлению у румынских военачальников, которые боялись его так же, как и русских. Присутствие Антонеску придало бы больший вес требованиям о выделении новых сил для обеспечения флангов Сталинградского фронта. Он был все же главой государства и союзником, с которым Гитлер должен был бы больше считаться, чем с командующим 6-й армией или группой армий «Б».

Как явствует из письма, которое прислал мне маршал Антонеску после принятия мною командования группой армий «Дон», он тяжело переживал создавшуюся обстановку, неоднократно указывал на угрожающее положение, особенно 3-й румынской армии. Но пока он не был ответственным руководителем на фронте, эти указания не могли иметь веса, который они имели бы, если бы исходили от главы государства, который как командующий нес бы ответственность за угрожаемый участок. Безусловно, и штаб группы армий «Б» и штаб 6-й армии делали со своей стороны предупреждения относительно готовившегося крупного наступления противника на фланги, прикрывавшие фронт по обе стороны Сталинграда.

Наконец, следует указать еще на один факт, имевший тяжелые последствия для 6-й армии, как и для всего южного крыла Восточного фронта. Вся группа армий «А», а также 4-я танковая армия, 6-я армия, румынские 3-я и 4-я армии и итальянская армия опирались на один-единственный путь через Днепр — на железнодорожный мост в Днепропетровске. Железнодорожный мост в Запорожье, трасса, ведущая через Украину (через Николаев — Херсон) в Крым и оттуда через Керченский пролив, частично не восстанавливались, а частично не были еще закончены строительством. Не хватало коммуникаций также в тылу вдоль фронта (в направлении с севера на юг). Поэтому немецкое Главное командование в отношении скорости подвоза войск или переброски сил всегда находилось в невыгодном положении по сравнению с противником, который располагал коммуникациями, обладавшими лучшей пропускной способностью во всех направлениях.

По-видимому, всякий полководец, если он хочет добиться успеха, вынужден брать риск на себя. Но риск, на который пошло немецкое Главное командование поздней осенью 1942 года, не должен был заключаться в том, чтобы связать на длительное время наиболее боеспособные соединения группы армий «Б» ведением боевых действий под Сталинградом, а на Донском фронте слишком долго удовольствоваться таким слабым прикрытием. В оправдание можно только сказать, что Главное командование не рассчитывало на такую полную несостоятельность союзных армий, которая обнаружилась позже. Во всяком случае, румынские соединения, которые продолжали оставаться лучшими из наших союзников, сражались точно так, как этого можно было ожидать после опыта крымской кампании. Однако относительно боеспособности итальянцев всякая иллюзия была излишней.

Риск, который немецкое командование должно было бы взять на себя, когда стало ясно, что летнее наступление хотя и привело к завоеванию больших областей, но не повлекло за собой решительного поражения южного крыла вражеского фронта, — этот риск был иного рода по сравнению с тем, о котором говорилось выше. Он должен был бы состоять в том, что немецкое командование, используя оперативные возможности большой Донской излучины, снова перешло бы в пространстве между Кавказом и средним Доном к маневренному ведению боевых действий, чтобы не дать противнику захватить инициативу в свои руки. Но такая замена одного риска другим была чужда образу мышления Гитлера. Он не сделал выводов из того факта, что его наступление провалилось, не принеся решительных результатов, и тем самым подготовил трагедию Сталинграда!

РАЗВИТИЕ СОБЫТИЙ В РАЙОНЕ СТАЛИНГРАДА ДО ПРИНЯТИЯ МНОЮ КОМАНДОВАНИЯ ГРУППОЙ АРМИЙ «ДОН»

Полученный 21 ноября штабом 11-й армии в районе Витебска приказ ОКХ гласил, что с целью более четкой координации действий армий, участвующих в тяжелых оборонительных боях западнее и южнее Сталинграда, штаб 11-й армии в качестве штаба группы армий «Дон» должен принять командование 4-й танковой армией, 6-й армией и 3-й румынской армией. В штаб передавался отдел тыла (так как в штабе 11-й армии его не было), уже созданный для штаба маршала Антонеску. Возглавлял этот отдел полковник Генерального штаба Финк, отличный человек и выдающийся организатор службы тыла. В последующем он справлялся со всеми трудностями, непрерывно возникавшими в области снабжения группы армий. Правда, снабжение 6-й армии по воздуху было вне его компетенции и возможностей. После моего отозвания в апреле 1944 года полковник Финк был переведен в качестве начальника тыла к командующему немецкими войсками, действовавшими на западе, и, как мне сообщали, в короткое время настолько улучшил там организацию снабжения, насколько это было возможно в условиях абсолютного превосходства противника в воздухе. Впутанный в заговор против Гитлера, он был казнен после 20 июля 1944 года.

В приказе ОКХ группе армий «Дон» ставилась задача «остановить наступление противника и вернуть утерянные с начала наступления противника позиции».

В качестве подкрепления мы могли рассчитывать вначале лишь на один штаб корпуса и на одну дивизию, которые должны были прибыть в Миллерово, то есть в район, расположенный за правым флангом позднее возникшего здесь фронта группы армий «Б».

Из формулировки нашей задачи, а также и из незначительности сил, предполагавшихся для выделения в наше распоряжение, можно заключить, что при издании приказа для ОКХ вовсе не была еще ясной вся опасность положения в районе Сталинграда, хотя в тот день уже замкнулось кольцо вокруг 6-й армии.

Еще в Витебске, а затем во время одной из остановок нашего поезда, позволившей мне поговорить с фельдмаршалом фон Клюге и начальником его штаба генералом Велером, мы получили новые сведения. Согласно этим сведениям, противник весьма значительными силами (1—2 танковые армии, много конницы, всего около 30 соединений) прорвал фронт 3-й румынской армии на Дону севернее Сталинграда. То же случилось и южнее Сталинграда, в районе 4-й румынской армии, которая была подчинена 4-й танковой армии.

Поэтому еще из Витебска я послал начальнику Генерального штаба телеграмму, в которой отмечал, что под Сталинградом для нас может оказаться необходимым не только восстановление прежней линии фронта, если учесть количество сил, введенных противником в бой. Я указывал, что для восстановления положения потребуются значительные силы порядка одной армии, которая должна начать наступление по возможности лишь по окончании сосредоточения. Генерал Цейтцлер согласился со мной (как почти всегда в дальнейшем) и пообещал пока дать новые силы в количестве одной танковой и двух-трех пехотных дивизий.

В штаб группы армий «Б» я также послал телеграмму, в которой просил дать 6-й армии указание решительно снимать силы со своих участков обороны, чтобы обеспечить себе тыл в районе переправы через Дон под Калачом. Было ли отдано такое указание 6-й армии, я не смог более установить.

Только прибыв 24 ноября в штаб группы армий «Б» в Старобельск и побеседовав с командующим группой генерал-полковником бароном фон Вейхсом, а также с начальником его штаба генералом фон Зоденштерном, мы получили ясную картину событий последних дней и настоящего положения.

Рано утром 19 ноября после исключительно сильной артиллерийской подготовки противник со своего донского плацдарма под Кременской и из района западнее ее перешел в наступление на левый фланг 6-й армии (11 ак), а также на 3-ю румынскую армию (4-й и 5-й румынские корпуса). Одновременно противник крупными силами перешел в наступление южнее Сталинграда, против 4-й танковой армии генерал-полковника Гота, державшей фронт вместе с 4-й румынской армией. В то время как левый фланг 6-й армии устоял, противнику удалось прорваться на обоих участках, занимаемых румынами, на всю глубину. Немедленно на обоих участках в места прорыва были введены крупные советские танковые соединения (этому они научились у нас). Уже утром 21 ноября они встретились на Дону у города Калач, где в их руки попал неразрушенный мост, имевший огромное значение для снабжения 6-й армии. Таким образом, с утра 21 ноября замкнулось кольцо вокруг 6-й армии и немецких и румынских частей 4-й танковой армии, оттесненных в котел из района южнее Сталинграда. В котле оказались 5 немецких корпусов в составе 19 дивизий, 2 румынские дивизии, большая часть немецкой артиллерии РГК (за исключением находившейся на Ленинградском фронте) и очень крупные силы инженерных частей РГК. Штабу группы армий «Дон» так и не удалось позднее получить точные данные относительно численности окруженных в котле немецких солдат. Данные, представленные 6-й армией, колебались между 200 000 и 270 000 человек, причем надо принять во внимание, что сведения о количестве солдат, состоявших на довольствии, включали наряду с румынскими войсками также многие тысячи «добровольцев» и военнопленных. Упоминающаяся обычно цифра, превышающая 300 000 человек, является, несомненно, преувеличением. Часть служб тыла армии находилась вне котла, равно как и часть обозов, раненых, а также отпускники. Эти остатки составили впоследствии костяк в большинстве вновь сформированных дивизий 6-й армии. В каждой дивизии они составляли не менее 1500—3000 человек. Если учесть, что дивизии 6-й армии к ноябрю уже понесли потери в живой силе, то цифра в 200 000—220 000 человек окруженных войск, считая и многочисленные артиллерийские и инженерные части РГК, будет, очевидно, довольно точной[1].

Обстановка на 24 ноября была примерно следующей.

Из соединений, не потрепанных в боях, 4-я танковая армия располагала 16-й мотопехотной дивизией, занимавшей оборону на чрезвычайно растянутом южном фланге армии в районе севернее и южнее Элисты (Степное), и 18-й румынской дивизией на своем северном (левом) фланге. Все остальные румыны были отчасти отброшены в Сталинград, отчасти уничтожены, отчасти исчезли. Штаб армии попытался наскоро собранными остатками румынских частей, немецкими тыловыми службами и т.д. держать линию охранения перед Котельниковом. Она пока не была атако-

---

[1] В помещаемом в приложении к настоящей книге письме командующего 6-й армией Паулюса тем не менее указывается именно эта цифра — 300 000 человек. — *Примеч. ред.*

вана. Остатки 4-й румынской армии (включая штаб армии) были подчинены генерал-полковнику Готу. 4 ак его армии, занимавший оборону южнее Сталинграда, после разгрома румын отошел на новую линию южнее и юго-западнее Сталинграда, став фронтом на юг, и был подчинен штабу 6-й армии.

6-я армия в составе 4, 8, и 51 ак и 14 тк была окружена в районе Сталинграда. 11 ак и части примыкавшего к нему с востока 8-го корпуса были отведены с рубежа по обе стороны Дона (фронтом на север) на образовавшийся западный фронт котла с наиболее выдающимся пунктом в районе восточнее моста у города Калач. Из резервов и отброшенных к Сталинграду частей 4-й танковой и 4-й румынской армий был образован новый южный фронт. Котел имел размеры около 50 км по диаметру с востока на запад и около 40 км по диаметру с севера на юг.

Фронт 3-й румынской армии оказался прорванным на обоих флангах. В центре мужественное сопротивление оказала группа в составе примерно трех дивизий под командованием генерала Ласкара, который отличился уже в боях под Севастополем. Она была окружена. Предполагали, что она уже взята в плен.

Находившийся в резерве 48 тк, сосредоточенный на донском плацдарме, нанес, очевидно, слишком поздно, контрудар, который не увенчался успехом. Обе дивизии корпуса были окружены и получили приказ прорваться на запад. Командир корпуса (генерал Гейм) был уже смещен по приказу Гитлера и доставлен в Главную ставку фюрера. Военный трибунал под председательством всегда готового к услугам Геринга приговорил его к смертной казни, так как Гитлер свалил на генерала вину за поражение корпуса. Однако позже Гейм был реабилитирован. Действительно, у него было слишком мало сил, чтобы выполнить поставленную перед ним задачу. Корпус состоял из только что созданной румынской танковой дивизии, не имевшей никакого военного опыта, и 22-й немецкой танковой дивизии, техническая оснащенность которой оставляла желать много лучшего.

От 3-й румынской армии осталось фактически только около трех дивизий, которые не были захвачены наступлением и стояли на Дону, примыкая к итальянцам (1-й и 2-й румынские корпуса).

По мнению штаба группы армий «Б», 6-я армия имела боеприпасов на 2 дня боев и запасов продовольствия на 6 дней! (Позднее выяснилось, что это были заниженные данные.) Снабжение воздушным путем, когда позволяло состояние погоды, покрывало только десятую часть потребностей армии в боеприпасах и горючем. Было обещано 100 самолетов типа «Юнкерс» (200 т полезной нагрузки за вычетом неизбежных потерь). Число их должно было возрасти.

По имевшимся сведениям, противник ввел в прорыв южнее Сталинграда до 24 соединений (дивизий, танковых и механизированных бригад) и повернул на север, против южного фланга 6-й армии, который он энергично атаковал.

Через прорыв в полосе 3-й румынской армии противник силами около 24 соединений устремился на Калач, в тыл 6-й армии. Одновременно 23 других соединения (дивизии и т.п.) наступали, по данным разведки, в южном и юго-западном направлении на Чир. Кроме того, у противника были силы в Сталинграде, которым удалось удержаться до конца против атак 6-й армии и которые получали через Волгу подкрепления. Далее, перед северным фронтом 6-й армии, между Волгой и Доном, по-прежнему стояли превосходящие силы противника. Наконец, можно было не сомневаться в том, что противник непрерывно подвозил по железной дороге подкрепления. И действительно, уже 28 ноября в районе боевых действий новой группы армий «Дон» в целом насчитывалось 142 крупных соединения противника (дивизии, танковые бригады и др.).

В мою группу армий «Дон» должна была входить окруженная в Сталинграде втрое превосходящими силами противника 6-я армия в составе 19 сильно потрепанных немецких дивизий и двух румынских дивизий, без достаточных запасов боеприпасов, горючего и продовольствия, без регулярного снабжения. К тому же, не говоря уже о факте окружения, она была лишена свободы действий, так как получила от Гитлера строгий приказ держать «крепость Сталинград». В группу входили остатки разбитой 4-й танковой армии и обеих румынских армий и, наконец, одна не участвовавшая до сих пор в боях немецкая дивизия (16-я мотопехотная дивизия), которая, однако, не могла быть снята со своей линии охранения в степи, где она была единственным прикрытием тылов группы армий «А», и 4 еще боеспособные румынские дивизии, несомненно, уступавшие в боеспособности противнику.

Правда, подчинение 6-й армии группе «Дон» было в известной степени фикцией. До сих пор армия фактически подчинялась непосредственно ОКХ. Гитлер приковал ее к Сталинграду, когда у нее еще была возможность освободиться своими собственными силами. Теперь она была в оперативном отношении неподвижна. Штаб группы не мог ею более «командовать», он мог только оказывать ей помощь. Впрочем, Гитлер по-прежнему продолжал непосредственно управлять действиями 6-й армии через связного офицера Генерального штаба, имевшего при штабе армии собственную радиостанцию. Снабжение армии также находилось преимущественно в руках Гитлера, поскольку только он один располагал средствами снабжать ее по воздуху. Таким образом, было бы, безусловно, правильно, если бы при таких обстоятельствах я отклонил включение 6-й армии в группу армий «Дон», в результате чего она осталась бы формально в непосредственном подчинении ОКХ.

Я не сделал этого тогда потому, что надеялся с подходом деблокирующих сил лучше, чем ОКХ, организовать непосредственное взаимодействие их с окруженной 6-й армией. Ниже будет описано, почему в решающие дни не удалось обеспечить такое взаимодействие.

Не считая окруженной 6-й армии, которую, таким образом, нельзя было свободно использовать, все остальное, с чем сначала встретился штаб группы армий «Дон», было остатками разбитых армий.

Группе выделялись следующие новые силы:

В 4-ю танковую армию (для наступления на Сталинград с юга с целью деблокирования находившихся там войск) — от группы армий «А» штаб 57 тк с 23 тд и значительными силами АРГК, а также вновь пополненная 6 тд, которая должна была прибыть из Западной Европы.

На левый фланг 3-й румынской армии — один штаб корпуса и 4—5 дивизий (так называемая группа Голлидта) — с задачей наступать с верхнего Чира в восточном направлении с целью деблокировать Сталинград.

В штабе группы армий «Б» мне показали радиограмму, которую направил Гитлеру командующий 6-й армией генерал Паулюс, если я не ошибаюсь, 22 или 23 ноября. Он сообщал, что, по его мнению, как и по мнению всех его командиров корпусов, абсолютно необходим прорыв армии в юго-западном направлении. Правда, чтобы получить необходимые для этого силы, требовалась перегруппировка сил армии и отвод северного фланга с целью его сокращения и высвобождения необходимых сил. В штабе группы армий «Б» полагали, что даже при немедленном согласии Гитлера прорыв мог быть начат не ранее 28 ноября. Но Гитлер не дал своего согласия и запретил отвод войск северного фронта на новый рубеж. Чтобы добиться выполнения своего решения, он поручил общее командование северным фронтом генералу фон Зейдлитцу (51-й корпус).

Штаб группы армий «Дон» не имел ни времени, ни возможности выяснить описанные выше события в штабе 6-й армии. Очевидно, генерал Паулюс, в рамках приказа Гитлера, приковавшего его к Сталинграду, сделал все возможное, чтобы снять силы с менее угрожаемых участков фронта своей армии. Ему удалось организовать оборону своего открытого южного фланга, использовав для этого 4 ак 4-й танковой армии. Он попытался, далее, обеспечить свой тыл, перебросив 14 тк с восточного берега Дона на западный. Но корпус натолкнулся на левом берегу на превосходящие силы противника. Одновременно противник вел наступление в тыл 11 ак, который удерживал еще свой оборонительный рубеж западнее Дона (фронтом на север). Эта обстановка привела к тому, что в дальнейшем штаб армии отвел оба своих корпуса сначала на плацдарм западнее реки Дон, а затем на восточный ее берег, чтобы занять по крайней мере круговую оборону между Волгой и Доном. Эти мероприятия спасли армию от катастрофы, постигшей соседние с ней армии. Но неизбежным следствием было ее окружение.

Нужно прямо сказать, что Главное командование обязано было своевременно отдать приказ, который предоставил бы 6-й армии свободу действий с целью избежать угрожавшего ей окружения. Для Главного командования, способного предвидеть развитие событий, должно было быть с самого начала ясно, что скопление всех немецких сил, участвовавших в наступлении, в районе Сталинграда и в самом Сталинграде при неудовлетворительно защищенных флангах таило в себе смертельную опасность их окружения, как только противник прорвал оборону примыкающих фронтов. Когда 19 ноября Советы начали свое большое наступление через Дон и южнее Сталинграда, немецкое командование должно было понять, что ему грозит. С этого момента недопустимо было ждать, пока разгром румын стал совершившимся фактом. Даже если бы оборона румынских армий не была так быстро прорвана, все равно было бы необходимо использовать 6-ю армию как подвижную силу, пока еще не поздно было ставить перед собой цель изменить обстановку, возникшую на южном фланге группы армий «Б». По крайней мере, вечером 19 ноября ОКХ следовало бы поставить перед 6-й армией новую задачу, обеспечив ей свободу действий.

Не вникая в подробности хода первых дней советского наступления, следует сказать, что окружение 6-й армии могло быть предотвращено только в том случае, если бы она в эти первые же дни вражеского наступления попыталась вырваться из окружения через Дон на запад или восточнее реки на юго-запад. Главное командование обязано было отдать такой приказ. Конечно, и генерал Паулюс по собственной инициативе должен был бы принять решение уйти из Сталинграда. Но едва ли он был в состоянии принять его вовремя, как это было бы возможно для ОКХ, так как он не мог быть, подобно ОКХ, информирован об обстановке в соседних армиях. Когда 22 или 23 ноября он сделал предложение вырваться с армией на юго-запад, подходящий момент был, возможно, уже упущен. Другое дело, что обращение с этим предложением к Гитлеру было психологической ошибкой. Генерал Паулюс знал Гитлера и его взгляды на ведение войны на востоке по зиме 1941 года. Паулюс был тогда начальником 1-го управления в ОКХ. Он знал, что Гитлер считал своей заслугой спасение немецкой армии той зимой от катастрофы, постигшей армию Наполеона при отступлении; считал, что немецкую армию спас его приказ держаться любой ценой. Паулюс должен был сказать себе, что после своей речи в Спорт-паласе[1] Гитлер никогда не согласится оставить город. Имя этого города было связано для диктатора с его военным престижем. Таким образом, единственно возможным было бы, выведя армию из района Сталинграда, поставить Гитлера перед совершившимся фактом, тем более что Главное командование, как об этом было достоверно известно, таинственно молчало в течение 36 часов. Правда, вполне возможно, что подобные действия могли бы стоить генералу Паулюсу головы. Однако можно полагать, что не боязнь такого исхода помешала Паулюсу делать по своей воле то, что он считал правильным. Скорее чувство верности данной им Гитлеру присяге побудило его обратиться к нему за разрешением на вывод армии из окружения, тем более что он имел радиосвязь с ОКХ. Кроме того, ему не была достаточно ясной общая обстановка. Трудность принять решение действовать на собственный страх и риск возрастала еще и потому, что попытка прорваться означала бы для армии в тот момент больший риск, чем организация круговой обороны в районе Сталинграда.

ОЦЕНКА ОБСТАНОВКИ ШТАБОМ ГРУППЫ АРМИЙ «ДОН» НА ОСНОВЕ ПОЛОЖЕНИЯ НА 24 НОЯБРЯ

Штаб группы армий «Дон» вначале не имел возможности вмешиваться своими приказами в ход событий. Он мог бы взять на себя командование и тем самым ответственность только в том случае, если бы командующий со своим хотя бы отчасти работоспособным

---

[1] Дворец спорта в Берлине. — *Примеч. ред.*

оперативным отделом прибыл на свой участок (в данном случае в Новочеркасск, где предполагалось расположить штаб группы) и имел здесь необходимые для управления средства связи. То и другое могло осуществиться только через несколько дней. (Ввиду снежных метелей мы застряли со своим самолетом на центральном участке, так что добирались дальше по железной дороге.) Тем не менее я как будущий командующий должен был решить, может ли и должна ли 6-я армия, исходя из того, как нам представлялась обстановка на 24 ноября, немедленно прорываться из окружения (хотя наиболее удобный момент уже прошел) или, поскольку первая возможность для успешного прорыва уже безусловно упущена, будет вернее переждать, пока деблокирующие силы не нанесут встречный удар.

После тщательного анализа я в полном согласии со своим начальником штаба генералом Шульцем и начальником оперативного отдела полковником Буссе пришел к следующему заключению.

Противник прежде всего сделает все возможное, чтобы уничтожить окруженную 6-ю армию. Вместе с тем надо иметь в виду, что противник, используя поражение 3-й румынской армии, попытается своими подвижными силами продвинуться в районе большой Донской дуги в направлении на Ростов. Здесь ему представлялась возможность перерезать коммуникации не только 6-й и 4-й танковых армий, но и группы армий «А». Имевшиеся в распоряжении противника силы, которые он, несомненно, мог усилить за счет переброски на этот участок новых сил, позволяют преследовать одновременно обе названные цели.

Важнейшей задачей штаба группы в любом случае должно оставаться освобождение 6-й армии. Во-первых, потому, что речь шла о судьбе 200 000 немецких солдат. Во-вторых, потому, что, не сохранив армию от уничтожения, едва ли можно будет думать о том, чтобы восстановить положение на южном крыле Восточного фронта. Ясно, что армию ни в коем случае нельзя оставлять под Сталинградом, даже если бы удалось восстановить с ней связь в результате деблокирующего удара. Сталинград с точки зрения престижа не играл для нас никакой роли. Напротив, если удастся освободить армию, она будет срочно использована, независимо от того, в каком районе, для стабилизации обстановки на южном крыле немецкого фронта, с таким расчетом, чтобы мы продержались эту зиму. Но сейчас основной вопрос состоит в том, следует ли 6-й армии сделать попытку вырваться из окружения (после того как был упущен подходящий случай). Так как после запроса Паулюса прошло уже два дня, эта операция могла бы начаться, по мнению штаба группы армий «Б», не ранее 29 или 30 ноября. Следовательно, противник будет иметь более недели времени для укрепления своего фронта окружения.

Существует только два направления, в которых армия может пытаться вырваться из окружения. Обе эти возможности будут учтены противником. Она могла предпринять попытку вырваться в направлении на мост через Дон (у города Калач). Даже если бы армии удалось прорвать вражеский фронт окружения в этом направлении, перед ней встала бы преграда в виде реки Дон. Большую часть своих боеприпасов она израсходовала бы для первого прорыва. Реку Дон ей пришлось бы форсировать против очень крупных сил противника, которые в настоящее время наступали западнее Дона в направлении на нижнее течение Чира, не имея перед собой наших войск. Возможность форсировать Дон против сильного противника в условиях, когда нет достаточного количества боеприпасов, а противник наседает с тыла, казалась более чем сомнительной,

Более выгодным был прорыв восточнее Дона на юго-запад к остаткам 4-й танковой армии. Правда, противник будет учитывать и эту возможность. Весьма неблагоприятно было и то, что 6-я армия на первом этапе не могла рассчитывать на помощь немецких войск, даже если бы ей удалось прорвать вражеский фронт окружения в юго-западном направлении. За ней по пятам следовали бы армии противника, которые стояли в данное время перед ее восточным, северным и западным фронтами у Сталинграда. Западнее реки Дон противник мог бы перейти к параллельному преследованию в южном направлении, чтобы воспретить армии переправу через Дон. Было ясно, что рано или поздно армия, не поддержанная другими немецкими войсками, была бы вновь остановлена противником в степи, не имея достаточного количества боеприпасов, горючего и продовольствия! Возможно, отдельным частям, особенно танковым, удалось бы спастись. Но уничтожение 6-й армии было бы предрешено! Освободились бы скованные ею до сих пор силы противника. Это могло бы повести к уничтожению всего южного крыла Восточного фронта (включая находившуюся еще на Кавказе группу армий «А»).

Поэтому, как с точки зрения существования 6-й армии, так и с точки зрения общей обстановки на всем южном крыле, мы должны преследовать цель спасти 6-ю армию из окружения как боеспособную единицу.

Видимо, это было бы возможным, если бы немецкое Главное командование предоставило армии свободу действий, как только наметилась опасность ее окружения. Теперь же был, видимо, упущен момент, когда армия без помощи извне смогла бы завоевать себе свободу, сохранив свою боеспособность.

Напротив, можно было предполагать, что с переходом в наступление обеих деблокирующих групп положение 6-й армии значительно улучшилось бы (если и не для первого прорыва, то, во всяком случае, с оперативной точки зрения). Если бы противник, наступавший западнее Дона, был скован другими немецкими силами, то 6-й армии не пришлось бы вести бои по крайней мере с этим противником. Если бы одновременно с ударом 6-й армии другой деблокирующей группой восточнее реки Дон был бы нанесен удар в тыл противника, державшего здесь фронт окружения, то противнику пришлось бы ослабить его и тем самым облегчить 6-й армии первый прорыв[1].

Во всяком случае, нельзя было не признать, что любое выжидание таило в себе риск, так как противник выигрывал время для дальнейшего укрепления фронта окружения. На этот риск можно было бы пойти только в том случае, если Главное командование обеспечило бы снабжение 6-й армии воздушным путем в течение всего времени, пока она не была бы вырвана из кольца окружения. Это было предпосылкой к тому, чтобы не принимать теперь отчаянного решения на изолированный прорыв, поскольку шансы на его успех были, вероятно, уже упущены, а ждать новых шансов. Они должны были появиться со вступлением в действие деблокирующих групп.

На основании вышеуказанных соображений я в телефонном разговоре сообщил начальнику Генерального штаба следующее мнение командования группы армий.

Прорыв 6-й армии в юго-западном направлении возможен еще и теперь. Ее дальнейшее оставление под Сталинградом означало бы огромный риск ввиду положения с боеприпасами и горючим. Несмотря на это, с оперативной точки зрения в настоящее время следует предпочесть выжидание до тех пор, пока, как намечено, не смогут вступить в действие деблокирующие группы (так как, по нашему мнению, наиболее благоприятные шансы для выхода армии из окружения уже упущены). Однако это станет возможным только в том случае, если будет обеспечено достаточное снабжение

---

[1] Действительно, деблокирующая группа Голлидта, хотя и не перешла в наступление, сковала основную часть советских сил, действовавших западнее Дона, а наступление 4-й танковой армии вынудило противника существенно ослабить свой фронт окружения. — *Примеч. автора.*

6-й армии (по воздуху). Этот вопрос является главным для принятия решения.

Операция по восстановлению положения должна быть начата силами, которым необходимо сосредоточиться к началу декабря. Однако для достижения полного успеха необходимо продолжать непрерывное подтягивание сил, так как противник также подводит крупные силы. Изолированный прорыв 6-й армии может стать необходимым, если вследствие сильного давления противника не удастся осуществить развертывания новых сил.

Как необходимое условие для того, чтобы можно было пойти на риск отказа от немедленного прорыва 6-й армии, требуется ежедневный подвоз по воздуху 400 т грузов[1].

В этом разговоре я не оставил никакого сомнения в том, что если не будет обеспечена надежность подвоза, то нельзя рисковать дальнейшим оставлением 6-й армии на месте.

Когда вспомнишь последующую трагедию Сталинграда — упрямое желание Гитлера удержать город, отказ командования армии использовать последние шансы (о них будет сказано ниже), проволочки, которые были допущены при сосредоточении деблокирующей группы 4-й танковой армии, прорыв советских войск на участке итальянской армии, который сделал невозможным ввод армейской группы Голлидта для деблокирования Сталинграда, — приходишь к выводу, что было бы правильнее настоять на попытке немедленного прорыва 6-й армии.

Можно предположить, что часть армии смогла бы пробиться к остаткам 4-й танковой армии, по меньшей мере танковые соединения, а также хотя бы часть солдат из пехотных дивизий.

Однако не следует предполагать, что армия сохранилась бы как боеспособное соединение. Для этого сложилась слишком угрожающая обстановка даже в самый ранний момент, когда еще можно было предпринять попытку прорыва. К тому времени, когда спасенные части 6-й армии, может быть, достигли бы 4-й танковой армии, все блокирующие силы неприятеля были бы свободны. Но этим самым, по всей вероятности, была бы решена судьба всего южного крыла, включая группу армий «А».

---

[1] 400 т в день — это была минимальная потребность армии в горючем, бронебойных боеприпасах и боеприпасах для пехоты. С израсходованием запасов продовольствия и т.п. минимальная потребность увеличивалась до 550 т. — *Примеч. автора.*

Я хочу, однако, решительно подчеркнуть, что последнее соображение не играло никакой роли для мнения, к которому мы пришли 24 ноября. Мы даже отдаленно не думали о том, чтобы пожертвовать 6-й армией в интересах сохранения всего южного крыла. Скорее мы надеялись на то, что армия во взаимодействии с обеими группировками, предназначенными для ее деблокирования, будет иметь лучшие шансы, чем при изолированной да к тому же уже запоздалой попытке прорыва. Мои подчиненные и я руководствовались надеждой спасти не только развалины, но и еще боеспособную армию. Что в названии «Сталинград» вопрос престижа не играл никакой роли, для нас было само собой разумеющимся.

Таким образом, в те дни мы отказались от того, чтобы еще раз ультимативно потребовать от Гитлера немедленного прорыва 6-й армии или отдать соответствующий приказ на свой страх и риск. К этому следует добавить, что генерал Паулюс, не решивший, должен ли он подчиняться Гитлеру или командованию группы армий, едва ли решился бы на последнее.

Впрочем, нам было совершенно ясно, что если даже деблокирующие группы смогут прорваться к 6-й армии, оставление армии под Сталинградом будет невозможным. Необходимо было, чтобы армия до этого момента по возможности сохранила боеспособность. При условии достаточного снабжения по воздуху это было скорее возможно в районе Сталинграда, где она, по крайней мере на некоторых участках, имела сносные жизненные условия, чем в степи, где она оказалась бы при попытке вырваться из окружения.

Критерий, можно ли таким образом достичь освобождения 6-й армии, был, конечно, двоякий.

Прежде всего, смогут ли воздушные силы сохранить 6-й армии жизнь, и, во-вторых, сможет ли и захочет ли Главное командование дать дополнительные силы для деблокирования? Оба вопроса в донесении ОКХ были поставлены ясно. Только Гитлер как главнокомандующий вооруженными силами, который располагал всеми силами сухопутной армии и военно-воздушного флота на всех театрах военных действий, мог судить об имеющихся возможностях и решить эти вопросы. Если бы его оценка и решение были положительными, то можно было бы взять на себя ответственность отставить вызванное отчаянием решение предпринять изолированную попытку прорыва и оставить 6-ю армию под Сталинградом.

Если же Гитлер не имел намерения своевременно бросить все силы до последнего человека на выручку 6-й армии или если он вопреки очевидной истине предавался иллюзиям относительно возможностей авиации, то такое решение было бы безответственным. Это относилось также и к тем, кто, как казалось, внушал ему эти иллюзии и усиливал их, или же не хотел понять, что судьба 6-й армии важнее требований всех других театров военных действий.

Что Геринг с большим легкомыслием обещал обеспечить достаточное снабжение 6-й армии по воздуху, а потом даже не пытался сделать всего, чтобы достигнуть хотя бы возможного, этого солдат не мог предвидеть. Конечно, мы так же мало могли предвидеть, до какой степени Гитлер впоследствии окажется глух ко всем оценкам действительного положения, придерживаясь своей теории удержания любой ценой. Кто мог предположить, что ради названия «Сталинград» он примирится с потерей целой армии.

ПЕРВЫЕ ВПЕЧАТЛЕНИЯ И РЕШЕНИЯ

Вечером 24 ноября мы продолжали поездку из Старобельска в Новочеркасск. Десять лет назад я ехал по этому же пути в Ростов, чтобы в качестве гостя принять участие в маневрах Красной Армии на Кавказе. Тогда у меня осталось много интересных впечатлений, но сегодня перед нами была задача, относительно трудности которой мои помощники и я не предавались никаким иллюзиям. Наши мысли снова и снова возвращались к нашим товарищам, окруженным под Сталинградом. Мой офицер для поручений, обер-лейтенант Штальберг, старался немного отвлечь нас с помощью шуток, хороших патефонных пластинок и разговоров на другие темы. Он прибыл в наш штаб после смерти «Пепо». Мой прежний офицер штаба Тресков, племянником которого был Штальберг, рекомендовал его мне. Штальберг оставался моим постоянным спутником до самого конца войны. В эти годы до самого конца войны он был мне верным помощником во всех моих личных делах.

26 ноября утром проездом через Ростов я имел разговор с генералом Гауффе, начальником немецкой военной миссии в Румынии, первоначально намечавшимся на должность начальника штаба группы армий Антонеску. Он нарисовал нам действительно безрадостную картину относительно состояния обеих румынских армий, находящихся на Сталинградском фронте. Он прямо заявил нам, что из первоначально имевшихся 22 румынских дивизий 9 полностью разбиты, 9 бежали и в настоящее время небоеспособны, 4 пока еще боеспособны. Все же он надеялся, что можно будет со временем из

остатков разбитых дивизий сформировать еще несколько соединений.

Прямой противоположностью сообщению Гауффе было письмо, которое прислал мне маршал Антонеску. В этом письме он горько жаловался на немецкое командование. Он упрекал немецкое командование в том, что оно не уделило достаточного внимания его неоднократным предупреждениям об опасности, надвигающейся с донского плацдарма у Кременецкой на 3-ю румынскую армию, и в том, что оно бесконечно тянуло с передачей ему командования. Одновременно маршал с полным правом указывал на то, что Румыния и он сам до сих пор больше всех других союзников участвовали в общем деле. Он добровольно поставил 22 дивизии для кампании 1942 года и в противоположность Италии и Венгрии без всяких оговорок подчинил их немецкому командованию, хотя он и не был связан с Германией никакими договорными обязательствами. В письме было ясно видно справедливое разочарование солдата, который видит, что его войска погибли из-за чужих ошибок.

Внутренне я не мог оспаривать справедливость критики маршала по адресу немецкого Главного командования. Я ответил ему, что перешлю его письмо Гитлеру, так как я еще не принимал участия в этих событиях и не могу определить свою позицию по отношению к выраженной в письме критике, направленной в адрес Гитлера. Во всяком случае, Гитлеру не может повредить, если он прочтет эту неприкрашенную критику своего самого лояльного союзника. К тому же письмо касалось еще и политического вопроса, а именно, отношений доверия между обоими союзниками. Маршал Антонеску в своем письме упоминал о том, что его смертельный враг, вождь румынской «Железной гвардии», с помощью Гиммлера скрылся от него и его, так сказать, «на всякий случай», держат в Германии. «Железная гвардия», радикальная политическая организация, в свое время предприняла путч против режима Антонеску. Вначале ей удалось окружить резиденцию маршала. В конце концов он сумел подавить этот путч, однако руководитель «Железной гвардии» бежал за границу. Было понятно, что теперь Антонеску воспринимал как нелояльность то, что Гиммлер держал этого человека под своей защитой. Несомненно, эти коварные действия были мало пригодны для того, чтобы укрепить наши союзнические отношения.

Впрочем, непосредственным поводом для письма Антонеску ко мне была жалоба на то, что немецкие учреждения, а также отдельные офицеры и солдаты повинны в оскорбительных высказываниях и действиях против румын. Хотя такие происшествия были вполне понятны в связи с последними событиями и неудачами многих румынских частей, я, разумеется, сразу же принял решительные меры. Подобные действия могли только повредить общему делу, как бы ни хотелось понять бешенство немецких солдат, которые видели себя попавшими в беду по вине их соседей.

Я уже раньше говорил о том, что можно и чего нельзя было по положению вещей ожидать от румынских войск. Они все-таки еще оставались нашими лучшими союзниками и, в рамках своих возможностей, на многих участках храбро сражались.

26 ноября мы прибыли к месту расквартирования своего штаба в Новочеркасск. В качестве единственной караульной команды в нашем распоряжении был добровольный казачий отряд, который явно рассматривал караульную службу перед нашим служебным зданием как особую честь. Так как в ту же ночь были готовы важнейшие линии связи, 27 ноября утром мы смогли принять на себя командование группой армий «Дон».

Стоявшая перед нами задача была двоякого характера. Первое, о чем шла речь, было освобождение и спасение 6-й армии. Это была самая неотложная задача не только с точки зрения человечности. Она была прежде всего самой существенной также и с оперативной точки зрения, так как едва ли можно было предположить, что без сохранения сил 6-й армии может быть восстановлено положение на южном крыле Восточного фронта, а следовательно, и на востоке вообще.

Второе, что нельзя было наряду с этим терять из поля зрения, была существовавшая уже теперь опасность уничтожения всего южного крыла Восточного фронта. Такой результат, очевидно, решил бы исход борьбы на востоке и повлек бы за собой проигрыш войны. Если бы русским удалось прорвать тончайший, первоначально состоявший в основном из остатков румынских соединений, немецких обозов и боевых групп[1] заслон, который (помимо

---

[1] Боевые группы создавались в необходимых случаях из подразделений, не принадлежащих к действующим частям, из штабов, из обслуживающего состава военно-воздушных сил, отпускников, выздоравливающих и т.д. Им недоставало крепкой организованности, проверенных в боях командиров, оружия (особенно тяжелого оружия, противотанковых средств, артиллерии), частей тыла и по большей части боевого опыта и боевой выучки. Поэтому их боевая ценность была невысока. Несмотря на это, они, проведя некоторое время в боевой обстановке и сплотившись в ней, часто достигали выдающихся успехов. — *Примеч. автора.*

так называемой «крепости» Сталинград) составлял единственное охранение всего оперативного района между тылом группы армий «А» и еще находившимся в наших руках фронтом, тянувшимся по Дону, то не только 6-й армии было бы уже не на что надеяться. Положение группы армий «А» тогда также должно было стать более чем критическим.

Заслугой командующего 4-й танковой армией генерал-полковника Гота и назначенного начальником штаба 3-й румынской армии полковника Генерального штаба Венка было то, что вообще удалось в критические дни конца ноября закрыть этим заслоном гигантскую брешь, образовавшуюся между 6-й армией, группой армий «А» и Доном, что не дало русскому командованию возможности немедленно использовать создавшееся положение. Если бы противник тогда продвинул подвижную армию до нижнего течения Дона и Ростова, для чего он, несомненно, располагал силами, то наряду с потерей 6-й армии создалась бы возможность потери также и группы армий «А».

И хотя для командования группы армий эта опасность уничтожения всего южного крыла продолжала существовать, однако оно не остановилось перед тем, чтобы бросить все силы до последнего человека и последнего патрона и снаряда для деблокирования 6-й армии. До тех пор пока имелись хотя бы малейшие виды на успех, группа армий отдавала для деблокирования все, что было в ее возможностях и в ее распоряжении. При этом она должна была принять на себя величайший риск. И если, несмотря на это, группа армий не смогла решить задачу спасения 6-й армии, то причиной этого в первую очередь явилось огромное превосходство сил противника и недостаток собственных сил. Дальнейшие затруднения возникли вследствие метеорологических условий, которые в значительной степени препятствовали использованию авиации, прежде всего для снабжения 6-й армии, и вследствие положения с транспортом, которое не позволяло достаточно быстро подвести силы для деблокирования.

Наряду с этим мы впервые познакомились с трудностями, которые исходили от немецкого Главного командования и коренились в личности Гитлера, в его воззрениях и характере. Они уже были обрисованы в главе о военном руководстве Гитлера. В этой борьбе за спасение 6-й армии они привели к тому, что со стороны Главного командования, невзирая на опасность контрударов на других фронтах, не было брошено все для деблокирования 6-й армии. Оно постоянно медлило с принятием срочных, крайне необходимых решений, хотя можно было вполне предвидеть развитие событий и хотя Гитлер все снова и снова получал предупреждения от командования группы армий.

Я уже говорил о двух задачах, которые имела перед собой группа армий, когда она приняла на себя командование. Первая из них, освобождение 6-й армии, для группы армий практически закончилась уже к Рождеству 1942 года, К этому моменту стало ясно, что попытка деблокирования силами 4-й танковой армии уже не может достигнуть своей цели — восстановить связь с окруженной армией. В то время как Гитлер все еще держался за Сталинград, командование 6-й армии, вопреки данным ему группой армий указаниям, в решающие часы само отказалось от последних, может быть, еще имевшихся шансов. Практически этим была окончательно решена судьба армии. Мысль Гитлера о том, что будет возможно с помощью танкового корпуса СС, который должен был сосредоточиться в течение января в районе Харькова, деблокировать армию позднее, с самого начала была иллюзией.

То, что происходило в котле под Сталинградом после того, как застопорилось наступление 4-й танковой армии с целью деблокирования, фактически было агонией 6-й армии. Взять на себя ответственность, сделав попытку для уменьшения потерь и страданий армии укоротить эту агонию предложением о капитуляции, группа армий могла только на последней стадии этой борьбы, учитывая другую сторону стоящей перед ней задачи — воспрепятствовать уничтожению всего южного крыла Восточного фронта.

Бои, которые велись за освобождение 6-й армии, стояли, естественно, в тесной связи с развитием положения на всем немецком южном фланге. И если последнее будет в одной из последующих глав рассмотрено отдельно, то только для того, чтобы можно было более ясно видеть осуществление оперативных замыслов.

ОБСТАНОВКА ПРИ ПРИНЯТИИ КОМАНДОВАНИЯ

Когда я принял командование, группа находилась в положении, в общем не изменившемся по сравнению с 24 ноября.

Очевидно, противник использовал свои главные силы прежде всего по периметру кольца, окружающего 6-ю армию. Из приблизительно 143 соединений, о которых было известно, что они находятся в районе действий группы армий, по меньшей мере свыше 60 с самого начала были использованы для окружения армии. 28 ноября южный фронт армии подвергся сильной атаке, однако эту атаку удалось отразить. На остальных участках фронта армии в конце ноября происходили только бои местного значения, в которых укреплялся ее фронт обороны. Но, во всяком случае, было ясно, что попытка прорыва, предпринятая в эти дни, натолкнулась бы на сильную оборону противника. При этом были бы неизбежно израсходованы имевшиеся в котле запасы боеприпасов и горючего. Даже если бы прорыв удался, армия пришла бы на Дон без боеприпасов и горючего, а деблокирующая группа к этому времени не могла бы оказать ей помощь.

Противник путем разведывательных поисков пытался выяснить силы, образовавшие заслон в разрывах фронта южнее и западнее Сталинграда, за которым должна была проходить подготовка деблокирующих сил.

Прежде всего для группы армий дело шло о том, чтобы получить возможно более ясную картину состояния и намерений 6-й армии, так как то, что она могла узнать от ОКХ и от удаленной на сотни километров группы армий «Б», ее, разумеется, не удовлетворяло.

Уже 26 ноября через одного прибывшего самолетом из котла офицера мне было передано письмо генерала Паулюса (см. Приложение 9). Генерал Паулюс подчеркивал в нем необходимость «свободы действий на крайний случай». Обстановка, которая делала необходимым немедленный прорыв на юго-запад, могла наступить каждый день и каждый час. Отсутствовавшие в письме данные о положении со снабжением армии были восполнены сообщением прилетевшего из сталинградского котла генерала авиации Пикерта, которому командующий 4-й воздушной армией, генерал-полковник барон фон Рихтгофен, поручил организацию снабжения по воздуху. Согласно этому сообщению, армия имела продовольствия (правда, уже при урезанных нормах) на 12 дней. Боеприпасов было 10—20 процентов боекомплекта. Это соответствовало потребностям одного дня настоящих боевых действий! Горючего хватало только для небольших передвижений, но не для сосредоточения танков к началу прорыва. Если эти данные соответствовали действительности, то было совершенно непонятно, как командование армии хотело осуществить намерение прорваться, высказанное им 4 дня назад.

На основании этих сообщений я решил сам вылететь в котел, чтобы переговорить с Паулюсом. Однако вследствие настойчивых уговоров моего начальника штаба и начальника оперативного отдела я в конце концов отказался от этого. При таком состоянии погоды было вполне возможно, что мне пришлось бы задержаться в котле на два дня, а может быть, и больше. Но столь длительного отсутствия не допускали ни напряженная обстановка у других армий, ни необходимость отстаивать взгляды группы армий в ОКХ. Я послал туда моего начальника штаба генерала Шульца, а позднее еще начальника оперативного отдела полковника Буссе.

Первоочередной задачей Шульца была, наряду с получением личного впечатления о положении и состоянии 6-й армии и ее командования, информировать меня о том, что может быть предусмотрено для деблокирования 6-й армии. Благодаря этому я должен был получить возможность определить перспективы этой операции и момент ее предполагаемого начала. Было очень важно согласовать взгляды Паулюса на требования обстановки с нашими взглядами, так как при отсутствии телефонной или надежной письменной связи влияние группы армий на решения командования армии могло быть только очень условным, тем более что армия, кроме того, через офицера связи ОКХ находилась все время под воздействием мыслей и приказов Гитлера. Письмо Паулюса позволяло обнаружить глубокую и вполне понятную депрессию, являвшуюся следствием положения, за возникновение которого ответственность нес не командующий армией, а Главное командование. Мне казалось, что высказанное в нем настойчивое желание «свободы действий на крайний случай» означало, что генерал Паулюс думает о прорыве на случай, если бы положение в котле стало невыносимым в результате того, что противник потеснит там наши войска или даже прорвет один или несколько участков фронта армии, и с тактической точки зрения обстановка будет угрожающей, или ввиду того, что силы армии будут на исходе. Но в обоих случаях, по моему мнению, попытка прорыва могла окончиться только катастрофой. В сложившемся положении задачу нужно было решать в два этапа: сначала создать жесткую оборону, чтобы сохранить армию, а уже потом предпринять прорыв, не ожидая, когда положение станет отчаянным, а выбрав момент, когда армия еще будет иметь силы для таких действий и будет возможно взаимодействие с силами, осуществляющими деблокирующую операцию, предпринятую извне.

Это мнение генерал Шульц должен был передать генералу Паулюсу.

Общее впечатление, создавшееся у генерала Шульца после вылета в котел и позже подтвержденное полковником Буссе, было таково: 6-я армия не расценивает свое положение и возможности сопротивления в котле как неблагоприятные, если будет обеспечено достаточное снабжение по воздуху (позже оказалось, что такая точка зрения также могла таить в себе опасность).

В связи с этим у меня возник вопрос, можно ли вообще считать, что снабжение 6-й армии по воздуху осуществимо.

В своем донесении ОКХ, направленном 24 ноября из Старобельска, командование группы армий ясно указало на решающее значение этого вопроса. Только в том случае, если такая возможность будет гарантирована, можно было повременить с прорывом армии, пока ее шансы на прорыв не улучшатся благодаря вводу в действие деблокирующих групп.

На вопрос о такой возможности Гитлер практически уже ответил «да», когда он за день до этого отклонил предложение генерала Паулюса о попытке вырваться из окружения. При этом он опирался на соответствующие обещания Геринга обеспечить снабжение 6-й армии. Главное командование воздушных сил было фактически той единственной инстанцией, которая могла дать компетентное суждение о том, могут ли силы и средства авиации обеспечить снабжение армии под Сталинградом. Генерал-полковник барон фон Рихтгофен, командующий 4-й воздушной армией, которая взаимодействовала с группой армий и на которую предполагалось возложить снабжение 6-й армии, во время принятия мною командования над группой армий «Дон» сказал мне следующее. По его мнению, достаточное снабжение по воздуху при существующей погоде обеспечено быть не может. Он думает также, что и после улучшения погоды такое снабжение нельзя поддерживать длительное время, о чем он доложил Герингу. Правда, он не может судить о том, какие силы и средства может еще использовать Геринг в данном положении.

Командование группы армий немедленно сообщило ОКХ эту точку зрения командующего 4-й воздушной армией. На это сообщение, как и на ежедневные сообщения о том, что снабжение по воздуху даже примерно не достигает необходимых размеров, поступали ответы с постоянной ссылкой на вновь прибывающие транспортные эскадрильи. Экипажи самолетов самоотверженно работали над выполнением своих задач. Авиация потеряла под Сталинградом 488 самолетов и около 1000 человек из состава их экипажей! Несмотря на это, все же не удалось доставить 6-й армии хотя бы приблизительно то, в чем она особенно остро нуждалась.

Итак, ясно, что обещание, данное Гитлеру Герингом 23 ноября (или еще раньше), было ложным. Основывалось ли оно на неправильной оценке имевшихся возможностей, или оно было дано легкомысленно вследствие потребности удовлетворить свое честолюбие, или из желания польстить Гитлеру, об этом я судить не могу. Во всяком случае, ответственность за это несет Геринг. Конечно, Гитлер тоже должен был проверить достоверность этого заявления. С одной стороны, он знал Геринга, а с другой — был вполне в курсе всего, что касалось военно-воздушных сил, их численности и т.д.

Напротив, ни командование группы армий, ни командующий 4-й воздушной армией не были в состоянии провести такую проверку. Не было причин с самого начала считать полностью утопическим временное снабжение 6-й армии по воздуху. В конце концов зимой 1941/42 года в котле под Демянском авиация в течение ряда месяцев снабжала всем необходимым 100 000 человек.

Правда, сейчас в окружении находилось вдвое большее число людей. Но зато — по крайней мере, по нашему мнению — речь могла идти о снабжении только в течение немногих недель. Как только деблокирующие группы приблизятся к котлу под Сталинградом, 6-я армия должна была, по нашему мнению, в любом случае прорваться. Не могло быть и речи о том, чтобы на продолжительное время оставить ее под Сталинградом.

Для командующего военно-воздушными силами дело заключалось, в сущности, в трезвом расчете. Минимальная потребность 6-й армии в снабжении всякого рода достигала 550 т ежедневно (до исчерпания имевшихся в котле запасов продовольствия — по меньшей мере 400 т). Доставка 550 т при одном вылете самолета в день требовала 225 самолетов Ю-52 (соответственно, больше Хе-111, которые в лучшем случае могли поднять только по 1,5 т). Удаление от воздушных баз, с которых должно было производиться снабжение, достигало от Морозовского 180 км, от Тацинской 220 км, однако из них только 50 км над территорией, занятой противником. (Оба аэродрома были потеряны лишь тогда, когда к Рождеству 1942 года судьба 6-й армии уже была решена.) При благоприятной погоде можно было рассчитывать на два вылета каждой машины в течение суток. Этим самым количество потребных самолетов в такие дни уменьшалось наполовину.

Приведенные данные являлись первой предпосылкой для выводов относительно возможности снабжения 6-й армии, которые должен был сделать командующий военно-воздушными силами. Однако он должен был принять в расчет еще следующие факторы.

Во-первых, погода зимой часто делает невозможным применение транспортных эскадрилий. Упущенное должно наверстываться усиленной работой в дни, когда стоит летная погода, следовательно, число самолетов должно быть соответственно увеличено. Правда, трудно было предугадать, в какой мере погода будет препятствовать снабжению. Но все же метеорологи военно-воздушных сил должны были иметь известные исходные данные из опыта прошедшей зимы.

Во-вторых, следовало учесть, что каждый раз часть самолетов не будет готова к старту. Для этого существуют данные, выведенные из опыта. Этот выход самолетов из строя в большой степени зависит от того, какие силы и средства имеются или могут быть получены на авиационных базах для восстановления и ремонта самолетов. К этому вопросу мы еще вернемся.

Наконец, следовало принять во внимание, что известный процент транспортных машин будет сбит или потерпит аварию. Величина потерь от воздействия противника также в большей степени зависела от того, какие силы истребителей и бомбардировщиков смогут выделить военно-воздушные силы для защиты транспортных самолетов.

Итак, прежде чем дать обещание относительно снабжения 6-й армии, командующий военно-воздушными силами должен был тщательно рассмотреть два вопроса.

Может ли он вообще немедленно предоставить транспортные средства грузоподъемностью 550 т с учетом повышенной потребности вследствие временного выхода из строя отдельных самолетов по техническим причинам, а также по условиям погоды?

В состоянии ли он поддерживать это количество самолетов на данном уровне до момента, когда предполагается освобождение 6-й армии, для чего потребуется непрерывное возмещение потерь, прежде всего путем использования соответствующих сил истребителей и бомбардировщиков для противодействия ожидаемой обороне противника?

Только Геринг был в состоянии безошибочно судить об этих вопросах. Только он мог видеть, можно ли выделить требующиеся силы и может ли он, учитывая другие задачи военно-воздушных сил, взять это на свою ответственность. Если же он не мог сделать ни того ни другого, то его долгом было прямо сказать это Гитлеру, когда принималось решение о 6-й армии, а именно, 22—23 ноября.

Далее, во всяком случае после того, как Гитлер приказал 6-й армии оставаться под Сталинградом, Геринг был обязан немедленно перебросить сюда все без исключения резервы военно-воздушных сил (как транспортные машины, так и истребители), а также ремонтно-восстановительные средства.

Сомнительно, сделал ли Геринг в этой области все, что было возможно. В ответ на неоднократные донесения группы армий о недостаточном снабжении 6-й армии Гитлер приказал в начале января фельдмаршалу Мильху принять на себя руководство снабжением по воздуху. Поскольку в распоряжении последнего состояли все силы и средства военно-воздушного флота, находившиеся в Германии, он действительно мог улучшить условия для снабжения по воздуху. Однако с оперативной точки зрения это было уже поздно, так как в течение этого времени вышеупомянутые воздушные базы были потеряны, и снабжение приходилось осуществлять на гораздо более далекие расстояния.

Итак, обещание, данное Герингом 22—23 ноября, было легкомысленным, но следует также сказать, что как раз в первые недели окружения, когда все решалось, Геринг не исчерпал всех имевшихся возможностей. И это как раз в то время, когда спасение 6-й армии было еще возможно.

Чем более спорным и сомнительным становился вопрос о снабжении 6-й армии, тем важнее было ее скорейшее деблокирование. По данным ОКХ, переданным тем временем группе армий, для этой цели оно намечало выделить следующие силы:

а) для действий в составе 4-й танковой армии 57 тк генерала Кирхнера (выделяемый от группы армий «А») с 6 тд и 23 тд, а также 15-й авиаполевой дивизией; эти силы должны до 3 декабря сосредоточиться в районе Котельниково;

б) вновь образуемую армейскую группу Голлидта (развертывающуюся в полосе 3-й румынской армии) с 62, 294, 336 пд, штабом 48 тк (командир — генерал фон Кнобельсдорф) с 11 тд и 22 тд, 3-й горнострелковой дивизией и 7-й и 8-й авиаполевыми дивизиями; эта группа должна была быть в оперативной готовности к 5 декабря в районе верхнего течения Чира.

В общем в качестве деблокирующих сил группа армий могла рассчитывать в составе обеих групп на 4 тд, 4 пд и 3 авиаполевые дивизии. При этом, однако, с самого начала было ясно, что авиаполевые дивизии могут быть использованы в лучшем случае для выполнения оборонительных задач, например для обеспечения флангов ударных групп.

Указанных сил — в случае, если они действительно поступят в такой численности и в указанные сроки, — было бы во всяком случае достаточно для того, чтобы временно восстановить связь с 6-й армией и этим самым вернуть ей свободу маневра. Но их ни

в коем случае не хватило бы, чтобы разбить все силы противника
в такой степени, чтобы можно было думать о восстановлении положения в соответствии с приказом, отданным Гитлером в духе
позиционной войны: «Вновь овладеть позициями, которые были
заняты нами до начала наступления».

27 ноября в штаб группы армий поступила телеграмма ОКХ,
которая была ответом на донесение группы армий от 24 ноября с ее
оценкой обстановки. По ней можно было определить, что Гитлер все
еще придерживается вышеупомянутых мыслей. Свое решение об
удержании Сталинграда он обосновывал тем, что отход был бы уступкой, что все, что было с большими жертвами завоевано в 1942 году,
в наступающем году следует попытаться вторично отвоевать с еще
большим напряжением сил. Этот вопрос в то время вообще не мог
стоять совершенно независимо от того, было ли повторение наступления 1942 года целесообразно и по силам. Вопрос был скорее в том,
можно ли вообще еще раз восстановить положение на южном крыле
Восточного фронта, все равно на каком рубеже. Без освобождения
6-й армии из окружения это казалось почти безнадежным.

Поэтому 28 ноября я отослал Гитлеру подробную оценку обстановки. Она содержала ясные данные о численности действующих
против нас сил противника (143 соединения). Точно так же она
давала ясную картину положения и состояния 6-й армии, причем
я особо указывал на то, что через короткий промежуток времени
артиллерия 6-й армии вследствие недостатка боеприпасов и потери
подвижности действовать не будет.

При этих обстоятельствах, доносил я, сомнительно, можно ли
ожидать своевременного прибытия всех сил, предназначенных для
деблокирования, особенно группы Голлидта. Вероятно, сначала придется действовать только силами деблокирующей группы 4-й танковой армии. Само собой разумеется, что таким путем нельзя было
достигнуть решающего успеха. Как уже сообщалось 24 ноября, он
во всяком случае зависел от поступления дополнительных сил.
Лучшее, на что можно было рассчитывать, было создание коридора до 6-й армии, через который можно было бы пополнить запасы
горючего и боеприпасов и тем самым восстановить ее подвижность.
Однако после этого армию необходимо было вывести из котла. Там,
в открытой степи, она не могла держаться всю зиму. Но прежде всего
следовало учесть, что с оперативной точки зрения было невозможно
дольше держать наши силы связанными на узком пространстве, в то
время как противник имеет свободу рук на сотнях километров фрон-

та. При всех обстоятельствах мы должны были снова обеспечить себе возможность проводить операции. Решение такого характера, как это было в прошлом году в Демянском котле, было исключено. Ход событий полностью подтвердил эту точку зрения.

Так продолжалось до 3 декабря, пока мы не получили ответа на этот основной вопрос ведения операций, — пример того, как Гитлер любил медлить с неприятными ответами.

Все же в этом ответе содержалось сообщение, что Гитлер согласен с нашей точкой зрения. Только в двух пунктах он сделал оговорки. Он не хотел, чтобы в целях экономии сил был укорочен, то есть отодвинут назад, северный участок фронта под Сталинградом. Правда, он не оспаривал данные о количестве соединений противника, указанные группой армий. Но он утверждал, что численный состав советских дивизий уменьшился и что командование противника окажется перед трудностями подвоза и управления войсками, возникшими вследствие их внезапных успехов.

Данные об уменьшении численного состава дивизий противника, вероятно, соответствовали действительности. Но оно более чем уравновешивалось ослаблением наших сил в тяжелых, длившихся месяцами боях, о котором очень ясно докладывала группа армий. Нельзя было предполагать, что уже теперь советские войска встречаются с трудностями снабжения. Расчеты на то, что у них будут трудности с управлением войсками, были гипотезой, не больше.

Все же — и это главное — по общему одобрению Гитлера можно было судить о том, что он принял точку зрения группы армий в важнейших пунктах, а именно:

что 6-я армия, даже в том случае, если удастся восстановить с ней связь, не может быть на продолжительное время оставлена под Сталинградом;

что армия должна получать по воздуху все необходимое в размере средней суточной потребности и что — как это постоянно подчеркивала группа армий, начиная с 21 ноября, — необходимо непрерывное дальнейшее подтягивание сил.

Впоследствии оказалось, что в действительности Гитлер ни в малейшей степени не думал о том, чтобы отвести 6-ю армию от Сталинграда. Две другие предпосылки успешного ведения операций также не были выполнены.

Напротив, прежде всего оказалось, что как вопрос о численности сил, выделяемых ОКХ для освобождения 6-й армии, так и вопрос о времени их готовности к участию в операции по существу решаются гораздо менее благоприятно, чем это было обещано группе армий.

Прежде всего значительно затянулась переброска сил: армейской группы Голлидта — вследствие недостаточной пропускной способности дорог; деблокирующей группы 4-й танковой армии — вследствие того, что в то время как в степи вокруг Сталинграда господствовал жестокий мороз, на Кавказе наступила оттепель. Вследствие этого предусмотренная переброска моторизованных частей 23 тд своим ходом оказалась невозможной. Их также пришлось перевозить по железной дороге, что при низкой пропускной способности последней отодвигало на много дней приведение в боевую готовность 57 тк, и это в таком положении, когда нужно было дорожить каждым днем.

Еще более неблагоприятным оказалось положение с численным составом деблокирующих групп. Предназначенную для 57 тк 15-ю авиаполевую дивизию вообще еще нужно было сформировать, на что требовались целые недели. Наконец, когда она была сформирована и в связи с тяжелой обстановкой брошена в бой (в момент, когда вопрос об освобождении 6-й армии уже давно был решен отрицательно), она развалилась в первые же дни боев. Артиллерия РГК, которую должна была выделить группа армий «А», не прибыла вообще, за исключением полка тяжелых минометов. Оказалось, что из числа семи дивизий, предназначенных для деблокирующей группы Голлидта, две (62 пд и 294 пд) уже были брошены в бой на фронте 3-й румынской армии, чтобы придать ему хотя бы относительную устойчивость. Снятие с фронта привело бы к немедленному развалу участков 1-го и 2-го румынских армейских корпусов. Таким образом, обе эти дивизии не смогли участвовать в выполнении задач по деблокированию. Обещанная 3-я горнострелковая дивизия также не прибыла. Ее первый эшелон, уже двигавшийся по железной дороге, распоряжением ОКХ был передан группе армий «А», чтобы ликвидировать там местный кризис. Другой эшелон по такой же причине удержала группа армий «Центр». 22 тд, которая с началом советского наступления была брошена в бой на помощь 3-й румынской армии, представляла собой груду развалин. После потерь, понесенных ею в ноябрьских боях, на ее наступательную силу рассчитывать было нельзя. Ввиду того, что, как уже упоминалось, поручать авиаполевым дивизиям этой группы наступательные задачи было невозможно, в качестве ударной силы для операции по деблокированию у 4-й танковой армии практически оставались только 57 тк с 2 тд, у армейской группы Голлидта — штаб 48 тк с прибывающей 11 тд и 336 пд. 17 тд и 306 пд, впоследствии выделенные ОКХ на замену выбывших дивизий, не могли возместить потери в отношении их численности, а также не могли быть приведены в боевую готовность так скоро, как это было необходимо в интересах операции по деблокированию.

В этих условиях вскоре стало ясно, что первоначальный план — с целью деблокирования 6-й армии предпринять удары силами 4-й танковой армии из района Котельниково восточнее реки Дон и силами группы Голлидта со среднего Чира на Калач — окажется невыполнимым ввиду недостатка сил. Можно было, правда, рассчитывать на то, что удастся сосредоточить достаточно сил в одном месте. При нынешнем положении вещей для деблокирующего удара могла быть использована только 4-я танковая армия. Ей ближе было до Сталинграда. На своем пути к Сталинграду ей не приходилось бы преодолевать Дона. Можно было также надеяться, что противник меньше всего будет ожидать такое наступление на восточном берегу Дона, так как при существовавшей на фронте обстановке сосредоточение в этом районе крупных сил было бы связано для немцев с большим риском. Поэтому противник вначале выдвинул только относительно слабые силы в направлении на Котельниково для прикрытия внутреннего фронта окружения. Здесь на первых порах 4-й танковой армии противостояло только 5 дивизий противника, тогда как на реке Чир противник имел уже 15 дивизий.

Поэтому отданный командованием группы армий 1 декабря приказ на проведение операции «Зимняя гроза» предусматривал следующее.

4-я танковая армия должна была начать наступление основными силами из района Котельниково восточнее реки Дон. День начала наступления должен был быть указан дополнительно (предполагалось, что это будет не раньше 8 декабря). Ей предстояло прорвать фронт прикрытия противника, ударить в тыл или во фланг войскам, занимающим внутренний фронт окружения южнее или западнее Сталинграда, и разбить их.

Часть сил — 48 тк из состава группы Голлидта — должна была ударить в тыл войскам прикрытия противника с плацдарма на реках Дон и Чир в районе станицы Нижне-Чирская. На случай, если еще до начала наступления количество войск противника перед фронтом 4-й танковой армии севернее Котельниково значительно возрастет или же если вновь возникнет критическая обстановка на фронте 4-й румынской армии, прикрывавшей глубокий восточный фланг 4-й танковой армии, приказом был предусмотрен следующий запасный вариант: танковые дивизии 4-й танковой армии должны были быть срочно и скрытно для противника переброшены по западному берегу Дона на север, на донско-чирский плацдарм у Нижне-Чирской и наносить главный удар отсюда. Далее, было предусмотрено, что меньшая ударная группа из донско-чирского плацдарма должна была наносить удар западнее реки Дон на Калач с тем, чтобы разорвать здесь фронт противника и открыть 6-й армии путь через Дон по мосту.

6-й армии приказ ставил следующие задачи: в определенный день после начала наступления 4-й танковой армии, который будет указан штабом группы армий, прорваться на юго-западном участке фронта окружения в направлении на реку Донская Царица, соединиться с 4-й танковой армией и принять участие в разгроме южного или западного фронта окружения и в захвате переправы через Дон у Калача.

В соответствии с категорическим приказом Гитлера армия должна была продолжать удерживать свои прежние позиции в котле. Было ясно, что эта задача практически была неосуществима, если 6-я армия осуществила бы прорыв на юго-запад, навстречу 4-й танковой армии. Если бы Советы атаковали ее северный или восточный участок, ей пришлось бы отходить здесь от рубежа к рубежу. Гитлеру, надо думать, не осталось бы ничего другого, как примириться с этим фактом, как он это и делал впоследствии в других случаях. (Однако нельзя было ясно высказать эту точку зрения в приказе, так как Гитлер узнал бы об этом через своего офицера связи, находящегося при 6-й армии, и немедленно отменил бы наш приказ.)

В первые дни после принятия мною командования обстановка на фронте группы армий оставалась относительно спокойной. По-видимому, противник готовился к нанесению сходящихся ударов по 6-й армии. Однако противник, судя по всему, не решался сразу же нанести удар крупными танковыми силами в направлении на Ростов или хотя бы по жизненно важным для нашей группы армий переправам через Донец или по железнодорожному узлу Лихая. Видимо, он считал, что ему незачем идти на риск, когда он имеет превосходство в силах в большой излучине Дона, обеспечивающее ему успех в любом случае. Несомненно, он тем самым упустил важный шанс, так как в конце ноября — начале декабря у немцев не было сил, способных отразить подобный удар.

УДАРЫ ПРОТИВНИКА ПО 6-й АРМИИ

2 декабря началось наступление противника на 6-ю армию. Это наступление, как и повторные удары 4 и 8 декабря, были отбиты нашими храбрыми войсками с большими потерями для противника. Обеспеченность окруженной армии оказалась, к счастью, лучшей, чем мы ожидали вначале. 2 декабря командование армии донесло, что армии (считая от 30 ноября) хватит продовольствия на 12—16 суток (при условии сокращения норм выдачи пищи и убоя части лошадей на мясо). В то же время метеорологическая обстановка позволяла надеяться на улучшение в будущем снабжения армии по воздуху, так как 6 декабря впервые удалось перебросить на самолетах 300 т грузов. Но, к сожалению, этот случай так и остался единичным. Как бы то ни было, время не ждало, необходимо было срочно пробить наземный коридор к 6-й армии и вывести ее из котла.

В этом отношении благоприятно для нас было только то, что противник, как сказано выше, не решался использовать шансы, которые он получил бы, перерезав коммуникации нашей группы армий у переправ через Донец или у Ростова (в этом случае были бы перерезаны коммуникации и группы армий «А»). Но в остальном на тех участках фронта, откуда должны были наноситься деблокирующие удары с целью освобождения 6-й армии, обстановка значительно обострилась.

В районе действий 4-й танковой армии по уже упомянутым выше причинам затянулась переброска с Кавказа 57 тк. Срок занятия исходного положения пришлось передвинуть с 3 декабря сначала на 8 декабря, а затем и на 12 декабря. Ясно было, что, видя это, противник не будет так долго бездействовать. 3 декабря он относительно крупными силами нанес удар в направлении на Котельниково, основной пункт выгрузки 57 тк, видимо, стремясь выяснить обстановку. Он был отброшен 4 декабря контратакой приведенной тем временем уже в боевую готовность 6 тд. Начиная с 8 декабря обозначилось скопление крупных сил противника перед северным фронтом 4-й танковой армии (северо-восточнее Котельниково). Здесь была отмечена новая армия (51-я армия). На восточном участке фронта 4-й танковой армии, занятом преимущественно войсками 4-й румынской армии, находившейся в подчинении 4-й танковой армии, обстановка, однако, продолжала оставаться спокойной. Спокойно было также на участке 16 мд в районе Элиста (Степное). По приказу командования группы армий эта дивизия, чтобы опровергнуть опасения командования 4-й румынской армии, незначительными силами (моторизованные части) предприняла в тылу войск противника смелый рейд на север параллельно линии фронта. Таким образом, было бесспорно установлено, что противник, противостоящий румынским войскам, не располагает на западном берегу Волги крупными силами.

ОБОСТРЕНИЕ ОБСТАНОВКИ НА ЧИРСКОМ ФРОНТЕ

Значительно более угрожающей становилась обстановка в районе действий 3-й румынской армии и группы Голлидта. Здесь по нижнему Чиру, начиная от его впадения в Дон, на участке шириной 70 км фронт занимали кроме нескольких зенитных подразделений только боевые группы, составленные из солдат обоза и возвратившихся отпускников 6-й армии. К ним впоследствии присоединились 2 авиаполевые дивизии, предназначавшиеся для армейской группы Голлидта, но ввиду отсутствия всякого боевого опыта и подготовленных командных кадров боеспособность этих дивизий оказалась весьма ограниченной.

Брешь, пробитая противником в ноябре в полосе 3-й румынской армии между излучиной реки Чир у хутора Большой Терновский и еще удерживаемым нами фронтом по Дону, была кое-как закрыта отошедшим назад правым флангом стоявших на Дону войск 3-й румынской армии (румынские 1 ак и 2 ак), 22 тд, сильно пострадавшей в боях, и остатками разбитых румынских дивизий. Но, кроме того, сюда пришлось направить и 62 пд и 294 пд, предназначенные для группы Голлидта, чтобы в какой-то степени упрочить этот 120-километровый фронт. В начале декабря над Чирским фронтом нависли грозные тучи предстоящего большого наступления противника. 3 декабря было установлено наличие крупных сил артиллерии противника на участке нижнего Чира. 4 декабря здесь начались удары русских, непрерывно следовавшие друг за другом при постоянных изменениях направления главного удара. Противник вновь и вновь пытался прорвать этот фронт, вводя в бой также и значительные силы танков. Обстановка на нижнем течении Чира стала критической. Необходимо было обязательно удержать этот фронт, так как наш плацдарм при слиянии Чира и Дона и восточнее Дона с мостом через Дон у Нижне-Чирской имел решающее значение для деблокирования 6-й армии. Кроме того, осуществив прорыв на реке Чир, противник открыл бы себе путь к авиабазам Морозовский и Тацинская, до которых ему было 40—80 км, а через них также и кратчайший путь к переправам через Донец и к Ростову. Поэтому командование группы армий не могло не дать своего согласия на то, чтобы 48 тк с прибывшими тем временем 11 тд и 336 пд временно был использован для усиления фронта на нижнем течении реки Чир. Этот корпус здесь в буквальном смысле слова играл роль пожарной команды, каждый раз бросавшейся туда, где слабый заслон временных боевых групп угрожал распасться под ударами противника. Но, конечно, тем самым группа Голлидта лишалась на время последних дивизий, которые вообще еще могли быть использованы для проведения деблокирующей операции с этого направления. Было, однако, предусмотрено, что в дальнейшем, как только позволит обстановка, корпус будет переброшен через упомянутый выше мост через реку Дон для взаимодействия с деблокирующей группой 4-й танковой армии.

9 декабря атаки на фронте 6-й армии, в которых противник понес большие потери, прекратились. Но, по-видимому, он уже начал высвобождать силы для отражения ударов, которые были предприняты нами с целью деблокирования 6-й армии.

На Чирском фронте давление со стороны противника, наоборот, продолжалось с прежней силой, тогда как перед северным фронтом 4-й танковой армии атаки противника после неудачи у Котельниково стали менее интенсивными.

БЕЗУСПЕШНАЯ БОРЬБА ЗА НЕОБХОДИМЫЕ РЕШЕНИЯ

Естественно, в этой напряженной обстановке я держал постоянную связь по телефону с начальником Генерального штаба сухопутных сил. Генерал Цейтцлер был полностью согласен со мной в том, что я ему доложил относительно предполагаемого развития оперативной обстановки и вытекающих из этого выводов. Но удастся ли ему убедить во всем этом Гитлера, да к тому же добиться от него своевременного решения — это было другое дело.

Речь шла о двух вопросах (если не считать постоянных требований об увеличении количества транспортной авиации для снабжения 6-й армии).

Во-первых, о том, что даже в случае успеха деблокирующей операции 6-ю армию ни в коем случае нельзя будет оставлять в районе Сталинграда. Но Гитлер все еще хотел продолжать удерживать город и снабжать держащуюся там армию через пробитый к ней коридор, как он настоял на этом в отношении Демянского котла зимой прошлого года.

Командование группы армий по-прежнему стояло на той точке зрения, что такое решение неприемлемо, что необходимо обрести вновь оперативную маневренность, иначе может наступить катастрофа. Эта борьба между командованием группы армий и Гитлером продолжалась до тех пор, пока не была упущена последняя возможность спасения 6-й армии.

Второй вопрос, решить который было необходимо, был вопрос об усилении деблокирующих сил. Когда стало ясно, что из 7 дивизий, намечавшихся нами для нанесения деблокирующего удара группой Голлидта, в лучшем случае удастся использовать для этой цели только 2 дивизии 48 тк, возникла настоятельная необходимость усилить 4-ю танковую армию. Не требовалось доказательств для подтверждения того, что она не сможет пробиться к Сталинграду имевшимися в ее составе только двумя дивизиями (6 тд и 23 тд).

Усиления можно было добиться двумя путями.

Штаб группы армий вновь и вновь требовал, чтобы ему был передан из группы армий «А» 3 тк с его двумя танковыми дивизиями, которые в гористой местности, несомненно, были не на месте. Но эта просьба постоянно отклонялась, так как — как заявил штаб группы армий «А» — высвобождение этих двух дивизий было возможно только при условии, что ей будет разрешено отвести назад свои войска с вклинившегося глубоко в сторону Кавказа участка фронта. Но такое мероприятие Гитлер проводить не разрешал. Также не удавалось добиться того, чтобы 16 мд, прикрывавшая у города Элиста (Степное) глубокий фланг 1-й танковой армии, была сменена полком группы армий «А». Это было сделано только тогда, когда для Сталинграда это было уже слишком поздно.

Вторая возможность своевременного усиления 4-й танковой армии для ее удара на Сталинград заключалась в передаче ей новых войск по указанию ОКХ. 17 тд и вслед за ней вновь сформированная 306 пд находились уже на пути к группе армий «Дон». Ввиду того, что занятие исходного положения 57 тк у Котельниково задержалось, 17 тд могла бы еще прийти вовремя, к началу его наступления на Сталинград. Однако по приказу ОКХ дивизия стала выгружаться позади левого фланга группы армий, где она должна была находиться в качестве резерва ОКХ. ОКХ — не без оснований — опасалось создания критического положения на этом участке в случае большого наступления противника, которого можно было ожидать. Но нельзя было добиваться и того и другого: и успеха операции 4-й танковой армии и безопасности в случае кризиса на левом фланге группы армий, с которым — если бы он наступил — не смогла бы справиться и 17 тд. Мы предпочитали успех 4-й танковой армии, а Гитлер — призрачную безопасность, обеспечить которую он надеялся, оставляя за собой 17 тд. В результате этого, когда Гитлер после прибытия 306 пд наконец передал нам 17 тд, она уже не смогла принять участие в первом этапе деблокирующего наступления 4-й танковой армии. Может быть, именно поэтому и была упущена возможность добиться решающего успеха.

Для подкрепления своих устных обращений к Цейтцлеру я оказался вынужденным представлять по телефону ему, а иногда и лично Гитлеру, порой через очень короткие интервалы, обзоры обстановки. Этим я стремился поддержать Цейтцлера в его ежедневной борьбе.

Один из этих «Обзоров обстановки» — обзор от 9 декабря 1942 года — дан в этой книге в приложении 10, как пример, показывающий, насколько подробно командование группы армий постоянно информировало Гитлера и ОКХ. Кроме того, он показывает, какое превосходство имел противник перед фронтом группы армий «Дон» и каковы были те войска, если не считать немногих вновь прибывших дивизий, которыми она располагала для ведения боевых действий вне сталинградского котла. Наконец, из этого документа видно, каким способом командование группы армий старалось разъяснить Главному командованию существо оперативных вопросов.

Для критически настроенного читателя я могу добавить к этому документу еще два замечания. Может вызвать недоумение, почему в этом документе вообще рассматривается вопрос о том, как нужно было вести боевые действия, если бы 6-я армия осталась в районе Сталинграда и после того, как к ней был бы пробит коридор. На это можно ответить, что на такого человека, каким был Гитлер, доводы о том, что 6-я армия не сможет оставаться под Сталинградом, несмотря на возможность снабжения ее через коридор, не произвели бы никакого впечатления. Только показав ему наглядно, какие новые силы ему пришлось бы изыскивать, если бы он попытался по-прежнему удерживать Сталинград, можно было надеяться, что он осознает необходимость отвода 6-й армии из-под Сталинграда при любых условиях. К сожалению, и это обращение к здравому смыслу не возымело успеха из-за упорства Гитлера в вопросах престижа.

Но мы тогда еще тешили себя надеждой, что когда дело дойдет до этого, Гитлер все же уступит под давлением необходимости.

Далее, может показаться странным, что командование группы армий, зная о превосходстве противостоящих ему сил, вообще еще продолжало верить в возможность выручить 6-ю армию. Нас могли бы обвинить в недооценке противника. Но нам было ясно, что следовало идти на любой риск, чтобы добиться хотя какой-нибудь возможности спасения наших товарищей из 6-й армии. События показали, что мы были недалеки от того, чтобы открыть армии путь к свободе. Если эти попытки и закончились неудачей, то этому способствовали причины, которые будут еще рассмотрены ниже.

СОРЕВНОВАНИЕ НЕ НА ЖИЗНЬ, А НА СМЕРТЬ

Во всяком случае, мы тогда начали с противником соревнование не на жизнь, а на смерть.

Нашей целью было спасение жизни 6-й армии. Ради этого мы ставили на карту существование не только группы армий «Дон», но и группы армий «А».

Соревнование заключалось в том, удастся ли деблокирующей группе — 4-й танковой армии — протянуть руку помощи восточнее Дона 6-й армии раньше, чем противник принудит нас прекратить проведение деблокирующих операций. Он мог бы прорвать нашу слабую оборону на реке Чир или смять наш левый фланг (группа Голлидта) и, возможно, одновременно и правый фланг группы армий «Б», и тем самым он открыл бы себе путь к отсечению всех коммуникаций группы армий «Дон» и группы армий «Б» в районе Ростова.

Начав и проводя наступательную операцию на восточном берегу Дона в направлении на Сталинград, в то время когда рассмотренная выше угроза с каждым днем становилась все отчетливее, мы бы пошли на риск, на какой редко кому-нибудь приходилось идти. Я не думаю, чтобы Гитлер в то время осознавал подлинное значение этого риска. Иначе он принял бы более действенные меры, во всяком случае, для усиления 4-й танковой армии с целью возможно более быстрого деблокирования 6-й армии. Вместо этого он, как выражался генерал Цейтцлер, «только вставлял нам палки в колеса». Так, например, он удерживал 17 тд не там, где это было необходимо, тогда как в эти дни ее участие в боевых действиях имело бы решающее значение; он также слишком поздно передал в наше распоряжение 16 мд. Гитлер всегда повторял, что генералы и Генеральный штаб умеют только «рассчитывать», а не рисковать. Пожалуй, трудно найти более веское опровержение этому, чем риск, на который пошло командование группы армий, приказав 4-й танковой армии наступать в направлении на Сталинград и продолжать это наступление до последней возможности, несмотря на то, что сложившаяся на Восточном фронте обстановка угрожала уничтожением всему южному крылу германской армии.

Здесь только в общих чертах можно изложить это соревнование не на жизнь, а на смерть, начавшееся 12 декабря наступлением 4-й танковой армии, которое должно было деблокировать 6-ю армию. Нет никакой возможности изложить здесь весь ход боев 57 тк, с их молниеносно менявшейся обстановкой, когда корпус вел бой с противником, бросавшим против него все новые силы, и прежде всего танки. Гибкость управления нашими танковыми соединениями, превосходство наших танкистов проявились в эти дни самым блестящим образом, так же как и храбрость солдат механизированных войск и умелые действия нашей ПТО. Этот бой показал также, что способна совершить старая испытанная танковая дивизия, когда ее перед боем полностью укомплектовывают танками и самоходными орудиями, как, например, 6 тд во главе с ее отличнейшим командиром генералом Рауссом и его заместителем по танковым войскам полковником фон Гюнерсдорфом (впоследствии погибшим на посту командира этой дивизии). Но как трудно приходилось по сравнению с этим 29 тд — командиром ее был пять раз раненный еще в Первую мировую войну генерал фон Форманн, один из моих бывших сослуживцев по оперативному управлению ОКХ, — которая располагала всего немногим более двадцати танков!

Попытаемся проследить по крайней мере основные моменты развития этого боя, этого соревнования не на жизнь, а на смерть.

В то время когда еще только подходило к концу сосредоточение сил 67 тк в районе Котельниково для нанесения деблокирующего удара на восточном берегу Дона, противник 10 декабря вновь атакует большими силами наш фронт западнее Дона на нижнем течении реки Чир. Стало ясно, что не может быть уже и речи о высвобождении с этого участка 48 тк, с тем чтобы он наступал во взаимодействии с 57 тк с донско-чирского плацдарма.

Зато теперь самой срочной задачей становится наступление 57 тк. Обеспечив себе в тяжелых боях с крупными силами противника, пытавшимися сорвать его подготовку к наступлению, возможность произвести выгрузку и занять исходное положение в районе

Котельниково и нанеся серьезное поражение этим силам противника, корпус 12 декабря начал наступление на Сталинград. Его фланги прикрывали: на востоке, со стороны Волги — 7-й румынский ак; на западе, со стороны Дона — 6-й румынский ак. Наступление по всем признакам явилось неожиданностью для противника, во всяком случае, он не ожидал наступления так скоро. Вначале корпус успешно продвигается. Но противник срочно перебрасывает сюда новые силы из района Сталинграда. Он отнюдь не ограничивается оборонительными действиями, но постоянно пытается с помощью контратак вновь захватить занятую нашими танковыми дивизиями местность или окружить части этих дивизий превосходящими силами танков. 57 тк неоднократно удается разбить крупные силы противника. Но к 17 декабря, когда в бой восточнее реки Дон может наконец вступить 17 тд, исход этих боев, шедших до сих пор с переменным успехом, еще не решен. ОКХ, уступая постоянным настойчивым требованиям командования группы армий, наконец передало ему эту дивизию, находившуюся в районе своей выгрузки позади левого фланга группы армий. Но дивизии сначала пришлось совершить продолжительный марш до моста через Дон у Потемкинской и перейти по этому мосту, прежде чем она смогла принять участие в боевых действиях восточнее реки Дон.

В то время как 57 тк пытается добиться решающего успеха на восточном берегу Дона, противник удваивает свои усилия на западном берегу, чтобы разгромить наш фронт по реке Чир. Он, по-видимому, оценил значение удерживаемого нами плацдарма в углу, образуемом реками Дон и Чир, и находящегося там моста через Дон. Начиная с 12 декабря его массированные атаки направляются на этот плацдарм и мост через Дон. 14 декабря мы вынуждены оставить мост, предварительно взорвав его. 15 декабря становится ясным, что нам удастся продолжать бои на участке по нижнему течению реки Чир не дольше чем несколько дней.

Одновременно с этим вырисовывается новая угроза в районе большой излучины реки Дон. 15 декабря нами была обнаружена явная подготовка противника к наступлению перед левым флангом группы армий «Дон» и правым флангом группы армий «Б». 16 декабря здесь начались атаки противника небольшими силами на отдельных участках. Нельзя было еще определить, хотел ли он только прощупать наш фронт перед решающим наступлением с целью прорыва, как он это часто делал, или же он хотел только приковать наши силы к этому участку, чтобы не дать нам перебросить силы с этого фланга на восточный берег Дона. Однако радиоразведка установила наличие новой армии противника (3-я гвардейская армия), что позволило сделать вывод о намерении противника предпринять глубокий прорыв с далеко идущей целью (захват Ростова?).

Командование группы армий не имело возможности вести решительные боевые действия на левом фланге, когда еще приходилось добиваться освобождения 6-й армии восточнее реки Дон. Оно вынуждено предпринять попытку избежать здесь боя. Чтобы действующая на этом фланге группа Голлидта могла выделить резервы, необходимые для ведения маневренной обороны, штаб группы армий потребовал отвести ее назад, заняв более короткий фронт и сохраняя при этом локтевую связь с правым флангом группы армий «Б».

18 декабря было днем самого серьезного кризиса.

Восточнее реки Дон 67 тк, несмотря на участие в бою 17 тд, так и не добился решающего успеха, который создал бы предпосылки для того, чтобы корпус быстро продвинулся в район сталинградского котла и обеспечил бы возможность 6-й армии вырваться из окружения. Дело, наоборот, выглядело так, что корпус будет принужден занять оборону, поскольку противник бросал против 57 тк все новые силы, снимаемые с внутреннего фронта окружения под Сталинградом.

На нижнем Чиру бои продолжались, хотя противнику и не удавалось прорвать наш фронт. Но зато на левом фланге группы армий намечается серьезнейший кризис. Противник начал здесь большое наступление против группы Голлидта и итальянской армии, образующей правое крыло группы армий «Б». В группе Голлидта румынские корпуса не в состоянии выдержать натиска. Сомнительно, удастся ли хотя бы немецким дивизиям отойти на указанный рубеж, сохранив в какой-то степени свою боеспособность, после того как они оказались брошенными своими союзниками на поле боя.

Еще хуже, если противнику с первого удара удастся разгромить итальянскую армию, вследствие чего фланг группы армий «Дои» окажется оголенным.

В эти дни командование группы армий потребовало от ОКХ немедленно отдать приказ 6-й армии начать прорыв из окружения навстречу 4-й танковой армии. Еще есть надежда, что когда полностью будет использовано преимущество, приобретенное благодаря участию в боях 17 тд, 57 тк удастся продвинуться еще дальше по направлению к котлу. Еще можно надеяться на благоприятный исход боев восточнее Дона. Насколько раньше можно было бы достичь успеха, если бы 17 тд, а также и задерживавшаяся до последнего времени в районе Элиста (Степное) 16 мд могли с самого начала принять участие в деблокирующей операции 4-й танковой армии!

Несмотря на то что Гитлеру было доложено, что настоятельно требуется принять решение и разрешить 6-й армии начать прорыв из окружения, он вновь отклоняет это предложение. И это происходит в тот момент, когда начальник Генерального штаба вынужден сообщить нам, что все направляющиеся на фронт войска вследствие разгрома итальянской армии будут переданы группе армий «Б». Поставленный тогда в этой связи перед нами вопрос, сможем ли мы, несмотря на это, удержать Сталинград, лишний раз свидетельствует о том, как мало Главное командование осознавало всю серьезность положения или как оно не хотело ее признавать.

Отказ Гитлера разрешить 6-й армии отход от Сталинграда не мог помешать командованию группы армий по крайней мере подготовить все необходимое для того, что неизбежно вскоре, безусловно, потребуется сделать. 18 декабря я направил в штаб 6-й армии начальника разведки штаба группы армий, майора Генерального штаба Эйсмана. Он должен был изложить командованию армии соображения командования группы армий относительно проведения операции по выходу из окружения, предпринять которую, несомненно, необходимо будет в ближайшее время.

Эти соображения заключались в следующем.

Критическая обстановка на Чирском фронте, так же как и на левом фланге группы армий, не позволит нам долго продолжать действия силами 4-й танковой армии на восточном берегу Дона с целью освобождения 6-й армии. Кроме того, сомнительно, удастся ли 4-й танковой армии непосредственно приблизиться к внутреннему фронту окружения, так как противник постоянно бросает против нее силы, снимаемые с этого фронта. Но благодаря этому в настоящее время 6-я армия имеет теперь большую, чем когда-либо, возможность прорвать изнутри фронт окружения. Необходимым условием соединения 4-й танковой армии и 6-й армии является теперь переход последней к активным действиям. Как только 6-я армия начала бы наступление с целью вырваться из окружения в юго-западном направлении, противник лишился бы возможности снимать войска с внутреннего фронта окружения. Это создало бы для 4-й танковой армии новые предпосылки для дальнейшего продвижения в направлении сталинградского котла.

Задача, поставленная 6-й армии в приказе об операции «Зимняя гроза» от 1 декабря и заключавшаяся в том, что армия должна быть готова к продвижению в юго-западном направлении до реки Донская Царица с целью соединения с 4-й танковой армией, теперь должна быть расширена. Может оказаться необходимым, чтобы армия осуществила прорыв на большую глубину, чем предусмотрено планом операции «Зимняя гроза», вплоть до соединения с 4-й танковой армией. Если в плане операции «Зимняя гроза» было предусмотрено, что армия в соответствии с приказом Гитлера будет удерживать район Сталинграда, то в этом случае она должна будет по мере продвижения на юго-запад отходить из этого района от рубежа к рубежу.

Майор Эйсман должен был далее указать на то, что, по мнению командования группы армий, несмотря на все предпринятые усилия, нет возможности улучшить снабжение 6-й армии по воздуху и тем самым обеспечить ей условия длительного пребывания в районе Сталинграда.

Результат миссии майора Эйсмана с целью выработки единства взглядов командования группы армий и командования 6-й армии был малоутешительным.

На генерала Паулюса высказанные им соображения произвели должное впечатление, хотя командующий 6-й армией и подчеркивал, насколько велики трудности и риск, связанные с предлагаемым штабом группы армий командованию 6-й армии планом действий. В переговорах, которые майор Эйсман вел с начальником оперативного отдела и начальником тыла армии, они также, хотя и подчеркивали трудности, все же заявили, что в данной обстановке должно и следует по возможности скорее осуществить выход армии из окружения.

Но решающее влияние на позицию командования армии оказала точка зрения начальника штаба 6-й армии, генерал-майора Артура Шмидта. Он заявил, что прорыв 6-й армии в настоящее время исключен, так как подобное решение ведет к «катастрофе». Он сказал буквально так: «6-я армия сможет удерживать свои позиции еще до Пасхи. Вы должны только лучше снабжать ее». Шмидт, видимо, был того мнения, что Главное командование или командование группы армий обязано выручить армию из положения, в котором она оказалась не по своей вине, а до тех пор снабжать ее по воздуху в соответствии с ее потребностями. Такая точка зрения была понятна и теоретически даже оправдана. Но обстоятельства оказались сильнее нас. Все заверения Эйсмана, что командование группы армий предпринимает все, что в его силах, чтобы обеспечивать снабжение армии, но что оно не в состоянии чудом изменить метеорологическую обстановку или сотворить новые транспортные самолеты, не производили впечатления на Шмидта. Приводимые Эйсманом оперативные соображения, требующие осуществления армией прорыва, также не могли поколебать точку зрения начальника штаба.

Из этого видно, что командующий армией имел более высокую оперативную подготовку и мыслил более логично, но начальник его штаба был более сильной личностью[1].

Итак, переговоры Эйсмана кончились тем, что наконец и Паулюс объявил, что прорыв 6-й армии из окружения невозможен. Кроме того, он сослался на то, что оставлять Сталинград запрещено «приказом фюрера»!

В результате командировки майора Эйсмана штаб 6-й армии был подробно информирован об обстановке и намерениях штаба группы армий, но единства мнений по вопросу о предстоящей задаче 6-й армии достичь не удалось. Могло ли командование группы армий рассчитывать, что командование армии сможет успешно провести операцию, которая, бесспорно, будет связана с чрезвычайными трудностями, если командующий армией и начальник его штаба сомневались в ее реальности?

В другой обстановке при таком расхождении мнений я бы потребовал сменить командование армии. Но в той критической обстановке, в которой находилась 6-я армия, смена командования не была возможна. Любому преемнику командующего или начальника штаба потребовалось бы время, чтобы войти в курс дела, но времени не было, так как дело решали дни. Кроме того, не было никакой надежды добиться от Гитлера разрешения на такую замену. Ведь речь шла о снятии именно тех командиров, которые предлагали держаться под Сталинградом.

Но командование группы армий, несмотря на все это, все же твердо решило использовать последнюю и единственную возможность спасения 6-й армии, какие бы трудности и опасности ни были с этим связаны. Для этого мы должны были отдать приказ, чтобы

---

[1] Это качество генерала Шмидта, хотя его упорство в этом вопросе имело роковые последствия, делало ему честь и в плену. Судя по тому, что нам известно, Шмидт в плену проявил достойные восхищения твердость и верность своим боевым товарищам, как и подобает солдату, в связи с чем он и был осужден к 25 годам принудительных работ. Справедливость требует отдать ему должное. — *Примеч. автора.*

снять тем самым ответственность с командования армии как за риск, на который нужно было пойти, так и за оставление Сталинграда. Мы были готовы к этому.

Ниже мы рассмотрим подробно причины, приведшие к тому, что 6-я армия в конце концов все же не смогла выполнить этого приказа. Эти причины были темой разговоров, которые велись мною с генералом Паулюсом, а также нашими начальниками штабов по новой линии радиосвязи на дециметровых волнах, они же неоднократно обсуждались в переговорах между командованием группы армий и Главным командованием.

На следующий день, 19 декабря, мы наконец обрели надежду, что обстановка в ближайшие дни восточнее Дона будет развиваться так, что намеченная командованием группы армий совместная операция двух армий будет иметь успех и приведет к освобождению из окружения 6-й армии.

67 тк в этот день имел значительный успех. Ему удалось преодолеть рубеж реки Аксай и продвинуться дальше на север до реки Мишкова. Его передовой отряд находился в 48 км от южного участка внутреннего фронта окружения сталинградского котла. Наступил момент, которого мы ожидали с тех пор, как приняли здесь командование, момент, когда приближение деблокирующих сил предоставило 6-й армии возможность вырваться из окружения.

Если 6-я армия начала бы наступление с целью прорыва, в то время как 4-я танковая армия продолжала бы продвигаться на север или по крайней мере по-прежнему отвлекала бы на себя значительные силы из внутреннего фронта окружения, то противник оказался бы в результате действий обеих армий на этом участке фронта между двух огней. Открылась бы возможность создать коридор между 4-й танковой армией и 6-й армией, чтобы подвезти последней горючее, боеприпасы и продовольствие, необходимые для продолжения прорыва. Для этой цели командование группы армий держало наготове позади 4-й танковой армии автоколонны с 3000 т названных запасов, а также и тягачи, которые должны были обеспечить подвижность части артиллерии 6-й армии. Они должны были быть переброшены к 6-й армии, как только танковые силы пробьют хотя бы временный коридор между ней и 4-й танковой армией.

Обстановка 13 декабря на фронте группы армий западнее Дона также, казалось, давала основания надеяться, что здесь удастся избежать решающего поражения, которое потребовало бы прекращения операций восточнее Дона, — по крайней мере удастся оттянуть его до тех пор, пока 6-я армия с помощью 4-й танковой армии не пробьется на юго-запад.

Наш фронт на нижнем Чиру еще держался!

Что касается группы Голлидта, то здесь потребовалось вмешательство командования группы армий, чтобы обеспечить проведение отхода. Но были основания надеяться, что удастся занять указанные позиции, на которые отходила группа. Угроза на левом открытом фланге группы Голлидта, однако, оставалась.

«Соревнование не на жизнь, а на смерть» на обоих берегах Дона вступило в свою решающую, заключительную фазу!

Удастся ли группе армий удержаться в большой излучине Дона еще несколько дней, пока 6-я армия восточнее Дона использует наконец представившуюся ей последнюю возможность прорыва? Это может удаться только в том случае, если не будет потеряно ни одного часа!

Командование группы армий поэтому направило 19 декабря в полдень Главному командованию телеграмму, в которой оно настоятельно требовало немедленно разрешить 6-й армии начать отход от Сталинграда и осуществить прорыв в юго-западном направлении на соединение с 4-й танковой армией (этот документ дан в книге как Приложение 11).

Когда на эту телеграмму мы не получили сразу же ожидаемого ответа, штаб группы армий в 18 часов отдал 6-й армии и 4-й танковой армии приказ, текст которого приведен в Приложении 12.

По этому приказу 6-я армия должна была возможно скорее начать наступление с целью прорыва в юго-западном направлении. Первый этап этого наступления должен был проводиться в соответствии с объявленным еще 1 декабря планом операции «Зимняя гроза». В случае необходимости армия должна была продвинуться за реку Донская Царица, чтобы установить связь с 4-й танковой армией и обеспечить возможность переброски к ней упомянутых выше колонн с запасами, необходимыми для снабжения армии.

Одновременно в приказе содержались указания о проведении второго этапа наступления, который должен был по возможности начаться сразу же после завершения наступления по плану «Зимняя гроза». По условному сигналу «Удар грома» 6-я армия должна была продолжать свой прорыв до соединения с 4-й танковой армией, одновременно отходя с рубежа на рубеж из района Сталинграда.

Мы решили обусловить начало второго этапа наступления подачей сигнала «Удар грома», потому что это требовалось необходимостью координации во времени наступательных операций обеих армий, а также потому, что еще не решен был вопрос, удастся ли перебросить колонны в ходе проведения операций. Но прежде всего командование группы армий должно было попытаться добиться от Гитлера отмены приказа, требовавшего от 6-й армии удерживать Сталинград при любых условиях. Этот приказ сковывал волю командующего 6-й армии, несмотря на то что, планируя операцию «Удар грома», командование группы армий брало на себя ответственность на случай невыполнения этого приказа.

ВОЗМОЖНОСТЬ СПАСЕНИЯ 6-й АРМИИ ОСТАЛАСЬ НЕИСПОЛЬЗОВАННОЙ

Если когда-либо с конца ноября, когда Гитлер запретил Паулюсу осуществить немедленный прорыв через недостаточно еще прочное кольцо вражеского окружения под Сталинградом, имелась возможность спасти 6-ю армию, то это было 19 декабря. Командование группы армий приказало воспользоваться этой возможностью, несмотря на все связанные с прорывом 6-й армии трудности и на угрожающую обстановку, сложившуюся на остальных участках фронта. Ниже мы рассмотрим, на какой риск шло при этом командование группы армий. Сейчас — между 19 и 23 декабря — дело шло о том, сможет ли 6-я армия выполнить отданный ей приказ и выполнит ли она его.

Гитлер согласился с прорывом 6-й армии на юго-запад с целью соединения с 4-й танковой армией. Но он по-прежнему настаивал на том, чтобы армия продолжала удерживать свой восточный, северный и западный фронт в районе Сталинграда. Он все еще надеялся, что удастся пробить «коридор», через который можно будет снабжать армию под Сталинградом всем необходимым в течение длительного времени. Но здесь совершенно ясны были два обстоятельства:

— во-первых, общая оперативная обстановка на фронте группы армий, в особенности если учесть положение группы армий «Б», не позволяла оставлять восточнее Дона две армии — 4-ю танковую и 6-ю армии. В эти дни ведь дело шло уже не только о судьбе 6-й армии, но и о судьбе группы армий «Дон» и группы армий «А», которые могли быть отрезаны противником от своих тылов;

— во-вторых, было исключено, что 6-я армия направит все свои силы, которыми она еще располагает для наступления, для прорыва на юго-запад и одновременно будет продолжать удерживать свои старые рубежи у Сталинграда. Это можно было делать в течение

одного-двух дней, пока противник не разгадает намерения армии
вырваться из окружения. Но никак нельзя было рассчитывать на
то, что армия в течение длительного времени сможет держаться под
Сталинградом и одновременно удерживать коридор, связывающий
ее с 4-й танковой армией.

Если Гитлер противился осуществлению предусмотренных
в приказе командования группы армий от 19 декабря оперативных мер по причинам совершенно нереальным, то опасения командования 6-й армии в отношении этих мер не могли быть просто
отвергнуты как необоснованные. В них вскрывалась вся глубина
риска, который неизбежно был связан с выполнением приказа командования группы армий.

Если командование армии заявляло, что армия не в состоянии
предпринять прорыв, пока Гитлер продолжает настаивать на удержании Сталинграда, то оно было совершенно право. Именно поэтому
командование группы армий недвусмысленно указало в своем приказе об операции «Удар грома», что укрепленный район должен быть
оставлен. Но все же перед командующим армией стоял вопрос, кому
же подчиняться — Гитлеру или командующему группой армий.

Командование армии считало также, что на подготовку прорыва понадобится 6 дней. Этот срок казался нам в данной обстановке
слишком долгим, даже если учесть все трудности, связанные с тем,
что войска армии в значительной мере утратили свою подвижность.
Командование группы армий считало, что 6 дней ждать невозможно,
так как оно учитывало сложность обстановки на своем левом фланге.
Но главное было то, что войска противника, занимавшие внутренний
фронт окружения в районе Сталинграда, не стали бы так долго бездеятельно наблюдать за подготовкой к прорыву. Может быть, удалось
бы в течение некоторого времени скрывать от противника эту подготовку и связанное с этим ослабление других участков фронта. Но если
бы для занятия исходного положения для прорыва на юго-западном
участке потребовалось бы 6 дней, то противник начал бы наступление
на других участках прежде, чем прорыв привел бы к первому успеху.
Этого нужно было избежать во что бы то ни стало.

Далее, командование армии высказывало сомнение в том, удастся
ли ему вообще снять с других участков фронта те силы, которые необходимы для прорыва, так как противник и в эти дни предпринимал
частные атаки на отдельных участках. И в этом вопросе все зависело
от быстроты действий. Если бы армия своевременно приступила

к осуществлению прорыва, она могла бы не вести бои на других участках за возвращение захватываемых противником участков и попытаться начать отход с рубежа на рубеж, ведя сдерживающие бои.

Во время радиотелеграфных переговоров, которые велись тогда между мною и генералом Паулюсом, а также между нашими начальниками штабов, командование армии с полным основанием утверждало, что операция «Удар грома» должна последовать сразу же после операции «Зимняя гроза», так как выжидать где-либо, например на рубеже реки Донская Царица, будет невозможно. В этом пункте между нами разногласий не было. В нашем приказе было предусмотрено, что операция «Удар грома» будет начата немедленно после операции «Зимняя гроза».

Решение командующего армией, несомненно, в большой мере определялось и следующим обстоятельством: значительная истощенность войск, как и пониженная их маневренность (кони были убиты на мясо), заставляли сильно сомневаться в возможности успеха подобной рискованной операции, в особенности в условиях суровой зимы.

Положение с горючим явилось последним решающим фактором, из-за которого командование армии все же не решилось предпринять прорыв и из-за которого командование группы армий не смогло настоять на выполнении своего приказа. Генерал Паулюс доложил, что для его танков, из которых еще около 100 были пригодны к использованию, у него имеется горючего не более чем на 30 км хода. Следовательно, он сможет начать наступление только тогда, когда будут пополнены его запасы горючего или когда 4-я танковая армия приблизится к фронту окружения на расстояние 30 км. Было ясно, что танки 6-й армии — ее основная ударная сила — не смогут преодолеть расстояние до 4-й танковой армии, составлявшее еще около 50 км, имея запас горючего только на 30 км. Но, с другой стороны, нельзя было ждать, пока запас горючего 6-й армии будет доведен до требуемых размеров (4000 т), не говоря уже о том, что, как показал накопленный опыт, переброска по воздуху таких количеств горючего вообще была нереальным делом. Выжидать — означало бы упускать время, в течение которого еще можно было обеспечить 6-й армии условия для прорыва. Приходилось мириться с тем, что едва удавалось свести концы с концами, то есть начать наступление с наличными запасами горючего, включая сюда и то количество горючего, которое удастся перебросить по воздуху в дни подготовки армии к наступлению. Кроме того, можно было рассчи-

тывать, что в ходе осуществления прорыва запасы будут постоянно
пополняться путем воздушных перевозок.

Вообще всегда оказывалось, что любое соединение располагает
бо́льшими резервами горючего, чем это указывалось ими в донесениях вышестоящим инстанциям. Но даже если не принимать этого
в расчет, можно было надеяться на следующее. В тот момент, когда
6-я армия начнет наступление на юго-запад, 4-я танковая армия получит свободу действий. Противник не сможет уже бросать против
нее все новые силы, снимаемые с внутреннего фронта окружения под
Сталинградом. 4-я танковая армия, дальнейшее продвижение которой за реку Мишкова 19 декабря отнюдь не было еще бесспорно обеспечено, смогла бы продвинуться на север на недостающие еще 20 км
благодаря отвлечению от нее сил противника 6-й армией. Расчет на
это означал, несомненно, большой риск. Но не идя на риск, вообще
нельзя было рассчитывать на спасение 6-й армии. В конечном итоге
этот вопрос оказал решающее влияние на оставление 6-й армии под
Сталинградом потому, что Гитлер имел в котле своего офицера связи.
Таким образом, Гитлер был информирован о том, что генерал Паулюс
ввиду отсутствия достаточных запасов горючего не только считал
невозможным предпринять прорыв в юго-западном направлении, но
даже и произвести необходимую подготовку к этой операции.

Когда я в одном довольно продолжительном телефонном разговоре пытался убедить Гитлера дать свое разрешение на прорыв
6-й армии с оставлением Сталинграда, он постоянно возражал мне:
«Чего же вы, собственно, хотите, ведь у Паулюса горючего хватит
только на 20 или в лучшем случае на 30 км; он ведь сам докладывает,
что в настоящее время вовсе не может осуществить прорыв».

Таким образом, мнению командования группы армий, с одной
стороны, противостояло мнение Главного командования, которое
в качестве обязательного условия прорыва в юго-западном направлении выдвигало удержание армией остальных участков фронта под
Сталинградом, и, с другой стороны — мнение командования армии,
которое считало прорыв, требуемый приказом группы армий, невозможным ввиду недостатка горючего. Принимая свое решение,
Гитлер мог сослаться на командующего армией, который должен
был бы взять на себя выполнение этой сложнейшей задачи. Если
бы Гитлер не имел в своих руках этого аргумента, он под давлением
обстоятельств, возможно, все же отказался бы от своего требования
удерживать Сталинград в любых условиях, даже в случае прорыва
6-й армии на юго-запад. Но тогда, судя по всему, и генерал Паулюс

посмотрел бы на это дело совсем другими глазами. Он был бы освобожден от ответственности, связанной с тем, что ему приходилось действовать вразрез с прямым приказом Гитлера.

Я подробно рассмотрел причины, из-за которых командующий 6-й армией не использовал представившуюся ему последнюю возможность спасения армии, потому что считаю это своим долгом по отношению к командованию 6-й армии, независимо от всего того, что касается личности командующего и его поведения в дальнейшем. Как уже сказано выше, нельзя было просто сбросить со счетов все аргументы, которыми он подкреплял свое решение. Но все же тогда нам представилась единственная и в то же время последняя возможность спасти армию. Не использовать эту возможность — как бы велик ни был связанный с этим риск — означало отказаться от попытки спасти армию. Если бы эта возможность была использована, тем самым было бы поставлено на карту все. По мнению командования группы армий, в этот момент так и следовало поступить.

Легко, конечно, теперь критиковать поведение будущего фельдмаршала Паулюса в те решающие дни. Но одна фраза о «слепом подчинении» Гитлеру ничего не говорит. Несомненно, перед Паулюсом, перед его совестью стояла трудная проблема: можно ли начинать операцию, которая неизбежно должна привести к оставлению Сталинграда вразрез с ясно выраженной волей Гитлера. По этому поводу, однако, нужно все же заметить, что этот отход можно было бы оправдать, так как приказ Гитлера был бы нарушен только ввиду натиска противника, которому армия не могла противостоять. Кроме того, начать отход требовало в своем приказе командование группы армий, которое, таким образом, брало ответственность на себя.

Но кроме этой моральной проблемы в сознании командующего вставало представление о чудовищном риске, на который он должен был идти, выполняя приказ группы армий. С такой же уверенностью, с какой можно было ожидать от прорыва спасения армии, можно было ожидать и ее гибели. Если прорыв через внутренний фронт окружения не удался бы с первого удара, если бы армия застряла на полдороге, в то время как 4-я танковая армия не смогла бы продвинуться дальше вперед, или если противнику удалось бы смять части армии, прикрывающие ее прорыв с флангов и тыла, то судьба 6-й армии была бы очень быстро решена. 6-я армия стояла, таким образом, перед величайшим риском и сложнейшей задачей. Она должна была пройти путь навстречу 4-й танковой армии, ведя бой на все четыре стороны, образуя как бы каре. При этом ей постоянно грозила бы опасность, что ее наступление на юго-запад захлебнется или что противник сомнет ее арьергард или боковое охранение. И эту задачу пришлось бы выполнять войскам, которые были сильно истощены в связи с недостатком питания и подвижность которых была почти утрачена. Но все же надежда на возвращение свободы, на спасение от смерти или плена придала бы войскам силы, чтобы сделать невозможное возможным!

Если генерал Паулюс не использовал тогда последнего шанса, если он колебался и в конце концов предпочел не идти на риск, то причиной этого было, несомненно, сознание лежавшей на нем большой ответственности. Эту ответственность командование группы армий стремилось снять с него своим приказом, но он тем не менее не мог сложить ее с себя ни перед своей совестью, ни перед Гитлером.

В течение недели, протекшей после отдачи командованием группы армий приказа 6-й армии от 19 декабря, в котором требовалось немедленно начать прорыв, и решилась судьба этой армии.

Шесть дней командование группы армий, пренебрегая всеми связанными с этим опасностями, пыталось все еще предоставить 6-й армии возможность добиться освобождения во взаимодействии с 4-й танковой армией.

Когда предпринималась эта попытка, группе армий постоянно угрожала опасность, что противник, решительно используя свой прорыв на участке итальянской армии, либо сумеет продвинуться через никем не защищенные переправы через Донец до Ростова и перерезать основную магистраль коммуникаций всего южного крыла германской армии, либо же ударит в тыл левому флангу группы армий «Дон», группе Голлидта.

Эту попытку приходилось предпринимать с напряжением всех сил, несмотря на опасность, что слабая полоса прикрытия, которую представлял собой наш фронт на нижнем Чиру (3-я румынская армия) и на участке группы Голлидта, будет окончательно прорвана противником. И тем не менее командование группы армий до тех пор держало 4-ю танковую армию на выдвинутых вперед позициях восточнее реки Дон, пока еще можно было надеяться, что 6-я армия имеет возможность использовать последний представившийся ей случай к спасению и использует его. Но этот срок истек, когда обстановка на левом фланге группы армий сделала неизбежной переброску туда войск с восточного берега Дона и когда 25 декабря 57 тк не смог уже более держаться на реке Мишкова.

Ниже я вкратце обрисую драматические события этой недели.

Все началось на левом фланге группы армий, точнее — на левом фланге группы Голлидта.

Что произошло с итальянской армией, в деталях известно не было. По-видимому, там только одна легкая и одна-две пехотные дивизии оказали сколько-нибудь серьезное сопротивление. Рано утром 20 декабря явился немецкий генерал, командир корпуса, которому был подчинен правый фланг итальянцев, и доложил, что обе подчиненные ему итальянские дивизии поспешно отступают. Причиной отступления явилось, по-видимому, известие о том, что на фланге уже глубоко вклинились 2 танковых корпуса противника. Таким образом, фланг группы Голлидта был совершенно оголен.

Когда генерал Голлидт доложил об этом командованию группы армий, оно немедленно отдало приказ, чтобы упомянутый генерал (находившийся, собственно говоря, в подчинении группы армий «Б») любыми средствами остановил отступающие итальянские дивизии. Группе Голлидта было приказано по-прежнему удерживать свои позиции на верхнем Чиру и обеспечить свой фланг, расположив на нем уступом одно из своих соединений. Но в течение этого дня слабый фронт группы Голлидта также был прорван в двух местах. 7-я румынская пд самовольно отступила. Штаб 1-го румынского корпуса, которому был подчинен этот участок, в панике бежал со своего КП. Вечером 20 декабря обстановка в глубине за флангом группы Голлидта была совершенно неясна. Никто не знал, оказывают ли еще где-либо сопротивление итальянцы, которые раньше были соседями группы. Повсюду в тылу группы Голлидта были обнаружены передовые отряды танков противника, они достигли даже уже важной переправы через реку Донец у города Каменск-Шахтинский.

В течение двух последующих дней обстановка на участке группы Голлидта все больше обострялась. Фронт ее был прорван, а танковые силы противника, имевшие полную свободу действий в полосе, где Советы смели со своего пути итальянскую армию, угрожали ее ничем не прикрытому флангу и тылу. Вскоре эта угроза должна была сказаться и на положении 3-й румынской армии.

Группа Голлидта должна была прежде всего попытаться создать, насколько это окажется возможным, новую оборону, примерно на одной линии с 3-й румынской армией, чтобы прикрыть ее фланг и защитить крайне необходимые для снабжения 6-й армии аэродромы в Морозовском и Тацинской. Далее, необходимо было всеми силами стремиться к тому, чтобы удержать за собой важные переправы через Донец у Форхштадта (Белая Калитва) и Каменска-Шахтинского.

Было, однако, ясно, что такими несущественными временными мерами можно было сохранить устойчивое положение на левом фланге группы армий в лучшем случае в течение двух-трех дней, но не дольше. Уже 20 декабря командование группы армий направило ОКХ телеграмму, в которой было недвусмысленно указано, что противник, прорвавший фронт в полосе итальянцев, если он будет действовать решительно, возьмет направление на Ростов и постарается добиться решающего успеха в сражении против групп армий «Дон» и «А». Весьма характерно для существовавших в кругах германского Главного командования порядков то, что даже начальник Генерального штаба сухопутных сил не мог в тот день доложить эту телеграмму Гитлеру, так как последний вел переговоры с итальянской делегацией, к участию в которых были допущены только представители ОКБ. Единственным ответом, который командование группы армий получило от ОКХ уже 22 декабря, было указание, какой рубеж должна теперь удерживать группа Голлидта, но за прошедшие дни оборона этого рубежа давно уже перестала быть реальной. Вообще в этот день было очень сомнительно, удастся ли отойти назад и создать новый фронт немецким и немногим румынским соединениям группы Голлидта, которые вели бой далеко впереди.

Командование группы армий, по всей видимости, не могло ожидать от ОКХ мер, которые упрочили бы положение на широком участке фронта между группой армий «Дон» и группой армий «Б», совершенно оголенном вследствие разгрома итальянцев. Нам было отказано даже в просьбе срочно передать нам для организации непосредственной обороны Ростова одну пехотную дивизию из состава группы армий «А». Не оставалось ничего другого, как выручать себя своими собственными силами. Но самым печальным в этом решении было то, что для этого необходимо было отвести назад правый фланг группы, то есть войска, находившиеся восточнее Дона. Все же нельзя было откладывать еще дальше проведение этих мер, так как 24 декабря обстановка на фронте группы Голлидта стала очень угрожающей. Три танковых и механизированных корпуса противника прорвались через брешь, образовавшуюся после разгрома итальянцев и 7-й румынской пд. Два из этих корпусов (25 тк и 50-й мех. корпус) уже приближались к авиабазам Морозовского и Тацинской, имевшим решающее значение для снабжения 6-й армии. Один из них (8 тк) стоял в тылу войск группы Голлидта, продолжавших вести бои на среднем и верхнем Чиру.

В то время как обстановка на левом фланге группы армий, в особенности на ее открытом западном фланге, продолжала обостряться, командование группы армий все еще добивалось осуществления прорыва 6-й армии. Оно добивалось того, чтобы Гитлер разрешил оставить Сталинград, а также чтобы командование 6-й армии решилось пойти на риск, связанный с осуществлением этой операции.

Между тем 4-я танковая армия напрягала все силы, чтобы сделать еще один последний шаг к Сталинграду, одновременно ожидая, что 6-я армия своим выступлением в юго-западном направлении облегчит ей этот шаг.

После того как армия 19 декабря вышла на реку Мишкова, в последующие дни завязались тяжелые бои со все новыми силами противника, которые противник бросал сюда со Сталинградского фронта, стремясь приостановить продвижение армии, шедшей на выручку окруженным. Несмотря на это, 57 тк удалось закрепиться на северном берегу реки Мишкова, захватить переправы через реку и в результате боев, протекавших с переменным успехом, создать предмостный плацдарм на северном берегу реки. Атаки крупных сил противника были отбиты с большими для него потерями. Передовые части 57 тк уже могли видеть на горизонте зарево огня Сталинградского фронта! Казалось, что успех был уже почти в наших руках, если бы только 6-я армия облегчила дело 4-й танковой армии, хотя бы помешав своим выступлением противнику бросать против 4-й танковой армии все новые силы. Но этого наступления не последовало по рассмотренным выше причинам.

23 декабря, во второй половине дня, командование группы армий вынуждено было наконец с тяжелым сердцем решиться на то, чтобы выправить более чем угрожающее положение на своем левом фланге путем переброски туда необходимых сил. Оно приказало 3-й румынской армии, державшей фронт по нижнему течению реки Чир, высвободить со своего участка штаб 48 тк с 11 тд, чтобы с их помощью восстановить положение на западном фланге. Вместо этого 4-я танковая армия должна была отдать одну танковую дивизию для занятия обороны на нижнем Чиру, так как без этого удержать этот фронт было бы абсолютно невозможно. Уже следующий день показал, как необходимо было это решение. Мы потеряли аэродром в Тацинской и тем самым лишились возможности снабжать 6-ю армию. Только 28 декабря удалось вновь отбить этот аэродром.

Командование группы армий только тогда приняло решение ослабить деблокирующую группу 4-й танковой армии, отняв у нее одну дивизию, когда стало ясно, что нет больше оснований ждать своевременного прорыва 6-й армии. Оно могло бы еще воздержаться от этого в течение некоторого времени, если бы к этому моменту оно имело уже в своем распоряжении 16 мд. Правда, уступая нашим постоянным настойчивым требованиям, ОКХ 20 декабря наконец распорядилось о том, чтобы 16 мд у города Элиста (Степное) была сменена дивизией «Викинг» группы армий «А». Но эта смена должна была продолжаться еще 10 дней! Ровно на 10 дней раньше мы впервые потребовали передачи нам этой дивизии! Если бы тогда было принято соответствующее решение, то 23 декабря мы располагали бы этой дивизией и могли бы бросить ее на Чирский фронт. Тогда не понадобилось бы отбирать дивизию у 57 тк. Итак, и в этот раз, как и во многих других случаях, решение Гитлера можно охарактеризовать двумя словами: «Слишком поздно!» Хотя Гитлер и обещал теперь передать группе армий 7 тд, она не могла прибыть вовремя для участия в предпринимаемой попытке выручить 6-ю армию. Гитлер одновременно ожидал, что решающий успех принесет передававшийся нам первый снаряженный для фронта батальон «тигров», но и это оказалось иллюзией. Не говоря уже о том, что прошло немало времени, пока батальон прибыл к нам, эти танки, не испытанные в боевых условиях, были подвержены еще стольким «детским болезням», что они в первое время не могли оказать нам действенной помощи. Вообще это был типичный случай переоценки Гитлером эффективности нового вида оружия.

Итак, теперь и на фронте восточнее реки Дон пробил час, когда инициатива перешла в руки противника. 25 декабря противник, силы которого продолжали расти, атаковал 57 тк на реке Мишкова и оттеснил его на реку Аксай. В последующие дни стало ясно, что противник стремится охватить фланги корпуса с востока и с запада.

Перед северным и восточным участками фронта 4-й танковой армии появились 2 армии противника (51-я и 2-я гвардейская) в составе трех механизированных корпусов, одного танкового корпуса, трех стрелковых корпусов и одного кавалерийского корпуса. В основном эти силы были сняты с внутреннего фронта сталинградского котла. Но, кроме того, противник подтянул новые силы из-за Волги.

Обладая теперь силами, превосходившими наши в несколько раз, противник принудил 4-ю танковую армию в ближайшие дни отойти еще дальше вплоть до Котельниково, откуда она начала свое наступление 12 декабря. Этот отход стал неизбежен прежде всего потому, что соединения 4-й румынской армии, продолжавшие находиться в подчинении 4-й танковой армии, не в состоянии были справиться с задачей прикрытия флангов 57 тк, который вел тяжелые бои на Аксае. Как войска 7-го румынского ак, прикрывавшего восточный фланг армии со стороны Волги, так и войска 6-го румынского ак, задача которого состояла в прикрытии участка между 57 тк и Доном, утратили всякое стремление к дальнейшему проведению боевых действий. Отнюдь не последней причиной такой инертности было то, что командование этих корпусов не предпринимало должных мер к продолжению боя. Командующий 4-й румынской армией, генерал-полковник Думитреску, на которого по-прежнему можно было положиться, был бессилен один бороться с деморализацией своих войск. Не оставалось ничего другого, как снять их с фронта и отправить в тыл, на родину.

Начатая 12 декабря попытка выручить 6-ю армию потерпела неудачу, по крайней мере временную.

Имелась ли при сложившейся в то время обстановке еще какая-нибудь надежда на повторение этой попытки?

Ныне, когда есть возможность проследить весь ход событий на фронте группы армий «Б», на этот вопрос придется, пожалуй, ответить отрицательно. Но тогда нельзя было предвидеть, что уже в январе за катастрофой итальянской армии последует еще более серьезная катастрофа венгерской армии на Дону.

Командование группы армий «Дон» в те дни не считало себя вправе отказаться от надежды все же выручить 6-ю армию, несмотря на все связанные с этим трудности. Руководствуясь этим, оно представило ОКХ 26 декабря свои предложения, заключавшиеся в следующем.

Чтобы хотя на время поддержать левый фланг группы армий «Дон», где угрожал прорыв противника на Ростов, мы требовали возможно скорее перебросить на фронт армейскую группу, сосредоточение которой началось уже по приказу ОКХ в районе Миллерово, то есть за правым флангом группы армий «Б». Кроме того, группа армий «А» должна была немедленно перебросить одну дивизию из состава 17-й армии под Ростов, чтобы обеспечить оборону города на его ближних подступах. Также и обещанная группе армий «Дон» 7 тд, которая все равно прибыла бы слишком поздно, чтобы принять участие в операции восточнее Дона, должна была быть использована на левом фланге группы армий.

Что касается центрального участка фронта группы армий, то здесь в худшем случае пришлось бы отойти на рубеж рек Дона и Донца. Но вообще же обстановка на нижнем Чиру в эти дни несколько разрядилась, так как противник, по-видимому, сосредоточил свои силы на западе с целью захвата наших авиабаз в Тацинской и Морозовском.

Решение вопроса, удастся ли вообще когда-либо повторить попытку выручить 6-ю армию, однако, зависело от того, окажется ли возможным сосредоточить восточнее Дона достаточное количество сил, с помощью которых 4-я танковая армия смогла бы разбить преследующего ее противника. Для этого командование группы армий «Дон» потребовало от ОКХ немедленно передать ему для усиления 4-й танковой армии из состава 1-й танковой армии 3 тк и одну пехотную дивизию; это требование мы выдвигали неоднократно, в особенности после 18 декабря. Этих сил, вместе с 16 мд, переброска которой должна была быть ускорена, хватило бы, по мнению командования группы армий, на то, чтобы начать новое наступление 4-й танковой армии на Сталинград. По нашим расчетам, эти силы могли бы быть в нашем распоряжении через 6 дней. Этого же времени было бы достаточно, чтобы перебросить 6-й армии по воздуху крайне необходимые ей 1000 т горючего и 500 т продовольствия, так как Главное командование обещало передать нам еще несколько эскадрилий транспортной авиации. Можно было рассчитывать на возвращение нам авиабаз в Тацинской и Морозовском в ближайшие дни. Ясно, что мы одновременно вновь и вновь требовали предоставления 6-й армии большей свободы маневрирования. Несмотря на то что командование армии считало осуществление прорыва бесперспективным делом, штаб группы армий все же стоял на той точке зрения, что у нее не остается другого выхода, как идти на риск, так как снабжать армию в котле было просто невозможно. Самым последним сроком осуществления прорыва командование группы армий на основе оценки общей обстановки и состояния войск 6-й армии считало последние дни декабря или первые дни января. К этому моменту 4-я танковая армия также могла бы возобновить свое наступление по направлению к котлу, при условии, что ей были бы своевременно предоставлены в распоряжение затребованные нами соединения. Правда, сейчас даже в случае успешного осуществления прорыва едва ли можно было рассчитывать, что 6-я армия к моменту своего соединения с 4-й танковой армией сохранит еще способность решать оперативные задачи. Но все же значительной части ее личного состава, по-видимому, удалось бы пробиться к 4-й танковой армии. Вопрос состоял в том, сможет ли к этому моменту 1-я танковая армия отдать упомянутые выше силы. Гитлер, так же как и командование группы армий «А», ответил на этот вопрос отрицательно.

Нет возможности проверить, насколько этот отказ был оправдан. Командование группы армий «Дон», во всяком случае, представило ОКХ (для доклада Гитлеру) сравнительную сводку соотношения сил, на основании которой передача трех требуемых дивизий представлялась вполне возможной. Соотношение сил немецких войск и войск противника, как показывала эта сводка, на фронте группы армий «А» было, несомненно, благоприятнее, чем на фронте группы армий «Дон». К тому же соединения группы армий «Дон» в течение полутора месяцев вели труднейшие бои и были вследствие этого сильно истощены. В то время как группа армий «Дон» вынуждена была вести бои на открытой местности, армии группы «А» со времени прекращения наступления на Кавказе занимали позиции, которые за истекший период были, конечно, в известной мере укреплены. Но даже если 1-я танковая армия после отдачи трех дивизий не могла бы удержать свои позиции под натиском превосходящих сил противника, то она все же имела бы возможность, ведя маневренную оборону, сдерживать продвижение противника до тех пор, пока бы не была так или иначе закончена борьба за спасение 6-й армии. Но этой возможности Гитлер в те дни не хотел допускать, несмотря на то, что командование группы армий «Дон» уже неоднократно указывало, что даже в случае освобождения 6-й армии из окружения нельзя будет долго удерживать Кавказский фронт. Гитлер не желал принять предлагаемое нами «кардинальное решение», предусматривавшее спасение 6-й армии при одновременном переходе групп армий «Дон» и «А» к маневренному ведению операций.

Его отказ ослабить группу армий «А» помимо его принципиального нежелания оставлять какие бы то ни было занятые рубежи мог быть вызван и другой причиной. Он, по-видимому, надеялся, что ему — пусть значительно позже — все же представится возможность спасти 6-ю армию иным путем.

31 декабря командование группы армий «Дон» получило сообщение от ОКХ о том, что Гитлер принял решение снять с Западного фронта заново вооруженный и пополненный танковый корпус СС в составе мотодивизий лейб-штандарт, «Тотенкопф» и «Рейх». Корпус должен был быть сосредоточен в районе Харькова, чтобы оттуда предпринять наступление на Сталинград. Но ввиду низкой пропускной способности железных дорог корпус мог полностью прибыть в район

Харькова не ранее середины февраля. Вопрос о том, каким образом 6-я армия могла продержаться до того времени, оставался открытым. Переброска танкового корпуса СС была необходима ввиду все более осложняющейся обстановки на фронте групп армий «Б» и «Дон», хотя мы в то время и не могли еще предвидеть, что венгерскую армию постигнет подобный же разгром, какой недавно постиг итальянскую армию. Но ни в коем случае нельзя было ожидать, что сил танкового корпуса СС когда-либо окажется достаточным, чтобы провести наступление вплоть до Сталинграда. Эта цель была бы достижима в декабре при удалении района Котельниково от Сталинграда на 130 км, если бы 4-я танковая армия получила подкрепление, силы для которого имелись. Но в феврале, при расстоянии от Харькова до Сталинграда в 560 км, эта цель представлялась совершенно утопической. Если Гитлер действительно верил в осуществимость подобного рейда, то это только лишний раз подтверждает сказанное о нем в одной из предыдущих глав.

Когда Гитлер в конце декабря отклонил все требования командования группы армий «Дон» о немедленном усилении 4-й танковой армии, судьба 6-й армии была окончательно решена. Напрасно мы использовали ради спасения 6-й армии все, вплоть до последнего человека и последнего снаряда! Напрасно мы до последнего момента стремились операциями 4-й танковой армии выручить 6-ю армию, напрасно мы ставили на карту судьбу всей группы армий!

С начала января боевые действия на фронте группы армий «Дон» распались на две, более или менее независимые друг от друга операции: заключительные бои 6-й армии в районе Сталинграда и бои за сохранение всего южного крыла германской армии, охватывавшего группы армий «Б», «Дон» и «А».

Бои за сохранение южного крыла будут рассмотрены в связи с общей обстановкой на фронте в особой главе, боям же 6-й армии посвящается конец данной главы. Из изложенного ниже видно, какое большое значение заключительные бои 6-й армии имели для сохранения всего южного крыла германской армии.

ЗАКЛЮЧИТЕЛЬНЫЕ БОИ 6-й АРМИИ

Начавшаяся в последние дни 1942 года смертельная борьба 6-й армии — это история небывалых страданий и гибели немецких солдат. Здесь было и отчаяние и понятное ожесточение людей, доверие которых было обмануто, но еще больше проявилась мужественная твердость этих людей перед незаслуженно тяжелой, но неизбежной судьбой, их беззаветная храбрость, неизменная верность долгу и чувство боевого товарищества, самопожертвование и смирение перед Богом!

Я не буду говорить обо всем этом не потому, что мы, находясь в штабе группы армий, не прочувствовали в глубине нашей души все, что пришлось вынести 6-й армии. Благоговение перед беспримерным героизмом не позволяет мне подыскать слова, действительно достойные всего этого.

Но на один вопрос я считаю себя обязанным ответить, и именно я, как бывший командующий группой армий «Дон», должен ответить на него. Это вопрос о том, как долго можно и необходимо было требовать от наших храбрых солдат, чтобы они вели эту невыносимо тяжелую смертельную борьбу. Это вопрос о том, имели ли смысл заключительные бои 6-й армии. Ответ на этот вопрос должен быть дан не исходя из того, что война нами в конце концов все же была впоследствии проиграна, а исходя из оценки сложившейся в то время оперативной обстановки и вытекавших из нее настоятельных требований.

26 декабря командующий 6-й армией передал нам помещаемое ниже донесение, которое командование группы армий немедленно передало ОКХ, так как оно постоянно полностью информировало ОКХ о положении 6-й армии, не допуская никаких прикрас. Но к этому времени мы и сами получали донесения о положении в котле только по радио или через отдельных офицеров, присылаемых из 6-й армии. Связь на дециметровых волнах, по которой в течение некоторого времени можно было вести радиотелеграфные переговоры, вскоре снова была нарушена.

Донесение генерал-полковника Паулюса гласило:

«Тяжелые потери, мороз и недостаточное снабжение в последнее время значительно снизили боеспособность дивизий. Я вынужден поэтому доложить о нижеследующем:

1. Армия сможет и впредь отбивать атаки небольших сил противника и в течение некоторого времени ликвидировать критические положения на отдельных участках. Необходимой предпосылкой для этого является улучшение снабжения и переброска по воздуху пополнения.

2. Если русские снимут с фронта генерала Гота[1] крупные силы и с помощью этих и других сил предпримут массированный удар

---

[1] Генерал Гот — командующий 4-й танковой армией. — *Примеч. ред.*

по укрепленному району, то удержать его в течение длительного времени не окажется возможным.

3. Прорыв армии неосуществим, если до этого не будет пробит коридор и не будут пополнены личный состав и запасы армии.

Поэтому я прошу вашего ходатайства перед Главным командованием о том, чтобы были предприняты энергичные меры для деблокирования армии, если только общая оперативная обстановка не требует пожертвовать ею. Само собой разумеется, что армия будет держаться до последней возможности».

Кроме того, армия доносила:

«Сегодня по воздуху переброшено только 70 т запасов. Запасы хлеба кончаются завтра, запасы жиров — сегодня вечером, паек для ужина у некоторых корпусов кончается завтра. Необходимо срочно принять самые действенные меры».

Это донесение показывает, что высказанное за 8 дней до этого начальником штаба армии мнение о том, что армия сможет продержаться в котле при соответствующем снабжении вплоть до Пасхи, оказалось, как и следовало ожидать, ошибочным.

Одновременно это донесение показывало, что 8 дней назад, когда командование группы армий отдало 6-й армии приказ на прорыв, представился не только первый, но — как показывало состояние ее сил — и последний случай к спасению.

В остальном же в конце декабря и начале января на фронтах 6-й армии было относительно спокойно, если не считать отдельных атак противника. Либо противник хотел перед решающим наступлением пополнить боекомплект своей артиллерии, либо он сосредоточивал все имеющиеся у него силы для уничтожения 4-й танковой армии и достижения решительного успеха в большой излучине Дона.

8 января в штаб группы армий прибыл генерал Хубе, командир 14 тк. Гитлер вызывал его к себе в Летцен (Гижицко) из Сталинграда, чтобы через него получить информацию об обстановке в 6-й армии. Генерал Хубе сообщил мне, что он изобразил Гитлеру обстановку в котле без всяких прикрас. Гитлер имел представление об этой обстановке благодаря ежедневным донесениям группы армий, но он просто не хотел верить всему этому. Однако было примечательно, какое впечатление произвело на генерала Хубе пребывание в Летцене (Гижицко), какое влияние оказала на него уверенность Гитлера в спасении 6-й армии, хотя неизвестно, была ли эта уверенность искренней или показной. Гитлер заверил его, что будет предпринято все для того, чтобы на долгое время обеспечить

армию всем необходимым, и указал на планируемое деблокирование армии. Хубе вернулся в котел, преисполненный уверенности, но затем по приказу Гитлера вновь был вызван из котла, и ему было поручено руководить снабжением 6-й армии извне. Но и он не мог улучшить дело снабжения, так как недостатки снабжения были вызваны неблагоприятной метеорологической обстановкой и нехваткой транспортных самолетов, а не плохой организацией. На меня лично неприятно подействовало сообщение Хубе о том, что среди солдат 6-й армии прошел слух, будто я передал им по радио: «Держитесь, я вас выручу. Манштейн». Хотя я и прилагал все усилия к спасению 6-й армии, я никогда не имел обыкновения давать войскам обещания, в выполнении которых я не был уверен и осуществление которых зависело не только от меня.

Генерал Хубе, который был человеком, не знающим страха, во время своего доклада Гитлеру пытался также дать ему понять, в какой степени события, подобные окружению 6-й армии, могут повредить его авторитету в качестве главы государства. Тем самым он хотел намекнуть Гитлеру, что ему следовало бы передать командование, по крайней мере на Восточном фронте, в руки военного специалиста. Но так как Хубе по пути в Летцен (Гижицко) был у нас, то Гитлер, несомненно, подозревал, что это я заставил Хубе высказать подобные соображения, хотя это было и не так.

Когда уже впоследствии, после падения Сталинграда, я предложил Гитлеру назначить Верховного главнокомандующего, он был уже предупрежден и отнесся к этому абсолютно отрицательно. Может быть, в другом случае он скорее пошел бы на то, что я предложил, так как гибель 6-й армии, ответственность за которую лежала на нем, сильно на него подействовала.

9 января противник предложил 6-й армии капитулировать. По приказу Гитлера это предложение было отклонено.

Я не думаю, чтобы меня можно было обвинить в некритическом отношении к военным решениям и мероприятиям Гитлера. Но в этом случае я целиком поддерживаю его решение, так как в тот момент оно было продиктовано необходимостью, как бы тяжело оно ни было с чисто человеческой точки зрения.

Я не говорю уже о том, что по представлению настоящего солдата армия не имеет права капитулировать, пока она еще хотя в какой-то степени способна вести бой. Отказаться от этой точки зрения означало бы отрицать вообще основные принципы ведения войны. Пока не наступил счастливый век, когда государства смогут обходиться без вооруженных сил, пока существуют солдаты, необходимо будет отстаивать эту точку зрения как точку зрения солдатской чести. Даже кажущаяся бесперспективность боя, которого можно избежать с помощью капитуляции, сама по себе вовсе не оправдывает сдачу войск в плен. Если каждый командир, считающий свое положение безвыходным, захотел бы капитулировать, то никогда нельзя было бы выиграть войну. Даже в обстановке, которая казалась совершенно безнадежной, довольно часто все-таки находился какой-нибудь выход. Для генерала Паулюса отклонение предложения о капитуляции было его солдатским долгом. Единственным оправданием для капитуляции было бы отсутствие у армии боевой задачи, то есть полная бессмысленность дальнейшего сопротивления. Но здесь-то мы и касаемся существа этого вопроса и находим оправдание тому, что Гитлер запретил 6-й армии капитулировать и что командование группы армий не ходатайствовало об отмене этого запрещения. 6-я армия — как бы бесперспективно ни было ее сопротивление в будущем — еще должна была в течение возможно большего времени играть решающую роль в развитии общей оперативной обстановки. Она должна была стремиться возможно дольше сковывать противостоящие ей силы противника.

В начале декабря, по нашим данным, на внутреннем фронте окружения 6-й армии противник имел до 60 соединений (стрелковые дивизии, танковые и механизированные бригады). Часть из них, несомненно, была снята с этого фронта в связи с наступлением 4-й танковой армии. Но вместо них противник подтягивал сюда новые силы. К 19 января из 259 соединений противника, находившихся, по нашим данным, перед фронтом группы армий «Дон», 90 соединений были связаны 6-й армией. Нет необходимости анализировать последствия, которые угрожали бы всему южному крылу Восточного фронта в случае высвобождения этих 90 соединений, если бы 6-я армия капитулировала 9 января; насколько сложна была тогда обстановка на этом участке фронта, было уже показано выше.

Армия могла еще вести боевые действия, хотя для нее эта борьба уже была бесперспективной. Но то, что она продолжала держаться, имело решающее значение для положения всего южного крыла Восточного фронта. От каждого дня, на который она могла оттянуть высвобождение сил противника, зависела судьба Восточного фронта в целом. Теперь могут сказать, что война все равно была проиграна и что более раннее ее окончание позволило бы избежать неисчислимых страданий. Но это могут говорить люди, склонные к выводам постфактум. В те дни вовсе еще не было решенным делом, что Германия проиграет войну. Вполне возможно было добиться в войне ничейного решения, на основе которого могло быть найдено ничейное решение и в политической сфере. Для этого необходимо было стабилизировать положение на южном крыле Восточного фронта, что в конце концов и удалось сделать. Но необходимой предпосылкой успешного решения этой задачи было продолжение борьбы 6-й армии до самой последней возможности, чтобы как можно дольше сковывать максимальное количество сил противника. Только суровая военная необходимость заставила Главное командование потребовать от храбрых войск 6-й армии и этой последней жертвы. Правда, оно же несло ответственность за то, что 6-я армия попала в такое положение, но это уже совсем другой вопрос.

После того как 6-я армия 9 января отклонила ультиматум противника, на всех участках ее фронта после мощной артиллерийской подготовки началось наступление противника с участием крупных сил танков. Главный удар наносился по выдающемуся далеко на запад выступу линии обороны армии в районе Мариновки. В ряде мест противнику удалось вклиниться в оборону.

11 января обстановка значительно обострилась. Ввиду нехватки боеприпасов и горючего армия не в состоянии была хотя как-нибудь восстановить положение. Потеряв свои позиции и, в частности, населенные пункты в долине реки Карповка, войска на западном участке фронта лишились помещений, в которых они хоть в какой-то степени могли укрыться от мороза. Метеорологическая обстановка исключала всякую возможность снабжения войск по воздуху.

Это обострение обстановки нашло свое выражение в донесении штаба 6-й армии от 12 января, немедленно переданном нами ОКХ. Это донесение гласило:

«В тяжелых боях последних дней противник, несмотря на героическое сопротивление наших войск, в ряде мест глубоко вклинился в оборону, продвижение его с трудом удалось приостановить. Резервов нет, создавать их не из чего. Боеприпасов остается на 3 дня, горючее кончилось. Тяжелое оружие окончательно лишено подвижности. Большие потери и плохое снабжение, а также морозы в значительной мере снизили боеспособность войск. Если атаки противника будут продолжаться с той же силой еще несколько дней, удержать укрепленную линию окажется невозможным. Останутся только отдельные очаги сопротивления».

12 января метеорологическая обстановка вновь не позволила обеспечить армию всем необходимым путем воздушных перевозок, а также поддержать ее в тяжелых боях действиями авиации.

Вечером из котла возвратился генерал Пикерт, которому командование воздушного флота поручило организацию перевозок по воздуху для снабжения армии. Он обрисовал потрясающую картину обстановки в котле. По его расчетам, армия могла продержаться не более двух-четырех дней, правда, храбрость и самоотверженность солдат 6-й армии, как оказалось, опровергли этот расчет. Он считал, что улучшение снабжения по воздуху не могло бы теперь существенно изменить обстановку, так как у армии не хватало сил, чтобы ликвидировать прорыв в своей обороне.

Генерал Пикерт привез донесение командующего 6-й армией Паулюса, который был к тому времени уже произведен в генерал-полковники. Из этого донесения явствовало следующее.

На северо-западном участке противник предпринял наступление силами 10—12 дивизий. 3 мд и 29 мд были атакованы с северного фланга, часть их фронта была свернута и часть сил уничтожена. Создание новой линии обороны на этом участке казалось невозможным. Храбрые войска из этих дивизий уничтожили 100 танков противника, но в его распоряжении, по-видимому, еще оставалось здесь 50 неповрежденных танков.

На южном фронте котла, несмотря на героическое сопротивление 297 пд, противнику после мощной артиллерийской подготовки, продолжавшейся 2 дня, удалось глубоко вклиниться в оборону. И здесь не было сил, чтобы ликвидировать прорыв. В этом районе было подбито 40 танков из 100 с небольшим, брошенных противником в бой на этом участке.

Восточный фронт котла пока еще держался, но и здесь давление противника усилилось.

На северо-восточном фронте противнику удалось также глубоко вклиниться в оборону. Силы 16 тд, которая обороняла этот участок, были исчерпаны.

Генерал-полковник Паулюс докладывал далее, что армия будет вести бой, не сходя с места, до последнего патрона. Уменьшение котла, рекомендованное Гитлером генералу Хубе, только ускорило бы разгром армии, так как тяжелое оружие невозможно было передвинуть на другие позиции (в свое время, когда уменьшение котла было крайне необходимо для сосредоточения сил армии в целях осуществления прорыва, Гитлер категорически запретил это делать).

Ввиду того что снабжение по воздуху все время было недостаточным, его улучшение не могло теперь уже дать существенных изменений в обстановке. Сколько еще удастся продержаться армии, зависело только от того, с какой силой будет наступать противник. В эти дни перешел в руки противника и аэродром у Питомника. В котле под Сталинградом остался только аэродром Гумрак.

Ночью генерал-полковник Паулюс, несмотря на это, доложил, что продолжение обороны, может быть, окажется возможным, если немедленно в котел будет переброшено несколько батальонов с полным вооружением. Он уже неоднократно требовал, чтобы к нему по воздуху перебросили несколько тысяч человек, чтобы восполнить потери армии. Командование группы армий не могло выполнить этого требования, так как само не располагало никакими людскими резервами, не говоря уже о том, что в его распоряжении не было ни одного батальона, который не участвовал бы в боях. После того как потерпела неудачу попытка 4-й танковой армии деблокировать 6-ю армию, командование группы армий не выполняло, кроме указанных причин, этого требования прежде всего потому, что теперь оно уже не считало себя вправе перебрасывать войска или пополнение в котел. Нам и так было очень тяжело, когда мы бывали вынуждены перебрасывать в 6-ю армию возвращавшихся из отпуска командиров и штабных офицеров, которые там были крайне необходимы. Но, не говоря уже о том, что армии крайне были нужны офицеры, они сами стремились во что бы то ни стало возвратиться к своим войскам. Они — а среди них были потомки таких старинных солдатских родов, как Бисмарк и Белов, — доказали этим, что традиция долга и боевого товарищества способна выдержать тягчайшие испытания.

13 января к нам прибыл с журналом боевых действий армии офицер оперативного отдела штаба генерал-полковника Паулюса капитан Генерального штаба Бер. Это был молодой офицер, награжденный Рыцарским крестом; он отличался примерным поведением и отношением к службе. Он рассказывал, как храбро продолжали сражаться войска, с какой самоотверженностью офицеры и солдаты принимают свою судьбу.

Он привез мне письмо от генерала Паулюса и моему начальнику штаба — от своего начальника штаба. Эти письма были проникнуты духом смелости, сознания долга и порядочности, присущим немецкому солдату. Они полностью сознавали, что группа армий сделала все, что было в ее силах, чтобы выручить 6-ю армию. Но в письмах, конечно, выражалось и огорчение тем, что обещания улучшить снабжение армии по воздуху не выполнялись. Однако ни я, ни генерал-полковник фон Рихтгофен никогда не давали таких обещаний. Ответственность за это нес Геринг.

16 января на всех фронтах в армии завязались новые тяжелые бои. Временами самолеты уже не имели возможности приземляться, потери же транспортной авиации из-за активности зенитной артиллерии и истребителей противника в дневное время и так стали слишком велики. Теперь авиация могла снабжать армию только ночью или сбрасывая грузы на парашютах. При этом неизбежно значительная часть грузов не попадала по назначению.

В эти дни Гитлер возложил ответственность за снабжение 6-й армии по воздуху на фельдмаршала Мильха. 17 января 6-я армия сообщила по радио, что аэродром Гумрак снова может быть использован для посадки. Командование воздушного флота придерживалось противоположного мнения. Мы все же настояли на том, чтобы предпринять попытку посадки на этот аэродром.

19 января я в первый раз совещался с Мильхом, который был легко ранен, так как накануне по пути ко мне его легковая машина столкнулась с паровозом. Я подчеркнул, что крайне необходимо с помощью самых решительных мер улучшить снабжение 6-й армии, несмотря на то, что положение уже стало безнадежным. Это наш долг по отношению к нашим товарищам, и мы должны выполнять его до последнего часа. Кроме того, я указал, что армия сковывает, как и прежде, 90 соединений противника и тем самым выполняет важную оперативную задачу. Каждый день, в течение которого удастся сохранить боеспособность армии, будет иметь решающее значение ввиду крайне тяжелого положения на фронте группы армий «Дон» и в особенности на ее незащищенном стыке с группой армий «Б». Мильх обещал использовать для этой цели все имеющиеся в тылу средства, последние резервы транспортных самолетов, а также людей и средства, необходимые для их ремонта. Это было особенно важно теперь, когда аэродромы в Морозовском и Тацинской были в руках противника и транспортные самолеты должны были базироваться на Ростов и Новочеркасск и даже на еще более удаленные аэродромы. Из сказанного Мильхом было ясно, что если бы ему было поручено обеспечивать снабжение 6-й армии на несколько недель раньше, это, может быть, существенно облегчило бы положение, так как в его распоряжении в тылу были средства, которые все же были недоступны для Рихтгофена. Но тем большая ответственность ложилась на Геринга в связи с тем, что он не позаботился, чтобы эти средства были своевременно использованы.

24 января штаб группы армий получил следующее сообщение от начальника Генерального штаба сухопутных сил генерала Цейтцлера:

«Нами получена радиограмма следующего содержания: Крепость[1] может быть удержана только считаные дни. Из-за отсутствия снабжения люди обессилели, оружие лишено подвижности. Последний аэродром в ближайшее время будет потерян, в результате чего возможность снабжения будет сведена к минимуму.

Оснований для выполнения боевой задачи и удержания Сталинграда больше нет. Русские уже теперь осуществляют прорывы в разных пунктах фронта, так как целые участки оголены ввиду гибели людей. Героизм командиров и солдат не сломлен, несмотря ни на что. Чтобы использовать эту возможность для нанесения последнего удара, я намерен, не дожидаясь окончательного крушения обороны, отдать всем частям приказ организованно пробиваться на юго-запад. Отдельным группам удастся пробиться и дезорганизовать тыл противника. Если же мы останемся на месте, то, несомненно, все погибнут, пленные также умрут от голода и холода.

Предлагаю вывезти из котла отдельных специалистов — солдат и офицеров, которые могут быть использованы в дальнейших боевых действиях. Приказ об этом должен быть отдан возможно скорее, так как вскоре посадка самолетов станет невозможной. Офицеров прошу указать по имени. Обо мне, конечно, речи быть не может.

Паулюс».

Ответ ОКХ:

«Донесение принято. Оно полностью совпадает с моими предположениями, сделанными 4 дня назад. Повторно докладывал фюреру. Фюрер решил:

1. В отношении попытки пробиться: фюрер оставил за собой право принять окончательное решение. Прошу в случае надобности вновь связаться со мной по радио.

2. В отношении эвакуации специалистов: фюрер в просьбе отказал. Прошу прислать сюда Цитцевица для повторного доклада. Он со мной вместе доложит фюреру.

Цейтцлер».

---

[1] Имеется в виду район, который удерживали немцы в сталинградском котле. — *Примеч. ред.*

В связи с этой радиограммой Паулюса я хотел бы сказать об эвакуации отдельных лиц следующее. С чисто деловой точки зрения, естественно, было бы желательно спасти возможно большее число ценных специалистов, конечно, независимо от их звания. И с человеческой точки зрения понятно, что хотелось бы и надо было стараться спасти каждого. Но эту эвакуацию необходимо было рассматривать и с точки зрения солдатской этики. Нормы солдатской этики требуют, чтобы в первую очередь были эвакуированы раненые. Меры к их эвакуации предпринимались, и эффект их в столь сложной обстановке был разителен. Но эвакуация специалистов могла быть произведена только за счет эвакуации раненых. Кроме того, неизбежно большинство эвакуируемых специалистов составили бы офицеры, так как они благодаря их подготовке и опыту представляют бо́льшую ценность в войне, чем рядовые солдаты (если речь не идет о специалистах, имеющих совершенно особую техническую или научную подготовку). Но в той обстановке, в какой находилась 6-я армия, по понятиям немецкой солдатской этики, когда речь шла о спасении жизни, офицеры должны были уступить первую очередь солдатам, за которых они несли ответственность. Поэтому командование группы армий не предприняло ничего, чтобы добиться принятия Гитлером предложения командующего 6-й армией.

Что касается попытки пробиться в последний момент через фронт противника мелкими группами, то «окончательное решение», право принять которое оставил за собой Гитлер, так никогда и не было принято.

Командование группы армий предприняло, однако, попытку обеспечить всем необходимым те группы немецких солдат, которым, возможно, удастся пробиться через фронт окружения. Для этого оно приказало сбросить с самолетов продовольствие в различных пунктах в тылу противника и дало разведывательной авиации задание разыскивать подобные группы. Но ни одна такая группа не достигла нашего переднего края и не была обнаружена авиацией.

Во всяком случае, радиограмма генерал-полковника Паулюса свидетельствует о том, что по крайней мере те из солдат храброй армии, которые еще сохранили остатки сил, не потеряли воли к сопротивлению. Штабу группы армий было известно также, что в первую очередь молодые офицеры и солдаты, способные еще сражаться, были полны решимости, несмотря ни на что, в последний момент предпринять попытку пробиться через фронт окружения противника. Поэтому мы и приняли упомянутые выше меры, которые, к сожалению, оказались тщетными.

22 января русские подошли к аэродрому Гумрак, так что посадка самолетов, обеспечивавших снабжение 6-й армии, стала невозможной. Генерал-полковник Паулюс доложил, что он не имеет возможности ликвидировать брешь, образовавшуюся в районе Гумрака. Боеприпасы и продовольствие были на исходе. Он просил у Гитлера разрешения начать переговоры о капитуляции. По этому вопросу я вел длительные переговоры по телефону с Гитлером. Я просил, чтобы армии немедленно было разрешено капитулировать. Хотя с каждым днем, приближавшим капитуляцию армии, общая обстановка на фронте группы армий и осложнялась, я все же был того мнения, что настала пора прекратить агонию 6-й армии. В отчаянных боях она из последних сил сковывала намного превосходящего ее по численности противника и тем самым оказала во время этой зимы решающую помощь в спасении германского Восточного фронта. Но отныне страдания армии не компенсировались уже той пользой, которую она в состоянии была принести, продолжая сковывать силы противника.

После долгих и резких споров Гитлер отклонил просьбу, исходившую от Паулюса и от меня, и отдал армии приказ продолжать бой до последней возможности. Он обосновал свою точку зрения тем, что каждый день, на который удастся задержать находящиеся под Сталинградом дивизии противника и оттянуть их переброску на другой участок фронта, будет иметь решающее влияние на общую обстановку на фронте. Но обстановка и без того была критической, так как русские разгромили тем временем и венгерскую армию на Дону, вследствие чего группы армий «Б» практически больше не существовало. В нашем фронте образовалась брешь, простиравшаяся от Ворошиловграда на Донце до Воронежа на Дону. Крупные силы противника, наступавшие здесь, имели почти полную свободу действий. Представлялось более чем сомнительным, удастся ли в этой обстановке спасти группу армий «Дон» и группу армий «А», отходившую в это время с Северного Кавказа.

Гитлер считал, что если 6-я армия и не сможет сохранить дольше сплошной фронт, она сможет продолжать сопротивление в течение некоторого времени в нескольких небольших котлах. Кроме того, он заявил, что капитуляция бесполезна, так как русские все равно не будут соблюдать никаких условий. Если не на словах, то по существу в этом он оказался прав, так как из 90 000 пленных, оказавшихся в конце концов в руках Советов, ныне осталось в живых едва ли несколько тысяч. При этом нужно подчеркнуть, что русские имели исправные железные дороги, подходившие вплотную к Сталинграду, так что при желании они могли бы обеспечить снабжение и эвакуацию пленных. Высокая смертность была неизбежна из-за морозов и истощения, но в данном случае цифра смертности превзошла всякие границы.

Эти телефонные переговоры с Гитлером продолжались, насколько я помню, не меньше 45 минут. Я не могу сказать с уверенностью, что приводившиеся им аргументы о том, что каждый день, в течение которого 6-й армии в боях удастся сковать силы противника, имеет решающее значение и что у Советов пленные все равно погибнут, полностью отражали его мысли. Он был фанатиком, и мысль о капитуляции одной армии Третьей империи могла казаться ему настолько неприемлемой, что никакие разумные доводы не имели для него значения.

Когда Гитлер отклонил мою просьбу о том, чтобы разрешить теперь 6-й армии капитуляцию, передо мной лично встал вопрос, не должен ли я ввиду этих разногласий сложить с себя командование группой армий.

Этот вопрос вставал передо мною не впервые. Особенно остро он стоял передо мною в рождественские дни 1942 года, когда я безуспешно добивался у Гитлера разрешения на осуществление прорыва 6-й армии.

Вообще этот вопрос часто вставал передо мною в то время и в последующие месяцы. Я думаю, что понятно мое стремление освободиться от ответственности, брать на себя которую было почти невозможно, так как всякое решение, вызывавшееся военной необходимостью, приходилось отстаивать в бесконечной, требовавшей большой затраты нервной энергии борьбе со своим же Главным командованием. О том, что я часто задавался этим вопросом, свидетельствуют следующие слова начальника оперативного отдела полковника Буссе, сказанные им начальнику инженерной службы армии вскоре после Рождества 1942 года. Буссе сказал: «Если бы я постоянно не умолял его (то есть Манштейна) остаться на своем посту ради наших войск, он бы уже давно плюнул и заявил Гитлеру, что с него хватит». Это резкое высказывание моего ближайшего помощника лучше всего характеризует мое положение и мои мысли в то время.

Но здесь я хотел бы все же сказать несколько слов по вопросу об отставке военачальника в действующей армии. Прежде всего следует иметь в виду, что занимающий высокий пост военачальник, так же как и любой другой солдат на войне, не может просто взять и уйти домой. Гитлер не был обязан принять мою отставку. В этом случае он также едва ли принял бы ее. Солдат на войне не пользуется преимуществами политического деятеля, который может в любой момент уйти, если дела идут плохо или если курс правительства ему не нравится. Солдат должен сражаться, как ему приказано и где ему приказано.

Есть, конечно, случаи, когда военачальник не может взять на себя ответственность за выполнение данного ему приказа. Это случаи, когда он бывает вынужден сказать то, что сказал Зейдлитц в битве при Цорндорфе: «После битвы король может располагать моей головой, но во время битвы пусть он мне позволит самому пользоваться ею». Ни один генерал не сможет оправдать свое поражение в битве тем, что он был обязан выполнять приказ, приведший к поражению, хотя и знал, что нужно было действовать иначе. В этом случае остается только один путь — неподчинение приказу, и за это он отвечает головой. Судьбу его обычно решает успех или неудача.

По этим же соображениям я, вопреки категорическому требованию Гитлера, отдал 19 декабря 6-й армии приказ как можно скорее подготовиться к прорыву на юго-запад. Если этот приказ не привел к успеху, то причиной тому был отказ 6-й армии выполнить его. Едва ли можно дать окончательный ответ на вопрос, имело ли командование 6-й армии достаточные основания для того, чтобы не использовать последнюю предоставившуюся возможность к спасению армии, так как никто не может сказать, удался бы в действительности этот прорыв или нет.

Я и впоследствии не выполнял в некоторых случаях оперативных указаний Гитлера, когда это было неизбежно, и успех показывал, что я прав, а Гитлеру приходилось мириться с невыполнением его указаний. (Нельзя было, однако, поступать по собственному усмотрению тогда, когда этим были бы поставлены под удар соседние группы армий.)

Что же касается вопроса об отставке, то помимо высказанных выше соображений ей препятствует еще одно обстоятельство. Это — высокое чувство ответственности за своих солдат, которое должно быть присуще каждому военачальнику.

Я обязан был думать тогда не только о 43-й армии. На карту была поставлена судьба всей группы армий «Дон» и группы армий «А». Отказ от выполнения возложенной на меня задачи, как бы он ни был оправдан с общечеловеческой точки зрения ввиду позиции Гитлера в вопросе о капитуляции 6-й армии, казался мне предательством по отношению к нашим храбрым солдатам, которые находились вне сталинградского котла и также вели бой не на жизнь, а на смерть.

В дальнейшем командованию группы армий «Дон» все-таки удалось справиться с положением, которое было одним из самых критических во всей этой войне. Я думаю, что этот факт оправдывает принятое мною в тот день решение все же не отказываться от порученного мне дела, к чему вынуждала меня позиция Гитлера.

Краткий обзор развития обстановки в январе 1943 года на фронте групп армий «Дон», «А» и «Б» показывает, насколько необходимо было до этого момента, чтобы 6-я армия продолжала упорно сопротивляться и сковывать намного превосходящие ее численно силы противника.

29 декабря ОКХ, уступив наконец настойчивым и постоянным просьбам группы армий «Дон», приказало группе армий «А» отойти из района Кавказа на реку Куму, то есть на рубеж Пятигорск — Прасковея (270 км юго-восточнее Сальска). В первую очередь должен был отходить ее левый фланг — 1-я танковая армия. С целью сохранения техники этот отход совершался чрезвычайно медленно. В начале этого маневра войска еще не высвобождались.

К 9 января, когда 6-я армия отклонила предложение о капитуляции, 1-я танковая армия еще не достигла рубежа реки Кумы.

4-я танковая армия имела задачу прикрывать тыл группы армий «А» южнее реки Дон и одновременно защищать ее коммуникации, проходившие через Ростов. В тяжелых боях с противником, имевшим многократное превосходство в силах (три армии), она была оттеснена южнее Дона и отошла через Котельниково на запад.

9 января она вела тяжелые бои на реке Куберле между Салом и Манычем. Становилось ясно, что противник стремится охватить ее с обоих флангов. 3-й гвардейский танковый корпус противника стоял на Дону у Константиновки и отсюда повернул на юго-восток к Пролетарской, чтобы ударить в тыл 4-й танковой армии. Вновь подошедшая из калмыцких степей 28-я армия противника стремилась охватить 4-ю танковую армию с юга, нанося удар вдоль реки Маныч.

Группа Голлидта, ведя тяжелые оборонительные бои в большой излучине Дона, была вынуждена отойти на рубеж реки Кагальник. И здесь противник уже успел прорвать ее позиции на южном фланге. 7 января противник небольшими силами форсировал Дон северо-восточнее Новочеркасска, где находился штаб группы армий. На северном фланге группы Голлидта между реками Быстрая Гнилая и Калитва 7 тд пыталась помешать продвижению противника к переправе через Донец у Форхштадта (Белая Калитва), предпринимая короткие контратаки. Переправа через реку у Каменска оборонялась только наскоро сформированными боевыми группами из отпускников, солдат тыловых служб и т.п., а также остатками румынских войск. Но, собственно говоря, и здесь румыны исчезли с поля боя.

Дальше на северо-запад на фронте группы армий «Б» зияла широкая брешь, образовавшаяся в результате разгрома итальянской армии. В районе Миллерово вела бои относительно слабая боевая группа генерала Фреттер-Пико из группы армий «Б», временами она оказывалась почти полностью окруженной.

К 24 января, то есть к тому дню, когда 6-я армия, сохранявшая до того момента все же сплошной фронт, распалась на три отдельные группы, которые, подвергаясь нажиму со всех сторон, вели бой в Сталинграде и его окрестностях, и когда, следовательно, армия не могла уже сковывать значительных сил противника, обстановка на фронте выглядела следующим образом.

Северный фланг группы армий «А» стоял еще у Белой Глины, а далее на юг ее фронт еще проходил восточнее Армавира, то есть в 150—200 км от Ростова. ОКХ наконец разрешило отвести главные силы 1-й танковой армии через Ростов.

На фронте группы армий «Дон» 4-я танковая армия вела ожесточенные бои на юго-восточных подступах к Ростову, прикрывая переправу через Дон, по которой переходила 1-я танковая армия. В дальнейшем, по моему решению, 1-я танковая армия должна была быть переброшена на левый фланг группы армий и занять фронт по реке Донец выше Ворошиловграда.

Оперативная группа Голлидта обороняла Донец на участке от его впадения в Дон до Форхштадта (Белая Калитва).

Переданная к этому времени в мое подчинение боевая группа Фреттер-Пико (две потрепанные дивизии) обороняла Донец по обе стороны от Каменска.

К 19 ноября в результате разгрома итальянской армии и последовавшего вскоре за этим разгрома венгерской армии на Дону на фронте группы армий «Б» образовалась брешь от Ворошиловграда на Донце до Воронежа на Дону (около 320 км). 23 января участок так называемого «фронта» до Старобельска был подчинен группе армий «Дон». Практически на этом участке находилась только более или менее потрепанная в боях 19 тд, которая была вынуждена оставить Старобельск под натиском трех корпусов противника.

Когда 1 февраля прекратилось последнее сопротивление 6-й армии, противник угрожал форсировать Донец в районе Ворошиловграда силами трех танковых, одного механизированного и одного стрелкового корпуса. Одновременно он, по-видимому, начал наступление на линию Лисичанск — Славянск (рубеж реки Донец) силами трех-четырех танковых корпусов и одного стрелкового корпуса.

Нет необходимости специально разбирать, как развивались бы события между 9 января и 1 февраля или к каким последствиям это привело бы в дальнейшем, если бы 6-я армия своим героическим сопротивлением не сковывала бы так долго крупные силы противника, находившиеся под Сталинградом!

Однако вернемся к последним боям 6-й армии. 24 января фронт армии распался на три небольших котла на северной окраине, в центре и на южной окраине Сталинграда.

31 января командующий армией, произведенный к тому времени в фельдмаршалы, был взят в плен Советской Армией.

1 февраля сдалась в плен последняя, северная группировка, остатки 11 ак.

Бои 6-й армии закончились!

Чего не могли сделать тягчайшие бои, жестокий голод и лютые морозы русской степи, то довершил советский плен. Такова была судьба этих солдат, которые сдались только тогда, когда их обессилевшие руки не в состоянии были больше держать оружие, когда закоченевшими пальцами они не могли уже стрелять, когда у них кончились боеприпасы и они оказались беззащитными перед подавляющим численным превосходством противника. Все же благодаря самоотверженности немецких летчиков из котла удалось эвакуировать около 30 000 раненых.

Тому, кто захотел бы узнать, на ком же лежит ответственность за трагическую гибель 6-й армии, дал недвусмысленный ответ сам Гитлер.

5 февраля я был вызван в Ставку фюрера, хотя до этого отклонялись все мои просьбы о том, чтобы Гитлер лично ознакомился с положением на нашем фронте или прислал с этой целью по меньшей мере начальника Генерального штаба или генерала Иодля.

Гитлер открыл совещание примерно следующими словами:

«За Сталинград я один несу ответственность! Я мог бы, быть может, сказать, что Геринг неправильно информировал меня о возможностях снабжения по воздуху, и таким образом переложить хотя бы часть ответственности на него. Но он мой преемник, которого я сам назначил себе, а потому я не могу допустить, чтобы на нем лежала ответственность за Сталинград».

Нельзя не признать, что Гитлер в этот раз полностью взял на себя ответственность и не делал никаких попыток найти козла отпущения.

Но все же он не сделал выводов на будущее из этого тяжелого поражения, вина за которое лежала на нем как на Верховном главнокомандующем.

Однако выше вопроса об ответственности и выше всех идеологических выводов, к которым пришли впоследствии под влиянием тягот плена, под влиянием пропаганды и из-за понятного ожесточения некоторые офицеры и солдаты принесенной в жертву 6-й армии, стоит следующий факт.

Своей несравненной храбростью и верностью своему долгу солдаты и офицеры этой армии воздвигли памятник духу немецкого солдата, который будет стоять на вечные времена, хотя он и не отлит из бронзы и не высечен из камня. Это незримый памятник, на котором начертаны слова, стоящие в начале этого повествования о великой трагедии немецкого солдата.

С 6-й армией под Сталинградом погибли:
— штабы 4, 8, 11 и 51-й армейских корпусов и штаб 14-го танкового корпуса;
— 44, 71, 76, 113, 295, 297, 305, 371, 376, 384, 389 и 394-я пехотные дивизии;
— 100-я горнострелковая дивизия;
— 14, 16 и 24-я танковые дивизии;
— 3, 29 и 60-я моторизованные дивизии, а также многочисленные отдельные части армейского подчинения и РГК.

Кроме того, погибли 1-я румынская кавалерийская дивизия и 20-я румынская пехотная дивизия.

Глава 13
ЗИМНЯЯ КАМПАНИЯ 1942/43 ГОДА В ЮЖНОЙ РОССИИ

Стратегия — это система выходов из положения.

Мольтке

Решается судьба всего южного крыла германской армии. Стратегические основы зимней кампании. Основные оперативные положения. «Рокировка» с восточного фланга на западный. Первая фаза:

борьба за освобождение 6-й армии. Вторая фаза: борьба за прикрытие тыла группы армий «А». Последствия перехода к позиционной войне. Основные принципы управления войсками в германской армии. Бои 4-й танковой армии южнее Дона. Бои группы Голлидта в большой излучине Дона. Третья фаза: борьба за прикрытие коммуникаций южного крыла германской армии. Обстановка в середине января 1943 года. Бои во второй половине января. Куда отходить группе армий «А» или 1-й танковой армии — через Ростов на решающий участок фронта или на кубанский плацдарм. Донецкий район и его экономическое значение. Обмен мнениями о дальнейших операциях. Совещание у Гитлера 6 февраля. Оставление восточной части Донецкого района и вопрос о Верховном главнокомандующем. «Рокировка» проводится в жизнь. Оценка обстановки для дальнейших операций. Четвертая фаза: контрудар германской армии. Приезд Гитлера в Запорожье. Битва между Донцом и Днепром. Битва под Харьковом. Заключительный обзор.

В конце 1942 года — начале 1943 года взоры всей Германии были обращены к Сталинграду: с тревогой и мольбой в сердце думала Германия о своих сынах, сражающихся там. Но в это же время на южном крыле Восточного фронта шла борьба, исход которой имел еще большее значение и по сравнению с которой отступала на второй план даже борьба за жизнь и свободу 200 000 храбрых солдат 6-й армии.

В этой борьбе дело шло уже не только о судьбах одной армии, но о судьбе всего южного крыла германского Восточного фронта и в конечном счете о судьбе всего Восточного фронта. Эта борьба не закончилась трагическим поражением. В последний раз в войне конец этой борьбы ознаменовался триумфом победы германской армии. Но эта борьба — не говоря уже о том, что вначале она тесно была связана с боями 6-й армии, — заключала в себе такую массу напряженнейших положений и почти смертельных кризисов, что эту кампанию по праву можно отнести к числу наиболее захватывающих этапов Второй мировой войны. Германская армия в этой кампании не могла уже больше рассчитывать на завоевание окончательной победы. Ввиду ошибок, допущенных в проведении летне-осенней кампании 1942 года, в ней речь могла идти только о том, чтобы «справиться с поражением», как выразился однажды Шлиффен. В боях с противником, обладающим значительным превосходством в силах и имеющим на своей стороне все преимущества оперативной обстановки, представлявшей ему все шансы на победу, германское командование должно было отыскивать все новые выходы из положения, а германские войска должны были переносить все новые неслыханные тяготы. Эти бои достойны описания, хотя они не сопровождались ни сигналами труб, возвещавшими победу, ни глухим боем барабанов, ознаменовавшим гибель 6-й армии. Поскольку эта кампания представляла собой отступление, она не может претендовать на громкую славу. Но она не закончилась поражением, ее завершение еще раз предоставило германскому командованию возможность добиваться в войне по крайней мере ничейного исхода — а это, пожалуй, больше, чем простая «заурядная победа».

СТРАТЕГИЧЕСКИЕ ОСНОВЫ ЗИМНЕЙ КАМПАНИИ

Чтобы осознать значение этой решающей борьбы, а также всю серьезность угрожавшей германской армии опасности, необходимо в общих чертах представить себе оперативную обстановку к началу этой кампании.

Зимой 1941/42 года сил Советской Армии хватило только на то, чтобы отразить германское наступление на Москву и тем самым приостановить продвижение немцев по всему фронту.

Летом 1942 года волна немецкого наступления на восток поднялась вновь и постепенно замерла у Волги и у Кавказских гор.

Теперь же — зимой 1942/43 года — противник почувствовал себя достаточно сильным, чтобы попытаться вырвать инициативу из наших рук. Дело шло о том, будет ли уже этой зимой сделан решающий шаг к поражению Германии на востоке. Катастрофа 6-й армии, как бы тяжела и печальна она сама по себе ни была, в сравнении с масштабами Второй мировой войны в целом не могла еще быть таким шагом. Но разгром всего южного крыла Восточного фронта открыл бы путь к скорой победе над Германией. Советское командование по двум причинам могло рассчитывать на достижение этой цели на южном фланге. Первая — это огромное численное превосходство русской армии, а вторая — преимущества оперативной обстановки, которые советское командование получило благодаря ошибкам германского командования, связанным со Сталинградом. Советское командование, несомненно, стремилось к этой цели, хотя и не достигло ее.

Обрисуем вкратце стратегическую обстановку, в которой началась эта зимняя кампания на юге Восточного фронта.

Германский фронт проходил большой изогнутой на восток дугой по Северному Кавказу и Восточной Украине. Правый фланг этой дуги у Новороссийска упирался в Черное море. Дальше фронт группы армий «А» (17-я армия и 1-я танковая армия) проходил по Северному Кавказу, но на востоке непосредственного соприкосновения с берегом Каспийского моря не имел.

Глубокий открытый фланг этого обращенного на юг фронта прикрывала со стороны нижней Волги 16 мд, находившаяся в калмыцких степях восточнее Элисты (Степное).

Только южнее Сталинграда начинался сплошной фронт группы армий «Б», который отходил затем назад к Дону и пролегал вдоль Дона до Воронежа. Здесь стояли 4-я румынская армия, 4-я танковая армия, 6-я армия, 3-я румынская армия, итальянская армия, венгерская армия и еще одна немецкая армия (2-я армия). Основные силы немецких войск уже в течение нескольких месяцев были сосредоточены в кулаке под Сталинградом, в то время как остальные участки фронта, главным образом рубеж по реке Дон, в основном были доверены союзным армиям. Ни группа армий «А», ни группа армий «Б» не располагали сколько-нибудь существенными резервами.

Этим двум группам армий противостояли Кавказский фронт, Юго-Западный фронт и Воронежский фронт противника, имевшие не только численное превосходство на линии фронта, но располагавшие также очень крупными резервами. Противник имел, далее, большие резервы на центральном участке Восточного фронта (Москва), а также и в глубоком тылу.

Чтобы оценить, насколько опасна была обстановка и какие преимущества она предоставляла противнику, необходимо вспомнить некоторые показательные в стратегическом отношении расстояния.

Расстояние от рубежа по реке Дон, на котором 19 ноября была разбита 3-я румынская армия (район советского плацдарма на Дону у Кременской и западнее ее), а также от оборонявшегося итальянцами рубежа по реке Дон у Казанской до переправы через Дон у Ростова составляло по прямой немногим более 300 км. Через Ростов проходили коммуникации не только всей группы армий «А», но также и 4-й румынской и 4-й танковой армий. Расстояние же от левого фланга группы армий «А» на Кавказе до Ростова составляло не менее 600 км, а от 4-й танковой армии, стоявшей южнее Сталинграда, — около 400 км.

Далее на запад коммуникации южного крыла германской армии проходили по переправам через Днепр в городах Запорожье и Днепропетровск. Пропускная способность пути через Крым и Керченский пролив на Кавказ была невелика. Основные переправы через Днепр в тылу южного крыла германской армии были удалены от Сталинграда почти на 700 км, а от левого крыла Кавказского фронта — почти на 900 км. В то же время расстояние до них от фронта противника (измеренное по линиям: район Казанской — Запорожье и Свобода — Днепропетровск) равнялось примерно лишь 420 км.

Я по собственному опыту очень хорошо знал, что означало такое положение. Ведь летом 1941 года я со своим танковым корпусом прошел 300-километровое расстояние от Тильзита (Советск) до Двинска (Даугавпилс) за 4 дня, преодолевая при этом сопротивление, которое было, во всяком случае, намного более упорным, чем то, которое оказывали русским на Дону румынские, итальянские и венгерские армии. К тому же русские в то время имели позади своего фронта несравнимо больше резервов, чем мы имели в зиму 1942 года.

Кроме преимуществ стратегической обстановки Советы имели огромное численное превосходство. Соотношение сил к моменту начала боевых действий группы армий «Дон» уже показано в начале главы о Сталинграде. Как изменилось это соотношение в течение зимы, можно показать с помощью двух цифр. В марте 1943 года группа армий «Юг» (бывшая группа армий «Дон») имела на 700-километровом фронте от Азовского моря до района севернее Харькова 32 дивизии. Противник же имел на этом фронте, включая и резервы, 341 соединение (стрелковые дивизии, танковые и механизированные бригады и кавалерийские дивизии).

Таким образом, два фактора определяли собой обстановку, в которой вела боевые действия группа армий «Дон», и составляли постоянный фон, на котором развертывались изображаемые ниже события.

Во-первых, подавляющее численное превосходство противника. Даже после того, как группа армий была усилена 1-й танковой армией (из группы «А») и переданными ей Главным командованием войсками и в ее состав вошли 3-я, а затем и 4-я немецкие армии, соотношение сил немецких войск и войск противника равнялось 1 : 7 (это соотношение установлено с учетом того, что некоторые русские соединения по численности уступали немецким дивизиям).

Во-вторых, стратегическая угроза, состоявшая в том, что численно превосходящий нас противник, имевший временами в ходе

операций полную свободу действий благодаря разгрому союзных
армий, был ближе к жизненно важным узлам коммуникаций южного
крыла германской армии — к Ростову и переправам через Днепр.

Оба эти фактора обусловливали опасность того, что это южное
крыло будет отрезано от своих коммуникаций, прижато к берегу
Азовского, а затем и Черного моря и здесь уничтожено. Советский
Черноморский флот все еще имел возможность парализовать наши
транспортные перевозки по этому морю. С уничтожением групп
армий «Дон» и «А» рано или поздно была бы решена и судьба всего
Восточного фронта.

ОСНОВНЫЕ ОПЕРАТИВНЫЕ ПОЛОЖЕНИЯ

Боевые действия на южном крыле Восточного фронта зимой
1942/43 года, которые представляли собой сущность всей зимней
кампании на востоке, как показывает разобранная выше исходная
оперативная обстановка, свелись к борьбе между нами и противником за разрешение следующей проблемы: удастся ли Советам
окружить южное крыло германской армии и тем самым сделать
первый шаг к достижению окончательной победы в войне или же
германскому командованию удастся предотвратить подобную катастрофу.

Для советской стороны оперативный план был, если можно так
выразиться, ясен, как на ладони. Германское командование прямо-
таки само подготовило его для русских, перейдя к позиционному
ведению боевых действий на рубежах, достигнутых к концу летнего
наступления. Ничего не было естественнее, чем решение русских
использовать обстановку для того, чтобы взять в клещи сконцен-
трированную под Сталинградом 6-ю армию.

В дальнейшем ходе операций противник стремился использовать свой сокрушительный успех на участках, занятых румынскими,
итальянскими и венгерскими войсками, для того, чтобы обойти
с севера или с запада южное крыло германской армии, нанося удары
вновь и вновь все более крупными силами и на все большую глубину.
Его цель должна была заключаться в том, чтобы отрезать это крыло
от его коммуникаций, ведущих к западному флангу этого фронта,
с тем чтобы в конечном итоге окружить его у морского побережья.
Такой оперативный план прямо-таки навязывался обстановкой,
которую германское командование слишком долго сохраняло на
южном крыле германской армии.

Германская сторона стояла перед гораздо более сложным вопросом: как избавиться от опасности, в которой она оказалась по своей же вине и в результате неожиданных первоначальных успехов противника севернее и южнее Сталинграда. При этом Главному командованию германской армии с самого первого дня наступления противника должно было быть ясно, как при данной общей стратегической обстановке будут развиваться события, в особенности же, какая опасность с самого начала угрожает стоящей на Кавказе группе армий «А».

Германское командование должно было, в сущности, выбирать между двумя путями. Первый путь заключался в том, чтобы сразу же после начала наступления противника под Сталинградом отвести от Волги 6-ю армию (до того, как ее окружение было бы завершено) и попытаться восстановить положение в большой излучине Дона, стянув сюда крупные силы. Для этого одновременно требовалось бы усиление с помощью немецких войск тех участков обороны по Дону, которые были заняты союзными армиями. Но, по всей видимости, германское Главное командование не располагало силами, необходимыми для этого решения, а низкая пропускная способность немногих имевшихся здесь железнодорожных магистралей не позволила бы ему своевременно перебросить сюда войска. Оно не могло решиться на отвод 6-й армии от Сталинграда. Через несколько недель после начала советского наступления уже стало ясно, что 6-я армия будет окончательно потеряна и что в общем плане операций ее единственной задачей может стать сковывание возможно более крупных сил противника в течение возможно более долгого времени. Эту задачу храбрая 6-я армия выполнила до конца, ради ее выполнения она пожертвовала собой.

После того как вследствие упрямого нежелания Гитлера отказаться от Сталинграда обстановка стала угрожающей, после того как была потеряна всякая надежда на спасение 6-й армии, германское Главное командование могло избрать еще один путь. Оставив занятую в ходе летней кампании территорию (которую все равно нельзя было удержать), можно было бы тяжелый кризис использовать для победы! Для этого надо было организованно отвести войска групп армий «А» и «Дон» из выступающей далеко на восток дуги фронта за нижний Дон и Донец и далее за нижний Днепр.

Одновременно надо было бы сосредоточить, например в районе Харькова, все имеющиеся в распоряжении командования силы, включая и дивизии обеих групп армий, высвобождаемые в результате сокращения линии фронта. Эта группировка получила бы задачу ударить во фланг силам противника, преследующим отходящие группы армий или стремящимся отрезать им путь к переправам через Днепр. Таким образом, был бы совершен переход от отступательной операции большого масштаба к обходной операции, в которой немецкие войска преследовали бы цель прижать противника к морю и там его уничтожить.

Командование группы армий предложило это решение ОКХ, когда была потеряна надежда на освобождение 6-й армии из окружения, когда к тому же стала ясна шаткость положения группы «А» на Кавказе и когда начала вырисовываться опасность отсечения всего южного крыла вследствие прорыва противника на фронте итальянской армии.

Но не в характере Гитлера было соглашаться с решением, которое прежде всего требовало отказа от достижений летней кампании (а здесь это было неизбежно) и к тому же было весьма рискованным в оперативном отношении. Это решение было несовместимо с теми чертами характера Гитлера, которые рассмотрены в главе «Гитлер — Верховный главнокомандующий». Не имея достаточного опыта в оперативных вопросах, он, быть может, тогда еще действительно надеялся, что удастся спасти положение на южном фланге с помощью направлявшегося в Харьков танкового корпуса СС.

Когда штаб группы армий «Дон» принял командование над этим участком фронта, первый из названных путей — восстановление положения в большой излучине Дона — был уже закрыт вследствие завершенного противником окружения 6-й армии. Для того чтобы провести сражение в излучине Дона с надеждой на успех, у группы армий «Дон», созданной из остатков разных объединений, не хватало сил, и поступавшие по капле подкрепления также не меняли дела, тем более что и эти подкрепление вскоре, после поражения итальянской армии, стали направляться в группу армий «Б». Но мы не имели достаточной власти для того, чтобы избрать второй путь — начать в большом масштабе отход, а затем сразу же нанести контрудар по северному флангу противника, который он подставил бы под удар, преследуя отходящие силы. Для этого необходимо было иметь под своим командованием все южное крыло фронта и свободно распоряжаться резервами ОКХ.

Группе армий приходилось решать те задачи, которые вновь и вновь вставали перед ней на отведенном ей участке фронта. Она должна была все время находить выходы из положения, чтобы справиться с опасностью, обусловленной исходной стратегической обстановкой и становившейся все более грозной. Эта опасность заключалась в том, что могло быть отрезано все южное крыло германской армии.

Первой задачей, которая встала перед группой армий, было освобождение из окружения 6-й армии. Все остальные оперативные соображения отступали перед этим на второй план.

Когда разрешить эту задачу по причинам, рассмотренным в главе «Сталинградская трагедия», оказалось невозможным, перед группой армий во весь рост встала задача любыми средствами предотвратить еще большую катастрофу, угрожавшую отсечением всего южного крыла Восточного фронта. Сил, находившихся еще в резерве ОКХ, было недостаточно, чтобы обеспечить прикрытие коммуникаций южного крыла, проходивших через нижний Дон и Днепр. Оставался только один путь — отвести назад восточный фланг группы армий и высвобожденные при этом силы перебросить на западный фланг. Задача группы армий «Дон» заключалась, таким образом, в следующем: своевременно, вернее, заблаговременно, перебрасывая силы с восточного фланга на западный, вовремя отражать удары противника, стремящегося осуществить все более глубокий охват с запада. Эта задача особенно осложнялась тем, что наш северный сосед (группа армий «Б») в конце концов совершенно исчез с фронта в результате разгрома союзных армий. Вместе с тем сил, перебрасываемых на западный фланг, было бы недостаточно, пока для этого не использовались бы также войска группы армий «А», которая нам подчинена не была.

Это была, по существу, та же задача, которая стояла перед генералом Паулюсом под Сталинградом между 19 и 23 ноября, хотя ее масштаб был, конечно, крупнее и времени для ее выполнения было больше. Задача эта состояла в том, чтобы, своевременно и не обращая внимания на частные последствия на отдельных участках, перебрасывать силы в те пункты, от которых зависело прикрытие коммуникаций, и одновременно сохранять за собой оперативную свободу действий. Но у генерала Паулюса исход операции мог быть решен в несколько дней, а может быть, и часов, а на подкрепления рассчитывать ему не приходилось. Для нашей же группы армий эта задача являлась стержнем всех ее оперативных мероприятий, и вокруг нее в течение ряда недель и месяцев мы вели борьбу с Главным командованием.

Мысль о том, чтобы воспрепятствовать попыткам противника отрезать наш фланг, произведя для этого своевременную «рокировку» сил с востока на запад, не заключала в себе ничего сложного. Едва ли она может претендовать на то, чтобы считаться особо хитроумной стратегической идеей. Но на войне часто как раз самое простое оказывается самым сложным. Трудности обычно заключаются не в решении как таковом, а в его последовательном осуществлении. В данном случае отвод войск с восточного фланга создавал на этом фланге угрозу; удастся ли справиться с нею или нет, предугадать было нельзя. Но для того чтобы эта переброска сил дала своевременный эффект, ее надо было начинать заранее, за несколько недель до того, как опасность отсечения южного крыла стала уже непосредственно и остро ощущаться. Гитлер тогда еще не осознал или не хотел признавать этой опасности. Кроме того, как будет показано ниже, развитие обстановки перед фронтом группы армий «А» в течение долгого времени препятствовало осуществлению рокадного маневра.

Оперативный замысел, лежавший в основе плана действий группы армий, был прост и общепонятен, но тем труднее было настойчиво проводить его в жизнь в условиях все более усложняющейся обстановки. И не менее трудно было отстаивать эту точку зрения перед Главным командованием, добиваясь каждый раз в последний момент согласия на осуществление нужных мер, так как Главное командование, по существу, стояло на диаметрально противоположных позициях. Гитлер всегда в принципе был за упорное удержание захваченного, в то время как мы видели средство к достижению победы в маневренном ведении операций, так как в этом отношении противник уступал нашему командованию и нашим войскам.

Характер обстановки, которая сложилась на фронте к моменту образования группы армий, ограничения, возникавшие из-за того, что она во многом зависела от боевых действий соседних групп армий и изменений обстановки перед их фронтом, а также налагавшиеся на нее Главным командованием, обусловили выработку «системы выходов из положения», позволившей командованию группы армий все же неуклонно проводить в жизнь свой основной оперативный замысел.

Зимняя кампания 1942/43 года, проводившаяся группой армий «Дон» (позднее переименованной в группу армий «Юг»), в соответствии с изложенным выше распадалась на четыре следующие друг за другом фазы.

Первая фаза — борьба за освобождение из окружения 6-й армии. В ней группа армий поставила на карту все!

Вторая фаза — борьба за прикрытие тыла группы армий «А» во время ее отхода с Кавказского фронта.

Третья фаза включает в себя собственно борьбу за прикрытие коммуникаций южного крыла германской армии, с целью помешать его отсечению.

Из нее вытекает последняя, четвертая фаза. На этой фазе группе армий удается, хотя и не в полном объеме, после отхода осуществить контрудар. Результатом этого контрудара является победа под Харьковом.

ПЕРВАЯ ФАЗА
Борьба за освобождение 6-й армии

Выше мы уже рассказали о попытке деблокировать 6-ю армию или обеспечить ей возможность осуществить прорыв из сталинградского котла.

Стремясь во что бы то ни стало добиться успеха этой попытки, командование группы армий шло на самый крайний риск. Вплоть до того момента, когда окончательно была решена судьба 6-й армии, оно старалось обойтись минимумом сил в центре и на левом фланге группы армий, где фронт и без того представлял собой только слабую линию заслонов. Оно стремилось избежать решающих столкновений на этих участках до тех пор, пока бои 4-й танковой армии восточнее Дона не дадут желаемого успеха, то есть пока 6-й армии не будет открыт путь к освобождению.

Командование группы армий оказалось вынужденным сосредоточить все свои усилия на выполнении задачи по спасению всего южного крыла Восточного фронта уже после того, как по рассмотренным выше причинам пришлось отказаться от надежды, что 4-я танковая армия пробьется на соединение с 6-й армией, и когда к тому же в результате разгрома итальянской армии обнажился западный фланг группы «Дон» и противнику открылся путь на Ростов.

Нам остается еще вкратце остановиться на обострении обстановки на фронте группы «Дон», явившемся следствием вынужденного отказа от освобождения 6-й армии из окружения и изменений на правом фланге группы «Б» (итальянская армия).

Выше мы уже обрисовали затруднительное положение, в котором оказалась на восточном фланге группы 4-я танковая армия вследствие того, что противник бросал против нее все новые и более крупные силы, снимаемые с внутреннего фронта окружения под Сталинградом. В боях между рекой Аксай и Котельниковым, а также в боях за захват этого исходного плацдарма для наступления с целью деблокирования окруженных войск 57 тк понес большие потери, так как румыны бежали, оставив его в одиночестве на поле боя. В особенности велики были потери 23 тд, которая сильно пострадала еще до этого. Так как группа «Дон» не получала подкреплений из группы «А», которых требовало командование группы, вообще было сомнительно, удается ли 4-й танковой армии оказать противнику достаточно сильное сопротивление и помешать ему нанести удар крупными силами в тыл 1-й танковой армии.

Не менее критическая обстановка складывалась на остальных участках фронта группы «Дон». На участке, прежде занимавшемся 3-й румынской армией, 4-я танковая армия была оттеснена противником на восточный берег Дона. Это дало противнику возможность форсировать по льду Дон в районе Потемкинской, а затем вскоре и в районе Цимлянской, чем создавалась угроза флангу и тылу наших войск, занимавших оборону по реке Чир. На этом участке фронта теперь командование осуществлял генерал Мит (вместо штаба 3-й румынской армии). Ввиду форсирования русскими Дона с востока и с юга нам не оставалось ничего другого, как постепенно отвести с боями группу генерала Мита за реку Кагальник.

Однако значительно более критическая обстановка, чем здесь, сложилась на левом фланге группы армий. Группе генерала Голлидта все же удалось, несмотря на бегство румынских дивизий, отвести свои силы с верхнего Чира на юг. Но вновь прибывшая заново сформированная дивизия, которой было поручено прикрывать фланг группы Голлидта у реки Быстрая Гнилая, отступила на этом участке без достаточной необходимости и оставила, таким образом, противнику переправу у Милютинского. Тем самым ему был открыт путь к флангу группы Голлидта, а также к важной авиабазе в Морозовском.

Еще хуже было то, что вследствие развала итальянской армии и бегства почти всех румынских войск (1-й и 2-й румынские ак на прежнем левом фланге группы Голлидта) противник мог продвигаться в направлении переправ через Донец у Белой Калитвы, Каменска и Ворошиловграда, не встречая почти никакого сопротивления. Только в районе Миллерово, как одинокий остров в красном прибое, оказывала сопротивление вновь созданная на правом фланге группы армий «Б» группа Фреттер-Пико. Но все же противник имел возможность по своему усмотрению повернуть на восток для удара в тыл группе Голлидта или группе Мита или же продолжать продвижение на юг, по направлению к Ростову.

Положение группы армий «Дон» было весьма серьезным. Если дело шло только о нашей группе, то следовало бы немедленно приступить к неуклонному проведению в жизнь плана переброски сил с востока на запад, чтобы, таким образом, справиться с критическим положением. Нужно было быстро перебросить 4-ю танковую армию к Ростову, чтобы затем использовать ее для защиты левого фланга и прикрытия идущих на запад коммуникаций группы. Войска группы Мита и группы Голлидта, которые еще вели бои в большой излучине Дона, должны были быть отведены на Донец.

Но такому решению препятствовало то обстоятельство, что группа армий «А» по-прежнему неподвижно стояла на своих позициях на Кавказе. Ни в коем случае нельзя было обнажать ее тыл, к чему привели бы рассмотренные выше перегруппировки. Напротив, группа «Дон» должна была не только прикрывать группу «А» с тыла, но также защищать ее коммуникации, проходившие через Ростов.

Таким образом, еще нельзя было приступить к выполнению основного оперативного замысла, которым в основном и должно было руководствоваться командование группы; он заключался в том, чтобы воспрепятствовать отсечению южного крыла армии, сосредоточив основные силы группы на ее западном фланге. В первые недели после принятия командования над группой мы сознательно отказались от выполнения этой задачи и направили все усилия на освобождение 6-й армии. Теперь же — на второй фазе кампании — мы оказались вынужденными вести отчаянную борьбу за прикрытие тыла группы армий «А», несмотря на то, что обстановка на нашем западном фланге становилась все более угрожающей.

ВТОРАЯ ФАЗА
Борьба за прикрытие тыла группы армий «А»

Германскому Главному командованию, собственно говоря, с самого начала должно было быть ясно, что группа армий «А» не сможет удержаться на Кавказе, если не удастся в ближайшее время освободить из окружения 6-ю армию и, следовательно, нельзя будет хоть как-нибудь стабилизировать обстановку в районе большой излучины Дона. Когда же образовалась брешь на левом фланге группы «Б» и противнику открылся путь на Ростов, тогда должно было стать совершенно ясно, что удержаться на Кавказе ни в коем случае не удастся. Разве что только Гитлер захотел и смог бы перебросить сюда крупные силы с других театров.

Еще 20 декабря, когда в результате бегства двух итальянских дивизий обнажился фланг группы Голлидта и русским открылся путь к переправам через Донец, я высказал генералу Цейтцлеру соображение, что теперь противник будет стремиться к нанесению решающего удара всему южному крылу германской армии, наступая в направлении на Ростов.

24 декабря я вновь напомнил ему, что теперь уже решается судьба не только группы «Дон», но и группы «А».

Я выше уже писал, что мое требование о передаче войск из состава группы «А» 4-й танковой армии и о переброске их в район Ростова было отклонено. Даже если бы не было надежды предпринять новую попытку к спасению 6-й армии, такое усиление 4-й танковой армии было бы в интересах группы армий «А». Поражение 4-й танковой армии открыло бы противнику путь к тылу группы армий «А». Нежелание командования группы «А» отдать нам какие-либо войска было понятно. Главное командование должно было отдать приказ о проведении срочно требовавшегося равномерного распределения сил между обеими группами армий. Одной из причин отказа группы «А» передать нам затребованные дивизии (см. главу «Сталинградская трагедия») было, по-видимому, также и то, что ее части были сильно перемешаны. Снятие с фронта крупных соединений было бы очень затруднено и потребовало бы много времени. Не имея достаточных резервов, группа «А» должна была все же каким-то образом заделывать прорывы фронта, возникавшие под ударами противника, вследствие чего и получилось, что ее части оказались сильно перемешанными. Другой причиной этого было то обстоятельство, что группа армий «А» в течение ряда месяцев не имела своего командующего, который следил бы за соблюдением порядка в группировке войск. Есть такие командиры, которые не учитывают, что войска могут сохранить свою оперативную подвижность и выполнять возлагаемые на них труднейшие задачи только в том случае, если в ходе боевых действий не нарушается их штатная организация. Но если, как это имело место здесь, долгое время вообще нет ответственного начальника, то не приходится удивляться тому, что части оказываются перемешанными.

Уступая постоянным требованиям командования группы «Дон», Гитлер решил наконец отдать приказ об отводе далеко выдвинутого на запад фланга группы «А» (1-я танковая армия) на участок

Пятигорск — Прасковея по реке Куме. Но он отнюдь не собирался оставить весь Кавказский фронт. Видимо, он все еще надеялся,
что путем отвода к Куме восточного фланга группы «А» удастся
примкнуть этим флангом к Манычской впадине, восстановить положение в районе между Манычем и Доном и в большой излучине
Дона и одновременно защитить идущие на запад через Днепр коммуникации южного крыла германской армии. Таким образом, он
собирался вовсе не ликвидировать, а только уменьшить «балкон»,
который образовался в ноябре в результате продвижения фронта
к Волге и Кавказу и который и был причиной неблагоприятного для
нас изменения обстановки. Откуда должны были появиться силы,
которые могли бы заменить выбывшие две румынские и итальянскую, а затем и венгерскую армии, — ответ на этот вопрос оставался
тайной. Это неизбежно привело затем к необходимости отвести
и весь Кавказский фронт.

На этом втором этапе боевых действий группы армий «Дон» перед
ней стояли следующие задачи: бороться за выигрыш времени в этой
все более обострявшейся обстановке вместо того, чтобы в соответствии
с общей обстановкой ликвидировать угрозу отсечения южного крыла,
решительно сосредоточив все свои усилия на западном фланге.

Южнее нижнего течения Дона группа «Дон» должна была
прикрывать с тыла группу «А» и одновременно защищать ее коммуникации, пролегавшие через Ростов. Эта двоякая задача была,
судя по всему, непосильна для 4-й танковой армии, так как силы
ее были незначительны, обороняемая ею территория от Дона до
Кавказа была слишком обширна, а действовавший здесь противник
слишком силен.

В большой излучине Дона и перед Донцом действовала группа
Голлидта. Она должна была настолько задержать продвижение противника севернее нижнего Дона, чтобы он не мог стремительным
ударом с востока на Ростов отсечь от тылов 4-ю танковую армию,
а вместе с ней и группу армий «А». Одновременно она должна была
воспрепятствовать форсированию Донца противником на участке
Форхштадт (Белая Калитва), Каменск, Ворошиловград и тем самым
запереть подступы к Ростову с севера.

Наконец, группа армий должна была найти способ, чтобы своими силами и средствами, используя также скудные подкрепления,
присылаемые ОКХ, защитить коммуникации, ведущие на запад
к нижнему Днепру.

И все эти задачи приходилось выполнять войскам, которые давно уже несли непомерную нагрузку и численно намного уступали противостоящим им войскам противника.

Эта задача сама по себе была очень тяжелая, но основная опасность заключалась все же в том, что группа «А» не могла быстро уйти из района Кавказа. Вновь проявилось то, что позиционная война — а на этом фронте боевые действия приняли именно такой характер — приводит к потере гибкости управления и подвижности войск. В позиционной войне ввиду необходимости экономить силы нельзя обойтись без стационарной установки оружия. Приходится накапливать боеприпасы и продовольствие, создавать различные удобства для войск, которые особенно необходимы в том случае, когда недостаток резервов не позволяет производить их смену на позициях. Лошадей обычно бывает трудно прокормить поблизости от стабилизировавшегося фронта, так что их приходится размещать дальше в тылу, вследствие этого войска в большей или меньшей степени лишаются подвижности. Большие трудности создавало и состояние дорог во время русской зимы, особенно в горной местности. Все это приводит к тому, что войска и командование теряют способность быстро реагировать на изменения обстановки, которые то и дело имеют место в маневренной войне. Доминирующим становится фактор инерции, застоя, так как со всяким изменением связаны затруднительные смены войск, перегруппировка сил, неудобства, а часто и опасности. Из-за неизбежного накопления оружия, техники и всевозможного имущества создаются большие запасы всего того, без чего, как полагают, нельзя обойтись в дальнейших боевых действиях. Когда же командование вынуждено провести крупный маневр с целью отойти на новые позиции, то требуется много времени для подготовки к этому. А иногда, не желая расставаться со всем этим якобы необходимым имуществом, командование даже отказывается от идеи такого крупного маневра, хотя он, возможно, представляет собой единственный путь к успеху в дальнейшем. Напомним, что даже такой выдающийся полководец, как Людендорф, в 1918 году, после того как было остановлено германское наступление, не решился совершить отход в крупных масштабах, чтобы перейти к маневренным действиям, хотя в них заключалась последняя надежда Германии на победу. Причина этого в конечном итоге заключалась в том, что он не считал себя вправе пожертвовать материальными средствами и боевой техникой, имеющимися на фронте и в войсковом тылу, или не мог примириться с тем, что ему придется оставить территорию, занятую ценой больших жертв.

Подобным же образом обстояло дело в группе армии «А». Из переговоров с ее начальником штаба, состоявшихся 29 декабря, выяснилось, что 1-я танковая армия сможет начать отход только 2 января. Наша помощь горючим позволила ей начать этот отход 1 января. Но через несколько дней штаб группы армий «А» сообщил, что отход 1-й танковой армии на рубеж реки Кума сможет быть проведен только постепенно от рубежа к рубежу, чтобы обеспечить вывоз имущества и эвакуацию раненых, находящихся в госпиталях на курортах Кавказа. Армии для этого потребуется 155 эшелонов (по 20 эшелонов на дивизию) и, таким образом (ввиду низкой пропускной способности железной дороги), она сможет целиком отойти на рубеж реки Кума только через 25 дней. Таким образом, ничего не было заранее подготовлено на случай необходимости отвода армии, хотя по крайней мере с конца ноября должно было быть ясно, что противник рано или поздно начнет угрожать группе «А» с тыла. Подготовка к отходу не проводилась, конечно, потому, что Гитлер запретил всякую подготовку подобного рода и не разрешил бы проводить ее, если бы узнал о ней. Но существенную роль в этом сыграло, бесспорно, и то, что группа армий «А» в то время не имела своего командующего, который нес бы за нее полную ответственность.

ОКХ хотело одно время подчинить группу армий «А», командование которой недавно принял генерал-полковник фон Клейст, мне. Вообще подобное подчинение группы армий, или армии, командующему соседнего равного объединения приносит только вред. Но в тогдашней критической обстановке это давало все же известные преимущества, при том, однако, условии, чтобы это подчинение было полным и безоговорочным. Всякое вмешательство Гитлера, так же как и всякая возможность обращения группы «А» к нему в случае несогласия с моими приказами, должны были быть исключены. Но Гитлер не пожелал выполнить эти требования, которые я выдвинул перед ОКХ как обязательное условие, от которого зависело мое согласие полностью взять на себя ответственность за обе группы армий. Группа армий «А», таким образом, сохранила свою самостоятельность. Командованию группы «Дон» не оставалось ничего другого, как вновь и вновь настойчиво требовать ускоренного проведения группой армий «А» намеченных мер, чтобы возможно скорее получить в свое распоряжение высвобождающиеся там силы, использование которых южнее Дона, а затем на западном фланге группы «Дон» имело решающее значение. Необходимо было как можно скорее завершить этот второй этап зимней кампании — борьбу за прикрытие тыла группы армий «А», — чтобы взяться за окончательное восстановление положения на южном крыле. Эта последняя задача могла быть выполнена только путем разгрома сил противника, угрожавших охватом с запада. Нам действительно удалось значительно сократить сроки отхода с Кавказа.

Упомянутые выше задержки частично были неизбежны в условиях позиционной войны и в трудных условиях горного театра, частично же они были вызваны нежеланием Главного командования добровольно отказываться от чего бы то ни было. Привели они к тому, что группа «Дон» с конца декабря до начала февраля оказалась связанной боями в районе Дона. Эти длительные бои не могли не обострить опасности отсечения южного крыла германской армии, особенно возросшей в связи с событиями на фронте группы армий «Б».

Кто захочет найти пример, подтверждающий ту мысль, что стратегия — это система выходов из положения, едва ли найдет что-либо более показательное, чем боевые действия обеих армий группы «Дон» в этот период. Нам удалось справиться со всеми обрисованными выше задачами, несмотря на многие критические моменты, только потому, что командование группы армий, как и командование обеих армий, всегда следовало испытанным принципам германского военного искусства:

— проводить операции гибко и маневренно и

— предоставлять максимальную свободу инициативе и самостоятельности командиров всех степеней.

Но эти принципы существенным образом расходились с точкой зрения Гитлера.

О первом принципе речь будет идти в связи с изложением боевых действий обеих армий, о втором же я хочу сказать предварительно несколько слов.

Особое преимущество управления войсками у немцев всегда состояло в том, что подчиненным командирам предоставлялась максимальная свобода самостоятельных решений, им ставились задачи, способ выполнения которых они могли выбирать по своему усмотрению. Этим принципом германское военное искусство — по крайней мере со времен Мольтке (старшего) — отличалось от военного искусства большинства других армий. В этих армиях подчиненным командирам не только не предоставлялась такая же свобода в оперативных и тактических вопросах, но, более того, им давались обширнейшие и подробнейшие указания относительно способов выполнения поставленной задачи или же тактические действия втискивались в мертвую схему. Немцы считали, что такой метод является вредным. Правда, при таком методе для среднего по способностям командира уменьшается опасность совершить ошибку. Но легко может получиться, что исполнитель приказа окажется вынужденным действовать вразрез с требованиями конкретной обстановки. При таком методе в угоду надежде на безопасность часто упускается возможность добиться успеха, которая могла бы быть использована подчиненным командиром в решающий момент и в благоприятной обстановке. Германская система в конечном счете обусловлена особенностями немецкого характера, который вопреки глупой ходячей фразе о палочной дисциплине (Kadavergehorsam) обладает яркими индивидуальными чертами и отличается известной склонностью к риску, в чем, возможно, проявляются качества, унаследованные от древних германцев. Но предоставление такой самостоятельности подчиненным командирам предполагает, что у начальников всех степеней вошли в плоть и кровь некоторые основные положения тактики и оперативного искусства. Такое единство взглядов в необходимой степени было достигнуто только школой германского Генерального штаба. Но все же перед ответственным высшим начальником нередко встает вопрос, не должен ли он оказать воздействие на командование подчиненных ему армий и т.п.

Чем сложнее обстановка, чем меньше в его распоряжении сил, которыми ему приходится обходиться, тем больше для него будет соблазн вмешиваться в дела подчиненных ему командиров. Но решающее значение, конечно, будет иметь то, насколько высоко он ценит своих подчиненных.

Что касается командования группы армий «Дон», то я считаю, что мы лишь тогда непосредственно оказывали воздействие на командование армий, когда без этого действительно нельзя было обойтись. Особенно это относилось к тем случаям, когда выполнение оперативного замысла командования группы армий было связано с такой ответственностью, которую мы не считали возможным переложить на командование армии, выполнявшей поставленную нами задачу. Мы были принципиальными противниками ни к чему не обязывающих «советов», которые означают смерть всякой инициативы и представляют собой способ завуалировать ответственность.

Раньше уже было показано, что Гитлер мало придавал значения этому оправдавшему себя немецкому принципу управления войсками и что он постоянно пытался вмешиваться в деятельность подчиненных ему командных инстанций путем отдачи им частных приказов. От их выполнения нельзя было уклониться, когда они были связаны с действиями соседних групп армий или содержали указания относительно использования войск, находившихся еще в резерве ОКХ. Но когда Гитлер своими приказами требовал во что бы то ни стало удержать определенный рубеж (а это бывало довольно часто), обстоятельства в конце концов оказывались сильнее его.

Труднее было, однако, преодолеть стремление Гитлера оттянуть принятие необходимого решения, о чем также уже говорилось выше. Мы ведь не могли заставить его отдать приказ. В таких случаях не оставалось ничего другого, как доложить, что если к такому-то дню или к такому-то часу не будет получено указание ОКХ, мы будем действовать по собственному усмотрению.

В противоположность этому командующие армиями, подчиненными группе армий «Дон», ни в этой кампании, ни впоследствии, по-видимому, никогда не имели оснований жаловаться на то, что мы стремились оттянуть принятие необходимого решения. Если они обращались к нам с вопросом или просьбой, они немедленно же получали ответ. Правда, в трудных случаях командование группы армий откладывало решение вопроса на очень короткий срок — на несколько часов или до следующего дня.

В целом же, за исключением Сталинграда, командованию группы армий все же всегда удавалось добиваться проведения необходимых мер вопреки вмешательству Гитлера и несмотря на его нерешительность.

БОИ 4-й ТАНКОВОЙ АРМИИ
ЮЖНЕЕ НИЖНЕГО ТЕЧЕНИЯ ДОНА

Для того чтобы прикрыть тыл группы армий «А», 4-я танковая армия должна была выполнить двоякую задачу. Она не должна была допускать, чтобы следующий за ней противник мог нанести удар в тыл 1-й танковой армии, пока она не отошла с Кавказа на новый, обращенный к востоку фронт.

Но в то же время она должна была воспрепятствовать прорыву вдоль нижнего течения Дона на Ростов противника, который перерезал бы, таким образом, коммуникации 4-й танковой армии и группы армий «А».

Было ясно, что сил армии не хватит для того, чтобы перекрыть для продвижения противника всю территорию от нижнего течения Дона до северных предгорий Кавказа.

Когда армия находилась в районе Котельниково, в ее составе после разгрома румын оставался только 57 тк с его двумя уже сильно пострадавшими в боях дивизиями (17 тд и 23 тд). 15-я авиаполевая дивизия все еще не была в боевой готовности, а 16 мд еще не была сменена у Элисты (Степной) войсками группы армий «А».

Все старания группы армий «Дон» своевременно передать подкрепления 4-й танковой армии не имели успеха. Просьба о передаче нам 3 тк из состава группы армий «А» была отклонена ОКХ. 7 тд, которую командование группы армий было намерено передать 4-й танковой армии, Гитлер решил держать под Ростовом, чтобы прикрыть с севера переправу через Дон после катастрофы итальянской армии. Вообще это была правильная мысль, но для выполнения этой задачи достаточно было бы той пехотной дивизии, которая была затребована нами от группы армий «А» (из состава 17-й армии). Гитлер же отклонил эту нашу просьбу, так как опасался, что после снятия этой дивизии с участка обороны под Новороссийском остающиеся там румынские дивизии не выдержат натиска противника.

Когда значительная часть сил противника, преследовавших 4-ю танковую армию, повернула на юг в сторону отходившей 1-й танковой армии, для последней возникла острая опасность с тыла. 16 мд удалось с успехом атаковать эти силы противника и преградить ему путь, заняв оборону за Манычем. Но вследствие этого она не могла быть использована 4-й танковой армией, так как передать ее этой армии можно было не раньше середины января.

Меры для усиления 4-й танковой армии, которые мы собирались принять своими силами, были сорваны противником. 11 тд пришлось вывести из района излучины Дона и через нижнее течение Дона перебросить к 4-й танковой армии. Но в это время противник в двух местах форсировал Дон и намеревался ударить с юга или юго-востока в тыл группе Мита, которая занимала оборону на нижнем Чиру фронтом на север. Для того чтобы остановить противника и обеспечить группе Мита отход и занятие рубежа реки Кагальник фронтом на восток, пришлось ввести в бой 11 тд на северном берегу Дона. Передача ее 4-й танковой армии, следовательно, стала невозможной. Таким образом, помимо двух названных выше танковых дивизий в состав 57 тк вошла только уже ранее переданная нам группой «А» дивизия СС «Викинг» (а с середины января также 16 мд).

Противник преследовал 4-ю танковую армию через Котельниково двумя армиями — 51-й и 2-й гвардейской, которые в общей сложности располагали одним танковым, тремя механизированными, тремя стрелковыми и одним кавалерийским корпусами. Еще одна армия (28-я армия) вскоре появилась дальше к югу в калмыцких степях.

Нетрудно было видеть, что этими тремя армиями противник намеревался не только сковать или смять слабую 4-ю танковую армию фронтальным ударом, но и одновременно охватить ее с севера и юга с целью последующего окружения.

Если Гитлер думал, что при данном соотношении сил и большой ширине обороняемой полосы он может приказывать армии удерживать какие-то рубежи и запрещать отходить без его согласия, то он глубоко ошибался. Попытка в данной обстановке заставить армию решать свою задачу, привязав ее к определенному рубежу, была бы равноценна попытке задержать противника препятствием из паутины. Но так как Гитлер постоянно пытался ограничить оперативную подвижность армии, приказывая ей удерживать тот или иной рубеж, и в то же время отказывал нам в требуемых подкреплениях для 4-й танковой армии, я был вынужден 5 января поставить вопрос о своем освобождении от обязанностей командующего группой армий. Я направил начальнику Генерального штаба телеграмму, в которой говорилось: «Если эти предложения не будут приняты и меня и в дальнейшем будут ограничивать в моих действиях до мелочей, я не вижу никакого смысла в моем дальнейшем использовании в качестве командующего. В этом случае является более целесообразным организация "представительств", подобных тем, которые созданы в управлении генерал-квартирмейстера (должности в представительствах генерал-квартирмейстера замещались только старшими офицерами Генерального штаба, руководившими всем снабжением группы армий в соответствии с прямыми указаниями генерал-квартирмейстера)».

При данном положении вещей 4-я танковая армия должна была стремиться к сосредоточению своих сил в кулак, вместо того чтобы предпринимать бесперспективную попытку оказать сопротивление противнику на чересчур растянутом фронте. Только в результате этого она могла бы, смотря по обстановке, оказывать сильное сопротивление противнику на решающем участке или наносить ему внезапные удары, где это окажется возможным. Конечно, для этого она должна была бы полностью оголять некоторые участки отведенной ей полосы, а на других участках довольствоваться созданием линии охранения.

Спокойными, гибкими и решительными действиями генерал-полковник Гот с помощью своего отличного начальника штаба генерала Фангора сумел решить эту сложную задачу. Он сумел удачными действиями задержать продвижение противника, преследовавшего его по пятам с фронта, и в то же время избежал поражения, которое угрожало бы ему, если бы он слишком долго задерживался на обороняемых рубежах. Нанося короткие удары быстро сосредотачиваемыми на обоих флангах силами, он срывал попытки противника охватить фланги армии.

Командование группы армий, которое не могло предоставить армии достаточных сил для выполнения этой трудной задачи, старалось по крайней мере снять ответственность с командования армии своими приказами. Как было указано выше, 4-я танковая армия должна была, собственно говоря, одновременно решать две задачи. Она должна была помешать трем преследующим ее армиям противника ударить в тыл 1-й танковой армии, отходившей с Кавказа, пока последняя не завершила своего маневра и не заняла оборону фронтом на восток. Одновременно она должна была воспрепятствовать попытке противника прорваться вдоль нижнего течения Дона на Ростов. В случае успеха этой попытки были бы отрезаны три наши армии, находившиеся еще южнее Дона.

4-я танковая армия в лучшем случае была в состоянии решить только одну из этих задач; которой из них следовало отдать предпочтение, могло решать только командование группы армий, своим решением бравшее на себя ответственность за последствия. Командование группы армий решило отдать предпочтение задаче прикрытия отходного маневра 1-й танковой армии. Правда, в перспективе под Ростовом угрожала большая опасность. Но если бы противнику удалось зайти в тыл отходящей армии и окружить ее, то удержание нами Ростова ничего бы уже не изменило. Судьба трех немецких армий южнее нижнего Дона была бы решена. Однако при условии удачного осуществления отхода 1-й танковой армии мы впоследствии нашли бы средства и способ, чтобы справиться с критическим положением под Ростовом.

Противник действительно попытался использовать обе эти возможности. Мы уже говорили о том, что он очень рано направил свои силы в тыл 1-й танковой армии, но они своевременно были остановлены 16 мд на верхнем Маныче. Ту же оперативную цель преследовали неоднократные попытки противника обойти 4-ю танковую армию с юга и вклиниться между нею и 1-й танковой армией. Одновременно он пытался прорваться одним танковым корпусом вдоль Дона через Константиновскую в направлении на Ростов. 7 января небольшие силы противника появились на северном берегу Дона, примерно в 20 км от Новочеркасска, где находился штаб группы армий. Казаки и части пограничной охраны, несшие до этого охранение на этом участке реки, отступили перед противником. Чтобы отогнать этих «нарушителей нашего спокойствия», мы направили против них несколько танков, стоявших на ремонте, под командованием офицера нашего оперативного отдела капитана Аннуса. В дальнейшем этот танковый корпус противника повернул на юго-восток в тыл 4-й танковой армии по направлению на Пролетарскую, чем по крайней мере, на некоторое время, угроза Ростову была ликвидирована. 4-й танковой армии затем удалось справиться и с этой угрозой на ее северном фланге.

14 января 1-я танковая армия завершила свой отход, темпы которого она все же ускорила. Ее левое крыло было обращено фронтом на восток и занимало рубеж Черкесск — Петровское. Тем самым в какой-то степени была обеспечена возможность оперативного взаимодействия 1-й и 4-й танковых армий, хотя между ними еще был широкий промежуток от Петровского до Пролетарской. Частично этот промежуток прикрывался болотистой маныческой впадиной.

Первая часть задачи 4-й танковой армии — прикрытие тыла группы армий «А» в районе южнее Ростова — была, таким образом, выполнена. Теперь ей оставалась еще вторая задача — защита коммуникаций этой группы в районе Ростова.

Выполнение этой задачи в условиях большого численного превосходства противника затруднялось еще тем, что 1-я танковая армия должна была некоторое время задержаться на занятом ею рубеже, чтобы подготовить дальнейшую эвакуацию своих тылов. Казалось, что задача 4-й танковой армии явится совершенно невыполнимой, так как Гитлер все еще не мог заставить себя расстаться со всей кавказской территорией. До сих пор не было решено, будет ли 1-я танковая армия отведена через Ростов на северный берег Дона или же она останется на Кубани вместе со всей группой «А».

БОИ АРМЕЙСКОЙ ГРУППЫ ГОЛЛИДТА

В то время как 4-я танковая армия в первой половине января решала свою задачу южное реки Дон, перед группой Голлидта стояла не менее сложная задача в районе большой излучины Дона. Как уже говорилось в главе «Сталинградская трагедия», в течение истекших недель противник значительно превосходящими силами неоднократно атаковал фронт группы Голлидта на реке Чир.

Генерал Голлидт имел в своем распоряжении, включая и подчиненную ему боевую группу Мита, 4 пехотные дивизии (62, 294, 336 и 387 пд), сильно пострадавшие в предыдущих боях. Фронт армейской группы протянулся примерно на 200 км от Нижне-Чирской на Дону до Каменска-Шахтинского. Кроме того, на этом фронте располагались группы, наскоро сформированные из отпускников, тыловиков и т.д., и части зенитной артиллерии под командованием испытанного генерала Штагеля. Зенитная артиллерия являлась для этого фронта ценным средством усиления. Две авиаполевые дивизии, также входившие в состав группы Голлидта, были совершенно разбиты, а их остатки могли быть только включены в состав пехотных дивизий. Основную ударную силу группы составляли 6 тд и 11 тд, к которым присоединилась вновь прибывшая 7 тд, тогда как разбитую 22 тд пришлось расформировать.

С помощью этих сил генерал Голлидт должен был решить следующую задачу — до тех пор задерживать продвижение противника с севера в направлении к нижнему течению Дона, то есть в тыл 4-й танковой армии, и препятствовать его прорыву на Ростов, пока 4-я танковая армия и группа «А» еще находились в районе южнее нижнего течения Дона. Кроме того, группа Голлидта должна была не дать противнику, стоящему перед ее левым флангом, прорваться к переправам через Донец у Белой Калитвы и Ворошиловграда, чем он открыл бы себе путь на Ростов с северо-запада. Одновременно группе угрожала опасность с обоих флангов. На западном фланге эта опасность была вызвана разгромом итальянцев, на месте которых теперь группа генерала Фреттер-Пико медленно с боями отходила из района Миллерово к Донцу. На восточном фланге эта опасность была вызвана тем, что несколько корпусов противника форсировали Дон сначала у Потемкинской, а затем у Цимлянской. Отразить эту опасность группа Голлидта могла только с помощью описанных уже выше действий 11 тд и отводом группы Мита за реку Кагальник фронтом на восток.

Как и 4-я танковая армия, группа Голлидта сумела справиться со своей задачей в тяжелых боях и в условиях все новых кризисов благодаря твердому и одновременно гибкому управлению войсками. Но и здесь командование группы армий было вынуждено в ряде случаев брать на себя ответственность за действия группы Голлидта, приказывая ей сосредоточивать свои танковые силы для коротких контрударов, хотя это было связано с большим риском (для тех участков фронта, угроза на которых в это время не была такой острой).

Если группе Голлидта после боев, шедших с переменным успехом, все же удалось остановить противника на Донце и помешать ему отрезать 4-ю танковую армию и группу «А» в районе южнее Дона, то это было достигнуто главным образом в результате храбрости, с которой пехотные дивизии и остальные оборонявшиеся войска отражали непрерывные атаки противника (велика, конечно, была и роль командования этой группы). Но эти оборонительные бои никогда не привели бы к успеху, если бы наши танковые дивизии не появлялись всегда своевременно на решающих участках. Так было, когда они ликвидировали угрозу охвата правого фланга группы и обеспечили возможность его отхода на реку Кагальник фронтом на восток и впоследствии отразили атаки противника на этом участке, угрожавшие прорывом. Так было, когда на обращенном к северу фронте группы танковые дивизии внезапно атаковали противника, изготовившегося к наступлению за Донцом, и тем самым предотвратили возможный кризис. Проведение таких контрударов в рамках оборонительных действий входило в компетенцию командования группы Голлидта, но ответственность за связанный с этим риск все же лежала обычно на нас. Командование группы армий должно было освобождать Голлидта от ответственности за осложнения, которые могли бы возникнуть вследствие того, что для подобных контрударов по нашему приказу сосредоточивались крупные силы танков, чем неизбежно создавалась угроза для остальных участков фронта.

ТРЕТЬЯ ФАЗА
Борьба за обеспечение тыла южного фланга германской армии

Оперативная обстановка в середине января 1943 года

К середине января 1943 года окончательно выяснилась оперативная обстановка на южном фланге Восточного фронта, которая начала складываться поздней осенью 1942 года, после того как германское командование заморозило фронт на такой линии, удержание которой на длительный срок было с оперативной точки зрения невозможно. То, что ясно можно было предвидеть уже в рождественские дни 1942 года, когда не была реализована последняя возможность прорыва 6-й армии, сейчас действительно наступило. Только отчаянные усилия германского командования и германских войск позволили избежать самого худшего.

6-я армия шла навстречу своей гибели. В лучшем случае она могла еще из последних сил сковывать большие силы противника и тем самым исполнить до конца высший долг верности перед своими товарищами, сражающимися в донских степях и на Кавказе. Было ясно, что после гибели 6-й армии ни при каких обстоятельствах не удастся удержать хотя бы часть кавказской территории. Но все же благодаря упорным маневренным боям 4-й танковой армии в районе южнее реки Дон оставалась еще надежда, что, потеряв Кавказ, мы не должны будем потерять также группу армий «А». Удалось отвести назад наиболее угрожаемый восточный фланг этой группы. Хотя 1-я танковая армия все еще находилась в 300 км от переправы через Дон в Ростове, ей все же не угрожала больше опасность с тыла, после того как она ушла из гор. Теперь она в случае необходимости сама могла обеспечить свой дальнейший отход.

В районе между Доном и Донцом до сих пор удавалось преградить противнику путь к Ростову и помешать ему отрезать с севера три армии, находившиеся южнее нижнего течения Дона.

Но было ясно, что ни оперативная группа Голлидта, ни ведущая бои у Миллерово группа Фреттер-Пико (30 ак, 3-я горнострелковая дивизия и 304 пд) не смогут помешать противнику форсировать Донец выше Каменска-Шахтинского, как только он накопит достаточные силы, чтобы проникнуть так далеко на запад. Но тогда перед ним открылся бы путь с северо-запада на Ростов или к берегу Азовского моря.

Как раз в эти дни был прорван участок фронта группы армий «Б» на Дону, который оборонялся венгерской армией. В этой катастрофе пострадал также соседний участок фронта группы армий дальше к северу. Группа армий «Б» намеревалась отвести свои силы за Айдар, то есть примерно на линию Старобельска. Тем самым она открывала для противника Донец ниже Ворошиловграда. Практически это крыло группы армий через несколько дней уже больше не существовало. От Ворошиловграда на север образовалась широкая брешь, здесь в некоторых пунктах оказывали отчаянное сопротивление разрозненные боевые группы немецких войск из состава группы «Б», тогда как венгры, подобно итальянцам, исчезли с поля боя.

ОКХ могло рассчитывать на то, что эту брешь удастся заделать с помощью направляемых сюда резервов.

Командование группы армий «Дон» хорошо понимало, что теперь наступил момент для переброски по рокадам больших сил из района южнее Дона на среднее течение Донца, так как это было единственным способом «предотвратить окружение» групп армий «Дон» и «А».

Однако германское Главное командование отнюдь не разделяло этого мнения. Либо оно не в состоянии было понять, как будут развиваться события, если не будут приняты решительные меры для сосредоточения (в ближайшее время) достаточных сил на решающем участке между Донцом и нижним Днепром, либо оно не желало осознать опасность положения.

Гитлер все еще не хотел окончательно отказываться от Кавказа. Он все еще думал, что удастся как-нибудь создать и удержать фронт южнее Дона, который позволил бы сохранить за собой хотя бы Майкопский нефтяной район. В крайнем же случае он намеревался удерживать большой плацдарм на Кубани, с которого он надеялся в свое время вновь начать наступление для захвата кавказской нефти.

Итак, в течение ближайших недель командование группы армий «Дон» вновь было вынуждено вести отчаянные бои на обоих берегах Дона в интересах планомерного отхода группы армии «А». Одновременно оно должно было вести упорную борьбу с германским Главным командованием, отстаивая свой план переброски по рокадам в Донецкий район. В этой борьбе дело шло не только о принятии самой идеи подобного перемещения сил, но и о том, сколько войск из состава группы «А» должно отойти через Ростов на решающее оперативное направление. По нашему мнению, оставлять большие силы группы армий «А» на кубанском плацдарме означало предаваться таким мечтаниям, которые никогда не смогут воплотиться в действительность.

БОИ В ТЕЧЕНИЕ ВТОРОЙ ПОЛОВИНЫ ЯНВАРЯ

14 января, когда 1-я танковая армия закончила отход на рубеж Черкесск — Петровское и заняла оборону фронтом на восток, в полосе группы Голлидта наметилось новое обострение обстановки.

На правом фланге группы армий «Б» на участке генерала Фреттер-Пико южнее Миллерово одному танковому корпусу противника удалось прорваться в направлении на Донец. ОКХ передало, правда, этой группе новую 302 пд. Но ее сил было совершенно недостаточно для того, чтобы восстановить положение на Донце.

Когда 16 января ОКХ передало группу Фреттер-Пико в наше подчинение (одновременно группе «Дон» был передан участок фронта до реки Айдар), еще не было даже уверенности в том, что ей вообще удастся отойти за Донец. К этому времени обозначилось намерение противника осуществить в полосе этой группы прорыв к Донцу выше и ниже Каменска-Шахтинского силами трех-четырех танковых или механизированных корпусов.

К счастью, за несколько дней до этого группа Голлидта добилась большого успеха: внезапным ударом двух танковых дивизий на своем левом фланге на реке Калитва она сорвала готовившееся здесь наступление противника.

Поэтому командование группы армий приказало проводить группе Голлидта свой отход на Донец таким образом, чтобы в возможно более короткий срок высвободилась одна танковая дивизия для ведения маневренной обороны на отрезке реки Донец между Форхштадтом (Белая Калитва) и Каменском. Для ведения боевых действий на новом для нас отрезке фронта по Донцу от Каменска до Ворошиловграда в нашем распоряжении не было никаких войск, кроме отошедших сюда остатков итальянской армии. Нельзя было не видеть, что Донецкий фронт группы армий «Дон» очень скоро может оказаться обойденным противником с запада.

Одновременно с этим, однако, наметилось намерение противника охватить группу Голлидта также и с востока. В треугольнике между реками Сал, Дон и Маныч разведка обнаружила 2 корпуса противника. Они вклинились в промежуток между правым флангом группы Голлидта у впадения Донца в Дон и левым флангом 4-й танковой армии, которая все еще вела бои с превосходящими силами противника на Маныче за Сальском, прикрывая северное крыло 1-й танковой армии. Можно было ожидать, что эта группировка противника попытается форсировать Дон, с тем чтобы продвигаться дальше на Ростов или ударить в тыл войскам группы Голлидта, занимающим оборону на Донце.

Поэтому командование группы армий потребовало, чтобы ему наконец было разрешено перебросить 4-ю танковую армию на свой западный фланг (при условии оставления одной дивизии перед Ростовом для прикрытия переправы 1-й танковой армии через Дон). Естественно, давая нам такое разрешение, ОКХ должно было одновременно отдать группе армий «А» приказ об отходе 1-й танковой армии на Ростов, а 17-й армии — на Кубань.

Но и в этот раз от Гитлера нельзя было добиться быстрого решения. Гитлер не принял также предложения командования группы армий «Дон» о сосредоточении танковых дивизий группы армий «А» в полосе 4-й танковой армии, с тем чтобы коротким контрударом разрядить обстановку в районе южнее Дона и, таким образом, обеспечить возможность отхода 1-й танковой армии, а также ускорить высвобождение 4-й танковой армии.

Только 18 января ОКХ наконец соглашается предоставить 4-й танковой армии свободу маневра, поскольку не требуется больше, чтобы она прикрывала северный фланг 1-й танковой армии на Маныче северо-восточнее Сальска. Вместо этого на группу «Дон» возлагается задача своими действиями обеспечить возможность использования железнодорожной линии Ростов — Тихорецкая для перевозок группы армий «А» до тех пор, пока по ней не пройдут 88 эшелонов с запасами для войск, оставляемых на кубанском плацдарме. Вопрос о том, будет ли 1-я танковая армия отведена на Ростов или на Кубань, все еще оставался открытым.

Решение о переброске сил в пределах южного крыла фронта с востока на запад все затягивалось, что, естественно, было только на руку противнику. Противник выигрывал время, в течение которого он мог использовать поражение итальянской и венгерской армий на фронте группы «Б» и сосредоточить крупные силы для наступления через среднее течение Донца по направлению к берегу Азовского моря и к переправам через Днепр. Этим силам противника германское командование в то время не могло ничего противопоставить. Одновременно противник получал возможность сосредоточить свои войска для непосредственного наступления на Ростов и для охвата западного фланга группы Голлидта со стороны Ворошиловграда.

20 января противник начал наступление силами четырех сосредоточенных для этой цели корпусов на фронте 4-й танковой армии южнее Дона через нижнее течение Маныча на Ростов. Его танки дошли до Ростовского аэродрома. Переброшенная командованием 4-й танковой армии сюда на северный фланг 16 мд, наносившая до этого с южного берега Маныча удары во фланг противнику, продвигавшемуся между Манычем и Доном, и тем самым заставлявшая его замедлить темпы продвижения, естественно, не могла одна остановить продвижение этих четырех корпусов противника.

Атакуя одновременно 57 тк этой же армии, отходивший с боями от рубежа к рубежу со среднего Маныча на Ростов, противник стремился сковать главные силы армии перед Ростовом до тех пор, пока он не завладеет у нее в тылу переправой через Дон в Ростове.

Далее, противник большими силами атаковал также группу Голлидта, преследуя, видимо, также цель сковать наши силы до тех пор, пока он не сможет их окружить, взяв Ростов и охватив их со стороны среднего Донца. Этими атаками, предпринимаемыми как против корпуса Мита в углу между Доном и Донцом, так и по обе стороны от Каменска, противник, вероятно, одновременно стремился не дать нам бросить против него на среднем Донце силы, которые мы могли бы здесь высвободить.

Вновь перед командованием группы армий встал вопрос, за ликвидацию какой из двух угроз следовало взяться в первую очередь. В полосе группы Голлидта две танковые дивизии (7 тд и 11 тд) стояли наготове для переброски на западный фланг, на среднее течение Донца. Как бы ни была велика опасность, угрожавшая нам в недалеком будущем, командование группы армий считало все же первоочередной задачей ликвидацию угрозы под Ростовом. Нужно было сделать все, чтобы обеспечить отход через Ростов не только 4-й танковой армии, но также по крайней мере и всей 1-й танковой армии. Иначе никак нельзя было рассчитывать на то, что на западном фланге когда-либо удастся сосредоточить достаточные силы, чтобы предотвратить окружение всего южного крыла Восточного фронта у морского побережья.

Поэтому командование группы армий приняло решение использовать сначала 7 тд и 11 тд для нанесения контрудара по противнику, наступающему через нижний Маныч на Ростов, чтобы не дать ему отрезать наши войска у Ростова. Однако ввиду недостатка горючего (все поезда со снабжением направлялись в эти дни через Ростов на кубанский плацдарм!) и из-за того, что нелетная погода не давала авиации возможности поддерживать эти действия, контрудар не дал положительных результатов в требуемые при данной обстановке сроки. А время не ждало. Так как сопротивление 6-й армии подходило к концу, мы должны были ожидать, что через 2—3 недели на нашу голову обрушится большинство сил противника, которые пока еще были скованы под Сталинградом. Еще 22 января я сообщил генералу Цейтцлеру, что ожидаю появления этих сил в районе Старобельска, то есть в широкой бреши между группами армий «Дон» и «Б».

В этот день Гитлер наконец принял решение отвести по крайней мере часть сил 1-й танковой армии не на кубанский плацдарм, а через Ростов, то есть перебросить их на то оперативное направление, которое в будущем должно было стать решающим. Хотя это было и половинчатое решение, его нужно было приветствовать как идущее все же навстречу оперативному замыслу командования группы армий «Дон». Оставалось только возможно скорее осуществить этот отвод, чтобы 4-я танковая армия могла быть как можно раньше переброшена на западный фланг группы армий. Для того чтобы 1-я танковая армия могла быть достаточно быстро отведена назад через Ростов, нужно было, чтобы и вся группа «А» в целом согласовала с ее отходом темпы своих передвижений. Но, видимо, группа «А» и сейчас еще не могла ускорить эти темпы в необходимой степени. Мне так и не удалось до конца выяснить причину этого. Во всяком случае, командование 1-й танковой армии утверждало позже, когда армия уже поступила в мое подчинение, что она с самого начала могла производить отход более быстрыми темпами. Но ее все время задерживали указания сверху. Как командование группы армий «А», так и ОКХ отрицали это. Во всяком случае, командование группы «А» намеревалось так организовать отход своего левого фланга, который 23 января находился еще у Белой Глины в 50 км восточнее Тихорецкой, что он подошел бы к Тихорецкой только 1 февраля!

23 января группе армий «Дон» опять досталось «наследство»! На этот раз нам был передан южный участок фронта группы «Б» между Донцом и Старобельском. Как обычно бывает, в этом наследстве было значительно больше пассивов, чем активов. Эти пассивы состояли в удлинении нашего фронта почти на 100 км, а также в противостоящих нам трех корпусах противника (в том числе один танковый и один (мех.) корпус), наступавших на этом участке. Единственный актив представляла собой находившаяся у Старобельска 19 тд, так как на итальянцев теперь уже рассчитывать не приходилось. Но уже 24 января дивизия вынуждена была оставить Старобельск. Особой заслугой этой храброй дивизии, действиями которой прекрасно руководил ее командир генерал-лейтенант Постель (ныне покойный), явилось то, что ей вообще удалось пробиться на запад. Но она не могла помешать превосходящим силам противника повернуть на юг через Донец.

24 января Гитлер принял решение, чтобы теперь уже вся 1-я танковая армия, если это окажется возможным, была отведена через Ростов. Ее южный фланг находился к этому времени еще у Армавира, а это означало, конечно, что 4-й танковой армии придется еще некоторое время задержаться южнее Дона, чтобы обеспечить ей возможность отхода через Ростов. Становилось все более сомнительным, удастся ли после этого все же своевременно перебросить 4-ю танковую армию на западный фланг группы.

Тем не менее два обстоятельства нас обрадовали.

Группа армий «А», которая по понятным соображениям очень неохотно соглашалась с тем, что одна из ее армий уходила за Дон, наконец все же поняла, что и ее судьба будет решаться на Донце, а не на Кубани. Кроме того, становилось все более сомнительным, удастся ли снабжать всем необходимым очень крупные силы на кубанском плацдарме через Керченский пролив. Теперь командование группы «А» также начало выступать за то, чтобы возможно больше сил было отведено через Ростов.

Второе обстоятельство состояло в том, что упомянутый выше контрудар двух танковых дивизий по наступавшему на нижнем Маныче противнику 25 января наконец дал желаемый успех. Этим на некоторое время была ликвидирована непосредственная угроза ростовской переправе.

Однако обстановка на южном фланге 4-й танковой армии вновь становилась критической. Противник стянул сюда новые силы, взятые, по-видимому, из преследующих группу «А» соединений. Он пытался вклиниться между 4-й танковой армией и северным флангом 1-й танковой армии, чтобы охватить 4-ю танковую армию с юга и оттеснить 1-ю танковую армию от Ростова. Командование группы армий «Дон» в категорической форме потребовало от командования группы «А», чтобы оно выделило одну дивизию для участия в этих боях и всячески ускорило отход 1-й танковой армии на Ростов.

27 января группе «Дон» наконец была подчинена по крайней мере половина 1-й танковой армии, расположенная к северу, так что мы теперь могли потребовать принятия необходимых мер в приказном порядке.

Одновременно командование группы армий приняло решение перебросить на средний Донец сначала штаб 1-й танковой армии, высвобождавшейся из района южнее Дона раньше, чем 4-я танковая армия, которая должна была пока еще прикрывать ростовскую переправу через Дон. За штабом армии должны были последовать пропускаемые через Ростов дивизии этой армии, а затем и высвобождавшиеся части 4-й танковой армии.

31 января наконец появилась надежда на то, что 1-й танковой армии удастся отойти через Ростов. Но оставался еще открытым вопрос, удастся ли ей своевременно оказаться на Донце, чтобы помешать прорыву противника через Донец к морскому побережью. К сожалению, на это направление, которое в будущем должно было стать решающим, нельзя было перебросить все соединения

1-й танковой армии. Ввиду того что Гитлер долго колебался и не мог решить, отводить ли армию на Ростов или на Кубань, 50 пд (одна из испытанных дивизий бывшей крымской армии) не смогла уже у Армавира присоединиться к отходившим на Ростов войскам и была передана в состав 17-й армии. В последний момент, после долгих колебаний, Гитлер решил также вновь вернуть на Кубань в состав группы «А» 13 тд, для которой мы до последнего времени держали открытым проход к Ростову. Таким образом, эти две дивизии не могли быть использованы в боях на решающем участке. В то же время около 400 000 человек на кубанском плацдарме были в большей или меньшей степени отстранены от активных боевых действий. Они, правда, сковывали крупные силы противника. Противник безуспешно пытался ликвидировать этот плацдарм. Однако до оперативного использования этого плацдарма, на что надеялся Гитлер, дело не дошло. Противник все же мог решать по своему усмотрению, сколько войск держать перед этим плацдармом. Гитлер обосновывал необходимость оставления на этом плацдарме таких крупных сил тем, что нельзя было отдавать противнику военно-морской порт Новороссийск. Но и этот довод был несостоятелен, так как Новороссийск все равно пришлось оставить.

29 января штаб группы армий из Таганрога, куда он отошел 12 января, переместился в Сталино, так как теперь решающее направление группы было уже не на Дону, а на Донце.

Пока еще южнее Дона и в большой излучине Дона шли боевые действия, имевшие целью прикрытие отхода группы «А» с Кавказа и решавшие в конечном итоге вопрос о судьбе всего южного крыла германской армии, на первый план выступила уже новая проблема. Она заключалась в том, удастся ли этому южному крылу удержать Донбасс.

Уже в 1941 году Донбасс играл существенную роль в оперативных замыслах Гитлера. Он считал, что от овладения этой территорией, расположенной между Азовским морем, низовьями Дона и нижним и средним течением Донца и простирающейся на западе примерно до линии Мариуполь (Жданов) — Красноармейское — Изюм, будет зависеть исход войны. С одной стороны, Гитлер утверждал, что без запасов угля этого района мы не сможем выдержать войны в экономическом отношении. С другой стороны, по его мнению, потеря этого угля Советами явилась бы решающим ударом по их стратегии. Донецкий уголь, как считал Гитлер, был единственным коксующимся углем (по крайней мере в Европейской части России). Потеря этого угля рано или поздно парализовала бы производство танков и боеприпасов в Советском Союзе. Я не хочу вдаваться в рассмотрение вопроса о том, в какой степени это мнение Гитлера было обоснованным. Но бесспорно то, что Советы и без донецкого угля выпускали в 1942—1943 годах тысячи танков и миллионы снарядов.

Вопрос состоял, однако, в том, хватит ли у нас сил, чтобы удержать Донбасс. Не было сомнения в том, что с военно-экономической точки зрения удержать Донбасс было желательно. Надо, однако, сказать, что, хотя мы и использовали значительное количество донецкого угля для себя, весь уголь, необходимый для обслуживающих этот район железных дорог, должен был ввозиться из Германии, так как донецкий уголь для наших паровозов не годился. Таким образом, пропускная способность железных дорог по воинским перевозкам значительно снижалась, так как железная дорога должна была ежедневно перевозить несколько эшелонов угля для собственного потребления.

Как бы то ни было, Гитлер стоял на той точке зрения, что он ни в коем случае не может обойтись без Донбасса в военно-экономическом отношении (спустя год он то же самое говорил о никопольском марганце).

Однако возможность удержания Донбасса стала сомнительной с того момента, когда был разгромлен фронт венгерской армии южнее Воронежа и противнику, таким образом, открылся путь к Донцу и дальше к переправам через Днепр и к побережью Азовского моря.

Впервые вопрос об удержании Донбасса был затронут 19 января в разговоре по телефону, состоявшемся между мною и генералом Цейтцлером. Он хотел заслушать мое мнение по этому вопросу, который он накануне пытался поставить перед Гитлером, хотя и без всякого успеха. В этот день создалась угроза образования во фронте разрыва от Ворошиловграда до Воронежа. Я сказал ему, что на этот вопрос ответить нетрудно, как бы велико ни было экономическое значение этого района. Для того чтобы удержать этот район целиком, необходимо в кратчайший срок и как можно дальше на востоке, по возможности еще впереди Харькова, сосредоточить крупные силы. Если же это окажется невыполнимым из-за того, что нельзя снять войска с фронтов группы «Север» и группы «Центр», или из-за того, что в тылу еще не закончено формирование новых частей, или из-за того, что ОКВ не предоставит сил с других театров, или же, наконец, из-за того, что железная дорога не сможет обеспечить такого сосредоточения в короткий срок, то ничего не останется, как сделать из всего этого необходимые выводы. Южное крыло германской армии не сможет закрыть эту брешь своими силами, оставаясь в то же время на нижнем Дону. Южное крыло не сможет также продолжать свои боевые действия здесь в полной изоляции, если ожидаемые новые силы вступят в бой только по истечении длительного срока и далеко позади, то есть вне всякой оперативной связи с действиями южного крыла. Бои южного крыла и сосредоточение новых сил должны быть согласованы территориально с таким расчетом, чтобы между ними была создана оперативная связь. Либо необходимо сосредоточить новые силы в короткий срок и относительно далеко на востоке, тогда группа «Дон» сможет оставаться на нижнем Дону и Донце; либо это не окажется возможным, и тогда группа «Дон» должна быть отведена назад настолько, насколько потребуется для развертывания этих новых сил. В противном случае противнику представится возможность отсечь все южное крыло германской армии раньше, чем успели бы вступить в дело подкрепления, которые должны были бы прибыть. Во всяком случае, не подлежало сомнению, что сил сосредоточиваемого к середине февраля у Харькова танкового корпуса СС не хватит для того, чтобы закрыть брешь во фронте от Ворошиловграда до Воронежа. Его нельзя было также использовать своевременно для того, чтобы он контрударом севернее Донца ликвидировал бы угрозу на фланге южного крыла, если бы последнее оставалось на Дону и Донце.

Последующие дни подтвердили опасения, которые командование группы армий имело относительно развития обстановки в глубине ее фланга.

Уже 20 января обозначилось намерение двух корпусов противника обойти левый фланг группы армий — соединение генерала Фреттер-Пико, стоявшее под Каменском, — в направлении на Ворошиловград. Противник прощупывал также оборону остатков итальянской армии, проходившую за Доном восточнее Ворошиловграда. В целом же основные силы противника, видимо, стремились продвинуться на запад в направлении Старобельска; очевидно, противник хотел прежде всего выйти на оперативный простор. Можно было ожидать, что в случае успеха этого маневра противник не ограничится только охватом группы Фреттер-Пико, но продвинется еще дальше на запад крупными силами и будет наступать через Донец в направлении на переправы через Днепр или на побережье Азовского моря.

24 января уже поступило донесение о появлении кавалерии противника на южном берегу Донца в районе Ворошиловграда, хотя, может быть, это только показалось со страху какой-нибудь местной комендатуре.

31 января я направил телеграмму ОКХ, в которой я еще раз изложил свою точку зрения по вопросу о возможности удержания Донбасса.

Основной предпосылкой этого я считал своевременный удар со стороны Харькова и нанесение противнику поражения северо-восточнее Харькова еще до начала распутицы. Если это, как, к сожалению, следовало ожидать, окажется невозможным, то Донецкий бассейн, или, во всяком случае, всю его восточную часть, удержать не удастся. Поэтому будет оперативной ошибкой пытаться удержаться на Донце и нижнем Дону. Кроме того, нужно принять во внимание, что наших наличных сил и так не хватит на то, чтобы удержать весь Донбасс, если противник подтянет сюда новые крупные силы из-под Сталинграда или с Кавказа, а он это сделает непременно. Нельзя было только полагаться на то, что силы противника будут истощены (хотя в боях с немецкими войсками он действительно нес большие потери) или что затруднения со снабжением сразу же сорвут его операции. Этими аргументами Гитлер обычно возражал генералу Цейтцлеру, когда тот указывал ему на подавляющее численное превосходство противника, основываясь на имеющихся у нас в основном правильных разведывательных данных. Эти аргументы были тоже в известной мере обоснованы, но нужно было иметь в виду, что бои противника с союзными войсками стоили ему очень малых потерь и что в организации снабжения войск он имел гораздо больше свободы, чем мы (так как мы находились на территории противника). Уже в ближайшие дни наши прогнозы о действиях противника подтвердились. Его намерение потеснить и одновременно обойти наш северный фронт на Донце стало явным.

2 февраля противник форсировал Донец восточнее Ворошиловграда; стоявшие там итальянцы не оказали серьезного сопротивления. Противник сосредоточил в этом районе ударную группу в составе трех танковых, одного механизированного и одного стрелкового корпуса, по-видимому, из числа войск, разгромивших в свое время итальянский фронт на Дону. Можно было предполагать, что целью этой ударной группы был захват Ростова или Таганрога.

Выбив 19 тд из Старобельска, противник направил еще одну крупную группировку в составе трех-четырех танковых корпусов и одного стрелкового корпуса на юго-запад на рубеж Славянск — Лисичанск. Очевидно, он планировал охват нашего фланга, нанося удар далеко на запад, на участке около Ворошиловграда или восточнее его, не принимая во внимание участки, занятые разбитыми частями итальянцев.

Дни с конца января, если не считать мероприятий, которые предпринимала группа армий в своей полосе и которые имели целью быструю переброску 1-й танковой армии на средний Донец, были заполнены спором между группой армий и ОКХ о дальнейшем ведении операций в целом.

Как я уже упоминал, еще 19 января я докладывал генералу Цейтцлеру, что весь Донбасс можно удержать только путем эффективного, быстрого наступления крупных сил из Харькова. Но так как нельзя было ждать согласия на этот план, то я просил уменьшить глубину эшелонирования нашего восточного фланга, по крайней мере для высвобождения необходимых сил, чтобы, действуя совместно с предполагаемым подкреплением, предотвратить отсечение южного фланга. Мы двинули 1-ю танковую армию на средний Донец, чтобы не допустить уже угрожающего группе Голлидта охвата.

Теперь нужно было сделать так, чтобы вывести из «балкона» и 4-ю танковую армию, располагавшуюся на нижнем Дону и Донце. Только так можно было своевременно предотвратить опасность, которая грозила в будущем тем, что противник, наступающий на рубеж Изюм — Славянск, будет пытаться отрезать нас от переправ через Днепр. Надо было постоянно считаться и с тем, что противник подбросит новые силы кроме тех, которые были уже у Славянска, в направлении вверх по Донцу через реку и далее к нижнему Днепру. Кроме одной дивизии танкового корпуса СС, которая прибыла в это время в район Харькова, на участке группы армий «Б» противнику противостояли только остатки частей. Они не могли помешать противнику повернуть и двигаться далее в наш глубокий фланг. 4-ю танковую армию можно было высвободить только путем значительного сокращения линии фронта группы армий. Вместо того чтобы и далее удерживать большую дугу, которую образовывали нижний Дон и Донец от Ростова до района западнее Ворошиловграда, надо было переместить правый фланг группы на хорду этой дуги. Это была позиция, которую южный фланг немцев удерживал в 1941 году после первого отступления из Ростова, — позиция от рубежа Миуса далее на север до среднего Донца. Сокращение фронта до этой линии позиций, которые хотя и были с тех пор разрушены, но все же давали нам известную опору, означало, конечно, оставление восточной части Донецкого угольного района.

Чтобы оправдать этот отход, я пытался подкрепить мои рассуждения при докладе Главному командованию ссылкой на руководство военными операциями, имея в виду дальнейшие перспективы. В одной телеграмме, направленной мною лично Гитлеру, я писал следующее:

«Удержание дуги Дон — Донец в дальнейшем войсками, имеющимися в распоряжении группы армий, невозможно, даже если мы будем придерживаться только оборонительных действий. В случае если немецкое Главное командование в связи с потерей 6-й армии с ее 20 дивизиями в 1943 году будет вынуждено ограничиваться обороной, попытка обороны всего Донбасса любой ценой приведет к сковыванию всех имеющихся частей для обороны этого выступающего фронта. Но в результате этого противник получит свободу действий и сможет наступать на любом участке всего Восточного фронта значительно превосходящими нас силами. Если теперь группе армий "Дон" угрожало окружение на Азовском море (с неизбежной потерей группы армий "А" на Кубани), то позже — даже если этого можно было избежать и удержать весь Донбасс — противник поставил бы себе цель провести окружение всего южного крыла Восточного фронта у Черного моря.

Если, однако, Главное командование намеревается в 1943 году еще раз искать успеха в наступлении, то это возможно опять-таки только на южном крыле Восточного фронта. Но это невозможно сделать из района дуги Дон — Донец ввиду известных трудностей подвоза, а также угрозы флангам, которой заранее подвергалось любое наступление из этого выступающего "балкона". Успеха наступления — если об этом вообще можно было думать — можно было достичь в том случае, если бы удалось увести за собой противника на южном фланге на запад за нижнее течение Днепра. Тогда можно было наступать из района Харькова крупными силами, которые могли бы разбить русских на стыке между их фронтами, чтобы затем повернуть на юг и окружить противника у Азовского моря».

Гитлер, однако, не был, казалось, склонен согласиться с этими мыслями. Как сообщил мне начальник Генерального штаба, он сам сказал Гитлеру, что дело идет о том, отдавать ли Донбасс или терять его вместе с группой армий «Дон». На это Гитлер ответил, что он, видимо, с оперативной точки зрения прав. По военно-экономическим соображениям, однако, оставление Донбасса невозможно. Это важно не столько с точки зрения потери угля для нас, сколько потому, что противник в этом случае вновь получит необходимый для производства стали важнейший угольный бассейн. В качестве выхода из положения Гитлер предусматривал осуществить прорыв силами первой из трех дивизий танкового корпуса СС, дивизии «Рейх», прибывшей как раз в район Харькова, в направлении из Харькова в тыл вражеским войскам, наступающим на наш Донецкий фронт.

Не говоря уже о том, что сил этой дивизии было совершенно недостаточно для такой большой операции (она должна была в качестве ближайшей задачи разгромить 6 вражеских дивизий) и что она не была в состоянии прикрыть все более растягиваемый северный фланг, введение в бой этой одной дивизии заведомо означало бы распыление единственной ожидаемой в ближайшем будущем ударной силы — танкового корпуса СС. Впрочем, и этой дивизии в действительности не оказалось для намечавшейся наступательной операции. Вследствие быстрого продвижения Советов в направлении на Харьков командование группы армий «Б» вынуждено было бросить эту дивизию в бой. Она была связана в это время совершенно бесперспективными оборонительными боями северо-восточнее Харькова у Волчанска. В последующие дни (4—5 февраля) положение на фронте группы армий «Дон» заметно обострилось. Противник сильно теснил 4-ю танковую армию, прикрывавшую отход 1-й танковой армии через Ростов. Две армии бывшего Кавказского фронта противника, 44-я и 58-я, присоединились к тем трем армиям, которые действовали против 4-й танковой армии. «Опасность», которую создавало для противника оставление группы армий «А» вместе с 17-й армией на фланге русских на Кубани, не была достаточной для того, чтобы помешать противнику повернуть значительные силы в направлении на решающий участок. Командование группы должно было считаться с тем, что противник вскоре проведет наступление крупных сил на Ростов, а также на Донской фронт по обе стороны от Новочеркасска.

Далее, стало известно о движении большого моторизованного соединения из Сталинграда в направлении на Дон, на левом фланге группы обстановка значительно обострилась. Восточнее Ворошиловграда 6 тд, брошенной на средний Донец из группы Голлидта по приказу командования группы, не удалось вновь отбросить противника за Донец. Она смогла только сковать противника на его плацдарме.

Далее на запад противнику удалось на широком фронте перейти Донец, так как практически здесь не было сил для организации обороны. Противник располагался перед Славянском и овладел

Изюмом. Уже стало проблематичным, возможен ли вообще отвод группы Голлидта на рубеж Миуса. По плану командования группы, она должна была 5 января выйти на линию Новочеркасск — Каменск. На самом же деле вследствие отказа Гитлера одобрить отвод фронта на рубеж Миуса она стояла еще на линии Дон — Донец. Если бы противник быстро атаковал из Славянска на юго-восток, то он выбил бы нас с позиции на Миусе. Хотя в это время 1-я танковая армия с подчиненными ей по приказу командования группы частями передвигалась из Ростова на средний Донец, прошло еще несколько дней, пока эта армия смогла действительно вступить в бой. Произошло это потому, что в прибрежном районе размякшие дороги значительно затрудняли движение танковых дивизий, в то время как далее на север почва сильно замерзла и не ограничивала, следовательно, возможности передвижения русских.

Ввиду создавшегося угрожающего положения командование группы не только возобновило свое требование о немедленном отходе правого фланга на Миус, но и поставило перед ОКХ ряд других частных требований, которые должны были показать всю опасность сложившейся обстановки. Оно требовало ввода в бой 7-й зенитной дивизии, которая использовалась для противовоздушной обороны в тыловом районе и для охраны железной дороги, ведущей через Днепропетровск, а также для отражения атак наземных частей. Оно требовало немедленно начать подготовку для снабжения всей группы армий по воздуху на случай, если противник отрежет ее тыловые коммуникации. Оно требовало значительного повышения объема железнодорожных перевозок военных транспортов за счет снабжения группы армий «Б», где вряд ли еще имелись части, которые необходимо было снабжать.

Оно требовало, чтобы танковый корпус СС, как только он в результате ускорения темпов переброски будет сосредоточен у Харькова, был направлен для удара южнее Донца на Изюм, в случае если обещанное наступление дивизии «Рейх» к 6 февраля не даст успеха, который должен был помочь нам достигнуть Купянска.

Наконец, оно требовало немедленного перевода боевого состава 13 тд и двух пехотных дивизий 17-й армии на нижний Днепр, где они должны были получить новое оружие и обозы — из обозов и колонн 6-й армии. Если Гитлер уже отказался выслушивать далеко задуманные оперативные планы, то обстановка, связанная с этими требованиями, по крайней мере должна была показать ему всю серьезность положения.

Результатом этой телеграммы было то, что 6 февраля у нас приземлился «Кондор»[1] фюрера, который должен был доставить меня в его Ставку. Видимо, здесь помогло посещение в конце января его шеф-адъютанта, генерала Шмундта, которому мы очень серьезно изложили наше мнение о положении на фронте и о высшем военном руководстве, и Гитлер решил выслушать меня лично.

Беседа 6 февраля 1943 года между Гитлером и мною привела к тому, что стало возможным предотвратить угрожающую немецкому южному флангу катастрофу и дать Главному командованию шанс по меньшей мере для достижения ничейного исхода войны на Востоке. Гитлер начал нашу беседу, как я упоминал уже о том в главе «Сталинградская трагедия», с безоговорочного признания своей личной ответственности за трагедию 6-й армии, закончившуюся за несколько дней перед этим. У меня создалось тогда впечатление, что он не только тяжело переживал эту трагедию, поскольку она означала явный провал его руководства, но что его, как человека, кроме того, очень угнетала также судьба тех солдат, которые до конца храбро боролись и остались верными своему долгу, веря в него. Позже у меня, правда, возникло сильное сомнение, трогает ли Гитлера судьба солдат, которые безотчетно доверяли ему и верили в него, не рассматривал ли он всех их от фельдмаршала до простого солдата лишь как орудие своей военной политики. Но что бы то ни было, а факт полного признания им своей ответственности за Сталинград, с точки зрения солдата, производил впечатление. Преднамеренно или бессознательно, Гитлер тем самым психологически искусно начал беседу, что он вообще умел делать мастерски, подстраиваясь в тон собеседнику.

Что касается меня, то я предполагал обсудить с ним два вопроса. Первый вопрос затрагивал дальнейшее ведение операций на моем участке, что зависело от согласия Гитлера на оставление восточной части Донбасса, о котором я должен был по необходимости просить его. Было необходимо добиться этого согласия в тот же день.

Второй вопрос, который я хотел поставить, касался высшего военного командования, то есть руководства Гитлера в той форме, в какой оно осуществлялось после отстранения Браухича. Результат этого руководства — Сталинград — давал мне достаточный повод.

Чтобы сразу ответить на второй вопрос, я должен коротко сказать, что наша беседа осталась безрезультатной. Сознавая, что такому диктатору, как Гитлер, невозможно было отказаться от долж-

---
[1] Тип самолета. — *Примеч. ред.*

ности главнокомандующего, я попробовал подсказать ему вероятное решение, которое не затрагивало бы его престижа, но в будущем могло бы обеспечить безупречное военное руководство. Я просил его обеспечить единство руководства военными действиями назначением одного начальника Генерального штаба, которому он смог бы полностью доверять и одновременно предоставить соответствующие полномочия и права.

Гитлер, однако, явно не хотел обсуждать этот вопрос по существу. Он все время переходил на вопрос о личностях и жаловался на разочарование, которое он испытал в отношении бывшего военного министра Бломберга и фельдмаршала Браухича. Он категорически заявил, что он не может дать такие права начальнику Генерального штаба, которые практически поставили бы его над Герингом. Последний никогда не подчинился бы руководству, которое исходило бы от начальника Генерального штаба, даже если бы он и действовал от имени Гитлера. Мы не будем сейчас говорить о том, боялся ли действительно Гитлер таким решением пойти против Геринга или он просто прикрывался этим предлогом.

Но прежде всего он все время возвращался к создавшейся оперативной обстановке. Так как обстановка требовала от меня во что бы то ни стало добиться решения, а я до сих пор еще не получил согласия Гитлера на мой оперативный план, мне ничего не оставалось, как свести весь разговор к оперативным вопросам. Я должен был при всех обстоятельствах добиться безотлагательного решения по этому пункту.

Итак, я перехожу к первому вопросу относительно дальнейшего ведения операций в районе группы армий «Дон». Сначала я нарисовал Гитлеру фактическую обстановку в районе действий группы и сделал вытекающие из нее выводы. Я доложил ему, что наших сил недостаточно, чтобы удержать дугу Дон — Донец. Как бы велико ни было для нас, а также и для противника значение Донецкого бассейна, вопрос состоит только в том, потеряем ли мы при попытке удержать весь Донбасс и его и группу армий «Дон», а следовательно, и группу «А», или мы своевременным оставлением части этого района предотвратим угрожающую нам катастрофу.

Кроме очевидных вопросов создавшейся обстановки я пытался осветить Гитлеру перспективы неизбежного дальнейшего развития событий на случай, если мы останемся на «балконе» дуги Дон — Донец. Противник в этом случае получит возможность — в связи с почти полным выводом из строя группы «Б» — наступающими в этом районе крупными силами повернуть на нижний Днепр или на побережье моря, чтобы отрезать весь южный фланг. Я объяснил Гитлеру, что на южном фланге может фактически решиться судьба Восточного фронта. Можно было с уверенностью ожидать, что противник подбросит из своих сильных резервов (прежде всего из Сталинграда) новые силы, чтобы осуществить отсечение южного фланга. Следовательно, никак нельзя было рассчитывать, что танкового корпуса СС будет достаточно для того, чтобы предотвратить контрударом этот неизбежный глубокий обход. Противник имеет достаточно сил, чтобы провести этот маневр по охвату и одновременно прикрыть его из района Харькова в западном направлении. Всех сил, которые можно было ожидать в качестве немецких подкреплений, не хватило бы, чтобы предотвратить этот удар врага. Было необходимо, следовательно, направить за 1-й танковой армией, находившейся к этому времени на марше в направлении среднего Донца, сразу же 4-ю танковую армию, чтобы она смогла сорвать к этому времени еще не начавшийся, но неизбежно надвигающийся охватывающий маневр противника между Донцом и Днепром. Только тогда будет возможно восстановить во взаимодействии с подходящими подкреплениями положение на южном крыле Восточного фронта, то есть на всем фронте между побережьем Азовского моря и правым флангом группы армий «Центр». Без вывода 4-й танковой армии с нижнего Дона это было бы невозможно. Но отвод ее с этого участка означал бы необходимость отхода с дуги Дон — Донец на более короткую хорду на Миусе. Нельзя было терять ни одного дня. Больше того, уже сейчас это мероприятие стояло под вопросом, ибо неизвестно было, удастся ли группе Голлидта, которая должна была оборонять теперь весь фронт от побережья до среднего Донца, в результате допущенного промедления своевременно выйти на рубеж Миуса. Я должен был поэтому в этот день получить согласие на оставление восточной части Донбасса до Миуса.

После моего доклада, выслушанного Гитлером совершенно спокойно, разгорелся многочасовой спор по вопросу о Донецком бассейне. Во время второй части нашей беседы, когда я говорил с Гитлером один на один об общих вопросах руководства, он также все время возвращался к этой проблеме. Как я мог позже установить и в других подобных случаях, он избегал говорить по существу о выдвигаемых мною оперативных вопросах. Он не пытался выставить даже другой, лучший план или опровергнуть мои оперативные аргументы или выводы. Он не оспаривал того, что обстановка может сложиться именно так, как я это предвидел. Все вопросы, которые непосредственно не касались создавшегося острого военного положения, он рассматривал как гипотезы, которые, может быть, осуществятся, а может быть, и нет. На самом же деле все оперативные соображения в конце концов основываются, особенно в том случае, когда стратегическая инициатива находится не в наших руках, а в руках противника, на предположениях и гипотезах о том, каковы будут, по всей видимости, действия противника. Заранее нельзя доказать, что события будут развиваться так или по-иному. Но только тот военачальник может рассчитывать на успех, который способен предвидеть. Он должен стараться по крайней мере проникнуть за завесу, которая скрывает будущие действия противника, и правильно оценивать возможности, открывающиеся для собственных действий и действий противника. Чем больше масштаб руководства, тем дальше, естественно, надо смотреть вперед. Чем больше занимаемый район, чем крупнее соединения, которые надо передвигать, тем больше требуется времени для выполнения принятого решения. У Гитлера не было способности предвидеть далеко, по крайней мере в оперативной области. Может быть, он не хотел признавать результаты, если они не соответствовали его желаниям, но так как он не мог их опровергнуть, то по возможности их обходил.

Так и в этом случае. Он брал аргументы преимущественно из других областей. Сначала он высказал свое, конечно, отрицательное отношение к тому, чтобы добровольно отдавать области, завоеванные нами ценой больших жертв, поскольку, как он полагал, не было еще доказательств того, что нельзя обойтись без этого добровольного отказа. Всякому солдату этот аргумент понятен. Мне как раз по моему характеру было особенно трудно доказывать Гитлеру тогда и неоднократно позже необходимость оставления занятых нами ранее районов. Для меня было бы, конечно, приятнее предлагать многообещающие планы наступления вместо ставшего неизбежным отступления. Но старый опыт учит, что если в войне хотят сохранить все, то не сохранят ничего.

Другой аргумент Гитлера, который он все время мне повторял, сводился к тому, что сокращение фронта, которое я предлагал для высвобождения сил, в такой же степени высвободит и силы противника, которые он затем бросит на чашу весов на решающем участке. И это был, безусловно, правильный аргумент. Но в этом случае дело решает то обстоятельство, кто из обоих противников при таких перемещениях сил первым использует этот фактор, кто, следовательно, путем своевременных действий воспользуется возможностью взять инициативу на решающем участке в свои руки и будет затем в результате этого диктовать опоздавшему противнику свою волю, даже если противник в целом и сильнее его. К тому же в случае попытки удержать дугу Дон — Донец слишком растянутая ширина фронта ликвидировала бы то преимущество, которое имеет оборона, требующая меньше сил сравнительно с наступлением. Наступающий получает в таком случае возможность прорвать растянутый фронт в любом месте сравнительно небольшими силами и без больших потерь. Так как у обороняющихся нет резервов, то противник может полностью разбить их.

Далее, Гитлер все время подчеркивал, что если упорно драться за каждый клочок земли и заставить противника продвигаться ценой тяжелых потерь, то когда-нибудь наступательная сила даже Советской Армии иссякнет. Противник уже два с половиной месяца беспрерывно наступал. У него очень большие потери, его наступательный порыв скоро будет исчерпан. Да и трудности снабжения при увеличивающихся расстояниях от исходных пунктов, видимо, остановят намечаемый им глубокий обходный маневр. Несомненно, во всем этом было много правды. Бесспорно, противник, по крайней мере при своем наступлении на удерживаемые немецкими войсками участки, понес большие потери, которые сильно уменьшили его ударную силу. Тем легче достались ему победы на тех участках фронта, где немецкие войска не оказывали ему упорного сопротивления. Верно также, что боеспособность советских войск, прежде всего пехоты, значительно уменьшилась вследствие понесенных потерь. С другой стороны, ввиду многократного превосходства противника мы вообще не сможем удержаться. И если вражеские дивизии вследствие потерь частично утрачивали свою боеспособность, то на их место вставали новые дивизии. Верно также и то, что по мере увеличения района операций Советской Армии у нее возникало больше трудностей с организацией снабжения. Все же расстояния от конечных железнодорожных пунктов противника до побережья Азовского моря или до нижнего Днепра не были такими большими, чтобы они смогли в век автомашин сорвать проведение столь опасной для нас операции по отсечению южного фланга германской армии.

Еще в Первой мировой войне действовало правило, по которому армия не может отрываться от своих конечных железнодорожных пунктов более чем на 150 км. То, что эти данные неприменимы для Второй мировой войны, достаточно доказали наши собственные операции на Западе и Востоке. К тому же русские были мастерами быстро восстанавливать дороги, что было сравнительно нетрудно делать при очень небольшом количестве искусственных сооружений на обширной равнине. Основывать свои действия, однако, на сомнительной надежде на то, что силы противника уже иссякают или что он не сможет уже больше продвигаться, было недопустимо. Нельзя в конце концов забывать и о том, что наши дивизии в длительных и напряженных боях сильно ослабли и были на грани истощения своих сил. Я должен здесь сказать, что Гитлер хорошо знал о состоянии и о потерях наших войск. Но он очень неохотно соглашался с тем, что вновь формируемые дивизии имеют мало боевого опыта и сначала должны нести большие потери. Однако он согласился с тем, что формирование авиаполевых дивизий было ошибкой, так же как и с тем, что их формирование было уступкой ради сохранения престижа Геринга.

В отношении оперативной обстановки Гитлер, собственно, выразил только мнение, что танковый корпус СС мог бы устранить серьезную опасность для фронта на среднем Донце ударом из района Харькова на юго-восток на Изюм. Предпосылкой для этого должно служить, однако, то, чтобы до прибытия 2-й дивизии этого корпуса, дивизии лейб-штандарт, дивизия «Рейх» могла бы покончить с противником у Волчанска (3-я дивизия могла прибыть только позже). Его надежда на ударную силу этого вновь сформированного танкового корпуса СС была, по-видимому, безгранична. В остальном его соображения показали, что он еще не понимает или не хочет понимать грозящих в будущем опасностей, а именно, опасностей, связанных с появлением на новом поле боя сталинградских соединений противника. Самой веской причиной, которую все время Гитлер подчеркивал, была, по его мнению, невозможность отдать Донбасс. Он опасался влияния политических последствий, связанных с потерей этого района, важного в военно-экономическом отношении, на позицию Турции. Но прежде всего он подчеркивал значение донецкого угля для собственной военной промышленности и значение отсутствия этого фактора для военной экономики противника. Овладение донецким углем дало бы возможность русским поддерживать на настоящем уровне производство танков, орудий и боеприпасов. Мое возражение о том, что Советы, несмотря на потерю Донбасса, до сих пор производили достаточно танков и боеприпасов, он пытался опровергнуть тем, что они до этого обладали запасами стали. Но если они не получат донецкий уголь, то им не удастся поддерживать прежнее производство, следовательно, они не смогут проводить большого наступления. Нельзя было спорить против того, что вследствие потери противником этого месторождения коксующихся углей, а также расположенных там сталелитейных и других заводов он испытывал трудности в военном производстве. Признаком этого, казалось мне, являлось то, что противник до сих пор не мог возместить потерь в артиллерии, понесенных им в 1941 году. Это нам позволило в свое время организовать оборону на кое-как сколоченном широком фронте на Чире. В ту зиму противнику хватало орудий, чтобы выставить на ограниченном участке фронта превосходящие силы артиллерии, как это было в трех следующих друг за другом прорывах на Донском фронте. Но ее явно было недостаточно, чтобы снабдить все дивизии моторизованной артиллерией. При обсуждении вопроса о военно-экономическом значении Донбасса Гитлер имел возможность показать свои действительно удивительные знания и память относительно цифр, производства, технических данных вооружения и т.д.

В дискуссии, в которой Гитлер стоял на той точке зрения, что оставление Донбасса — всего или его части — будет означать ощутительную потерю для нашей военной экономики и одновременно решающий выигрыш для русских, а я настаивал на оперативной необходимости выравнивания фронта до Миуса, у меня остался, наконец, только один козырь. Незадолго до моего вылета в Летцен (Гижицко) у меня в штабе был председатель президиума имперского объединения угля Пауль Плейгер. Я его спрашивал о действительном значении Донбасса для нашей военной промышленности и для промышленности противника. Он мне сказал, что владение угольным районом Шахты, то есть той частью Донбасса, которая лежала восточнее Миуса, не имеет решающего значения. Добываемый там уголь не годен ни для коксования, ни для наших паровозов. Этому возражению с точки зрения военной экономики Гитлер ничего уж не мог противопоставить!

Но если кто-нибудь подумает, что Гитлер был бит этим аргументом, тот недооценивает упорства этого человека. Он, наконец, сослался на погоду, чтобы по крайней мере добиться отсрочки эвакуации войск с дуги Дон — Донец. Действительно, в эти дни необычно рано для Южной России период холодов сменился оттепелью. Ледяная дорога через бухту Таганрога стала уже почти непригодной. Хотя Дон и Донец были еще покрыты льдом, но в любой момент было возможно, что лед в связи с продолжающейся оттепелью вскроется. Гитлер красноречиво описывал мне, что, может быть, через несколько дней широкая долина Дона станет непреодолимым препятствием, вследствие чего противник до начала лета не предпримет никакого наступления. С другой стороны, наша 4-я танковая армия по дороге на запад завязнет в грязи. Я должен поэтому, по крайней мере, ждать.

Но когда я остался при своем мнении и заявил, что я не могу ставить судьбу своей группы в зависимость от надежды на преждевременную оттепель, Гитлер наконец дал согласие на сокращение восточного участка группы до рубежа Миуса. Наша беседа, включая обсуждение и организационных вопросов, длилась с 17 до 21 часа, то есть 4 часа.

Насколько упорно он держался своего мнения, показывает небольшой штрих при нашем расставании. После того как он окончательно согласился с моим оперативным планом, когда я уже покидал комнату, он позвал меня обратно. Он сказал, что, конечно, не намерен что-нибудь менять в принятом уже решении. Но он очень настойчиво просил меня подумать, не смогу ли я все-таки немного подождать. Может быть, вскрытие льда на Дону позволит сохранить дугу Дон — Донец. Но мое решение было твердо. Я ему сказал, что издам приказ на следующий день после моего возвращения, если обстановка не заставит это сделать немедленно.

Я так подробно остановился на этой беседе с Гитлером не только потому, что она была решающей для исхода этой зимней кампании, но и потому, что она кажется мне типичной для позиции Гитлера и показывает, как было трудно добиться его согласия на то, что не соответствует его желаниям.

ДАЛЬНЕЙШЕЕ РАЗВИТИЕ
ОБСТАНОВКИ ДО КОНЦА ФЕВРАЛЯ

Ошибочно полагать, что с получением согласия Гитлера на оставление восточной части Донбасса и с уже возможной теперь переброской 4-й танковой армии на западный фланг был уже ликвидирован фактический кризис на южном фланге армии. Переброска 4-й танковой армии с восточного на западный фланг ввиду большого расстояния и состояния дорог должна была продлиться около двух недель. Было еще неясно, достигнет ли группа Голлидта позиций на Миусе, в связи с тем, что противник уже стоял на ее глубоком фланге у Ворошиловграда южнее Донца. Было также сомнительно, что 1-я танковая армия удержит или восстановит фронт на среднем Донце. Но прежде всего события развертывались угрожающе в районе группы армий «Б», то есть в районе Харькова, что открывало противнику широкие перспективы. Он мог прорваться не только на переправы через Днепр у Днепропетровска и Запорожья, чтобы отрезать здесь коммуникации группы армий «Дон», но и достичь Днепра выше по течению, форсировать его и отрезать его с запада. Стало необходимым наряду с переброской 4-й танковой армии на западный фланг группы образовать новую группировку на месте почти полностью вышедших из строя армий союзников, действовавших в составе группы «Б».

7 февраля днем я вновь прибыл в мой штаб в Сталино. На Дону ситуация обострилась вследствие взятия русскими Батайска, пригорода Ростова, расположенного на южном берегу. Сразу же после моего прибытия командование группы отдало приказ об отходе за Дон и начало переброску 4-й танковой армии и имевшихся в нашем распоряжении на данный момент дивизий на западный фланг. Группа Голлидта получила распоряжение отойти сначала на линию Новочеркасск — Каменск. 8 февраля вновь создался кризис у Ростова и Ворошиловграда, где противник прорвался с завоеванного им в свое время плацдарма. В полосе наступающей на среднем Донце 1-й танковой армии можно было также говорить о кризисе, поскольку она пока не добилась ожидаемого успеха в боях против противника, наступающего через Донец на Лисичанск, Славянск.

В районе действий группы «Б» у Харькова сформировалась новая армейская группа под командованием генерала Ланца, которой был подчинен прибывающий сюда танковый корпус СС. Мы узнали, что дивизия СС «Рейх», которая должна была отбросить противника у Волчанска, чтобы затем продвигаться на юго-восток в направлении на Изюм, не разбила противника. Более того, она сама отошла за Донец. Было ясно, что при таких условиях ничего не выйдет из намеченного Гитлером удара танкового корпуса СС, из состава которого имелась пока только дивизия «Рейх», с целью облегчить положение на нашем западном фланге.

9 февраля противник овладел севернее Харькова Белгородом и Курском. Он наступал из дуги Донца у Изюма на запад. Практически в бреши между Днепром и правым флангом группы «Центр», начинавшимся значительно севернее Курска, действовала только группа Ланца, наступление которой на Харьков было уже сомнительно, и западнее Курска — сильно потрепанная 2-я армия группы армий «Б».

Так как эта обстановка давала противнику возможность осуществить глубокий обходный маневр через Днепр выше Днепропетровска, то было ясно, что наша группа армий не сможет долго обеспечивать собственными силами, несмотря на переброску 4-й танковой армии на западный фланг, безопасность своих тыловых коммуникаций. Надо было предпринять какие-то кардинальные меры. В телеграмме на имя генерала Цейтцлера я требовал поэтому сосредоточения новой армии силой не менее 5—6 дивизий в течение двух недель в районе севернее Днепропетровска, а также сосредоточения еще одной армии за фронтом 2-й армии, то есть в районе западнее Курска для нанесения удара на юг. Для этого было необходимо коренное улучшение службы подвоза. Частичное прибытие отдельных дивизий медленными темпами, как это было до сих пор, не соответствовало требованиям обстановки.

Генерал Цейтцлер обещал мне теперь существенную помощь. Он надеялся снять наконец 6 дивизий с фронта групп «Центр» и «Север» и более быстрыми темпами, чем это было до сих пор, перебросить их к нам. Он обещал давать ежедневно около 37 воинских эшелонов, что означало, что через день прибывала бы одна из обещанных дивизий. Конечно, и эти силы ввиду большой ширины образовавшейся бреши могли явиться лишь временным выходом, который спас бы нас от серьезных опасностей в лучшем случае до наступления распутицы. Явится ли он своевременным, зависело от развития обстановки у Харькова, на что наша группа не имела никакого влияния. Во всяком случае, тень смертельной опасности продолжала висеть над южным флангом Восточного фронта, так как противник до или сразу после распутицы мог пробиться до побережья Азовского моря или еще глубже — до побережья Черного моря.

Если группа заботилась главным образом о своем глубоком фланге, то развитие событий на ее собственных фронтах не было успокоительным.

1-я танковая армия (командующий — генерал Макензен, начальник штаба — полковник Венк), имевшая задачу вновь отбросить за реку противника, прорвавшегося через средний Донец, вела бои с двумя превосходящими группировками. Одна сильная группировка перешла Донец у Ворошиловграда и пыталась прорваться между отходящей на Миус группой Голлидта и наступающей с юга на Донец 1-й танковой армией. Вторая группировка противника перешла Донец на рубеже Лисичанск — Славянск и стремилась направить главный удар на наш западный фланг в районе по обе стороны от Кривого Торца. Этим создавалась опасность двустороннего охвата 1-й танковой армии. Она должна была попытаться разбить вражеские группировки одну за другой. По мнению командования группы,

направление главного удара армии должно было приходиться на
ее западный фланг с тем, чтобы сначала разбить врага у Славянска
и потом повернуть против группировки у Ворошиловграда. Но,
однако, развитие обстановки заставило армию частью своих сил
сначала завязать бои со второй группировкой противника. Армия
поэтому не была достаточно сильной для того, чтобы быстро разбить
противника у Славянска, но и южнее Ворошиловграда не оказалось
сил, чтобы приостановить прорыв противника на юго-запад.

Как всегда, в этой и без того критической обстановке возникают
еще и частные неудачи. 1-я танковая армия, планируя боевые действия своих сил (40 тк) с целью уничтожения противника, наступающего из Славянска, установила на основании данных разведки,
что продвижение ее танковых соединений в районе западнее Кривой
Торец для проведения операции по охвату противника невозможно.
Местность, перерезанная глубокими оврагами, была покрыта таким
глубоким снегом, что использование наших танковых сил было
исключено. Поэтому 40 тк начал свое наступление вдоль долины
Кривой Торец и восточнее ее почти фронтально. Как бывает почти
всегда в суровую русскую зиму, нельзя оставлять части ночевать вне
населенных пунктов, и действия этого корпуса привели к тому, что
бои, по существу, разыгрывались в долине Кривой Торец только за
населенные пункты. Прежде всего речь шла об овладении крупным
промышленным городом Краматорская. В таком бою нельзя было
ожидать столь необходимого нам быстрого успеха против вражеской
группировки у Славянска. Действовавшая здесь 11 тд продвигалась
вперед медленно.

План группы — отрезать противника от Донца охватом с запада — оказался, таким образом, беспредметным, а противник со своей
стороны в ночь на 11 февраля прорвался крупными танковыми
силами через якобы непроходимую местность западнее Кривого
Торца до Гришино. Этот эпизод еще раз показал, что западные по-
нятия о непроходимости местности для русских имеют лишь очень
ограниченное значение. Широкие гусеницы их танков значительно
облегчали преодоление препятствий, которыми являлись для наших танков грязь или глубокий снег. В районе Гришино противник
не только находился глубоко во фланге 1-й танковой армии, но он
также перерезал там одновременно главную коммуникацию группы, ведущую из Днепропетровска на Красноармейское. Оставалась
только дорога через Запорожье. Но ее пропускная способность была
ограничена, так как не был еще восстановлен большой мост через

Днепр у Запорожья, разрушенный противником в 1941 году. Там производилась поэтому перегрузка. Цистерны с горючим не могли подвозиться к фронту.

Снабжение фронта, особенно горючим, стояло, таким образом, под угрозой срыва, и возникла опасность охвата 1-й танковой армии с запада; противник пытался в это время также нанести ей удар с востока силами, прорвавшимися через Ворошиловград. Одному кавалерийскому корпусу противника удалось прорваться до важного железнодорожного узла Дебальцево, который лежал глубоко в тылу правого фланга 1-й танковой армии, а также за рубежом реки, овладеть которым предстояло группе Голлидта. Этот корпус был, однако, окружен у Дебальцево. Но его уничтожение было трудным делом и проходило медленно, так как он оказывал упорное сопротивление в населенных пунктах. 17 тд, в которой так нуждался западный фланг армии, оказалась здесь сначала скованной.

Между тем противник сильно теснил на восточном участке фронта пополненными танковыми частями группу Голлидта, отходящую на Миус, так что оказалось невозможным пока взять у нее 2-ю танковую дивизию.

Все-таки — скажем здесь заранее — группе Голлидта удалось 17 февраля достичь Миуса и организовать там оборону.

На западном фланге введением в бой пришедшей с Дона дивизии «Викинг» удалось в это время приостановить вражеские танки у Гришино. Но дивизии не удалось быстро уничтожить противника. Не говоря уже о том, что дивизия была сильно ослаблена в предшествовавших тяжелых боях, в ней ощущался большой недостаток в командирах. Дивизия состояла из добровольцев СС прибалтийских и северных стран. Ее потери были настолько велики, что не хватало офицеров с соответствующими знаниями языка. Поэтому, понятно, что боеспособность этого хорошего соединения была невысокой.

4-я танковая армия находилась еще в это время на марше, а частично перебрасывалась транспортом с нижнего Дона на западный фланг. Большие трудности с дорогами сильно задерживали ее движение. Если даже не считать того факта, что противник у Гришино уже глубоко нависал над флангом 1-й танковой армии, и той возможности, что он мог подбросить к этим пока остановленным соединениям свежие силы, то опасность во второй бреши, образовавшейся между левым флангом 1-й танковой армии и районом Харькова, была все еще очень серьезной. Здесь противник имел полную свободу действий.

Эти кризисы в районе группы армий были в основном следствием того, что группа армий «Дон» была вынуждена слишком долго оставлять свои силы для прикрытия отхода группы «А» впереди Дона и Донца. Теперь же командование группы должно было со все большей озабоченностью смотреть на участок группы «Б». Так как группа «Б» после выхода из строя союзных армий состояла только из 2-й армии, сражавшейся западнее Курска, и из сильно потрепанной только что сформированной группы Ланца, стоявшей в районе Харькова, то для русских открывались здесь две возможности, одинаково опасные для группы армий «Дон».

Противник мог, выставив прикрытие у Харькова, повернуть наступающие, по нашим сведениям, от Изюма на запад силы на Павлоград и далее на переправы через Днепр у Днепропетровска и Запорожья и, таким образом, отрезать тылы группы «Дон» у Днепра. Он, далее, имел даже возможность, кроме того, попытаться разгромить находящуюся еще в стадии формирования группу Ланца. Если бы противнику удалось это сделать, то ему открылся бы путь через Днепр по обе стороны Кременчуга. Потом он мог бы отрезать как подходы к Крыму, так и переправу через Днепр у Херсона. В результате он окружил бы весь южный фланг немецкой армии. И если даже наступающая обычно в конце марта оттепель и отсрочила бы проведение указанных широких операций, то надо было предполагать, что противник возобновит выполнение этой оперативной цели сразу же после окончания периода распутицы.

По этим соображениям я послал 12 февраля ОКХ для доклада Гитлеру свою новую оценку обстановки. Исходя из упомянутых соображений, исходивших из имевшихся у нас перспектив, я выставил прежде всего два пункта.

Во-первых, соотношение сил. Я констатировал, что, хотя противник уже 3 месяца в ходе наступательных боев, очевидно, пытался добиться решающего успеха на Восточном фронте путем разгрома или отсечения немецкого южного фланга, распределение сил на Восточном фронте с германской стороны, как и ранее, никоим образом не удовлетворяло требованиям обстановки. Несмотря на то что за последние месяцы группа армий «Дон» получила пополнение в количестве нескольких дивизий, соотношение немецких сил и сил противника, как и на фронте группы «Б», остается 1: 8 (а частично даже еще менее благоприятно), в то время как соотношение на фронтах группы «Центр» и «Север» было 1: 4. Конечно, понятно, что ОКХ боялось путем снятия сил у обеих названных групп создать здесь новое обострение обстановки. Было, далее, справедливо, что на мои прежние донесения ОКХ отвечало, что почти все имеющееся пополнение личного состава и материальной части шло в группу «Дон» и что боеспособность частей групп «Центр» и «Север» меньше, чем частей группы «Дон». На это, однако, можно было возразить, что дивизии группы «Дон» уже несколько месяцев непрерывно ведут тяжелые бои, чего не было в обеих северных группах. К тому же наши дивизии сражались на открытой местности, в то время как те группы занимали оборудованные позиции.

Но решающим был тот факт, что противник искал успеха не на участке группы «Центр» или на северном фланге немецкого Восточного фронта, а на южном крыле, и поэтому нельзя было и впредь ущемлять наши интересы в отношении распределения сил.

Можно было безошибочно предполагать, что в случае если нам удастся избежать серьезной опасности отсечения от переправ через Днепр, противник все равно не оставит своей далеко идущей цели — уничтожения немецкого южного фланга путем окружения его у морского побережья. Поэтому мы должны были при всех обстоятельствах провести серьезное улучшение в распределении сил на южном фланге, независимо от того, придется ли в этом случае отказаться от других участков или театров военных действий или нет.

Наряду с этим принципиальным вопросом общего распределения сил, который я поставил на рассмотрение в докладе, содержавшем оценку обстановки, я высказал в нем ОКХ также мои соображения о дальнейшем ведении операций на южном фланге Восточного фронта. Об этом будет сказано в следующей главе «Цитадель».

В ночь на 12 февраля я перевел мой штаб группы, получившей теперь название группа армий «Юг», в Запорожье, чтобы держать в руках руководство операциями на решающем в ближайшее время участке.

В ночь на 13 февраля мой штаб получил указание от ОКХ, очевидно, решение по моему предложению от 9 февраля. Согласно этому указанию, в соответствии с моим предложением одна армия должна была развернуться на рубеже Полтава — Днепропетровск, другая — за южным флангом 2-й армии. Фактически же дело не дошло до получения этих двух армий. Армия, которая должна была развернуться за 2-й армией, вообще не прибыла. 2-я армия в общем получила подкрепления, но все это было сделано в счет полагавшегося нам пополнения. Армией, которая должна была развернуться на рубеже Полтава — Днепропетровск, была скованная и уже втя-

нутая в бой группа Ланца. Эта группа потом была подчинена группе
«Юг» одновременно с передачей участка группы «Б» до Белгорода
включительно. 2-я армия перешла в группу «Центр», штаб группы
«Б» был ликвидирован как звено Восточного фронта.

ЧЕТВЕРТАЯ ФАЗА
«Немецкий контрудар»

Таким образом, в середине февраля и в последней декаде февраля кризис на участке группы армий «Юг» достиг высшего напряжения. Одновременно вырисовывалась опасность окружения
всего южного крыла фронта в результате глубокого обхода его с соседнего северного участка. Но как раз в этом крайнем обострении
обстановки скрывалось уже начало поворота.

Сначала, однако, обстановка все еще ухудшалась.

Намечаемая реорганизация группы «Б» на решающем участке фронта как раз в этот момент означала, несомненно, опасность.
Хотя командование этой группы и имело кроме 2-й армии только
остатки разбитых частей, оно все же было существенным звеном
в цепи объединений, действовавших на Восточном фронте. Исключение его привело бы к разрыву фронта на стыке между группами
«Центр» и «Юг».

Практически группа «Юг» не могла еще принять доставшийся
ей участок в районе Харькова (группа Ланца), поскольку отсутствовала связь. Пока стала бы возможной передача командования,
Харьков был бы уже потерян. Только благодаря отличной работе полка связи группы и целеустремленному руководству связью
нашим начальником связи генералом Мюллером стала возможна
быстрая передача командования на участке в районе Харькова. Как
и всегда, в этом много помог мне мой друг, командующий войсками
связи, генерал Фельгибель.

Хотя ликвидация группы «Б» вначале затрудняла общее со-
гласованное руководство операциями на самом трудном участке
Восточного фронта, все же это принесло и свою пользу. В результате
подчинения группы Ланца группе «Юг» создалась возможность
организовать единое управление операциями в решающий момент
на решающем участке. Это как раз и помогло успешно закончить
зимнюю кампанию 1942/43 года.

Сначала район Харькова доставлял группе «Юг» только новые
заботы, хотя еще в течение нескольких дней группа «Б» (в дей-

ствительности же Гитлер) сама руководила операциями в этом районе.

Группа Ланца получила приказ от Гитлера — во что бы то ни стало удержать Харьков, потеря которого могла отразиться на престиже Германии, как своего рода новый Сталинград. Кроме того, группа Ланца силами танкового корпуса СС, который составлял ядро этой группы, но который все еще состоял из двух вместо трех дивизий, должна была прорваться на Лозовую, чтобы облегчить положение левого фланга группы «Юг».

Естественно, группа Ланца своими силами могла решить только одну из этих задач. Она могла или драться за Харьков, или наступать на левом фланге группы «Юг». Я поэтому предложил Гитлеру, чтобы группа Ланца в первую очередь отказалась от Харькова и попыталась разбить противника южнее Харькова. Тем самым была бы предотвращена опасность обхода группы через Днепр по обе стороны Кременчуга. Мы же надеялись справиться сами с противником, нацелившим свой удар на переправы через Днепр у Запорожья и Днепропетровска, введением в бой 4-й танковой армии. Если бы Ланц разбил противника южнее Харькова, то тогда он мог бы повернуть на Харьков и снова овладеть им. Но такое решение не соответствовало планам Гитлера, для которого Харьков, столица Украины[1], стал уже вопросом престижа. Он отдал поэтому 13 февраля еще раз строгий приказ группе Ланца при всех обстоятельствах удерживать Харьков.

Я запросил поэтому у ОКХ, сохраняет ли силу этот приказ и после того, как Ланц перешел в мое распоряжение, в том числе и на случай опасности окружения танкового корпуса СС в Харькове. Одновременно я просил ответить на мое письмо с оценкой общей обстановки, которое я отправил за день до этого в Летцен (Гижицко). Генерал Цейтцлер ответил мне, что Гитлер сказал по поводу моего письма, что я «смотрю слишком далеко», я же ответил ему, что я считаю правильным, если штаб группы планирует действия на 4—8 недель вперед, и сомневаюсь, правильно ли делает Главное командование, когда оно думает только на 3 дня вперед.

Что касается обстановки у Харькова, то обстоятельства оказались сильнее, чем желания Гитлера. Танковый корпус СС, который уже был в опасности окружения в Харькове, отступил 15 февраля —

---

[1] Одна из явных ошибок автора в отношении административного деления СССР. — *Примеч. ред.*

впрочем, вопреки приказу генерала Ланца — из города. О совершившемся факте нам сообщил штаб группы «Б», который в эти дни находился в процессе ликвидации. Если бы Харьков был оставлен по приказу какого-либо армейского генерала, то Гитлер, несомненно, предал бы его военному суду. Но так как это был танковый корпус СС, который, — действуя, впрочем, совершенно правильно, — избежал окружения, этого не произошло. Правда, командующий группой Ланц через несколько дней был заменен генералом танковых войск Кемпфом под тем предлогом, что генерал Ланц принадлежал к горнострелковым войскам, а Кемпф был танкистом.

В то время как в период передачи командования в районе Харькова от группы «Б» группе «Юг» положение там заметно обострилось, одновременно создалась острая опасность для группы, которая могла быть отрезанной от своих коммуникаций через Днепр.

16 февраля сообщили, что противник, как мы уже давно ожидали, начал крупными силами наступление из района западнее Изюма в направлении на Павлоград и Днепропетровск. Если бы противнику удалось здесь достичь железнодорожного узла Лозовая или Павлограда (или расположенной юго-западнее Павлограда станции Синзиниково[1]), то железнодорожная связь через Полтаву была бы перерезана. Одновременно снова ослабевали темпы подвоза обещанного нам ОКХ пополнения. Вместо обещанных 37 транспортов ежедневно 14 февраля прибыло только 6. Далее, командование группы «Центр» заявило, что у группы недостаточно сил, чтобы сделать что-нибудь существенное для взаимодействия с группой «Юг» на участке прорыва между обеими группами. Она, по-видимому, была бы рада, если бы ей удалось остановить 2-ю армию, отходящую в районе дуги, выступающей далеко на запад западнее Курска.

Положение стало настолько критическим, что Гитлер решил прибыть в мой штаб. Мои неоднократные донесения с оценкой обстановки заставили его, видимо, задуматься. Как бы я ни приветствовал возможность доложить ему лично мои соображения, а также то, что он лично мог убедиться в серьезности положения, все же, конечно, трудно было обеспечить безопасность его пребывания в таком крупном промышленном городе, как Запорожье (тем более что к городу приближался противник). К тому же он сообщил, что пробудет несколько дней. Он разместился в нашем служебном помещении вместе со своей свитой, в которую входил начальник

---

[1] Очевидно, Синёльниково. — *Примеч. ред.*

Генерального штаба и генерал Йодль (как всегда, Гитлер взял, конечно, с собой своего личного повара). Весь прилегающий район надо было герметически изолировать. Все же положение нельзя было считать безопасным, так как приезд Гитлера не был секретом и при въезде с аэродрома в город его узнавали и приветствовали солдаты, находившиеся в Запорожье, представители его партии и другие лица. Для охраны мы имели в Запорожье, кроме нашей караульной роты, только несколько зенитных подразделений. В ближайшее время вражеские танки должны были подойти настолько близко к городу, чтобы они могли обстреливать аэродром, расположенный восточнее Днепра.

17 февраля вечером Гитлер прибыл в мой штаб. Я доложил ему сначала обстановку. Группа Голлидта достигла в этот день рубежа Миуса, хотя противник и сильно теснил ее. 1-я танковая армия остановила противника у Гришино, но не смогла его еще разбить. Бой в районе Краматорская против вражеских частей, наступавших с рубежа Лисичанск — Славянск, еще не привел к успеху. Группа Ланца, как я уже говорил, оставила Харьков и отступила на юго-запад к реке Мож.

Затем я доложил Гитлеру свой план — высвободить танковый корпус СС у Харькова и оставить в этом районе только остальные соединения группы Ланца.

Танковый корпус СС должен был, по моему плану, наступать из района Красноградa на юго-восток в общем направлении на Павлоград и организовать взаимодействие с подходящей сюда 4-й танковой армией. Эти части должны были разбить противника, наступающего в широкой бреши между 1-й танковой армией и группой Ланца. Если бы это удалось, то тем самым была бы устранена опасность отсечения группы Голлидта и 1-й танковой армии и тогда мы могли бы нанести удар в районе Харькова.

Гитлер сначала отказался обсуждать планируемые мною операции в предложенном мною порядке. Он не хотел верить, что в районе между 1-й танковой армией и группой Ланца наступают действительно крупные силы противника. Он боялся, что войска, которые примут участие в планируемой мною в районе между Днепром и Донцом операции, завязнут в грязи. Так как уже приближалась весна, то такая возможность существовала. Но главной причиной отклонения Гитлером этого плана было его желание как можно быстрее во что бы то ни стало возвратить Харьков, что он надеялся сделать, когда будет полностью укомплектован танковый корпус СС. Фактически обстановка была такова, что удар в направлении на Харьков предполагал предварительное устранение опасности для переправ через Днепр. Без обеспеченных переправ через Днепр 1-я танковая армия и группа Голлидта были бы «нежизнеспособными». Кроме того, удар на Харьков требовал участия по меньшей мере части сил 4-й танковой армии. Наконец, было ясно, что в случае если распутица приостановит операцию, то это должно произойти раньше в районе между Донцом и Днепром, а не в районе Харькова и севернее его. Можно было надеяться, что после разгрома противника, наступающего между 1-й танковой армией и группой Ланца, можно будет нанести удар на Харьков. С другой стороны, было более чем сомнительно, удастся ли провести первую операцию только после второй. В этом случае даже после победы у Харькова связь правого фланга и центра группы по Днепру могла бы быть перерезана — положение, которое нельзя было выдержать в длительный период распутицы, продолжающейся несколько недель.

Упорство, с которым Гитлер всегда отстаивал свое мнение, естественно, вновь привело к бесконечной дискуссии. Я положил конец этой дискуссии, сказав, что танковый корпус СС должен быть в любом случае сначала сосредоточен на шоссе Харьков — Красноград. Это могло быть сделано самое раннее 19 февраля. Поэтому только тогда можно было окончательно решить — выступать на север или на юг. Эта оттяжка решения вопроса удалась мне благодаря выставленному мною аргументу, что до 19 февраля нельзя рассчитывать на 4-ю танковую армию. Я, очевидно, также правильно полагал, что ход событий, которые теперь сам Гитлер близко наблюдал, заставит его согласиться со мной.

18 февраля я вновь докладывал Гитлеру. Противник крупными силами наступал на рубеже Миуса. Во многих местах он прорвал еще не укрепленные позиции группы Голлидта. Нам также не удалось пока еще уничтожить окруженный за этим фронтом у Дебальцево кавалерийский корпус противника. Я доложил Гитлеру, что, несмотря на это, по-прежнему существует срочная необходимость отвести мотосоединения с этого фланга на западный фланг, хотя это в данный момент и невозможно. Механизированный корпус противника, находящийся у Гришино глубоко во фланге 1-й танковой армии, также еще не был уничтожен, и действовавшие там наши силы еще не освободились.

Мы уже получили, однако, неопровержимые данные о том, что в бреши между 1-й танковой армией и группой Ланца противник действительно наступал крупными силами на переправы через

Днепр. 267 сд противника была отмечена южнее Краснограда. Силами 35-й гвардейской дивизии, в составе которой действовал танковый батальон, противник занял Павлоград. Находившаяся там одна итальянская дивизия (остаток бывшей итальянской армии) быстро покинула город при приближении противника.

Группа Ланца сообщила, что выгруженные в Киеве моторизованные части танковой дивизии СС «Тотенкопф» застряли в грязи между Киевом и Полтавой. Удар на север с целью овладения Харьковом, который так настойчиво планировал Гитлер, стал теперь невозможным. Если танковый корпус СС без дивизии «Тотенкопф» не смог удержать Харькова, то без дивизии, срок боеготовности которой нельзя было предвидеть, он еще менее был в состоянии вновь овладеть им. Теперь можно было планировать только удар на юго-восток в целях уничтожения противника, наступающего в бреши между группой Ланца и 1-й танковой армией. Но так как и там надо было скоро ожидать распутицы, мы должны были спешить. В этих обстоятельствах Гитлер согласился с моим мнением направить из танкового корпуса СС мотопехотную дивизию «Рейх», которую легче всего было высвободить, на Павлоград. Дивизия лейб-штандарт должна была прикрывать операции 4-й армии против врага, наседавшего из Харькова в южном направлении. Надо было надеяться, что 4-я танковая армия, усиленная дивизией «Рейх», добьется успеха.

После того как было принято это решение, я доложил Гитлеру мое мнение об общей обстановке. Даже если нам удастся — что было не очень вероятно — избежать неблагоприятного для нас развития событий до наступления распутицы, мы должны подумать и о дальнейшем. Распутица и грязь не дадут нам передышки больше чем на несколько недель. Группа должна будет удерживать фронт шириной 700 км, на котором у нас имеются 32 дивизии, включая и части группы Ланца. Противник же, как это можно было с уверенностью предполагать, после распутицы вновь изберет главным направлением своих операций южное крыло Восточного фронта с целью окружения его у Черного моря.

Фронт в 700 км, обороняемый всего 30 дивизиями, может быть прорван превосходящими силами противника на любом участке. Но прежде всего мы не могли помешать противнику обойти нашу группу с севера и продолжать эту игру до тех пор, пока он ее не закончит у Азовского или Черного моря.

После окончания периода распутицы группа, следовательно, не может стоять на месте, чтобы ждать, где противник сделает прорыв или пока он не обойдет нас с севера. Это возможно лишь при условии, что ОКХ сможет наступательным ударом облегчить положение на нашем фронте, выступающем далеко на восток.

Своими доводами я намеревался побудить Гитлера с оперативной точки зрения заглянуть несколько вперед. Но было очевидно, что Гитлер не хочет взять на себя никаких обязательств. Он соглашался с тем, что силы группы слабы для организации обороны фронта в текущем году. С другой стороны, он не хотел признать приведенные мною цифры о соотношении сил. Он, собственно, не оспаривал, что против нас стоит 341 соединение противника, но заявлял, что их боеспособность невысока. На мое возражение о том, что и силы наших дивизий на исходе, он ответил тем, что в период распутицы они будут пополнены личным составом и новым оружием (что действительно и произошло). Но он не хотел признать, что противник призовет за это время на военную службу контингент 1926 года в количестве 1,5 млн человек. Он не хотел также признать и того, что в течение периода распутицы танковая промышленность противника за 2 месяца может заново оснастить 60 танковых бригад. Он подчеркивал, напротив, решающее значение Донбасса для танковой промышленности противника в случае, если он вновь попадет в его руки. Что касается руководства операциями в 1943 году на Восточном фронте, то он не может для большого наступления снять силы с других театров и не может создать новые формирования. Но будут возможны ограниченные удары с использованием нового оружия. Тем самым Гитлер вновь попал на свой конек — оружие и его производство, — и уже было невозможно добиться от него изложения оперативных планов на летнюю кампанию. Мы, по-видимому, жили в разных мирах.

19 февраля состоялась новая беседа, на которую был приглашен также фельдмаршал фон Клейст. Все-таки за время пребывания в моем штабе Гитлер более ясно понял опасность обстановки на южном фланге. Он заявил, что теперь группа «А» должна отдать все, что может, группе «Юг». Группу «А» надо рассматривать теперь как ближайший резервуар сил фронта группы «Юг». Тем самым он положил под спуд планы оперативного использования плацдарма на Кубани. К сожалению, время потом показало, что «ближайший резервуар» сил не давал их нам даже в той степени, которая была возможна при условии переброски их через Крым. Кубанский плацдарм должен был продолжать жить собственной жизнью. Старый опыт говорит, что нет ничего труднее, чем высвободить силы, которые были оставлены когда-то на ненужном участке.

В остальном этот день принес дальнейшее обострение обстановки, после того как противник, по-видимому, крупными силами овладел железнодорожной станцией Синзиноково. Тем самым он не только перерезал главную коммуникацию группы «Центр» и правого фланга нашей группы, но стоял уже в 60 км от нашего штаба, в котором находился фюрер Третьей империи. Ни одной части не было между нами и нашим врагом! Я поэтому очень успокоился, когда Гитлер вечером этого дня вылетел в свою Ставку. Можно было вполне ожидать, что на следующий день вражеские танки сделают невозможным использование аэродрома восточнее Днепра.

В качестве последнего вопроса я доложил Гитлеру, что почти все танковые дивизии нужны мне для намечаемых ударов на западном фланге группы, следовательно, их надо снять с рубежа Миуса. Если мы и удерживали до сих пор этот фронт, то только потому, что основная масса сил наступающего здесь противника должна была пройти узкий коридор у Ростова и поэтому не могла пока достичь его. Существовала возможность взятия противником Донбасса с востока. Мы могли предотвратить эту опасность только в случае, если бы мы могли ликвидировать угрозу отсечения нашей группы от ее тыловых коммуникаций. Это, кажется, понимал и Гитлер.

Во всяком случае, у меня осталось впечатление, что посещение им моего штаба помогло ему понять нависшую сейчас опасность окружения, которое угрожает в будущем всему южному крылу Восточного фронта. ОКВ или генералом Шмундтом была вскоре пущена в ход версия, что Гитлер якобы был у нас для того, чтобы «поднять боевой дух группы». Я не думал, что мы нуждались тогда в таком «поднятии духа». Если мы и не собирались — как этого требовал, однако, Гитлер — упрямо цепляться за каждую пядь земли, не обращая внимания на то, какие последствия будет иметь это «удержание любой ценой», то я полагал, что нелегко было бы найти другой такой штаб, как наш, который (вопреки всем кризисам) проявлял бы такую упорную волю к победе. В этом смысле у нас никогда не было никаких разногласий между мной и моими офицерами.

БИТВА МЕЖДУ ДОНЦОМ И ДНЕПРОМ

19 февраля группой армий был издан приказ о переходе 4-й танковой армии в контрнаступление на противника, наносившего удар через рубеж Перещепино — Павлоград — Гришино с целью отсечения группы от Днепра.

20 февраля стали совершенно ясны ближайшие оперативные планы противника, соответствующие тому, что мы предвидели.

На Восточном фронте противник наступал на рубеж Миуса, занимаемый оперативной группой Голлидта, наметив три направления главного удара, на которых он собирался осуществить прорыв.

Для отсечения наших коммуникаций через Днепр он ввел кроме частей, остановленных нами у Гришино и Краматорской, по-видимому, одну армию в составе трех стрелковых дивизий, двух танковых корпусов и кавалерии.

Одновременно он пытался прорвать слабый фронт группы Кемпфа (генерал Кемпф сменил генерала Ланца) юго-западнее и западнее Харькова. В дальнейшем он стремился охватить эту группу на ее северо-западном фланге и одновременно осуществить глубокий обход ее с севера.

Наша группа должна была выполнять две задачи. Она должна была пытаться удерживать восточный участок по Миусу. Нельзя было сказать, выполнима ли была эта задача для данного участка фронта при наличии таких небольших сил и ввиду отсутствия резервов, особенно танковых дивизий. Далее, 4-я танковая армия должна была быстро разгромить противника в бреши между 1-й танковой армией и группой Кемпфа и воспрепятствовать тем самым отсечению группы от переправ через Днепр. В противном случае, вследствие недостатка горючего, основная масса сил должна была скоро стать не способной к движению.

Если бы удалось разбить вражескую группировку между Донцом и Днепром, от которого она стремилась нас отрезать, то обстановка показала бы, смогли ли бы мы немедленно двинуться всеми подвижными силами на север, чтобы восстановить положение, создавшееся в группе Кемпфа. Может быть, было бы необходимо сначала еще ввести 4-ю танковую армию в районе действий 1-й танковой армии, если последняя не справилась бы к этому моменту своими силами с противником у Гришино и Краматорской.

Во всяком случае, мы должны были пока отказаться от действий на нашем северном фланге, то есть в районе действий группы Кемпфа. Эта группа могла пока выполнить лишь одну задачу — упорным сопротивлением преградить противнику путь к Днепру либо через Красноград или Днепропетровск, либо через Полтаву или Кременчуг. Если бы противник дерзнул пойти на Киев, о чем свидетельствовали некоторые признаки (и чего Гитлер боялся больше всего), то мы могли бы только пожелать ему счастливого пути. Время для успешного проведения такого глубокого обходного движения еще до наступления периода распутицы уже было упущено.

День 21 февраля принес первые признаки облегчения на главных участках фронта.

Восточный участок по Миусу держался. Остатки уже давно окруженного за линией фронта у Дебальцево кавалерийского корпуса противника вынуждены были наконец сдаться. Был окружен также вражеский танковый корпус, прорвавший позиции на Миусе у Матвеева кургана, и шли бои по его уничтожению.

На правом фланге 1-й танковой армии противник продолжал оказывать давление на группу Фреттера, явно с намерением взломать оборону на Миусе или уничтожить войска на северном участке 1-й танковой армии. Перед фронтом этой армии противник вел себя спокойно. Перехваченные радиограммы говорили о том, что группа противника, сражавшаяся перед западным участком 1-й танковой армии у Гришино и в районе Краматорская (группа Попова), испытывала трудности. Очевидно, плохо было дело с подвозом.

4-я танковая армия заняла Павлоград. Можно было надеяться, что ее последние подразделения прибудут еще до начала распутицы. Для нас уже не было большой опасностью то, что одна небольшая танковая группа противника подошла к Запорожью. Она остановилась в 20 км от города вследствие недостатка горючего, и нам удалось впоследствии расчленить ее на мелкие группы и уничтожить. К сожалению, подходившая к нам новая дивизия (332-я), направлявшаяся в Павлоград, была повернута ОКХ на правый фланг группы «Центр», на Сумы. Если положение во 2-й армии и не было особенно хорошим, то главное теперь состояло в том, что мы наконец находились на пути к овладению инициативой. В сравнении с этим было бы не так уже важно, если бы за это время противник несколько продвинулся в направлении на Киев и севернее его. Такие планы противника были ясны из того, что его крупные силы подходили из Белгорода на Ахтырку, явно с целью обойти с севера группу Кемпфа.

Ближайшие дни принесли ожидавшийся успех контрудару 4-й танковой армии, и инициатива в этой кампании наконец вновь перешла к нам. Сначала армия разбила силы противника, наступавшие на переправы через Днепр, то есть группировку в районе Павлограда и южнее его. То, с чем Гитлер не хотел согласиться, подтвердилось: здесь было два вражеских танковых корпуса, один стрелковый корпус и один кавалерийский корпус. Затем нам удалось во взаимодействии с 1-й танковой армией разбить четыре вражеских танковых и механизированных корпуса, стоявших перед ее западным фронтом.

К 1 марта стало ясно, что русские ввиду своего поражения в районе между Донцом и Днепром и перед северным фронтом 1-й танковой армии ослабили свое сопротивление и что наша армия вновь сможет овладеть рубежом по Донцу. Было заманчивым последовать за противником через еще скованный льдом Донец, чтобы потом зайти ему в тыл у Харькова и западнее его.

Сначала надо было, однако, разбить южный фланг харьковской группировки противника, крупные силы которой стояли юго-западнее Харькова, на Берестовой, чтобы освободить себе руки для наступления через средний Донец. Возможно ли это в связи с наступающим скоро периодом распутицы — было более чем сомнительно. Поэтому группа должна была сначала удовлетвориться тем, чтобы встретить харьковскую группировку противника западнее Донца и разбить ее там.

В южном прибрежном районе действий группы начало уже таять. Поэтому в конце февраля противник на рубеже Миуса стал вводить на участках прорыва вместо танковых и подвижных соединений стрелковые дивизии. Противник явно намеревался овладеть плацдармами западнее Миуса еще до наступления периода распутицы. После того как его наступление на широком фронте в этом районе провалилось, оно превратилось в серию безуспешных местных атак.

2 марта группа могла уже выявить результаты своего первого контрудара, проведенного ею силами 4-й танковой армии и левым флангом 1-й танковой армии по группировке противника, расположенной между Донцом и Днепром. В результате этого удара, а также в результате успешной обороны группы Голлидта на Миусе, вражеские армии Юго-Западного фронта были настолько сильно потрепаны, что они уже не были способны к наступлению. Особенно ослаб натиск частей противника, наступавших на левый фланг 1-й танковой армии и в стык между нею и группой Кемпфа: 6-я армия противника, группа Попова, действовавшая у Гришино, и 1-я гвардейская армия. Можно было полагать, что мы уничтожили 25 тк и три стрелковые дивизии, разгромили 3 тк и 4-й гвардейский тк, 10 тк, одну отдельную танковую бригаду, одну механизированную бригаду, одну стрелковую дивизию и одну лыжную бригаду. Значительные потери понесли 1-й гвардейский тк и 18 тк, 6 стрелковых дивизий и 2 лыжные бригады.

По донесениям наших войск, противник в этой битве между Донцом и Днепром потерял 23 000 убитыми. Мы захватили 615 танков, 354 орудия, 69 зенитных орудий и большое количество пулеметов и минометов. Пленных же было мало — 9000. Это объясняется тем, что наши войска, в основном танковые дивизии, не в состоянии были создать плотное кольцо вокруг противника. Холод заставлял — особенно ночью — располагаться в населенных пунктах и вокруг них, так что для солдат противника и его частей, бросивших свои машины, было достаточно пространства для выхода из окружения. Но нам не удалось перерезать Донец в тылу противника, так как река все еще была скована льдом и ее легко преодолевали солдаты с легким оружием.

Кроме указанных соединений противника нами были уничтожены окруженные за рубежом Миуса 4-й гвардейский механизированный корпус и 7-й гвардейский кавалерийский корпус.

БИТВА ЗА ХАРЬКОВ

После того как в результате этой победы между Донцом и Днепром инициатива вновь оказалась в наших руках, группа согласно приказу, отданному еще 28 февраля, начала наступление на Воронежский фронт противника, то есть на его войска, расположенные в районе Харькова. Мы намеревались нанести удар по южному флангу противника, чтобы потеснить его с юга, или — если это окажется возможным — позже ударить ему в тыл с востока. Наша цель была не овладение Харьковом, а разгром и по возможности уничтожение расположенных там частей противника.

Ближайшей целью, следовательно, был разгром южного фланга противника, расположенного на Берестовой юго-западнее Харькова, на котором действовала 3-я советская танковая армия. Эта цель была достигнута 4-й танковой армией к 5 марта. Из 3-й танковой армии противника были частично разгромлены 12 тк и 4 тк, один кавалерийский корпус и три стрелковые дивизии, часть их личного состава была взята в плен в небольшом котле у Краснограда. Пленных опять было сравнительно мало, убитыми же противник потерял примерно 12 000 человек; мы захватили 61 танк, 225 орудий и 600 машин.

Однако по метеорологическим условиям оказалась теперь невыполнимой наша цель — зайти в тыл противнику, теснившему группу Кемпфа в направлении на Ахтырку и Полтаву, и заставить его принять бой с перевернутым фронтом. Для этого 4-я танковая армия должна была перейти Донец ниже Харькова, чтобы потом, повернув на запад, зайти противнику в тыл с востока. Но в это время лед на Донце стал проваливаться. Скоро должен был начаться ледоход, что делало невозможным наводку понтонных мостов. Вряд ли был также возможен ввиду оттепели даже обход противника на небольшом участке путем переправы через Мож юго-западнее Харькова, чтобы взять с тыла город, через который шли тыловые коммуникации противника. Мы пытались поэтому атаковать противника во фланг и оттеснить его от Харькова.

В соответствии с этим планом 4-я танковая армия, включая танковый корпус СС, последняя дивизия которого, дивизия «Тотенкопф», уже полностью прибыла, 7 марта начала наступление из района Краснограда на север. Группа Кемпфа присоединилась к этому наступлению, как только силы противника на ее фронте стали ослабевать. Наступление 4-й танковой армии и танкового корпуса СС протекало в последующие дни хорошо. Нам удалось атаковать целый ряд вражеских соединений с фланга и разбить их.

Теперь и противник понял опасность, угрожающую его Воронежскому фронту. Радиоразведка установила, что противник перебрасывал, по-видимому, несколько танковых и механизированных корпусов из района Ворошиловграда в Изюм, для того чтобы, по-видимому, бросить их во фланг 4-й танковой армии, наступающей с севера на Харьков. Однако этим частям не удалось начать наступление в больших масштабах. Это произошло либо потому, что эти части в результате предшествовавших боев в районе Ворошиловграда или на рубеже Миуса уже не были в состоянии развернуть наступление, либо потому, что их наступлению помешало вскрытие Донца. Противник смог захватить и удержать только небольшой плацдарм северо-западнее Изюма на южном берегу Донца. Затем противник подбросил с востока 2-й гвардейский танковый корпус к Харькову и отвел с запада на Богодухов части, теснившие северный фланг группы Кемпфа и 2-й армии. Так как 2-я армия была слишком слаба, чтобы начать наступление, было сомнительно, удастся ли нам воспрепятствовать отходу на восток противника, наступавшего в направлении на Ахтырку и севернее ее и продвинувшегося далеко на запад. Во всяком случае, мы хотели оттеснить от Харькова противника, стоявшего южнее, против группы Кемпфа, или отрезать его от переправ через Донец восточнее Харькова. Если бы это нам удалось, то мы могли бы штурмом взять Харьков. Группа при всех обстоятельствах намерена была избежать повторения боев под Сталинградом, где атаки наших сил захлебнулись на подступах к городу.

Но было неизбежно, что слово «Харьков» магически притягивало солдат и среднее звено руководства армии. Танковый корпус СС хотел преподнести вновь завоеванную столицу Украины «своему фюреру» в качестве знака победы и кратчайшим путем пробивался к нему. Потребовалось резкое вмешательство командования группы, чтобы добиться отказа командования корпуса от намерения фронтально наступать на Харьков, иначе бы он застрял здесь и этим дал бы возможность частям противника, действовавшим западнее города, избежать окружения. Наконец, удалось направить танковый корпус СС в обход Харькова с востока. Город пал без больших боев, и нам удалось отрезать отступление через Донец крупных сил противника.

Обстановка в районе Харькова и южнее его заставила противника сначала, как уже упоминалось, ослабить, а затем отвести в направлении на Харьков — Белгород свои части, стоявшие перед группой Кемпфа, уже приблизившиеся к Полтаве и взявшие к северу от нее Ахтырку.

Группа Кемпфа преследовала противника по пятам.

10 марта Гитлер вновь посетил наш штаб. Я доложил ему, кроме обстановки, наши планы относительно ведения операций после окончания начинающегося теперь периода распутицы. Об этом я буду говорить в следующей главе.

14 марта танковый корпус СС овладел Харьковом. Одновременно на северном фланге группы Кемпфа быстро продвигалась на Белгород дивизия «Гроссдойчланд». Противник бросил против нее крупные силы танков, которые дивизия, однако, разбила у Гайворона, затем началось наступление на Белгород.

Взятием Харькова и Белгорода закончился второй контрудар нашей группы; усиливающаяся распутица исключала дальнейшее ведение операций. Собственно, у группы была еще одна цель: в качестве заключительной фазы операции совместно с группой армий «Центр» очистить от противника дугу в районе Курска, врезающуюся глубоко на запад в немецкий фронт, и создать здесь более короткий фронт. Но мы должны были отказаться от этого намерения, потому что группа «Центр» заявила, что она не может участвовать в этой операции. Так эта дуга и осталась неприятным выступом на нашем фронте, который открывал противнику определенные оперативные возможности и в то же время ограничивал наши возможности. Наша группа все же прочно удерживала весь фронт по

Донцу от Белгорода до пункта, где ответвляется Миус, и вдоль последнего. Это была та же линия, на которой стояли немецкие войска зимой 1941/42 года.

ЗАКЛЮЧИТЕЛЬНЫЙ ОБЗОР ОПЕРАЦИЙ

Если в заключение сделать краткий обзор хода боев и событий этой зимней кампании 1942/43 года в Южной России, то прежде всего необходимо отметить бесспорно большой успех советских войск. Советам удалось окружить целую армию, причем самую сильную, — 6-ю армию — и уничтожить ее. Кроме того, Советы смели с лица земли 4 союзные армии, боровшиеся на стороне немецких войск. Много храбрых солдат, имевшихся также и в этих армиях, было убито. Значительная часть попала в советский плен. Остатки этих армий распались и должны были быть — рано или поздно — сняты с фронта. Как боеспособная сила на фронте они уже были потеряны. Хотя большую часть дивизий 6-й армии вновь сформировали из остатков и пополнения, а группа Голлидта в марте 1943 года получила название 6-й армии, все же мы окончательно потеряли основную массу солдат, почти 20 дивизий и значительную часть артиллерии и инженерных частей РГК. Хотя фактическая боеспособность союзных армий была только ограниченной (выше всего она была у румынской армии), все же выход их из строя был значительной потерей для нас. В результате этого мы лишились возможности высвободить немецкие силы, по крайней мере на спокойных участках фронта. Несмотря на то что германская армия потеряла почти 5 армий, все же нельзя было сказать, что эти потери были решающими для исхода войны. К потерям войск надо еще присоединить овладение русскими всей захваченной нами в результате летнего наступления 1942 года огромной территорией с ее ресурсами. Нам не удался захват кавказской нефти, что являлось одной из главных целей нашего наступления. При этом надо заметить, что эта военно-экономическая цель, на которой особенно настаивал Геринг, была решающей для того обстоятельства, что немецкое летнее наступление проходило раздробленно. Погнавшись за этой территориальной целью, забыли, что всякому достижению и удержанию такой цели должен предшествовать разгром главных сил противника. Однако нам удалось удержать значительную часть Донбасса, представлявшую собой важный фактор для ведения войны.

Как бы ни был велик выигрыш советских войск, все же им не удалось достичь решающей победы на южном крыле Восточного фронта — уничтожения этого южного фланга, что мы, вероятно, ничем не могли бы компенсировать. В конце зимней кампании инициатива вновь была у нас. В этой зимней кампании мы нанесли Советам два поражения. Эти победы не имели, правда, решающего значения, но позволили нам стабилизировать фронт и открыли перед нами перспективу продолжать войну на Востоке с целью достижения ничейного результата. Мы уже не могли сомневаться в том, что надежды на решающее наступление летом 1943 года были погребены. К тому же мы имели очень большие потери в живой силе. Было ясно, что Главное командование должно было из этих событий сделать вывод о том, что необходимо всеми средствами стремиться достичь соглашения хотя бы с одним из противников. Равным образом оно должно было сознавать, что войну на Востоке теперь можно было вести только с целью истощения наступательной силы русских при одновременном сохранении своих сил, особенно избегая потери целых армий, как это было под Сталинградом. Оно должно было для этого решительно отказаться от всех второстепенных целей и поставить своей главной целью войну на Восточном театре военных действий, поскольку западные противники еще не были в состоянии высадиться во Франции или нанести решающий удар из района Средиземного моря.

Если после этих замечаний обратиться к зимней кампании 1942/43 года и ее результатам, то необходимо задать вопрос, почему советское командование достигло в этой зимней кампании больших успехов, но не решающего успеха — уничтожения всего южного крыла германской армии. Ведь у него в руках были самые сильные козыри, которые только, можно было себе представить, — подавляющее превосходство в количестве соединений и описанная выше выгодная оперативная обстановка в начале кампании.

Следует сказать, что советское командование действовало достаточно энергично. Для достижения своих целей оно бросало в бой части, не обращая внимания на возможные потери. Войска русских всегда храбро сражались и иногда приносили невероятные жертвы. Правда, качество русской пехоты значительно снизилось, армия не была еще полностью оснащена артиллерией после потерь 1941 года. Неоспоримо также, что советское командование многому научилось с начала войны, особенно в отношении организации и использования крупных танковых соединений. Большое количество танков оно имело и в 1941 году, но тогда оно не могло использовать их самостоятельно и в то же время в единых формированиях. Теперь же оно целесообразно организовало их в танковые и механизированные корпуса и одновременно приняло немецкую тактику глубокого прорыва. Правда, за исключением ноября 1942 года, нам почти всегда удавалось разбивать или уничтожать эти танковые и механизированные соединения, хотя иногда и глубоко в тылу. С другой стороны, после окружения 6-й армии они уже не могли быстро и крупными силами осуществлять прорыв на решающих участках, поэтому им не удалось достичь своей цели — отсечения южного крыла немецкой армии на Дону, на побережье Азовского моря или на нижнем Днепре. советское командование не могло, за исключением Сталинграда, где им помог Гитлер, осуществить окружения крупных сил, в то время как с 1941 года мы это делали не раз, захватывая многие сотни тысяч пленных. Оно не могло этого сделать, хотя имело подавляющее превосходство в численности войск, а выгодная оперативная обстановка и выход из строя союзных армий открыли противнику путь в тыл немецкого фронта. Мы же в 1941 году, говоря в целом, должны были вести на Восточном фронте фронтальное сражение.

К этим выводам можно прийти, рассматривая действия Главного командования Советской Армии. Нельзя было не заметить, что в условиях оперативной обстановки после окончания немецкого летнего наступления оно явно имело определенную стратегическую цель — окружить весь немецкий южный фланг. Наступление на фронтах наших союзных армий с этой точки зрения напрашивалось само собой. Для создания советского оперативного плана поздней осенью 1942 года, таким образом, не требовалось много гения.

Решение о первом ударе — окружение 6-й армии — было безусловно правильным. В случае удачи этого плана — а немецкое Главное командование делало все, чтобы он удался, — была бы устранена самая крупная ударная сила германской армии.

Было бы лучше вместе с этим первым ударом провести одновременно наступление на участках итальянской и венгерской армий, чтобы в результате широкой единой наступательной операции с самого начала попытаться отрезать немецкие части у Ростова или у Азовского моря. Очевидно, для этого не хватало наличной артиллерии. Поэтому советское командование планировало прорывы по очереди. Может быть, транспорт не позволял осуществлять одновременно переброску и снабжение всех наступающих сил.

Все же неожиданно быстрый и полный выход из строя на немецком фронте союзных армий сильно компенсировал Советам недостатки этого чередования во времени трех прорывов. И если, несмотря на это, советскому командованию не удалось достичь этой близкой цели — отсечения немецкого южного фланга на нижнем Дону, у Азовского моря или, в конце концов, у Днепра, то причиной этому было не то, что их наступление проходило на большом пространстве. Расстояния до важнейших пунктов, которые должны были пройти советские ударные группы, не были очень уж большими, если учитывать возможности ведения современной войны. Немецкие резервы, которые могли быть брошены в бой, не были достаточно сильны для того, чтобы остановить советское наступление, которому суждено было окончиться серьезным поражением русских, перед решающей целью.

Более того, надо сказать, что советское командование не смогло — за исключением Сталинграда — сосредоточивать на решающих участках крупные и одновременно достаточно подвижные силы.

В первой фазе зимней кампании оно, несомненно, сосредоточило превосходящие силы против 6-й армии, чтобы не выпустить эту добычу из рук. Но из-за этого оно упустило возможность перерезать коммуникации немецкого южного фланга на нижнем Дону. Силы, действовавшие на Чирском фронте, были велики, но отсутствовал единый план действий.

После прорыва фронта итальянской армии советское командование также не сумело бросить все силы для форсирования Донца и выхода к Ростову. Оно, конечно, опасалось, что при таком ударе с далеко идущими целями его войска сами будут атакованы с фланга. От этого удара оно могло себя обеспечить в результате своего последующего наступления на венгерском фронте. Конечно, это риск. Но без подобного риска нельзя было быстро достичь решающего успеха, что в данном случае было главным.

Но и после успешного прорыва фронта венгерской армии, создавшего брешь на немецком фронте от Донца до Воронежа, советское командование не смогло организовать быстрый и достаточно сильный прорыв на решающем направлении, а именно, к переправам через Днепр. Вместо того чтобы бросить все силы для достижения этого успеха и удовлетвориться прикрытием наступления с запада одной сосредоточенной ударной группой, оно распыляло свои силы, нанося удары в разных направлениях — через Курск на Ахтырку, Полтаву, на Днепр и по рубежу Донца на участке Славянск, Лисичанск, Ворошиловград. Этим оно дало возможность немецкому командованию создать в конце концов превосходящие силы на решающих участках благодаря переброске сил с восточного фланга на западный и получению подкреплений. До сих пор немецкой армии удавалось своевременно выйти из петли, хотя слишком длительное удерживание Кавказского фронта и медленный отход группы «А» давали противнику шансы разгромить нас.

Шлиффен однажды сказал, что в достижение военного успеха в сражении и кампании вносят свой вклад обе партии — победитель и побежденный. Выше я ясно охарактеризовал то участие, которое принимало немецкое Главное командование в потере 6-й армии и вообще в кризисе на южном крыле Восточного фронта, возникшем зимой 1942/43 года.

Поэтому справедливость требует охарактеризовать также то участие, которое приняла немецкая армия в последнем успехе — в срыве окружения немецкого южного фланга.

По этому поводу можно сказать только одно: группа армий не смогла бы в конечном счете нанести поражение противнику, если бы немецкие войска и их командиры не приложили бы почти нечеловеческие усилия в этой зимней кампании, если бы наши храбрые пехотные дивизии не давали отпор намного превосходящим силам противника, если бы наша пехота, несмотря на слабую противотанковую оборону — в противоположность войскам союзников, — не сдерживала бы стойко вражеские танковые атаки, смыкая фронт после прорыва вражеских танков и помогая тем самым их уничтожению. Нельзя было бы также успешно руководить этой зимней кампанией, если бы не наши танковые дивизии, которые сражались с невероятной маневренностью, нанося удары сегодня здесь, а завтра там, и тем самым умножали эффект своих действий. Немецкая армия, чувствуя всегда свое превосходство над противником, выдержала тяжелые кризисы и своей храбростью и самопожертвованием свела на нет численное превосходство противника.

Но нельзя забыть еще одного: 6-я армия своей преданностью долгу и борьбой до конца выбила из рук противника пальму победы — не дала ему разгромить южное крыло немецкого Восточного фронта. Если бы она не оказывала сопротивления до начала февраля, а сдалась бы сразу, как только положение стало безнадежным, противник смог бы потом бросить в бой на решающих участках крупные силы и мог бы, по всей видимости, достичь успеха в окружении немецкого южного фланга. Поэтому 6-я армия своей непоколебимой стойкостью до последнего момента решительно способствовала стабилизации положения на Восточном фронте в марте 1943 года. И если жертва, принесенная тогда солдатами 6-й армии, оказалась напрасной для решения исхода войны, то этим никак не умаляется ее моральная цена.

Поэтому в конце этой главы о зимней кампании пусть еще раз засияет в веках имя 6-й армии! Она сделала самое большое, что можно требовать от солдата, — вела бой ради товарищей в безнадежном положении до последнего патрона.

Глава 14
«ЦИТАДЕЛЬ»

Стратегическая обстановка весной 1943 года. Достижим ли был еще ничейный результат? Возможности Советской Армии для проведения операций. Наносить ли удар первыми или выжидать удара противника? План «Цитадель». Разработка операции. Роковое промедление. Совещание в Мюнхене. Генерал-полковник Модель. Дальнейшая оттяжка до начала июля. Обмен мнениями между нашей группой и ОКХ. Почему мы не отсоветовали проводить запоздалое наступление? Речь Гитлера от 1 июля. Наступление. 9-я армия останавливается. Советы наступают на Орловскую дугу. Кризисное положение группы «Юг». 13 июля Гитлер приказывает прервать наступление. Планы группы «Юг». Заключительный обзор.

Весна 1943 года на Восточном фронте прошла под знаком подготовки к операции «Цитадель». Она была последней попыткой сохранить нашу инициативу на Востоке. С ее неудачей, равнозначной провалу, инициатива окончательно перешла к советской стороне. Поэтому операция «Цитадель» является решающим, поворотным пунктом войны на Восточном фронте, и стратегические основы, на которых была построена эта операция, а также причины, по которым она провалилась, заслуживают рассмотрения. Поэтому я коротко остановлюсь на подготовке и проведении этой операции.

СТРАТЕГИЧЕСКАЯ ОБСТАНОВКА
ВЕСНОЙ 1943 ГОДА

Весна 1943 года поставила немецкое Главное командование перед трудным решением. Две проведенные нами кампании не привели к разгрому Советского Союза. Я не буду здесь говорить о том,

в какой степени виной этому были политические и стратегические
ошибки Гитлера, не буду также рассматривать вопрос о том, хватило
ли бы — даже при разумных политических целях и безупречном
стратегическом руководстве — вооруженных сил Германии для того,
чтобы добиться нашей цели — разгрома Советского Союза. Он-таки
стоял на самом краю пропасти!

Теперь, кажется, прошло то время, когда Германия имела возможность покончить с восточным противником еще до начала решающего наступления на Западе. Со времени высадки американцев
в Северной Африке там уже можно было предвидеть наш конец,
а открытие Второго фронта на Европейском континенте тем самым
стало угрожающе близким. Теперь не только вопрос о силах, но
и фактор времени стал решающим для войны на Востоке.

У нас не было больше возможности нанести решающий удар
по западным противникам, после того как Гитлер преждевременно
отказался от вторжения в Англию, чтобы повернуть против Советского Союза. Заявление союзников в Касабланке, впрочем, не
оставляло никакого сомнения в их стремлении к уничтожению не
только Гитлера и его режима, но и Германии вообще. Если у нас
была перспектива добиться мира с западными державами, то, видимо, только в том случае, если бы нам удалось отбить ожидавшееся
с их стороны вторжение или разгромить их на континенте после
первоначального успеха вторгшихся войск. Но эти две возможности
предполагали высвобождение немецких сил на Востоке.

Первый вопрос, на который надо было ответить, состоял в том,
могли ли мы в то время вообще достигнуть на Востоке приемлемого
для нас решения, конечно, не в плане полного разгрома Советского
Союза. Речь шла о том, не было ли возможности достичь ничейного
результата. Это решение означало для Германии перспективу устоять как государство.

Сейчас говорят, что мысль о ничейном результате на Востоке
уже в 1943 году была только мечтой. Мы не будем теперь говорить
о том, было ли это действительно так. Мы, солдаты, не могли судить,
существовала ли с политической точки зрения весной 1943 года
возможность достичь соглашения с Советским Союзом. Если бы
Гитлер был на это готов, то такая возможность, вероятно, полностью
не была бы исключена.

Но командование группы «Дон» (переименованной тогда уже
в группу «Юг») было убеждено, что с военной точки зрения — при
правильном оперативном руководстве — такого ничейного решения

на Востоке можно было добиться. Ведь путь от Сталинграда до Донца потребовал от противника больших жертв. В конце этой кампании он потерпел два тяжелых поражения. Противник не достиг своей цели — окружения всего немецкого южного фланга, для чего имелись все предпосылки. В конце зимней кампании инициатива вновь перешла к немецкой стороне. Во всех зимних боях немецкие войска и их руководство вновь показали свои более высокие качества. Как бы дорого ни стоил нам Сталинград, по достоверным подсчетам ОКХ, противник с начала войны потерял пленными, убитыми и не способными более нести строевую службу уже 11 млн человек. Должны же в конце концов иссякнуть наступательные силы русских! Так, во всяком случае, рассматривали мы в то время в своем штабе военную обстановку на Востоке. В этом, естественно, сыграло свою роль то обстоятельство, что нам удалось в почти безнадежном положении в конце кампании завоевать пальму победы.

Вряд ли стоило нам утверждать, по образцу многих запоздалых критиков, что война в любом случае будет проиграна. Перед нами стоял противник, и нашей задачей было остановить его перед границами Германии. Этого противника можно было заставить принять ничейное решение только рядом ударов. С другой стороны, мы слышали о заявлении в Касабланке, которое давало нам только один выбор — добиться на Востоке по меньшей мере равновесия сил.

Следующий вопрос состоял в том, как мы должны были вести операции на Востоке в 1943 году.

Для наступления с далеко идущими целями, как мы это делали в прошлые годы, наших сил в сравнении с силами противника было недостаточно. Мы неизбежно, по-видимому, должны были теперь прибегнуть к обороне. Если Советы намерены изгнать нас из своей страны, то пусть они сами несут тяжесть и потери в наступлении, в котором они, может быть, истекут кровью. Конечно, нас очень подкупала мысль — пользоваться оборонительной тактикой как наиболее прочным видом боя. Однако по двум соображениям мы могли принять оборону только в ограниченных масштабах.

Первое соображение. Весной 1943 года никто не мог сказать, начнут ли Советы вновь наступать после окончания периода распутицы. Они ведь могли подождать, чтобы усилить свою группировку и посмотреть, когда их союзники действительно откроют Второй фронт на континенте. Такая стратегия выжидания не исключала проведения ряда ударов небольшими силами, чтобы сохранить свой престиж и предотвратить оттягивание немецких сил с Востока. Для немцев это было бы самым неприятным. Но это могло привести к тому, что мы, бездеятельно ожидая в обороне, должны были бы потом вести войну на два фронта против сильных противников. По этой причине чистая оборона, нечто вроде позиционной войны, для нас была неприемлема.

Вторым соображением, говорившим против применения чисто оборонительной тактики, был тот простой факт, что нам не хватало для этого имеющихся на Востоке дивизий.

Фронт от Черного моря до Ледовитого океана был слишком велик для того, чтобы мы могли создать на нем прочную оборону, и меньше всего в полосе группы «Юг», которая должна была оборонять тогда 32 дивизиями фронт от Таганрога на Черном море до района юго-восточнее Сумы, составлявший около 760 км.

Соотношение сил позволяло Советам, в случае если бы мы ограничились чистой обороной, проводить наступление на различных участках Восточного фронта превосходящими силами и прорывать наш фронт. В результате этого противник добился бы или окружения стабильных участков фронта, или нашего отступления. 1944 год дал достаточно примеров того, к чему приводила нас попытка удерживать неподвижный фронт.

Следовательно, мы не могли ограничиться только чистой обороной! Наоборот, мы должны были — пусть даже и в рамках стратегической обороны — привести в действие факторы, которые давали нам преимущество перед противником: более искусное руководство войсками, высокие боевые качества войск, большую подвижность наших войск (особенно летом). Мы должны были, если даже в целом мы и ограничивались бы обороной, пытаться нанести противнику мощные удары на отдельных участках, в результате которых он понес бы значительные потери, особенно пленными, что могло бы привести по крайней мере к ничейному исходу войны. И в рамках стратегической обороны мы должны были снова вести маневренные операции — в них заключалась наша сила. Это мы могли бы делать в случае, когда наступающий противник давал нам для этого благоприятные шансы, или в случае, когда мы это делали по своей инициативе.

Имея в виду подобное гибкое руководство операциями, группа армий «Юг» уже в начале февраля 1943 года вошла с ходатайством в ОКХ, то есть к Гитлеру. Мы это сделали в связи с намечавшейся тогда большой переброской наших сил с правого фланга группы на левый, но уже планировали при этом дальнейшее ведение операций на Востоке. Обмен мнениями по этому вопросу, исходивший главным образом от нашего штаба, продолжался до конца марта.

Если говорить в общем, то речь шла тогда о двух альтернативах. Или мы должны были предоставить инициативу противнику, ожидать его наступления, чтобы затем, имея выгодные предпосылки, нанести ответный удар. Или мы должны были пытаться удержать инициативу и упредить врага своим ударом еще до того, как он оправится после зимней кампании.

Решение этого вопроса зависело, по существу, от того, как оценивать предполагаемые действия противника после окончания периода распутицы. Наш ответный удар был бы возможен в связи с общей обстановкой только в том случае, если Советы были бы готовы в ближайшее время начать свое наступление.

ВОЗМОЖНОСТИ СОВЕТСКИХ ВОЙСК ДЛЯ ПРОВЕДЕНИЯ ОПЕРАЦИЙ

Хотя и не была исключена возможность того, что Советы до открытия Второго фронта их союзниками будут пассивны, мы все же полагали, что противник после окончания распутицы вновь начнет свое наступление. Об этом говорила его уверенность, несомненно увеличившаяся после успехов у Сталинграда. Для советского политического руководства было также с психологической точки зрения трудно сделать большой перерыв в неоднократно возвещавшемся им «освобождении святой русской земли». Наконец надо было полагать, что хозяин Кремля был намерен опередить своих союзников в Восточной Европе, прежде всего на Балканах. По этим причинам мы полагали — и в этом мы находили полную поддержку в ОКХ, — что противник после распутицы вновь начнет свое наступление.

Если бы это произошло, то противник ввиду его численного превосходства получил бы большие возможности. Он мог пытаться путем прорыва на южном фланге группы «Север» оттеснить ее к морю и затем окружить. Он мог попытаться взять в клещи с севера и юга выступающий около Орла далеко на восток выступ, занимаемый группой «Центр», с тем чтобы, таким образом, взломать фронт всей группы.

Нигде противник не имел еще таких хороших оперативных и одновременно больших военно-экономических и политических шансов, как на южном фланге Восточного фронта на участке группы «Юг»! Здесь немецкий фронт, охватывающий Донбасс, выступал, как «балкон», далеко на восток параллельно северному побережью Азовского моря. Если бы противник атаковал этот «балкон» с востока через Миус и с севера через Донец, то он мог бы прижать расположенные в Донбассе немецкие армии к побережью и там уничтожить их. Если бы он еще дополнил эти действия наступлением в районе Харькова в направлении на Днепр ниже Киева, то он мог бы достичь цели, которая ускользнула от него зимой 1942/43 года, — окружения всего немецкого южного фланга у побережья Азовского и Черного морей. Он мог бы в этом случае разгромить не только группу армий «Юг», но и расположенную на кубанском плацдарме группу «А» с ее 17-й армией. Эта победа на южном фланге Восточного фронта отдала бы в руки Советов одновременно и важный в военно-промышленном отношении Донбасс, и житницу Украины. Это открыло бы противнику путь на Балканы, в первую очередь к румынской нефти. Наконец, это не могло не сказаться на политической позиции Турции.

Так как наступление Советов ни на одном из других участков фронта не открывало таких перспектив, то надо было полагать, что главное направление их наступательных операций, если они вообще будут наступать, как и в 1942 и 1943 годах, будет находиться на южном фланге Восточного фронта. Имевшиеся в их распоряжении силы не исключали также возможности для нанесения местных ударов на других участках фронта.

Об этих планах свидетельствовала группировка сил противника. Перед фронтом группы армий «Юг» только в тылу противника стояло пять сильных групп оперативных резервов, насыщенных прежде всего танковыми и кавалерийскими корпусами. Одна группа стояла перед нашим фронтом на Миусе, две — перед нашим фронтом на среднем Донце и две другие — восточнее и северо-восточнее Харькова. Кроме того, подброска сил с Кавказа и из Сталинграда продолжалась и в марте. Сильные резервы противника стояли также перед восточным и северным участками Орловской дуги, где находилась группа армий «Центр», а также у Москвы. В целом обстановка не оставляла сомнения в том, что противник рано или поздно будет пытаться добиться решающего успеха на участке группы армий «Юг», а возможно, также и на южном фланге группы армий «Центр» путем наступления с охватом Орловской дуги.

Поэтому командование группы армий «Юг» ожидало, что противник сначала будет наступать на «донецкий балкон» с востока через Миус, а с севера — через Донец в его среднем течении, чтобы сковать находившиеся там наши армии или оттеснить их к побережью. Это наступление потом, вероятно, должно было бы быть дополнено наступлением из района Харькова или севернее в направлении на Днепр с целью повторить широкую операцию по охвату, не удавшуюся противнику в феврале — марте. Начиная с лета 1943 года советское командование фактически так и действовало.

ОТВЕТНЫЙ УДАР?

На этих предполагаемых планах противника строился наш план нанесения ответного удара, который командование группы «Юг» неоднократно представляло в феврале — марте Гитлеру. Мы предлагали при ожидавшемся нами наступлении противника на Донбасс с боями отойти и пропустить армии противника на запад приблизительно до линии Мелитополь — Днепропетровск. Одновременно мы должны были подготовить крупные силы в тылу северного фланга группы армий. Эти силы должны были разбить наступающего там противника, чтобы оттуда нанести удар на юго-восток или на юг в глубокий фланг армий противника, наступающих через Донбасс на нижний Днепр, и уничтожить их на побережье.

В сравнении с немецким наступлением 1942 года главное отличие этого плана состояло в следующем. Мы намеревались нанести ответный удар после того, как противник введет свои наступательные силы и частично их израсходует. Целью операций должны быть не территориальные цели на Востоке (как в 1942 году Сталинград или Кавказ), а уничтожение войск противника на важном фланге путем окружения его у побережья Азовского моря. Чтобы выполнить этот план и исключить возможность отхода противника на восток (как в 1942 году), сначала мы должны были освободить ему путь через Донбасс на нижний Днепр, против этого соблазна он вряд ли устоял бы.

Если бы удался этот частичный удар с ограниченной целью, то нам удалось бы уничтожить значительные силы противника и мы могли бы нанести второй удар на север против центральной группировки противника.

Безусловно, предпосылки для подобного ответного удара можно было создать и на других участках Восточного фронта. Но там можно было разбить противника только частично, а в это время противник сам бы стремился к решающей победе на юге. Кроме того, только на южном фланге была возможность при окружении противника использовать в качестве одной части дуги море. Для проведения этого, несомненно, очень рискованного ответного удара необходимы были две предпосылки.

Во-первых, немецкое Главное командование должно было более определенно, чем до сих пор, считать главным театром войны Восточный театр, а внутри него — южный фланг. На северном фланге группы «Юг» надо было создать сильное превосходство над предполагавшимися там силами противника, если мы были намерены довести операцию до успешного конца. Для этого было необходимо во что бы то ни стало снять войска с второстепенных театров, даже если бы там создавалась опасность возникновения трудностей. Наносить удары на всех театрах — значило поставить под сомнение успех даже частичного удара на Востоке. Надо было позаимствовать силы и у групп армий «Центр» и «Север», по крайней мере, там надо было создать оперативные резервы, в случае необходимости — даже путем своевременного выравнивания фронта (в первую очередь путем оставления и без того опасной дуги у Орла на участке группы «Центр»).

Во-вторых, немецкое Главное командование не должно было бояться создать шансы на успех ответного удара ценой отказа от территории, в данном случае — от Донбасса. Если оно не было в состоянии проводить наступление с далеко идущими целями путем ведения маневренных боев, в чем мы тогда превосходили противника, то оно должно было быть готовым добыть свободу действий путем планомерного отхода. Территория завоеванных восточных областей давала достаточно простора для этого. (Это была в конце концов та же проблема, перед которой немецкое командование стояло в Первой мировой войне после приостановки наступления в 1918 году — проблема, решить которую оно и тогда не отважилось.) Однако выяснилось, что Гитлер не намерен был создавать ни первой, ни второй предпосылки.

Группа армий «Юг» неоднократно самым энергичным способом настаивала перед Гитлером на мысли о том, чтобы сделать направлением главного удара Восточный фронт, а на нем — южный фланг. Теоретически он соглашался с этим. Практически же он никогда не мог своевременно и в достаточной мере проникнуться этим планом, может быть, еще и потому, что начальник Генерального штаба сухопутной армии и начальник штаба оперативного руководства представляли в этом вопросе всегда различные интересы.

Но Главное командование не соглашалось с точкой зрения группы «Юг» даже в отношении направления главного удара на южном фланге Восточного фронта. Хотя в течение всего 1943 года было совершенно ясно, что противник искал решения войны на южном фланге, все же группы «Север» и «Центр» были лучше укомплектованы, чем группа «Юг», если сравнить соотношение их сил с протяженностью удерживаемого ими фронта, а также с численностью противостоявшего им противника, за исключением количества танков. Это объясняется упоминавшимся мною отрицательным отношением Гитлера к тому, чтобы отдавать что-нибудь добровольно или идти на риск на второстепенном направлении, а также и тем, что он не хотел заблаговременно принимать во внимание предполагаемые действия противника. Он выбрал дорогостоящий метод — либо давать очень мало сил туда, где должен был решиться исход операции, либо давать их очень поздно.

Но менее всего Гитлер был готов создать возможность для большого оперативного успеха в духе плана группы «Юг» путем отказа — хотя и временного — от Донбасса. На совещании в штабе группы в марте в городе Запорожье он заявил, что совершенно невозможно отдать противнику Донбасс даже временно. Если бы мы потеряли этот район, то нам нельзя было бы обеспечить сырьем свою военную промышленность. Для противника же потеря Донбасса в свое время означала сокращение производства стали на 25 %. Что же касается никопольского марганца, то его значение для нас вообще нельзя выразить словами! Потеря Никополя (на Днепре, юго-западнее Запорожья) означала бы конец войны. Далее, как Никополь, так и Донбасс не могут обойтись без электростанции в Запорожье.

Эта точка зрения, правильность которой мы не могли детально проверить, имела решающее значение для Гитлера в период всей кампании 1943 года. Это привело к тому, что наша группа никогда не имела необходимой свободы при проведении своих операций, которая позволила бы ей нанести превосходящему противнику действительно эффективный удар или собрать достаточные силы на важном для нее северном фланге.

Гитлер не соглашался с мыслью о том, что от добровольного отхода можно с таким же успехом, а часто, может быть, даже с большим, чем при наступательных операциях, перейти к решающим ударам по противнику. Он не соглашался с этой мыслью потому, что считал потерю территории в сравнении с неясным шансом на победу слишком большим риском. В этом отношении ему недоставало смелости или веры в свое искусство вождения войск, а также в искусство своих генералов.

УПРЕЖДАЮЩИЙ УДАР

План ответного удара, как его намечала наша группа армий, отпал, следовательно, ввиду того значения, которое придавалось Донбассу. Как и в других случаях, идея подобного проведения операций не нравилась Гитлеру по указанным мною причинам. Правда, надо было с ним согласиться в том, что весной 1943 года отнюдь не было ясно, окажет ли противник нам услугу — начнет ли он свое наступление. Если даже западные державы и требовали бы советского наступления, то Сталин, вероятно, мог бы все равно ждать.

В таком случае неизбежно на первый план выдвигалась идея использования слабости противника, обусловленной поражениями, которые он потерпел в конце зимней кампании, и нанесения ему удара, прежде чем он полностью восстановит свою боевую готовность, в первую очередь своих сильно потрепанных танковых частей. Речь шла бы тогда об упреждающем ударе, хотя и в рамках стратегической обороны.

Так как распутица препятствовала всяким операциям, то различные планы организации удара из района юго-восточнее Харькова с целью прорыва фронта противника на среднем течении Донца, основанные на использовании слабости противника, оказались невыполнимыми.

Так, в конце концов был разработан план «Цитадель».

В то время как в конце зимней кампании в результате побед в районе между Донцом и Днепром, а также у Харькова был восстановлен фронт от Таганрога вдоль Миуса и Донца до Белгорода, в районе севернее Белгорода на стыке между группой «Юг» и группой «Центр» осталась занятая войсками противника дуга, выдающаяся далеко на запад. Она охватывала район Курска, простираясь от Белгорода через Сумы и Рыльск до района северо-восточнее Орла. Эта врезающаяся в наш фронт дуга была для нас не просто неудобным обстоятельством. Она удлиняла наш фронт почти на 500 км и требовала для ее удержания на севере, западе и юге значительных сил. Она перерезала железные дороги, которые вели из района группы «Центр» в Харьков и были для нас важными коммуникациями за линией фронта. Наконец, эта дуга могла служить противнику исходным пунктом для наступления как на северном фланге группы «Юг», так и на южном фланге группы «Центр». Особую опасность она представляла на случай, если было бы решено нанести контрудар из района Харькова против советских сил, наступающих на участке группы «Юг».

Командование группы армий «Юг» поэтому намеревалось ликвидировать эту дугу сразу же после битвы за Харьков, еще до начала периода распутицы в этой местности, используя тогдашнюю слабость противника. От этого плана мы должны были отказаться, так как группа «Центр» не в состоянии была взаимодействовать с нами. Как бы ни был слаб противник после своего поражения у Харькова, все же одних сил группы «Юг» было недостаточно, чтобы ликвидировать эту широкую дугу.

Поэтому теперь эта дуга стала целью первого упреждающего удара. Выше я уже говорил об оперативном значении Курской дуги. При одновременном наступлении с юга и с севера можно было отрезать в ней сравнительно большие силы противника и высвободить потом значительные немецкие силы.

Но эта цель — во всяком случае, так полагало командование группы «Юг» — была отнюдь не единственной целью планируемой операции. Напротив, было ясно, что противник, чтобы удержаться на этом важном для него с оперативной точки зрения участке, вскоре бросит в бой свои оперативные резервы, стоявшие перед северным флангом группы «Юг» и южным флангом группы «Центр». Если бы мы провели этот удар заблаговременно, то есть сразу после окончания периода распутицы, то существовала бы надежда на то, что противник будет вынужден бросить в бой танковые и механизированные корпуса своей армии, не закончив еще их пополнения. Это дало бы нам возможность рассчитывать на то, что мы успеем раньше закончить пополнение наших соединений, и это увеличило бы наши шансы. Если бы удалось разгромить в этом бою неприятельские танковые резервы, то мы смогли бы предпринять новый удар или против Донецкого фронта противника, или на другом участке. Это было в конце концов настолько же существенной целью операции «Цитадель», как и столь необходимая для нас ликвидация Курской дуги.

ПЛАН ОПЕРАЦИИ «ЦИТАДЕЛЬ»

Операция «Цитадель» планировалась, следовательно, с целью застигнуть противника еще в стадии его слабости.

Согласно указаниям ОКХ, войска противника на дуге вокруг Курска должны были быть отрезаны наступлением группы «Центр» (с севера) и группы «Юг» (с юга), которые должны были взять в клещи эту дугу у ее основания и уничтожить находившиеся там силы противника. Для обеих групп это наступление представляло значительный риск.

Наступление группы «Центр» должно было начаться с южного фронта Орловской дуги. Участок дуги у Курска сильно вклинивался на запад в наш фронт, а севернее его орловский участок дуги, удерживаемый группой «Центр», вдавался далеко на восток во вражеский фронт. Эта дуга, в соответствии с замыслом операции «Цитадель», давала противнику возможность начать наступление с охватом, а в случае его успеха также и угрожать тылу действующих в операции «Цитадель» войск группы «Центр».

На участке группы армий «Юг» опасность заключалась в том, что надо было во что бы то ни стало удерживать Донбасс, который своим выгодным расположением давал противнику возможность провести наступление превосходящими силами с двух направлений.

Несмотря на связанные с этим сомнения, обе группы сделали все, чтобы обеспечить успех операции «Цитадель» возможно более высоким сосредоточением сил. Однако не подлежало сомнению, что риск в операциях этих групп будет тем большим, чем больше дадут противнику времени, чтобы вновь восстановить свои потрепанные силы (Приложение 13).

Группа «Центр» выделила для своего наступления с севера 9-ю армию под командованием генерал-полковника Моделя.

Она располагала для прорыва в направлении на Курск тремя танковыми корпусами с шестью танковыми, двумя моторизованными и семью пехотными дивизиями.

Эти 3 корпуса должны были начать наступление с южного участка Орловской дуги и прорвать фронт противника на участке в 50 км, причем оба фланговых корпуса должны были наступательными действиями прикрыть ударный клин с флангов. Фронт прорыва должен был быть по возможности расширен наступлением обоих примыкающих с востока и запада пехотных корпусов армии. Они же должны были обеспечить глубокие фланги группы прорыва. Наступление 9-й армии должно было быть поддержано 1-й авиадивизией.

От 2-й армии, замыкавшей Курскую дугу с запада и располагавшей на фронте в 200 км 9 слабыми пехотными дивизиями, вряд ли можно было ожидать чего-либо большего, чем попыток сковать стоявшего перед ее фронтом противника, чтобы облегчить его окружение наступающими группами.

Группа «Юг» была в состоянии выделить для операции «Цитадель» большие силы, а именно две армии, в составе которых было 5 корпусов с 11 танковыми и 7 пехотными дивизиями.

По мнению командования группы, решающим фактором для использования этих армий было то обстоятельство, что противник вскоре после начала операции бросит в бой свои сильные оперативные резервы, стоявшие восточнее и северо-восточнее Харькова. По меньшей мере столь же важной, как удар на Курск с целью отсечения находившихся там вражеских сил, была задача обеспечить с востока этот удар от подходящих вражеских танковых и механизированных соединений, нанося встречные удары. Разгром этих сил был также важной целью операции «Цитадель».

Армейская группа Кемпфа имела задачу удерживать одним пехотным корпусом полосу обороны на Донце от пункта юго-восточнее Харькова до района Волчанска. Ее танковый и пехотный корпуса (всего 3 танковые и 3 пехотные дивизии) должны были активными действиями обеспечить операции по прорыву у Курска на восток или северо-восток. Для выполнения этой задачи эта группа должна была начать наступление с Донецкого фронта на участке Волчанск — Белгород с целью овладения силами пехотного корпуса рубежа, обращенного фронтом на восток вдоль Корочи, а ее танковый корпус должен был продвигаться на северо-восток в общем направлении на Скородное. Другой танковый корпус в составе двух танковых дивизий, бывший сначала в резерве группы армий, должен был быть переподчинен группе Кемпфа, после того как она овладеет достаточным районом и обеспечит себе свободу действий в северо-восточном направлении. Совместно с упомянутым выше танковым корпусом в бою на открытой местности они должны были разгромить подходящие танковые соединения противника.

4-я танковая армия под командованием генерал-полковника Тота должна была осуществить прорыв на Курск — навстречу 9-й армии — и затем уничтожить силы противника, отрезанные западнее Курска. Она располагала для этого двумя танковыми корпусами (в том числе один танковый корпус СС), насчитывавшими 6 танковых дивизий и одну пехотную дивизию; кроме того, еще один пехотный корпус (52-й) должен был присоединиться к наступлению танковой группировки на западном фланге. Если бы нам удалось прорваться к Курску и быстро уничтожить отрезанные там части, то в разгроме подходящих оперативных резервов противника приняли бы участие и танковые соединения 4-й танковой армии.

Понятно, что вся артиллерия РГК, которую группа получила от ОКХ и которую она имела на своем участке, была отдана обеим армиям. Несмотря на это, артиллерия сопровождения наступления была слишком слаба для обеспечения прорыва системы обороны противника.

Другой нашей слабостью было то, что прорыв вражеских позиций должны были осуществлять в первую очередь танковые дивизии, так как ОКХ не дало для этой цели дополнительно пехотных дивизий.

Наступление обеих армий должен был поддерживать 4-й воздушный флот, с которым наша группа уже давно успешно взаимодействовала. К сожалению, его командующий фельдмаршал Рихтгофен незадолго до этого наступления был переведен в Италию. Силы, которыми располагал этот флот для поддержки наступления, состояли из трех авиагрупп пикирующих бомбардировщиков, трех групп штурмовиков и трех-четырех групп бомбардировщиков.

Командование группы армий вынуждено было крайне ослабить остальные участки своего фронта обороны, чтобы выделить для наступления указанные силы. Для обороны остались только 6-я армия (командующий — генерал Голлидт) на рубеже Миуса, танковая армия (командующий — генерал-полковник фон Макензен) и уже упоминавшийся корпус на правом фланге группы Кемпфа на Донце. Все это составляло 21 дивизию, которые должны были удерживать фронт от Таганрога до Волчанска протяженностью 630 км. В качестве резерва на этом широком фронте мы имели только одну танковую, одну моторизованную и одну пехотную дивизии.

Командование группы армий, однако, полагало, что если уж мы предприняли упреждающий удар, то надо было сделать все для достижения полного и быстрого успеха операции «Цитадель». Если бы нам удался этот удар, если бы были уничтожены отрезанные в Курской дуге войска противника и, кроме того, в этом сражении была бы разгромлена значительная часть его оперативных резервов, то тем самым был бы сделан первый шаг для достижения столь желанного ничейного исхода войны. Победа у Курска дала бы группе армий возможность покончить с возникшим на ее участке фронта кризисом. Наконец, оставалась еще возможность в случае необходимости отойти из Донбасса на нижний Днепр, чтобы затем — после победы у Курска — поставить себе целью осуществление оперативного замысла, основанного на предложении группы армий об ответном ударе. Можно было, правда, предполагать, что такие действия вряд ли встретят одобрение Гитлера. Но, во всяким случае, победа вновь возвратила бы ему и Донбасс.

Начало операции «Цитадель» был назначено на самый ранний срок. Командование группы предложило ОКХ в качестве этого срока начало мая, полагая, что к этому времени закончится период распутицы. Фактически операция «Цитадель» могла начаться около середины мая.

РОКОВОЕ ПРОМЕДЛЕНИЕ

После окончания зимних боев в связи с началом распутицы я вынужден был взять отпуск, чтобы сделать операцию гланд. Врачи надеялись приостановить этой операцией начавшуюся у меня, хотя и не объяснявшуюся еще моим возрастом, катаракту. На фронте меня замещал сначала генерал-полковник Модель, затем фельдмаршал барон фон Вейхс, но по всем главным вопросам я поддерживал связь с командованием группы и начальником Генерального штаба сухопутной армии. 18 апреля я направил ему предназначенное для Гитлера письмо, в котором я еще раз выражал ту точку зрения, что теперь надо бросить все силы для успеха операции «Цитадель», что победа под Курском возместит нам все временные поражения на других участках фронта группы. Далее, я подчеркивал, что чем раньше мы начнем операцию «Цитадель», тем меньше будет опасность большого контрнаступления противника на Донбасс.

4 мая я хотел возвратиться в мой штаб, так как в середине мая надо было ожидать начала операции «Цитадель» — самое позднее, в начале третьей декады месяца. 3 мая мой начальник штаба генерал Буссе прибыл в Лигниц (Легница) с сообщением, что 4 мая нас вызывают в Мюнхен на совещание с Гитлером. На это совещание были вызваны также командующий группой армий «Центр» фельдмаршал фон Клюге, генерал-полковник Гудериан (тогда главный инспектор танковых войск) и начальник Генерального штаба военно-воздушных сил генерал-полковник Ешоннек. На этом совещании выяснилось следующее.

Генерал-полковник Модель, который должен был руководить операцией «Цитадель» на северном фланге, представил Гитлеру доклад об обстановке на своем участке фронта и о своих планах в связи с этим.

Модель пользовался особым доверием Гитлера, после того как он отличился своей особенной энергией и стойкостью в кампаниях

1941 и 1942 годов сначала в качестве командира танкового корпуса, а затем командующего 9-й армией во время тяжелых оборонительных боев группы «Центр».

Я хорошо знал Моделя со времени, когда он служил у меня в 8-м управлении Генерального штаба; он ведал наблюдением за развитием техники и оценкой его с точки зрения требований, предъявляемых к ней Генеральным штабом. Он был очень полезен на этой должности, действуя подобно щуке в пруду с карасями из отделов министерства. Позже он был начальником штаба 16-й армии в группе армий «А», где я в свою очередь был начальником штаба, и участвовал в подготовке Западной кампании.

Модель был, несомненно, очень способным штабным офицером. Он обладал ясным умом и способностью быстро оценивать обстановку. Среднего роста, скорее нежного, чем сильного телосложения, с густыми черными волосами и живыми глазами, взгляд которых иногда становился пронизывающим, он производил впечатление молодого и бодрого человека, упорного и усидчивого в работе. Его особым качеством была необычайная энергия, иногда даже граничившая с неосмотрительностью. Это качество сочеталось у него с уверенностью и способностью твердо выражать свое мнение. По своему характеру он был оптимистом, не признававшим трудностей. Эти качества, его огромная энергия и, наконец, его стремление добиться хороших личных отношений с главными деятелями режима (он попросил у Гиммлера себе адъютанта из СС, что вызвало резкую критику со стороны офицерского корпуса) импонировали Гитлеру. Нельзя отрицать также и того, что в таком его поведении определенную роль играло тщеславие. Но можно предполагать и то, что он был предан Гитлеру и идеям национал-социализма по убеждению. По отношению к режиму он был настроен менее критично, чем подавляющее число высших военных руководителей. Но Моделя нельзя все же причислить к тем немногим солдатам, которые во всем были послушны Гитлеру. Свои взгляды по военным вопросам он твердо отстаивал и перед Гитлером. Во всяком случае, Модель был храбрым солдатом, не щадившим своей жизни и требовавшим этого от своих подчиненных, хотя и нередко в грубой форме. Его часто можно было видеть на критических участках его фронта. Таким образом, Модель был солдатом в духе Гитлера.

Моделю не удалось пожинать лавры победы в качестве руководителя какой-либо смелой операции. Он во все большей степени стал играть роль человека, которого Гитлер ставил на угрожаемом или на пошатнувшемся участке фронта, чтобы восстановить положение, и Модель добивался многого при выполнении этих задач. Гитлер, очевидно, думал, что Модель был командующим, который «не размышлял над операциями, но твердо стоял». Когда Модель увидел, что битва в курском котле проиграна, он покончил с собой. Он это сделал не для того, чтобы — как это делали многие деятели партии — избежать ответственности, а потому, что он не мог пережить уничтожения своей группы армий.

Генерал-полковник Модель в своем докладе Гитлеру ясно указал на трудности, с которыми столкнется наступление в связи с необходимостью преодолеть сильно укрепленную систему обороны противника. В его аргументах большую роль играли донесения о чрезвычайном усилении противотанковой обороны противника, особенно вследствие введения новых противотанковых ружей, против которых наши танки Т-IV не могли устоять. Для порученной ему операции по прорыву он с самого начала потребовал поэтому 6 дней.

Доклад Моделя явно произвел сильное впечатление на Гитлера. Он стал опасаться, что наше наступление не будет проведено быстро или по крайней мере так быстро, чтобы успешно осуществить окружение крупных сил противника. После этого доклада он признал необходимым усилить наши танковые части. Он пообещал к 10 июня перебросить к нам значительное количество танков типа «Тигр» и «Пантера», штурмовых орудий, а также батальон сверхтяжелых танков типа «Фердинанд» (системы Порше, оказавшейся потом непригодной). Кроме того, танки Т-IV и штурмовые орудия должны были получить дополнительные экраны для усилений броневой защиты, чтобы они могли противостоять новым советским ПТР. В целом Гитлер предполагал приблизительно удвоить численность наших танков.

Сначала он хотел, однако, выслушать мнение обоих командующих относительно отсрочки операции «Цитадель». Оба высказались против нее, это мнение разделял и начальник Генерального штаба генерал Цейтцлер.

Фельдмаршал фон Клюге, который явно чувствовал себя обойденным при этом непосредственном докладе Моделя, заявил в свойственной ему резкой форме, что данные Моделя о том, что глубина позиций противника достигает 20 км, преувеличены. На аэрофотоснимках, по его мнению, были зафиксированы только уже развалившиеся от прежних боев окопы. Затем фельдмаршал указал на то, что при дальнейшей отсрочке мы упустим инициативу. Это может привести к тому, что мы будем вынуждены снять части с фронта «Цитадель». Здесь он имел, вероятно, в виду в первую очередь опасное положение на Орловской дуге.

Я также высказался против предложенной Гитлером отсрочки по двум причинам. То пополнение танками, которое мы получим, будет, видимо, более чем компенсировано увеличением танков на советской стороне. Ежемесячный выпуск танков составлял у противника не менее 1500 единиц. Кроме того, дальнейшее ожидание приведет к тому, что советские части после потерь в зимнюю кампанию и после недавних поражений, сильно повлиявших на моральный дух и боевые качества вражеских соединений, вновь обретут свою ударную силу. Наконец, укрепление вражеских позиций будет продолжаться со все большей интенсивностью.

Против отсрочки операции «Цитадель» говорил также и тот факт, что это значительно увеличило бы опасность в полосе обороны группы. Сейчас противник еще не готов к наступлению на Донце и Миусе. Но в июне он сможет это сделать.

Особо я указал на то, что решение всего вопроса определяется в значительной мере общей обстановкой.

В случае отсрочки операции «Цитадель» и возможной скорой потери Туниса создастся опасность того, что начало операции «Цитадель» совпадет с высадкой противника на континенте и мы будем вынуждены тогда сражаться на два фронта.

Как бы ни было заманчиво дальнейшее усиление наших танковых частей, все же, по моему мнению, надо было придерживаться назначенного срока. В случае отсрочки группе потребуется наряду с увеличением танков и увеличение количества пехотных дивизий для преодоления системы обороны противника.

Я закончил свое высказывание тем, что «Цитадель» не будет легким предприятием, что нужно, однако, сохранить намеченный срок начала операции и, подобно всаднику, первому «перенести свое сердце через препятствие». Это сравнение, как мне вскоре стало ясно, Гитлер, не ценивший ни лошадей, ни всадников, не мог одобрить.

Начальник Генерального штаба ВВС присоединился к мнению обоих командующих, заявив, что с точки зрения авиации отсрочка операции «Цитадель» не дает никаких выгод. В настоящее время нельзя ожидать существенного увеличения количества самолетов. Он подтвердил, что противник, судя по обстановке в воздухе, планирует решающее наступление на участке группы армий «Юг».

Генерал-полковник Гудериан предложил сосредоточить все силы танков на одном направлении — или на участке группы «Юг», или на участке группы «Центр».

Гитлер повторил затем еще раз свои аргументы в пользу отсрочки до 10 июня. Относительно увеличения количества танков у обеих сторон он сказал, что численное превосходство русских в танках мы возместим техническим превосходством поступающих дополнительно «тигров», «пантер» и «фердинандов». Дивизий, однако, он больше дать не может.

Относительно опасности, связанной с тем, что в случае отсрочки операции «Цитадель» она может совпасть с вторжением противника на континент, он заметил, что в связи с прибытием в Средиземное море судов с зенитными установками и легких переправочных средств мы сможем поддерживать снабжение Туниса и поэтому там удержимся. Даже при потере Туниса противнику потребуется 6—8 недель для подготовки высадки. Поэтому в середине июня этого не произойдет.

В заключение Гитлер заявил, что он намерен еще раз обдумать вопрос о проведении операции «Цитадель» в срок или об отсрочке ее, и отпустил нас в свои штабы.

В то время как мы ждали там пароля для начала развертывания и выдвижения в исходные районы, которые в связи с проводимой подготовкой войск и по причинам маскировки были расположены рассредоточенно в глубине тылового района группы, 11 мая пришел приказ о том, что операция «Цитадель» откладывается до середины июня.

Двумя днями позже, 13 мая, последние части нашей африканской армии капитулировали на мысе Бон!

Следующие недели были заполнены подготовкой и пополнением частей, предназначенных для наступления, а также проверкой и усилением нашего фронта обороны на Донце и Миусе. Прибыли и обещанные Гитлером танки, но не в обещанное время. Таким образом, операция «Цитадель» все время откладывалась, пока не подошел июль. Теперь уже прошло 6 недель с момента капитуляции нашей армии в Тунисе![1]

---

[1] Всего в начале мая группа имела для операции «Цитадель» более 686 танков и 160 самоходно-артиллерийских установок. К 3 июля всего на фронте «Цитадель» был 1081 танк (из них почти половина танков еще типа T-III) и 376 самоходно-артиллерийских установок. Число наших танков

В большом масштабе мы проводили ложные маневры, чтобы замаскировать цели нашей операции. С началом подготовки к операции «Цитадель» подобные мероприятия должны были вылиться в большие передвижения всех не занятых в начале наступления автотранспортных частей в направлении на Донбасс, где уже проводились ложные приготовления к наступлению. Мы изготовили даже макеты танков, которые мы транспортировали в Донбасс для введения в заблуждение вражеской воздушной разведки.

В период этого ожидания, но и одновременно возрастающего напряжения продолжался оживленный обмен мнениями между командованием группы и ОКХ по вопросам дальнейшего изменения обстановки и о том, нужна ли вообще операция «Цитадель» ввиду такого оттягивания срока ее начала.

Переброска оперативных резервов противника ближе к фронту показывала, что их пополнение, видимо, уже было закончено. Если противник все еще находился в обороне, то все же было ясно, что он готовил наступление на фронте Донца и Миуса и — может быть, позже — на участке по обе стороны Харькова. То же самое наблюдалось и перед фронтом группы «Центр», где готовилось наступление противника на Орловской дуге. И на других участках Восточного фронта можно было отметить признаки готовящегося наступления. Начнет ли противник вскоре наступление сам или будет ждать открытия Второго фронта, или он перейдет в контрнаступление после наступления немцев, — все это оставалось еще неясным.

Командование группы при обсуждении этого вопроса с ОКХ все время указывало на следующее:

1. Любая дальнейшая оттяжка осложнит наше наступление.

2. Одновременно увеличится риск на участке обороны нашей группы, особенно на «донецком балконе», так как находящиеся там наши силы не могут долго выдержать наступления крупных сил противника.

3. Несмотря на этот риск, при проведении операции «Цитадель» все, как и до этого, зависело от того, бросим ли мы все силы для достижения быстрого и решительного успеха этой операции, для чего

даже приблизительно не достигало того числа, о котором в пропагандистских целях позже кричали на весь мир Советы. Еще менее соответствовали данным противника сведения о наших потерях в танках в операции «Цитадель». По этим сведениям, мы потеряли намного больше того, что мы вообще когда-либо имели. — *Примеч. автора.*

придется, может быть, пережить кризисное положение в Донбассе, не исключая и возможности отхода.

Мы вновь подчеркивали, что противник будет добиваться в этом году решающей победы над группой «Юг» и что группа должна быть ввиду этого сильней на своем северном фланге, а на других участках сохранять свободу действий в духе тех предложений, которые мы сделали в феврале — марте относительно тактики маневренного ведения операций и ответных ударов.

На запрос начальника Генерального штаба о том, как командование группы вообще теперь относится к проведению операции «Цитадель», я ответил, что «Цитадель» в любом случае будет трудной операцией, которая в случае успеха даст возможность нанести и другие удары, но не высвободит в ближайшее время силы (для других театров военных действий). На вопрос, целесообразно ли теперь проводить операцию «Цитадель», можно было ответить только с точки зрения общего руководства военными действиями. Операция была целесообразна, если бы на ближайшее время, то есть до осени, мы отказались от снятия каких-либо сил с Восточного фронта. Если считать, что западные державы не начнут до осени большие операции по высадке морского десанта, то «Цитадель» возможна; равным образом она будет возможна, если допустить, что западные державы где-либо высадятся и потом будут разбиты, — однако только в том случае, если их вынудят оставить свой плацдарм.

При этом обсуждении командование группы установило, что существует единство мнений с начальником Генерального штаба и оперативным управлением ОКХ. Однако не удалось добиться ясной позиции Гитлера по этим важным оперативным вопросам. В письме, которое я направил в те дни начальнику Генерального штаба, было следующее примечательное место:

«Так как телефонный разговор по всем этим важным вопросам между группой и ОКХ невозможен в связи с большим расстоянием, я считаю необходимым или установить более тесную личную связь, или в связи с отдаленностью Главного командования дать соответствующую оперативную свободу действий на Востоке. Нетерпимо такое положение, когда командующие группами армий информируются об общей обстановке только военными бюллетенями, нетерпимо, далее, и отсутствие какого бы то ни было общения между начальниками высших военных инстанций».

Если рассматривать сейчас тогдашнее положение, то можно сказать, что командующие группами армий в связи с постоянной отсрочкой начала операции «Цитадель» должны были заявить ОКХ, что это наступление потеряло свой смысл и не должно было проводиться. Ведь операция планировалась с расчетом нанесения удара по противнику как можно раньше, — в то время, когда противник находился еще в состоянии слабости. Постепенно эти шансы все время уменьшались.

Что касается меня, то я полагал (что было, видимо, ошибкой), что операция должна быть проведена по следующим причинам.

Во-первых, отказ от операции «Цитадель» обусловил бы дальнейшее выжидание на Востоке, связанное с опасностями в связи с ожидаемым открытием Второго фронта. Тогда казалось, что Советы действительно не хотели спешить с началом своего наступления.

Во-вторых, командование группы «Юг» во всяком случае было убеждено в том, что наше наступление будет хотя и трудным, но успешным. Мы сомневались скорее в вопросе, сумеем ли мы отразить наступление противника в Донбассе. Но мы были убеждены, что после победы у Курска мы сможем покончить с кризисом и в Донбассе и, может быть, добьемся здесь большой победы. То, что наше мнение относительно возможного успеха нашего наступления «Цитадель» не было уж настолько неверным, как это может показаться сейчас, доказывается ходом операции и причинами, приведшими к ее срыву. Об этом мы еще будем говорить.

Несколько иными были условия для группы «Центр». Здесь успех противника в районе Орловской дуги сразу сказался бы на «Цитадели». Здесь нельзя было провести отхода, как это в конце концов было возможно в Донбассе, так как Орловская дуга была исходным районом наступления 9-й армии. Если, таким образом, командование группы «Центр» не могло уверенно рассчитывать на успешное отражение ожидаемого наступления противника на Орловской дуге с целью отвлечения наших сил, то оно должно было отклонить проведение операции «Цитадель», которое откладывалось до июля. Поскольку, по нашим сведениям, этого не произошло, то командование предполагало, что при всех обстоятельствах Орловская дуга будет удержана.

Все еще ожидая решения, будет ли проводиться операция «Цитадель» или нет, в годовщину взятия Севастополя я должен был вылететь в Бухарест, чтобы вручить маршалу Антонеску золотой знак за крымскую кампанию. В последний момент полет отложили, так как Гитлер приказал всем командующим объединениями и командирам корпусов сухопутной армии и воздушного флота, принимающим участие в операции «Цитадель», прибыть 1 июля в его Ставку в Восточной Пруссии.

На этом совещании, где выступил с докладом только Гитлер, он сообщил свое окончательное решение начать операцию «Цитадель». Наступление должно было начаться 5 июля.

В своем докладе Гитлер сначала подробно обосновал отсрочку операции. По его словам, это было необходимо ввиду производившегося тогда пополнения частей личным составом и техникой и усиления участвующих в этой операции соединений. Теперь эти части полностью укомплектованы личным составом. Что же касается вооружения, то мы впервые превосходим русских по количеству танков.

Новым, но не убедительным в сравнении с его прежними аргументами было утверждение о том, что отсрочка была необходима также не в последнюю очередь и потому, что при раннем начале операции призывы Советов о помощи могли бы привести через короткий срок к высадке западных держав в районе Средиземного моря. Мы ничего тогда не могли бы противопоставить этому. Мы не могли полагаться на сопротивление итальянцев. Противник нашел бы на Балканах поддержку народов. Теперь эта критическая фаза в основном преодолена. В Сардинии, Сицилии, Пелопоннесе и на Крите мы имеем теперь достаточно сил.

Следует вспомнить, что 4 мая Гитлер на мое указание относительно опасности высадки противника заявил, что мы сможем удержаться в Тунисе и что если даже этого не произойдет, западным державам потребуется 6—8 недель для начала осуществления высадки. Тогда, следовательно, Гитлер не считался с возможностью быстрого выступления западных противников по просьбе Советов.

Из того, что теперь сказал Гитлер, однако, вытекало, что он, стремясь везде идти наверняка, ценой потери африканской армии укрепил наши силы в районе Средиземного моря. Он, следовательно, не видел необходимости сделать все для достижения успеха операции «Цитадель». Такую позицию он занял и во время проведения операции.

Свое решение начать операцию «Цитадель» он обосновывал правильно тем, что мы не можем больше ждать, пока противник начнет свое наступление, — возможно, лишь зимой или после открытия Второго фронта. Быстрый и полный успех наступления желателен также в связи с тем влиянием, какое он окажет на наших союзников и на нашу родину.

После того как Гитлер объявил перед всеми высшими командирами свое решение начать теперь наступление и обосновал необходимость его с точки зрения Главного командования, не было уже, естественно, никакой возможности изменить это решение, не говоря уже о том, что мы уже действительно не могли больше ждать на Востоке.

Моя попытка добиться в интересах операции «Цитадель» возвращения фельдмаршала Рихтгофена к командованию 2-м воздушным флотом осталась безрезультатной и привела лишь к острому столкновению с Герингом. Последний не хотел соглашаться с тем, насколько важна была личность Рихтгофена в качестве командира авиационных соединений.

Следует упомянуть некоторые высказывания Гитлера, содержавшиеся в его докладе, поскольку они очень поучительны хотя и не для создавшейся в то время обстановки, а скорее для образа мышления Гитлера.

Он утверждал, что для правильной оценки тогдашней обстановки необходимо вспомнить, что положение в 1936 году (оккупация Рейнской области), в 1938 году (Австрия), в 1939 и 1940 годах было намного опаснее. Теперь дело заключалось в том, чтобы защитить Европу на ее границах, — следовательно, также итальянские острова и Балканы. Невозможно отдать ни эти районы, ни Донбасс.

Вообще же он вполне уверен в успехе операции. Американские газеты определяли потери Советского Союза, включая и потери гражданского населения от голода, в 30 млн человек. Потери в людях, годных к военной службе, составляли, по его мнению, от 12 до 14 млн человек. Ввиду таких потерь и трудностей с продовольствием противник должен дрогнуть или, как Китай, впасть в агонию.

Если эти аргументы и могли укрепить уверенность многочисленных слушателей, то следующее его заявление было, очевидно, одобрено только немногими. Гитлер заявил, что теперь нельзя давать обещания отдельным народам Советского Союза ввиду плохого воздействия этого на наших солдат. Наши солдаты должны знать, за что они борются, а именно — за жизненное пространство для своих детей и внуков. В Первую мировую войну мы ошибались, не поставив себе никакой цели.

В заключение своего доклада Гитлер говорил, что он уже лично мне сказал однажды, что решение Италии от 24 августа 1939 года о нейтралитете раньше было направлено в Лондон, чем в Берлин. Лишь это решение дало возможность британскому правительству побудить Францию вступить в войну.

Развертывание сил для операции «Цитадель» и последние большие мероприятия для введения в заблуждение противника на нашем участке теперь начались. 3 июля я лично вручил в Бухаресте знак за Крымскую кампанию. Этот акт должен был помочь замаскировать моим посещением Бухареста непосредственно предстоящее начало наступления. Вечером 3 июля я вновь уже был в моем штабе.

НАСТУПЛЕНИЕ

Штаб группы придвинулся 4 июля со своей оперативной группой близко к линии фронта, чтобы непосредственно руководить операциями обеих армий. В качестве КП нам служил наш штабной поезд, поставленный на запасный путь в лесу. Он состоял из двух жилых вагонов и двух рабочих вагонов для меня и моего начальника штаба, рабочего и спального вагонов, а также вагона-столовой для оперативного отдела и для основной части разведывательного отдела, а также и для другого персонала, присутствие которого было необходимо. В этот же состав входили телефонный и радиовагон, вагон для караульной команды и для зенитного расчета 20-мм орудий. Использование такого штабного поезда вполне себя оправдало. Все помощники и технические средства, необходимые для руководства, были под рукой, и все это создавало удобные условия для работы, для размещения людей и давало возможность быстрой смены места. Располагаясь за линией фронта, где проводилась важная операция, можно было легко попасть на машине или самолетом ко всем командирам и во все части. Не раз я ездил поездом на большие расстояния вдоль фронта, посещая за день штабы и части одного участка, а ночью вновь отправляясь на следующий участок.

5 июля началось наступление на фронтах обеих армий, после того как накануне вечером 4-я танковая армия частной атакой овладела наблюдательными пунктами, необходимыми для руководства наступлением.

В этой связи возможно и необходимо несколькими словами описать ход операции «Цитадель». Поучительно для всех интересующихся военными вопросами проследить постоянно изменяющуюся обстановку и вытекающие из этого задачи по руководству боевыми действиями и принятие для этого необходимых решений, по крайней мере на участке фронта группы армий «Юг». Ибо сражение здесь только в первые дни было прорывом, протекавшим по заранее намеченному плану. Как только наши наступающие части получили свободу маневра по ту сторону линии обороны противника, для командования группы и для штабов армий возникала все время новая обстановка, требовавшая новых решений, хотя и в рамках строго сформулированной главной идеи операции.

На участке группы «Центр» 9-й армии удалось в первые два дня наступления глубоко вклиниться в оборону противника (до 14 км) в полосе наступления центрального и левофлангового корпусов. Правофланговый корпус, напротив, продвинулся незначительно, соседние же корпуса, по существу, остались на месте.

Уже на второй день наступления противник усилил контратаки против фронта и флангов ударного клина армии. Противник стал вводить в бой оперативные резервы, которые стояли у него в северо-западной части Курской дуги и перед юго-восточным участком Орловской дуги. Это было признаком того, что противник намерен был при всех обстоятельствах удержать Курскую дугу, и одновременно того, что в случае успеха операции «Цитадель» можно было окружить действительно крупные силы противника. Несмотря на эти контратаки, ударный клин 9-й армии продвигался вперед, хотя и в полосе шириной всего лишь 10 км. Однако 9 июля наступление остановилось на линии обороны противника на холмистой местности в районе Ольховатки, в 18 км от исходных позиций 9-й армии. Командование армии предполагало, что после отражения вражеских контратак, перемещения главного направления своего удара и введения в бой резервов оно вновь возобновит наступление 12 июля, чтобы завершить прорыв. Но этого не произошло. 11 июля противник крупными силами перешел в наступление с востока и северо-востока против 2-й танковой армии, удерживавшей Орловскую дугу. Развитие событий на этом участке заставило командование группы «Центр» приостановить наступление 9-й армии, чтобы бросить ее крупные подвижные силы в бой на участке 2-й танковой армии.

И на участке фронта группы «Юг» первый прорыв вражеской обороны также оказался трудным делом. Особенно давало себя знать отсутствие пехотных дивизий для нанесения первого удара, а также относительная слабость артиллерии поддержки наступления.

Армейская группа Кемпфа не смогла на участке своего право-флангового корпуса (11 ак генерала Раусса) продвинуться до наме-ченного нового рубежа на реке Короча, а вышла только в район высот западнее рубежа реки Корень. Если намеченная цель на этом крайнем правом фланге наступательной операции и не была достиг-нута, то все-таки можно было быть довольным последующим успехом корпуса. Он оттянул на себя благодаря своему очень энергичному наступлению войска из состава оперативных резервов противника, располагавшихся восточнее Волчанска. В последующие дни он добился больших успехов в обороне, нанеся противнику значительные потери, в том числе и потери в танках. Наконец, группа могла быть довольной и обороной на реке Корень, так как в результате этого не уменьшилась ширина собственного фронта наступления.

3 тк должен был также вести тяжелые бои. Первая атака через Донец по обе стороны от Белгорода удалась ему, однако она проводилась в очень трудных условиях. Потом корпус, видимо, остановился перед второй оборонительной полосой противника — приблизительно в 18 км впереди Донца. Ввиду понесенных войсками потерь командующий армейской группой запросил, не должно ли быть приостановлено наступление и здесь. На основе разговора с командиром 3 тк генералом Брейтом и его командирами дивизий я все-таки решил продолжать наступление. Командование группы армий дало корпусу еще 198 пд, стоявшую в качестве резерва в тылу 1-й танковой армии на Донецком фронте, несмотря на то, что и там создавалось опасное положение. 11 июля корпусу удалось наконец прорвать последнюю вражескую линию обороны. Путь был свободен, и мы могли принять бой на незащищенной местности с подходящими подвижными соединениями резервов противника, находившихся восточнее Харькова.

Командование группы распорядилось, чтобы правый фланг 3 тк продвигался дальше в направлении на Корочу, а левый взаимодействовал с 4-й танковой армией и разгромил 69-ю армию противника, вклинившуюся между нашими обеими наступающими армиями.

4-я танковая армия в тяжелых боях первых двух дней прорвала первую и вторую линии обороны противника. Действовавшему на левом фланге армии на открытой местности танковому корпусу (48 тк генерала фон Кнобельсдорфа) 7 июля удалось прорваться в район примерно в 11 км перед Обоянью. В последующие дни он должен был отражать сильные контратаки противника, проводившиеся с северо-востока, севера и запада, и разгромил в этих боях значительные силы наступающих войск противника. На этом участке и на участке перед 2 тк СС со стороны противника действовали соединения из оперативного резерва, а именно три танковых и один механизированный корпус, брошенные в бой в составе 69-й и 1-й танковой армий. Другие механизированные корпуса противник подбрасывал из района восточнее Харькова.

Правому танковому корпусу армии (2 тк СС обер-группенфюрера Гаузера) также удалось выйти на оперативный простор. 11 июля он атаковал Прохоровку и затем дальше на западе форсировал Псел.

12 июля противник бросил в бой в центре и на флангах фронта наступления группы новые части из своих оперативных резервов.

12 и 13 июля обе армии отразили все эти атаки. 14 июля корпус СС, развивая успех, достиг Прохоровки, 48 тк подошел к долине Псёла западнее Обояни. В этих боях были частично разгромлены, частично сильно потрепаны другие значительные силы из оперативных резервов противника.

В общем противник бросил в бой против группы 10 новых танковых и механизированных корпусов. В основном это были ближние резервы, подготовленные противником перед нашим фронтом, за исключением групп, расположенных перед фронтами на Донце и Миусе, где противник только как будто подготавливал наступление.

К 13 июля противник потерял на фронте «Цитадель» уже 24 000 пленными, 1800 танков, 267 орудий и 1080 противотанковых орудий.

Сражение достигло своей высшей точки! Скоро должно было решиться — победа или поражение. 12 июля командованию группы, правда, стало известно, что 9-я армия вынуждена была приостановить наступление и что противник перешел в наступление против 2-й танковой армии. Но командование нашей группы твердо решило не приостанавливать преждевременно сражения, может быть, перед окончательной победой. У нас еще был 24 тк с 17 тд и дивизией СС «Викинг», которые мы могли бы бросить в бой как наш козырь.

Из-за этого корпуса командование группы боролось с Гитлером с самого начала наступления или, вернее, с начала его подготовки. Я напомню, что мы всегда держались той точки зрения, что если вообще проводить операцию «Цитадель», то необходимо сделать все для достижения успеха этого предприятия, даже сильно рискуя в районе Донбасса. По этим соображениям командование группы оставило, как я уже упоминал, на Миусском и Донецком фронтах в качестве резервов только две дивизии (23 тд и 16-ю мотодивизию), предусмотрев использование 24 тк — сначала в качестве резерва группы — в операции «Цитадель». Но для этого нам потребовалось несколько раз докладывать ОКХ, пока Гитлер, боявшийся всякого риска в Донбассе, дал согласие на то, чтобы расположить корпус за линией фронта «Цитадель». Корпус, однако, постоянно находился в боевой готовности западнее Харькова, хотя и в качестве резерва ОКХ, для чего он был выведен из непосредственного подчинения группы.

Такова была обстановка, когда фельдмаршал фон Клюге и я были вызваны 13 июля в Ставку фюрера. Было бы правильнее, конечно, если бы Гитлер сам прибыл в обе группы или — если он полагал, что общая ситуация не позволяла ему выехать из Ставки, — прислал бы к нам начальника Генерального штаба. Но во время всей восточной кампании редко удавалось склонить Гитлера выехать на фронт. Своему начальнику Генерального штаба он не разрешал делать этого.

Совещание 13 июля началось заявлением Гитлера о том, что положение на Сицилии, где западные державы высадились 10 июля, стало серьезным. Итальянцы вообще не воевали. Вероятно, мы потеряем остров. Следующим шагом противника могла быть высадка на Балканах или в Южной Италии. Необходимо сформировать новые армии в Италии и на Западных Балканах. Восточный фронт должен отдать часть сил, и потому операция «Цитадель» не может дольше продолжаться. Создалось, следовательно, точно такое положение, о возможном возникновении которого я предупреждал в Мюнхене 4 мая, имея в виду отсрочку операции «Цитадель».

Фельдмаршал фон Клюге доложил, что армия Моделя не может продвигаться дальше и потеряла уже 20 000 человек. Кроме того, группа вынуждена отобрать все подвижные части у 9-й армии, чтобы ликвидировать глубокие прорывы, сделанные противником уже в трех местах фронта 2-й танковой армии. Уже по этой причине наступление 9-й армии не может продолжаться и не может быть потом возобновлено.

Напротив, я заявил, что — если говорить о группе «Юг» — сражение вошло в решающую стадию. После успешного отражения атак противника, бросившего в последние дни в бой почти все свои оперативные резервы, победа уже близка. Остановить сейчас битву, вероятно, означало бы упустить победу! Если 9-я армия будет хотя бы только сковывать противостоящие ей силы противника и, может быть, потом возобновит наступление, то мы попытаемся окончательно разбить силами наших армий действующие против нас и уже сильно потрепанные части противника. Затем группа — как мы уже докладывали 12 июля ОКХ — вновь будет наступать на север, перейдет Псел восточнее Обояни двумя танковыми корпусами и потом, повернув на запад, заставит силы противника, находящиеся в западной части Курской дуги, принять бой с перевернутым фронтом. Чтобы эффективно обеспечить с севера и востока эту операцию, группа Кемпфа должна теперь немедленно получить 24 тк. Естественно, что сил группы хватит только на то, чтобы продолжать наступление до района южнее Курска. Если же — и после преодоления кризиса на Орловской дуге — 9-я армия не сможет возобновить наступление, мы попытаемся по меньшей мере разбить действующие сейчас против нас силы противника так, чтобы мы могли легко вздохнуть. В противном случае, если разбить противника лишь наполовину, немедленно возникнет кризис не только в Донбассе, но и на фронте «Цитадель».

Так как фельдмаршал фон Клюге считал исключенным возобновление наступления 9-й армии и, более того, считал необходимым вернуть ее на исходные позиции, Гитлер решил, одновременно учитывая необходимость снятия сил для переброски их в район Средиземного моря, остановить осуществление операции «Цитадель». 24 тк в связи с угрозой вражеского наступления на Донецком фронте был подчинен группе, однако не для свободного его использования.

Гитлер все же согласился с тем, что группа «Юг» должна попытаться разбить действующие на ее фронте части противника и создать тем самым возможность снятия сил с фронта «Цитадель».

После моего возвращения в штаб группы и совещания с обоими командующими армиями 16 июля были изданы приказы, согласно которым мы должны были нанести удары противнику еще до окончания битвы в районе Курской дуги.

4-я танковая армия имела задачу — двумя короткими ударами на север и запад окончательно разбить части противника, расположенные южнее Псела.

Армейская группа Кемпфа должна была прикрыть эти атаки, действуя в восточном направлении, и одновременно, взаимодействуя с 4-й армией, уничтожить группировку противника, окруженную на стыке между обеими армиями.

Затем командование группы предполагало отвести обе армии на исходные позиции, несколько улучшенные в связи с характером местности, чтобы высвободить необходимые силы. Будет ли еще возможно разгромить ударом танков в западном направлении стоящие перед фронтом 52 ак силы противника — зависело от обстановки.

Мы просили 4-й воздушный флот, который не смог в эти дни действовать в районе «Цитадели» в связи с плохими условиями погоды, перенести свои действия в район фронта на Миусе и Донце, чтобы он мог сорвать замеченные там приготовления противника к наступлению.

К сожалению, из этих планов ничего не получилось.

17 июля ОКХ приказал немедленно снять весь 2 тк СС и направить его в свое распоряжение, а 18 июля оно потребовало передать 2 другие танковые дивизии в распоряжение группы «Центр».

В связи с таким уменьшением сил командование группы было вынуждено отказаться от запланированных ударов, прекратить операции и вернуть армии на исходные позиции.

17 июля противник, как и ожидалось, начал наступление на Донецком и Миусском фронтах. На участке 6-й и 1-й танковых армий противник осуществил значительные, хотя и местные прорывы. В связи с таким положением командованию группы удалось удержать хотя бы для использования в районе Донбасса наряду с 24 тк, повернувшим уже в Донбасс, также и танковый корпус СС, предназначенный Гитлером для Италии.

Если, таким образом, командование группы вынуждено было прекратить сражение еще до его окончания, может быть перед самой победой, по крайней мере на нашем фронте, то все же нам удалось нанести противнику серьезные удары. Нам удалось, по меньшей мере частично, разгромить наряду со стрелковыми дивизиями и танковыми бригадами противника, которые с самого начала были на этом фронте, также и большое количество подвижных соединений его оперативных резервов, расположенных в районе Курской дуги и перед Харьковским фронтом. В общем против армий нашей группы стояли 11 танковых и механизированных корпусов и 30 стрелковых дивизий.

Они потеряли пленными около 34 000 человек. Число убитых достигало приблизительно 17 000. Если подсчитывать в выгодном для противника свете, то к этому надо еще добавить двойное число раненых, так что общие потери противника составляли около 85 000 человек.

Потери обеих немецких армий составили 20 720 человек, в том числе 3330 убитых. Все дивизии, за исключением одной танковой дивизии, остались боеспособными, хотя некоторые из них, а именно некоторые пехотные дивизии, понесли значительные потери.

ЗАКЛЮЧЕНИЕ

Неуспех операции «Цитадель» можно объяснить многими причинами, главной из которых было отсутствие момента внезапности. Несмотря на ложные перегруппировки и маскировочные мероприятия, наступление не застало противника неподготовленным.

Но мы поступили бы неправильно, если бы видели причины неуспеха преимущественно в тактической сфере.

Операция «Цитадель» была прекращена немецким Главным командованием еще до исхода сражения по следующим причинам: во-первых, в связи со стратегическим влиянием других театров военных действий (Средиземное море) или других фронтов (2-я танковая армия на Орловской дуге), и лишь во-вторых — в связи с тактической неудачей, а именно остановкой наступления 9-й армии, которая поставила под вопрос по меньшей мере быстрое достижение исхода сражения.

Оба фактора можно было предвидеть или избежать, если бы немецкое Главное командование весной 1943 года сделало бы из общей обстановки ясный вывод о том, что необходимо бросить все силы, чтобы достичь на Востоке ничейного исхода войны или по крайней мере истощить ударную силу Советов. Одновременно оно должно было и действовать в соответствии с этим решением, определяя необходимое количество сил и сроки.

В отношении количества войск нам необходимо было бы небольшое усилие, главным образом за счет пехотных дивизий, чтобы обеспечить успех наступления 9-й армии, а также облегчить первый удар группы армий «Юг» и ускорить тем самым достижение успеха сражения. Было бы также достаточно усилить фронт 2-й танковой армии в такой степени, чтобы противник не мог по крайней мере быстро добиться здесь успеха, угрожающего тылу 9-й армии. Силы для этого усиления можно было бы, очевидно, найти на так называемых театрах военных действий ОКБ. Это можно было сделать, естественно, только за счет значительного риска в Норвегии, Франции и на Балканах, а также за счет своевременной эвакуации из Северной Африки, где и без того нельзя было снабжать действовавшую там армию. Гитлер же не решился пойти на этот риск и на оставление территории Африки. Он, может быть, это и сделал бы, если бы он смог предусмотреть те ошибки, которые сделают западные державы. Ошибки эти заключались в том, что они еще год занимались ведением войны с гражданским населением Германии путем террористических воздушных налетов, прежде чем начать решающие операции по вторжению, а также в том, что они продвигали свой «Второй фронт» после высадки на юге Италии вдоль всего «итальянского сапога», вместо того чтобы использовать более выгодные оперативные возможности, которые им давало полное господство на море и в воздухе.

Если говорить о сроках, то проведение операции «Цитадель» уже в конце мая или самое позднее в начале июня исключило бы, во всяком случае, совпадение ее с высадкой противника на континенте. К тому же у противника не была бы полностью восстановлена боеспособность. Если бы немецкое командование к тому же учло указанные мною выводы относительно использования войск, то и при неизбежном тогда отказе от увеличения количества танков мы бы достигли для операции «Цитадель» превосходства в силах, вполне достаточного для достижения победы.

Таким образом, неудача операции «Цитадель» объясняется тем, что немецкое командование пыталось избежать риска в отношении количества войск и времени, на который оно должно было пойти, если хотело обеспечить успех этой последней крупной немецкой наступательной операции на Востоке.

Войска, а также их командование, не виноваты в этой неудаче. Они вновь показали себя с самой хорошей стороны. Сопоставление данных о потерях обеих сторон показывает, насколько наши войска превосходили противника по своим качествам.

Не стоит говорить о том, привел ли бы к лучшему результату ответный удар, первоначально предлагавшийся командованием группы армий «Юг». Так как Советы действительно медлили до середины июля со своим наступлением, то мысль о нанесении упреждающего удара, во всяком случае, не была ложной. Можно также полагать, что Советы начали бы свое наступление в любом случае не позже лета 1943 года, так как на этом настаивали их союзники.

Глава 15
ОБОРОНИТЕЛЬНЫЕ БОИ
В 1943—1944 ГОДАХ

Инициатива переходит к противнику. Вопросы руководства войсками. Борьба против гидры. Первая битва в Донбассе. Битва западнее Белгорода и бой за Харьков. Большое сражение на всем фронте. Вместе с фельдмаршалом фон Клюге у Гитлера. Вопрос о Главном командовании. Командующие группами армий и командующие армиями и штаб группы армий. Генерал Цейтцлер. Отход за Днепр. «Выжженная земля». Бой за рубеж Днепра. Битва за Киев. Задача удержания Никополя и Крыма. Новая битва на Днепровской дуге. Сражение на всем фронте. Своевременное отступление с Дне-

провской дуги сорвано из-за политических соображений Гитлера.
Обстановка в оценке Гитлера. Еще одно предложение Гитлеру —
передать Главное командование. Гитлер холодно относится к мое-
му предложению. Столкновение с Гитлером в связи с одной речью.
Реплика. Никополь все-таки приходится отдать. Котел у Черкасс.
Окруженные корпуса спасены. Ровно и гаулейтер Кох. Наши и вра-
жеские потери и их восполнение. «Час пробил». Гитлер надеется на
усталость противника и на раннее начало распутицы. Группа при-
нимает меры, чтобы предотвратить опасность обхода и разгрома
своего северного фланга. Бои продолжаются, несмотря на распутицу.
Прорывы противника. 1-й танковой армии угрожает окружение.
Драматическая борьба с Гитлером за прорыв армий на запад. Гитлер
уступает. Несколько дней спустя: отстранение фельдмаршалов фон
Клейста и фон Манштейна. Прощание с группой армий.

ВОПРОСЫ РУКОВОДСТВА ВОЙСКАМИ

С прекращением операции «Цитадель» инициатива на Восточном театре военных действий окончательно перешла к советской
стороне. После того как нам не удалось окружить крупные силы
противника в районе Курской дуги и мы должны были прекратить
сражение с бросаемыми в бой оперативными резервами противника
еще до наступления решающего момента операции, неизбежно начал действовать фактор превосходства в силах. Наступление противника на Орловской дуге было только началом перехода к крупному наступлению.

Как и следовало ожидать, главным направлением своих операций в течение всей второй половины 1943 года и до наступления
ранней весенней распутицы 1944 года Советы выбрали южный
фланг Восточного фронта — участок группы армий «Юг». Я уже
говорил об оперативных, военно-экономических и политических
причинах для этого выбора. То, что противник включил позже
в эту решающую операцию еще и южный фланг группы «Центр»
(2-я армия), было продиктовано обстановкой и группировкой его
сил в момент окончания операции «Цитадель». Другие отдельные
удары, которые Советы нанесли тогда в районе действий группы
«Центр», имели своей целью — так же как и наступление против
группы армий «А» на кубанском плацдарме — прежде всего помешать немецкому командованию сосредоточить свои силы на участке
группы «Юг».

Во всяком случае, вряд ли будет ошибкой, если мы предположим, что советское командование во второй половине 1943 года поставило своей целью достичь того, что ему не удалось осуществить зимой 1942/43 года: уничтожения группы «Юг» и одновременно группы «А» на берегах Азовского или Черного моря. Этот успех мог бы повлиять решающим образом на положение на всем Восточном фронте и открыть Советам путь на Балканы.

Помешать этому успеху противника было целью боев, которые вела группа «Юг» с момента прекращения операции «Цитадель» до наступления периода распутицы весной 1944 года. В этих боях позже приняла участие группа армий «А», а также южный фланг группы «Центр».

Прежде чем перейти к описанию хода этой кампании, отрывочному и сжатому в связи с изобилием событий, необходимо показать условия, в которых командование группы и подчиненные ему армии должны были вести эти бои. Следующие условия являлись решающими для хода этой кампании:

колоссальное численное превосходство противника как по количеству соединений, так и во всё увеличивающейся степени по вооружению, а также преимущество командования русских, которое не было связано, как командование группы армий, в своих действиях, в результате того, что немецкое Главное командование отдавало приоритет политическим и военно-экономическим соображениям перед оперативными задачами;

превосходство в силах на советской стороне в районе действий группы «Юг», бывшее колоссальным уже к окончанию операций «Цитадель». По данным на 17 июля 1943 года, 29 пехотным и 13 танковым и мотодивизиям группы противостояли 109 советских стрелковых дивизий, 9 стрелковых бригад, 10 танковых корпусов; кроме того, 20 отдельных танковых бригад, 16 танковых полков и 8 противотанковых истребительных бригад. До 7 сентября перед фронтом группы было зафиксировано еще 55 стрелковых дивизий, 2 танковых и механизированных корпуса, 8 танковых бригад и 12 танковых полков, переброшенных сюда главным образом из резервов или с участков фронта перед группами «Центр» и «Север». Соотношение сил было приблизительно 7 : 1 в пользу Советов[1].

---

[1] Если даже советские дивизии по своему численному составу были и меньше, чем немецкие, то их ударная сила существенно увеличивалась приданием отдельных танковых бригад или полков. Ударная сила одного

Это численное превосходство дало возможность Советам наступать не только на одном, но часто и на многих участках одновременно, имея подавляющее превосходство в силах. Оно позволяло противнику удивительно быстро восполнять свои часто тяжелые потери. Так, перед фронтом группы противник смог только за период с начала июля до сентября отвести с фронта на отдых один раз, а частично даже два раза 48 стрелковых дивизий, 17 танковых и механизированных корпусов и, кроме того, ежемесячно давать всем дивизиям 10 процентов пополнения.

Мы, конечно, не ожидали от советской стороны таких больших организаторских способностей, которые она проявила в этом деле, а также в развертывании своей военной промышленности. Мы встретили поистине гидру, у которой на месте одной отрубленной головы вырастали две новые.

Напротив, в районе действий группы редко было возможно отводить на отдых потрепанные в боях дивизии. С начала операции «Цитадель» почти все дивизии все время находились в боях. Прибывающее пополнение личного состава и техники даже приблизительно не покрывало потерь.

В этих условиях все сильнее становилось перенапряжение войск, расходование сил быстро увеличивалось. Особенно это относится к ядру войск — к опытным фронтовым солдатам и офицерам. К концу августа только наша группа потеряла 7 командиров дивизий, 38 командиров полков и 252 командира батальонов!

Приходится все время удивляться тому, чего, несмотря на это, добились немецкие войска, и тому, что они по своим боевым качествам всегда удерживали превосходство над противником. Необходимость всегда требовать этого от войск, так как другого выхода не было, означала для командиров гораздо большие моральные мучения, чем необходимость переживать неизбежные кризисы.

Само собой разумеется, что командование группы в своих донесениях всегда развертывало перед Гитлером неприкрашенную картину этих условий и всегда указывало на опасность длительного перенапряжения войск. Но наши ресурсы иссякли! Как бы ни готов был тогда немецкий народ посылать своих сыновей на фронт, по-

---

советского танкового корпуса соответствовала приблизительно силе немецкой танковой дивизии. Механизированный корпус превосходил немецкую мотодивизию, так как в корпусе была танковая бригада. — *Примеч. автора.*

полнения было недостаточно. Как бы удивительна ни была энергия, с которой Гитлер организовывал повышение выпуска военной продукции, все же это не могло сравняться с масштабами роста продукции у противника. Если мы во второй половине 1943 года могли ежемесячно выпускать около 500 танков, то советская военная промышленность выпускала в несколько раз больше. Мы не говорим уже о поставках западных держав.

Несмотря на это, командование группы твердо верило в то, что нам все-таки в конце концов удастся остановить натиск восточных масс. Наряду с нашей справедливой верой в превосходство немецкого солдата следует сказать здесь и об учтенном нами опыте зимней кампании 1942/43 года, которую мы смогли успешно закончить, несмотря на самые тяжелые кризисы. Кроме того, по расчетам ОКХ можно было предполагать, что человеческие ресурсы Советского Союза постепенно иссякнут. Резервы старших возрастов, из которых он черпал силы для своих новых формирований, казалось, в основном уже были израсходованы. Если в качестве пополнения для фронта оставался только новый призывной возраст, то противник не мог уже больше создавать новые формирования в большом масштабе, хотя советский призывной возраст по количеству мобилизуемых превышал немецкий минимум в три раза. Но это превосходство мы надеялись все же выдержать и истощить наступательную силу противника (количество вражеских дивизий действительно выросло с весны 1943 года до конца войны только с 513 до 527, количество танковых и механизированных бригад — с 290 до 302).

Предпосылка успеха наших операций состояла, правда, в том, что они организовывались или, вернее сказать, могли быть организованы так, как это соответствовало требованиям оперативной обстановки.

В этом отношении, однако, командование группы в период кампании 1943—1944 годов все время находилось в неблагоприятном положении, которое роковым образом ограничивало его оперативные возможности.

Если советское командование — что было очевидно — искало решительной победы в этой кампании в районе действий группы «Юг», то для нас не оставалось ничего другого, как только возможно лучше подготовиться к этому сражению. Боевые действия необходимо было организовать таким образом, чтобы сорвать планы противника.

Для этого были необходимы две вещи: в районе действий группы «Юг» (как и на всем фронте) необходимо было вести бой в соответствии с оперативными требованиями обстановки и иметь целью истощить ударную силу противника, но не удерживать какие-либо области любой ценой.

Немецкое командование должно было окончательно избрать теперь решающим театром военных действий в рамках общего ведения войны Восток, а внутри Восточного фронта надо было предвидеть, что основные усилия должны быть сосредоточены в районе действий группы «Юг». В отношении этих обоих условий командование группы вело во время кампании 1943 — 1944 годов непрерывную борьбу с Гитлером за признание требований, вытекавших из оперативной обстановки.

По политическим и военно-экономическим соображениям Гитлер настаивал на удержании сначала Донбасса, а потом Днепровской дуги (и одновременно в полосе группы «А» — Кубани и Крыма).

Тем самым группа «Юг» с ее правым флангом сначала на Миусе и Донце, потом — на излучине Днепра была, так сказать, прикована к такому району, удержание которого с оперативной точки зрения было ошибкой. Вклиниваясь далеко на восток во вражеский фронт, этот район давал противнику возможность провести наступление с двух сторон, причем наши армии имели в тылу море. Но важнее всего было то, что в результате удержания этих выступающих бастионов длина фронта на участке группы увеличивалась в роковых для нас масштабах. Для обороны этого участка мы должны были использовать силы, без которых мы просто не могли обойтись на северном фланге группы армий. Но как раз здесь, а не в районе Донца или Днепра, находился ключ к решению оперативной задачи. Если бы Советам удалось разгромить северный фланг группы, используя свое подавляющее превосходство в силах, то этим была бы достигнута их цель — окружение групп «Юг» и «А» у Черного моря. Этот разгром был бы тем сильнее, чем больше сил по военно-экономическим или политическим соображениям было бы сосредоточено на южном фланге группы, в оперативном отношении не являвшемся решающим. Речь шла, следовательно, просто о том, являются ли решающими для операций на немецком южном фланге оперативные или военно-экономические и политические соображения. Практически говоря, то, как складывалась теперь обстановка, означало следующее: или мы, если это будет необходимо, добровольно отдадим Донец и Днепр, или, при попытке удержать эти районы любой ценой, мы должны пожертвовать группами «Юг» и «А». Чтобы совершенно ясно поставить этот вопрос, командование группы «Юг» уже 21 июля и неоднократно в дальнейшем запрашивало немецкое Главное командование о ясных оперативных указаниях на более длительный срок. Мы хотели бы точно узнать (запрос группы у ОКХ от 21 июля), должна ли группа при всех обстоятельствах удерживать Донбасс, даже если возникнет угроза окружения в результате вражеского прорыва в направлении на Днепр (это было бы возможно только в случае, если бы ОКХ могло помешать развитию событий на северном фланге группы, которое можно было предвидеть заранее, путем подброски подкреплений или путем открытия действий со стороны группы «Центр»), или следует рассчитывать на то, что русские истощат свои силы летом. В этом случае надо было при необходимости шаг за шагом отходить в Донбассе, чтобы высвободить достаточно сил для северного фланга.

Ответ, полученный нами на этот вопрос от начальника Генерального штаба, гласил: «Фюрер хочет и то и другое». Как это бывало часто, Гитлер и на этот раз полагал, что его воля будет сильнее, чем реальные факты.

В отношении распределения сил надо сказать, что тот, кто не решается в целях сохранения сил в случае необходимости отдавать территорию, тот не будет в состоянии стать сильным на решающем участке. Чем больше Гитлер настаивал — с точки зрения общего ведения войны, может быть, и правильно — на удержании Донбасса или излучины Днепра, тем больше было необходимо заранее усилить северный фланг группы «Юг». Только этим можно было добиться того, чтобы сорвать решающий прорыв противника с целью окружения групп «Юг» и «А» у Черного моря и для выхода на Балканы. Понятно, что это было возможно только за счет других театров военных действий или участков групп армий «Север» и «Центр». Если же мы были намерены ждать, пока противник не докажет своими успехами необходимость сосредоточения главных усилий в полосе группы армий «Юг», то надо было учитывать, что это могло быть слишком поздно.

Но такому ведению операций препятствовали те взгляды и качества Гитлера, о которых я уже говорил в главе «Гитлер — Верховный главнокомандующий», а именно его желание преследовать всегда одновременно несколько целей, его отрицательное отношение к тому, чтобы добровольно что-нибудь отдавать или учитывать заранее не зависящую от него волю командования противника, и, наконец, постоянное оттягивание необходимых, но нежелательных для него решений.

Так, он противился как своевременному оставлению Донбасса (а позже излучины Днепра), так и мероприятиям по высвобождению сил для решающего участка путем выравнивания линии фронта на менее важных участках фронта, предпринятого своевременно, еще до того, как к этому вынудит противник. Вместо этого Гитлер даже держал 17-ю армию на кубанском плацдарме, который с оперативной точки зрения был уже совершенно не нужен, понапрасну надеясь, что пребывание там этой армии будет рассматриваться Советами как стратегическая угроза.

Летом 1943 года Гитлер явно не имел ясного решения относительно главного направления военных операций как в рамках Восточного фронта, так и в масштабе руководства всеми военными действиями. Еще в середине августа, когда обстановка на Восточном фронте становилась уже довольно затруднительной, Гитлер заявил начальнику Генерального штаба, что для него Юг, район Средиземного моря, важнее, чем Восток, что он намерен, следовательно, снять некоторые силы с Восточного фронта и перебросить их в Италию. Если он придерживался этого явно ошибочного мнения, то в таком случае он должен был уже весной 1943 года перестроить всю свою стратегию. Стремиться к достижению политического ничейного исхода войны на Востоке, используя положение, создавшееся в результате неудач советских войск в феврале — марте, было так же необходимо, как необходима была своевременная эвакуация из Северной Африки в целях обороны Италии и Балкан.

Вместо этого немецкое Главное командование в эту кампанию 1943—1944 годов опоздало в сравнении с противником с сосредоточением достаточных сил на решающем участке Восточного фронта. Это не давало возможности командованию группы предотвратить успехи превосходящих сил противника, ему удалось только ограничить их оперативные последствия.

Командование находилось в худших условиях, чем противник: оно было ограничено в своей оперативной свободе, оно было, с одной стороны, приковано к Донбассу, а с другой — не имело достаточно сил для важного в оперативном отношении северного фланга. Оно было вынуждено использовать значительную часть своих соединений на участке, неправильно выбранном с оперативной точки зрения, чтобы удерживать Донбасс и позже — излучину

Днепра. Одновременно оно должно было все время перебрасывать части с одного фланга на другой, чтобы на одном участке до некоторой степени восстановить положение или предотвратить опасный кризис, не имея одновременно возможности воспрепятствовать превосходящим силам противника добиться в это время успехов на других участках.

БОРЬБА С ГИДРОЙ

После окончания операции «Цитадель» группа «Юг» перешла к оборонительным боям, которые — при упомянутых мною условиях — были не чем иным, как системой мероприятий, только помогающих выйти из положения.

Для ведения пассивных оборонительных боев со значительно превосходящими нас силами противника на всем растянутом фронте наша группа была очень слаба. Она была должна поэтому, несмотря на опасность нанесения ударов на менее угрожаемых участках, своевременно сосредоточивать силы там, где необходимо было предотвратить вражеский прорыв или где представлялась возможность нанести противнику удар. Мы любой ценой должны были избежать опасности, выражавшейся в том, что наши части в результате глубоких вражеских прорывов могли быть отрезаны и могли разделить судьбу 6-й армии у Сталинграда. Смысл наших боев состоял в том, чтобы «удержаться на поле боя» и заставить противника израсходовать в возможно большей степени свою ударную силу.

ПЕРВАЯ БИТВА В ДОНБАССЕ

Первый удар противника был нанесен, как мы и ожидали, на участке фронта в Донбассе.

17 июля противник, как мы уже упоминали, начал наступление крупными силами против 6-й армии на Миусе и против 1-й танковой армии на среднем Донце.

На обоих участках он глубоко вклинился в нашу оборону, но ему не удалось осуществить прорыва.

6-я армия, введя в бой оба подвижных соединения, оставленных в качестве резерва в районе Донца, смогла остановить наступление противника после того, как он захватил плацдарм шириной около 20 км и глубиной 15 км на западном берегу Миуса севернее Куйбышево.

На участке 1-й танковой армии противнику удалось форсировать Донец юго-восточнее Изюма в полосе до 30 км. Но благодаря введению в бой обеих дивизий 24 тк, подошедших из Харькова, мы приостановили дальнейшее продвижение противника южнее реки.

Если нам и удалось остановить наступление противника в конце июля, то обстановка в Донбассе оставалась весьма неустойчивой.

После того как операция «Цитадель» по приказу Гитлера 17 июля была окончательно прекращена также и группой «Юг», командование группы решило снять временно с этого фланга крупные танковые силы, чтобы с помощью этих частей восстановить положение в Донбассе.

Мы надеялись в ходе операции «Цитадель» разбить противника настолько, чтобы рассчитывать на этом фронте на определенную передышку.

Однако эта надежда оказалась потом роковой для развития обстановки на северном фланге группы, так как противник начал наступление раньше, чем мы ожидали. Если это было, следовательно, ошибкой, то она была обусловлена позицией Гитлера, утверждавшего, что абсолютно необходимо удерживать Донбасс. Временное ослабление северного фланга, вызванное этим решением, практически ограничилось только снятием с фронта 3 тк и 3 тд, так как Гитлер вновь вернул в распоряжение группы для контрудара в Донбассе (но только для этого) танковый корпус СС, который он предназначал для Италии.

Так как предназначенные для Донбасса оба корпуса и 4 танковые дивизии могли прибывать только поочередно, то командование группы предполагало восстановить положение на участке 1-й танковой армии южнее Донца коротким ударом двух дивизий первого эшелона корпуса СС. Ударом всех танковых сил мы должны были затем ликвидировать большой плацдарм противника в полосе 6-й армии и вновь восстановить фронт на Миусе. Гитлер, однако, без всякого объяснения запретил проведение операции в полосе 1-й танковой армии, хотя эти действия никак не затягивали пребывания корпуса в Донбассе. Так как этому вмешательству в дела командования группы предшествовало еще одно вмешательство во время операции «Цитадель» (Гитлер не разрешил тогда использования 24 тк в составе группы Кемпфа), я был вынужден протестовать в ОКХ против такого вмешательства в командование группой. Я писал генералу Цейтцлеру:

«Если не учитывается мое мнение относительно будущего развития событий, если мои планы, нацеленные лишь на устранение возникших не по моей вине осложнений в обстановке, постоянно срываются, то отсюда я могу сделать только тот вывод, что фюрер не имеет необходимого доверия к командованию группы. Я ни в коем случае не думаю, что я никогда не совершал ошибок. Ошибается каждый человек, даже такие полководцы, как Фридрих Великий и Наполеон. Но я позволю себе указать на то, что 11-я армия в очень тяжелых условиях выиграла крымскую кампанию и что группа армий "Юг", попавшая в конце прошлого года почти в безнадежное положение, все-таки сумела выйти из него.

Если фюрер полагает, что какой-либо его командующий армией или командующий группой армий имеет более крепкие нервы, чем имели мы в боях прошлой зимой, проявит больше инициативы, чем это сделали мы в Крыму, на Донце и у Харькова, который умеет находить выход лучше, чем это сделали мы в боях за Крым или в последней зимней кампании, или лучше предвидит ход событий, чем это делали мы, то я готов охотно уступить ему мой пост.

Но пока я занимаю этот пост, я должен иметь возможность мыслить своей головой».

30 июля в районе действий 6-й армии началась контратака танков, подошедших с северного фланга группы. Она привела к полному восстановлению положения на рубеже Миуса. Соотношение сил в этом бою было характерным для тогдашней обстановки, но оно же еще раз показало превосходство немецкой армии. Противник имел на своем плацдарме не менее 16 стрелковых дивизий, двух механизированных корпусов, одной танковой бригады и двух противотанковых истребительных бригад. В нашей же контратаке участвовало только 4 танковые дивизии, одна мотодивизия и 2 пехотные дивизии. В результате своих атак и немецкой контратаки противник потерял около 18 000 пленными, 700 танков, 200 орудий и 400 противотанковых орудий.

СРАЖЕНИЕ ЗАПАДНЕЕ БЕЛГОРОДА И БОЙ ЗА ХАРЬКОВ

Если в первых числах августа нам, таким образом, удалось восстановить положение в Донбассе, в районе действий 6-й армии, то рана в полосе 1-й танковой армии на Донце все еще продолжала беспокоить нас. Эту рану нельзя было уже залечить, так как в это время собиралась гроза на северном фланге группы.

Противник сильно теснил уже группу Кемпфа и 4-ю танковую армию, когда они были отведены на исходные позиции еще до начала операции «Цитадель». Радиоразведка и воздушная разведка в конце месяца показали, что противник сосредоточивал крупные танковые силы в районе Курской дуги, очевидно, подтягивая свежие силы с центрального участка. Подготовка к наступлению была отмечена также и в излучине Донца юго-восточнее Харькова.

2 августа командование группы доложило ОКХ, что оно ожидает в скором времени начала наступления противника против ее северного участка фронта западнее Белгорода. Это наступление будет, видимо, дополнено наступлением юго-восточнее Харькова, преследующим цель взять в клещи наши войска в районе Харькова и освободить себе путь к Днепру. Командование группы просило вернуть ему обе танковые дивизии, отданные группе «Центр», и оставить танковый корпус СС для использования на северном фланге. Оно распорядилось, кроме того, вернуть 3 тк с 3 тд из Донбасса в Харьков.

3 августа началось наступление противника, сначала на фронте 4-й танковой армии и на участке группы Кемпфа западнее Белгорода. Противнику удалось осуществить прорыв на стыке обеих армий и значительно расширить его по глубине и ширине в последующие дни. 4-я танковая армия была оттеснена на запад, группа Кемпфа — на юг, по направлению к Харькову. Уже 8 августа брешь между обеими армиями достигала в районе северо-западнее Харькова 55 км. Путь на Полтаву и далее к Днепру был для противника, видимо, открыт.

Командование группы решило подтянуть к Харькову 3 тк (2 танковые дивизии СС, которые Гитлер теперь окончательно оставил группе, и 3 тд). Он должен был быть использован группой Кемпфа для удара по восточному флангу клина прорыва противника. Одновременно по западному флангу должна была нанести удар 4-я танковая армия силами двух танковых дивизий, возвращенных группой «Центр», и одной мотодивизии.

Но было ясно, что этими силами и вообще силами группы нельзя было далее удерживать линию фронта. Потери наших дивизий достигли очень тревожных размеров. Вследствие длительного перенапряжения 2 дивизии не смогли продолжать бой. Вследствие быстрого продвижения противника мы потеряли также большое количество танков, находившихся в ремонтных мастерских за линией фронта.

Противник же смог, по-видимому, быстрее, чем мы ожидали, восполнить свои потери, понесенные им во время операции «Цитадель». Но прежде всего он подтянул новые крупные силы с других фронтов.

Было совершенно ясно, что, как мы и предусматривали, противник решил добиться успеха на участке группы «Юг». Это было ясно не только потому, что он подбрасывал все новые силы на участок прорыва, но и потому, что надо было ожидать наступления противника на нашем фронте восточнее и юго-восточнее Харькова. Одновременно вновь обнаружились намерения противника провести наступление на Донце и Миусе.

Когда 8 августа к нам прибыл начальник Генерального штаба, чтобы выяснить здесь обстановку, я совершенно ясно сказал ему, что теперь речь не может идти об отдельных вопросах. Вопрос теперь стоит не так: можем ли мы каким-либо образом освободить ту или другую дивизию для группы «Юг», или следует или не следует оставлять кубанский плацдарм. Дело заключалось теперь в том, чтобы приложить все силы и помешать противнику достичь своей цели — уничтожить южный фланг немецкой армии. Если мы хотим достичь этой цели, то мы должны немедленно отдать Донбасс, чтобы высвободить силы для северного фланга группы и на юге удержать по крайней мере Днепр. В противном случае необходимо, чтобы ОКХ подтянуло как можно быстрее к Днепру с других фронтов не менее 10 дивизий на участок 4-й танковой армии и севернее на участок соседней 2-й армии группы «Центр» и еще 10 дивизий по направлению к Днепру. Но и на этот раз, однако, не было принято кардинальных мер, хотя командование группы настойчиво и неоднократно просило принять решение по этому вопросу.

Обстановка, однако, все больше обострялась. Противник еще больше теснил на запад 4-ю танковую армию и намеревался одновременно обойти с запада группу Кемпфа в проделанной им бреши, чтобы окружить ее в Харькове. 12 августа он предпринял атаки на нашем фронте восточнее и юго-восточнее Харькова. Дивизии, расположенные там на очень широком фронте, не выдержали натиска противника. Угрожающе надвигалась опасность окружения группы Кемпфа в районе Харькова.

Как и всегда, Гитлер потребовал (на этот раз прежде всего из политических соображений) при всех обстоятельствах удержать город. Падение этого города, заявлял он, могло неблагоприятно сказаться на позиции Турции и Болгарии. Пусть случилось бы и так, но командование группы не собиралось в бою за Харьков жертвовать армией.

22 августа Харьков был сдан для того, чтобы высвободить силы для обоих угрожаемых флангов группы Кемпфа и предотвратить ее окружение. Командование этой группой, переименованной в 8-ю армию, принял в это время мой бывший начальник штаба генерал Велер. Я хорошо сработался с генералом Кемпфом. Но против этой перемены, сделанной по указанию Гитлера, я не возражал. В данной ситуации особенно ценны были спокойствие и осмотрительность Велера, проявленные им не раз в Крыму в периоды тяжелых кризисов.

В остальном 22 августа был явно днем кризиса.

В Донбассе противник вновь атаковал нас. Хотя 6-я армия и смогла сдержать опасный прорыв противника, но ей не хватало сил вновь восстановить положение. На участке 1-й танковой армии новое крупное наступление противника было остановлено, но и ее силы иссякли. В то время как 8-я армия эвакуировала Харьков без потерь, 4-я танковая армия, которая вела тяжелые бои на своем южном фланге, достигла успеха в обороне.

В результате активного использования упоминавшихся ранее танковых соединений, взятых с Донбасса и с фронта группы «Центр», нам все же удалось к 23 августа, по крайней мере временно, остановить прорыв противника к Полтаве. Был вновь восстановлен, хотя еще и слабый и со многими разрывами, фронт в полосе 8-й и 4-й танковых армий от пункта непосредственно южнее Харькова до района юго-западнее Ахтырки. Несмотря на то что поддерживали связь между 4-й танковой дивизией и левым флангом группы «Центр» (2-я армия), все же на фронте 4-й танковой армии юго-западнее Ахтырки была широкая брешь. Она была ликвидирована в конце месяца в результате нашего наступления и одновременного выравнивания линии фронта.

Против каких превосходящих сил противника должны были сражаться обе армии нашей группы, показала обстановка на 23 августа. Против фронта 4-й танковой армии противник имел на Воронежском фронте три армии, в том числе одну танковую армию, а 4-я армия находилась, по-видимому, во втором эшелоне. Против 8-й армии действовал Степной фронт не менее чем с шестью армиями, в том числе одной танковой!

Для оценки общей обстановки на фронте группы армий очень поучительным является сравнение сил обеих сторон на отдельных участках фронта с указанием ширины фронта. Эту сводку командование группы 20/21 августа представило в ОКХ.

Объединения	Ширина фронта	Количество дивизий	Боеспособность	Количество соединений противника перед фронтом армии (без снятых за это время с фронта дивизий)
6-я армия	250 км	10 пехотных дивизий 1 танковая дивизия	~ 3 $\frac{1}{3}$ дивизий ~ $\frac{1}{2}$ дивизии	31 стрелковая дивизия 2 мех. корпуса 7 танковых бригад 7 танковых полков Всего около 400 танков
1-я танковая армия	250 км	8 пехотных дивизий 3 танковые дивизии и мото-дивизии	~ 5 $\frac{1}{2}$ дивизий ~ 1 $\frac{1}{4}$ дивизии	32 стрелковые дивизии 1 танковый корпус 1 мех. корпус 1 танковая бригада 6 танковых полков 1 кав. корпус Всего около 220 танков
8-я армия	210 км	12 пехотных дивизий 5 танковых дивизий	~ 5 $\frac{3}{4}$ дивизий ~ 2 $\frac{1}{3}$ дивизии	44—55 стрелковых дивизий 3 мех. корпуса 3 танковых корпуса 11 танковых бригад 16 танковых полков Всего около 360 танков
4-я танковая армия	270 км	8 пехотных дивизий 5 танковых дивизий	~ 3 $\frac{1}{3}$ дивизий ~ 2 $\frac{1}{3}$ дивизии	20—22 стрелковые дивизии 1 мех. корпус 5 танковых корпусов 1 танковая бригада 2 танковых полка Всего около 490 танков
Группа в целом	980 км	38 пехотных дивизий 14 танковых дивизий		

При оценке боеспособности частей противника мы исходили из того, что основная масса стрелковых и танковых соединений имеет еще 30—50 % от штатного состава. Небольшое число новых дивизий и некоторых танковых и механизированных корпусов могло иметь 70—80 % от штатного состава. Нет сомнения, противник понес очень большие потери, и поэтому уменьшение боеспособности его соединений приблизительно было таким же, как у нас.

Что мы не могли компенсировать, — это превосходство противника в количестве соединений. К тому же противник должен был в ближайшие дни подтянуть новые силы с Орловского фронта.

Таблица показывает далее, что противник (особенно это касается его танковых соединений) упорно бросал все свои силы на северный фланг группы. Его намерение при всех обстоятельствах осуществить прорыв к Днепру отчетливо видно из сосредоточения сил перед фронтом 8-й армии и правым флангом 4-й танковой армии. Впоследствии противник увеличил свои силы путем подтягивания новых частей с целью осуществления охвата 4-й танковой армии с севера и оттеснения ее от Киева.

Но из этой таблицы также видно, что количество соединений группы «Юг» с момента начала операции «Цитадель» увеличилось весьма незначительно в сравнении с упомянутыми выше подкреплениями противника (55 стрелковых дивизий, 2 танковых и механизированных корпуса и много танковых бригад). До конца августа мы получили 9 пехотных и одну танковую дивизию. Из них, однако, 4 пехотные дивизии мы отдали 7 ак, перешедшему на северный фланг группы «Центр» в состав 4-й танковой армии. Так как в результате этого фронт этой армии увеличился на 120 км, эти 4 дивизии, по существу, не означали увеличения сил.

Все же мы получили дополнительно 5 пехотных и одну танковую дивизию. Если бы мы их имели перед началом операции «Цитадель», то это обстоятельство могло бы по меньшей мере ускорить первый успех и значительно повлиять на ход сражения в нашу пользу. Не подлежит никакому сомнению, что легче было высвободить эти дивизии тогда, чем после операции «Цитадель», когда обстановка на всех участках стала более напряженной.

БОЛЬШОЕ СРАЖЕНИЕ
НА ВСЕМ ФРОНТЕ ГРУППЫ

Если до 27 августа на северном фланге группы армий от Харькова до Сумы создалась некоторая разрядка, хотя, конечно, и очень короткая благодаря восстановлению до некоторой степени сплошного фронта, обстановка в Донбассе становилась все более угрожающей.

Поэтому командование группы категорически потребовало или — при прежней задаче — выделить дополнительные силы, или дать свободу маневра на южном фланге, чтобы остановить противника на более коротком тыловом рубеже фронта.

В связи с этим требованием Гитлер наконец решился прибыть из своей Ставки в Восточной Пруссии на юг для проведения короткого совещания. Совещание состоялось 27 августа в Виннице, в его бывшей Ставке.

На этом совещании я и командующие подчиненными армиями, а также один командир корпуса и один командир дивизии доложили Гитлеру обстановку и прежде всего состояние частей, уже давно истощенных в непрерывных боях. Я особенно указал на то, что наши потери составили 133 000 человек, а получили мы в качестве пополнения только 33 000 человек. Если боеспособность противника и ослаблена, то все же большое количество соединений дает ему возможность постоянно бросать в бой боеспособные дивизии. Кроме того, он продолжает подбрасывать силы с других участков Восточного фронта.

Из этой обстановки я сделал вывод о том, что мы не можем удержать Донбасс имеющимися у нас силами и что еще большая опасность для всего южного фланга Восточного фронта создалась на северном фланге группы. 8-я и 4-я танковые армии не в состоянии долго сдерживать натиск противника в направлении к Днепру.

Я поставил перед Гитлером ясную альтернативу:

— или быстро выделить нам новые силы, не менее 12 дивизий, а также заменить наши ослабленные части частями с других спокойных участков фронта,

— или отдать Донбасс, чтобы высвободить силы на фронте группы.

Гитлер, который вел это совещание в очень деловом тоне, хотя и пытался углубиться, как всегда, в технические подробности, все же согласился с тем, что группа «Юг» требует серьезной поддержки. Он обещал, что даст нам с фронтов групп «Север» и «Центр» все соединения, какие можно только оттуда взять. Он обещал также выяснить в ближайшие дни возможность смены ослабленных в боях дивизий дивизиями с более спокойных участков фронта.

Уже в ближайшие дни нам стало ясно, что дальше этих обещаний дело не пойдет.

Советы атаковали левый фланг группы «Центр» (2-ю армию) и осуществили частный прорыв, в результате которого эта армия была вынуждена отойти на запад. В полосе 4-й армии этой группы в результате успешного наступления противника также возникло критическое положение.

28 августа фельдмаршал фон Клюге прибыл в Ставку фюрера и доложил, что не может быть и речи о снятии сил с его участка фронта. Группа «Север» также не могла выделить ни одной диви-

зии. Относительно других театров военных действий Гитлер был
намерен сначала подождать дальнейшего развития событий, то есть
подождать, высадятся ли англичане в Апулии или на Балканах,
или — что было так же невероятно, как и несущественно, — свяжут
ли они свои силы в Сардинии.

К сожалению, Советы не считались с желанием Гитлера подождать с принятием решения. Они продолжали наступать. Обстановка становилась все более критической.

Фронт 6-й армии был прорван; ее корпусу, действовавшему на
побережье, угрожало окружение. Две дивизии, которые еще раньше — вопреки намерению командования группы использовать их
на северном фланге — были переброшены в Донбасс, не смогли
восстановить положение.

Командование группы приказало поэтому 31 августа отвести
6-ю армию на заранее подготовленную тыловую позицию. Этим
был сделан первый шаг к сдаче Донбасса. Вечером этого же дня
Гитлер разрешил наконец командованию группы постепенно отводить 6-ю армию и правый фланг 1-й танковой армии, «если того
настоятельно требует обстановка и нет никакой другой возможности». Было отдано распоряжение об уничтожении всех важных
в военном отношении объектов Донбасса.

Если бы эта свобода маневра была предоставлена нам несколькими неделями раньше, группа имела бы возможность вести бой
на своем южном фланге с большей экономией сил. В этом случае
группа могла бы высвободить части для использования на решающем северном фланге и, несмотря на это, остановить наступление
противника на юге на более коротком фронте, может быть, даже
перед Днепром. Теперь же она могла только уберечь южный фланг
от поражения. Однако было еще сомнительно, сможем ли мы создать
прочную оборону перед Днепром.

В то время как 1-я танковая армия удерживала рубеж по среднему Донцу, за исключением тех участков, где ее правый фланг должен
был быть сокращен в связи с отходом 6-й армии, положение на
северном фланге группы вновь обострилось.

8-я армия, атакованная в районе южнее Харькова с севера и востока, смогла предотвратить вражеский прорыв, хотя и в результате незначительного отхода и обусловленного этим сокращения ее
фронта.

В результате отхода соседней справа 2-й армии группы «Центр»
4-я танковая армия была вынуждена загнуть свой левый фланг. Ее

и без того слабый фронт был еще более увеличен. Расположенный на самом южном участке 2-й армии ее 13-й корпус вследствие плохого управления отступил на юг в район действий танковой армии, в результате этого образовался еще один фронт в 90 км, вытянутый на север и удерживаемый четырьмя более или менее потрепанными дивизиями. Можно было уже предугадать, что армия вряд ли выдержит следующий натиск противника, если противник, наступательный порыв которого пока ослаб, вновь начнет наступление свежими силами, тем более что теперь создалась угроза и ее северному флангу.

Дальнейшее обострение обстановки и прежде всего медлительность Гитлера в принятии решения относительно выделения нам подкреплений заставили меня 3 сентября вылететь в Ставку фюрера в Восточной Пруссии. Я попросил фельдмаршала фон Клюге также прибыть туда. Я хотел совместно с ним выяснить вопрос о распределении сил с учетом планов наступления противника. Одновременно мы хотели обсудить необходимость разумной стратегии, то есть устранить двойственность в делении театров военных действий на театры военных действий ОКВ и Восточный фронт. За день до этого в письме генералу Цейтцлеру я требовал, чтобы наконец были приняты кардинальные меры для сосредоточения главных усилий на решающем участке Восточного фронта.

Ввиду возможного развития событий на внутренних флангах групп «Юг» и «Центр» необходимо было заблаговременно сосредоточить одну сильную армию перед Киевом. Если же ждать с переброской сил с других театров военных действий до тех пор, пока западный противник где-нибудь не высадится, то для Восточного фронта уже будет поздно. Вообще, не так уж трудно распознать по группировке сил военно-морского флота и транспортных судов противника его основные намерения, то есть где существует угроза высадки. Цейтцлер дал прочитать это письмо Гитлеру. Как он мне сказал, письмо вызвало у Гитлера взрыв бешенства. Он заявил, что я хочу проводить только гениальные операции и быть оправданным в летописи военных действий. Что можно сказать об этих наивных высказываниях!

Беседа между Гитлером, фельдмаршалом фон Клюге и мною осталась, к сожалению, безрезультатной. Гитлер заявил, что нельзя снять силы ни с других театров военных действий, ни с фронта группы «Центр». Гитлер отнесся также абсолютно отрицательно к вопросу о создании единого командования путем передачи ответственности за все театры военных действий начальнику Генерального штаба. Он утверждал, что и его влияние ничего не может изменить или улучшить в общей стратегии. Конечно, Гитлер отлично понимал, что предложение о начальнике Генерального штаба, отвечающем за все театры военных действий, было направлено на то, чтобы Гитлер сохранил за собой только право принимать окончательное решение, но отказался от руководства операциями. Но на это он не мог согласиться, так же как не мог согласиться и на отказ от руководства действиями на Восточном фронте путем назначения командующего Восточным фронтом.

Так как и в последующие дни ОКХ не приняло никаких мер, которые учитывали бы обстановку на фронте группы «Юг», я вновь доложил телеграммой от 7 сентября обстановку на фронте группы. Я указал на то, что противник ввел в бой против нашей группы уже 55 дивизий и 2 танковых корпуса, взятые им не из резервов, а в значительной части с других участков Восточного фронта; кроме того, новые части были еще на подходе. Я еще раз потребовал срочных кардинальных мер от ОКХ для того, чтобы мы смогли удержать фронт на участке нашей группы.

Вскоре, 8 сентября, Гитлер прибыл в наш штаб в Запорожье, куда он приказал прибыть командующему группой «А» фельдмаршалу фон Клейсту и генерал-полковнику Руоффу, 17-я армия которого все еще находилась на Кубани.

На этом совещании я еще раз очень настойчиво указал на серьезность положения группы, состояния войск, а также на те последствия, которые грозят не только группе «Юг», но и группе «А» в случае разгрома северного фланга нашей группы.

Я заявил, что мы не можем больше восстановить положение на правом фланге группы перед Днепром. Противнику удалось пробить брешь на северном фланге 6-й армии шириной 45 км, где сражались только остатки двух наших дивизий. Контратаки небольшими имеющимися у нас танковыми силами не могли закрыть эту брешь. Хотим мы или не хотим, но мы будем вынуждены отойти за Днепр, особенно принимая во внимание возможные последствия чрезвычайно напряженной обстановки на северном фланге нашей группы.

Чтобы получить необходимые силы для подкрепления этого фланга, я предложил немедленно отвести группу «Центр» на рубеж Днепра. В результате этого ее фронт сократился бы на одну треть и мы сэкономили бы силы, которые позволили бы нам сосредоточить, наконец, достаточно крупные силы на решающем участке Восточного фронта.

Теперь Гитлер в принципе соглашался с необходимостью отхода северного фланга группы на рубеж Мелитополь — Днепр, хотя он все еще надеялся избежать этого путем подтягивания сюда новых дивизионов штурмовых орудий (сау). Как всегда, он думал, что использование технических средств будет достаточным для стабилизации обстановки, которая могла быть достигнута на самом деле только введением в бой большого числа новых дивизий.

Относительно высвобождения сил из района группы «Центр» путем отхода на верхний Днепр он заявил, однако, что быстрый отход на такое большое расстояние неосуществим. Такое большое передвижение частей затянется якобы вплоть до наступления распутицы. Кроме того, он считал, что будет потеряно много техники (как это произошло при отходе с Орловской дуги). Вообще отход на промежуточный рубеж дальше на восток был, по его мнению, возможен, но не дал бы нам необходимой компенсации в виде экономии сил.

Все это упиралось в вопрос о маневренном ведении операций, по которому командование группы «Юг» на основе своего опыта в Крыму и зимой 1942/43 года занимало принципиально иную позицию, чем ОКХ и командующие другими группами. В этих кампаниях мы были вынуждены действовать быстро и оперативно, и дело обходилось без предварительного длительного планирования и подготовки. Гитлер же и другие командующие полагали, что нельзя так быстро начинать и проводить большие передвижения войск. Правда, быстрое проведение отхода с фронта, долгое время прочно удерживавшегося, затруднялось тем, что Гитлер — с целью обеспечения удержания местности даже и при временном перерыве в снабжении распорядился хранить в армиях трехмесячный запас материальных средств.

Если Гитлер, следовательно, все еще никак не мог решиться на такое большое мероприятие, каким было предложенное мною сокращение линии фронта, занимаемого группой «Центр», то все же он признавал необходимость сильного укрепления группы «Юг».

По предложению начальника Генерального штаба он решил, что группа «Центр» немедленно выделит один корпус в составе двух танковых и двух пехотных дивизий на стык между нею и 4-й танковой армией. Этим должна быть предотвращена опасность охвата нашего северного фланга.

Кроме того, он согласился на выполнение моего требования о том, чтобы подтянуть еще 4 дивизии для обеспечения переправ через Днепр. Наконец, он решил в целях высвобождения сил оставить кубанский плацдарм, потерявший уже давно всякую оперативную ценность. Согласно докладу фельдмаршала фон Клейста, это можно было сделать к 12 октября.

К сожалению, не удалось добиться того, чтобы эти приказы были изданы немедленно, то есть еще в нашем штабе. Но когда я прощался с Гитлером на аэродроме, он перед посадкой в самолет еще раз повторил свое согласие дать нам обещанные силы.

Еще вечером этого дня мы отдали приказ 6-й армии и 1-й танковой армии перейти теперь к подвижной обороне, которую армии должны организовать так, чтобы обеспечить стойкость войск и выиграть как можно больше времени для осуществления отхода.

Что касается фронтов 8-й армии и 4-й танковой армии, то командование группы надеялось, в случае если будет выполнено обещание Гитлера, восстановить положение на северном фланге 4-й танковой армии контратакой корпуса, перебрасываемого к нам из группы «Центр». С помощью подходящих к Днепру дивизий мы сможем укрепить наш фронт. Тогда возникала возможность остановить противника на северном фланге перед Днепром — приблизительно на линии Полтавы. В этом случае было бы достигнуто существенное сокращение фронта не только для данной обстановки, но и для той, которая возникла бы, если бы группа при отсутствии подкреплений должна была отступить на всем фронте за Днепр.

К сожалению, следующий день принес нам новое разочарование. Приказ, обещанный мне Гитлером при его отъезде, о выделении четырех дивизий для использования на рубеже Днепра, так и не пришел. Сосредоточение корпуса на нашем северном фланге было задержано группой «Центр». Было неизвестно, когда и в каком составе он действительно прибудет.

Я просил начальника Генерального штаба доложить фюреру о том, что при таких обстоятельствах придется считаться с возможностью прорывов противника к переправам через Днепр, включая Киев. В связи с постоянно затягиваемым решением Главного командования и невыполнением обещаний, на которых командование группы строило свои планы, я счел необходимым добавить в это донесение абзац, который (ввиду своей прозрачности) мог быть изложен только письменно. Я приведу его здесь дословно, поскольку он ясно показывает разногласия между Главным командованием и командованием группы.

«Командование группы после окончания зимних боев докладывало, что оно не сможет удержать имеющимися силами свой фронт обороны, и неоднократно, но напрасно, ставило вопрос о необходимой перегруппировке сил внутри Восточного фронта или за счет других театров военных действий, что было неизбежно ввиду значения обороняемого ею района и того определенного факта, что русские выберут главным направлением своего наступления участок группы "Юг". Вместо этого после окончания операции "Цитадель" у нее отобрали силы, а после наступившего кризиса подкрепления давались ей в недостаточном количестве и с опозданием.

Если бы мы своевременно получили подкрепления, требуемые обстановкой (при соответствующем отказе от них на других фронтах), то можно было бы избежать теперешнего кризиса, который может решить исход войны на Востоке, а следовательно, и всей войны.

Я пишу это не для того, чтобы теперь, с опозданием, говорить об ответственности за такое развитие событий на Востоке, а для того, чтобы по крайней мере в будущем своевременно делалось все необходимое».

Гитлер, по-видимому, колебался, принять ли ему решение, которое, по нашему мнению, было совершенно необходимым: отвести группу армий «Центр» на рубеж Днепра, чтобы высвободить силы, достаточные для спасения положения на южном крыле Восточного фронта. Побудить его принять это решение не могли ни настойчивые советы начальника Генерального штаба и оперативного управления ОКХ, ни новое обращение штаба группы армий «Юг». В последнем говорилось, что если противник, как опасался Гитлер, начнет наступление на фронте группы армий «Центр», то оно будет носить только сковывающий характер. Противник попытается таким путем помешать нам сосредоточить крупные силы на северном фланге группы армий «Юг». Что же касается отхода группы армий «Центр» на линию Днепра, то он ни с оперативной, ни с военно-экономической точек зрения не будет иметь существенных последствий.

Когда тем не менее не было принято никакого решения, направленного на образование обещанной нам группировки на северном фланге войск группы армий «Центр», а противник, с другой стороны, перебрасывал против этого фланга все новые и новые дивизии, возникла опасность охвата 4-й танковой армии с севера, в результате чего она была бы оттеснена от Киева. Это не только лишило бы нас возможности организовать оборону на новом рубеже за Днепром, но и значительно усилило бы угрозу окружения всей группы армий.

Характеризуя эту обстановку, штаб группы армий 14 сентября доносил, что он вынужден на следующий день отдать приказ об отходе также и северного фланга группы армий за Днепр по обе стороны от Киева. Еще до этого 8-я армия получила приказ перейти к маневренной обороне. Мысль о том, чтобы остановить наступление противника на более коротком фронте перед Днепром на линии, проходящей через Полтаву, вследствие колебаний Гитлера стала беспредметной.

В ответ на это донесение нам указали на то, что приказ не должен отдаваться до тех пор, пока Гитлер 15 сентября не переговорит еще раз со мною. Я ответил, что такая беседа может иметь смысл только в том случае, если я получу возможность говорить с ним один, только в присутствии начальника Генерального штаба.

Во время этой беседы я доложил Гитлеру о том, что после посещения им фронта обстановка ухудшилась. Я заявил ему, что кризис, наступивший на северном фланге группы армий, таит в себе смертельную угрозу не только ей, но в дальнейшем и Восточному фронту в целом. Речь идет не только о возможности удержать линию Днепра или какие-нибудь другие важные в экономическом отношении области, а о судьбе всего Восточного фронта. Я добавил, что наступивший теперь кризис является следствием того, что группа армий «Центр» не передала нам те войска, о которых мы просили. Штаб группы армий «Юг» со своей стороны в критической обстановке всегда лояльно выполнял приказы ОКХ о передаче войск другим группам армий. Трудно понять, почему делается исключение для других групп армий. К тому же для этого нет никаких оснований, если группа армий «Центр» вскоре отойдет на новые рубежи. Удерживать же старые позиции вообще нет никакого смысла, если противнику удастся прорыв на фронте 4-й танковой армии. Положение, при котором передача сил от одной группы армий другой, необходимость которой признает и Главное командование, как в данном случае с группой армий «Центр», я считаю совершенно ненормальным. Чего же мы добьемся, если командующие не выполняют больше приказов! Я, во всяком случае, уверен в том, что всегда добьюсь выполнения моих приказов. (Причина того, что Гитлер на этот раз ничего не добился от группы армий «Центр», заключалась, естественно, в том, что он не учел своевременно необходимости сокращения ее фронта и не решился в связи со своими колебаниями дать приказ о быстром его осуществлении.)

Я закончил свой доклад Гитлеру тем, что выразил сомнение, сумеет ли 4-я танковая армия отойти за Днепр. Конечно, группа армий сделает все для того, чтобы эта операция прошла гладко. Для этого, однако, необходимо немедленно начать непрерывную переброску одновременно по четырем имеющимся в распоряжении железным дорогам по одной дивизии из района группы армий «Центр» на северный фланг группы армий «Юг» до тех пор, пока там не будет восстановлено положение. Само собой разумеется, что при этом будет неизбежным отвод группы армий «Центр» на рубеж Днепра. Речь идет о судьбе Восточного фронта, и нет другого выхода, кроме немедленной переброски крупных сил в район Киева.

Хотя Гитлер спокойно отнесся к заключенной в моем докладе довольно прозрачной критике, эта беседа не доставила ему большого удовольствия. В результате ее был немедленно издан приказ ОКХ, в соответствии с которым группа армий «Центр», начиная с 17 сентября, должна была по четырем дорогам перебрасывать максимально быстрыми темпами одновременно 4 дивизии группе армий «Юг». Кроме того, нам были обещаны с Западного фронта пехотные подразделения и пополнение для доукомплектования наших дивизий, всего 32 батальона.

После возвращения в наш штаб 15 сентября вечером мною был отдан группе армий приказ об отводе всех армий на линию Мелитополь — Днепр (до района выше Киева) — Десна.

У читателя, возможно, создалось впечатление, что в те дни, когда группа армий вела бои перед линией Днепра, деятельность ее командования в основном состояла в борьбе с ОКХ и Гитлером. В действительности все снова и снова предпринимавшиеся попытки добиться того, чтобы со стороны Главного командования своевременно были приняты необходимые меры, а неизбежное не всегда делалось слишком поздно, занимали значительную часть нашей деятельности и стоили много нервов, тем более что в штабе группы армий уже вошло в привычку быстро принимать решения, а характеру командующего мало импонировало неоднократное повторение само собой разумеющихся вещей и бесконечное обращение с просьбами. В конце концов именно эта борьба и своевременное признание вытекающей из оперативной обстановки необходимости явились основной отличительной чертой кампании 1943—1944 годов со стороны германской армии.

Вообще, «попытка приподнять завесу над замыслами противника, понять, как он собирается действовать, и в соответствии с этим принять решение о распределении и использовании своих сил — это всегда лишь одна, хотя и значительная, часть того, что в военном деле принято считать задачей командования. Другая часть состоит в том, чтобы разработать определенную операцию и провести ее в жизнь. Если эта часть задачи командования в предшествующем изложении нашла лишь небольшое отражение, то это объясняется тем, что мы уже не имели возможности осуществлять настоящие операции (как, например, описанный выше замысел ответного удара).

Для того чтобы подробно описывать, как командование группы армий только во время этой кампании пыталось лидировать удары превосходящих сил противника, когда ему уже не могла принадлежать пальма победы, потребовалось бы написать еще одну такую книгу. Я вынужден ограничиться лишь указанием на то, что мы стремились, поскольку это было возможно с теми силами, которыми мы располагали, не полностью предоставлять инициативу противнику. Там, где мы имели сколько-нибудь достаточные силы, мы предоставляли противнику фронтально атаковать нас и наносили ему большие потери. В других случаях мы пытались путем своевременного отхода на отдельных участках помешать ему путем наступления превосходящими силами выбить нас с занимаемых позиций. Неоднократно нам удавалось, сосредоточивая танковые соединения, останавливать прорвавшегося противника, а когда это было возможно — использовать допущенные им ошибки, — например, когда он осмеливался после прорыва уходить слишком далеко вперед, — для нанесения контрударов. Этими боевыми действиями руководило командование армий. Описание их вышло бы за рамки этой книги.

Следует, однако, отметить, что взаимоотношения между командованием группы армий и подчиненными армиями носили характер взаимного доверия.

Командующие армиями с помощью своих искусных начальников штабов в тяжелой обстановке всегда находили выход. Они не теряли головы, когда обстановка приобретала кризисный характер. Они всегда проявляли понимание, когда командование группы армий в интересах общей обстановки было вынуждено вмешиваться в их действия или брать у одной из армий силы для передачи их другой армии, несмотря на напряженную обстановку. Это все были люди, хорошо знавшие свое дело.

Генерал-полковник Голлидт, командующий 6-й армией, был при мне в Крыму командиром дивизии, и с тех пор мы его хорошо знали. Это был серьезный человек с цельным характером, с большой силой воли. Он, может быть, и был без больших претензий, но зато отличался ясным, трезвым умом и объективностью суждения. На него вполне можно было положиться. Будучи пехотинцем, он особенно остро переживал исход боевых действий войск, который при сложившейся обстановке не мог не отражаться на его настроении. Его начальник штаба, генерал Борк, несмотря на то, что он, бесспорно, весь отдавался делу, отнюдь не был удачным дополнением своего командующего, во всяком случае, такое впечатление сложилось у командования группы армий. Как известно, недостаточно соединить вместе двух способных командиров, назначив одного из них командующим, другого — начальником штаба. Важно, чтобы эти командиры дополняли друг друга по своим способностям и чтобы именно начальник штаба, на которого обычно возлагается главная ответственность в деле налаживания контакта с вышестоящими и подчиненными инстанциями, обладал необходимыми для этого данными.

Командующий 1-й танковой армией генерал-полковник фон Макензен унаследовал от своего отца, фельдмаршала времен Первой мировой войны и генерал-адъютанта кайзера, корректность, благородство и обходительность в отношениях с людьми. Он был кавалеристом, служил раньше, как и его отец, в лейб-гусарском полку, однако в нем не было ничего гусарского, он был в своей деятельности рассудителен и педантично точен. В мирное время он хорошо справлялся с обязанностями начальника Железнодорожного управления Генерального штаба. С деятельностью командующего армией он познакомился, находясь на посту начальника штаба армии в Польше и на Западном фронте. Позже, когда мы вместе находились в заключении в тюрьме Верль, он был мне хорошим другом, всегда готовым оказать помощь.

Его начальник штаба генерал Венк являлся очень удачным дополнением своего командующего. Как я уже упоминал при описании зимней кампании 1942/43 года, Венк в начале ее был начальником штаба и душой 3-й румынской армии на Дону. Затем он стал начальником штаба у Макензена. Какой бы критической ни была обстановка на фронте 1-й танковой армии, мы были уверены, что Венк при поддержке своего командующего, который ему безгранично доверял, всегда найдет выход. Хотя ему иногда и приходилось рисовать обстановку моему начальнику штаба Буссе в очень черном свете, он неизменно заканчивал свои слова фразой: «Ну, ладно. Как-нибудь мы и с этим справимся». Своему оптимизму, бодрости и неутомимости, как и обаянию, которым он отличался в общении с людьми, он был обязан тем, что мы прозвали его «птичкой божьей». Иронии судьбы было угодно, чтобы такой человек, как Венк, не выдержал экзамена на чин лейтенанта в военном округе, который должен был открыть ему дорогу для службы в Генеральном штабе; только благодаря хорошей рекомендации ему удалось уже во второй раз успешно сдать.

О командующем 8-й армией генерале Велере я уже раньше говорил. Стойкость этого честного и прямого человека, настоящего жителя Нижней Саксонии, выдержала все испытания и в дальнейшем. Дружба, которая нас связывала еще со времен совместной службы в Крыму, где он был моим начальником штаба, во многом способствовала нашей совместной работе. Несмотря на то что он был очень молодым командующим армией, он умел благодаря силе воздействия своей личности везде быстро завоевывать себе авторитет. Он не стеснялся говорить начистоту и с высшим офицером войск СС, ставленником Гиммлера.

Прекрасным помощником Велера был его начальник штаба генерал Шпейдель, который уже отличился при предшественнике Велера генерале Кемпфе, в особенности когда тот командовал армейской группой. Шпейдель — всегда спокойный и деловитый — обладал наряду с прекрасным знанием штабной работы и обширными знаниями общих вопросов.

Командующий 4-й танковой армией генерал-полковник Гот был моим предшественником на посту командира дивизии в Лигнице (Легница), следовательно, намного старше меня. Он командовал танковой группой (примерно соответствует армии. — *Примеч. ред.*), когда я был только командиром корпуса, и обладал большим опытом в области оперативного использования танковых соединений. Тем важнее отметить, что он сохранял в нашей группе армий полную лояльность по отношению к своему младшему по годам командующему. Небольшого роста, худощавый, он был всегда бодр, очень подвижен, приветлив и охотно веселился в кругу младших товарищей. Он очень любовно относился к подчиненным. Свою точку зрения он излагал всегда очень ясно и определенно. Он проявлял большую гибкость в управлении войсками, особенно в тяжелой обстановке. Своей солдатской прямотой он импонировал позже даже американским судьям в Нюрнберге.

Импульсивный человек, Гот прекрасно дополнялся своим начальником штаба генералом Фангором, неутомимым и неизменно бодрым тружеником, умевшим всегда быстро и хорошо выполнять замыслы своего командующего, а в трудной обстановке давать собственные предложения для того, чтобы найти выход из создавшегося положения.

Если, таким образом, командование группы армий могло полностью доверять командованию подчиненных ему объединений, то и оно, со своей стороны, могло быть довольно вышестоящим командованием. Командующие армиями всегда знали, какие задачи им предстоит выполнять. Хотя командованию группы армий часто и не удавалось получать от Гитлера ясных оперативных указаний (я не имею здесь в виду указания о том, что необходимо все удерживать), то оно все же всегда ясно говорило подчиненным армиям, в чем заключается наш оперативный замысел. Мы стремились ставить перед армиями ясные задачи, не вмешиваясь в действия командующих, за исключением тех случаев, когда нас к этому вынуждал весь ход операций. Ни разу не бывало, однако, так, что решение, которое должно было принять командование группы, поступало несвоевременно. Если мы давали обещание, армии знали, что мы его сдержим, как и то, что приказы, даваемые штабом группы армий, если даже они предусматривали передачу соединений другим армиям, должны неуклонно выполняться.

Если между командованием группы армий и армиями установились отношения подлинного доверия, то главная заслуга в этом принадлежит моим ближайшим помощникам, в первую очередь моему начальнику штаба генералу Буссе и нашему отличному начальнику оперативного отдела подполковнику Шульц-Бюттгеру. Известно, что связь между штабами соединений и объединений по оперативно-тактическим вопросам проходит в значительной степени через начальника штаба и начальника оперативного отдела. Когда я был командующим армией, у меня во всяком случае не было желания все время самому висеть на телефоне. Прежде всего я избегал давать подчиненным командующим армиями по телефону «советы», как это, к сожалению, часто делают некоторые командующие.

Буссе и Шульц-Бюттгер особенно хорошо подходили друг к другу.

Шульц-Бюттгер, человек, очень располагавший к себе, был так же умен, как и скромен, и хотя он иногда и любил зло пошутить, всегда оставался вежливым. Этот очень способный офицер, обладавший прекрасными чертами характера, к сожалению, стал одной из жертв 20 июля.

Буссе, о значении которого для меня лично я уже раньше говорил, всегда умел выделить в том, о чем он говорил, самую суть дела. Когда это было необходимо, он проявлял себя как очень энергичный человек. Когда один из начальников штабов армий — конечно, не без оснований — в очередной раз рисовал обстановку, в которой находилась его армия, в черном свете и сомневался в возможности выполнения поставленной перед ним задачи, Буссе обычно говорил: «Ну, так уж плохо дело не может обстоять». Это была, однако, не попусту брошенная фраза, ее произносил умудренный опытом человек, переживший немало кризисных положений; за этой фразой всегда следовали предложения о том, как искать выход, или обещания оказать помощь.

По поводу некоторых приказов, которые мы получали сверху, Буссе, однако, только разводил руками и говорил: «Простому смертному это трудно понять». Вообще у нас в узком кругу никто не стеснялся высказывать свои мысли.

Приказы, об оторванности которых от действительности у нас так резко говорили, не были, между прочим, детищами оперативного управления ОКХ или «шаровой молнии». Они исходили от Гитлера.

Генерал Цейтцлер получил у нас прозвище «шаровой молнии», так как его появление на посту начальника Генерального штаба в ОКХ произвело впечатление удара молнии, а также потому, что он требовал от подчиненных молниеносного выполнения своих заданий. Шарообразные очертания его фигуры послужили причиной другой части его прозвища. Маленького роста, он имел некоторую склонность к полноте, которая подчеркивалась круглой головой, розовыми щечками и начинающейся лысиной. Его движения также чем-то напоминали шар.

Цейтцлер не был моим другом. Когда он еще был молодым офицером, он служил в Управлении обороны страны при ОКБ, а это учреждение не было особенно дружественно настроено по отношению к ОКХ, в котором я тогда занимал пост «1-го оберквартирмейстера Генерального штаба». Я тогда, по-видимому, не заблуждался, полагая, что Цейтцлер в то время относился к группе офицеров, считавших, что ОКБ должно оказывать влияние на руководство сухопутными силами. Если это так, то Цейтцлеру пришлось теперь за это жестоко расплачиваться. Как начальнику Генерального штаба сухопутных сил ему пришлось теперь подчиняться своим бывшим начальникам Кейтелю и Иодлю. Он был отстранен от управления операциями сухопутных сил на многих театрах военных действий и должен был почувствовать, куда привело создание двух инстанций для руководства вооруженными силами вместо одной.

Во время войны Цейтцлер был начальником штаба танкового 1-го корпуса, затем 1-й танковой армии и отличился здесь при командующем, будущем фельдмаршале фон Клейсте, своей энергией, работоспособностью и тактическим мастерством. Гитлер обратил на него внимание и весной 1942 года перевел его на должность начальника штаба группы армий на Западном фронте. Он справедливо полагал, что энергия Цейтцлера исключительно благоприятно скажется на укреплении обороны французского побережья. После отставки генерал-полковника Гальдера Гитлер назначил Цейтцлера его преемником.

Хотя Цейтцлер, не только энергичный, но и бесцеремонный человек, во многом был солдатом типа Гитлера, последний все же ошибался, считая, что найдет в нем безвольный инструмент. Во всяком случае, Цейтцлер с того момента, когда наш штаб принял командование над группой армий «Дон», всегда энергично и настойчиво отстаивал перед Гитлером наши мнения и пожелания, не считаясь с тем, что такое сопротивление было Гитлеру очень неприятно. Гитлер один раз сказал мне: «Цейтцлер борется за Ваши предложения, как лев». Только такой невосприимчивый к обиде человек, как Цейтцлер, мог вообще выносить ежедневные или, вернее, еженощные препирательства с Гитлером и примиряться со все новыми разочарованиями. Начальником Генерального штаба в духе Мольтке или Шлиффена Цейтцлер, во всяком случае, не был, да при том положении, какое он занимал при Гитлере, и не мог быть.

Во всяком случае, сотрудничество между штабом группы армий и начальником Генерального штаба развивалось в атмосфере доверия. В немалой степени этому способствовала личность начальника Оперативного управления генерала Хойзингера. Я был с ним в особенно дружественных отношениях еще с того времени, как он до войны работал под моим началом в Оперативном управлении. Он был настолько же одаренным офицером Генерального штаба, насколько и любезным человеком, обладавшим цельным характером.

ОТХОД ЗА ДНЕПР

Отданный 15 сентября вечером после моего возвращения из Ставки фюрера приказ группы армий об отходе армий к Днепру предусматривал, что темпы этого маневра определяются сохранением боеспособности войск. В нем было дословно сказано, что «во всех решениях и приказах следует прежде всего исходить из того положения, что боеспособные войска могут справиться с любыми трудностями, войска же, потерявшие боеспособность или боевой дух, бессильны, особенно при отступлении». Где только возможно, армиям предлагалось принимать бой с атакующим противником, чтобы ослабить его наступательный порыв и выиграть время для отхода.

6-я армия имела задачей отвести оба своих корпуса, расположенных на южном фланге, на подготовленную позицию между Мелитополем и Днепровской дугой, южнее Запорожья. Ее северный корпус должен был отойти на укрепленный плацдарм у Запорожья. В связи с этим он переходил вместе с занимаемым им плацдармом в подчинение 1-й танковой армии. 6-я армия переходила в подчинение группы армий «А», 17-я армия которой отводилась из Кубани на Крым.

1-я танковая армия имела задачей переправиться через Днепр у Запорожья и Днепропетровска и принять позиции от Запорожья до района в 30 км восточнее Кременчуга. После переправы днепропетровский плацдарм должен был быть оставлен, запорожский же плацдарм по категорическому приказу Гитлера необходимо было удерживать. Правофланговый корпус 8-й армии, также отходивший на Днепропетровск, переходил в подчинение 1-й танковой армии.

Этой армии, далее, было приказано сосредоточить как можно раньше 40 тк в составе двух танковых дивизий, одной моторизованной дивизии и кавалерийской дивизии СС в районе южнее Днепра для переброски на левый фланг группы армий. Этот план, однако, был сорван приказом Гитлера об удержании запорожского плацдарма. На последствиях этого шага я остановлюсь ниже.

8-я армия имела задачей переправиться через Днепр в районе кременчугского и черкасского укрепленных плацдармов. Армия должна была с боями, сосредоточив крупные силы танков на левом фланге, обеспечить себе возможность отойти на переправу у Черкасс. Так как армия должна была занять за Днепром позиции до пункта 30 км южнее Киева, 24 тк, отходивший к Днепру в составе 4-й танковой армии через Канев, после выхода на Днепр переходил в подчинение 8-й армии.

4-я танковая армия имела задачей переправиться указанным выше корпусом у Канева, а главными силами армии — у Киева и обеспечить установление связи за Днепром с расположенным севернее правым флангом группы армий «Центр».

Начатый в соответствии с этим приказом отход на линию Мелитополь — Днепр под натиском превосходящих сил противника является, пожалуй, самой тяжелой операцией, проведенной группой армий во время кампании 1943—1944 годов.

Сравнительно легко было решить эту задачу еще на правом фланге, где находилась 6-я армия. Ей удалось отвести свои войска по прямой на подготовленные позиции севернее Мелитополя и на запорожский плацдарм. На этом участке фронта опасность заключалась в основном в натиске превосходящих сил противника, в особенности танков, которые наносили удары по нашим отступающим войскам.

Исключительно тяжело было, однако, отвести 3 остальные армии и переправить их через реку. На участке фронта в 700 км было всего пять переправ через Днепр. После переправы армии должны снова развернуться и занять оборону на фронте такой же ширины, до того как противнику удастся захватить плацдармы на южном берегу. Только одно то обстоятельство, что каждая армия вынуждена была сосредоточивать свои силы у одной-двух переправ, уже предоставляло противнику большие шансы. Но главная опасность состояла в том, что противник мог использовать время, которое было необходимо для переправы немецких войск у Днепропетровска, Кременчуга, Черкасс, Канева и Киева, для того, чтобы нанести удар между этими переправами и форсировать Днепр.

Отход этих армий еще больше осложнялся ввиду того, что весь центральный участок фронта, занимаемый группой армий, левый фланг 1-й танковой армии и 8-я армия не могли отходить к Днепру по прямой. Их пришлось отводить еще севернее реки, почти параллельно к ней, на запад, чтобы выйти к переправам, использование которых могло обеспечить своевременное занятие оборонительных позиций за рекой по всей ширине фронта группы армий. Труднее всего приходилось 8-й армии, которой предстояло лишь в ходе отступательного марша с боем пробиться к своей западной переправе у Черкасс. На левом фланге группы армий, где находилась 4-я армия, существовала еще одна опасность, заключавшаяся в том, что в результате развития событий на южном фланге группы армий «Центр» она вообще могла быть отрезана от Киева.

То, что этот чрезвычайно тяжелый отход удался, правда, не без осложнений на отдельных участках, является заслугой гибкого управления артиллерией и следствием прекрасной дисциплины войск. Только командование, знавшее, что оно превосходит командование противника, только войска, которые, отступая, сознавали, что они не терпят поражения, могли выполнить эту задачу. Противнику не удалось сорвать сосредоточения войск у немногих переправ через реку или отрезать их от этих переправ. Несмотря на его численное превосходство, он не сумел использовать благоприятной обстановки, которую создавало для него стягивание наших войск к переправам, для того, чтобы форсировать Днепр крупными силами в стороне от этих переправ и тем самым не допустить создания намеченной оборонительной линии по ту сторону реки. То, что он захватил на нескольких участках плацдармы на противоположном берегу реки, при нехватке сил с нашей стороны нельзя было предотвратить. На этом я еще остановлюсь.

ВЫЖЖЕННАЯ ЗЕМЛЯ

Чрезвычайно трудные условия, в которых осуществлялся этот маневр, вынудили немецкое командование прибегнуть к любым мероприятиям, которые осложнили бы противнику преследование наших войск. Необходимо было помешать противнику немедленно после выхода на Днепр безостановочно продолжать свое наступление, перейдя к нему непосредственно после преследования. По этой причине немецкая сторона вынуждена была прибегнуть к тактике «выжженной земли».

В зоне 20—30 км перед Днепром было разрушено, уничтожено или вывезено в тыл все, что могло помочь противнику немедленно продолжать свое наступление на широком фронте по ту сторону реки, то есть все, что могло явиться для него при сосредоточении сил перед нашими днепровскими позициями укрытием или местом расквартирования, и все, что могло облегчить ему снабжение, в особенности продовольственное снабжение его войск.

Одновременно, по специальному приказу экономического штаба Геринга, из района, который мы оставляли, были вывезены запасы, хозяйственное имущество и машины, которые могли использоваться для военного производства. Это мероприятие, однако, проводилось группой армий только в отношении военных машин, цветных металлов, зерна и технических культур, а также лошадей и скота. О «разграблении» этих областей, естественно, не могло быть и речи. В немецкой армии — в противовес остальным — грабеж не допускался. Был установлен строгий контроль, чтобы исключить возможность вывоза какого-либо незаконного груза. Вывезенное нами с заводов, складов, из совхозов и т.п. имущество или запасы, между прочим, представляли собой государственную, а не частную собственность.

Так как Советы в отбитых ими у нас областях немедленно мобилизовывали всех годных к службе мужчин до 60 лет в армию и использовали все население без исключения, даже и в районе боев, на работах военного характера, Главное командование германской армии приказало переправить через Днепр и местное население.

В действительности эта принудительная мера распространялась, однако, только на военнообязанных, которые были бы немедленно призваны. Но значительная часть населения добровольно последовала за нашими отступающими частями, чтобы уйти от Советов, которых они опасались. Образовались длинные колонны, которые нам позже пришлось увидеть также и в Восточной Германии. Армии оказывали им всяческую помощь. Их не «угоняли», а направляли в районы западнее Днепра, где немецкие штабы заботились об их размещении и снабжении. Бежавшее население имело право взять с собой и лошадей, и скот, — все, что только можно было вывезти. Мы предоставляли населению также, поскольку это было возможно, и транспорт. То, что война принесла им много страданий и неизбежных лишений, нельзя оспаривать. Но их же нельзя было сравнить с тем, что претерпело гражданское население в Германии от террористических бомбардировок, а также с тем, что позже произошло на востоке Германии. Во всяком случае, все принятые немецкой стороной меры объяснялись военной необходимостью.

Каким исключительным техническим достижением был этот отступательный маневр, могут проиллюстрировать несколько цифр. Мы должны были переправить только около 200 000 раненых. Общее число железнодорожных составов, которые перевозили военное и эвакуируемое имущество, составило около 2500. Количество присоединившихся к нам гражданских лиц составило, вероятно, несколько сот тысяч человек. Этот отход был произведен за сравнительно короткий промежуток времени и, если учесть очень ограниченное количество переправ через Днепр, в особо трудных условиях. Вопреки всем прежним представлениям, этот отход доказал, что подобные операции могут быть осуществлены и за короткий промежуток времени.

30 сентября все армии, входившие в состав нашей группы армий, находились на линии Мелитополь — Днепр.

БОРЬБА ЗА ДНЕПРОВСКИЙ УКРЕПЛЕННЫЙ РУБЕЖ

Переправившись через Днепр, группа армий оказалась отделенной от противника, безусловно, сильной (по крайней мере летом) естественной преградой. Однако было ясно, что на долгое время рассчитывать на прекращение боевых действий нельзя.

Противник, в этом мы были убеждены, будет искать, как и раньше, решения на этом участке Восточного фронта, а не в другом месте.

По-прежнему он видел здесь перед собой наиболее заманчивые оперативные, военно-экономические и политические цели. Он, следовательно, будет, до пределов используя свои ресурсы на южном фланге, бросать против группы армий «Юг» все новые силы, будь то из резервов или с других участков фронта. Естественно, он, кроме того, будет предпринимать и на других участках наступление с частной целью или сковывающие удары. Но решающее значение эти удары, даже если они на отдельных участках и приведут к успеху, по сравнению с действиями на южном крыле Восточного фронта, по всей очевидности, иметь не могут.

Какие же шансы для удержания фронта имела группа армий «Юг»? Можно ли было рассчитывать на то, что противник окончательно истощит свои силы в бесплодных атаках Днепровского оборонительного рубежа?

На этот вопрос осенью 1943 года можно было ответить с гораздо большей уверенностью, если бы Днепровский рубеж был хорошо оборудован для обороны. Однако дело обстояло далеко не так.

Правда, командование группы армий еще зимой 1942/43 года потребовало от ОКХ быстрейшего оборудования Днепровского рубежа. Само оно не могло выполнять эти работы, так как район Днепра не входил еще в то время в фронтовую зону. Гитлер, однако, отклонил это требование, во-первых, потому, что он считал оборудование тыловых позиций большим искушением для войск, которые в этом случае смотрели бы больше назад, чем вперед; во-вторых, потому, что он хотел бросить все силы и прежде всего все средства на строительство Атлантического вала. Несмотря на это, группа армий при приближении фронта к Днепру в начале 1943 года по собственной инициативе приступила к укреплению плацдармов у Запорожья, Днепропетровска, Кременчуга и Киева, чтобы по крайней мере лишить противника возможности перерезать наши тыловые коммуникации у имевшихся там важных переправ через Днепр. Когда после прекращения операции «Цитадель» начался окончательный переход к обороне, штаб группы немедленно приступил к оборудованию всего Днепровского рубежа. Работы проводились на широком фронте с привлечением гражданского населения. Тем не менее удалось создать лишь легкие позиции полевого типа. Группе армий приходилось получать строительные машины, а также важнейшие строительные материалы — бетон, сталь, колючую проволоку и мины — по линии снабжения через ОКХ, а лес — от рейхскомиссариата Украины. Гитлер, однако, по-прежнему отдавал предпочтение в первую очередь Атлантическому валу. Таким образом, Днепровский рубеж, по крайней мере до того, пока река не замерзла, мог считаться мощной линией обороны, если, конечно, только было бы возможно занять его достаточно крупными силами, как это необходимо для полевых позиций.

В этом, однако, как и раньше, заключалась слабость германской армии. Численный состав немецких соединений в ужасающих размерах сократился в результате непрерывных боев в течение последних двух с половиной месяцев. Поступавшее пополнение в людях, легком и тяжелом оружии и прежде всего в танках не могло даже приблизительно восполнить потери. В большой степени это было связано с тем, что Гитлер, как уже было сказано ранее, требовал формирования всех новых и новых дивизий в тылу.

Штаб группы армий еще во время отхода на Днепр подробно донес ОКХ о положении с численным составом соединений группы. На основании этого донесения можно было сделать вывод, что удерживать продолжительное время Днепровский рубеж мы, очевидно, не сумеем. Мы тогда подчеркивали, что оборона самой реки должна быть возложена на пехотные дивизии, в то время как танковые соединения необходимо сохранить как подвижный резерв для того, чтобы они могли своевременно приходить на помощь там, где противник попытается превосходящими силами форсировать реку.

Штаб группы в связи с этим сообщал, что в составе трех оставшихся у него армий, учитывая прибытие находящихся еще на марше трех дивизий, он располагает непосредственно для обороны Днепровского рубежа, протяженностью 700 км, всего 37 пехотными дивизиями (еще 5 дивизий, потерявших боеспособность, были распределены между остальными дивизиями). Таким образом, каждая дивизия должна была оборонять полосу шириной 20 км. Средний численный состав дивизий первого эшелона составляет, однако, в настоящее время всего лишь 1000 человек. После прибытия обещанного нам пополнения он будет составлять не более чем 2000 человек. Ясно было, что при таком наличном составе не может быть организована стабильная оборона даже за таким рубежом, как Днепр.

Относительно 17 танковых и моторизованных дивизий, которыми теперь располагает группа армий, в донесении было указано, что ни одна из них не обладает полной боеспособностью. Количество танков уменьшилось настолько же, насколько убавился и численный состав.

Командование группы армий поэтому требовало, чтобы вслед за прибывающими тремя дивизиями были присланы еще новые соединения. Оно полагало, что вправе делать это, тем более что фронт группы армий «Центр» после отхода на Днепр был сокращен на одну треть. Нельзя было также предполагать, что противник, по крайней мере на южном фланге этой группы, предпримет крупное наступление, ибо оно завело бы его в Пинские болота.

Настолько же важно, говорилось дальше, чтобы соединения группы армий «Юг» в первую очередь получали бы пополнение людьми и техникой. Они, как и раньше, будут нести на себе главную тяжесть боевых действий на Восточном фронте. Не должно было также повториться такое положение с нехваткой боеприпасов, какое наблюдалось во время отступления.

Донесение заканчивалось выводом о том, что от выполнения этих требований зависит возможность в результате боев на Днепровском рубеже остановить наступление противника.

В конечном счете вопрос решался тем, располагало ли Главное командование германской армии в то время средствами и силами для успешного ведения боевых действий на том участке Восточного фронта, на котором противник в 1943 году стремился добиться решающего успеха.

Тогда еще никак нельзя было сказать, что такая задача в связи с большим общим превосходством Советов в количестве соединений заранее обречена на неудачу. Даже если противник решил бы в этом году бросить все силы для достижения успеха на южный фланг, транспортные возможности ставили бы ему определенные пределы для использования своих сил на этом фланге. Необходимо было, следовательно, чтобы Главное командование германской армии подготовилось к ожидаемому наступлению противника, своевременно и в достаточном количестве сосредоточив здесь необходимые для этого силы. Конечно, это было возможно только в том случае, если бы оно приняло решение пойти ради этого на большой риск на других участках Восточного фронта и театрах военных действий. В случае если бы это произошло, можно было бы предположить, что крушение советского наступления на фронте группы армий «Юг» означало бы истощение наступательного порыва Советов. А такой успех мог бы иметь решающее значение для дальнейшего хода военных действий.

Вокруг этого вопроса о своевременном укреплении южного фланга Восточного фронта достаточными силами и разворачивалась в дальнейшем борьба командования группы армий с Главным командованием. Я хочу, однако, отказаться от изложения содержания неоднократных переговоров между нами и Главным командованием по этому поводу. Необходимо только отметить, что начальник Генерального штаба и Оперативное управление по этому вопросу с нами были вполне согласны. Так, 3 октября генерал Хойзингер сказал мне, что он предложил оставить Крым и отвести группу армий «Север» на более короткую линию фронта, для того чтобы высвободить здесь силы для группы армий «Юг». Он также сделал предложение где-нибудь глубже в тылу оборудовать настоящий «Восточный вал». (Гитлер, правда, стал вскоре называть оборудованный в свое время против его желания Днепровский рубеж «Восточным валом».) Но фюрер отклонил как предложение о сдаче Крыма, так и об отводе группы армий «Север» и о строительстве в тылу «Восточного вала». Он заявил, что рассматривает лишь возможность переброски соединений с других театров военных действий. Но и в этом случае, если вопрос будет решен положительно, речь может идти лишь о небольшом количестве соединений. Возвратимся теперь к обстановке на Днепре. Уже в конце сентября обозначились намерения противника возобновить наступление с целью форсирования Днепра.

Крупные силы противника последовали за 6-й армией, которая с середины месяца перешла в подчинение группы армий «А» и отошла на линию Мелитополь — Днепр.

Две армии противника в первом эшелоне и еще одна во втором эшелоне с общим числом 20 стрелковых дивизий и 2-й танковых или механизированных корпусов следовали за 1-й танковой армией в направлении на запорожский плацдарм.

Две армии с 15 стрелковыми дивизиями, а за ними танковая армия с тремя корпусами продвигались к Днепру между Днепропетровском и Кременчугом.

Две армии в составе примерно 12 стрелковых дивизий, двух танковых корпусов и одного механизированного корпуса, а за ними танковая армия, также в составе трех корпусов, двигались к Днепру между Черкассами и Ржищевом.

В направлении на Киев и участок Днепра севернее города пока был обнаружен подход только трех стрелковых корпусов и одного механизированного корпуса противника. Очевидно, противник хотел нанести сначала главный удар по Днепровской дуге. Правда, как раз к участку по обе стороны Киева противник мог, скорее всего, перебросить свои силы с центрального участка фронта.

Хотя группе армий и удалось к 30 сентября отвести свои силы в описанной выше тяжелой обстановке через Днепр, она не смогла предотвратить того, что противник захватил два плацдарма на южном берегу реки.

Ему удалось вклиниться по обе стороны стыка между 8-й армией и 1-й танковой армией на середине участка между Днепропетровском и Кременчугом. Войска, расположенные на южном берегу, были слишком слабы и не сумели помешать переправе. Для того же, чтобы контрударом отбросить противника на противоположный берег, не хватало 40 тк, о выделении которого в качестве подвижного резерва южнее Днепра в свое время был отдан приказ командующего группой армий. 40 тк находился еще на запорожском плацдарме. Гитлер, как уже говорилось выше, во время отхода приказал удерживать запорожский, днепропетровский, кременчугский и киевский плацдармы. Против этого приказа нечего было бы возразить, если бы группа армий имела достаточно сил для обороны. Так как это, однако, было не так, командование группы армий предусмотрело после окончания переправы оставить эти плацдармы. С нашим приказом в отношении трех последних плацдармов Гитлер молча согласился; что же касается даже расширенного в последнее время запорожского плацдарма, то он категорически приказал, несмотря на все возражения, удерживать его. Он привел в качестве обоснования своего приказа необходимость удерживать большую Днепровскую плотину вместе с ее электростанцией, а также то соображение, что противник вряд ли отважится атаковать 6-ю армию в районе Мелитополя, пока этот плацдарм находится в наших руках. Последнее соображение с оперативной точки зрения заслуживало внимания. Однако Гитлер опять гонялся за слишком многими целями сразу. Следствием этого приказа об удержании Запорожья было, во всяком случае, то, что 1-я танковая армия не смогла своевременно высвободить 40 тк. Тем самым отпала возможность путем контрудара уничтожить противника, переправившегося через Днепр между Днепропетровском и Кременчугом, а он тем временем накопил на новом плацдарме большие силы, расширил его и удержал за собой.

Второй плацдарм противнику удалось создать также в конце сентября, используя изгиб Днепра южнее Переяслава (Хмельницкий), западнее переправы у Канева. По-видимому, он хотел создать здесь большой плацдарм. Здесь было сосредоточено не менее четырех танковых и одного механизированного корпусов, накапливавшихся по обе стороны излучины Днепра. Противник сбросил несколько парашютных бригад южнее реки и стянул в узкий изгиб реки в течение короткого времени 8 стрелковых дивизий и один танковый корпус.

Угрожаемое положение сложилось также на крайнем северном фланге группы армий. Противнику удалось форсировать Десну между 4-й танковой армией и группой армий «Центр», хотя по приказу рубеж Десны вначале следовало удерживать. Отданный в свое время ОКХ приказ о выделении 2-й армией сил для обороны этого рубежа не был выполнен.

В середине сентября штаб группы армий был переведен из Запорожья в Кировоград, крупный город, столицу области, границы которой описывает большая Днепровская дуга. Оттуда я выехал на участки Днепровского рубежа, которым угрожала опасности: 1-й танковой армии, 8-й армии, а также в район Киева. Впечатление, сложившееся у меня тогда, было следующим: 4-я танковая армия, очевидно, удержит свои позиции, однако угрозу на стыке между двумя другими армиями вряд ли удастся полностью устранить.

В начале октября штаб группы армий переехал в более удобно расположенную для руководства операциями бывшую Ставку фюрера в Виннице. Она была расположена в лесу, и в свое время на ее оборудование было израсходовано много средств. Она имела собственное водоснабжение и силовую установку. Здесь размещался Гитлер и штаб ОКБ. Рабочие и жилые помещения, которые мы теперь занимали, были отделаны и меблированы просто, но со вкусом, в деревянных домах. Нас поразила система отрытых в земле, скрытно расположенных блиндажей для часовых, проходившая вокруг всего лесного лагеря. Гитлер, очевидно, хотел, чтобы его охраняли, но сама охрана должна была оставаться для него невидимой. У нас, к счастью, не было основания охранять себя подобным образом. Отдел тыла расположился в бывшем помещении ОКХ в самом городе. Винница — живописно расположенный на Буге большой курортный город, курортные учреждения которого были теперь заняты под госпитали. Насколько позволяла мне работа, я навещал раненых. Я могу констатировать, что врачи и сестры с большой самоотверженностью лечили наших раненых, а оборудование госпиталей отвечало всем требованиям.

Уже в октябре 1943 года группа армий вела тяжелые бои за Днепровский рубеж. В то время как на северных участках Восточного фронта поздней осенью выпали дожди и наступил период распутицы, что осложняло проведение Советами крупных операций, на юге обстановка была другой. Здесь борьба, наоборот, продолжалась с неослабевающей силой.

В соответствии с группировкой сил противника, которая выявилась еще в конце сентября, на участке фронта, занимаемом группой армий, обозначились четыре района, где противник проявлял активность:

— запорожский плацдарм, ликвидацию которого противник, очевидно, считал предпосылкой для продолжения наступления на примыкающие к нему с юга позиции 6-й армии;

— оба участка на южном берегу Днепра, на которых противнику удалось создать плацдармы; и, наконец,

— район на северном фланге 4-й танковой армии севернее Киева.

После того как в начале октября удалось отразить сильные атаки противника на запорожский плацдарм (правда, той ценой, что 40 тк не смог быть своевременно высвобожден для ликвидации плацдарма противника между Днепропетровском и Кременчугом), противник возобновил свое наступление, подтянув новые силы. После артиллерийской подготовки, равной которой по интенсивности огня мы до сих пор с его стороны еще не отмечали (впервые здесь действовали артиллерийские дивизии), противнику силой до 10 дивизий при поддержке большого количества танков удалось вклиниться в наш плацдарм. После тяжелых боев нам пришлось его оставить. Хотя и удалось отвести за Днепр силы, оборонявшие плацдарм, а также взорвать восстановленный лишь за несколько месяцев до этого железнодорожный мост и перейти через плотину, дивизии, оборонявшиеся на плацдарме, были сильно потрепаны. Будет ли достаточно их сил для обороны самой реки, теперь было неясно. Предпринятая под давлением Гитлера попытка удержать плацдарм обошлась нам, во всяком случае, очень дорого.

На плацдарме противника между Днепропетровском и Кременчугом в результате действий подвижных резервов 1-й танковой и 8-й армий нам вначале удалось остановить наступающего противника, однако мы не могли сбросить его с южного берега. Он перебрасывал сюда все новые и новые силы, чтобы расширить и углубить плацдарм. Я еще остановлюсь на том, как здесь развивались события, которые приобрели решающее значение для операций на Днепровской дуге.

В то же время противник пытался, бросив в бой крупные силы, расширить плацдарм, захваченный им на левом фланге 8-й армии в излучине Днепра у Переяслава (Хмельницкий). Действиями подвижных соединений 8-й и 4-й танковой армий удалось, однако, отразить предпринимавшиеся противником на широком фронте попытки форсировать Днепр и уничтожить переправившиеся части. Такая же судьба постигла высаженные противником здесь, а также юго-западнее Черкасс, парашютные бригады. Таким образом, на этом участке он остался на своем узком плацдарме южнее Переяслава (Хмельницкий) под нашим контролем, к тому же ему отсюда было очень трудно уйти.

В районе действий 4-й танковой армии противнику удалось в течение октября захватить плацдарм непосредственно к северу от Киева, на западном берегу реки. Ему удалось также вслед за достигнутым им успехом на правом фланге примыкающей к нам с севера 2-й армии переправиться на широком фронте через реку, в полосе, занимавшейся самым северным корпусом этой армии. На этом участке выявилась опасность, которая по опыту всегда существует на стыке между двумя соединениями. Как уже и раньше, меры, принятые группой армий для восстановления положения на стыке со 2-й армией, не были проведены, так как она не выполнила отданного для этой цели приказа ОКХ о выделении и передаче сил, необходимых для этой операции, а использовала их на других участках. Даже мои настойчивые протесты в ОКХ не привели к тому, чтобы оно добилось выполнения своего приказа. 4-й танковой армии все же удалось удержать в полосе, занимаемой обоими корпусами севернее Киева, возвышенность, расположенную к западу от Днепра, на расстоянии нескольких километров от русла реки. Тем не менее обстановка здесь продолжала оставаться угрожающей, так как необходимо было учитывать возможность обхода противником Киева с севера, как только ему удалось бы перебросить сюда новые силы.

Однако в первую очередь нам внушало беспокойство то обстоятельство, что эти первые бои за Днепровский рубеж потребовали от нас уже использования всех подвижных соединений группы армий. Их силы тратились с каждым днем все больше, как и силы втянутых в бой пехотных дивизий. Создавать новые подвижные резервы ввиду этого становилось все труднее, а прибытие новых сил — все насущнее.

СРАЖЕНИЕ НА ДНЕПРОВСКОЙ ДУГЕ

Командование группы армий рассматривало по-прежнему свой северный фланг как решающий. Если бы противнику удалось разбить находящиеся на нем войска, путь для глубокого охвата группы армий «Юг» и группы армий «А» был бы открыт. В действительности же противник, по-видимому, стремился сосредоточить свои главные усилия на достижении успеха в Днепровской дуге. Эта обстановка, как и требование Гитлера во что бы то ни стало удерживать по военно-экономическим и политическим причинам Днепровский рубеж и Крым, вынудили командование группы армий принять решающее сражение на Днепровской дуге.

В течение всего октября Степной фронт противника, командование которого было, вероятно, наиболее энергичным на стороне противника, перебрасывал все новые и новые силы на плацдарм, захваченный им южнее Днепра на стыке между 1-й танковой и 8-й армиями. К концу октября он расположил здесь не менее 5 армий (в том числе одну танковую армию), в составе которых находились 61 стрелковая дивизия и 7 танковых и мех. корпусов, насчитывавших свыше 900 танков. Перед таким превосходством сил внутренние фланги обеих армий не могли устоять и начали отход соответственно на восток и запад. Между армиями образовался широкий проход. Перед противником был открыт путь в глубину Днепровской дуги на Кривой Рог и тем самым на Никополь, обладание которым Гитлер с военно-экономической точки зрения считал исключительно важным.

Прежде всего, однако, дальнейшее продвижение противника должно было привести к тому, что 1-я танковая армия будет отрезана в восточной части Днепровской дуги. Эта последняя опасность для командования группы армий была наиболее угрожающей. Оно ни при каких обстоятельствах не могло допустить окружения этой армии.

Между тем наши настоятельные просьбы о переброске к нам новых сил привели к тому, что ОКХ выделило для нас две пополненные танковые дивизии (14-ю и 24-ю), а также одну пехотную дивизию. Были обещаны еще 3 другие танковые дивизии (также пополненная 1 тд, лейб-штандарт и вновь сформированная 25 тд). Окончательное решение по этому вопросу и срок их прибытия, правда, еще были неясны.

Обстановка сложилась бы совсем по-иному, если бы эти 5 танковых соединений были выделены в распоряжение группы армий четырьмя неделями раньше, когда они прибыли на Днепр. Или, если это не было возможно ввиду необходимости их пополнения, какие оперативные возможности были бы предоставлены командованию группы армий, если бы оно заранее могло рассчитывать на эти силы и одновременно имело бы свободу маневра на своем правом фланге!

В сложившейся теперь обстановке мы не имели даже права ждать прибытия всех этих пяти танковых дивизий. К этому моменту судьба 1-й танковой армии могла уже быть решена.

Мы должны были, следовательно, решиться на то, чтобы имевшимися в нашем распоряжении двумя танковыми и одной пехотной дивизиями нанести противнику контрудар. В составе 40 тк эти силы должны были со стороны загнутого назад фланга 8-й армии с запада нанести удар во фланг и тыл войск противника, продвигавшихся в направлении на Кривой Рог. 1-я танковая армия, со своей стороны, должна была бросить все имеющиеся в ее распоряжении танки и пехоту навстречу противнику, чтобы сохранить жизненно важную для нее связь через Кривой Рог. Чтобы обеспечить этот удар, командование группы армий приказало оставить в полосе, занимаемой 30-м корпусом на Днепре, по обе стороны от Днепропетровска, только охранение на самой реке. Главные же силы этого корпуса должны были отойти на укороченную линию фронта: район севернее Запорожье — район севернее Кривой Рог, для высвобождения соединений, необходимых для действий на решающем участке. Гитлер вынужден был подчиниться обстоятельствам и примириться с отдачей части Днепровского рубежа.

Контрудар, нанесенный в конце октября в районе севернее Кривого Рога, перед которым уже стоял противник, благодаря образцовому взаимодействию обеих участвовавших в нем армий (40 тк в ходе операции был передан 1-й танковой армии) дал прекрасные результаты. Замысел противника — отрезать 1-ю танковую армию в восточной части Днепровской дуги — был сорван. Ему было нанесено серьезное поражение. Наряду с очень большими потерями людьми (по донесениям армий, около 10 000 убитыми) в наши руки попали 350 танков и свыше 350 орудий, а также 5000 пленных. Эти цифры по сравнению с прежними данными о пленных и трофеях свидетельствовали о чрезвычайно быстром росте технического оснащения Советской Армии. Во всяком случае, 2—3 танковых и механизированных корпуса и 8 стрелковых дивизий были разгромлены, а остальные соединения понесли значительные потери. Удалось снова восстановить сплошной фронт между 1-й танковой и 8-й армиями. Для того чтобы отбросить противника на северный берег Днепра, сил, однако, не хватило, так как противник продолжал обладать значительным превосходством. Вопрос об этом мог встать только после прибытия обещанных нам еще трех танковых дивизий, и то только в том случае, если до того времени не создастся угрожающее положение на других участках, что не заставило себя долго ждать.

В то время как опасность, непосредственно угрожавшая 1-й танковой армии, была ликвидирована, в ее тылу возникла новая, еще более серьезная опасность. 28 октября противник начал наступление значительно превосходящими нас силами на фронте 6-й армии, входившей в состав группы армий «А» и удерживавшей участок фронта между Днепром и побережьем Азовского моря. Ему удалось осуществить глубокий прорыв. В результате этого 6-я армия — для нас неожиданно быстро — была отведена на запад. Ее северный фланг (4 ак и 29 ак) отошел при этом на большой плацдарм южнее Днепра, который прикрывал, по крайней мере временно, тыл 1-й армии и одновременно район Никополя. Остальная часть армии отошла дальше на запад в направлении на переправу через Днепр у Берислава и на нижнее течение Днепра. Правда, Ногайская степь не давала армии возможности закрепиться где-либо раньше.

Такое развитие событий на фронте 6-й армии означало серьезную опасность для расположенной в восточной части Днепровской дуги 1-й танковой армии. Если в результате контрудара 40 тк по противнику, прорвавшемуся к Кривому Рогу, и удалось временно укрепить положение этой армии, то это не означало еще, что противник потерпел решительное поражение. Главный же удар, который группа армий планировала нанести, не мог быть осуществлен ранее середины ноября, так как три обещанные нам танковые дивизии не могли раньше прибыть к нам. До этих пор, однако, южный фланг 6-й армии, вероятно, был бы отброшен за нижнее течение Днепра, 17-я армия была бы отрезана в Крыму, а противник получил бы возможность нанести удар с юга через Днепр по обе стороны от Никополя в тыл 1-й танковой армии. Обстановка на фронте этой армии, находившейся теперь на узком участке, простиравшемся на востоке до Запорожья фронтом на север и восток, была бы тогда весьма неустойчивой. Если этого нельзя было предотвратить, то не оставалось ничего иного, как отвести 1-ю танковую армию из восточной части Днепровской дуги на запад. Это означало бы, что мы так или иначе отдаем Днепровскую дугу, во всяком случае, лишаемся Никополя с его залежами марганцевой руды и предоставляем Крым его судьбе.

Для того чтобы предотвратить такое развитие событий, а прежде всего для того, чтобы избежать создания угрозы 1-й танковой армии с тыла, я предложил ОКХ следующий оперативный выход.

40 тк должен после окончания сражения у Кривого Рога внезапно нанести удар двумя, а по возможности тремя танковыми дивизиями из удерживаемого еще 6-й армией плацдарма южнее Никополя по северному флангу сил противника, преследовавших 6-ю армию через Ногайскую степь в направлении на нижнее течение Днепра. Задача этого удара — обеспечить 6-й армии возможность закрепиться перед Днепром и сохранить связь с 17-й армией в Крыму. Одновременно тем самым была бы устранена угроза для 1-й танковой армии с тыла.

Не позднее 12 ноября корпус затем должен быть сосредоточен севернее Днепра, чтобы вместе с прибывающими к тому времени тремя танковыми дивизиями принять участие в намеченном здесь ударе в районе действий 1-й танковой армии. Если бы этот удар достиг ожидаемого крупного успеха, возможно было бы нанести еще один удар всеми находящимися в нашем распоряжении танковыми соединениями в районе действий 6-й армии, который дал бы ей возможность снова выйти на линию Мелитополь — Днепр.

Это предложение было, естественно, восторженно принято Гитлером: ведь оно обещало ему сохранить Никополь и Крым.

До осуществления этого плана, однако, дело не дошло, потому что 6-я армия была так быстро отведена за нижнее течение Днепра, что удар 40 тк из плацдарма у Никополя не обещал никакого успеха. Затем и события на северном фланге группы армий не допустили использования в Днепровской дуге еще находившихся на марше трех танковых дивизий.

Было бы поэтому излишним останавливаться на этом плане, если бы он не заключал в себе важного урока. Этот урок заключается в том, что — даже если необходимо искать оперативный выход — никогда, даже временно, нельзя упускать из виду основной замысел своих операций.

Командование группы армий постоянно уделяло главное внимание своему северному флангу. Можно было предвидеть, что здесь в ближайшее время противник снова предпримет крупное наступление. Таким образом, в духе общей оперативной концепции было бы упредить противника в этом месте и сорвать осуществление его планов. Для этого после успешного удара 40 тк у Кривого Рога необходимо было вывести его из Днепровской дуги и перебросить за северный фланг группы, откуда можно было нанести удар вместе с подходящими тремя новыми танковыми дивизиями.

В связи с дальнейшим развитием боевых действий на фронте 6-й армии, очевидно, пришлось бы все же вывести 1-ю танковую армию из восточной части Днепровской дуги. Следствием этого неизбежно были бы сдача Никополя и оставление Крыма.

Гитлер, само собой разумеется, не согласился бы с таким планом, потому что он специально выделил в распоряжение группы армий 5 танковых дивизий для восстановления положения в Днепровской дуге. Он по-прежнему настаивал бы на попытке удержать Днепровскую дугу и Крым. Это ничего не меняет в том, что группа армий должна была действовать так, как это описано выше.

Сделанное мною предложение было при учете угрожающего положения 1-й танковой армии правильным, в духе же общего плана операций группы армий — ошибочным. Оно привело к тому, что 40 тк остался в Днепровской дуге.

Если я своим предложением действовал вопреки собственной оперативной концепции, то для этого были две причины. Первая из них заключалась в надежде на то, что при сохранении за собой Днепровского рубежа по обе стороны от Никополя мы сможем наносить противнику внезапные удары свежими танковыми соединениями то на одном, то на другом берегу реки. Эти заманчивые операции на внутренних линиях в случае успеха могли привести к восстановлению положения на южном фланге. С другой стороны, именно для меня и моих товарищей, которые вместе со мной в свое время участвовали в тяжелых боях 11-й армии за Крым, мысль о том, что он снова неизбежно будет сдан, если мы не решимся на эту операцию, была очень тяжелой. Все же было бы правильнее даже временно не отказываться от той точки зрения, что северный фланг группы армий с оперативной точки зрения был важнее.

В этот критический момент произошла смена командующего 1-й танковой армией. Генерал-полковник фон Макензен был переведен в Италию, чтобы принять там командование другой армией. Как я, так и он очень сожалели, что нам приходится расстаться после столь долгой совместной работы, проходившей в обстановке взаимного доверия. Его преемником был генерал Хубе, опытный фронтовик, потерявший руку в Первой мировой войне, во время которой он служил офицером пехоты. Это не помешало ему, однако, в последующие годы с успехом выступать в конно-спортивных состязаниях. Он пользовался хорошей репутацией как воспитатель офицерского корпуса, однако у него не было специального образования, необходимого для службы в высших штабах. Под Сталинградом он командовал корпусом. Это был бодрый, энергичный человек. К сожалению, в 1944 году он погиб во время авиационной катастрофы после вручения ему в Оберзальцберге бриллиантов к Рыцарскому кресту.

БИТВА ЗА КИЕВ

В начале ноября противник крупными силами снова перешел в наступление на северный фланг группы армий — участок фронта 4-й танковой армии на Днепре. Было неясно, имеет ли это наступление далеко идущие цели или противник пока пытается занять западнее Днепра необходимый ему плацдарм. Вскоре оказалось, что 4-я танковая армия не сможет удержать своей полосы на Днепре перед натиском обладающего значительным превосходством сил противника. Уже 5 ноября было ясно, что Киев будет сдан.

Командование группы армий должно было бы в связи с этим бросить все имевшиеся в его распоряжении части и в первую очередь находившиеся на подходе 3 танковые дивизии на северный фланг группы армий. Однако, поскольку Гитлер дал указание использовать эти дивизии только в районе нижнего течения Днепра, для этого необходимо было получить согласие ОКХ. Если оно не могло перебросить новые крупные силы в район действий 4-й танковой армии, не оставалось ничего другого, как оставить Днепровскую дугу. Так как решения по этому принципиально важному вопросу не удалось получить, 7 ноября я сам вылетел в Ставку фюрера.

Во время нашей беседы Гитлер заявил, что он не намерен упустить тот «первый и единственный в своем роде шанс», который дает ему предложение группы армий относительно действий в полосе 6-й армии для удержания Крыма. Он сказал, что под Киевом мы не можем достичь такого решительного успеха, который дал бы нам возможность снять с этого участка танки и перебросить их на южный фланг. Нам в этом случае не удастся удержать ни Крым, ни нашу оборону по нижнему течению Днепра.

В ответ на это я заметил, что если мы будем придерживаться плана сражения в Днепровской дуге или в полосе 6-й армии, то не слишком многим рискуем при этом на нашем северном фланге и тем самым на всем участке фронта групп армий «Юг» и «А». Как ни тяжело мне отказываться от удара южнее нижнего течения Днепра, сейчас все же необходимо использовать все 3 прибывающие дивизии в районе Киева.

Гитлер ответил на это, что по военным и политическим соображениям победа, которую мы можем одержать на нижнем течении Днепра, должна быть достигнута. Необходимо снова показать армии, что она еще может наносить успешные удары. Далее следует учесть также настоятельную необходимость удержать в наших руках важные в военно-экономическом отношении месторождения марганца в районе Никополя. Противник не должен получить Крым, который он использует как плацдарм для действий авиации против румынских нефтяных промыслов.

Я настаивал на том, что, хотя доводы Гитлера и представляются очень вескими, риск на нашем северном фланге очень велик. Если 4-я танковая армия дрогнет, рано или поздно судьба групп армий «Юг» и «А» будет решена.

Гитлер согласился с тем, что риск велик, однако заявил, что в сложившейся обстановке на него надо пойти. Он готов взять его на себя.

Все же мне удалось добиться того, что он обещал перебросить на наш северный фланг уже неоднократно обещанную мне 4 тд из состава 2-й армии (впрочем, и на этот раз мы ее не получили), бригаду СС «Нордланд» и позже еще 2-ю парашютную дивизию. Он согласился на то, чтобы использовать не одну (уже переброшенную в район действий 4-й танковой армии) 25 тд, а и обе другие (1 тд и лейб-штандарт) танковые дивизии в районе действий 4-й танковой армии, а не на Днепровской дуге. Однако зато обе танковые дивизии 40 тк (14-я и 24-я) должны были остаться в составе 1-й танковой армии. Вопрос о нанесении удара в районе действий 6-й армии остался пока открытым. Впрочем, эти дивизии нельзя было высвободить из этого района, так как Гитлер не хотел вывести 1-ю танковую армию из Днепровской дуги, где создалась опасная обстановка, так как он стремился удержать Никополь и Крым.

В последующие дни обстановка на фронте 4-й танковой армии быстро стала принимать угрожающий характер. 11 пехотных дивизий этой армии, которые по своему личному составу почти без исключения равнялись полкам, не могли больше удержать превосходящих сил противника, бросившего в бой уже в первом эшелоне 17—20 стрелковых дивизий полного состава, 3—4 танковых корпуса и один кавалерийский корпус. 2 танковые дивизии, находившиеся в резерве корпуса, также были слишком слабы для того, чтобы остановить прорвавшегося противника.

После тяжелых боев был оставлен Киев, так как действовавший здесь 7 ак находился под угрозой окружения в городе. Корпус был отброшен из Киева на юг, и ему удалось задержать продвижение противника лишь в 50 км ниже города. Только перебросив на этот участок 10-ю мотодивизию 8-й армии, нам удалось предотвратить дальнейший отход войск на этом участке фронта на восток. На западном фланге 7 ак мы потеряли важный для выгрузки подходящих сил и снабжения 8-й армии железнодорожный узел Фастов (60 км юго-западнее Киева).

Оба корпуса, стоявших на Днепре севернее Киева, были отброшены далеко на восток: 13 ак до Житомира, а 49 ак до Коростеня. Оба этих важных железнодорожных узла, через которые осуществлялась связь с группой армий «Центр», а также снабжение 4-й танковой армии были заняты противником.

4-я танковая армия, таким образом, была разорвана на три далеко отстоявшие друг от друга группы.

Единственным просветом в этой критической обстановке было то, что противник теперь также раздробил свои силы, действуя на двух направлениях — южном и западном. При этом силы противника, продвигавшиеся на запад, до тех пор не могли добиться решающего успеха, пока им не удалось бы повернуть на юг для глубокого охвата группы армий. Задача двух отброшенных на запад корпусов состояла в том, чтобы не дать им возможность совершить этот маневр, пока группа армий не подтянет подкрепления.

Однако нам суждено было еще пережить много тревожных дней, пока к середине ноября группе армий не удалось осуществить намеченные ею контрмеры. Они заключались в контрударе, который должны были нанести 3 прибывающие к нам свежие танковые дивизии (25-я, 1-я и лейб-штандарт) под общим руководством штаба 48 тк в направлении на продвигавшиеся от Киева на юго-запад танковые соединения противника. Эта группа противника в тот момент представляла собой наибольшую угрозу. Вслед за тем корпус должен был повернуть на запад, чтобы разбить противника, преследующего 13 ак в направлении на Житомир.

В случае успеха на этом участке, возможно, удалось бы еще нанести удар в тыл группе войск противника, продвигающейся из Киева на юг вдоль Днепра. Для дальнейшего усиления 4-й танковой армии группа армий передала ей от 8-й армии еще 2 танковые (36-ю, 10-ю) и 2 мотодивизии (20-ю и дивизию СС «Рейх»), а также 10 пд и 8 пд. Было ясно, что тем самым мы выше всякой меры ослабляем

8-ю армию, но группа армий была в тот момент вынуждена значительно ослабить менее важные участки фронта и передать их силы на решающий участок.

К сожалению, группе армий пришлось также, ввиду того что доукомплектование 48 тк не могло быть закончено раньше середины ноября, а обстановка юго-западнее Киева все ухудшалась, раньше времени передать 25 тд, находившуюся в резерве группы, для удара на Фастов, чтобы в результате наступления с ограниченной целью обеспечить район развертывания танкового корпуса. Снова оказалось, что вновь сформированные дивизии, не имеющие опыта использования на Восточном фронте, вынуждены в первое время расплачиваться за полученные уроки. К тому же командир дивизии, выдвинувшийся вперед для разведки местности со своим разведывательным батальоном, при первом же соприкосновении с противником был ранен и вышел из строя. Таким образом, наступление дивизии не принесло ожидаемого успеха — захвата железнодорожного узла Фастов. Наоборот, это первое соприкосновение с противником на востоке, не говоря уже о больших потерях, означало для личного состава дивизии психический шок, которого Главное командование должно было избежать. Все же, в результате нанесенного удара, а также ввода в бой сил, переданных 8-й армией, удалось остановить противника на участке южнее Киева и помешать дальнейшему отводу линии фронта назад.

15 ноября 48 тк начал наносить намеченный удар, который привел к тому, что продвигавшиеся от Киева на юго-запад танковые корпуса противника — ближайшая цель удара — были разбиты. Затем 48 тк повернул на запад и нанес удар по силам, преследовавшим 13 ак. Житомир снова оказался в наших руках. Последний намечавшийся удар корпуса на восток вдоль большого шоссе Житомир — Киев в тыл противнику, находившемуся южнее Киева, был сорван в результате распутицы. Если, таким образом, и не удалось сбросить противника с западного берега Днепра, то все же удалось к началу декабря временно восстановить положение на фронте 4-й танковой армии. Армия занимала теперь позиции фронтом на север от Днепра, от пункта 40 км южнее Киева до района севернее Житомира. Оставшийся изолированным в районе Коростеня 49 ак снова взял Коростень и тем самым восстановил железнодорожную связь с группой армий «Центр». По донесению штаба 4-й танковой армии, противник потерял около 20 000 человек убитыми. То, что наряду с всего лишь 5000 пленных было захвачено и уничтожено 600 танков, 300 орудий и свыше 1200 противотанковых орудий, снова свидетельствовало

о том, что техническое оснащение Советской Армии все время улучшается[1]. Одна треть всех действовавших в районе Киева стрелковых дивизий, а также 4 танковых корпуса, один механизированный и один кавалерийский корпус понесли в этих боях большие потери.

К сожалению, имевший место вначале быстрый отход корпусов 4-й танковой армии на юг и восток привел Гитлера к убеждению, что командование этой армией надо передать в другие руки. Несмотря на мое возражение о том, что причину следует искать не в плохом управлении армией, а в том, что превосходство противника и слабость наших потрепанных дивизий неизбежно должны были привести к потере наших позиций на Днепре, Гитлер заявил, что генерал-полковник Гот после слишком напряженных событий последних лет нуждается в отдыхе. Гот был переведен в резерв фюрера. Я очень сожалел о его уходе, но добился по крайней мере обещания, что он после отпуска получит армию на Западе. Его преемником стал бывший командир 6 тд, а затем 11 ак нашей группы армий, опытный генерал Раусе, служивший ранее в австрийской армии.

НОВОЕ СРАЖЕНИЕ НА ДНЕПРОВСКОЙ ДУГЕ

В то время как 4-я танковая армия еще вела бои, противник к середине ноября уже снова оправился от поражения под Кривым Рогом. Он начал новое большое наступление свежими силами на Днепровской дуге, нанося удар по северному участку фронта 1-й танковой армии и примыкающему к нему (фронтом на восток) правому флангу 8-й армии. Он попытался также перейти Днепр на восточном участке фронта, занимаемого 1-й танковой армией, южнее Запорожья и атаковал позиции 8-й армии на Днепре по обе стороны от Черкасс. Позже он расширил фронт наступления, нанеся удар с юга по плацдарму в районе Никополя. (Находившиеся на этом плацдарме корпуса 6-й армии были приданы 1-й танковой армии.) Намерение противника окончательно окружить и уничтожить 1-ю танковую армию в восточной части Днепровской дуги было очевидным. Развитие событий во второй половине ноября вынудило командование армии обратиться к ОКХ по вопросу о дальнейшем ведении операций.

---

[1] В донесениях захваченную и уничтоженную технику, безусловно, многие считают по несколько раз. Тем не менее, даже если часть данных и сократить, они дают правильную картину. — *Примеч. автора.*

В нашем письме от 20 ноября мы исходили из того, что противник, несмотря на действия его крупных сил перед фронтом группы армий, имеет еще в своем распоряжении большие оперативные резервы. По имеющимся сведениям, до сих пор еще не введены в бой 44 стрелковые дивизии и большое количество танковых бригад, сформированных Советами в 1943 году. Кроме того, 33 стрелковые дивизии и 11 танковых и механизированных корпусов, очевидно, находятся за линией фронта на доукомплектовании. По всей видимости, следует считаться с тем, что противник будет продолжать свое наступление на южном крыле Восточного фронта и в течение зимы. При этом главный удар будет наноситься на северном фланге группы армий. Даже в случае успеха контрудара, наносившегося нами в тот момент на участке 4-й танковой армии, противник западнее Днепра все же будет обладать достаточным пространством для возобновления наступления. Вследствие этого ни при каких обстоятельствах нельзя снимать силы с являющегося решающим в оперативном отношении северного фланга группы армий для использования их в Днепровской дуге.

Даже если бы там, несмотря на это, удалось в боях с перешедшим теперь в наступление противником добиться успеха в обороне и временно стабилизировать положение, в оперативном отношении необходимо было бы учесть следующие факты.

Группа армий должна будет удерживать в течение зимы довольно потрепанными дивизиями участок фронта, для которого ее сил далеко не достаточно. Она не имела бы достаточных резервов, чтобы отражать наступление крупных сил противника, которое может быть предпринято на нескольких участках.

Группа армий, следовательно, будет находиться в полной оперативной зависимости от противника, что является особенно опасным в связи с понизившейся боеспособностью ее соединений. Боевые действия, которые будут вестись в зависимости от намерений противника, не могут привести к серьезному ослаблению его ударной силы. Поскольку Советы постоянно будут диктовать нам свою волю, а мы не сможем своевременно маневрировать резервами, чтобы отражать их удары или упредить противника, мы будем не только отдавать им большое пространство, но и нести большие потери в людях и технике.

Предпосылкой для успешного продолжения военных действий является создание достаточных и боеспособных резервов. Если их нельзя выделить из состава войск, действующих на других театрах

военных действий, то необходимо значительно сократить линию
фронта на правом крыле Восточного фронта (эвакуировав 17-ю армию из Крыма морским путем). Без резервов группа армий не может
удержать в течение зимы своих позиций.

К концу ноября на южном крыле Восточного фронта обстановка
сложилась следующим образом.

Южнее нижнего течения Дона (группа армий «А») 6-я армия
отошла своим правым флангом за Днепр, удерживая лишь один
плацдарм у Херсона. 17-я армия была отрезана в Крыму и удерживала подступы к нему.

Плацдарм на южном берегу Днепра перед Никополем удалось удержать на всем его протяжении, хотя действующий на юге
4-й Украинский фронт ввел здесь в бой свои главные силы — 18 дивизий и крупные танковые соединения.

На подступах к Крыму и в нижнем течении Днепра противник
пока прекратил свои атаки.

В Днепровской дуге противник южнее Запорожья на небольшом
участке форсировал реку и захватил узкий плацдарм. 1-я танковая
армия в обороне добилась в остальном полного успеха. Правда, на
некоторых участках непрерывно атакующему противнику удалось
несколько потеснить наши войска, но ему нигде не удалось прорвать фронт. Однако эти бои потребовали использования последних
резервов армии. В конце ноября она занимала сплошной фронт от
района севернее Запорожья до района северо-западнее Кривого
Рога. Далее фронт поворачивал на север до стыка с 8-й армией.

Очень тяжелая обстановка сложилась на фронте 8-й армии, что
не в последнюю очередь объясняется передачей четырех моторизованных и одной пехотной дивизий 4-й танковой армии в связи с обстановкой, сложившейся в начале ноября под Киевом. Противнику
удалось овладеть районом южнее Днепра у Кременчуга и продвинуться здесь вверх по течению реки, захватив переправу у Кременчуга.
Кроме того, юго-западнее Кременчуга он, хотя и на узком участке,
вклинился в позиции армии, обращенные фронтом на восток.

На северном участке 8-й армии у Днепра противнику удалось
форсировать реку по обе стороны от Черкасс. Так как у армии не
было больше резервов, она была вынуждена оставить позиции на
берегу Днепра на фронте в 100 км, закрепившись на новой, хотя
и очень слабой позиции за болотистым участком местности на берегу реки, протекающей в 50 км к югу от Днепра.

Хотя группа армий и передала 8-й армии, как только это позволила обстановка, по две моторизованные дивизии от 1-й и 4-й танковых армий, было сомнительно, сумеет ли 8-я армия выбить вклинившегося на ее восточном участке противника и восстановить положение у Черкасс. Этот пример показывает, что группа армий часто была вынуждена перебрасывать с места на место механизированные соединения. Попытка восстановить положение на одном участке, перебросив на него механизированные соединения с другого участка, неизбежно приводила к созданию тяжелой обстановки на фронте той армии, которой приходилось отдавать эти соединения.

Во всяком случае, в конце ноября Днепр на участке от района севернее Запорожья до района западнее Черкасс и дальше от района южнее Киева до района действий группы армий «Центр» был в руках противника.

На северном фланге группы армий, в районе действий 4-й танковой армии, обстановка после успешного контрудара 48 та временно разрядилась. Не могло, однако, подлежать сомнению, что противник хотел лишь снова сосредоточить здесь силы для того, чтобы нанести решительный удар глубоко во фланг группы армий. Несмотря на это, необходимость продолжать борьбу в Днепровской дуге привела к передаче упомянутых выше двух механизированных соединений 8-й армии.

4-я танковая армия в начале декабря своим правым флангом еще стояла на Днепре. 24 тк[1], входивший в ее состав, выше переправы у Канева примыкал к левому флангу 8-й армии. Несколько южнее Киева ее фронт резко поворачивал на запад от Днепра и, представляя сплошную линию (7 тк, 48 тк и 13 ак), проходил до района севернее Житомира. В стороне от этого фронта, в районе Коростеня, располагался фронтом на восток 59 ак.

БОИ НА ВСЕМ ФРОНТЕ

В течение всего декабря Советы пытались добиться решительного успеха в Днепровской дуге. Только короткие паузы, необходимые противнику для замены потрепанных в боях соединений

---

[1] Хотя здесь речь и идет о танковых корпусах в составе германской армии, это не означает, что они состояли полностью из танковых дивизий. Речь идет о штабах танковых корпусов, которым в зависимости от обстановки придавались танковые или пехотные дивизии. — *Примеч. автора.*

свежими или для ввода в бой новых сил, прерывали его атаки на этот далеко выдающийся на восток бастион. В этих атаках, он, несомненно, нес большие потери.

В самой Днепровской дуге 3-й Украинский фронт, непрерывно бросавший в бой на северный участок 1-й танковой армии (30 ак и 27 тк) значительно превосходящие нас силы (две армии), не смог добиться каких-либо успехов.

Одновременно 2-й Украинский фронт (бывший Степной фронт) начал наступление силами не менее шести армий и одной танковой армии с задачей смять левый фланг 1-й танковой армии и обращенный на восток фронт 8-й армии. Противник, очевидно, намеревался, введя в бой крупные силы танков в районе северо-западнее Кривого Рога, прорвать фронт на стыке между обеими немецкими армиями в юго-западном направлении. Затем он собирался нанести еще один удар в направлении на нижнее течение Днепра с целью окружить 1-ю танковую армию в восточной части Днепровской дуги. Другое направление главного удара в этом наступлении намечалось на северном участке обращенного на восток фронта 8-й армии к югу от Днепра. Вместе с намечавшимся позже ударом с плацдарма, захваченного у Черкасс, это наступление, очевидно, имело целью окружение 8-й армии.

В то же время 4-й Украинский фронт силами трех армий начал наступление с юга на плацдарм в районе Никополя, нанося тем самым удар в тыл 1-й танковой армии.

В то время как здесь атаки противника были отражены, было, однако, неизбежно, что наступление 2-го Украинского фронта, обладавшего подавляющим превосходством сил, нацеленное на левый фланг 1-й танковой армии, приведет к некоторому успеху Советов и на фронте 8-й армии. Дважды противнику удавалось на указанных выше направлениях главного удара осуществить глубокий прорыв. В результате этого наш фронт между районом Кривой Рог (который, однако, еще удерживался) и Днепром стал постепенно отодвигаться назад.

В обоих случаях командованию группы армий удавалось — правда, ценой опасного ослабления тех участков, которые в данный момент не подвергались угрозе, — сосредоточить на угрожаемом участке танковый корпус в составе нескольких дивизий, который контратаками останавливал прорвавшиеся войска и мешал им развить свой успех в оперативном масштабе. В этих тяжелых боях неминуемо падала боеспособность немецких соединений. Пехотные соединения непрерывно находились в боях. Танковые соединения, как пожарную команду, бросали с одного участка фронта на другой. Конечно, потери противника в живой силе при непрерывных атаках во много раз превышали наши потери, но он мог их восполнить. Все обращения группы армий к Главному командованию относительно того, что здесь, на Днепровской дуге, наши силы расходуются на оперативно невыгодном направлении, не дали существенных результатов. ОКХ не имело необходимого для нас пополнения в людях и технике, чтобы компенсировать потери, а от Гитлера нельзя было добиться приказа своевременно оставить этот бастион, чтобы сберечь силы и высвободить их для значительно более важного в оперативном отношении северного фланга группы армий. Все предостережения о том, что даже успехи, достигнутые нами при обороне Днепровской дуги, не могут на долгое время обеспечить 1-ю танковую армию от окружения, так как противник все время подтягивает сюда новые силы, оставались безрезультатными. Такая же судьба постигла наши предложения о том, что необходимо сократить линию фронта на юге и благодаря этому создать резервы. В конце концов, как уже говорилось выше, не оставалось ничего другого, как бросить на Днепровскую дугу 2 дивизии, которые гораздо лучше можно было бы использовать на северном фланге группы армий.

Только когда на северном фланге группы армий сложилась тяжелая обстановка, Гитлер — но и тогда еще с колебаниями — понял, где должен был решаться оперативный успех.

В качестве причины для удержания Днепровской дуги Гитлер по-прежнему указывал на значение Никополя и Крыма для ведения войны. Он все еще не отказался от надежды на то, что после успешного отражения атак противника в Днепровской дуге можно будет нанести удар в южном направлении, чтобы снова установить связь с крымской группировкой. Наряду с этим, очевидно, он также надеялся, что противник истощит свой наступательный порыв, если он (Гитлер) — как и под Москвой в 1941 году — будет требовать, чтобы войска отстаивали каждую пядь земли. Каждый раз, когда ему делали предложения о сокращении фронта, он пускал в ход аргумент о том, что в этом случае и у противника высвободятся силы. Этого, естественно, нельзя было оспаривать. Но Гитлер при этом сознательно не хотел видеть, что наступающий может истощить свои силы, атакуя оборонительные позиции, в том случае если они заняты крупными силами. Всякая же попытка удержать линию фронта, которая занята войсками примерно так же, как линия охранения, должна привести к тому, что слишком слабые силы обороняющегося будут очень быстро истощены, или противник просто выбьет их с этих позиций.

На северном фланге группы армий описанные выше удары 48 тк 4-й танковой армии привели к временному затишью. Однако не подлежало сомнению, что противник здесь снова перейдет в наступление, как только он возместит понесенные потери. Задача 4-й танковой армии должна была заключаться в том, чтобы по возможности оттянуть этот момент и еще больше ослабить противника. Так как армия теперь своими главными силами занимала позиции, обращенные фронтом на север, между Днепром и районом севернее Житомира, по-прежнему, кроме того, существовала опасность обхода ее западного фланга. Стоявший под Коростенем изолированный 59 ак не мог бы помешать этому.

Силы армии ни в коей мере не были достаточны для того, чтобы в результате наступления на Киев сбросить противника с западного берега Днепра. Командование группы армий поэтому хотело по крайней мере попытаться в некоторой степени обеспечить западный фланг 4-й танковой армии. Кроме того, желательно было как можно дольше удерживать в своих руках инициативу, полученную нами в результате действий 48 тк.

Поэтому командование группы поставило перед 4-й танковой армией задачу использовать обстановку, сложившуюся в настоящее время на открытом западном фланге в районе Житомир — Коростень, для нанесения новых ударов с ограниченной целью. По его указанию 48 тк снова был высвобожден с участка армии, обращенного фронтом на север. Тщательно маскируясь и предпринимая ложные маневры, передвигаясь только ночью, он выдвинулся на открытый западный фланг стоявшей севернее Житомира 60-й армии противника. Последовавший затем внезапный удар вынудил армию к отходу на восток. Ее соединениям были нанесены большие потери. Непосредственно вслед за этим корпус нанес еще один удар по сосредоточившейся юго-восточнее Коростеня группе противника, в результате которого были разбиты по меньшей мере 3 механизированных корпуса. Таким образом, в конце концов удалось не только частично разбить войска, накапливавшиеся для нового наступления на участке впереди Днепра, но и взять под контроль район перед левым флангом 4-й танковой армии.

Все же было ясно, что на этом фланге группы армий снова собирается гроза. 24 декабря она разразилась.

Первые донесения о начале наступления противника по обе стороны от шоссе Киев — Житомир я получил, находясь в 20-й мотодивизии, расположенной за угрожаемым участком фронта в резерве. Я хотел присутствовать на рождественском празднике в ее полках. Вначале донесения не содержали особо тревожных сведений. Только на фронте 25 тд, действовавшей южнее шоссе Киев — Житомир, дело, казалось, принимало скверный оборот. Вечерние донесения, полученные мною по возвращении в наш штаб в Виннице, однако, уже показывали, что противник пытается крупными силами прорваться в направлении на Житомир.

В последующие дни обстановка сложилась следующим образом.

Действовавший в районе Киева 1-й Украинский фронт сосредоточил западнее города очень крупные силы для прорыва на широком фронте по шоссе на Житомир и южнее его. В этой главной ударной группе действовали 38-я, 1-я гвардейская и 1-я танковая армии, имевшие в своем составе свыше 18 стрелковых дивизий и 6 танковых и механизированных корпусов. Впоследствии в этой группе стала отмечаться и 18-я армия.

Южнее это главное наступление дополнялось ударом 40-й Советской армии на Фастов.

На северном фланге наступала 60-я армия, которой мы недавно нанесли удар. Она была пополнена. Далее к северу в направлении на Коростень наступала 13-я армия, в составе которой действовало не менее 14 стрелковых дивизий и один кавалерийский корпус. Эти соединения, правда, были сильно потрепаны в результате нанесенных нами ударов. Особенно опасным было то, что за этой армией, по-видимому, сосредоточивалась 3-я гвардейская танковая армия в составе не менее 6 танковых и механизированных корпусов. 3—4 корпуса этой армии, правда, были сильно потрепаны в прошедших боях. Но у гидры слишком быстро вырастали новые головы! Во всяком случае, сосредоточение этих подвижных корпусов свидетельствовало о намерении командования противника дополнить прорыв на Житомир глубоким охватом через Коростень.

Хотя за участком, на котором наносился главный удар — командование было сосредоточено здесь в руках недавно введенного на этом участке штаба 42-го корпуса, — в районе Житомира находился в боевой готовности 48 тк с двумя боеспособными танковыми дивизиями, 168 пд и (недавно сформированной в районе действий группы армий) 18-й артиллерийской дивизией, было все же неясно, будут ли эти силы достаточны для отражения удара противника, по своей численности превосходившего их во много раз. Даже если бы это и удалось, не хватило бы сил для ликвидации угрозы прорыва противника через Коростень с последующим охватом северного фланга группы армий.

25 декабря командование группы армий направило поэтому телеграмму в ОКХ, в которой были изложены общая обстановка и те выводы, которые необходимо было сделать. Было указано, что 4-я танковая армия не сможет остановить наступление противника теми силами, которые находятся сейчас в ее распоряжении. Она тем самым не сможет выполнить своей задачи прикрывать глубокий фланг групп армий «Юг» и «А». Ее необходимо значительно усилить. Если ОКХ не имеет для этого в своем распоряжении сил, командование группы будет вынуждено снять со своего правого фланга не менее пяти-шести дивизий. В этом случае противник, очевидно, не сможет более удерживать свои позиции в Днепровской дуге. Поэтому командование армии просит разрешения по своему усмотрению решать вопрос о своем правом фланге.

Одновременно 4-й танковой армии была поставлена задача всеми имеющимися в ее распоряжении силами остановить противника, наносящего своей главной ударной группой удар на Житомир в районе действий 42 ак с целью осуществить прорыв. Своим северным флангом (13 ак и 59 ак) она должна действовать так, чтобы не дать противнику повернуть свои войска и нанести удар на Житомир. 17 тд, действовавшая в составе 6-й армии (которая временно была снова передана нашей группе армий), уже высвободившаяся из района нижнего течения Днепра, была передана 4-й танковой армии.

На запросы ОКХ (безусловно, исходившие от Гитлера), нацеленные на то, чтобы достичь половинчатых решений в районе Днепровской дуги, командование донесло: «Момент для того, чтобы спасти положение на северном фланге группы армий путем частных мер, как, например, переброска отдельных дивизий, упущен».

Судя по количеству брошенных здесь противником в бой сил, доносили мы далее, даже если и удастся временно остановить наступающего противника, мы не сможем добиться коренного изменения обстановки. К тому же ясно, что противник будет бросать в наступление все новые и новые резервы, накопленные им этой зимой. Обстановка складывается так, что в ближайшие недели в районе Коростень — Житомир — Бердичев — Винница — южнее Киева противник может перерезать наши тыловые коммуникации, а затем отбросить наши войска на юго-запад.

Чтобы избежать этой опасности, говорилось далее, необходимо принять решительные меры. Обстановка в данный момент похожа на обстановку, сложившуюся на фронте группы армий зимой 1942/43 года, в том отношении, что сейчас также необходимо перебросить с правого фланга группы армий на левый (из района Ростова на Днепр) 1-ю танковую армию. Этот путь в настоящее время является единственным выходом для того, чтобы восстановить положение. 1-я танковая армия должна быть высвобождена из Днепровской дуги и из ее состава не менее пяти-шести дивизий должны быть переброшены в район Бердичева. Этого можно будет достичь только при условии ухода из восточной части Днепровской дуги и отвода линии фронта на уже подготовленные позиции на рубеже излучина Днепра западнее Николаева — Кривой Рог.

Благодаря достигнутому таким путем сокращению фронта можно будет высвободить 12 дивизий. Шесть из них, как указано выше, необходимо перебросить вместе со штабом 1-й танковой армии на северный фланг группы армий. Остальные должны остаться в подчинении 6-й армии, которой будет передана также и полоса, занимавшаяся ранее 1-й танковой армией, для организации обороны по нижнему течению Днепра.

Соединения 1-й танковой армии, перебрасываемые на северный фланг группы армий, при случае могут нанести удар с востока по войскам противника, продвигающимся на Житомир.

Кроме того, ОКХ должно передать 4-й танковой армии для использования на ее северном фланге дополнительные силы, чтобы ликвидировать здесь угрозу охвата ее войск. В дальнейшем эти силы можно будет использовать для нанесения удара с запада по главной ударной группе противника параллельно с наступлением 1-й танковой армии.

Обстановка, сложившаяся в настоящее время на Днепровской дуге, где атаки противника в последнее время ослабли, позволяет предпринять эту перегруппировку без большого риска. Предлагаемый, однако, отвод линии фронта может быть сопряжен с трудностями, если выжидать до тех пор, пока противник начнет здесь наступление.

В связи с этим, а также учитывая обстановку на фронте 4-й танковой армии, необходимо, чтобы Главное командование быстро приняло соответствующее решение.

Когда, несмотря на наши настоятельные просьбы, до 28 декабря Гитлер еще не принял решения по нашему предложению, а лишь обещал перебросить 4-й танковой армии несколько дивизий, командование 29 декабря отдало соответствующие приказы. Командованию 1-й танковой армии было приказано к 1 января передать занимаемый им участок 6-й армии и не позднее 3 января принять от 4-й танковой армии участок фронта, занимаемый 4-й танковой армией от Днепра до района, расположенного примерно в 45 км юго-восточнее Бердичева (24 тк, 7 ак). За левым флангом этого участка должен был сосредоточиться 3 тк в составе четырех дивизий (6 тд, 17 тд, 16 мд, 101 гсд), которые должны были прибыть сюда из Днепровской дуги, а также от 6-й армии. Затем сюда будет направлено еще несколько дивизий. Если начатая группой армий переброска 1-й танковой армии не предусматривала перемещения крупных сил, то это было обусловлено ограниченными транспортными возможностями. Это было вызвано также и тем, что командование группы не могло отдать приказ об оставлении восточной части Днепровской дуги без согласия Гитлера, так как это непосредственно отразилось бы на положении группы армий «А». Даже такая инстанция, как командование группы армий, ограничена в принятии самостоятельных решений и нуждается в согласии Главного командования там, где начинается сфера его компетенции — координирование операций в масштабе всего фронта.

На участок, оставшийся за 4-й танковой армией, должны были быть переброшены силы, выделенные ОКХ (46 тк в составе 16 тд, 1 пд и 4 гсд).

Достаточно ли будет этих сил для нанесения намеченных контрударов этих двух групп по флангам противника, главные силы которого продвигались на юго-запад, было неясно. Пока необходимо было остановить его продвижение.

30 декабря штаб группы донес ОКХ о принятых им мерах. 31 декабря Гитлер задним числом дал свое согласие. Однако он уклонился от принятия крайне необходимого решения об оставлении восточной части Днепровской дуги и тем самым и никопольского плацдарма.

В то время как в соответствии с приказом командования группы началась переброска сил, обстановка на участке 4-й танковой армии к 31 декабря по-прежнему была угрожающей.

Главным силам противника удалось осуществить прорыв на широком фронте на юго-запад в направлении на Винницу. 4-я танковая армия на участке южнее Киева (24 тк и 7 ак), правда, еще удерживала свои позиции, однако вынуждена была сильно загнуть назад свой западный фланг. В том районе, где было намечено сосредоточение 3 тк, образовался разрыв фронта шириной до 75 км.

Лишь в 45 км юго-восточнее Бердичева снова начинался занятый очень небольшими силами участок фронта 4-й танковой армии, который проходил в основном непосредственно к востоку от дороги Бердичев — Житомир и снова оканчивался севернее этого города. В районе Житомира фронтом на восток и север действовал 13 ак. Между ним и 59 ак, отброшенным в район западнее Коростеня, опять-таки зиял разрыв фронта шириной 75 км, в глубине которого должен был сосредоточиться 26 тк.

К счастью, силы противника были связаны в боях с упоминавшимися выше изолированными группами войск 4-й танковой армии. Противник еще не видел или, во всяком случае, не полностью использовал возможности, предоставлявшиеся его подвижным соединениям благодаря наличию этих разрывов для нанесения ударов по тыловым коммуникациям или для окружения отдельных групп, войск 4-й танковой армии.

В начале января общая обстановка на фронте группы армий сильно ухудшилась.

В Днепровской дуге, а также в районе никопольского плацдарма намечалось новое наступление противника против 6-й и 8-й армий. Если бы оно началось до того, как по предложению группы армий была бы оставлена восточная часть Днепровской дуги, положение на этом фланге было бы угрожающим. Прежде всего тогда не удалось бы высвободить танковые дивизии, которые было намечено перебросить на участок 1-й танковой армии на северном фланге, о чем уже был отдан приказ. Действительно, 3 января началось большое наступление противника восточнее Кировограда. Обе дивизии были втянуты в бой.

Все более настоятельной была необходимость перебросить силы на северный фланг группы армий. Противник к этому времени уже понял, какие перспективы для него открываются в связи с наличием разрывов в нашем фронте.

На новом участке 1-й танковой армии, которая 3 января приняла участок южнее и юго-западнее Киева, противник нанес удар на юг, выйдя в район около 50 км к северу от Умани. Здесь прибывшим сюда передовым частям 3 тк удалось временно остановить его.

Особенно критической была обстановка на участке 4-й танковой армии. Под угрозой охвата обоих флангов она к 4 января была вынуждена отойти на позицию, начинавшуюся в 60 км восточнее Винницы и проходившую на север в направлении на Бердичев (за который уже велись бои), оканчиваясь в 60 км западнее города на бывшей советско-польской границе.

В большом разрыве фронта между нашей группой армий и группой армий «Центр», начинавшемся далее к северу, 59 ак отошел по большой дороге Житомир — Ровно и севернее ее также до бывшей советско-польской границы.

Развитие событий в первые дни января вынудило меня 4 января вылететь в Ставку фюрера, чтобы наконец добиться от Гитлера разрешения на переброску крупных сил с правого фланга группы армий на левый. Я начал с того, что охарактеризовал ему новую опасность, возникшую в Днепровской дуге, а также крайне критическое положение на участке 4-й танковой армии.

Затем я подробно объяснил ему наш замысел: атаковать противника, наступающего на фронте этой армии с флангов, силами 3 тк 1-й танковой армии с востока, а силами 26 тк, перебрасываемого за северный фланг 4-й танковой армии, с северо-запада[1]. Я сразу сказал Гитлеру, что намеченные контрудары в лучшем случае временно устранят нависшую угрозу, однако ни в коем случае не могут укрепить на длительный срок положение на северном фланге группы армий. На всем южном крыле Восточного фронта нависнет смертельная опасность, если нельзя будет восстановить положение на северном фланге группы армий. Группа армий «Юг» и группа армий «А» очутятся тогда в Румынии или на Черном море. Если, таким образом, Главное командование не может выделить в наше распоряжение крупные силы, отвод южного фланга группы армий для высвобождения сил, необходимых для имеющего решающее значение северного фланга, что, конечно, повлечет за собой сдачу Никополя (а следовательно, и отказ от Крыма), нельзя больше откладывать.

Я хотел бы здесь добавить, что оставление восточной части Днепровской дуги, по мнению командования группы армий, было лишь первым шагом по пути переноса главных усилий на северный фланг группы армий, что единственно отвечало общей обстановке.

Для того чтобы провести такую перегруппировку в необходимых больших масштабах, следовало значительно сократить фронт на юге. Командование группы армий поэтому предусмотрительно уже отдало приказ о разведке и начале оборудования оборонительной позиции на запад от занимаемой линии фронта, что, естественно, было известно Гитлеру. Эта позиция проходила от нижнего течения Буга в общем

---

[1] Гитлер проявил при этом хорошее понимание обстановки. Он выразил сомнение, сможем ли мы нанести удар на обоих флангах 4-й танковой армии. В этом отношении он оказался прав. — *Примеч. автора.*

северном и северо-западном направлении, с использованием удобных рубежей рек, до южной границы района, в котором в настоящее время северный фланг группы армий вел ожесточенные бои. Занятие этой линии означало бы сокращение примерно наполовину фронта 6-й и 8-й армий, которые в результате удерживания Днепровской дуги растянули его на 900 км. Такое значительное сокращение фронта и связанная с ним большая экономия сил (в сочетании с переброской 17-й армии из Крыма на континент) дадут наконец возможность сосредоточить необходимое количество сил на северном фланге. Несмотря на это, южный фланг сохранил бы достаточно сил для того, чтобы удерживать упомянутую выше линию даже против значительно превосходящих сил противника. Конечно, и противник высвободил бы силы. Однако сокращенный и достаточно обеспеченный войсками фронт на юге, на котором можно было бы создать устойчивую оборону, даже при массированных атаках противника мог бы доказать, что «оборона сильнее наступления». С другой стороны, противник в связи с тем, что мы разрушим железнодорожную сеть, вряд ли сможет в такой же степени и теми же темпами перебросить силы со своего южного фланга в район западнее Киева, чтобы добиться здесь превосходства своих сил.

Естественно, лишь оставление Днепровской дуги создало бы предпосылку для такого значительного отвода сил на южном фланге германской армии. Просить о ней Гитлера сейчас уже было бы совершенно нецелесообразно. Он не был тем человеком, который видит необходимость далекого расчета при проведении операций. Более того, он даже сейчас отвергал всякую мысль об оставлении Днепровской дуги для высвобождения сил, которые должны были быть переброшены на северный фланг группы армий, а также о сдаче Никополя.

Он заявил по этому поводу, что последующее неизбежное оставление Крыма будет означать отход от нас Турции, а затем Болгарии и Румынии.

Далее он сказал, что он не в состоянии дать группе армий дополнительные силы для ее северного фланга. Он мог бы взять их у группы армий «Север», но только при условии отвода ее на Чудское озеро, что в свою очередь означало бы отход от нас Финляндии. Мы потеряли бы вследствие этого господство над восточным районом Балтийского моря и возможность подвоза руды из Швеции. Кроме того, мы потеряли бы тем самым район, необходимый для маневров подводных лодок.

С запада Гитлер может перебросить к нам силы только тогда, когда будет ликвидирована попытка противника высадиться на побережье или если англичане — как он думает — высадятся в Португалии. Он должен сейчас бороться за выигрыш времени, пока не будет выяснено положение на западе и пока не вступят в строй формируемые им сейчас соединения. С мая, кроме того, снова будет интенсивно вестись подводная война.

В лагере противника, далее, имеется столько противоречий, что этот лагерь в один прекрасный день распадется. Следовательно, главное — это выигрыш времени. Он так же хорошо видит опасность, которая угрожает группе армий, как и мы, но он должен пойти на этот риск, пока в его распоряжении не будет больше сил.

Было совершенно бессмысленно пытаться опровергнуть эти аргументы Гитлера. Он мог бы, как обычно бывало в таких случаях, возразить мне, что я не могу судить об этих вопросах, поскольку я лишен общей перспективы. Мне оставалось только еще и еще раз указывать на серьезность обстановки, сложившейся на нашем северном фланге, и подчеркивать, что предпринятые группой контрмеры ни в коем случае не могут привести к окончательному преодолению опасности. Необходимо каким бы то ни было путем как можно скорее перебросить за северный фланг группы армий еще одну новую армию, сосредоточив ее в районе Ровно, чтобы ликвидировать угрозу охвата крупными силами противника.

Так как в таком широком кругу, в каком обычно проходили «доклады об обстановке», дальнейшая дискуссия с Гитлером не обещала успеха, я попросил разрешения переговорить с ним только в присутствии начальника Генерального штаба. С явным неудовольствием, недоверчиво ожидая, что я ему теперь преподнесу, Гитлер дал свое согласие. Представители ОКБ, Геринга, адъютанты, секретари Гитлера, а также оба стенографа исчезли. Последние обычно должны были записывать каждое слово, произнесенное во время этих докладов об обстановке. Так как перед ними не было карт, они, правда, часто совсем не могли понять, о чем идет речь.

Я вылетел в Ставку фюрера, задавшись целью наряду с вопросом об обстановке на фронте группы армий еще раз поднять вопрос об общем руководстве военными действиями в этой войне.

После того как все присутствующие, кроме генерала Цейтцлера, ушли, я попросил у Гитлера разрешения говорить совершенно открыто.

Ледяным тоном, насупившись, Гитлер ответил: «Пожалуйста». Я начал со следующих слов: «Надо ясно отдавать себе отчет, мой фюрер, в том, что чрезвычайно критическая обстановка, в которой мы сейчас находимся, объясняется не только неоспоримым превосходством противника. Она является также следствием того, как у нас осуществляется руководство военными действиями». По мере того как я произносил эти слова, лицо Гитлера стало принимать напряженное выражение. Он уставился на меня таким взглядом, который говорил об одном: теперь он хочет подавить твою волю, заставить тебя замолчать. Я не припоминаю, чтобы я когда-либо наблюдал взгляд, который так передавал бы силу воли человека. Один из аккредитованных в Берлине послов в своих воспоминаниях описывает впечатление, которое произвел на него Гитлер при первой встрече. В своем описании он особо подчеркивает то влияние, которое оказывают глаза Гитлера; как раз на него они тогда произвели очень сильное положительное впечатление. В его лице, наделенном грубыми чертами, только глаза и были чем-то привлекательным, во всяком случае, наиболее выразительным. Теперь он уставился на меня этими глазами, как будто хотел своим взглядом заставить противника пасть ниц. У меня промелькнула мысль о заклинателе змей из Индии. Это была, так сказать, борьба без слов, длившаяся в течение нескольких секунд. Я понял, что взглядом своих глаз он запугал, или, пользуясь, правда, вульгарным, но подходящим для этого случая выражением, «прижал к ногтю», не одну свою жертву. Однако я продолжал и сказал ему, что из того, как у нас организовано руководство вооруженными силами, ничего не получится. Я вынужден вернуться к моему предложению, которое я излагал уже дважды. Ему нужен для общего руководства военными действиями один, однако действительно ответственный начальник Генерального штаба, на совет которого в вопросах руководства военными действиями он мог бы положиться. Если это предложение будет принято, для Восточного фронта — так, как это уже имеет место в Италии и на Западе, — необходимо назначить одного командующего, который должен иметь в рамках общего руководства военными действиями полную самостоятельность.

Так же, как и в обоих предыдущих случаях, когда я говорил Гитлеру о необходимости коренных изменений его методов руководства военными действиями (следовательно, хотя и не о формальном, то о фактическом отказе Гитлера от него), он и на этот раз отнесся к моим предложениям резко отрицательно. Он заявил, что только он, обладая всеми средствами государственной власти, может эффективно руководить военными действиями. Только он в состоянии решать, какие силы могут быть выделены для отдельных театров военных действий и тем самым как на них нужно проводить операции. Геринг также никогда не подчинится указаниям другого лица.

Что касается назначения командующего Восточным театром военных действий, то он опять произнес уже один раз цитировавшиеся мною слова о том, что никто другой не обладает таким авторитетом, как он. «Даже мне не подчиняются фельдмаршалы! Не думаете ли вы, что вам они будут больше подчиняться? В случае необходимости я могу смещать их с занимаемых постов, никто другой не может иметь такой власти», — выкрикнул он мне в лицо. Мой ответ, что приказы, которые отдавал бы я, были бы выполнены, он оставил без внимания и на этом закончил наш разговор.

Снова потерпела фиаско моя попытка по-хорошему подействовать на Гитлера, с тем чтобы он согласился на изменения в организации нашего Главного командования, которые, не затрагивая его престижа, отвечали бы военной необходимости. То, что он не хотел, хотя бы даже не формально, а фактически, передать руководство военными действиями в руки представителя армии, вероятно, с одной стороны, объяснялось его чрезмерной верой в самого себя. Он не хотел даже с глазу на глаз признаться, что сделал ошибку или нуждается в советах по военным вопросам. Определенную роль играло и недоверие, которое побуждало диктатора сохранять армию на всякий случай в своих руках. Однако мне было ясно, что всякая попытка вызвать безусловно необходимые изменения силой поведет к катастрофе на фронте. Мысль о том, что русские тогда проникнут в Германию, так же исключала для меня путь применения силы, как и мысль об англо-американском требовании о безоговорочной капитуляции.

Так мне пришлось вернуться, ничего не добившись ни в отношении облегчения положения группы армий, ни в отношении разумного урегулирования вопроса о нашем Главном командовании. Однако это никак не означало, что мы отказались от борьбы за то, чтобы наконец добиться свободы маневра для нашего фланга в Днепровской дуге, и за усиление северного фланга нашей группы армий.

В связи с отрицательными результатами переговоров в Ставке фюрера для группы армий не оставалось ничего иного, как продолжать борьбу в Днепровской дуге. На ее северном фланге необходимо было действовать так, чтобы сорвать попытки противника окружить 4-ю танковую армию и прорваться в южном направлении, в результате чего были бы перерезаны тыловые коммуникации южного фланга.

Противник с неослабевающей силой в течение всего января продолжал в Днепровской дуге атаки на позиции, которые мы все еще должны были удерживать. С особой силой он обрушивался на восточный участок 8-й армии. Но и на участке, занимавшемся теперь 6-й армией, войска вынуждены были непрерывно отражать вражеские атаки. Они велись как в направлении на позиции, расположенные в Днепровской дуге, фронтом на север, так и с юга против никопольского плацдарма.

Если наш фронт в течение января смог удержаться не только в районе никопольского плацдарма, но и в Днепровской дуге, то это объясняется самоотверженностью немецких войск, простого немецкого солдата. Его подвиги во время этих непрерывных тяжелых оборонительных боев вообще не поддаются описанию. Немецкий солдат был здесь символом верности, чувства долга, повиновения и служения Германии!

Благодаря таким действиям немецких войск, а также находчивости командования обеих армий успехи намного превосходившего нас в людях и технике противника в этом районе по-прежнему были незначительными. Правда, 8-я армия была несколько оттеснена на запад. Был взят Кировоград. Однако противнику по-прежнему не удавалось осуществить прорыв для окружения наших войск в Днепровской дуге.

На левом фланге группы армий обстановка была крайне тяжелой. То, что 4-я танковая армия не могла оказать сильного сопротивления натиску превосходящих сил противника и сдала Бердичев, а также отошла, чтобы создать сплошной фронт, хотя бы на большей части своего участка, дальше на запад и юго-запад, было еще не самым опасным. Гораздо более опасным было то, что противник примерно к 6 января понял, какие большие шансы на успех он может получить при использовании разрыва линии фронта между 1-й танковой армией и правым флангом 4-й танковой армии, а также большой бреши, образовавшейся между 4-й танковой армией и группой армий «Центр». В этом районе действовал лишь изолированный слабый 59 ак, отступавший с боями на Ровно.

Было ясно, что русские приостановили наступление на фронте 4-й танковой армии, чтобы использовать свои шансы на ее открытых флангах.

Силами трех армий (18-й, 1-й гвардейской и 3-й гвардейской танковой армий) противник стремился теперь разгромить северный фланг 4-й танковой армии, в то время как 60-я и 13-я армии русских продвигались далее к северу, осуществляя параллельное преследование в направлении на Ровно.

Одновременно противник крупными силами (1-я танковая и 40-я армии) продолжал наступать на юг через брешь, образовавшуюся между 1-й и 4-й танковыми армиями. Его передовые отряды вышли в район 30 км севернее Умани, являвшейся базой снабжения 1-й танковой армии, а также на подступы к Виннице, где находился ранее штаб группы армий. За несколько дней до этого он был переведен в Проскуров, так как линии связи, проходившие из Винницы к правому флангу группы армий, в результате наступления противника оказались под угрозой. Вражеским танкам даже удалось временно блокировать у Жмеринки важнейший путь подвоза группы армий (дороги, проходившие далее к югу, вели через румынскую территорию и имели очень небольшую пропускную способность).

Командование группы армий могло избрать в связи с создавшейся обстановкой два пути. Следовало ли помешать дальнейшему продвижению противника в сторону почти открытого северного фланга группы армий, которое таило в себе опасность глубокого обхода его северного фланга? Или было важнее не дать противнику окончательно прорвать фронт через брешь между 1-й танковой и 4-й танковой армиями? Для того чтобы решать обе эти задачи одновременно, сил не хватало.

Мы решили сначала ликвидировать вторую опасность. Она в настоящий момент была более угрожающей. Если бы противнику дали возможность ввести в эту брешь крупные силы и нанести удар на юг через верхнее течение Буга, 8-я и 6-я армии оказались бы под угрозой окружения.

Дальнейшее продвижение противника в сторону северного фланга группы армий на Ровно могло лишь позже приобрести угрожающий характер. Здесь силы, которые Гитлер рано или поздно вынужден был бы сюда перебросить, в конце концов должны были бы спасти положение.

Если бы, однако, обе армии южного фланга очутились в окружении, было бы уже невозможно вызволить их оттуда. На единственно правильное решение — значительно отодвинуть назад линию фронта на южном фланге группы армий для высвобождения сил, способных преодолеть кризис на северном фланге, — Гитлером по-прежнему было наложено вето.

Исходя из этих соображений, мы приняли решение сосредоточить вначале все имевшиеся в нашем распоряжении силы для нанесения удара по противнику, продвигавшемуся через брешь между 1-й и 4-й танковой армиями на юг.

Эта брешь была особенно опасна потому, что прорыв противника в направлении на Умань вынудил 1-ю танковую армию загнуть свой западный фланг в районе юго-западнее Киева на юг. Он соприкасался теперь своими тыловыми позициями с тыловыми позициями расположенной в Днепровской дуге 8-й армии. Так как внутренние фланги обеих армий удерживали еще Днепр по обе стороны от Канева, немецкие позиции образовали, так сказать, мешок, который был перевязан на севере у Днепра, в то время как его продольные стороны представляли собой обращенные на восток и на запад фронты обеих армий. Если бы противник добился успеха, используя брешь севернее Умани, ему было бы легко «затянуть» этот мешок на юге! Разумнее всего было бы, конечно, уйти из него, так как на его оборону пришлось бы бессмысленно тратить много сил. Но и здесь Гитлер не хотел добровольно уступать побережье Днепра. Он все еще надеялся нанести удар из этого выступа фронта для того, чтобы когда-нибудь снова овладеть восточной частью дуги. Поэтому этот выступ остался. Через непродолжительное время этот «мешок» превратился в черкасский котел.

Штаб группы армий планировал нанести удар по противнику, продвигавшемуся в глубь бреши между 4-й и 1-й танковыми армиями с трех сторон, взяв противника в клещи.

С востока — из расположения 1-й танковой армии — 7 ак наносил противнику удар во фланг. Корпус удалось высвободить из упомянутого выше выступа фронта благодаря тому, что по приказу командования группы на Днепре были оставлены только слабые прикрытия. В результате этого 7 ак по крайней мере не попал затем в черкасский котел.

С запада 46 тк должен был нанести удар по другому флангу противника. Он в тот момент еще только подходил из Франции.

С юга наносил удар высвобожденный группой армий из Днепровской дуги 3 тк. Его задача состояла в том, чтобы, маневрируя, задержать и сковать противника, пока оба других корпуса не сосредоточатся для атаки.

Во второй половине января контрудар был нанесен. Правда, небольшое количество имевшихся в нашем распоряжении сил вынудило нас провести его в два этапа, так как брешь между 4-й и 1-й танковыми армиями за это время увеличилась почти до 75 км.

Первый удар наносили 7 ак и 3 тк в восточной части этой бреши по 40-й армии противника. Затем также концентрическим ударом 3 тк и 26 тк, в котором приняли участие кроме танковых дивизий 1 пд, 4 гсд и 18-я артиллерийская дивизия, в западной части бреши были окружены и разбиты крупные силы советской 1-й танковой армии. В результате последнего удара — данными относительно первого удара я сейчас не располагаю — противник потерял наряду с 8000 убитыми только 5500 пленными, 700 танков, свыше 200 орудий и около 500 противотанковых орудий. Наши войска во время этих боев нанесли урон 14 стрелковым дивизиям и 5 танковым и механизированным корпусам. Однако противнику, безусловно, удалось вывести по крайней мере часть людей из окружения.

В то время как все это происходило, между командованием группы и ОКХ продолжались переговоры относительно хода дальнейших операций. Неоднократно командование группы подчеркивало, что необходимо наконец предоставить правому флангу группы армий свободу маневра, то есть отказаться от удержания Днепровской дуги, которое уже давно является с оперативной точки зрения ошибочным. В письме, направленном Гитлеру через начальника Генерального штаба, я остановился на аргументах, приведенных Гитлером 4 января для обоснования необходимости удержания Днепровской дуги. Я писал, что позиция Турции, Болгарии и Румынии не столько зависит от удержания Крыма, сколько от наличия боеспособного правого фланга немецких войск перед восточными границами обоих последних государств.

Командование группы снова подчеркивало, далее, что развитие событий на всем южном крыле Восточного фронта определяется тем, будет ли своевременно выдвинута за левый фланг группы армий в район Ровно большая армия. Это может быть достигнуто путем высвобождения сил с правого фланга группы армий, в результате отвода его на сокращенный фронт, или путем переброски соединений группы армий «Север», или эвакуации армии из Крыма. Только если мы своевременно сосредоточим эту армию в районе Ровно, можно будет предотвратить глубокий охват северного фланга группы армий и тем самым отход всего южного крыла Восточного фронта к Румынии. В то время как начальник Генерального штаба сухопутных сил был вполне согласен с нашим предложением и пытался добиться принятия его Гитлером, последний упрямо оставался на своей позиции «удерживать любой ценой». От него нельзя было добиться оперативного указания о том, как должны в общем, а не только сегодня и помимо цепляния за пространство, проводиться дальнейшие операции.

Подобное руководство операциями было тем более нетерпимым, что, по мнению ОКХ, противник все еще располагает крупными резервами, с возможностью использования которых рано или поздно придется считаться. Как можно было разумно воевать, когда Гитлер не говорил даже командующим группами армий, как он мыслит себе в общем плане продолжение военных действий? Как следовало, при этих обстоятельствах, если упомянутые резервы противника действительно существуют, заблаговременно учесть возможность их ввода в бой? Я описал это нетерпимое положение в цитируемом ниже письме.

«Управление войсками, если оно ставит перед собой цель добиться успехов, должно состоять в хорошо организованном взаимодействии различных командных инстанций, основывающемся на ясных указаниях командования и правильной оценке обстановки. Командование группы армий не может думать в пределах одного дня. Оно не может обойтись указанием о том, что необходимо удерживать все, если оно видит, что дальнейший ход операций противника может привести к охвату наших войск, который в свою очередь приведет к решительному успеху противника; командованию же будет нечего противопоставить охватывающей группировке. Поэтому я прошу, чтобы ОКХ сделало из направленных мною ранее писем, содержащих оценку обстановки, намеченные в них необходимые выводы или указало на то, в чем командование группы при оценке обстановки на ближайшее время ошибается.

Если, однако, к нашим предложениям, сделанным на основе выводов, к которым пришло командование группы армий, исходя из доступных ему данных, Главное командование не только не будет прислушиваться, но и по-прежнему будет молчать, тогда вообще о взаимодействии командных инстанций не может быть и речи».

Когда и на это письмо не последовало никакого ответа, я написал длинное личное письмо самому Гитлеру. В нем я еще раз ясно изложил обстановку группы армий, оперативные возможности, которыми располагает противник, а также то, в каком состоянии находятся войска. Я недвусмысленно дал понять, как, по моему мнению, будут развиваться события, если мы не будем действовать в духе предложений группы армий. Я особенно подчеркивал настоятельную необходимость сосредоточения в ближайшее время крупных сил за северным флангом группы армий, чтобы предотвратить ясно намечающийся обход этого фланга, который будет иметь далеко идущие последствия. В связи с этой необходимостью, а также опасностью, угрожающей вслед за тем окружением южного фланга группы армий в Днепровской дуге, я в заключение писал:

«Я позволю себе, мой фюрер, закончить следующими словами: для нас сейчас речь идет не о том, чтобы избежать опасности, а о том, чтобы встретить неминуемую опасность так, чтобы преодолеть ее».

Этому письму суждено было сыграть несколькими днями позже некоторую роль во время моего столкновения с Гитлером.

27 января Гитлер собрал всех командующих объединениями Восточного фронта и многих других офицеров, занимающих высокие должности в Ставке фюрера. Он пожелал сам сделать нам доклад о необходимости национал-социалистского воспитания в армии. Чем сложнее становилась обстановка на фронте, тем большее значение он придавал «вере» в окончательную победу. Эта «вера» стала играть для него большую роль при отборе командиров на должности от командира дивизии и выше.

Уже по тому, как поздоровался со мной Гитлер во время обеда, предшествовавшего докладу, было видно, что он не простил мне критику, которая содержалась в моих замечаниях о руководстве военными действиями, сделанных 4 января.

В своем докладе он осмелился бросить в лицо высшему офицерскому составу сухопутных сил, имевшему столь большие заслуги, примерно следующие слова: «Если когда-нибудь необходимо будет сражаться до конца, то ведь, очевидно, фельдмаршалы и генералы должны будут последними стать на защиту знамени».

Я не имею привычки молча выслушивать оскорбления. Слова Гитлера, однако, должны были восприниматься каждым солдатом как сознательно брошенный высшим офицерам армии вызов, который в форме риторического вопроса ставил под сомнение их мужество и стремление до конца выполнить свой солдатский долг.

Все присутствовавшие привыкли, как солдаты, молча выслушивать речь своего начальника и поэтому молчали. Но я воспринял заключающееся в словах Гитлера скрытое оскорбление так сильно, что кровь ударила мне в голову. Когда Гитлер еще раз повторил свое замечание, чтобы подчеркнуть его, я прервал его, воскликнув: «Так оно и будет, мой фюрер!»

Эта реплика, естественно, не имела ничего общего с моим личным отношением к национал-социалистскому режиму или к Гитлеру. Она должна была лишь показать, что мы не позволим бросать нам в лицо подобный моральный вызов даже Гитлеру. Как мне передали уже позже, мои товарищи в этот момент облегченно вздохнули, так как они восприняли слова Гитлера точно так же, как и я.

Гитлеру, однако, еще, видно, никогда не приходилось выслушивать реплики во время своей речи, которую он произносил как глава государства, а в данном случае и как Верховный главнокомандующий. Годы, когда он слышал реплики на собраниях, были далеко позади. Он явно потерял нить речи и громко крикнул мне, хотя я и сидел всего лишь в нескольких шагах от него: «Я благодарю вас, фельдмаршал фон Манштейн!» На этом он довольно неожиданно оборвал свою речь.

Когда я пил чай у генерала Цейтцлера, раздался телефонный звонок и мне передали, что Гитлер хочет со мной говорить в присутствии Кейтеля. Он принял меня со словами: «Господин фельдмаршал, я запрещаю перебивать меня во время речи, которую я держу перед генералами. Очевидно, вы сами не позволили бы делать это своим подчиненным». По поводу последнего замечания мне нечего было сказать. Я принял слова Гитлера к сведению. Но затем он, очевидно, будучи очень рассерженным, допустил ошибку. Он продолжал: «Впрочем, вы прислали мне несколько дней назад докладную записку об обстановке. Она, очевидно, имеет назначение, попав в журнал боевых действий, когда-нибудь позже оправдать вас перед историей». Это уже было слишком. Я возразил: «Письма, которые я направляю лично вам, естественно, не фиксируются в журнале боевых действий. Это письмо я направил с курьером через начальника Генерального штаба. Я попрошу меня извинить, если я сейчас употреблю английское слово. По поводу ваших слов я могу лишь сказать: "Я — джентльмен"». Молчание. После паузы Гитлер сказал: «Благодарю вас». Во время вечернего разбора обстановки, на который меня специально вызвали, Гитлер по отношению ко мне вел себя снова очень любезно. Он пожелал даже услышать мой совет относительно возможности обороны Крыма, о которой докладывал ему присутствовавший при этом командующий 17-й армией генерал Енике. Однако я был уверен, что он не простил мне моего ответа. Впрочем, были вещи, которые меня тогда больше беспокоили, чем то, как ко мне относится Верховный главнокомандующий. В течение февраля в центре нашего внимания находились три участка, которые именовались Никополь, Черкассы и Ровно.

ПОТЕРЯ НИКОПОЛЯ

Со 2 февраля 6-я армия по приказу Гитлера снова перешла в подчинение группы армий «А». Интересно, какое объяснение дал по этому поводу генералу Цейтцлеру Гитлер. Он хотел перебросить из состава этой армии 2 дивизии в Крым, который тогда уже можно было считать потерянным. Переподчинение 6-й армии группе армий «А» он обосновал тем, что он не получил бы этих двух дивизий от группы армий «Юг»!

Для командования группы армий «Юг» передача 6-й армии означала в некоторой степени важное облегчение. У нас и без того хватало забот! Хотя мы теряли с этой армией резервуар сил, из которого, имея разрешение своевременно вывести эту армию из восточной части Днепровской дуги и с никопольского плацдарма, могли бы черпать резервы. Однако именно этого не допускал Гитлер. Теперь он под натиском противника вынужден был отдать эти районы.

31 января начались новые мощные атаки противника на северном участке 6-й армии восточнее Кривого Рога, а также с юга на никопольский плацдарм. Они привели к вклинению противника на последнем направлении. После трехдневных боев противнику удалось осуществить прорыв крупными силами и на северном участке 6-й армии. Здесь понес большие потери 30 ак, против которого действовали 12 сд и 2 тк, хотя соотношение сил по количеству дивизий составляло лишь 2: 1 в пользу противника. Первую позицию корпуса занимали 6 дивизий и вторую позицию — 2 танковые дивизии. Но эти дивизии ввиду недостаточного пополнения людьми и техникой представляли собой лишь боевые группы. В обеих дивизиях тому времени было всего 5 исправных танков! Должен же был, наконец, наступить такой момент, когда храбрые войска в результате непрерывного перенапряжения исчерпают свои силы.

Так как в это время 6-я армия уже вышла из подчинения группе армий «Юг», я не могу останавливаться на дальнейшем развитии событий на этом участке. Во всяком случае, ясно, что с прорывом противника на северном фланге 6-й армии оба корпуса, находившиеся на этом фланге, а также оба корпуса, действовавшие на никопольском плацдарме, были почти окружены. Такой результат давно предсказывало командование группы армий. Теперь и Гитлер увидел, что необходимо наконец согласиться на отдачу восточной части Днепровской дуги и никопольского плацдарма. 6-й армии действительно удалось в тяжелых боях высвободить свои корпуса из этой петли, понеся, однако, большие потери в технике. Своевременный отказ от этого бастиона, который все равно не удалось бы долго удержать, не только позволил бы в полном порядке отвести назад все расположенные в нем части, но и высвободить дивизии для гораздо более важного северного фланга группы армий. Вместо этого соединения 6-й армии были израсходованы на менее важном в оперативном отношении участке, и теперь было сомнительно, что армия сможет долго устоять перед натиском противника.

ЧЕРКАССКИЙ КОТЕЛ

На центральном участке фронта, занимаемого группой армий, моторизованные соединения 1-й танковой армии после успешного контрудара по позициям 40-й армии противника в восточной части зияющей в нашем фронте бреши начали наносить уже описанный выше второй удар в ее западной части. Но сейчас же у вражеской гидры на только что оставленном нашими танковыми дивизиями поле боя выросли новые головы.

В конце февраля крупными силами, в составе которых находились главным образом несколько танковых и механизированных корпусов, противник прорвался в северо-западной части упомянутого выше выдающегося вперед участка фронта, который все еще было приказано удерживать внутренним флангам 1-й танковой армии и 8-й армии на Днепре выше Черкасс. Прорвавшиеся войска противника прошли между 7 ак и 42 ак далеко на юг, до района Звенигородки.

В то же время русские атаковали обращенный на восток участок фронта, занимаемый 8-й армией в районе юго-западнее Черкасс, и прорвали его, введя в бой 4-ю гвардейскую и 5-ю гвардейскую танковые армии, в составе которых действовали свежие соединения. Им удалось продвинуться на запад и соединиться с прорвавшимися с северо-запада на Звенигородку через фронт 1-й танковой армии силами противника. Тем самым описанный выше выступ фронта, упиравшийся на севере в Днепр, в котором действовали 42 ак 1-й танковой армии, а также 11 ак 8-й армии, оказался отрезанным. Такова была обстановка, которую я застал 28 января по возвращении в группу армий. Командование группы немедленно приняло решительные меры для освобождения окруженных корпусов.

1-я танковая армия получила приказ как можно скорее завершить разгром окруженных на ее левом фланге частей советской 1-й танковой армии. 3 тк должен быть в самое ближайшее время высвобожден с этого участка. Вместе с 16, 17 тд, лейб-штандартом и полком тяжелых танков под командованием Беке, особенно отличившимся в последнем сражении, он должен был быть переброшен на участок, где теперь наметился кризис. 1 тд при первой возможности должна была последовать за ними.

Перед 8-й армией была поставлена задача снять с занимаемого ею участка 3 тд 47 тк и сосредоточить ее у места прорыва. Из состава 6-й армии было приказано выделить для усиления этой группировки еще 24 тд. Однако когда последняя прибыла туда, Гитлер приказал возвратить ее группе армий «А», так как обстановка на никопольском плацдарме становилась угрожающей. Она подошла туда, однако, слишком поздно.

По приказу командования группы армий оба корпуса должны были нанести удар силам противника, окружившим 42 ак и 11 ак, во фланг и в тыл: корпус 1-й танковой армии — с запада, корпус 8-й армии — с юга.

Командование группы армий сосредоточило сравнительно большое количество дивизий, чтобы деблокировать окруженные корпуса. Это было необходимо, так как противник бросил в этот район с северо-западного и с восточного направлений не более и не менее, как 26 стрелковых дивизий и 7—9 танковых механизированных и кавалерийских корпусов. Использование такого большого количества дивизий объясняется тем, что, за исключением свежих и пополненных соединений, советские дивизии имели неполный состав. Задача наших обеих ударных групп состояла в том, чтобы перерезать тыловые коммуникации скопившегося здесь большого числа соединений и затем уничтожить их концентрическими атаками.

К сожалению, вначале глубокий снег, а затем наступившая распутица значительно замедлили сосредоточение обеих ударных групп. Тем не менее им удалось нанести удар, в результате которого значительная часть сил, окруживших черкасскую группировку, была разбита. Свыше 700 танков, более 600 противотанковых орудий и около 150 орудий было уничтожено, однако оба корпуса захватили всего 2000 пленных.

Это был признак того, что соединения противника в основном состояли из моторизованных частей. В конце концов непролазная грязь со снегом вынудили нас остановиться. Ударный клин 3 тк подошел на 13 км к юго-западной стороне котла. 47 тк удалось оттянуть на себя значительную часть сил противника.

Оперативная группа штаба выехала в нашем штабном поезде в Умань, чтобы обеспечивать взаимодействие обеих армий в этих боях. Штаб 1-й танковой армии располагался в Умани, штаб 8-й армии также находился недалеко оттуда. Дважды я попытался добраться из Умани к ударным группам. Оба раза, однако, моя легковая машина безнадежно застревала в снегу или в грязи. Каждый день погода менялась, снежные метели перемежались с оттепелью. При этом снова подтвердилось, что советские танки при продвижении по снегу или размокшей почве превосходят наши танки по своей проходимости, потому что у них более широкие гусеницы.

Так как не было больше надежды на то, что наши танки доберутся до котла, я приказал обоим окруженным корпусам прорваться на юго-запад. За это время в результате возобновившихся атак противника со всех сторон оба корпуса скучились на небольшом пространстве, охватывавшем в направлении с севера на юг 45 км, а с запада на восток — лишь только 15—20 км. Таким образом, надо было действовать, если мы хотели еще спасти эти корпуса. 4 февраля Советы уже потребовали от них капитуляции.

В ночь с 16 на 17 февраля оба корпуса под руководством своих командиров Штеммермана и Либа предприняли попытку прорваться из окружения в юго-западном направлении, навстречу 3 тк, который напрягал все силы, чтобы, несмотря на непролазную грязь, бросить навстречу прорывающейся группировке хотя бы несколько танков. По приказу командования группы армий оба окруженных корпуса должны были использовать для обеспечения выхода из окружения всю артиллерию и имеющиеся боеприпасы. Так как во время выхода из окружения войскам пришлось бы передвигаться по бездорожью и глубокой грязи, было приказано бросить орудия после того, как будут расстреляны все боеприпасы. Арьергарды с несколькими орудиями прикрывали выходящие из окружения войска от атак противника с севера, востока и юга.

Можно себе представить, с какими чувствами, надеясь и беспокоясь, мы ожидали в нашем штабном поезде известий о том, удался ли выход из окружения. В 1 ч. 25 м. в ночь с 16 на 17 февраля пришло радостное известие о том, что первая связь между выходящими из окружения корпусами и передовыми частями 3 тк установлена. Противник, находившийся между ними, был буквально смят. 28 февраля мы узнали, что из котла вышло 30 000—32 000 человек. Так как в нем находилось 6 дивизий и одна бригада, при учете низкой численности войск это составляло большую часть активных штыков[1]. Огромную боль нам причинило то, что большую часть

---

[1] По сведениям о числе состоявших на довольствии, оба корпуса до окружения насчитывали 54 000 человек. Однако часть тыловых служб не попала в окружение. — *Примеч. автора.*

тяжелораненых выходившие из окружения не могли взять с собой. Генерал Штеммерман погиб во время боя.

Таким образом, нам удалось избавить эти 2 корпуса от той судьбы, которая постигла 6-ю армию под Сталинградом. Гитлер и здесь сначала отдал приказ о продолжении борьбы в котле, однако затем задним числом одобрил приказ группы армий о подготовке к выходу из окружения. Приказ о самом выходе из окружения был отдан командованием группы без предварительного согласования с Гитлером, чтобы исключить возможность возражений с его стороны.

Конечно, при выходе из окружения большая часть тяжелого оружия и орудий застряла в грязи. Только несколько из них ценой неимоверных усилий войскам удалось взять с собой. Вырвавшиеся из котла дивизии пришлось временно отвести в тыл. Вследствие этого шесть с половиной дивизий группы армий не принимали участия в боях, что еще больше осложняло обстановку. Эта необходимость, однако, далеко отступала перед той радостью, которую доставляло нам удавшееся спасение по крайней мере личного состава обоих корпусов.

Для 1-й танковой армии и 8-й армии теперь оставалась задача снова установить прочную связь между их участками и при первой возможности выделить танковые части в резерв.

После того как я посетил части дивизий, вышедшие из окружения, оперативная группа штаба снова возвратилась в Проскуров. Этого требовала обстановка на левом фланге группы армий.

РОВНО

По изложенным выше причинам командование группы в течение февраля прилагало все усилия для того, чтобы помешать окончательному прорыву противника на центральном участке ее фронта. Тем самым оно предотвратило угрозу окружения находящегося еще в Днепровской дуге правого фланга группы армий. Затем возникла срочная необходимость освободить корпуса, окруженные у Черкасс. После того как это удалось, обстановка на северном фланге группы армий снова заняла все наши мысли и стала предметом наших забот.

Здесь 4-я танковая армия занимала в то время даже более или менее сплошной фронт, обращенный на северо-восток, от района северо-восточнее Винницы до пункта западнее маленького города Шепетовка, расположенного примерно в 75 км строго на север от Проскурова, где находился штаб нашей группы армий. У Шепетовки оканчивался сплошной фронт армии. На фронте шириной около 240 км здесь располагались в то время только 9 слабых, но еще боеспособных дивизий (5 пехотных, 2 танковые, 2 мотодивизии), объединявшихся тремя штабами корпусов. Противник несколько ослабил свои атаки на участке этой армии, так как он, очевидно, вынужден был дать передышку своим войскам. Несмотря на это, было ясно, что армия вряд ли сможет упомянутыми выше силами отразить наступление превосходящих сил противника.

Гораздо более опасной для обстановки, создавшейся на фронте группы армий, была, очевидно, другая угроза.

Перед западным флангом 4-й танковой армии далеко на север — до южной разграничительной линии с группой армий «Центр» — простиралось теперь открытое пространство, в котором почти не было немецких войск. Противник рано или поздно мог начать из этого района глубокий обход 4-й танковой армии и тем самым всей группы армий. Если северная часть этого большого пустого пространства, Пинские болота, и не могла использоваться для крупных операций, то следовало учесть, что непосредственно к северу от участка 4-й танковой армии с востока на запад тянулся перешеек шириной около 60 км, через который проходило широкое шоссе из Киева через Житомир на Ровно и далее на запад в генерал-губернаторство[1] на Лемберг (Львов) и Люблин.

Для того чтобы перерезать этот перешеек и тем самым и упомянутое выше шоссе, командование группы перебросило 13 ак на оконечность своего северного фланга. Его командиром был мой бывший начальник штаба в 38 ак генерал Гауффе, отличавшийся очень энергичными действиями. К сожалению, в марте 1944 года Гауффе погиб на своем посту. Небольшими силами, находившимися в его распоряжении, в течение февраля и марта он сдерживал наступление превосходящих сил противника по обе стороны упомянутого большого шоссе, умело уходя от неоднократно предпринимавшихся противником попыток окружить его корпус. Дальше на север — уже в районе Пинских болот — восточнее Ковеля несколько полицейских частей охраняли большую железнодорожную линию, ведущую из Киева в Польшу.

Ввиду превосходства неприятельских сил изолированно действовавший 13 ак, естественно, мог лишь временно задержать наступление противника, но не остановить его. Уже в начале февраля был сдан город Ровно. 13 ак вынужден был отойти на запад к Дубно. Рейхскомиссар

---

[1] Так гитлеровцы назвали оккупированную часть Польши, помимо присоединенных к Германии областей. — *Примеч. ред.*

Украины, гаулейтер Кох, резиденция которого находилась в Ровно, конечно, заблаговременно убрался оттуда, не забыв дать подчиненным ему инстанциям и полицейским частям приказ держаться до конца. В Восточной Пруссии позже он также успел удрать. Гитлер же требовал голову генерала, виновного в сдаче города. Как сообщил мне Цейтцлер, Кейтель добивался даже расстрела на месте коменданта Ровно. Когда Цейтцлер стал категорически возражать против этого и заявил, что Гитлер, безусловно, захочет сначала выслушать своих генералов, вмешался Геринг. Он сказал: «Нет, нет, об этом не может быть и речи. Куда это нас заведет, если каждый раз мы будем так поступать? Ведь это совсем не входит в функции главы государства». Не говоря уже о том, что весь этот случай совсем не касался Геринга, он, безусловно, был последним, кто имел право посылать на смерть других якобы за нарушение долга. Его слова еще раз показали, что он питал ненависть к генералам, к армии вообще. Гитлер, впрочем, не последовал советам Кейтеля и Геринга, а распорядился произвести судебное расследование. В результате судебного разбирательства к смертной казни был приговорен не обвиняемый — комендант Ровно, а вызванный в суд в качестве свидетеля командир дивизии, действовавшей под Ровно. Этот приговор, однако, был отменен Гитлером по моему ходатайству, к которому присоединился и командующий армией, в связи с тем, что причины сдачи города следовало искать в сложившейся в этом районе обстановке. В то время когда я был командующим группой армий, еще не существовало летучих «военно-полевых судов».

Возвратимся теперь к обстановке на фронте 4-й танковой армии.

Хотя в то время, как уже было сказано выше, этой армии еще не угрожала непосредственная опасность, было ясно, что в районе, расположенном к северу от нее, охраняемом лишь слабыми силами, в ближайшее время развернется наступление противника. Оно могло проводиться в западном направлении на Лемберг (Львов) или в южном направлении, в обход западного фланга 4-й танковой армии.

Читатель вспомнит, что командование группы армий, предвидя эту опасность, неоднократно требовало, чтобы в районе Ровно была сосредоточена еще одна армия. Это не было сделано. Главное командование не высвободило для этого сил на другом участке (группы армий «Север» или в Крыму, для чего надо было уйти из него), оно не дало также группе армий разрешения на свободу оперативного маневра ее южного фланга, что дало бы возможность высвободить силы. Само собой разумеется, что командование группы после окончания боев в районе черкасского котла перебросило большое количество танков с центрального участка фронта на левый фланг. Они могли быть сосредоточены в этом районе к 15 марта. Однако, как писал штаб группы в ОКХ, в лучшем случае этого было бы достаточно лишь для предотвращения глубокого охвата западного фланга этой армии. По-прежнему решающее сражение ожидалось на левом фланге группы армий. Поэтому необходимо усилить его за счет переброски новых соединений. Однако Главное командование не приняло в этом отношении никаких решительных мер.

Очевидно, Гитлер рассчитывал на то, что наступательный порыв советских войск уже исчерпан. Кроме того, он ожидал скорого наступления распутицы, которая должна была помешать предпринимать крупные операции и Советам.

Хотя наше наступление с целью освобождения окруженной у Черкасс группировки в середине февраля и было остановлено из-за снежных метелей, перемежавшихся с оттепелью, до периода настоящей распутицы было еще далеко.

Вопрос о том, исчерпан ли наступательный порыв противника, следовало рассматривать наряду с большими потерями наших войск. Штаб группы армий привел в донесении, направленном в ОКХ для освещения этих двух связанных друг с другом вопросов, ряд цифр, которые позволяли создать себе ясное представление о потерях обеих сторон и о поступлении пополнения.

По многочисленным показаниям пленных мы высчитали, что действующие перед нашим фронтом соединения противника в период с июля 1943 года по январь 1944 года получили пополнения в количестве около 1 080 000 человек. Это примерно соответствовало тем потерям, которые противник понес в течение указанного периода. Потери группы армий за это же время составили 405 409 человек убитыми, ранеными и пропавшими без вести. Пополнения же мы получили только в количестве 221 893 человек. Таким образом, если соединения противника и понесли значительно бо́льшие потери, чем мы, если боевые качества пехоты противника все ухудшались, то цифры показывали, что соотношение сил изменилось далеко не в нашу пользу. Кроме нанесенных нами противнику больших потерь убитыми мы должны были бы захватить также и большое количество пленных, но это было возможно только при маневренном характере боевых действий.

В танковых соединениях дело в настоящее время обстояло таким образом, что участвовавшие в операциях советские танковые корпуса только в одном случае имели 20 танков, в среднем же по 50—100 танков при штатах в 200—250 танков. Наши же танковые дивизии в отличие от них имели в среднем в лучшем случае немногим более 30 исправных танков. Лишь в переданных нам недавно танковых дивизиях дело обстояло несколько лучше, зато в некоторых дивизиях положение было еще хуже. Всего противник перед нашим фронтом в указанный выше период получил примерно 2700 новых танков, мы же (включая сау) — только 872. При этом мы не учитываем еще большого количества соединений, которые противник держал в резерве.

Интерес могут представлять также следующие данные, характеризующие боевые действия отдельных армий, входивших в нашу группу. Конечно, в отдельных случаях здесь могли иметь место ошибки, вызванные двукратным подсчетом, например, подбитых танков.

По этим донесениям, противник потерял: в январе — 17 653 пленными, 2873 танка, 588 орудий, 2481 противотанковое орудие; в феврале — 7700 пленными, 1055 танков, 200 орудий, 885 противотанковых орудий.

Эти цифры показывают, как хорошо Советская Армия уже в то время была оснащена техникой. Советы не были больше вынуждены бросать в бой огромные массы людей. Вместе с тем цифры указывают на большую разницу между количеством захваченных пленных и количеством захваченной и уничтоженной техники. Либо дело было в том, что Советам удавалось избегать плена часто ценой оставления своего тяжелого оружия (что одновременно могло свидетельствовать о снижении морального состояния войск), либо они несли чрезвычайно большие потери людьми.

Что касается позиции Гитлера — в свете приведенных данных — по вопросу о дальнейшем ходе операций, а тем самым и относительно угрозы, которая может возникнуть на северном фланге группы армий, то весьма характерным является разговор, который я вел 18 февраля по телефону с генералом Цейтцлером.

Я указал на опасность, которая могла нависнуть над северным флангом группы армий. При этом я остановился на соотношении сил обеих сторон, а также указал на то, что оно является для нас все еще неблагоприятным по сравнению с другими группами армий. Ниже я привожу запись этого разговора, произведенную офицером штаба.

Цейтцлер: «Я имел по этому поводу, а также по поводу необходимых в связи с этим мероприятий длительную беседу с фюрером, но опять ничего не добился».

Я: «Как же он думает проводить дальше операции на нашем фронте?»

Цейтцлер: «Он говорит, что когда-нибудь же русские перестанут наступать. С июля прошлого года они непрерывно ведут наступление. Долго это не может продолжаться. Я сказал ему в ответ на это: мой фюрер, если бы Вы сейчас были в положении русских, что бы вы делали? Он ответил: ничего! Я возразил: я бы начал наступление, и именно на Львов!»

Гитлер, однако, как и раньше, рассчитывал на то, что истощение сил и погода заставят противника в ближайшее время прекратить свои наступательные операции. В мае он тогда смог бы, как он в свое время говорил мне, располагать вновь сформированными дивизиями. Если бы он передал предназначенный для них личный состав и технику нашим испытанным в боях дивизиям, обстановка у нас сложилась бы, очевидно, иначе.

ЧАС НАСТУПИЛ

В марте 1944 года наступил час, когда нам пришлось расплачиваться за большую ошибку, которую совершило немецкое Главное командование, состоявшую в том, что оно не хотело ничего отдавать (будь то на Востоке или на других театрах военных действий), когда это было необходимо, чтобы достичь превосходства на решающем участке или по крайней мере сосредоточить на нем достаточное количество сил. В первую же очередь ему пришлось расплачиваться за то, что в 1943 году оно не бросило все силы для достижения решительного успеха на Востоке и не добилось здесь хотя бы ничейного исхода войны или истощения ударной силы Советов до того, пока на западе не возникнет настоящий Второй фронт.

Ошибка состояла, далее, в том, что со времени провала последнего немецкого наступления, операции «Цитадель», Главное командование пыталось удерживать слишком растянутые фронты недостаточными силами, что вызвало совершенно излишний расход сил.

Наконец, Главное командование ошибалось, требуя, чтобы южный фланг Восточного фронта был прикован к защите далеко выдающихся на восток выступов фронта: вначале в Донецкой области и на Кубани, затем в Днепровской дуге и в Крыму, в результате чего противник получал возможность отрезать занимающие их группировки. При этом оно упускало из виду, что исход кампании будет решаться не на этих выступах, а там, где противнику удастся отбросить весь немецкий южный фланг на юг, к Черному морю и Румынии. Этим решающим участком фронта со времени операции «Цитадель» был всегда северный фланг группы армий «Юг».

Теперь было слишком поздно! Решающий 1943 год истек, а на Востоке не удалось добиться даже ничейного исхода военных действий. Возможно ли это будет в дальнейшем, зависело от исхода ожидавшегося в 1944 году вторжения на Западе.

На южном же участке Восточного фронта теперь приходилось расплачиваться за эти ошибки!

Надежда, которую Гитлер в конце февраля выразил по поводу того, что истощение сил и наступление распутицы приведут к прекращению наступления противника, была по крайней мере преждевременной.

Конечно, русским пришлось расплачиваться огромными потерями за свои успехи, добытые в тяжелых боях с храбро державшимися немецкими войсками. Было также ясно, что боеспособность пехотных соединений, в которые они загоняли во вновь захваченных ими областях всех без исключения мужчин, способных носить оружие, все время понижается. Но у противника ведь все еще имелись свежие или пополненные соединения. Хотя в его танковых и механизированных корпусах количество танков в связи с упоминавшимися выше тяжелыми потерями снизилось, оно во много раз превышало количество танков в немецких дивизиях. На немецкой стороне в противовес этому даже тщательное прочесывание всех тыловых частей не могло компенсировать недостатка в пополнении. Мы уже зачислили в обозы и транспортные части сотни тысяч добровольцев. Это были русские добровольцы, главным образом с Украины и Кавказа, честно, верно и добровольно служившие нам. Они предпочли службу в немецкой армии (несмотря на политику, проводившуюся партийными инстанциями в оккупированных нами областях) возвращению под господство большевиков.

Распутица началась в начале марта, хотя она и прерывалась иногда наступлением морозов. Однако она была для нас вначале гораздо более неблагоприятной, чем для русских. Я уже упоминал, что русские танки благодаря своим широким гусеницам превосходили наши танки в маневренности при движении по снегу и во время распутицы. В то же время на стороне противника появилось большое количество американских грузовиков. Они могли ездить по пересеченной местности, без дорог, в то время как наши машины в этот период были привязаны к дорогам с твердым покрытием.

Ввиду этого противнику удавалось быстро перебрасывать и пехоту из его танковых и механизированных корпусов. К тому же на нашей стороне с усилением распутицы выходило из строя все больше тягачей. В результате этого наши подвижные соединения могли передвигаться на большие расстояния лишь с большой потерей во времени, а при столкновении их с противником последний имел большие преимущества.

Командование группы армий по-прежнему придавало большое значение усилению своего северного фланга до того момента, пока распутица временно не заставит противника прекратить наступление, а также на тот период, когда снова возобновятся боевые действия.

Противник, безусловно, будет продолжать и дальше наступление на фронте группы армий «А» (6-я армия) и нашей 8-й армии. По-прежнему перед ним открывалась перспектива разбить этот далеко выдвинутый вперед фланг, отбросить его до Черного моря или, во всяком случае, захватить переправы через Буг и позже через Днепр. Ведь здесь его привлекала цель снова захватить Бессарабию и расчистить себе путь в Румынию и дальше на Балканы! Эти страны Рузвельт, очевидно, очень хотел бы оставить за «дядей Джо» (имеется в виду И.В. Сталин. — *Примеч. ред.*).

Тем не менее мы имели на этом фланге возможность в случае необходимости применить эластичную оборону и тем самым благодаря вызванному этим значительному сокращению фронта 6-й армии высвободить большие силы. Было возможно за нижним течением Буга или Днепра (во всяком случае, до бывшей румынской границы), заняв крупными силами позиции для оказания решительного сопротивления, вынудить противника остановиться.

Когда, следовательно, уже 22 февраля обозначилось новое наступление противника на южном фланге 8-й армии, командование группы потребовало, чтобы ему была предоставлена свобода маневра для отхода. Мы не были намерены, да и не могли перебросить сюда новые силы, которые на других участках (на левом фланге группы армии) были гораздо более необходимы. Предпосылкой для отхода 8-й армии было, правда, присоединение к этому маневру примыкавшей к нам с юга выдвинутой еще дальше на восток 6-й армии. В связи с этим командование группы армий запросило согласие у ОКХ.

Как и следовало ожидать, Гитлер не дал его. Наоборот, группа армий была впоследствии вынуждена передать 6-й армии еще 2 дивизии (3 тд и 24 тд), когда ее слишком далеко выдвинутые вперед силы были разбиты противником.

Гораздо большие оперативные шансы открывались бы перед противником, если бы он не стал продвигаться вдоль побережья Черного моря, нанося удары группе армий «А», а стал бы добиваться решительного успеха на северном фланге группы армий «Юг». Если бы при этом ему удалось, введя в бой крупные силы, возможно, еще до наступления распутицы, осуществить прорыв обращенного на север фронта 4-й танковой армии, в его руках оказалась бы столь важная для снабжения всего южного фланга железная дорога, идущая из Лемберга (Львов) через Жмеринку в Южную Украину. В дальнейшем же, продолжая наступать на юг, противник вышел бы во фланг и тыл южного крыла Восточного фронта.

Кроме того, можно было с уверенностью предположить, что противник использует большое незащищенное пространство, образовавшееся между северным флангом группы армий «Юг» и южным флангом группы армий «Центр», для сосредоточения перед ним новой сильной ударной группировки. Задачей ее явился бы глубокий обход левого фланга группы армий или указанный Гитлеру Цейтцлером удар на Лемберг (Львов). Данные о появлении в этом районе 1-го Белорусского фронта, поступившие в конце февраля, явно свидетельствовали об этих намерениях. В результате подобного отхода своего левого фланга группа армий была бы неизбежно вынуждена отступить на юг, возможно даже и на восток от Карпат. Советам же был бы открыт путь через Лемберг (Львов) в Галицию или даже в собственно Польшу.

Такой ход событий было необходимо во что бы то ни стало предотвратить.

Как только окончились бои за освобождение войск, окруженных у Черкасс, а вслед за тем и установлена связь между участками фронта, занимаемыми 1-й танковой и 8-й армиями, командование группы армий отдало приказ о переброске крупных сил на левый фланг. Из состава 1-й танковой и 8-й армий были выделены для переброски 1, 11 и 16 тд 3 тк. За ними вскоре должны были последовать для сосредоточения в районе Проскурова за 4-й танковой армией 17 тд и артиллерийская дивизия. Этими же армиями были выделены в распоряжение 4-й танковой армии 7 тд, лейб-штандарт и 503-й батальон тяжелых танков. Эти соединения должны были войти в состав 48 тк и сосредоточиться в районе Тернополя. В то время как 3 тк была поставлена задача предотвратить прорыв или остановить прорвавшиеся через фронт части противника севернее Проскурова, задачей 48 тк являлось не допустить охвата западного фланга наших войск силами противника, наносящими удар на Тернополь. Три обещанные ОКХ пехотные дивизии (68, 357 и 359-я) также были направлены в распоряжение 4-й танковой армии.

Для переброски этих дивизий с участков, занимаемых другими армиями, естественно, необходимо было время. К тому же дороги и транспортные возможности не позволяли произвести эту переброску в короткий промежуток времени. Поэтому они не смогли раньше середины марта прибыть в намеченные им районы за левым флангом группы армий.

В начале марта командование группы армий отдало приказ о значительном расширении и перемещении полос, занимаемых армиями, в сторону левого фланга. Тем самым командование 4-й танковой армии получало возможность руководить действиями войск в районе Тернополь — Дубно, который теперь приобрел особенно важное значение. 4-я танковая армия передала 1-й танковой армии участок фронта, оканчивавшийся в районе Шепетовки, и приняла участок восточнее линии Тернополь — Дубно. В нем находились пока только формировавшийся здесь 48 тк, действовавший в районе Дубно 13 ак, а также полицейская группа в районе Ковеля.

1-я танковая армия передала взамен свой участок фронта севернее Умани (7 ак) 8-й армии. Правофланговый корпус 8-й армии в свою очередь по приказу ОКХ был передан 6-й армии.

В начале марта штаб группы армий вначале переехал в Каменец-Подольск, а затем в Лемберг (Львов), чтобы находиться за своим левым флангом. На румынскую территорию, на которой, по нашему мнению, мог бы располагаться наш штаб, как раз за центральным участком, занимаемым группами армий, по указанию Гитлера нам не разрешалось переходить.

Оставалось все же неясным, достаточны ли будут описанные выше мероприятия для того, чтобы остановить наступление противника, которое могло развернуться еще до наступления распутицы. Во всяком случае, на тот период, который последует за ней, необходимо было, как неоднократно подчеркивало командование группы армий в своих обращениях в ОКХ, направить в район Лемберга (Львов) 2-й армии с общим числом 15—20 дивизий. Только в этом случае можно было бы предотвратить ожидавшийся со стороны противника обход левого фланга группы армий с его уже описанными последствиями. (То, что для этого не будет достаточно новых формирований, о которых говорил Гитлер, число которых, однако, группе армий было неизвестно, можно было предполагать заранее. Высвобождение сил в результате дальнейшего сокращения фронта на участках группы армий «Север» и 6-й армии, а также эвакуация 17-й армии из Крыма были абсолютно необходимы.)

Совершенно ясно, что произведенное в таких больших масштабах снятие сил с участков 8-й и 1-й танковой армий представляло собой большой риск для них. Противник, поскольку это ему будут позволять местность и погода, будет продолжать атаки и на их фронте с целью прорваться в направлении на среднее течение Буга и на переправы через него от Винницы до Вознесенска (на стыке с 6-й армией).

Однако командованию группы в данной обстановке пришлось выбирать из двух зол наименьшее. Таким наименьшим злом было, безусловно, предоставление противнику возможности продвинуться вперед на левом фланге 1-й танковой армии и на участке 8-й армии. Оперативных последствий такого продвижения можно было бы избежать отходом нашего соседа на юге, 6-й армии, на юг за Буг или в худшем случае за Днепр. В случае решительного успеха противника на левом фланге группы армий его последствий с оперативной точки зрения нельзя было бы никак избежать. Не допустить его, не дать русским выйти глубоко во фланг групп армий «Юг» и «А» или к Лембергу (Львов) — в этом состояла оперативная цель, которую ставила перед собой группа армий на период до наступления полной распутицы. При этом необходимо было примириться с возможностью дальнейшего отхода нашего правого фланга, а тем самым и группы армий «А» на запад.

НЕСМОТРЯ НА РАСПУТИЦУ, БОРЬБА ПРОДОЛЖАЕТСЯ

Хотя состояние погоды не давало нашей воздушной разведке возможность установить, предпринял ли противник перегруппировку своих сил и где он их сосредоточивает, командование группы армий оценивало обстановку следующим образом.

Появившийся впервые перед нашим фронтом 1-й Белорусский фронт, очевидно, будет сосредоточивать свои силы для обхода западного фланга группы армий в районе Ровно.

1-й Украинский фронт будет наносить удар по обращенному фронтом на север участку по обе стороны от Проскурова, отошедшему теперь к 1-й танковой армии.

2-й Украинский фронт, как мы предполагали, возобновит удары по правому флангу 1-й танковой армии и в полосе 8-й армии и, если ему удастся форсировать Буг, продолжит наступление на Черновицы.

3-й и 4-й Украинские фронты будут продолжать попытки добиться успеха на правом фланге 8-й армии и на участке 6-й армии.

3 марта началось наступление на левом фланге группы армий, на участках 4-й и 1-й танковых армий. Противник крупными силами, в числе которых был танковый корпус, атаковал расположенный в районе Дубно 13 ак и попытался окружить его. Главный удар наносился силами двух танковых армий и 60-й армии с целью прорвать фронт в южном направлении на участке Проскуров — Тернополь. Противник ставил себе, видимо, задачу перерезать важнейшую коммуникацию группы армий, чтобы, если позволит погода, выйти на Днестр. Одновременно 18-я армия противника пыталась отбросить правый фланг 1-й танковой армии на юго-восток.

Приведенные ниже сравнительные данные дают представление о группировке сил обеих сторон на этот период.

Силы противника (по состоянию на 9 марта 1944 года)	Наши силы (по состоянию на 24 февраля 1944 года)	Ширина фронта
Противник перед фронтом 6-й армии (группа армий «А»): 62 стрелковые дивизии, 3 танковых и механизированных корпуса, 1 кавалерийский корпус, 1 танковый корпус (на доукомплектовании)	Примерно 18 пехотных дивизий, 3 танковые дивизии	
Противник перед фронтом 8-й армии: 57 стрелковых дивизий, 11 танковых и механизированных корпусов	5 пехотных дивизий, 4 танковые и моторизованные дивизии	135 км
Противник перед фронтом 1-й танковой армии: 37—40 стрелковых дивизий, 11 танковых и механизированных корпусов	8 пехотных дивизий, 1 артиллерийская дивизия, 1 танковая дивизия	180 км
Противник перед фронтом 4-й танковой армии: 18 стрелковых дивизий, 5 танковых и механизированных корпусов, 1 кавалерийский корпус	8 пехотных дивизий, 1 охранная дивизия, 1 полицейское соединение, 9 1/2 танковых и моторизованных дивизий	510 км

В результате переноса разграничительных линий между армиями внутри группы армий на запад в начале марта 8-я армия получила от 1-й танковой армии 3 пехотные дивизии на фронте шириной 60 км; 1-я танковая армия получила от 4-й танковой армии 5 пехотных дивизий и 3½ танковых и моторизованных дивизий на фронте шириной 200 км.

Когда я 4 марта побывал на переднем крае у Шепетовки, положение действовавшего здесь 59 ак было уже довольно серьезным. Справа и слева от него противник прорвал наш фронт. Готовилось окружение корпуса с охватом с запада и востока. Для устранения этой опасности его пришлось отвести. Благодаря уверенным и спокойным действиям командира корпуса генерала Шульца, моего бывшего начальника штаба в Крыму, а также подходу только что прибывшей 1 тд этот отход удалось осуществить. Противник, однако, продолжал попытки добиться окружения корпуса путем параллельного преследования в направлении на Проскуров.

Были введены в бой оба танковых корпуса, сосредоточенных за этим флангом группы армий.

3 тк был брошен из Троекурова на северо-запад для того, чтобы нанести удар по противнику, продвигавшемуся на стыке между 1-й и 4-й танковыми армиями.

48 тк имел задачей начать наступление против танков противника, наносивших удар на Тернополь и восточнее его в южном направлении.

В общем и целом противник к 7 марта ввел в бой в этом районе 20—25 стрелковых дивизий и 7 танковых (мех.) корпусов.

В начале марта противник предпринял затем наступление на левом фланге 8-й армии. В течение двух недель ему удалось восполнить потери, понесенные им во время удара нашего танкового корпуса при деблокировании немецкой группировки, окруженной юго-западнее Черкасс. Как только мы сняли с этого участка танковые корпуса, чтобы перебросить их за левый фланг группы армий, противник начал наступление в направлении на Умань. В прорыв на этом участке он ввел не менее 20 стрелковых дивизий и 4 танковых корпуса. Ему удалось разбить 7 ак и 9 марта подойти к Умани.

На участке группы армий «А» (6-я армия) противник возобновил атаки и прорвал фронт в направлении на Николаев у устья Буга.

7 марта командование группы донесло ОКХ обстановку и передало, что ему ничего не остается, как попытаться выдержать этот натиск, пока наконец распутица не помешает противнику продолжать наступление. С точки зрения дальнейшего развития событий решающим, однако, является то, чтобы по окончании распутицы

в район Тернополь — Луцк — Лемберг (Львов) были переброшены силы, которые смогли бы предотвратить прорыв противника на Лемберг (Львов) — Люблин или нанести удар наступающему противнику во фланг, если он попытается наступать на Тернополь с юга.

В то время для группы армий важно было выиграть время и по возможности сохранить боеспособность своих войск даже ценой оставления новых территорий, пока распутица не заставит противника прекратить свои атаки. К сожалению, до этого момента еще должно было пройти немало времени.

В это время Гитлеру показалось, что он нашел новое средство для того, чтобы остановить продвижение противника. Населенные пункты, имевшие тактическое значение как узлы коммуникаций или по другим причинам, он объявлял «крепостями». В них назначались «коменданты крепости», которые отвечали своей честью за оборону «крепости» и в случае ее падения расплачивались за это головой. Армии, в полосах которых находились эти объявляемые лично Гитлером «крепости», должны были обеспечивать их своевременное снабжение и формирование гарнизонов. Гитлер думал, что эти населенные пункты благодаря тому, что они преграждают путь к важным дорогам или рубежам, или ввиду того, что овладение такими «крепостями» будет привлекать противника, задержит его продвижение. С самого начала, однако, было ясно, что это изобретение Гитлера в широких масштабах не может привести к успеху. На практике получалось так, что для обороны этих городов выделялось больше войск, чем это было целесообразно для их удержания. Не приходится уже говорить, что эти силы и неоткуда было взять. «Крепости» без крепостных сооружений с наскоро собранным слабым гарнизоном рано или поздно попадали в руки противника, не выполняя отведенной им роли. Поэтому командование группы армий в каждом отдельном случае требовало и в конце концов добилось, что от этих «крепостей» отказывались до того, пока окружение их противником становилось неминуемым. Только в отношении Тернополя это в свое время не удалось. Здесь только остаткам гарнизона удалось вырваться из окружения. К сожалению, это мероприятие Гитлера позже, в 1944 году, привело к большим потерям.

В целях борьбы за выигрыш времени и сохранение армий от окружения группе армий пришлось после прорыва противника на левом фланге 8-й армии 11 марта отвести 8-ю армию, а двумя днями позже и правый фланг 1-й танковой армии за Буг.

На левом фланге перед 3 тк 1-й танковой армии была поставлена задача продолжать бой в районе Проскурова таким образом, чтобы как можно скорее была восстановлена связь с 4-й танковой армией и чтобы можно было облегчить положение на ее правом фланге.

Задача 4-й танковой армии состояла в том, чтобы не дать танкам противника прорваться восточнее Тернополя на юг в направлении на Днестр и тем самым воспрепятствовать тому, чтобы 1-я танковая армия была отброшена на юго-восток. Вводом в бой уже упомянутых дивизий, которые должно было прислать ОКХ, одновременно должно было быть снова восстановлено сообщение по линии Лемберг (Львов) — Тернополь — Проскуров. Для безусловно необходимого укрепления сил в районе, простирающемся к северу, в котором действовал 13 ак, у группы армий в то время не было в распоряжении никаких средств.

Обстановка продолжала изменяться все быстрее и быстрее. К 15 марта противнику удалось нанести сильный удар по левому флангу 8-й армии. Между этой армией и 1-й танковой армией образовалась широкая брешь от Умани до Винницы. Противник, продвигаясь дальше на юго-запад, выдвинул за Буг на участке 8-й армии передовые отряды пяти армий, в том числе одной танковой армии. Хотя 8-я армия и бросила все силы, которые ей удалось высвободить на своем правом фланге, на левый фланг, чтобы атаковать переправившиеся через Буг силы противника, было ясно, что она сможет лишь остановить их на некоторых участках, но не сможет удержать на широком фронте Буга и снова установить связь с 1-й танковой армией. Более того, если бы она это попыталась сделать, крупные силы противника, форсировавшие Буг, отбросили бы 8-ю армию на юг и, осуществив параллельное преследование, первыми достигли бы Днестра.

Противнику удалось также прорваться на правом фланге 1-й танковой армии и, продвинувшись южнее Винницы, выйти на Буг. Этот город тотчас же был объявлен Гитлером «крепостью». Было, однако, с самого начала ясно, что долго удержать его будет нельзя, так как для этого специально потребовалось бы 3 дивизии. Где нам было их взять?

На левом фланге армии западнее Проскурова наметился охват наших сил 3-й гвардейской танковой армией в составе 3 танковых корпусов.

На участке 4-й танковой армии благодаря успешному наступлению присланных ОКХ пехотных дивизий временно удалось восстановить положение в районе Тернополя. Однако 13 ак, отходивший на Броды, находился под угрозой окружения.

Общая обстановка показывала, что не было больше возможности вернуть на правом фланге группы армий линию Буга и удерживать ее. Уже 16 марта выяснилось, что силы противника, форсировавшие реку, начали наступление силами одной танковой армии на запад по направлению к ближайшим переправам через Днестр. Еще 2 армии и одна танковая армия повернули на юг в сторону северного фланга 8-й армии. Одновременно 1-я танковая армия оказалась под угрозой охвата обоих флангов. Несмотря на успех у Тернополя, было сомнительно, сумеет ли 4-я танковая армия длительное время сдерживать наступление противника в направлении на Лемберг (Львов) или помешать ему нанести удар в южном направлении.

Как могло получиться, что противнику удалось так быстро добиться успеха? Ведь до сих пор все время удавалось регулировать темпы отхода, когда он становился необходимым, а также либо останавливать прорвавшегося противника, либо препятствовать ему выйти на оперативный простор, по крайней мере ограничить дальнейшее развитие его операций.

Кроме подавляющего превосходства сил противника причиной этому было, естественно, окончательное истощение сил наших войск. Немецкие дивизии в непрерывных боях с середины июля были буквально перемолоты. Численный состав полков достигал лишь незначительной части своей первоначальной величины, оставшиеся силы были также измотаны ввиду постоянного перенапряжения сил. Присланное нам очень небольшое пополнение, не имеющее военного опыта, не могло компенсировать потерь в опытных унтер-офицерах и солдатах. Ядро войск, следовательно, было в значительной степени израсходовано. Как можно было наносить эффективные контрудары, если, например, во всем танковом корпусе насчитывалось всего 24 исправных танка? Несмотря на это, войска совершали удивительные подвиги. Там, где удавалось собрать вокруг опытных, храбрых солдат и офицеров сколько-нибудь значительную группу, ей удавалось отражать атаки превосходивших ее сил противника. В общем, однако, просто не хватало людей и техники, чтобы оборонять большие пространства, в которых часто во много раз превосходивший нас по численности противник находил всегда брешь для нанесения удара. Войска, во всяком случае, не виноваты в быстрых темпах продвижения противника. Тому, что в очень редких случаях отмечались появления трусости, в сложившейся обстановке не приходится удивляться.

Если все, сказанное выше, относится ко всему участку группы армий, необходимо все же объяснить, почему именно на ее правом фланге, в полосе 8-й армии и правого фланга 1-й танковой армии, наступило такое резкое ухудшение обстановки. Командование обеих армий в этом не было виновно. Подобное развитие событий следовало объяснить тем, что на этом фланге группы армий не хватало тех 6 % дивизий, которые после их освобождения из черкасского котла были отведены на пополнение в генерал-губернаторство. Их теперь нечем было заменить.

Кроме того, командование группы армий, как указывалось раньше, забрало у этих армий 2 танковых корпуса с шестью танковыми дивизиями, чтобы использовать их на левом фланге группы армий. Если бы эти силы были оставлены на месте, обстановка на фронте обеих армий, естественно, сложилась бы значительно лучше. Таким образом, командование группы, безусловно, несет в этом отношении ответственность за события на своем правом фланге. Но как складывалась бы общая обстановка на фронте группы армий и тем самым на всем южном крыле Восточного фронта, если бы вовремя не были переброшены эти два корпуса на левый фланг группы армий? Безусловно, в этом случае уже к началу марта 1944 года северный фланг группы армий был бы окончательно разбит, а остатки его восточнее Карпат были бы отброшены на юг. Тем самым окружение всего южного крыла Восточного фронта или его отход на Балканы нельзя было бы предотвратить.

В этой напряженной обстановке я был вызван в Оберзальцберг. За несколько дней до этого ко мне прибыл адъютант вооруженных сил при Гитлере, генерал Шмундт. Он предложил мне подписать довольно странный документ. Он представлял собой нечто вроде заявления о лояльности всех фельдмаршалов Гитлеру, в связи с пропагандой, развернутой попавшим в плен под Сталинградом генералом фон Зейдлитцем. Идею подал, очевидно, Шмундт, который тем самым хотел укрепить веру Гитлера в армию. Видимо, Гитлер одобрил эту инициативу и даже очень приветствовал ее. Так как уже все фельдмаршалы, кроме меня, подписали этот документ (характерно, что Шмундт дал подписать его и генерал-полковнику Моделю, хотя он и не входил в этот круг лиц), мне ничего не оставалось, как сделать то же самое. Если бы я отказался, это означало бы, что я сочувствую пропаганде фон Зейдлитца. Тем не менее я сказал Шмундту, что я как солдат считаю подобный шаг излишним. Что немецкие солдаты не будут прислушиваться к пропаганде комитета «Свободная Германия», было для меня само собой разумеющимся.

Подтверждение того, что мы будем выполнять свой солдатский долг, по моему мнению, было излишним. Впрочем, листовки комитета, сброшенные в свое время над черкасским котлом, совсем не достигали своей цели, как и письмо, направленное генералом фон Зейдлитцем находившемуся в котле генералу Либу. Мне также тогда положили на письменный стол такое письмо, которое производило впечатление подлинного. Один украинский партизан нашел это письмо, сброшенное с самолета, и отдал его нам[1].

Заявление, о котором говорилось выше, было передано Гитлеру 19 марта фельдмаршалом фон Рундштедтом в присутствии многих высших офицеров всех видов вооруженных сил. Этот акт, видимо, произвел на Гитлера большое впечатление. Как мало, однако, он отвечал, собственно говоря, представлениям солдата!

Этот призыв к выражению лояльности наряду с несогласием Гитлера на мои предложения, которые я ему так часто делал, и его отказом признавать то, что является абсолютной необходимостью, требуют ответа на вопрос, почему я все же остался на моем посту.

При постановке вопроса в такой общей форме я могу лишь сказать, что мне, находившемуся вот уже много лет на фронте, где на мою долю выпали такие тяжелые задачи, тогда не было дано увидеть, что режим, господствовавший в стране, вырождается, как и то, что из себя в действительности представляет Гитлер, в той мере, в какой

---

[1] В то время как в восточных областях Украины, где имелась только немецкая военная администрация, партизанское движение было очень слабо развито, в западных областях дело обстояло совсем по-иному. Это объясняется, во-первых, тем, что здесь большие леса давали партизанским отрядам хорошее убежище. Во-вторых, это следует объяснить также тем, что политика рейхскомиссара Коха прямо-таки толкала население в объятия партизан. В общем имелось три вида партизан: советские партизаны, боровшиеся с нами и терроризировавшие местное население; украинские, боровшиеся с советскими партизанами, но, как правило, отпускавшие на свободу попавших им в руки немцев, отобрав у них оружие, и, наконец, польские партизанские банды, которые боролись с немцами и украинцами. Последние встречались главным образом в районе Лемберга (Львов), который уже относится к Галиции. В ней поляки имели большинство в городах, а украинцы — в сельской местности. Эта область — в отличие от остальной части генерал-губернаторства — разумно управлялась областным комиссаром Вехтером. Он, правда, покровительствовал украинцам, но защищал также и польское меньшинство. Из украинских добровольцев ему удалось сформировать целую дивизию. — *Примеч. автора.*

это нам кажется сегодня само собой разумеющимся. Слухи, распространявшиеся в тылу, почти не проникали на фронт, а меньше всего — к нам. Заботы и задачи, которые приносила с собой война, почти не оставляли у нас времени, чтобы задуматься над вопросами общего характера. В этом отношении мы были в совершенно ином положении, чем военные или политические деятели в тылу или в оккупированных областях, в которых не велись военные действия.

Что же касается военных вопросов, то, конечно, я не мог не видеть ошибок в руководстве военными действиями, допускаемых Гитлером. Почему я не считал возможным его насильственное устранение во время войны, я уже говорил раньше.

Что касается меня лично и вопроса о пребывании на моем посту, то я достаточно часто имел желание оставить его. Часто, когда Гитлер не соглашался с моими предложениями или пытался вмешиваться в дела командования группы армий, я просил начальника Генерального штаба передать Гитлеру, чтобы он подыскал себе другого командующего. То, что, однако, всегда побуждало меня, наряду с просьбами моих ближайших соратников, не оставлять моего поста, нельзя просто охарактеризовать избитыми словами: «Я хотел предотвратить худшее». Скорее это было убеждением в том, что, пожалуй, ни один штаб не будет в состоянии так, как наш, прошедший годы тяжелых боев, справиться со своими задачами управления войсками на нашем решающем участке фронта. Мой уход означал бы не просто смену командующего, а много больше.

Мною руководило чувство долга по отношению к подчиненным мне войскам, которые в свою очередь испытывали доверие к своему командующему; я не мог оставить их на произвол судьбы. Лишь неминуемая гибель, которая угрожала бы моим войскам, могла заставить меня подать прошение об отставке, как последнее средство для того, чтобы добиться от Гитлера самого необходимого. Такой случай вскоре должен был представиться в связи с решением вопроса о гибели или спасении 1-й танковой армии.

Описанный выше акт в Оберзальцберге дал мне возможность сделать Гитлеру в связи с непрерывно ухудшающейся обстановкой следующие предложения.

Немедленный отвод 6-й армии за Днестр. Она все еще находилась в выдающемся далеко на восток выступе фронта на нижнем течении Буга, который требовал слишком много сил. Это же предложение внес и сам командующий группой армий «А», фельдмаршал фон Клейст.

Быстрый маневр крупными силами, которые, таким образом, будут высвобождены у 6-й армии, на север в район между Днестром и Прутом (старая граница Румынии) для того, чтобы предотвратить отход 8-й армии с Днестра на юго-восток.

Принятие ясного решения о том, что задача группы армий «А» вместе с румынской армией состоит теперь в защите границ Румынии, будь то на Днестре или на Пруте.

Немедленное усиление северного фланга группы армий «Юг» с целью предотвратить его отход к Карпатам, а также прорыв противника на Лемберг (Львов).

Я добавил, что при этом решении вопроса сначала придется примириться с тем, что между группой армий «А» и группой армий «Юг» вначале останется брешь, без этого нельзя создать надежной линии фронта севернее Карпат. Если бы противник позже попытался бы наступать через эту брешь в направлении на Венгрию и дальше на Балканы, можно будет нанести ему удар с севера в тыл, как только поступят подкрепления, которые Гитлер обещал дать в мае.

Гитлер, однако, не захотел согласиться с такой далеко идущей оперативной концепцией. Он решил, что группа армий «А» должна остаться на Буге, и обещал для северного фланга группы армий «Юг» только ряд мелких второстепенных мероприятий.

С подробным анализом обстановки, который я послал 22 марта генералу Цейтцлеру, я снова послал изложенные выше предложения. Я обосновал их состоянием войск и уже сложившейся обстановкой, при которой невозможно восстановить сплошной фронт между 1-й танковой и 8-й армиями. Необходимо, чтобы группа армий «А», которой следует переподчинить 8-ю армию, прикрывала подступы к Румынии, в то время как группа армий «Юг» должна воспрепятствовать продвижению противника севернее Карпат на запад. Для этого 4-я танковая армия должна обязательно удерживать занимаемый ею рубеж. Ее усиление поэтому необходимо. 1-я танковая армия прежде всего должна восстановить связь с 4-й танковой армией и не дать отбросить себя на юг. Между обеими группами армий перевалы через Карпаты должны прикрываться венгерской армией.

Венгры, которые в свое время вступили в войну, собственно говоря, по принуждению, по-прежнему устремляли свои взоры главным образом на Трансильванию, которая в 1918 году была передана Румынии. Было известно, что наши союзники — как венгры, так и румыны — смотрели друг на друга с таким недоверием, что они держали лучшие свои части внутри страны, чтобы в случае необходимости иметь их под рукой. После поражения на Дону зимой 1942/43 года обе румынские армии, а затем и единственная венгерская армия были сняты с фронта.

Маршал Антонеску, однако, снова предоставил свои силы для охраны побережья Азовского моря. Он оставил также румынские части в составе 17-й армии, которая действовала сначала на кубанском плацдарме, а затем в Крыму. Теперь он передал новые армии в состав группы армий «А» для защиты границ Румынии.

После снятия с фронта своей армии венгры оставили несколько дивизий в рейхскомиссариате Украины. Однако им было дано строгое указание не участвовать в боевых действиях против Советов! Мы вынуждены были с приближением фронта своевременно отводить венгров назад. Их задачи ограничивались охраной железных и шоссейных дорог от партизан в тыловых районах.

Теперь, однако, и для венгров наступил критический момент. Мы не могли обойтись без находившейся в самой Венгрии боеспособной венгерской армии для защиты Карпат и района севернее их вплоть до Днестра. Но к этому времени позиция венгерского правительства стала весьма сомнительной. Во всяком случае, 15 марта к нам прибыл посланный ОКХ генерал Линдеман, привезший с собой на случай измены венгерского правительства инструкции о быстром разоружении находившихся за нашим фронтом венгерских сил. К счастью, нам не пришлось выполнять этой задачи. После визита регента Хорти в Оберзальцберг нам была подчинена 23 марта 1-я венгерская армия в составе двух корпусов, каждый из которых насчитывал свыше четырех пд и одной мпд. Однако их предстояло еще только привести в мобилизационную готовность! Кроме того, вооружение венгров не было достаточным для того, чтобы отвечать требованиям, предъявляемым к соединениям, ведущим борьбу с советскими танковыми войсками. Во всяком случае, можно было надеяться, что эти силы будут в состоянии сдерживать натиск Советов в Карпатах. В горах ведь русские смогут применять свои танки только в очень ограниченных масштабах. Эта надежда подкреплялась воспоминаниями о том, как в Первую мировую войну венгерский гонвед успешно оборонял от русских перевалы через Карпаты. Предпосылкой для этого было, конечно, энергичное руководство войсками со стороны венгров. В этом отношении визит венгерского генерала Лакатоша (если я не ошибаюсь, начальника Генерального штаба или военного министра) и командующего 1-й венгерской армией, последовавший 28 марта, не оставил у нас особенно ободряющего впечатления. Оба генерала, выслушав наши требования, заявили, что их войска еще не готовы (в марте 1944 года!) и что у них имеется недостаток в противотанковых средствах. Было, однако, ясно, что некоторые высокопоставленные венгерские командные инстанции, очевидно, не хотят энергично защищать границы своей родины. Что они могли ожидать от Советов?

Уже вечером 19 марта мне сообщили в Оберзальцберг, что обстановка снова ухудшилась.

Оказалось, что 8-я армия, несмотря на то что она бросила все силы, которые ей удалось высвободить, на свой левый фланг, не смогла предотвратить его охвата с запада, в результате чего ей здесь пришлось отойти на юг. Необходимый в этом случае выход — переброска на этот участок сил 6-й армии, которую следовало тут же снять с занимаемого ею участка фронта, — нельзя было применить из-за того, что Гитлер все еще не давал на это согласия. Оставалось лишь просить маршала Антонеску, чтобы он предоставил румынские силы уже сейчас, для того чтобы продлить фронт 8-й армии на северо-запад. Он сам предусматривал ввести их в бой только в том случае, когда возникнет необходимость оборонять Прут.

Наряду с этим обострением обстановки на фронте 8-й армии еще более угрожающее положение возникло на северном фланге группы армий.

1-я танковая армия занимала здесь, после того как ее правый фланг не смог закрепиться на Буге, позиции, обращенные фронтом на северо-восток, проходившие от Днестра (северо-западнее Могилева-Подольского) примерно до Збруча, по которому проходила польская граница[1].

К западу от этого района 4-й танковой армии, как уже говорилось выше, удалось, нанеся контрудар вновь прибывшими дивизиями, временно восстановить положение в районе восточнее Тернополя.

20 марта, однако, противнику, сосредоточившему для этого 2 танковые армии (1-ю и 4-ю), удалось прорваться по обе стороны от разграничительной линии между обеими армиями на юг, в направлении на верхнее течение Днестра. 23 марта передовые отряды 1-й танковой армии противника уже вышли к переправе через Днестр севернее Черновиц, а 4-й танковой армии — к переправе южнее Каменец-Подольска. Тем самым противник вышел на тыловые коммуникации

---

[1] Автор имеет в виду старую польскую границу. — *Примеч. ред.*

1-й танковой армии. Как только обозначилась опасность, штаб группы армий отдал 1-й танковой армии приказ отойти на сокращенный фронт между Днестром и Проскуровом, чтобы высвободить силы для борьбы за тыловые коммуникации. Он одновременно также подчинил армии боевую группу из состава 4-й танковой армии под командованием генерала Маусса, единственный «остров», оставшийся в наводненном войсками обеих танковых армий противника районе в тылу 1-й танковой армии. Эта группа должна была попытаться остановить главные силы противника, продвигающиеся вслед за танками, и отрезать танки от их тылов.

Однако было ясно, что подобными мерами нельзя восстановить обстановку на северном фланге группы армий. Если пока на тыловые коммуникации глубоко в тылу 1-й танковой армии (ввиду этого штаб группы вынужден был обеспечить ее снабжение с воздуха) вышли только танки противника, то можно было предвидеть, что в ближайшее время армия будет полностью окружена. Если мы еще хотели создать севернее Карпат прочную линию фронта, было необходимо, чтобы 1-я танковая армия немедленно была выведена из-под угрозы окружения.

Командование группы армий послало ОКХ 23 марта просьбу срочно перебросить нам силы (которые после только что произведенной оккупации Венгрии, по нашему мнению, можно было снова высвободить оттуда) для того, чтобы выбить противника из тылового района 1-й танковой армии.

24 марта пришел ответ, сводившийся к тому, что 1-я танковая армия должна продолжать удерживать свой растянутый фронт, обращенный на восток и северо-восток, удлинить его до Тернополя и сверх того выбить противника из своего тылового района.

Командование группы в полдень 24 марта донесло, что оно вместо этого даст приказ 1-й танковой армии прорваться на запад, если до 15 часов оно не получит указаний в связи с посланной им просьбой.

В 16 часов прибыло соломоново решение о том, что фюрер в общем плане согласен, чтобы 1-я танковая армия пробивалась на запад для установления связи с остальными войсками. Однако он продолжал требовать, чтобы она удерживала в основном тот же участок фронта между Днепром и Тернополем. Непонятно было, откуда же в этом случае армия взяла бы силы для нанесения удара на запад с целью отбить у противника свои тыловые коммуникации. Обстановка складывалась точно такая же, как под Сталинградом в декабре 1942 года. И тогда Гитлер готов был бы согласиться с попыткой 6-й армии вырваться из окружения — навстречу 4-й танковой армии, приблизившейся с целью деблокады. Но также и в то время он требовал одновременного удержания Сталинграда, что означало, что 6-я армия была не в состоянии высвободить силы для выхода из окружения.

Когда я по телефону еще раз изложил генералу Цейтцлеру абсолютную нереальность требования Гитлера, он ответил, что Гитлер не понимает всей серьезности создавшегося положения. Правда, поздно вечером был получен вызов, согласно которому мне было приказано явиться на следующий день в Ставку фюрера для доклада.

Наряду с обсуждением этого вопроса с Главным командованием я рассматривал его в те дни и с командующим 1-й танковой армией. Генерал-полковник Хубе был согласен с командованием группы армий в том, что создавшееся в 1-й танковой армии положение не может далее так продолжаться. Он также считал необходимым спасти ее от угрозы окружения. Однако он не хотел прорываться с армией на запад, а предлагал отвести ее на юг за Днестр. Безусловно, в данный момент это был более легкий путь. На запад ей пришлось бы пробиваться через 2 танковые армии противника. На юг она могла уйти в данное время еще без серьезных боев.

Тем не менее я не мог согласиться с этим мнением генерал-полковника Хубе. Во-первых, было необходимо, чтобы 1-я танковая армия, двигаясь на запад, соединилась с 4-й танковой армией. Как же иначе можно было предотвратить прорыв противника в Галицию севернее Карпат? Попытка армии ускользнуть на юг за Днестр в лучшем случае кончилась бы тем, что она была бы оттеснена в Карпаты. Но и это было сомнительно. Конечно, путь на юг через Днестр был вначале менее рискованным. Однако более детальный анализ показывал, что он вел армию к гибели. Она не имела переправочных средств и мостов для преодоления Днестра на широком фронте. При попытке переправиться через реку по немногим постоянным мостам она потеряла бы вследствие воздействия авиации противника основную часть своей тяжелой техники. Но, что было еще важнее, это то, что противник вел наступление с востока уже южнее Днестра. Рано или поздно армия оказалась бы между этими, наступающими, силами противника и теми его двумя танковыми армиями, которые только что перерезали ее коммуникации и собирались форсировать в тылу армии Днестр в южном направлении. Поэтому я не оставил у генерала Хубе никакого сомнения в том, что командование группы армий не допустит отступления армии на южный берег Днестра, а отдаст приказ на прорыв в западном направлении. Еще до моего вылета в Оберзальцберг 1-я танковая армия получила предварительный приказ, пробиваясь на запад, восстановить сначала связь с немецкой группировкой в районе реки Збруч. Она должна была попытаться со своей стороны, нанося этот удар, отрезать тылы вражеской танковой армии, наступающей на Каменец-Подольск.

Вылетев из Львова ранним утром 25 марта, я прибыл в Бергхоф к дневному докладу обстановки.

Я охарактеризовал Гитлеру положение 1-й танковой армии, указав, что противник оказывает на восточный и северный участки ее фронта сильное давление, которое длительное время не в состоянии выдержать выбившиеся из сил дивизии, к тому же при недостаточном снабжении воздушным путем. Глубоко на западном фланге армии противник находится на ее коммуникациях, продвинулся передовыми частями одной танковой армии уже на южный берег Днестра, другой танковой армией — на юго-восток, на Каменец-Подольск, нацелившись в тыл 1-й танковой армии. Противник ведет наступление с востока также и южнее Днестра, чтобы преградить армии в тылу путь через реку.

В такой обстановке, отмечал я, не остается ничего иного, как пробиваться танковыми соединениями армии на запад, восстановить свои тыловые коммуникации и связь с 4-й танковой армией. Тем самым, возможно, удалось бы немедленно отрезать тылы обеих вражеских армий, действовавших в тылу 1-й танковой армии. Свое движение на запад армия должна была бы прикрывать частью своих сил с востока и с северо-востока. Где должно быть организовано прикрытие — вопрос второстепенный. Как бы то ни было, армия ни в коем случае не может неподвижно занимать позиции своего в данный момент чрезмерно растянутого восточного и северо-восточного фронта. Правда, своим южным флангом она по-прежнему должна примыкать к Днестру. Я докладывал, что ни в коем случае не могу согласиться с планом генерала Хубе отвести армию на южный берег Днестра, прежде всего учитывая оперативную необходимость сосредоточить 1-ю и 4-ю танковые армии севернее Карпат, но также и потому, что отступление армии на южный берег Днестра привело бы ее там, по всей вероятности, к новому окружению и затем уничтожению.

В заключение я добавил, что условием успеха предлагаемого мною прорыва армии на запад является встречный удар со стороны 4-й танковой армии. Для этой цели 4-й армии должны быть немедленно выделены подкрепления.

На это Гитлер заявил, что он не располагает возможностью выделить для этого силы. Пока ему приходится считаться с вероятностью вторжения на западе, он не может снимать оттуда ни одного соединения. Пребывание наших дивизий в Венгрии он также назвал совершенно необходимым — по политическим соображениям. Далее Гитлер не хотел признавать, что неизбежным следствием прорыва 1-й танковой армии на запад должен явиться соответствующий перенос линии фронта, обращенного на восток.

После моего доклада произошел резкий спор между Гитлером и мною, во время которого он попытался свалить на меня вину за неблагоприятное развитие событий на фронте группы армий. Уже несколькими днями раньше генерал Цейтцлер сказал мне, что Гитлер как-то высказался, что штаб группы армий неразумно расходовал выделявшиеся ему силы. Я просил Цейтцлера сказать Гитлеру от моего имени, что штаб группы армий не имел иного выбора, как использовать выделявшиеся нам дивизии по отдельности, так как мы получали их в наше распоряжение только по отдельности и, как правило, слишком поздно. Если бы Гитлер когда-либо — хотя бы и через большой промежуток времени — обещал бы нам значительные силы, которые мы все время требовали для северного фланга, или предоставил бы нам свободу действий на южном фланге, ему не пришлось бы теперь жаловаться на то, что выделявшихся им по частям сил оказалось недостаточно. Генерал Цейтцлер был вполне солидарен со мной. Действительно, это было решающим обстоятельством для всего хода операции «Цитадель».

Теперь Гитлер утверждал, что мы хотели всегда только придавать боевым действиям маневренный характер. Осенью ему говорили, что Днепр будет удержан. Но, мол, едва он, Гитлер, скрепя сердце дал свое согласие на отступление за эту реку, как уже заявили, что надо отступать дальше, так как произошел прорыв под Киевом.

Я отвечал, что так оно и должно было получиться. По его (Гитлера) указанию силы нашего южного фланга получили задачу удержать Донбасс, а позже и Днепровский район, в то время как мы могли бы их использовать для усиления нашего северного фланга.

Тогда Гитлер стал утверждать, что, по данным воздушной разведки, были отмечены всего-навсего отдельные танки противника, от которых бежали целые войсковые части немцев, а из-за этого непрерывно отводится назад линия фронта. Так как Гитлер донесения воздушной разведки получал только от командования ВВС, то я допускаю, что здесь Геринг вновь дал волю своему чувству ненависти к сухопутным силам.

Я возражал довольно резко, что если войска не могут более держаться на отдельных участках, то это объясняется их чрезмерной усталостью, истощением их сил и сокращением их численности. Командование группы армий достаточно часто указывало на то, что при таких сверхрастянутых фронтах и таком состоянии войск (при недостаточном пополнении) должен наступить момент, когда силы войск будут исчерпаны. Что командование группы ни в коем случае не может быть обвинено в мягкости, доказывает факт произведенной нами замены целого ряда командиров среднего звена. Все они, отмечал я, являются испытанными и храбрыми войсковыми командирами, которые, однако, не смогли противодействовать ослаблению духа сопротивления в своих войсках. Тот факт, что обе вновь сформированные дивизии, включенные в состав 4-й танковой армии, оказались разгромленными танковыми соединениями противника, насчитывающими 200 машин, объясняется их недостаточной подготовкой и отсутствием боевого опыта. Также и об этом мы доносили достаточно часто.

Так как этот разговор не мог ни к чему привести, я наконец констатировал, что смею полагать, что существует единство точек зрения относительно того, что 1-я танковая армия, сосредоточив свои танковые силы, должна пробиваться на запад: во-первых, чтобы восстановить связь с 4-й танковой армией; во-вторых, чтобы вернуть себе свои тыловые коммуникации; далее, относительно того, что прочие силы должны прикрывать эту операцию с севера и востока. Где это окажется возможным, покажет обстановка, продолжал я. Но приказ 1-й танковой армии я должен отдать еще сегодня. Я повторил, что успеха можно ожидать только при условии, если 4-я танковая армия будет иметь возможность нанести удар с запада навстречу 1-й танковой армии. Однако Гитлер снова отклонил это требование. На вечерний доклад обстановки было назначено вторичное обсуждение. Несмотря на остроту расхождения наших мнений, Гитлер и на этот раз сохранил подобающий тон.

После того как я вышел из этого хорошо знакомого мне большого зала *с* прекрасным видом на Зальцбург, в котором делались доклады, я попросил вызвать адъютанта фюрера генерала Шмундта. Я обратился к нему с просьбой доложить Гитлеру, что я считаю нецелесообразным для меня в дальнейшем командовать группой армий, если Гитлер не согласится принять мои предложения. Я прошу его поручить командование группой кому-либо другому, если

Гитлер считает невозможным поддержать мою точку зрения и пред-
ложенные мероприятия.

После обеда ко мне на квартиру позвонил мой начальник штаба
генерал Буссе. Генерал-полковник Хубе настойчиво предлагал не
пробиваться на запад, а отступить на юг за Днестр. Вечером из армии
пришла радиограмма, в которой вновь указывалось, что прорыв на
запад неосуществим, а прорыв на юг является необходимостью.
Уже на первое предложение генерал Буссе ответил отрицательно,
но просил моего окончательного решения. Мое решение оставалось
прежним: армия должна прорываться на запад.

Когда я явился к вечернему докладу обстановки, настроение Гитлера изменилось коренным образом. Он начал примерно следующими
словами: «Я обдумал все еще раз, я согласен с вашим планом относительно прорыва 1-й танковой армии на запад. Я также решился скрепя
сердце включить в предлагаемую вами ударную группу 4-й танковой
армии вновь сформированный на западе танковый корпус СС в составе 9-й и 10-й танковых дивизий СС, а также 100-ю горнострелковую
дивизию из Венгрии и 367-ю пехотную дивизию».

Я доложил, что за это время я отклонил новое предложение генерала Хубе прорываться на юг и настоял на прорыве армии на запад.
По моему мнению, продолжал я, прорыв на запад увенчается успехом,
так как обе вражеские танковые армии, видимо, распылят свои силы
в направлении переправ через Днепр. Затем сопровождавший меня
начальник Оперативного отдела подполковник Шульц-Бюттгер зачитал мой приказ 1-й танковой армии на прорыв на запад.

Используя неожиданную уступчивость Гитлера, я высказал еще
некоторые соображения относительно дальнейшего ведения боевых
действий. Задача группы армий «Юг» должна заключаться в том,
чтобы создать стабильный фронт в районе между Карпатами и Припятскими болотами. Командование группы армий дало указание
сосредоточить 1-ю венгерскую армию севернее Карпат в районе
Стрый, где она должна оборонять гористую местность между горным хребтом и верхним Днестром.

8-я армия, продолжал я, должна быть теперь включена в группу
армий «А», на долю которой выпадает защита границ Румынии.
Сначала придется примириться с наличием разрыва между обеими
группами армий. Этот разрыв следует прикрыть в районе Карпат-
ских перевалов находящимися еще в Венгрии силами.

Я внес предложение создать единое командование для всего
южного крыла, включая армии союзников. Возможно, будет целе-

сообразным, учитывая задачу защиты границ Румынии, назначить командующим маршала Антонеску, придав ему немецкого начальника штаба. Однако Гитлер не захотел обсуждать этот вопрос. Он сказал лишь, что маршал по политическим мотивам отклонит подобное предложение.

По окончании обсуждения обстановки, которое, в отличие от дневного доклада, прошло в атмосфере полной гармонии, Гитлер вышел еще в приемную, чтобы узнать, сервирован ли для нас стол. С большим удовлетворением зачитал он мне сообщение турецкой печати, в котором говорилось, что Германии давно уже пора было вмешаться в дела Венгрии. Обстановка там созрела для этого в гораздо большей степени, чем можно было бы предполагать.

Утром 26 марта я вылетел обратно в группу армий. 8-я армия перешла за это время в подчинение группы армий «А».

На следующий день я прибыл в штаб 4-й танковой армии, чтобы обсудить вопрос о проведении удара, который армия вместе с обещанными ей Гитлером новыми силами должна будет осуществить навстречу 1-й танковой армии. Генерал Раус был уверен, что ему удастся восстановить связь с 1-й танковой армией, хотя он и высказывал опасения за удерживаемый им участок фронта. Был окружен Тернополь, объявленный Гитлером «крепостью». Такая же угроза нависла над 13 ак на левом фланге армии в районе Броды. Однако здесь удалось избежать окружения.

Во всяком случае, после того как Гитлер 25 марта во время обсуждения обстановки уступил нашим требованиям, штаб группы армий мог с уверенностью рассчитывать на то, что освобождение 1-й танковой армии и тем самым сосредоточение ее и 4-й танковой армии севернее Карпат увенчаются успехом. Однако выяснилось, что хотя успех, достигнутый при обсуждении 25 марта, и обеспечил сохранение 1-й танковой армии, но Гитлеру после вынужденной уступки, очевидно, стало в тягость сотрудничество со мной. То же относилось и к фельдмаршалу фон Клейсту. Он появился в Оберзальцберге двумя днями позже, чтобы наконец добиться отвода своей группы армий на нижний Днестр.

Утром 30 марта я был разбужен неожиданным известием, что самолет Гитлера «Кондор», который уже забрал на борт фельдмаршала фон Клейста в его штабе, вскоре должен приземлиться в Лемберге (Львов). Этот самолет должен был доставить меня вместе с фон Клейстом в Оберзальцберг. В то время как я вместе с сопровождавшим меня начальником оперативного отдела Шульц-Бюттером и со своим адъютантом Штальбергом ожидал на львовском аэродроме приземления «Кондора», мой начальник штаба разговаривал с генералом Цейтцлером. Последний сообщил — что нам, впрочем, было уже ясно, — что Гитлер хочет снять как фон Клейста, так и меня с наших постов. По прибытии в Берхтесгаден мы вначале поговорили с генералом Цейтцлером, так как Гитлер хотел принять нас только перед вечерним докладом обстановки. Цейтцлер сообщил, что после последних наших встреч в Оберзальцберге Геринг и Гиммлер, а вероятно также и Кейтель, вновь предприняли нападки, особенно против меня. По словам Цейтцлера, это способствовало тому, что Гитлер пришел к решению расстаться с Клейстом и мной. Когда Гитлер сообщил Цейтцлеру о своем намерении, он немедленно потребовал своего увольнения, так как всегда был полностью согласен со мной и не мог оставаться, если я уйду. Но Гитлер грубо отклонил его просьбу, которая была затем повторена и в письменной форме. Это честное и открытое поведение начальника Генерального штаба было достойно высокой оценки! Описание этой моей последней встречи с Гитлером я позволю себе взять из записи в дневнике, которую я сделал на следующий день:

«Вечером у фюрера. После вручения мечей[1] он заявил мне, что он решил передать командование группой армий другому генералу (Моделю). На востоке прошло время операций крупного масштаба, для которых я особенно подходил. Здесь важно теперь просто упорно удерживать позиции. Начало этого нового метода управления войсками должно быть связано с новым именем и новым девизом. Отсюда — смена командования группой армий, наименование которой он также намеревается изменить.

Он, Гитлер, хочет решительно подчеркнуть, что между нами ни в коем случае нет атмосферы недоверия, как это имело место ранее в случаях с другими фельдмаршалами (имена которых он назвал). Он, Гитлер, по-прежнему вполне доверяет мне. Он также никогда не находил каких-либо недостатков в управлении группой армий, более того, был совершенно согласен с командованием группы. Но ему также ясно, продолжал Гитлер, что в течение полутора лет командование группы армий несло слишком тяжелое бремя ответственности и поэтому отдых кажется вполне заслуженным. Он знает, что я один из его способнейших командиров, поэтому он вскоре

---

[1] Дополнительная награда к ордену «Рыцарский крест». — *Примеч. ред.*

снова хочет меня использовать. Но в данное время на Востоке для меня нет задач. Для того, что там теперь предстоит делать, наиболее подходящим ему казался Модель, который остановил отступление группы армий "Север", проходившее в тяжелой обстановке. Еще раз заверив меня, что между нами нет атмосферы недоверия, фюрер заявил мне еще, что он никогда не забудет, что перед походом на Запад я был единственным, кто сказал ему, что прорыв у Седана мог и должен был означать не только одно выигранное сражение, но и оказать решающее влияние на ход всей кампании на Западе.

Я ответил фюреру, что я, безусловно, ничего не могу сказать против, поскольку он считает возможным при данной обстановке лучше решать задачи с другим командующим и поэтому хочет произвести соответствующую замену. Я также считаю, что могу передать командование Моделю без существенного ущерба для дела, так как, добавил я, уже приняты решающие меры по спасению 1-й танковой армии: во-первых, его (Гитлера) решение перебросить с запада танковый корпус СС, во-вторых, мой приказ армии пробиваться на запад севернее Днестра. Тем самым сделано то, что должно в основном делать в настоящее время командование группы армий. В дальнейшем важно будет только, чтобы командование организовало помощь и моральную поддержку войскам. Модель с этим также справится.

Фюрер с живостью согласился, что Модель будет особенно подходящим для этого человеком. Он будет "носиться" по всем дивизиям и выжмет из войск последнее. На это я ответил, что дивизии группы армий под моим командованием уже давно отдали последнее и другому не удастся выжать из них ничего более.

Как бы ни расценивать в отдельности то, что Гитлер сказал мне во время этой нашей последней встречи, следует отметить, что он все же выбрал приличную форму, чтобы проститься со мной. Причиной этому не в малой степени послужило требование Цейтцлера. Если, заявил он, Гитлер хочет снять с постов фельдмаршала фон Клейста и меня, то пусть по крайней мере он сам сообщит нам об этом и о причинах, побудивших его к этому! Мне было известно, что Геринг и Гиммлер уже давно добивались моего смещения. И все же на решение Гитлера существенное влияние оказало, видимо, то, что ему пришлось уступить мне 25 марта, после того, как перед этим он — в присутствии ряда лиц — отклонил мои предложения. Когда Гитлер пожал мне на прощанье руку, я сказал: "Желаю вам, мой фюрер, чтобы ваше сегодняшнее решение не оказалось ошибочным"».

Затем подобным же образом Гитлер объявил о своем решении фельдмаршалу фон Клейсту. Когда мы покидали Бергхоф, перед дверью уже стояли наши преемники (!): произведенный в фельдмаршалы генерал-полковник Модель, который должен был принять командование группой армий «Юг», переименованной в группу армий «Северная Украина», и генерал Шернер, заменивший Клейста.

На следующее утро я вылетел на своей машине Ю-52 обратно в Лемберг (Львов). Моего преемника задержала в Кракове метель. Поэтому я имел возможность, отдав 1 апреля последний приказ по группе армий, обеспечить взаимодействие наших обеих танковых армий во время начинавшейся операции по прорыву. В тот же день после обеда я посетил 4-ю танковую армию, чтобы обсудить с командующим армией использование вновь прибывающего танкового корпуса СС и проститься с ним. С командующими другими армиями, находившимися в моем подчинении, я смог проститься лишь письменно.

2 апреля вечером я передал командование своему преемнику. Освобождение 1-й танковой армии и сосредоточение обеих армий в районе между Карпатами и Припятскими болотами, что имело решающее значение для всей обстановки в целом, можно было считать делом обеспеченным, хотя еще и предстояли отдельные тяжелые бои.

В соответствии с планом операции 4-я танковая армия перешла 5 апреля в наступление на восток. К 9 апреля 1-я танковая армия была освобождена!

Мне еще нужно было проститься со своим штабом! Разлука с товарищами по оружию, которые вместе со мною пережили времена боев и побед в Крыму, тяжелую зимнюю кампанию 1942/43 года и ее в конце концов все же успешное завершение и затем многочисленные трудности кампании 1943—1944 годов, оказалась трудной не только для меня. Для меня было большой радостью видеть, насколько близким стало за эти годы взаимное доверие между нами, насколько искренней была боль, что нашему сотрудничеству пришел конец. То же я мог сказать о командующих армиями, которые были подчинены мне.

В моем штабе отстранение меня от должности подействовало как удар грома. Возвратившись в Лемберг (Львов), я нашел своих товарищей совершенно растерявшимися. Мои ближайшие товарищи по работе — начальник штаба, начальник оперативного отдела штаба, начальник службы тыла и начальник отдела кадров офицерского состава — обратились с просьбой использовать их в другом месте.

Управление кадров удовлетворило их ходатайства, только генерал Буссе должен был оставаться еще некоторое время на своем посту, чтобы обеспечить сохранение преемственности в руководстве.

Что касалось меня лично, то отстранение от командования означало для меня освобождение от ответственности, переносить которую в данных условиях становилось все труднее.

Это бремя ответственности составляли не столько чрезвычайно высокие требования, которые предъявляла к войскам и командованию длившаяся беспрерывно вот уже 9 месяцев борьба с противником, имевшим подавляющее превосходство в силах! В этой борьбе мы всегда находили выход из трудного положения, шла ли речь о том, чтобы остановить наступление противника, или о том, чтобы и в обороне наносить ему удары, в результате которых он лишался возможности одержать, казалось, совсем близкую победу.

Все это могло быть описано здесь лишь в общих чертах. В рамках этого описания невозможно передать совершенные немецким солдатом подвиги так, как они этого заслуживают.

Постоянная борьба, которую нам приходилось вести с Главным командованием из-за совершенно необходимых вопросов ведения боевых действий, сделала особенно тяжелым бремя, лежавшее на моих ближайших помощниках, на мне и не в меньшей мере на командовании армий, входивших в состав нашей группы.

Вновь и вновь ставившиеся и отстаивавшиеся нами требования относительно сосредоточения основных усилий на решающем участке этой кампании (северный фланг группы армий) и относительно права свободного маневра (вообще, а особенно для нашего южного фланга) были при этом лишь внешними, обусловленными обстановкой признаками этой борьбы.

В принципе речь шла о непреодолимом различии стратегической и соответственно оперативной концепции:

— концепции Гитлера, основывавшейся на свойствах его характера и взглядах, охарактеризованных мною в главе «Гитлер — Верховный главнокомандующий», и

— концепции командования группы армий, покоившейся на традиционных принципах и взглядах немецкого Генерального штаба.

С одной стороны — точка зрения диктатора, уверовавшего в силу своей воли, с помощью которой он считал возможным не только прочно приковать свои армии там, где они стояли, но и заставить остановиться противника; диктатора, боявшегося вместе с тем опасности риска, которая несла с собой возможность потери престижа, человека, который при всей своей одаренности все же не овладел основами действительного мастерства полководца.

С другой стороны — точка зрения военных руководителей, которые по своему воспитанию и военному образованию твердо придерживались мнения, что ведение войны есть искусство, существенные элементы которого составляют ясная оценка обстановки и смелость решения; успех которого следует искать только в маневренном ведении боевых действий, так как лишь при этом условии может быть полностью реализовано превосходство немецкого командования и войск.

Правда, справедливость требует признать, что ведение боевых действий, как оно представлялось командованию группы армий, потребовало бы от Гитлера пойти на большой риск на других театрах военных действий и на других участках Восточного фронта, а также вынудило бы его согласиться на тяжелые утраты в политической и военно-экономической областях. Тем не менее это был бы, пожалуй, единственный путь для того, чтобы еще в 1943 году добиться истощения ударной силы Советов и открыть тем самым путь к достижению ничейного исхода в политической области на Востоке.

Если борьба командования группы армий за иное ведение боевых действий оказалась в целом и безуспешной, если его уверенность в том, что оно справится с противником, и не была поэтому претворена в действительность, то одного все же удалось достичь. Противник не смог окружить все южное крыло Восточного фронта, что позволяли ему сделать оперативная обстановка и его многократное превосходство. Нам, правда, пришлось уступить противнику обширные области, и в то же время силы наших войск продолжали уменьшаться, но мы помешали противнику сделать решающий шаг к победе!

Группа армий «Юг», хотя и кровоточа тысячами ран, сохранила свою боеспособность!

Для меня и моих товарищей по работе было величайшим удовлетворением, что в этой неравной борьбе против значительно превосходящего нас противника, как и против Главного командования, которое не хотело признавать то, что можно было уже предвидеть, мы все же смогли помешать тому, чтобы подчиненные нам войска постигла хоть раз судьба Сталинграда. Под Черкассами, а также и в случае с 1-й танковой армией, нам удалось вырвать из рук противника добычу, которую он считал уже наверняка своей.

Мне трудно было передавать командование только потому, что с этого момента я не был более в состоянии помогать войскам, которые всегда доверяли своему командованию.

3 апреля 1944 года я покинул наш штаб в Лемберге (Львов). Все мои верные соратники собрались на вокзале для прощания. Когда поезд уже тронулся, прозвучали еще последние слова, обращенные ко мне. Кричавший их был мой пилот обер-лейтенант Лангер. Как часто в самых трудных условиях погоды он уверенно пилотировал самолет со мной на борту! Теперь он попросился в истребительную авиацию, в рядах которой ему вскоре суждено было погибнуть смертью летчика. Я воспринял его слова как последнее послание верности моих товарищей. Они гласили:

«Господин фельдмаршал! Мы убрали сегодня с машины крымский щит — наш знак победы!»

ПРИЛОЖЕНИЯ

ДОКУМЕНТЫ

ПРИЛОЖЕНИЕ 1

(Отрывок из оригинала)
Совершенно секретно

Командующий сухопутными силами
Генеральный штаб сухопутных сил
Оперативное управление. № 44440/39 сов. секр.

19.10.39

ДИРЕКТИВА ПО СТРАТЕГИЧЕСКОМУ РАЗВЕРТЫВАНИЮ «ГЕЛЬБ»

25 экземпляров
4-й экземпляр

Для высшего командования!
Передавать только с офицером!
1. Общая цель.

Позиция западных держав может сделать необходимым переход немецкой армии на западе в наступление. В таком случае наступление будет осуществлено всеми имеющимися силами.

Целью этого наступления, осуществляемого на северном фланге Западного фронта через голландско-бельгийскую и люксембургскую территорию, будет разгром по возможности крупных сил французской армии и ее союзников и одновременно захват возможно большего пространства на территории Голландии, Бельгии и Северной Франции как плацдарма для успешного ведения воздушной и морской войны с Англией и как широкой полосы обеспечения Рурской области.

2. Группировка сил и задачи:

а) Наступление будет вестись под моим командованием армейской группой «Н» и группами армий «Б» и «А». Ближайшая цель наступления — сковав голландскую армию, разгромить возможно большую часть бельгийской армии в районе пограничных укреплений и быстрым сосредоточением крупных — особенно подвижных — соединений в Северной и Центральной Бельгии создать предпосылки для безостановочного продолжения наступления крупной группировкой северного фланга и для быстрого овладения морским побережьем Бельгии. Армейская группа «Н» и группы армий «Б» и «А» сосредоточиваются с этой целью восточнее имперской границы между Рейне и Меттлах (южнее Трира), скрытно передвигаясь, с таким расчетом, чтобы в 6 ночных переходов они могли занять необходимые для перехода через границу исходные районы и начать утром 7-го дня наступление. Срок, к которому должны быть заняты исходные районы, будет указан в особом приказе (см. пункт 10).

b) Армейская группа «Н» (Голландия, севернее р. Вааль) создается заново. Она подчиняется непосредственно ОКХ.

Состав группы армий «Б» (северное крыло наступления):

На правом фланге — 2-я армия. Штаб армии вновь образуется на базе прежнего штаба 8-й армии.

В центре — 6-я армия. Штаб 6-й армии будет своевременно освобожден от выполнения порученной ему в данное время задачи.

На левом фланге группы армий — 4-я армия.

Состав группы армий «А» (южное крыло наступления):

На правом фланге — 12-я армия. Штаб армии — прежний штаб 14-й армии.

На левом фланге группы армий — 16-я армия. Штаб армии вновь формируется.

В составе группы армий «Ц» (оборона) остаются: 1-я армия, 7-я армия.

Разграничительные линии между группами армий и внутри армий: (карта 1: 1 000 000).

а) Армейская группа «Н» и 2-я армия: Боркен («Н») — южный берег Рейна и Вааль.

b) 2-я армия и 6-я армия: Стеркраде (2) — Арсен (2) — Неерпельт (6) — Диет (6).

с) 6-я армия и 4-я армия: Бергш Гладбах (6) — Мюльгейм (6) — Кельн (4) — Ахен (6) — северная окраина города Люттих (Льеж).

d) 4-я армия и 12-я армия: Росбах-на-Зиге (4) — Вейербуш (4) — Гоннеф (4) — Арвейлер (12) — Гиллесгейм (4) — Шенэкен (4) — Уфализ (12) — Марш (4) — Намюр (центр).

e) 12-я армия и 16-я армия: Гер-Гренцхаузен (16) — Бендорф (16) — Кайзерзеш (16) — Боллендорф (16) — Дикирх (16) — Нефшато (12) — Бульон (12).

f) 16-я армия и группа армий «С»: Лорх (16) — Гемюнден (16) — Ноннвейлер (16) — Меттлах (16) — Дисдорф (16).

3. Задачи наступающих войск:

a) Армейская группа «Н» наступает через линию Рейне — Рейн западнее Бохольт через Ийсель, имея общее направление на Утрехт, и овладевает рубежом р. Греббе. Следует использовать любую возможность для продвижения через эту линию и через подготовленный к затоплению район по обе стороны от Утрехта, а также при удобном стечении обстоятельств и для подготовки захвата Амстердама и Роттердама. Необходимые подкрепления будут выделены. Провинцию Гронинген занять незначительными силами.

b) Группа армий «Б» прорывает бельгийские пограничные укрепления севернее и южнее Люттиха (Льеж) и, продвигаясь через канал Альберта и участок р. Маас от Люттиха (Льеж) до Намюра, сосредоточивает подчиненные ей силы в районе севернее и южнее Брюсселя таким образом, чтобы отсюда можно было без потери времени наступать далее на запад и направить из района Антверпена значительные подвижные силы в район Брюгге — Гент.

Необходимо воспрепятствовать отходу противника из Антверпена и Люттиха (Льеж). Окружить укрепленные районы, удерживаемые противником.

2-я армия, перейдя через Маас в районе между Нимвеген и Арсен, наступает севернее линии Арсен (вкл.) — Неерпельт (искл.) — Диет (искл.) в общем направлении на Аэршот с задачей прикрыть наступление 6-й армии от действий противника из района Антверпен.

Для этого необходимо быстрое продвижение к каналу Альберта и через него.

6-я армия начинает наступление с линии Венлоо — Ахен (оба пункта вкл.) с таким расчетом, чтобы стремительно преодолеть Маас и прорвать бельгийские пограничные укрепления с наименьшей затратой времени. Общее направление наступления — Тирльмон. По указанию штаба группы армий «Б» 6-я армия окружает район крепости Люттих (Льеж) с севера.

4-я армия, выступив главными силами с линии Моншау — Хабшейд, наступает на рубеж р. Маас на участке от Люттиха (Льеж) до

Намюра и осуществляет здесь прорыв. Очень важно как можно быстрее закрепиться на северном берегу р. Маас и обеспечить быстрое подтягивание по возможности крупных сил на северный берег реки.

Продолжение наступления севернее р. Маас в северо-западном направлении — по указанию штаба группы армий «Б».

По указанию штаба группы армий «Б» армия окружает район крепости Люттих (Льеж) с востока и юга и находится в готовности для того, чтобы по возможности сузить кольцо окружения крепости заходом своих частей против западного участка фронта. Для обеспечения со стороны Намюра выставить незначительные силы.

с) Группа армий «А» прикрывает наступление группы армий «Б» от воздействия противника с юга и юго-запада. Своим правым флангом она продвигается по возможности быстро через Маас южнее Намюра, чтобы, в зависимости от указания ОКХ, прикрыть или расширить фронт наступления группы армий «Б» на запад южнее р. Самбр.

12-я армия, выступив с р. Ур между Хабшейдом и Валлендорфом, прорывает бельгийские пограничные укрепления по обе стороны от Бастони и войсками сильного правого фланга форсирует Маас в районе между Намюром и Фуме (вкл.). Левый фланг занимает и удерживает участок р. Маас и р. Семуа ниже Бульон (вкл.).

Охранение в сторону Намюра выставить на стыке с 4-й армией.

16-я армия, начиная наступление с линии Валлендорф — Меттлах и стремительно продвигаясь правым флангом, выходит примерно на линию Семуа (выше Бульон) — район южнее Арлон — Южный Люксембург и прикрывает по этой линии южный фланг всех наступающих войск. Левым флангом она устанавливает и поддерживает связь с укрепленной Саарской линией южнее Меттлах по согласованию с 1-й армией.

4. Общие указания.

Наступающим армиям вначале следует считаться не столько со значительными силами противника, обладающими высокой боеспособностью, сколько с большим количеством технических препятствий (реки, каналы, всякого рода заграждения, укрепленные линии), а также с бомбардировочной авиацией. Тщательное продумывание и детальная подготовка должны помочь быстро преодолеть эти технические препятствия по возможности во многих местах. Только решительное продвижение всех прорвавшихся частей в направлении на объект атаки и их быстрая поддержка за счет подтягиваемых сил могут быстро привести к овладению всей первой линией обороны.

В ходе дальнейшего наступления очень важно решительными атаками, во взаимодействии с авиацией, рассеять подходящие подкрепления, упреждая тем самым возможность планомерного создания значительных активных групп противника. При этом особый успех могут иметь подвижные соединения в случае их стремительных действий. Необходимо придавать особое значение быстрому восстановлению и сохранению переправ через реки и каналы и строжайшему регулированию движения.

При подготовке к наступлению и при обучении войск, участвующих в наступлении, необходимо учитывать эти соображения. Далее — пункты 5—12.

Браухич.

ПРИЛОЖЕНИЕ 2

(Отрывок из оригинала)
Совершенно секретно

Командующий сухопутными силами
Генеральный штаб сухопутных сил
Оперативное управление. № 44440/39 сов. секр. Дело № 2

29.10.39
25 экземпляров
4-й экземпляр

Для высшего командования!
Передавать только с офицером!

ИНСТРУКЦИЯ ПО СТРАТЕГИЧЕСКОМУ РАЗВЕРТЫВАНИЮ «ГЕЛЬБ»

1. Общая цель:

Позиция западных держав может сделать необходимым переход немецкой армии на западе в наступление. В таком случае для наступления будут использованы все имеющиеся силы с задачей вынудить по возможности крупные силы французской армии и ее союзников принять сражение на территории Северной Франции и Бельгии и разбить их, создав тем самым благоприятные условия для продолжения войны на суше и в воздухе против Англии и Франции.

2. Группировка сил и задачи:

а) Наступление будет вестись под моим командованием группами армий «Б» и «А»; цель наступления — уничтожить объединенные силы союзников в районе севернее Соммы и выйти на побережье Ла-Манша. Группам армий «Б» и «А» сосредоточиться восточнее имперской границы между Гельдерн и Метлах (южнее Трира), скрытно передвигаясь с тем, чтобы в 6 ночных переходов можно было занять необходимые для перехода через границу исходные районы и начать утром 7-го дня наступление. Срок, к которому должны быть заняты исходные позиции, будет указан в особом приказе (см. пункт 9).

b) Состав группы армий «Б» (северное крыло наступающих войск): Управление 6-го корпусного округа (обеспечение голландской границы). 6-я армия — для наступления севернее Люттиха (Льеж). 4-я армия — для наступления южнее Люттиха (Льеж). Держать в готовности для использования в ходе наступления по распоряжению штаба группы армий:

в районе 6-й армии — штаб 18-й армии (будет подтянут),

в районе 4-й армии — штаб 2-й армии. Штаб группы армий «Б» определяет срок принятия командования штабом 6-й армии в прежнем районе расположения штаба 2-й армии и докладывает время и место занятия исходных районов 18-й и 2-й армиями; организует участие соответствующих штабов в подготовке наступления. Состав группы армий «А» (южное крыло наступающих войск):

На правом фланге — 12-я армия, на левом фланге — 16-я армия.

В составе группы армий «Ц» (оборона) остаются:

1-я армия, 7-я армия

Разграничительные линии между группами армий и между армиями (карта 1: 1000 000).

3. Задача наступающим войскам:

а) Группа армий «Б» после прорыва бельгийских пограничных укреплений ведет вначале наступление в западном направлении. Одна группа наступающих войск продвигается севернее Люттиха (Льеж), в район г. Брюссель, другая — южнее Люттиха (Льеж) в район западнее и юго-западнее Намюра, с таким расчетом, чтобы в зависимости от обстановки наступление группы армий могло быть продолжено в западном, а также в северо-западном или в юго-западном направлении без потери времени. Подвижные силы ввести как можно быстрее после прорыва укрепленной пограничной зоны. В районе северной группы наступающих войск подвижными силами наступать в направлении на Гент, в районе южной группы — в направлении на Тюэн с задачей решительными наступательными действиями не допустить создания противником оборонительного фронта и, взаимодействуя друг с другом по указанию штаба группы армий, эти силы должны создать благоприятные условия для наступления следующих за ними войск. В случае необходимости штаб группы армий сосредоточивает подвижные силы обеих наступающих групп в том месте, где окажется возможным быстрее ввести их в дело. Нельзя допустить, чтобы подвижные силы бездействовали в одной группе, если они могут быть эффективно использованы в другой. Когда подвижные соединения вырвутся вперед, организовать раздельное управление ими и следующими за ними пехотными дивизиями. Использование штабов армий для выполнения различных задач организует штаб группы армий «Б».

По указанию штаба группы армий «Б» окружить крепости Люттих (Льеж) и Антверпен. Не допустить отступления противника из районов расположения крепостей.

Группе армий «Б» с начала наступления быть в готовности по приказу занять голландскую территорию перед крепостью Голландия минимальным количеством сил в соответствии с особыми указаниями.

Ь) Группа армий «А», включившись во фронт наступления группы армий «Б», своим правым флангом наступает в западном направлении. Войсками правого фланга как можно быстрее перейти Маас между Фуме и Музон и продвигаться далее через укрепленную французскую пограничную зону в направлении на Лаон. Своим левым флангом группа армий прикрывает наступление всех сухопутных сил от воздействия противника с юга и юго-запада.

Далее — пункты 4—11.

Браухич.

ПРИЛОЖЕНИЕ 3

Штаб группы армий «А»
Штаб группы 31.10.39

КОМАНДУЮЩЕМУ СУХОПУТНЫМИ СИЛАМИ

Предусмотренная новой «Директивой по развертыванию сил» операция имеет целью разбить возможно более значительные англо-франко-бельгийские силы в Бельгии и Франции севернее Соммы, а также овладеть побережьем пролива. Операция рассчитана на то, что вначале противник бросит в Бельгию стоящие на границе силы, которые должны быть смяты (в первую очередь крупными немецкими моторизованными соединениями), чтобы противнику более не удалось организовать единую операцию в районе севернее Соммы.

Планируемый успех в действиях против Бельгии и переброшенных туда англо-французских сил представляется вероятным. Однако успех всей операция зависит не от этого начального успеха, но от того, удастся ли разбить и полностью уничтожить действующие в Бельгии и севернее Соммы силы противника, а не только опрокинуть их фронтальным ударом. Одновременно нужно подготовиться к отражению французского контрнаступления, которого наверняка следует ожидать с южного или юго-западного направления, вероятно, лишь позднее.

Исходя из этих соображений, штаб группы армий считает, что сосредоточение основных усилий всей операции, успех которой в Бельгии является всего лишь ее началом, должно производиться на южном фланге. Главный удар следует наносить южнее Люттиха (Льеж) через Маас выше Намюра в направлении Аррас — Булонь, чтобы все брошенные противником в Бельгию силы не отбросить фронтальным ударом на Сомму, а отрезать на Сомме.

Вместе с тем войска этого южного фланга должны иметь достаточно сил, чтобы отразить французское наступление против своего левого фланга с таким расчетом, чтобы обеспечить возможность проведения операции до побережья.

В связи со сказанным представляется необходимым:

1. Использовать южнее Люттиха (Льеж) крупные моторизованные силы, а именно, в южной части полосы наступления 4-й армии и в полосе наступления 12-й армии.

Это направление удара ведет в тыл главных сил бельгийской армии, стоящих на северо-восточном фронте, и позволяет вначале, учитывая слабость бельгийских укреплений в этом районе, более быстрое продвижение вперед, чем в районе севернее Люттиха (Льеж). Переход этих сил в дальнейшем через Маас (южнее Намюра прямо в западном направлении или по обе стороны от Намюра в северо-западном направлении) может быть обеспечен действиями войск, наступающих севернее Люттиха (Льеж) вначале по более трудной, но зато более короткой дороге.

Использование крупных моторизованных сил в полосе наступления 12-й армии не исключает того, что после успешного первого прорыва все моторизованные силы, введенные севернее и южнее Люттиха (Льеж), могут быть сосредоточены примерно на линии Намюра, в распоряжении одного штаба армии под общим руководством штаба группы армий «Б», так как быстрое продолжение операции против побережья и нижней Соммы является, безусловно, задачей группы армий «Б», в то время как группа армий «А» имеет задачу прикрытия наступления с юго-запада и юга.

2. Сосредоточить штаб армии с соответствующим количеством способных вести наступление сил за фронтом группы армий «А».

Можно с уверенностью ожидать, что французские войска предпримут с южного направления контрнаступление вдоль р. Мозель на Бонн, вероятно, также и с юго-западного направления западнее р. Маас на Брюссель.

Восточный фланг этого наступления должен быть остановлен нашей обороной севернее французской укрепленной линии Диденхофен (Тионвиль) — Монмеди. Сомнительно, удастся ли сдержать противника силами 16-й армии в течение длительного времени.

Но французское контрнаступление, ожидаемое с юго-западного направления западнее р. Маас, должно быть отражено активными действиями, если ставить себе цель продолжения боевых действий группы армий «Б» до побережья. Для этого штаб группы армий «А» должен поставить между 12-й армией, наступающей на Лаон, и 16-й армией, занимающей оборону между рр. Маас и Мозель, еще одну армию для наступления на юг западнее р. Маас.

Пока группа армий имеет для выполнения своей задачи только 12-ю и 16-ю армии, она будет находиться в известной мере в зависимом от противника положении. В другом же случае она сможет выполнить задачу прикрытия южного и юго-западного фланга группы армий «Б» таким образом, что последняя быстро достигнет успеха.

Трудно полагать, что противник допустит ошибку, бросив значительные силы в Бельгию на свой северный фланг. Таким образом, для выполнения своих задач группа армий «Б» в составе трех армий всегда будет иметь достаточное количество сил. Если же противник поступит таким образом, то решительный исход будет зависеть от удара 12-й армии вдоль Соммы, вниз по ее течению, при условии, что ее южный фланг будет обеспечен активными действиями другой армии.

Район боевых действий группы армий «А» является опасным участком, но, с другой стороны, и участком, сулящим крупный успех, тем более если противник усилит свой северный фланг.

Командующий группой армий
Рундштедт.

Штаб группы армий «А»
Оперативный отдел. № 321/сов. секр.

Штаб группы 21.11 Л 939

Для высшего командования

ПЛАН ГРУППЫ АРМИЙ ПО ПРОВЕДЕНИЮ НАСТУПАТЕЛЬНОЙ ОПЕРАЦИИ

I. Начало операции.

1. Противник.

Штаб группы армий рассчитывает на то, что противник немедленно перебросит свои силы (24 дивизии, стоящие на бельгийской границе) в Бельгию, чтобы дать возможность бельгийской армии удержать линию Антверпен — Люттих (Льеж) — Намюр, а своими силами овладеть по крайней мере линией Маас — Семуа. Ввод в действие весьма значительных англо-французских резервов Главного командования (пятьдесят одна дивизия) произойдет, лишь когда для противника станет ясной обстановка.

Перед своим фронтом штаб группы армий рассчитывает, в соответствии с этим, встретить вначале, кроме незначительных бельгийских сил (Арденнская егерская дивизия, возможно, 1-я кав. дивизия), французскую 2-ю армию (5 дивизий) и армейскую группу «А» (4 дивизии), если предположить, что подтвердятся наши пока еще неточные сведения относительно группировки англо-французских сил. Не исключено, что французы в Южной Бельгии вначале не пойдут далее линии Маас — Семуа, так как если противник сможет удержать линию Антверпен — Люттих (Льеж) — Маас, захват территории в Южной Бельгии поставит нас в более неблагоприятное в оперативном отношении положение.

Но все же вероятнее, что он бросит навстречу нам часть сил, которую ему удастся сосредоточить еще перед р. Маас, с целью выиграть время для того, чтобы подвести значительные силы на рубеж р. Маас на участке Люттих (Льеж) — Намюр — Седан и сосредоточить крупные силы для контрнаступления с юга между реками Маас и Мозель.

2. Ближайшие цели.

Штаб группы армий считает очень важным, внезапно и стремительно продвинувшись через Люксембург, прорвать бельгийские укрепления, прежде чем французы смогут организовать здесь свою оборону, и нанести уничтожающий удар по французским силам в Бельгии, часть которых будет уже туда переброшена. Это является условием продолжения операции по ту сторону Мааса, а также создания линии обороны фронтом на юг.

В соответствии с этим штаб группы армий выдвинул вперед 19-й армейский корпус в составе трех дивизий первого эшелона, выделил в его распоряжение четыре параллельные дороги, чтобы попытаться прорвать бельгийские заставы между Бастоныо и Арлоном, прежде чем там смогут появиться крупные силы французов, и занять позиции западнее этих укреплений в готовности напасть на французские силы, подходящие через Нефшато и по долине р. Семуа.

12-я и 16-я армии выступают в составе 11 дивизий первого эшелона (резервы следуют непосредственно за дивизиями первого эшелона) с задачей также по возможности быстро прорвать бельгийскую линию застав и принять участие в боях в Южной Бельгии (12-я армия плюс правый фланг 16-й армии). Центр и левый фланг 16-й армии должны развернуться в южном направлении, атаковать и разбить французские силы, наступающие примерно в направлении Арлон — Люксембург, и занять оборону в основном вдоль границы. При этом фланговые корпуса могут перейти границу одновременно с 19-м армейским корпусом, в то время как в центре часть дивизий может следовать только за дивизиями 19-го армейского корпуса.

Трудности этого первого этапа операции заключаются в условиях местности в Эйфеле и Люксембурге, в узких, извилистых, крутых дорогах, в переправе больших масс войск и техники через рубеж Ур-Зауэр (Сур) — Мозель.

Районы исходных позиций, переправа через пограничные реки, движение 19-го армейского корпуса, подтягивание резервов и служб тыла через узкие и глубокие долины пограничных рек, где некуда свернуть с дороги, — все это мишени для французской авиации. Стремление напасть на французов уже западнее бельгийской линии застав, чтобы обеспечить себе успех внезапным разгромом подходящих сил противника, очень большая опасность воздушного нападения в начале операции побудили штаб группы армий сделать предложение перенести время перехода границы на ночь, с тем чтобы на рассвете 19-й армейский корпус стоял на бельгийской линии застав и был преодолен самый критический момент с точки зрения воздушных атак противника. Ввиду того что группа армий «Б» также должна проделать длительный путь до приближения к бельгийским укреплениям севернее и южнее Люттиха

(Льеж), а собственно пограничные заграждения могут быть преодолены также и в ночное время, по-видимому, возможно одновременное начало наступления по всему фронту в ночное время.

Поэтому группа армий повторяет свое предложение.

Дальнейшее развитие операции до выхода на Маас и соответственно на бельгийско-французскую южную границу зависит от того, будут ли французы наступать частью сил через Маас в Южную Бельгию, удастся ли 19-му армейскому корпусу напасть на них западнее бельгийских укреплений или сражение начнется уже в районе Уфализ — Санкт-Ибер — Нефшато — Арлон.

В последнем случае 19-й армейский корпус должен быть использован вначале в составе армий, прежде всего 12-й армии. В первом случае приказом предусмотрено дальнейшее движение 19-го армейского корпуса через Маас в районе Седана.

Так как наступление всего корпуса в долине Семуа невозможно, его сильный правый фланг должен наступать через Нефшато, в то время как одна танковая дивизия со средствами усиления должна двигаться через Флоренвиль, чтобы обеспечить прочим частям и соединениям переход через Семуа с востока. Если 4-я армия задержится на р. Урт или своими главными силами будет оттянута для действий против рубежа р. Маас восточнее Намюра или в направлении на Намюр, то 12-й армии следует считаться с возможным наступлением с линии Мааса южнее Намюра на ее правый фланг. В таком случае она должна продвигаться на запад уступом вправо. Резервы группы армий будут следовать за этой армией.

В состав 16-й армии после ее развертывания в южном направлении должны быть включены новые силы в качестве резерва.

II. Продолжение операции за р. Маас.

Если в Южной Бельгии удастся, не встретив серьезного сопротивления противника или в результате разгрома части французских сил, продвинуться до р. Маас и к бельгийско-французской южной границе, то для дальнейшего ведения операции необходимо руководствоваться следующими соображениями:

1. Правый фланг может продолжать наступление на запад, в направлении нижней Соммы, только в том случае, если он будет обеспечен активными действиями против вероятного французского контрнаступления западнее р. Маас, т.е. примерно с направления Ле Фер — Лаон — Ретель. 12-я армия не сможет решить обе эти задачи, хотя резервы группы армий будут находиться с ней (21-й армейский корпус с 3 дивизиями). В этом случае станет необходимым ввод в пер-

вый эшелон еще одной армии с одновременным расширением полосы наступления группы армий на север, примерно до Динана. Это будет тем более необходимо, если 4-я армия сначала вынуждена будет наступать северо-западнее, как это намечается уже теперь в связи с группировкой ее сил. Тот факт, что тем самым операция в целом, которая строилась вначале на создании сильного северного крыла, получит второе главное направление, неоспорим, но его нельзя и избежать, если группа армий должна перейти своим правым флангом через Маас.

2. На левом фланге группы армий следует в скором времени учитывать возможность крупного французского контрнаступления между рр. Маас и Мозель против южного фланга немецкой армии.

На этом укрепленном фронте Маргут — Диденхофен (Тионвиль) шириной 75 км французы могут без труда послать в наступление 20 дивизий первого эшелона, за которыми последуют 10 других.

Силы для этого они могут без всяких осложнений взять из своих резервов и со своего восточного участка фронта, даже если они перебросят кроме 15 дивизий, обнаруженных на границе в полосе наступления группы армий «Б», еще 25 дивизий в Северную Бельгию и сосредоточат для наступления другую группу западнее р. Маас.

16-я армия своими 9 дивизиями, из которых одна должна остаться в углу, образуемом Мозелем и Сааром, может, преодолев сопротивление части французских сил, выйти в район оборонительных позиций на бельгийско-французской южной границе, но не сможет удержать их против подобного наступления длительное время. До оборудования этой позиции, пока не будет точно выяснено распределение французских сил и установлено, что не предстоит крупного французского наступления между рр. Мозель и Маас, 16-й армии потребуются следующие силы:

— 1 корпус в составе 3 дивизий — для удержания линии Кариньян — Виртон, а также для захвата укреплений южнее Кариньяна с целью установить локтевую связь с 12-й армией между рр. Шьер и Маас;

— 1 корпус силой в 3 дивизии — в районе южнее Арлона;

— 1 корпус силой в 3 дивизии — в районе южнее Люксембурга;

— 1 дивизия — между Мозелем и Сааром;

— 1 дивизия — резерв в долине р. Семуа;

— 2 дивизии — резерв в районе Арлона;

— 2 дивизии — резерв в районе Люксембурга.

Всего 15 дивизий.

Таким образом, армии нужно дополнительно 6 дивизий.

Так как 3 дивизии резерва группы армий будут следовать за 12-й армией, то сначала 3 дивизии группы армий «Ц», занимающие исходное положение западнее и севернее Сен-Венделя, должны продвигаться на Трир — Саарбург, следуя непосредственно за дивизиями второго эшелона 16-й армии; 3 другие дивизии необходимо будет подвести в ближайшее время.

В противном случае не может быть обеспечена безопасность южного фланга наступающих войск.

III. Взаимодействие с авиацией.

1. После предусмотренного командующим ВВС налета на вражескую авиацию важнейшей задачей бомбардировочных сил являются операции против французских дивизий, продвигающихся в Бельгию.

3-му воздушному флоту поставлена ближайшая задача — атаковать железнодорожные линии, ведущие к рубежу Шарльвиль — Диденхофен (Тионвиль), с таким расчетом, чтобы остановить движение транспорта по возможности в 100 км от французской границы. Дальнейшие задачи будут вытекать из обстановки. Соединение пикирующих бомбардировщиков, к сожалению, лишь единственное, будет находиться в тесном взаимодействии с 19-м армейским корпусом.

2. Противовоздушная оборона.

Самым критическим моментом для группы армий является, как уже подчеркивалось, преодоление долин в пограничной зоне плотными боевыми порядками дивизий первого эшелона и следующими за ними резервами, а также продвижение 19-го армейского корпуса до начала сражения.

Так как, по мнению командующего 3-м воздушным флотом, едва ли возможно ожидать решающего начального успеха в борьбе с французской авиацией ввиду ее размещения на большом пространстве, следует считаться с действиями значительных французских воздушных сил против группы армий. Штаб группы армий затребовал от 3-го воздушного флота по возможности сильное зенитное прикрытие на рубеже рек Ур — Зауэр — Мозель, а также соответствующее прикрытие истребителями.

Кроме того, штаб группы армий просит обратить внимание командующего ВВС на то, что если состояние погоды вообще позволит использовать бомбардировочную авиацию, район приложения основных усилий противника будет проходить вдоль Ур — Зауэр — Мозель.

19-му армейскому корпусу кроме имеющихся у него зенитных подразделений сбудет придан зенитный полк.

Манштейн.

ПРИЛОЖЕНИЕ 5

Штаб группы армий «А»

Оперативный отдел. № 455/39 совершенно секретно

Штаб группы 30.11.1939

Для высшего командования!
Передавать только с офицером!
Командующему сухопутными силами

Включение 19-го армейского корпуса в группу армий «А», данное ему направление на Седан, следование 14-го армейского корпуса за группой армий «А» в готовности поддержать действия 19-го армейского корпуса создали для операции в целом новое направление главного удара и — в случае успеха в первых боях — откроют перед ней новую, более широкую оперативную цель и обусловят тем самым иное ведение боевых действий, чем было предусмотрено вначале.

До сих пор, согласно «Директиве ОКХ по стратегическому развертыванию», цель заключалась в том, чтобы, преодолев канал Альберта на севере и прорвав бельгийские укрепления южнее Люттиха (Льеж) на юге, сосредоточить в Северной Бельгии основную массу моторизованных сил с целью разгрома спешно подтягиваемых англо-французских сил и продолжения операции, после этого первоначального успеха, в западном направлении на побережье, с направлением главного удара севернее р. Маас.

В дальнейшем операция должна, естественно, развиваться в юго-западном направлении и привести к фронтальному наступлению на нижнюю Сомму.

В рамках этой операции на долю группы армий «А» приходится в целом лишь задача прикрытия южного фланга, а именно: пассивного прикрытия в районе между рр. Мозель и Маас и активного прикрытия западнее Мааса.

Создание нового направления главного удара на южном фланге в направлении на Лаон для 12-й армии, на Седан — для 19-го армейского корпуса воплощает в себе, напротив, новый замысел операции, который, вместо захода сильным северным флангом для фронтального наступления на Сомму, имеет целью нанесение удара вдоль Соммы, чтобы отрезать войска противника, расположенные в Северной Бельгии, или же по крайней мере служит дополнением первого плана.

Вполне очевидно, что этот удар нуждается в активном прикрытии южного фланга войск и что в дальнейшем ходе операций южный фланг вообще повернет на юг.

Если будет признано, что эта новая оперативная идея должна найти свое эффективное осуществление — как основной замысел всей операции в целом или только как дополнение к плану наступления через Северную Бельгию, — то командованию будет необходимо произвести соответствующие изменения в составе групп армий.

Задача 16-й армии — пассивное прикрытие операции между рр. Саар, Мозель и Маас — ясна. Потребность этой армии в силах, пока придется считаться с крупным французским контрнаступлением из района Монмеди — Диденхофен (Тионвиль), указана в письме штаба группы армий от 21.11.

Для 12-й армии и 19-го армейского корпуса после перехода через Маас появятся два оперативных направления: одно на юго-запад, с целью создания условий для наступления на запад, другое — на запад вдоль р. Сомма.

Как только, в случае успеха 19-го армейского корпуса, в результате внезапности действий вслед за ним будет введен в бой 14-й армейский корпус, потребуется единое управление этой группой со стороны одного штаба армии. Для этого может быть использован только штаб 12-й армии. К тому же в его подчинение придется передать, далее, 6-й армейский корпус, крайнюю северную дивизию 16-й армии (с соответствующим расширением полосы наступления 12-й армии и 18-й или 21-й армейский корпус.

Невозможно будет поручить этому штабу армии также и продолжение наступления через Маас.

В таком случае для западного направления окажется необходимым ввести еще один штаб армии.

При этом на передний план выступает тот факт, что 4-я армия значительной частью своих сил по достижении р. Урт неизбежно будет отвлечена в северо-западном направлении.

Вначале придется по возможности быстрее овладеть с запада г. Люттих (Льеж), на что потребуется один корпус 4-й армии.

Между прочим, чем тверже будет осуществляться идея сосредоточения крупных сил в Бельгии севернее р. Маас, тем более 4-я армия будет оттягиваться в общем направлении на Намюр и восточнее его, особенно учитывая то, что она может быстрее всего переправиться через Маас в районе Гюй.

Операционные направления 4-й и 12-й армий тем самым расходятся.

В направлении на запад, в устье р. Соммы, какое-либо сосредоточение сил невозможно.

Поэтому штаб группы армий полагает, что самое позднее с выходом 4-й армии на Урт и прорывом правым флангом бельгийских укреплений в районе Бастони 12-й армии необходимо перебросить 2-й корпус 4-й армии, действующий на ее южном фланге, и 3-й корпус 12-й армии, действующий на ее северном фланге (за которыми следовало бы вести еще один корпус — 18-й или 21-й), объединив их под командованием одного штаба армии, при соответствующем расширении полосы наступления группы армий до Динана (искл.).

Это мероприятие тем более важно, что район Фуме уже по состоянию сети дорог не дает никакой возможности успешно продолжать наступление в западном направлении.

Далее, окажется необходимым, чтобы за войсками правого фланга группы армий следовали дополнительные резервы Главного командования.

Чтобы в ходе боевых действий не было бесполезной потери времени и особенно чтобы была обеспечена безупречная работа служб тыла, необходимо уже теперь готовиться к вводу в действие нового штаба армии.

Таковы предложения штаба группы армий.

Рундштедт.

ПРИЛОЖЕНИЕ 6

Начальник штаба группы армий
Оперативный отдел штаба. № 500/39 совершенно секретно

Штаб группы 6.12.1939 г

Для высшего командования!
Передавать только с офицером!

3 экземпляра
2-й экземпляр

Начальнику Генерального штаба

Перенесение срока наступления дает возможность проверить еще раз план использования и распределения сил группы армий, причем, естественно, не могут быть обойдены и отдельные вопросы общего плана операции.

1. Возможные планы противника:

Бельгийская армия, по-видимому, и дальше будет находиться своими главными силами на линии Антверпен — Люттих (Льеж), имея резервы в районе Брюсселя. Передвижение части сил на бельгийскую юго-западную границу, о котором недавно сообщалось, надо рассматривать скорее как политический жест нейтралитета.

Что касается англо-французских сил, то установлено 27—29 дивизий на участке Дюнкерк — Диденхофен (Тионвиль) и 27 — перед группой армий «Ц», так что можно предполагать, что в резерве Главного командования находятся 40—42 дивизии. Это распределение сил позволяет заключить, что противник сосредоточенными на границе силами во взаимодействии с бельгийской армией попытается сначала остановить нас, но что резервы его Главного командования будут использованы лишь тогда, когда ему станут ясны направление и размеры нашего наступления. Подобные действия соответствовали бы, во всяком случае, французской точке зрения.

При этом французское командование может действовать в целом с учетом двух возможностей:

а) Отступать в Северной Бельгии (с удержанием Антверпена и Люттиха (Льеж)), хотя и оказывая упорное сопротивление, чтобы сковать нас по фронту, с намерением создать тем самым более благоприятную оперативную обстановку для наступления очень крупных сил на наш южный фланг между р. Мозель и р. Маас и между р. Маас и р. Самбр.

Для этого флангового наступления на фронте в 200 км противник без труда мог бы выделить с фронта Диденхофен (Тионвиль) — Седан и с фронта перед группой армий «Ц» 60 дивизий; у него все еще оставалось бы около 20 дивизий для обеспечения прикрытия отходящей бельгийской армии или для ее поддержки.

Это решение, которое могло бы принести противнику решающий оперативный успех и которое мы в его положении по крайней мере приняли бы в расчет, противоречит, видимо, французским взглядам, так как в нем слишком много риска. Весьма сомнительно также, согласятся ли англичане отдать Голландию и бельгийское побережье, учитывая связанное с этим усиление угрозы их стране с воздуха.

Но следует учитывать, что именно быстрый начальный успех немцев в Бельгии, на который мы ведь надеемся, навяжет это решение противнику, хотя он к тому времени и использует часть своих сил в другом месте, то есть сможет провести это контрнаступление значительно меньшими силами.

По-видимому, несомненно, что чем быстрее и значительнее будет наш успех в Бельгии, тем более вероятным будет контрнаступление противника с юга.

b) Вторая возможность заключается в попытке остановить наше наступление перед бельгийскими укреплениями и приблизить тем самым свои воздушные базы к Рурской области. При этом остается открытой возможность, что в Южной Бельгии противник вначале ограничится удержанием рубежа по Маасу на участке Люттих (Льеж) — Намюр — Живе — Седан — укрепленный район Маргут — Диденхофен (Тионвиль), чтобы перейти в контрнаступление с севера и юга лишь позднее, когда мы уже войдем в Маасскую дугу.

В этом случае следует считаться с тем, что противник может перебросить в Северную Бельгию значительную часть резервов Главного командования.

Во всяком случае, настоящее размещение сил на границе делает подобный план возможным.

Так как противник, безусловно, рассчитывает на то, что бельгийская армия продержится некоторое время на рубеже канала Альберта, между побережьем и Лиллем находятся, по-видимому, сравнительно слабые силы.

Наличие подвижной группы, составленной преимущественно из моторизованных дивизий, во французской 1-й армии указывает на то, что противник намерен бросить ее на Маас на участке Намюр — Люттих (Льеж). Кавалерийские и моторизованные дивизии в районе Фурме — Хирсон находятся в готовности быстро наступать на рубеж р. Маас на участке Намюр — Живе или через него, в то же время моторизованные части и пехотные дивизии 2-й армии сосредоточены предположительно в районе Шарльвиль в готовности наступать на Южную Бельгию. Далее, не исключено также, что армейская группа «А» попытается наступать на Арлон — Люксембург, чтобы задержать наше продвижение.

2. В то же время при проведении своей наступательной операции мы с самого начала должны рассчитывать на два этапа наступления, если мы ставим себе задачу преследовать противника и нанести ему решительное поражение на суше.

a) Первым этапом является попытка, прикрываясь с юга, нанести одновременно сокрушительный удар по находящимся в Бельгии и Северной Франции или переброшенным туда силам противника и захватить прибрежный район примерно до Соммы.

b) Вторым этапом может быть захождение на юг с целью отразить фронтальным ударом вероятное французское контрнаступление по обе стороны р. Маас с одновременным охватом его с запада.

Кажется несомненным, что направление главного удара в немецкой операции должно находиться на южном крыле.

Конечно, в случае быстрого преодоления канала Альберта войска северного крыла могут, используя крупные бронетанковые силы, добиться существенного для всей операции начального успеха в действиях против бельгийских и спешно подходящих англо-французских сил.

Но решающего успеха надо ожидать от удара, который будет нанесен значительными силами через Южную Бельгию в направлении на устье р. Соммы с целью отрезать англо-французские силы в Бельгии.

Войска, осуществляющие этот удар, нуждаются в прикрытии с юга от воздействия противника, а именно: не только в пассивном прикрытии между р. Мозель и р. Маас, но прежде всего в активном прикрытии между р. Маас и р. Уаза, которое является одновременно условием для дальнейшего поворота немецкой армии на юг.

Совершенно ясно, что обе эти задачи, естественно, обусловливают перенос направления главного удара всей операции на южный фланг.

Это не исключает того, что в начале операции наступление будет иметь два главных направления в более узком оперативном смысле. Такая необходимость вытекает прежде всего из малых размеров оперативного пространства вообще, которое позволяет использовать южнее Люттиха (Льеж) лишь ограниченное количество сил.

Кроме того, взаимодействие двух наступающих групп и помимо этого явится необходимым для того, чтобы в начале операции добиться первого успеха.

Вначале будут иметь место более благоприятные условия для боевых действий войск южного крыла в Южной Бельгии; быстро продвигаясь к р. Маас южнее Намюра и через Маас восточнее Намюра, они могут обеспечить для северного крыла переход через канал Альберта.

В дальнейшем ходе операции уже войска северного крыла, наступая через Брюссель, должны будут открыть южному крылу путь через трудно преодолимый рубеж по Маасу на участке Намюр — Фуме.

Но образование двух главных направлений наступления, обусловливаемое первоначальной обстановкой, не должно вести к забвению того, что неудача и успех всей операции будут решаться на южном крыле, поэтому последнее должно иметь соответствующее количество сил и соответствующую организацию.

3. Использование и состав группы армий «А»:

В своих письмах от 31.10, 12.11 и 30.11 штаб группы армий уже указывал на то, что группа армий, в соответствии с выпадающими на ее долю задачами, безусловно, должна состоять из трех армий и иметь нужное количество сил, либо получить своевременно подкрепления из резервов Главного командования.

а) Состав группы армий:

Одна армия (18-я) нужна группе для нанесения удара через линию р. Маас на участке Динан — Фуме в западном направлении на нижнюю Сомму. В эту армию придется включить южный корпус 4-й армии, чтобы обеспечить ей необходимую ширину полосы наступления. Она потребуется уже в начале операции, так как 4-я армия будет оттянута в северо-западном направлении тем сильнее, чем больше мы будем стремиться к начальному успеху севернее р. Маас. 4-й армии придется, далее, ввести в дело по крайней мере один корпус для овладения Люттихом (Льеж) с запада, так как невозможно оставить в руках противника крепость, стесняющую оперативное пространство. Но штаб 4-й армии не может возглавить одновременно наступательные действия войск в направлении на запад через Маас южнее Намюра, на северо-запад через Гюй и против Люттиха (Льеж).

Другая армия (12-я) нужна штабу группы для внезапного прорыва французского фронта в районе Седана и затем для активного прикрытия наступления вышеупомянутой 18-й армии до р. Маас в районе между Уазой и Маасом. Только когда группа армий активными наступательными действиями против всякого появляющегося в ее полосе противника завоюет господствующее положение в районе до канала Эн — Уаза и до р. Эн, окажется возможным продолжение наступления на нижнюю Сомму. Эта армия является также осью для последующего захождения правого крыла немецкой армии на юг.

Задачей третьей армии (16-й) является захват оборонительной позиции севернее французской укрепленной линии Монмеди — Диденхофен (Тионвиль) и удержание ее против любого вражеского наступления.

Поэтому штаб группы армий повторяет выраженную уже в прежних письмах просьбу утвердить такой состав уже теперь, используя время, предоставившееся вследствие переноса срока наступления, так как позднее включение в состав группы нового штаба армии в любом случае затруднит управление и замедлит ход боевых действий.

b) Использование боевых сил:

В ходе боевых действий, хотя и не в самом начале, группе армий для выполнения ее задач потребуется:

18-я армия: 4 корпуса в составе	12 дивизий
12-я армия: 4 корпуса в составе	12 дивизий
16-я армия: 3 корпуса в составе	12 дивизий
Резерв группы: 1 корпус в составе	<u>4 дивизий</u>
	40 дивизий

Таким образом, к силам, находящимся в боевой готовности на направлениях, отведенных группе армий:

2-й корпус 4-й армии в составе	3 дивизий
12-я армия в составе	10 дивизий
19-й корпус в составе	3 дивизий
16-я армия в составе	9 дивизий
14-й корпус в составе	2 дивизий
21-й корпус в составе	3 дивизий.
В полосе группы армий «Ц»	<u>4 дивизии</u>
	34 дивизии

потребовалось бы добавить еще 6 дивизий из резерва Главного командования сухопутных сил.

При нанесении первого удара необходимо принять во внимание следующее.

Наступление через Маас по обе стороны Седана с целью обеспечения известной свободы маневра впереди Мааса будет тем более быстрее и удачнее, чем быстрее и внезапнее удастся прорваться в Южную Бельгию через Люксембург и чем решительнее окажется первоначальное превосходство над спешно подтягиваемыми французскими силами в Южной Бельгии.

Через Маас удастся наиболее быстро переправиться в том случае, если авиация, танковые и моторизованные соединения после прорыва бельгийских пограничных укреплений разгромят противника уже по эту сторону Мааса и выйдут на Маас вместе с его разгромленными частями.

19-й корпус с его 3 дивизиями имеет в настоящее время слишком мало сил для выполнения этой задачи. Он не может наступать на таком широком фронте, на каком это желательно, для того, чтобы, с одной стороны, охватить французские войска, вступившие в Бельгию через линию Мааса на участке Фуме — Седан, с другой стороны, обеспечить прикрытие своего фланга при наступлении на Седан.

Поэтому штаб просит, наряду с 19-м армейским корпусом, подчинить группе армий с самого начала также и 14-й армейский корпус, что позволит 12-й армии создать первый эшелон из двух подвижных корпусов в 5—6 дивизий, как это было предусмотрено для 10-й армии на восточном участке, и второй эшелон из пехотных корпусов.

При указанном распределении сил следует рассчитывать на начальное превосходство по крайней мере подвижных сил. Создается возможность нанесения внезапного удара, так как нет необходимости располагать эти дивизии вблизи границы, они могут быть подтянуты из тыла через пехотные корпуса в последнюю ночь.

Напротив, запоздалое выдвижение 14-го армейского корпуса существенно задержит все продвижение вперед.

Наконец, штаб просит подготовить быстрый подвод 18-й армии тех танковых сил, которые в силу обстоятельств не смогут быть использованы на северном фланге.

4. Поддержка авиации:

Поддержка авиации, которой следует придавать решающее значение, окажется вполне эффективной только в том случае, если авиации противника не удастся отвлечь на себя значительные силы нашей авиации, которые тем самым будут лишены возможности поддерживать наземные войска.

Нельзя рассчитывать на разгром вражеской авиации при первых же атаках в день «А», учитывая ее размещение на большом пространстве.

Поэтому кажется целесообразным начать борьбу против авиации противника немедленно, чтобы обеспечить себе превосходство, когда начнется наступление сухопутной армии. Эту борьбу следовало бы начать внезапным ударом всей авиации в первые же дни, когда состояние погоды будет благоприятным, и затем непрерывно продолжать ее, нанося отдельные удары. Начальник штаба 3-го воздушного флота вполне согласился с этой мыслью.

Настоящий документ был представлен командующему группой армий и получил его одобрение.

Манштейн.

ПРИЛОЖЕНИЕ 7

Начальник штаба группы армий «А»
Оперативный отдел. № 597/39 сов. секр.

Штаб группы 18.12.1939 г.
2 экземпляра
2-й экземпляр

ПРЕДЛОЖЕНИЕ ОТНОСИТЕЛЬНО ВЕДЕНИЯ НАСТУПЛЕНИЯ НА ЗАПАДЕ

I. Оценка противника

1. Бельгийская армия расположена своими главными силами на укрепленной линии Антверпен — Люттих (Льеж) (резервы — в районе Брюсселя), остальные силы находятся в Южной Бельгии и на линии р. Маас на участке Люттих (Льеж) — Намюр.

Англо-французская армия в количестве около 34 дивизий дислоцирована на люксембургско-бельгийской границе, причем 29 дивизий стоят перед группой армий «Ц». Около 34 дивизий находятся в глубоком тылу как резерв Главного командования.

В случае немецкого наступления противник, вероятно, бросит крупные силы в Бельгию севернее р. Маас.

Остается неясным, пойдет ли противник крупными силами навстречу нам в Южную Бельгию (через Маас выше Намюра), или он намерен начать решительные бои только на р. Маас.

Быстрое проникновение немецкой армии в Бельгию неизбежно приведет к крупному французскому контрнаступлению с юга (между р. Мозель и р. Маас и западнее р. Маас), для которого кроме резервов Главного командования могут быть привлечены значительные силы, стоящие на французской укрепленной линии.

II. План и цель операции

2. Немецкая сухопутная армия, при поддержке всех военно-воздушных сил, начинает в день «А» наступление через голландско-бельгийско-люксембургскую границу, имея целью решить в свою пользу исход борьбы с союзными армиями на суше и тем самым обеспечить в дальнейшем наступление на Англию. План операции:

3. Группа армий «Б» (северное крыло наступающих войск), заняв частью сил Голландию (сначала без крепости Голландия), должна после быстрого прорыва бельгийских укреплений между Антверпеном и Люттихом (Льеж) и южнее его сосредоточить свои силы в Бельгии севернее р. Маас, окружить возможно большую часть бельгийской армии в Антверпене и Люттихе (Льеж), атаковать, разбить и оттеснить к побережью остальные бельгийские войска, а также подтягиваемые англо-французские силы, чтобы позднее наступать на нижнюю Сомму с целью захвата бельгийского побережья и побережья Северной Франции.

4. Группа армий «А» (южное крыло наступления) имеет задачу, стремительно продвигаясь через Люксембург и Южную Бельгию, разбить французские войска, наступающие через р. Маас; создав оборонительный рубеж между р. Маас (Кариньян) и р. Мозель (Меттлах), форсировать Маас на участке Динан — Музой (направление главного удара вначале — Седан) и, продолжая наступление в западном и юго-западном направлении (по одной армии в каждом), разорвать вражеский фронт; обеспечить ведение боевых действий группе армий «Север» и ее поворот на нижнюю Сомму.

5. Группа армий «Ц» имеет задачу держать прежний фронт и ложными маневрами сковать возможно большее количество сил противника.

III. Ближайшие задачи

6. Группа армий «Б» должна вначале:

a) незначительными силами (10-й армейский корпус) оккупировать Голландию (сначала без района крепости Голландия) и прикрывать наступательную операцию от воздействия голландских и высадившихся в Голландии английских войск;

b) силами 6-й армии, выступив с рубежа Венлоо — Ахен, прорвать бельгийские укрепления между Антверпеном и Люттихом (Льеж) и стремительным продвижением моторизованных соединений воспрепятствовать организованному отступлению бельгийской армии и ее отходу в район, занимаемый англо-французскими силами;

c) силами 4-й армии прорвать бельгийские укрепления южнее Люттиха (Льеж) и, используя 7-ю авиадивизию и воздушно-десантную дивизию, а также выдвинув моторизованные силы, внезапно форсировать Маас между Люттихом (Льеж) и Динаном;

d) затем группа армий должна сосредоточить свои силы севернее Мааса, чтобы разбить силы противника, сражающиеся в Северной Бельгии.

При этом, если позволит обстановка, моторизованные силы обеих армий должны быть объединены под единым командованием (штаб 6-й армии; остальные его силы поступают в распоряжение штаба 18-й армии), чтобы, быстро продвигаясь в направлении на Куртре, воспрепятствовать организованному развертыванию англо-французских сил в Бельгии.

Антверпен окружить, Люттих (Льеж) взять возможно быстрее с тыла.

Разграничительная линия с группой армий «А»: долина р. Ар до Хоффельд — Сен-Вьет — Динан (вкл.) — Фурмье.

7. Группа армий «А» должна вначале:

a) силами 2-й армии прорвать бельгийские укрепления по обе стороны от Уфализа, разбить французские войска, переброшенные в Бельгию, и форсировать Маас между Динаном и Фуме;

b) силами 12-й армии, бросив вперед моторизованные части, внезапно прорвать бельгийские пограничные укрепления по обе стороны от Бастони и Арлона, разгромить французские войска, наступающие через Маас, и форсировать Маас в районе Шарльвиль — Седан;

c) силами 16-й армии атаковать и разбить французские войска, наступающие на Арлон или Люксембург, и занять оборонительную позицию между р. Маас (в районе Кариньян) и Мозель (в районе Меттлах) возможно ближе к французской границе;

d) после форсирования р. Маас очень важно, удерживая неподвижный фронт обороны между р. Маас и р. Мозель и продолжая западнее Мааса наступление:

2-й армией — в направлении Сен-Квентин — Лаон;

12-й армией — против р. Эн по обе стороны от Ретеля

разорвать фронт французских войск, воспрепятствовать развертыванию французских сил для контрнаступления западнее р. Маас и, если возможно, воздействовать на фланг и тыл войск противника, сражающихся против группы армий «Б».

8. Группа армий «Ц» удерживает прежний фронт и демонстрирует перед противником наступательные действия в полосе 1-й и 7-й армий согласно особым указаниям.

IV. Состав сил
(Ориентировочные данные)

9. Группа армий «Б»:

Группа «Голландия»	Штаб 10-го корпуса	⅓ дивизии СС
		1 кавалерийская бригада
		2 пехотные дивизии
6-я армия	Штаб 10-го корпуса	3 танковые дивизии
	4 штаба корпусов	12 пехотных дивизий
4-я армия	Штаб 15-го корпуса	3 танковые дивизии
		22 пехотные дивизии
	4 штаба корпусов	12 пехотных дивизий
Резерв группы	Штаб 18-й армии	1 танковая, 1 моторизированная дивизии
		1 штаб корпуса
		3 пехотные дивизии
Итого:	12 штабов корпусов	7 танковых, 11/3 моторизированных дивизий,
		1 кавалерийская бригада
		30 пехотных дивизий

Группа армий «А»:

2-я армия: 4 штаба корпусов, 12 пехотных дивизий;

12-я армия: штаб 19-го корпуса, 2 танковые дивизии, 1 моторизованная дивизия, 2 штаба корпусов, 7 пехотных дивизий, штаб 14-го корпуса, 1 легкая дивизия, 1 моторизованная дивизия;

16-я армия: 3 штаба корпусов, 12 пехотных дивизий.

Резерв группы армий «А»: 1 штаб корпуса, 4 пехотные дивизии.

12 штабов корпусов, 2 танковые дивизии, 1 легкая дивизия, 2 моторизованные дивизии, 35 пехотных дивизий.

Группа армий «Ц»: 5 штабов корпусов, 18 пехотных дивизий.

Резерв ОКХ:

1 штаб армии (только оперативный и разведывательный отделы), 3 моторизованные дивизии, 1 штаб корпуса, 9 пехотных дивизий.

Расположение резервов Главного командования:

1 штаб корпуса с 3 дивизиями — за группой армий «Б»;

3 моторизованные дивизии — на р. Рейн (с учетом возможности быстрого подвода их к 6, 4, 2-й армиям);

1 штаб армии с 6 дивизиями — позади войск южного фланга группы армий «Ц» с целью демонстративных действий (задача: ввести противника в заблуждение). После дня «А» — транспортировка дивизий (по 3 ежедневно) с рубежа Карлсруэ — Оффенбург — Фрейбург — Констанц на север.

V. Занятие исходных районов

10. Так как после многонедельного пребывания армии в районе развертывания не приходится рассчитывать на достижение полной внезапности, важно, по крайней мере, упредить англо-французские войска по возможности за счет внезапного начала операции.

Поэтому группы армий должны расположить дивизии первого эшелона вблизи границы передовыми частями на глубине не далее 30 км, с таким расчетом, чтобы они в одну ночь могли сосредоточиться и выступить несколькими колоннами.

Танковые и моторизованные дивизии необходимо расположить по возможности восточнее Рейна, передовыми частями в районе переправ.

Исходные районы занять в следующие сроки:

В ночь с «А» — 2 на «А» — 1: Развертывание дивизий первого эшелона. Подтягивание танковых и моторизованных соединений, каждого в одной колонне, на удаление головной колонны до 15 км восточнее границы. Дивизии второго эшелона совершают первый ночной марш.

День «А» — 1: отдых.

В ночь с «А» — 1 на «А»: Дивизии второго эшелона совершают второй ночной переход.

В ночь «А» — 2 передвигать или развертывать на границе только пехотные и танковые дивизии, которые должны перейти в наступление от границы.

VI. Авиация

11.

а) Чтобы обеспечить в день «А» участие всей авиации в поддержке сухопутных сил, авиация должна добиться разгрома французской авиации уже до наступления на суше.

С этой целью она должна в первый ясный день, позволяющий использовать все силы, нанести удар французской авиации, а затем продолжать борьбу с вражеской авиацией в зависимости от цели различными силами до начала наступления сухопутной армии.

b) При поддержке сухопутной армии главные усилия авиации сосредоточить:

— на обеспечении переправы через канал Альберта (6-я армия);

— на обеспечении форсирования р. Маас между Люттихом (Льеж) и Намюром (4-я армия); здесь используются 7-я авиадивизия и 22-я дивизия;

— на обеспечении форсирования р. Маас в районе Седана (12-я армия);

— на обеспечении форсирования р. Маас выше Динана (2-я армия).

VII. Использование резервов Главного командования

12. Три моторизованные дивизии должны следовать за той армией, в полосе наступления которой наметится возможность быстрого достижения успеха.

Резервы, сосредоточенные в Южной Германии, следует, в зависимости от развития событий, передать в группу армий «Б» или группу армий «А». При этом надо иметь в виду, что, с одной стороны, возможность отрезать в Северной Франции крупные силы противника наступлением на запад вдоль Соммы, с другой стороны, необходимость держать в готовности крупные силы для разгрома французского контрнаступления западнее р. Маас или для удлинения в западном направлении занимающего оборону фланга 16-й армии обусловят включение резервов в первую очередь в группу армий «А».

VIII. Флот

13. Задачей флота является воспрепятствовать захвату устий голландских рек и голландских портов англичанами, пока они не окажутся в немецких руках.

Манштейн.

Расчет рассылки:
В штаб группы армий — 1-й экземпляр.
В дело — 2-й экземпляр (без карты).

ПРИЛОЖЕНИЕ 8

Штаб группы армий «А»
Оперативный отдел. № 20/40 совершенно секретно

12 января 1940
4 экземпляра
3-й экземпляр

Для высшего командования!
Передавать только с офицером!

НАСТУПЛЕНИЕ НА ЗАПАДЕ

Ниже штаб группы армий еще раз излагает свои соображения, имеющие принципиальное значение для ведения боевых действий в духе проведения наступления на западе с целью одержания решительной победы на суше.
Командующий группой армий

Рундштедт.

I. Оперативная цель наступления на Западе

Решающее значение для руководства операциями в целом, как и для управления группами армий, имеет цель, поставленная перед участвующими в наступлении войсками.

Как считает штаб группы армий, первым шагом должно быть достижение победы в войне на суше, разгром союзных вооруженных сил на суше и в воздухе, ликвидация английского экспедиционного корпуса на материке, за которым должно последовать наступление на Англию с воздуха и моря.

Частные цели, как они были сформулированы сначала (осенью) в директивах ОКХ, как, например, разгром возможно более крупных сил противника в Бельгии или Северной Франции или выход на бельгийское побережье, не находятся в соответствии с политическими последствиями наступления на три нейтральных государства. Подобная постановка с самого начала ограниченной цели не дает основания ставить на карту ударную силу сухопутной армии и авиации, являющуюся решающим фактором также и в этой войне; однако эту ударную силу, после того как она была бы израсходована в не имеющих решающего значения боях, невозможно было бы восстановить в обозримый отрезок времени. Может быть, следует удовлетвориться достижением таких частных целей, если наступление не приведет к желаемому полному успеху. Но не ставить с самого начала задачи решающей победы на суше равносильно отказу от стремления к быстрому окончанию войны.

Даже если после разгрома значительной части англо-французских сил мы остановимся на р. Сомма, Англия в дальнейшем навяжет нам — как в Первую мировую войну — изнурительную войну на суше, продолжая дальнюю блокаду, пока она сможет удержать Францию на ногах.

Быстрого победоносного завершения войны можно ожидать только в том случае, если мы, одержав во Франции победу на суше и в воздухе, сломив ударную силу союзников на суше, получим возможность для решительного наступления на Англию и одновременно высвободим силы для того, чтобы изменить в нашу пользу возможное развитие событий в Северной, Восточной и Юго-Восточной Европе.

Решительный удар немецкой авиации (Ю-88) и флота по Англии, который связан с нападением на атлантические коммуникации, будет легче нанести, когда в наших руках будет находиться северное побережье Франции, так как это сокращает эскадрам путь в Англию. Но этого можно добиться только полной победой над французской армией. Поэтому наступление на Западе нужно планировать и проводить с целью уничтожения союзных вооруженных сил на суше и в воздухе. При предполагаемом в настоящее время на материке общем количестве сил противника (130 англо-французских дивизий и крепостных бригад, 21 бельгийская, 9 голландских дивизий — 160 соединений) эта цель может быть, по-видимому, достигнута не одним ударом, а серией следующих друг за другом операций, если до их окончания еще не будет парализован дух сопротивления во Франции.

Поэтому командованию с самого начала придется считаться с длительным периодом ведения боевых действий и использованием соответствующего количества сил и средств.

Когда сухопутная армия и авиация начнут наступление, командование не должно ничем (в том числе и захватом территории на побережье) отвлекаться от цели уничтожения вооруженных сил противника, пока есть какая-либо возможность достичь этой цели.

Прекращение борьбы до одержания решительной победы будет означать, по всей вероятности, окончательный отказ от быстрой победы на суше на западе, если учитывать ожидающийся в течение года рост английских сил. В таком случае останется только перейти к позиционной войне, попытаться вынудить противника к наступлению, продолжать борьбу с Англией в воздухе и на море, захватить, по возможности, необходимые для ведения длительной войны источники сырья и продовольствия в Северной и Юго-Восточной Европе.

II. Оценка противника как основа для планирования операций

1. Можно полагать, что голландские войска (8 дивизий и 1 легкая дивизия) ограничатся в основном удержанием крепости Голландия и могут быть скованы там слабыми силами. Без английской помощи они не смогут вести боевые действия в районе крепости. Для такой помощи Англия не имеет в настоящее время сил. Необходимо помешать англичанам закрепиться в Голландии действиями флота на море и прервать сообщение Антверпен — Голландия на суше.

2. Бельгийская армия, насчитывающая в целом 21 дивизию, находится своими основными силами на укрепленной линии Антверпен — Люттих (Льеж), в том числе незначительные силы находятся в полосе обеспечения, более крупные силы — в Антверпене и Люттихе (Льеж), резервы — в районе Брюсселя, Гента и на р. Маас у Мамюра. В Южной Бельгии расположены, по-видимому, лишь незначительные силы.

Вполне очевидно намерение защищать линию Антверпен — Люттих (Льеж) или удержать по крайней мере обе крепости. Можно предполагать, что существует договоренность с союзным командованием об оказании быстрой помощи.

3. Англо-французская армия с середины октября ожидает нашего наступления в районе между побережьем и р. Мозель. Исходя из

размещения ее сил, можно сделать общий вывод о намерениях противника.

Союзный командующий считает, что на немецкой стороне имеется 60—70 дивизий, находящихся в готовности к наступлению, и, по-видимому, отчасти представляет себе, как будут использованы наши силы между р. Мозель и Швейцарией. Напротив, относительно наших резервов Главного командования и новых формирований он располагает, видимо, лишь неполными сведениями.

По его приказу на бельгийско-люксембургской границе сосредоточено 36 дивизий, а непосредственно за ними, возможно, еще несколько английских дивизий, при этом большая часть подвижных сил расположена в районе между побережьем и р. Маас у Седана. 24 дивизии и крепостные бригады занимают укрепленную линию в районе между р. Мозель и Швейцарией. В резерве Главного командования имеется предположительно 30—35 дивизий.

Из данного распределения сил следует заключить, что противник попытается остановить нас силами войск, сосредоточенных на границе, во взаимодействии с бельгийской армией, что его резервы Главного командования будут введены в дело, лишь когда ему станут ясными направление и размеры нашего наступления. Такие действия, рассчитанные на нанесение внезапного удара, соответствовали бы, во всяком случае, французским установкам.

Контрнаступление противника против нашей укрепленной линии между р. Мозель и Швейцарией маловероятно и даже при известном успехе не означало бы для нас угрозы.

Принципам немецкого командования соответствовал бы организованный отвод бельгийской армии на запад (при одновременной обороне крепостей Голландия, Антверпен, Люттих (Льеж), Намюр), для того чтобы создать тем самым благоприятные оперативные условия для контрнаступления крупных сил между рр. Мозель и Маас, возможно, также между рр. Маас и Самбр, против южного фланга наступающей немецкой армии и, сочетая его затем с наступлением из крепости Голландия, преследовать цель уничтожения большей части немецкой армии западнее Рейна. Однако весьма сомнительно, пойдет ли французское командование на такой серьезный риск, допустят ли это Бельгия и Англия (учитывая необходимость отдать бельгийское побережье).

Вероятнее всего, что противник перебросит в Бельгию сосредоточенные на границе войска, чтобы остановить наше наступление уже перед бельгийскими укреплениями, самое позднее — на линии

Антверпен — Намюр — Маас, приблизив тем самым свои воздушные базы к Рурской области. При этом остается открытой возможность, что в Южной Бельгии противник ограничится сначала удержанием рубежа по р. Маас на участке Люттих (Льеж) — Намюр — Живе — Седан — укрепленная линия Маргут — Диденхофен (Тионвиль), чтобы позднее, когда мы втянемся в Маасскую дугу, перейти с юга, с рубежа Седан — Диденхофен (Тионвиль), в контрнаступление, в сочетании с наступлением в Северной Бельгии или из крепости Голландия и из Антверпена.

Но чем значительнее будет успех немцев в Северной Бельгии, чем быстрее он наступит, тем отчетливее будет выступать на передний план мысль о крупном контрнаступлении против нашего южного фланга: как в районе между рр. Мозель и Маас, так и в районе между рр. Маас и Самбр. Союзный командующий может, ослабив свою укрепленную линию, собрать для этой цели значительные силы, даже если он уже введет в бой крупные силы в Северной Бельгии.

Остается открытым вопрос о том, будет ли контрнаступление предпринято немедленно или же сначала противник попытается организовать оборону на линии Диденхофен (Тионвиль) — Абвиль, чтобы лишь позднее перейти в наступление.

Практически сначала следует считаться с тем, что:

— английская армия своими подвижными соединениями возьмет направление на Антверпен, чтобы обеспечить захват его и, кроме того, установить связь с крепостью Голландия и овладеть устьями голландских рек;

— первая французская армия будет переброшена к Люттиху (Льеж) и на Маас по обе стороны от Намюра;

— значительная часть резервов Главного командования будет доставлена по железной дороге в Северную Бельгию;

— вторая французская армия продвинется по крайней мере до рр. Семуа и Маас (до Динана), а подвижными силами, возможно, в Южную Бельгию; к этому наступлению присоединится затем часть сил армейской группы «А» в направлении на Арлон. Одновременно возможно подтягивание резервов Главного командования к линии Шарльвиль — Диденхофен (Тионвиль).

III. Оперативные возможности

Существующая обстановка вынуждает немецкое командование, войска которого зажаты между р. Вааль и крепостью Антверпен, с одной стороны, и французской укрепленной линией Диденхофен (Тионвиль) — Маргут, с другой, вести сначала чисто фронтальное наступление в Бельгии. Командование не имеет возможности совершить глубокий охват, подобно немецкой армии в 1914 году, не имеет возможности обойти противника перед сражением, подобно Фридриху Великому при Лейтене, чтобы атаковать его во фланг и ликвидировать тем самым имеющееся у него превосходство.

Только тактическая победа в первой фронтальной атаке, достигнутая в первую очередь благодаря более высоким боевым качествам войск, и разгром первых спешно подтягиваемых подкреплений союзников создадут предпосылки для операции, рассчитанной на одержание решительной победы.

Таким образом, само собой разумеется, что в начале операции необходимо всеми средствами добиваться этого первоначального тактического успеха.

Однако эта необходимость не должна мешать командованию видеть, где и на каком направлении следует искать в дальнейшем ходе операции решительной победы. Также и первоначальные территориальные успехи, не связанные с уничтожением крупных сил противника, не должны привести командование к тому, чтобы — как в 1918 году — перенести направление главного удара в район, не имеющий оперативного значения.

Хотя в первое время для обеспечения первоначального успеха операции при небольшой ширине оперативного пространства, которое еще более суживается крепостью Люттих (Льеж) и делится ею и средним Маасом на два отдельных поля сражения, необходимо будет наступать крупными силами по всему фронту как севернее, так и южнее Люттиха (Льеж), командование с самого начала должно иметь ясное представление о том, где в дальнейшем будет решаться судьба всей операции.

Наступление в Северной Бельгии встретится с главными трудностями в начале операции, когда необходимо будет форсировать Маас и Шельду и прорвать укрепленную позицию бельгийской армии по каналу Альберта до подхода союзных войск. Когда реки и каналы будут покрыты льдом, эти трудности могут существенно уменьшиться.

Дальнейшее сужение полосы наступления действующих здесь армий крепостями Антверпен и Намюр, в пространстве между которыми можно продвигаться лишь ограниченными силами, вынуждает наступать еще одной армией южнее Люттиха (Льеж) на Маас по обе стороны от Намюра, чтобы в дальнейшем обе эти армии составили сильное северное крыло наступления в районе Северной Бельгии, севернее рубежа Маас — Самбр. Решающее значение для успеха будет иметь быстрое сведение крупных танковых сил в одну моторизованную армию севернее Мааса.

По достижении этого успеха северное крыло в ходе дальнейшего наступления не встретит более никаких сколько-нибудь серьезных естественных или искусственных препятствий. Если войскам северного крыла удастся разбить подтянутые в ходе боев силы противника, то они смогут пройти до побережья и даже до нижней Соммы. Но здесь в лучшем случае закончатся оперативные успехи северного крыла, если за это время наступающие через Южную Бельгию войска южного крыла не создадут предпосылок для продолжения операции. Если войска южного крыла остановятся перед р. Маас, то нельзя рассчитывать на решительный успех операции. Чем дальше войска северного крыла продвинутся на запад, тем большей будет угроза контрнаступления крупных французских сил против их южного фланга, и в лучшем случае на Сомме их продвижение вперед прекратится.

Войска южного крыла, которые должны наступать через Люксембург и Южную Бельгию, встретят трудно проходимые участки местности, но зато слабые укрепления и незначительные силы противника. Основной трудностью на пути их наступления является преодоление рубежа р. Маас. Если французы вступят через Маас в Южную Бельгию, идя навстречу нам, и если удастся разгромить их здесь танковыми силами, то окажется возможным быстрое овладение рубежом р. Маас. Если же французы расположат свои главные силы на рубеже р. Маас для его обороны, то для овладения им потребуются значительные силы, а, возможно, также обход рубежа реки с севера.

Свое решающее значение действия войск южного крыла приобретут только тогда, когда они преодолеют рубеж р. Маас. В то время как одна армия южного крыла займет оборону непосредственно севернее французской укрепленной линии Кариньян — Диденхофен (Тионвиль) — фронтом на юг — с целью прикрытия южного фланга всей операции, другая армия, перейдя Маас в районе Шарльвиль — Седан, должна наступать на юго-запад, предупреждая всякую попытку противника сосредоточиться для контрнаступления в районе между рр. Эн и Уаза, и воспрепятствовать созданию сплошного фронта обороны на линии Диденхофен (Тионвиль) — Стене — Эн — Сомма, перерезав его на р. Эн. Этим она должна обеспечить возможность захождения северного крыла в южном направлении.

На долю третьей армии приходится задача, преодолев рубеж р. Маас в районе Динан — Фуме, продвигаться далее в направлении на

Сен-Квентин, чтобы ударить во фланг и прижать к морю войска противника, отходящие на Сомму под натиском северного крыла, а также, если позволит обстановка, открыть северному крылу путь через Сомму.

Только в этом случае, продолжая операцию, можно решить судьбу французской сухопутной армии.

IV. Выводы из оценки противника и собственных оперативных возможностей, касающиеся действий группы армий в рамках операции в целом

При оценке возможных действий противника и собственных оперативных возможностей для ведения боевых действий существенным является, по мнению командования группы армий, следующее:

1. В районе северного крыла (севернее рубежа Маас — Самбр) вначале имеются, несомненно, большие перспективы для достижения успеха, если удастся преодолеть укрепленные водные рубежи и объединить на противоположном берегу Мааса армии, введенные в бой по обе стороны от Люттиха (Льеж). Эта возможность успеха должна быть полностью использована подтягиванием достаточного количества резервов, необходимых также для окружения Антверпена и быстрого захвата Люттиха (Льеж) (с обходом с запада). Важно, своевременно прервав связь по суше между крепостями Антверпен и Голландия и блокировав устья голландских рек, не допустить создания значительного вражеского плацдарма на северном фланге.

Однако при дальнейшем продолжении операции, даже после победы в Северной Бельгии, северное крыло первым потеряет свое оперативное значение.

Пока южное крыло на противоположной стороне р. Маас не овладеет свободой оперативного маневра крупными силами, до тех пор наступление северного крыла будет сдерживаться противником с фронта на нижней Сомме и, наконец, контрнаступлением против южного фланга может быть окончательно остановлено.

Только когда войска южного крыла перережут западнее р. Маас французский фронт и разобьют силы противника, сосредоточиваемые для контрнаступления между рр. Маас и Уаза, для войск северного крыла будет открыт путь через нижнюю Сомму и вместе с тем к достижению решительного успеха всей операции.

Уже продвижение войск северного крыла к рубежу Кале — Амьен — Ам возможно лишь в случае, если его юго-западный фланг будет иметь активное прикрытие западнее Мааса. Нельзя организовать оборону на фланге длиной 250 км.

2. Действия южного крыла, за исключением 16-й армии, прикрывающей оборонительными действиями южный фланг, будут иметь оперативное значение только на противоположной стороне р. Маас, которое, однако, будет уже решающим.

Удастся ли быстро форсировать р. Маас, зависит от того, выступят ли французы крупными силами навстречу нам, перейдя Маас, и будут ли достаточными силы 19-го армейского корпуса (которые, к сожалению, ограничены), чтобы разгромить их здесь и овладеть в тылу мостом через Маас, прежде чем они сумеют отступить через него. Если это не удастся, то потребуется планомерное наступление крупными силами в сочетании с давлением со стороны войск северного крыла, чтобы форсировать реку.

По крайней мере, на противоположной стороне р. Маас, а еще лучше уже непосредственно для форсирования реки необходимо сосредоточение двух армий вместо 12-й армии, с включением в них левофлангового корпуса 4-й армии; из них одна армия будет иметь задачу продолжать наступление в направлении Сен-Квентин — Сомма с целью отрезать или прижать к морю войска противника, отступающие перед группой армий «Б», в то время как другая армия примет на себя задачу активного прикрытия левого фланга этой операции в районе между рр. Уаза и Маас, одновременно препятствуя здесь созданию сплошного фронта обороны противника Диденхофен (Тионвиль) — Стене — Эн — Сомма.

Создание этой новой армии тем более необходимо, что сосредоточение сил группы армий «Б» в Северной Бельгии, естественно, отвлечет 4-ю армию в северо-западном направлении. Эта армия не сможет одновременно захватить Люттих (Льеж), установить основными силами связь с 6-й армией и наступать своим левым флангом через Динан на запад.

Отказ от форсирования Мааса двумя армиями южного крыла и решение передать большую часть резервов северному крылу означали бы одновременно отказ от достижения решительной победы над противником, удовлетворение выполнением частной задачи — захватом побережья Бельгии и Северной Франции.

Во всяком случае, группа армий разрешит свою задачу в рамках операции в целом только в том случае, если она, в соответствии с предложениями ее командования, будет по своему составу разделена на три армии и обеспечена достаточным количеством сил для выполнения наступательной задачи западнее р. Маас и оборонительной задачи восточнее р. Маас.

3. Относительно использования авиации командование группы армий считает важными следующие три пункта:

а) использование крупных сил для участия в наземных операциях в критические моменты:

— боя за канал Альберта,

— боя 4-й армии за форсирование р. Маас,

— боя 12-й армии (или 19-го корпуса) за форсирование р. Маас;

b) выполнение задачи по борьбе с резервами противника, прежде всего с моторизованными частями и соединениями, направляющимися в Бельгию, а затем — с транспортными перевозками. Недостаточно прервать железнодорожную связь по одной определенной линии. Важно — как и в Польше — сделать вообще невозможным планомерное подтягивание резервов Главного командования, уничтожать значительную часть их еще в пути;

с) сосредоточение большого количества истребителей над районом наступления. Так как, учитывая размещение авиации противника, невозможно будет разгромить ее одним массированным ударом в начале наступления, исход войны в воздухе будет решен вместе с исходом войны на суше в полосе наступления. Только в этом районе противник будет использовать авиацию поддержки наступления, и только здесь ее можно будет наверняка встретить.

4. Флоту поставлена задача, блокировав устья голландских рек и захватив Западнофризские острова, не допустить закрепления английских войск на северном фланге немецкого наступления.

5. Пропаганда. С началом немецкого наступления вражеское командование будет избавлено от трудной задачи объяснить своему народу и армии необходимость борьбы. Поэтому должна быть развернута интенсивная пропаганда, которая должна вдолбить французскому солдату, что он идет на войну за Польшу, за интересы военных промышленников, за Англию, что мы ничего не хотим от его страны, как и от Голландии и Бельгии. Этой пропагандой, проводимой всеми средствами, должны быть охвачены французские дивизии, которые стоят сейчас перед фронтом группы армий «Ц» и которые вскоре будут сняты с этого участка как резерв или для смены потрепанных в боях дивизий; пропаганда должна стремиться оказать влияние на личный состав этих дивизий, особенно сообщениями о вражеских потерях на основном фронте.

6. Если командование группы армий, исходя из поставленной ему задачи, считает необходимым внести предложение добиваться решитель-

ной победы на суше, то оно вполне осознает, что достижение этой цели зависит от боеспособности сухопутных и военно-воздушных сил обеих сторон, вопрос о которых решается только в бою, от лучшего и обладающего более сильной волей командования, а также и от военной удачи.

Командованию группы армий ясно также, что при данном соотношении сил борьба будет длиться известный период времени и потребует напряжения всех сил и средств Германии.

Но в любом случае цель решительной победы на суше будет достигнута только при условии, что ведение боевых действий с самого начала будет пронизано идеей добиться этой цели, стремлением бороться за эту цель до тех пор, пока есть какая-либо возможность достичь ее, и, напротив, удовлетворяться частными целями только тогда, когда не останется никакого другого выхода.

Поэтому командование группы армий еще раз просит учесть его предложения относительно проведения операции с целью достижения решительной победы, если теперь уже и не в начале наступления, то во всяком случае, в ходе операций.

Командующий группой армий

Рундштедт.

ПРИЛОЖЕНИЕ 9

Командующий 6-й армией
Л и ч н о   к о м а н д у ю щ е м у   и   н а ч а л ь н и к у   ш т а б а !

Ст. Гумрак, 26.11.1942 г.
Записано офицером.

Командующему группой армий «Дон» генерал-фельдмаршалу фон Манштейну
Глубокоуважаемый господин фельдмаршал!

I. Покорнейше благодарю за радиограмму от 24.11 и обещанную помощь.

II. Для оценки положения моей армии смею доложить следующее:

1. Когда 19.11 началось крупное русское наступление на правого и на левого соседей армии, в течение двух дней оба фланга армии

оказались открытыми, в образовавшиеся бреши русские стремительно ввели свои подвижные силы. Наши подвижные соединения, продвигавшиеся на запад через Дон (Станковый корпус), натолкнулись своими передовыми частями западнее Дона на превосходящие силы противника и оказались в очень трудном положении, тем более что ввиду недостатка горючего они были скованы в своих действиях. Одновременно противник зашел в тыл 11-го армейского корпуса, который согласно приказу удерживал всю свою позицию фронтом на север. Так как для ликвидации этой опасности нельзя было более снять с фронта никаких сил, не оставалось ничего другого, как повернуть левый фланг 11-го корпуса на юг, а в дальнейшем отвести корпус сначала на плацдарм западнее Дона, чтобы не оказались отрезанными от главных сил те части, которые находились западнее Дона.

Во время проведения этих мероприятий был получен приказ фюрера наступать левым флангом 14-го танкового корпуса на Добринскую. Но события опередили этот приказ. Поэтому я не мог его выполнить.

2. Утром 22.11 мне был подчинен также 4-й армейский корпус, входивший до тех пор в состав 4-й танковой армии. Правым флангом 4-й корпус отходил с юга на север через Бузиновку. Тем самым оказался открытым весь южный и юго-западный фланг. Чтобы не позволить русским беспрепятственно выйти в тыл армии (направление на Сталинград), не оставалось ничего другого, как снять силы из Сталинграда и с северного фронта. Еще имелась возможность вовремя стянуть эти силы, в то же время это было уже неосуществимо в отношении войск, находившихся в районе западнее Дона.

При поддержке войск, снятых со Сталинградского фронта, 4-му армейскому корпусу удалось организовать слабую оборону с западным флангом в районе Мариновки, которая, правда, была прорвана 23.11 в нескольких местах. Исход пока еще нельзя определить. 23.11 вечером в районе западнее Мариновки были обнаружены крупные танковые соединения противника, в их составе только одних танков насчитывается не менее сотни. Эти сведения неоднократно подтверждались. Во всем районе между Мариновкой и р. Дон были выставлены лишь слабые немецкие подразделения охранения. Дорога в направлений на Сталинград, а также в направлении на Пестковатку (к мосту через Дон) была свободна для русских танков и моторизованных войск.

От вышестоящих инстанций я не получал в течение 36 часов никаких приказов или сообщений. Через несколько часов я мог оказаться перед следующей дилеммой:

a) либо удерживать западный и северный участки фронта и на-блюдать, как фронт армии за короткий промежуток времени будет уничтожен ударом с тыла, при этом формально послушно выполняя данный мне приказ держаться, либо

b) принять единственно возможное в такой обстановке реше-ние обрушиться всеми силами на противника, который намеревался воткнуть нож в спину армии. Само собой понятно, что при таком ре-шении нельзя более держать восточный и северный участки фронта, и в дальнейшем речь может идти только о прорыве в юго-западном направлении.

В случае «b» я действую в соответствии с создавшейся обстановкой, однако нарушаю — уже во второй раз — приказ.

3. В этой тяжелой обстановке я послал фюреру радиограмму с просьбой предоставить мне свободу действий, если необходимо будет принять это последнее решение. В таких полномочиях я искал опору, которая предохранила бы меня от слишком поздней отдачи единственно правильного в создавшейся обстановке приказа.

То, что я отдал бы такой приказ только в случае самой крайней необходимости и не слишком рано, я не могу ничем доказать, я могу просить только о доверии.

На эту радиограмму я не получил непосредственного ответа.

Напротив, сегодня получены обе прилагаемые ниже радиограммы ОКХ (приложения 1 и 2)[1], которые еще больше ограничивают меня. Я смею доложить, что как я, так и все командиры проникнуты твердой волей стоять до последней возможности.

Однако, учитывая ответственность, которую я несу перед фюре-ром за вверенных мне приблизительно 300 000 человек, понятно, что я попросил дать мне разрешение действовать в зависимости от обста-новки. Впрочем, подобная обстановка может сложиться ежедневно и ежечасно вновь.

III. Обстановка на сегодня пересылается на карте

Хотя юго-западному участку фронта были переброшены новые силы, обстановка там продолжает оставаться напряженной. На южном участке фронта (4-й армейский корпус) положение несколько улучши-лось, в последнее время там целыми днями отбивались тяжелые атаки

---

[1] Не сохранились. — *Примеч. автора.*

пехоты и танков противника, правда, с большими потерями с нашей стороны и при высоком расходе боеприпасов.

Сталинградский фронт ежедневно выдерживает сильный нажим противника.

На северном участке фронта особенно трудное положение в северо-восточном углу (94-я пехотная дивизия) и на западном фланге (76-я пехотная дивизия).

Основные атаки против северного фронта, по-моему, еще только предстоят, так как противник имеет здесь железнодорожную линию и шоссейные дороги для подвоза подкреплений. В ближайшие дни я буду заниматься переброской подкреплений северному фронту с запада.

Проводимое в течение уже трех дней снабжение воздушным путем покрывает лишь незначительную часть подсчитанного минимального потребления (600 т = 300 «юнкерсов» ежедневно).

Уже в ближайшие дни в снабжении может наступить крайне серьезный кризис.

Но, несмотря ни на что, я верю, что армия некоторое время удержит свои позиции.

Правда, пока еще нельзя точно сказать, можно ли при ежедневно растущей слабости армии, к тому же при недостатке убежищ и помещений, строительного леса и дров, удержать длительное время район Сталинграда — даже если ко мне будет пробит коридор.

Так как меня ежедневно осаждают массой вполне понятных запросов в отношении будущего, я был бы благодарен, если бы я имел возможность получать больше, чем до сих пор, сообщений, которые я смогу использовать для подъема духа и уверенности моих солдат.

Я осмеливаюсь доложить, что в передаче вам командования, господин фельдмаршал, я вижу гарантию того, что будет сделано все, чтобы помочь 6-й армии.

Мои командиры и мои бравые солдаты со своей стороны сделают вместе со мной все, чтобы оправдать ваше доверие. Преданный вам, господин фельдмаршал,

(Подпись) Паулюс.

Прошу, учитывая обстоятельства, извинить меня за плохое качество бумаги и неряшливость почерка.

ПРИЛОЖЕНИЕ 10

Совершенно секретно

Для высшего командования
Передавать только с офицером

9.12.1942

Начальнику Генерального штаба ОКХ
Оперативному управлению ОКХ.

ОЦЕНКА ОБСТАНОВКИ

1. Противник. За последние 10 дней противник бросил новые крупные силы против группы армий. Это в первую очередь резервы, указанные в «Оценке обстановки» от 28 ноября пункт 1 с, но, помимо этого, еще и новые силы. Всего перед группой армий отмечено:

86 стрелковых дивизий,

17 стрелковых бригад,

54 танковые бригады,

14 моторизованных бригад,

11 кавалерийских дивизий, то есть всего 186 соединений. Кроме того, отмечено еще 13 отдельных танковых полков и несколько танковых батальонов и противотанковых истребительных бригад.

В частности:

а) Район крепости Сталинград окружен на Волжском фронте 62 армией в составе 8 стрелковых дивизий, 3 стрелковых бригад, 1 танковой бригады в первом эшелоне и 2 стрелковых бригад, 2 танковых бригад, 2 мотострелковых бригад в резерве:

— на северном участке фронта — 66-й и 24-й армии, всего в составе 17 стрелковых дивизий, 1 мотострелковой бригады в первом эшелоне, 4 стрелковых и 4 танковых бригад в резерве;

— на западном фронте — 65-й и 21-й армии, всего в составе 10 стрелковых дивизий, 7 танковых бригад, 2 мотострелковых бригад, 5 танковых полков, 1 противотанковой истребительной бригады в первом эшелоне (4 танковые бригады отведены в тыл);

— на южном участке фронта — 57-й и 64-й армии, всего в составе 7 стрелковых дивизий, 6 стрелковых бригад, 6 танковых бригад, 6 мотострелковых бригад, 2 танковых полков в первом эшелоне и примерно

2 стрелковых дивизий, 2 стрелковых бригад, 5 танковых бригад, 1 мотострелковой бригады и 5 танковых полков в резерве.

В течение последних 10 дней противник переходил в наступление последовательно на северном, западном и южном участках фронта. Основные его усилия сосредоточены, несомненно, на западном участке фронта. Относительно слабее он на юго-западном участке фронта.

b) Наступление на Сталинград прикрывается с юго-запада[1] (на Чирском фронте) 5-й танковой армией в составе 12 стрелковых дивизий, 5 кавалерийских дивизий, 2 моторизованных кавалерийских дивизий, 4 танковых бригад, 1 танкового полка, 2 мотострелковых бригад в первом эшелоне и 2 стрелковых дивизий, 4 танковых бригад, 1 мотострелковой бригады в резерве. С севера примыкают еще 3 стрелковые дивизии, стоящие против центра и левого фланга группы Голлидта.

Прикрытие с юга восточнее Дона обеспечивает 51-я армия в составе 4 стрелковых дивизий, 4 кавалерийских дивизий, 1 танковой бригады, 1 мотострелковой бригады в первом эшелоне, 1 танковой бригады, 1 стрелковой бригады в резерве. Остается еще не выясненным сосредоточение здесь новых моторизованных сил за линией фронта.

c) Разведка в последние дни показала:

Противник выгружает войска восточнее Сталинграда, а также перебрасывает войска через Дон перед восточным участком фронта группы Голлидта на юг. В то время как войска фронта прикрытия восточнее Дона не проявляли каких-либо активных действий, так как, по-видимому, еще не было закончено сосредоточение моторизованных сил в их тылу, в районе плацдарма на реке Чир и западнее ст. Чир противник крупными силами форсировал реку и перешел в наступление. На основании передвижения войск с севера на юг перед группой Голлидта следует заключить о возможности развития этого наступления далее на запад.

d) В прошедших боях противник потерял, несомненно, значительную часть своих танков, однако он смог восполнить эти потери за счет подтягиваний новых танковых полков и т.п. Ударная сила его пехоты продолжает оставаться невысокой, действия артиллерии, особенно на западном участке Сталинградского фронта, стали значительно более интенсивными.

2. Положение наших войск:

a) 6-я армия. Армия отбила все атаки противника, хотя и понесла значительные потери. О ее боеспособности в настоящее время будет

---

[1] Западнее Дона. — *Примеч. автора.*

сообщено особым донесением. Количество боеприпасов по наиболее важным видам на 5.12.42 (в процентах к первому боекомплекту)[1]:

50-мм танковые пушки обр. L/60	59 %
75-мм танковые пушки обр. 1940 г.	39,4 %
80-мм минометы	30,8 %
легкие пехотные орудия	28 %
тяжелые пехотные орудия	25 %
150-мм минометы	25 %
легкие полевые гаубицы	34 %
100-мм тяжелые пушки обр. 1919 г.	21,6 %
тяжелые полевые гаубицы	36 %

При сокращении пайка хлеба до 200 г имеющегося количества продовольствия хватит:

хлеба	до 14.12
обедов	до 20.12
ужинов	до 19.12

Воздушным путем, несмотря на образцовую работу авиации, в связи с состоянием погоды только 7 декабря было доставлено 300 т, причем из 188 самолетов было 2 сбито, 9 не вернулись на свои базы. Во все другие дни количество доставленных грузов колебалось между 25 т (27 ноября) и 150 т (8 декабря), при минимальном ежедневном расходе в 400 т.

b) 4-я танковая армия. Сосредоточение 57-го танкового корпуса было в основном закончено только к 10 декабря (вместо 3 декабря, как намечалось) вследствие задержки в доставке колесных частей 23-й танковой дивизии.

48-й танковый корпус (336-я пехотная дивизия, 11-я танковая дивизия и 7-я авиаполевая дивизия) пришлось сначала использовать для восстановления положения на Чирском фронте. Бои еще продолжаются.

c) Румынские войска. 4-я румынская армия прочно удерживает свои позиции, примыкая с севера к 16-й мотострелковой дивизии. Однако следует учитывать, что она не выдержит серьезного наступления

---

[1] Первый боекомплект содержал запас приблизительно на три дня активных боев. — *Примеч. автора*.

противника с севера, тем более что маршал Антонеску дал ей указание избегать окружения.

В 3-й румынской армии боевые силы дивизий первого эшелона не превышают 1—2 батальонов, не считая 1-го армейского корпуса, включенного в состав группы Голлидта и отчасти еще боеспособного. Артиллерии, по существу, не имеется. Формирование новых частей в тылу ввиду недостатка оружия не привело к сколько-нибудь существенным результатам. Нельзя также отрицать, что румынские командные инстанции действуют далеко не энергично. Они считают, что причины поражения «кроются в силах свыше», в число которых они включают и немецкое командование. Между прочим, весь фронт 3-й румынской армии держится боевыми группами, подразделениями, составленными из отпускников, и т.п. Учитывая фактическое отсутствие артиллерии и противотанковых средств, нельзя предаваться никаким заблуждениям относительно того, что этот фронт не способен длительное время выдержать наступление крупных сил противника, особенно танковых сил. Эти наспех сколоченные части без прочного внутреннего единства следует в ближайшее время заменить боеспособными частями, так как их состав и боеспособность не допускают сколько-нибудь длительного боевого использования, и, с другой стороны, эти части, особенно специальные войска службы тыла, не могут длительное время не выполнять своих задач без вреда для снабжения в целом.

3. План наших действий. Как уже докладывалось, штаб группы армий намерен в возможно короткое время перейти силами 4-й танковой армии в наступление, чтобы восстановить связь с 6-й армией. Однако в настоящий момент размокший грунт не позволяет использовать для этой цели 57-й танковый корпус.

Пока нельзя определенно сказать, смогут ли 11 декабря дивизии 48-го танкового корпуса полностью освободиться с Чирского фронта. Участие 17-й танковой дивизии в этом наступлении необходимо, об этом отдан соответствующий приказ. Так как следует учитывать, что в ближайшее время противник усилит свои атаки на Чирском фронте в общем направлении на Морозовскую, то для отвлечения сил противника с этого фронта необходима поддержка со стороны группы Голлидта (путем наступления в общем направлении на Перелазовский или передачи одной немецкой дивизии Чирскому фронту).

4. Общая оценка обстановки. Размеры сил, сосредоточенных противником против группы армий «Дон», не оставляют никаких сомнений в том, что противник рассматривает этот район как пункт приложения своих главных усилий на всем советско-германском фронте. Он будет

продолжать здесь борьбу, пока у него будут какие-либо возможности, стягивая сюда силы с других фронтов.

Поэтому необходимо, независимо от того, как сложится в ближайшем будущем обстановка в районе действий 6-й армии, продолжать подтягивание новых сил группе армий «Дон». При этом имеет решающее значение ускорение темпов подтягивания резервов. При настоящих темпах мы остаемся все время в худшем положении по сравнению с русскими. Я считаю, далее, необходимым предпринять все возможное, чтобы вновь сделать боеспособными румынские армии, особенно же восстановить боевой дух и доверие к немецкому командованию.

По вопросу о том, следует или не следует выводить 6-ю армию из котла после восстановления связи с ней, необходимо принимать во внимание, по моему мнению, следующее:

a) Если 6-я армия будет оставлена в районе крепости, то вполне возможно, что и русские окопаются здесь и истекут постепенно кровью в бесполезных атаках, что Сталинград станет, таким образом, могилой для наступления противника. Но надо ясно себе представлять, что 6-й армии придется жить и бороться в особенно трудных условиях и что при существующем соотношении сил, которое сохранится еще длительное время, вполне возможно, что связь вновь будет утрачена, а решительного поворота в обстановке в ближайшие недели ожидать нельзя.

b) Необходимо учитывать и ту возможность, что русские будут действовать правильно и, сохраняя фронт окружения вокруг Сталинграда, начнут крупными силами наступление в районе действий 3-й и 4-й румынских армий, имея целью Ростов. В таком случае наши основные силы будут неподвижно скованы в районе крепости Сталинград, а также заняты обеспечением связи с ней, в то время как русские на всем остальном фронте группы армий будут иметь свободу действий. Сохранять такое положение в течение всей зимы представляется мне нецелесообразным.

c) Следствием решения оставить армию в районе Сталинграда неизбежно должна быть решимость вести это сражение до победного конца. Это делает необходимым:

aa) переброску дополнительных сил 6-й армии для сохранения ее силы сопротивления за счет включения в ее состав авиаполевых дивизий;

bb) усиление примыкающих фронтов 4-й и 3-й румынских армий немецкими силами, так как нельзя рассчитывать на то, что эти рубежи будут удержаны длительное время развалившимися румынскими частями и боевыми группами;

cc) переход в решительное наступление, как только позволят свои силы.

Могут ли быть предоставлены и подтянуты в определенный промежуток времени необходимые для этого силы — об этом я судить не в состоянии.

Командующий группой армий «Дон»
генерал-фельдмаршал
Манштейн.

Оперативный отдел. № 0354/42 сов. секр. Для высшего командования.

ПРИЛОЖЕНИЕ 11

Совершенно секретно

Для высшего командования
Передавать только с офицером

3 экземпляра
3-й экземпляр
19.12, 14 ч. 35 м.

НАЧАЛЬНИКУ ГЕНЕРАЛЬНОГО ШТАБА СУХОПУТНЫХ СИЛ ДЛЯ НЕМЕДЛЕННОГО ДОКЛАДА ФЮРЕРУ

В связи с развитием событий в группе армий «Б» и в связи с тем, что вследствие этого перерезаны пути подвоза новых сил, в группе армий «Дон» создалось такое положение, что нельзя более рассчитывать на деблокаду 6-й армии в ближайшее время.

Так как ввиду недостатка сил и состояния погоды снабжение воздушным путем и тем самым оставление армии в районе крепости невозможны, как это доказали четыре недели окружения, а 57-й танковый корпус своими силами, очевидно, не в состоянии восстановить связь с 6-й армией по суше, не говоря уже о том, что она долго не сможет удерживать свои позиции, я считаю прорыв армии в юго-западном направлении последней возможностью сохранить по крайней мере основную массу солдат и способные еще передвигаться механизированные части армии.

Прорыв, первой целью которого будет восстановление связи с 57-м танковым корпусом, примерно на рубеже реки Мишкова, может носить лишь форму постепенного передвижения армии с боями на юго-запад, с тем чтобы за счет этого продвижения армия оставила на севере соответствующий участок района крепости.

В ходе этой операции необходимо обеспечить снабжение по воздуху достаточным количеством истребителей и бомбардировщиков.

Так как уже теперь становится заметным давление противника на северный фланг 4-й румынской армии, необходимо при любых обстоятельствах быстро перебросить сюда силы с Кавказского фронта, чтобы обеспечить выполнение задачи 57-м танковым корпусом, прикрыв его глубокий правый фланг.

При дальнейшем промедлении может случиться, что наступление 57-го танкового корпуса будет остановлено на реке Мишкова или севернее ее, либо корпус будет скован атаками против его правого фланга и тем самым будет нарушено взаимодействие войск, наступающих извне и изнутри. 6-й армии до начала прорыва во всяком случае требуется несколько дней, чтобы произвести перегруппировку сил и пополнить запасы горючего.

Продовольствия в котле хватит еще до 22 декабря. Заметно резкое истощение сил солдат (уже 14 дней они получают по 200 г хлеба). По сведениям командования армии, основная масса конского состава съедена или погибла от истощения.

Командующий группой армий «Дон»
генерал-фельдмаршал *Манштейн*.

п/п Шульц
Оперативный отдел
№ 0368/42.

ПРИЛОЖЕНИЕ 12

Совершенно секретно

Для высшего командования
Передавать только с офицером

5 экземпляров
4-й экземпляр
19.12.1942 г. 18.00

Командующему 6-й армией
Командующему 4-й танковой армией

1. 4-я танковая армия силами 57-го танкового корпуса разбила противника в районе Верхне-Кимский и вышла на рубеж реки Миш-

кова у Ниж. Кимский. Корпус развивает наступление против сильной группировки противника в районе Каменка и севернее.

Обстановка на Чирском фронте не позволяет наступать силами западнее реки Дон на Калач. Мост через Дон у Чирская в руках противника.

2. 6-й армии в ближайшее время перейти в наступление «Зимняя гроза». При этом необходимо предусмотреть установление в случае необходимости связи с 57-м танковым корпусом через реку Донская Царица для пропуска колонны автомашин с грузами для 6-й армии.

3. Развитие обстановки может привести к тому, что задача, поставленная в пункте 2, будет расширена до прорыва армии к 57-му танковому корпусу на реке Мишкова. Условный сигнал — «Удар грома». В этом случае очень важна также быстро установить с помощью танков связь с 57-м танковым корпусом с целью пропуска колонны автомашин с грузами для 6-й армии, затем, используя нижнее течение Карповки и Червленую для прикрытия флангов, наносить удар в направлении на реку Мишкова, очищая постепенно район крепости.

Если позволят обстоятельства, операция «Удар грома» должна непосредственно следовать за наступлением «Зимняя гроза». Снабжение воздушным путем должно быть текущим, без создания значительных запасов. Важно как можно дольше удержать аэродром у Питомника.

Взять с собой все в какой-либо мере способные передвигаться виды боевой техники, артиллерии, в первую очередь необходимые для боя орудия, для которых имеются боеприпасы, затем трудно заменимые виды оружия и приборы. Последние своевременно сконцентрировать в юго-западном районе котла.

4. Пункт 3 подготовить. Вступление его в силу только по особому сигналу «Удар грома».

5. Доложить день и час наступления к п. 2.

Штаб группы армий «Дон»

Оперативный отдел № 0369/42

Совершенно секретно

Для высшего командования

19.12.1942 г.

Генерал-фельдмаршал

фон Манштейн.

5 экземпляров.

1-й экземпляр — оригинал, в оперативный и разведывательный отделы;

2-й экземпляр — в штаб 4-го воздушного флота;

3-й экземпляр — начальнику отдела тыла;

4-й экземпляр — в журнал боевых действий;

5-й экземпляр — в дело.

ПРИЛОЖЕНИЕ 13

ГРУППИРОВКА НЕМЕЦКИХ СИЛ
ДЛЯ ОПЕРАЦИИ «ЦИТАДЕЛЬ»

Группа армий «Юг» (начиная с левого фланга)

4-я танковая армия

52-й арм. корпус	48-й танк. корпус	2-й танк. корпус СС
57-я пех. дивизия	3-я танк. дивизия	Лейб-штандарт СС
255-я пех. дивизия	танк. дивизия	дивизия СС «Рейх»
332-я пех. дивизия	«Гроссдейчланд»	дивизия СС «Тотенкопф»
	11-я танк. дивизия	⅓ 167-я пех. дивизии
	⅔ 167-й пех. дивизии	

Армейская группа Кемпфа
(ударная группа)

3-й танк. корпус*	11-й арм. корпус	Резерв группы армий**
168-я пех. дивизия	106-я пех. дивизия	24-й танк. корпус
6-я танк. дивизия	320-я пех. дивизия	17-я танк. дивизия
19-я танк. дивизия		дивизия СС «Викинг»
7-я танк. дивизия		

 * Позднее в него была включена еще 198-я пех. дивизия. — *Примеч. автора.*

 ** Намеченный для использования в армейской группе Кемпфа. — *Примеч. автора.*

Группа армий «Центр»
9-я армия
(ударная группа)

46-й танк. корпус	47-й танк. корпус	41-й танк. корпус
102-я пех. дивизия	6-я пех. дивизия	18-я танк. дивизия
258-я пех. дивизия	20-я танк. дивизия	292-я пех. дивизия
7-я пех. дивизия	2-я танк. дивизия	86-я пех. дивизия
31-я пех. дивизия	4-я танк. дивизия	10-я мотострелк.
группа Мантейфеля	9-я танк. дивизия	дивизия

Примыкающий с запада фронт*	Примыкающий с востока фронт**
20-й арм. корпус	23-й арм. корпус
251-я пех. дивизия	78-я крепостная дивизия
137-я пех. дивизия	216-я пех. дивизия
45-я пех. дивизия	383-я пех. дивизия
72-я пех. дивизия	Армейский резерв: 12-я танковая
	и 36-я мотострелковая дивизии

* Сковывающие атаки. — *Примеч. автора.*
** Активное прикрытие восточного фланга. — *Примеч. автора.*

Эрих фон Левински, он же фон Манштейн. Родился 24 ноября 1887 года в Берлине в семье будущего генерала артиллерии и командира 6-го армейского корпуса Эдуарда фон Левински. Двойную фамилию получил вследствие усыновления генералом Георгом фон Манштейном. Родная мать и приемная мать — сестры, урожденные фон Шперлинг. Происхождение по линии отца и матери — из старых прусских офицерских семей.

По окончании школы в Страсбурге (Эльзас) воспитывался в кадетском корпусе с 1900 по 1906 год.

После сдачи экзаменов на аттестат зрелости поступил в 3-й гвардейский полк в Берлине. 1913—1914 годы — учеба в Военной академии.

В Первую мировую войну сначала адъютант 2-го гвардейского резервного полка. Бельгия, Восточная Пруссия, Южная Польша. После тяжелого ранения в ноябре 1914 года, с мая 1915 года сначала офицер для поручений, затем офицер штаба в штабах армий генералов фон Галльвитца и фон Белова. Наступление в Северной Польше летом 1915 года, кампания в Сербии осенью 1915 года — весной 1916 года. Верден, летнее сражение, весеннее сражение 1917 года на реке Эн. Осенью 1917 года — начальник штаба (и оперативного отделения) 4-й кавалерийской дивизии в Курляндии. Май 1918 года — начальник штаба 213-й пехотной дивизии на Западе. Участие в наступлении в районе Реймса в мае и в июле 1918 года. Затем оборонительные бои на Западе до окончания войны.

В начале 1919 года — офицер штаба погранзащиты «Юг» в Бреславле (Вроцлав).

Зачисление в рейхсвер. Служба попеременно в Генеральном штабе и в войсках. (В качестве командира роты в 5-м пехотном полку и в качестве командира егерского батальона 4-го пехотного полка.)

С февраля 1934 года — начальник штаба 3-го военного округа, г. Берлин.

Июль 1935 года — начальник 1-го (оперативного) управления Генерального штаба сухопутных сил.

Октябрь 1936 года — генерал-майор и первый обер-квартирмейстер Генерального штаба. Одновременно первый помощник и заместитель начальника Генерального штаба генерала Бека.

Февраль 1938 года — в связи с отставкой генерал-полковника барона фон Фрича снят с должности в ОКХ и переведен в Лигниц (Легница) на должность командира 18-й дивизии. Участие в оккупации Судетской области в качестве начальника штаба одной из армий.

Мобилизация в 1939 году — начальник штаба группы армий «Юг» (командующий — фон Рундштедт). Участие в польской кампании.

Октябрь 1939 года — переведен с генерал-полковником фон Рундштедтом на ту же должность в группу армий «А» на Западный фронт. Борьба за план наступления, который был принят Гитлером после того, как фон Манштейн был снят ОКХ со своего поста начальника штаба группы армий и назначен командиром пехотного корпуса. В этой должности — участник кампании на западе в 1940 году. Рыцарский крест.

Участие в подготовительных мероприятиях к вторжению, проводимых на побережье Ла-Манша.

Март 1941 года — командир 56-го танкового корпуса: танковый рейд из Восточной Пруссии через Двинск (Даугавпилс) до озера Ильмень. Сентябрь 1941 года — командующий 11-й армией. Завоевание Крыма. Зимняя кампания с целью окончательного овладения Крымом. Весна 1942 года — уничтожение советских армий, высадившихся в районе г. Керчь. Затем — завоевание Севастополя, фельдмаршал.

Август 1942 года — задание захватить Ленинград, которое, однако, не удается осуществить. Уничтожение одной советской армии у Ладожского озера.

Ноябрь 1942 года, после прорыва Советов по обе стороны Сталинграда и окончания окружения 6-й армии — командующий группой армий «Дон» (позднее — «Юг»). Безуспешная попытка освободить 6-ю армию. Затем — тяжелые бои по спасению немецкого южного крыла, которые завершаются в марте 1943 года победой под Харьковом. Дубовые листья (к Рыцарскому кресту. — *Примеч. ред.*).

Лето 1943 года. Участие в последнем немецком наступлении на востоке: операция «Цитадель». После неудачи руководил тяжелыми оборонительными боями группы армий «Юг»; отступление за Днепр. Продолжение оборонительных боев до польской границы. В конце марта 1944 года — отстранение от командования группой армий как следствие расхождений с Гитлером по вопросам ведения войны на Востоке с одновременным награждением мечами к Рыцарскому кресту.

Далее не был использован по службе.

Э. фон Манштейн

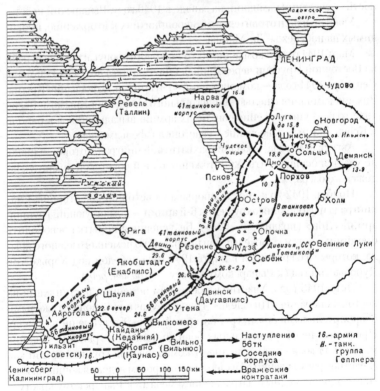

Боевой путь 56-го танкового корпуса

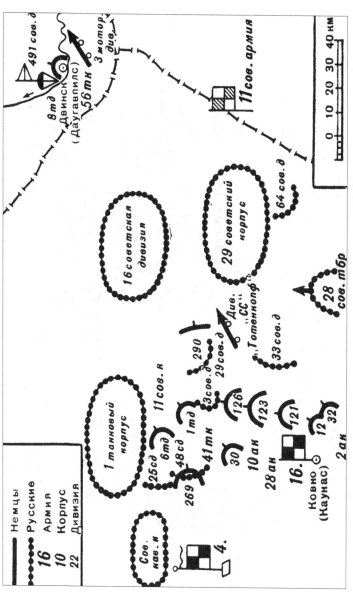

Положение группы армий «Север» на 26 июня 1941 года. 56-й танковый корпус взял Двинск (Даугавпилс)

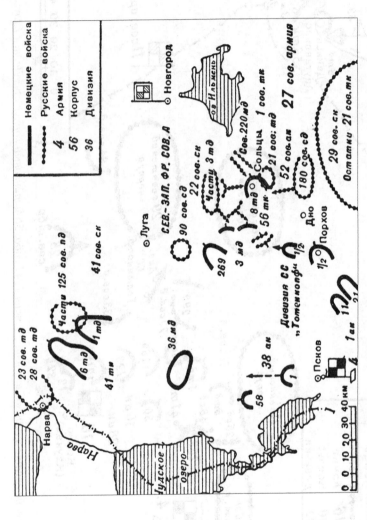

Окружение 56-го танкового корпуса под г. Сольцы (15—18 июля 1941 года)

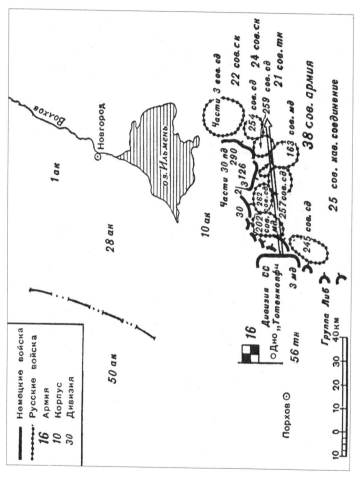

Удар 56-го танкового корпуса во фланг 38-й советской армии (19 августа 1941 года)

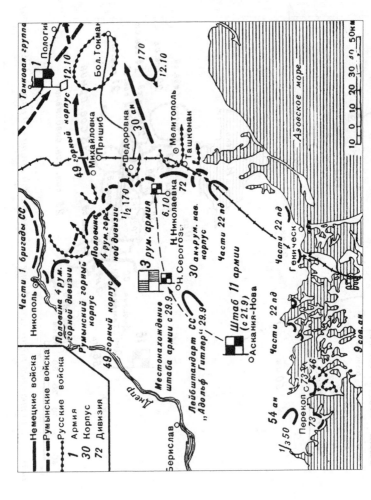

Битва у Азовского моря. Прорыв через Перекопский перешеек

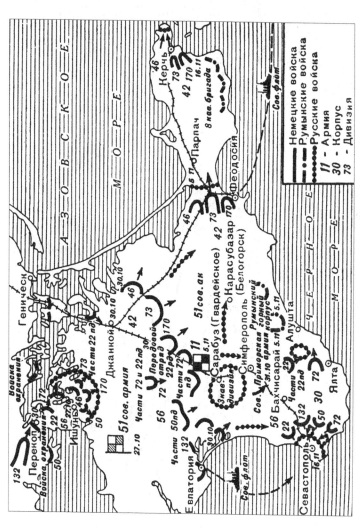

Прорыв через Ишуньский перешеек. Захват Крыма (осень 1941 года)

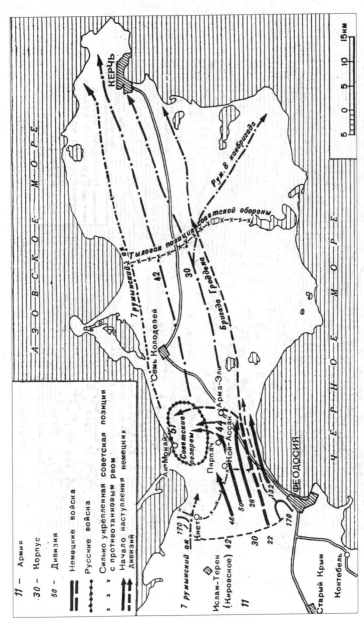

Повторный захват Керченского полуострова (май 1942 года)

Взятие Севастополя (июнь — июль 1942 года)

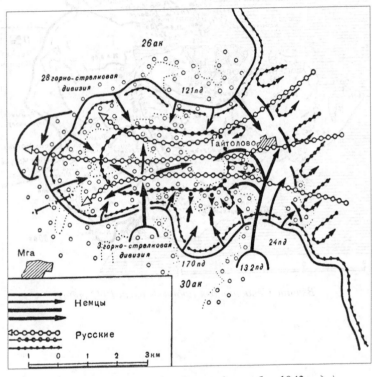

Сражение у Ладожского озера (сентябрь 1942 года)

*Обстановка на южном крыле немецкого фронта
в конце ноября 1942 года. Борьба за освобождение 6-й армии*

Зимняя кампания 1942/43 года. Борьба группы армий «Дон»
за прикрытие тыла группы армий «А»

*Зимняя кампания 1942/43 года. Борьба группы армий «Дон»
за обеспечение коммуникаций*

Зимняя кампания 1942/43 года. Немецкий контрудар.
Битва между Донцом и Днепром

Зимняя кампания 1942/43 года. Немецкий контрудар.
Битва за Харьков

Операция «Цитадель» (июль 1943 года)

Боевые действия группы армий «Юг» с 17 июля по 30 сентября 1943 года

СОДЕРЖАНИЕ

Научно-популярное издание

Военные мемуары

Манштейн Эрих фон

УТЕРЯННЫЕ ПОБЕДЫ

Выпускающий редактор *К.К. Семенов*
Корректор *Б.С. Тумян*
Верстка *И.В. Левченко*
Художественное оформление *Д.В. Грушин*

ООО «Издательство «Вече»

Адрес фактического местонахождения:
127566, г. Москва, Алтуфьевское шоссе, дом 48, корпус 1.
Тел.: (499) 940-48-70 (факс: доп. 2213), (499) 940-48-71.

Почтовый адрес:
129337, г. Москва, а/я 63.

Юридический адрес:
129110, г. Москва, ул. Гиляровского, дом 47, строение 5.

E-mail: veche@veche.ru
http://www.veche.ru

Подписано в печать 08.09.2016. Формат 84×108 ¹⁄₃₂.
Гарнитура «PetersburgC». Бумага офсетная.
Печ. л. 21,5. Тираж 1000 экз. Заказ № 5935.

Отпечатано в АО «Первая Образцовая типография»
Филиал «Чеховский Печатный Двор»
142300, Московская область, г. Чехов, ул. Полиграфистов, д. 1
Сайт: www.chpd.ru, E-mail: sales@chpd.ru, тел. 8(499)270-73-59